조·종·사·관·제·사·를·위·한

비행정보 및 관제절차

AIM - Aeronautical Information Manual

| 편집부 엮음

《 최신 개정 내용 수록

《 항공 조종·관제분야 입문을 위한 필독서

도서출판 세화

머 리 말

우리나라는 1969년 3월 대한항공공사를 민영화하여 오늘날의 대한항공을 설립하였습니다. 1978년 미국의 항공산업 규제 완화 이후 국제경쟁이 치열하여지고 전 세계적으로 복수 항공사 체제로 가는 추세가 나타나면서, 정부는 제2민항의 필요성을 인식하여 1988년 2월에 아시아나 항공을 설립하였습니다. 국내 항공운송시장은 2009년 항공운송사업 면허체계 개정으로 국내/국제 항공운송사업과 더불어 소형 항공운송사업을 규정함으로써 다양한 항공운송시장의 설립 토대를 마련하였으며, 이에 따라 기존 복수민항체제에서 2015년 현재 국내에서 항공운송사업을 시행하는 항공운송사업자는 국내/국제 7개 업체, 소형 11개 업체에 이르고 있습니다.

또한, 인천국제공항의 개항으로 동북아와 세계 주요도시를 연결하는 거점공항으로서의 역할을 수행하게 됨으로써, 국내 항공관련 산업 전반에 걸쳐 폭 넓은 발전과 항공종사자의 역할과 수요도 커지고 있습니다. 최근에는 차세대 전투기의 조립 및 면허 생산, 최신 전투기 및 여객기의 동체 및 날개부품 생산, 수출 사업용 경비행기 생산, 자체적인 초음속 전투기/한국형 기동헬기/훈련기 개발 및 해외 수출 등 항공산업의 적극적인 참여로 항공기 제작기술도 빠르게 발전하고 있습니다.

이 책은 미국 연방항공청(FAA)에서 발간한 Aeronautical Information Manual -Official Guide to Basic Flight Information and ATC Procedures(2019/2/28)를 번역한 것입니다. 이 manual은 기본적인 비행정보와 ATC 절차를 항공관련업계에 제공하기 위한 것으로, 미국 국가공역체계(National Airspace System)에서 비행을 하는데 필요한 기본적인 원칙을 수록하고 있습니다. 또한 건강 및 의학적 사실과 관련하여 조종사가 관심을 가져야 할 사항, 비행안전에 영향을 미치는 요소, ATC system에서 사용되는 조종사/관제사 전문용어에 대한 정의, 그리고 안전에 관련된 정보와 위험의 보고 등에 관한 내용이 포함되어 있습니다.

이 책의 제목을 항공정보매뉴얼(Aeronautical Information Manual)이라고 하여야 원서의 제목을 제대로 전달할 수 있겠지만, 이 책에 포함되어 있는 내용을 독자가 바로 알 수 있도록 한다는 의미에서 원서의 부제를 따라 이 책의 제목을 [비행정보 및 관제절차(AIM)]로 정하였습니다.

현재 항공업계에 종사하고 있거나 차후 항공업계 진출의 꿈을 꾸고 있는 젊은이들이 항공교통/항공통신/항공정보업무 등을 공부하는데 있어서 본서가 미약하나마 도움이 되기를 바라며, 본서의 특징을 들면 다음과 같습니다.

1. 번역 시 항공전문용어는 항공교통관제절차(국토교통부 고시)에 수록된 용어를 기준으로 하였으며, 항공교통관제절차에 수록되지 않은 용어는 항공법규 및 국토교통부 고시/지침을 참조하여 국내 항공법규와 용어의 일관성을 유지할 수 있도록 하였습니다.
2. 2019년 2월에 발간된 변경판을 번역한 것으로 이후 개정되는 내용에 대해서는 FAA 홈페이지의 해당 페이지에 공고되는 개정판을 참조하시기 바랍니다.
3. 원서와 동일한 장/절/항 번호체계를 적용함으로서 원문과 해당 내용을 비교해 볼 수 있도록 하였으며, 특별히 내용 파악에 문제가 없는 한 의역을 피하고 직역함으로서 원문의 내용을 있는 그대로 전달할 수 있도록 하였습니다.
4. AIM의 부록 조종사/관제사 전문용어(Pilot/Controller Glossary)는 책의 분량을 고려하여 이 책에는 포함시키지 않았습니다. 이 부분은 항공교통관제절차(국토교통부 고시)에 수록되어 있으므로 해당 내용을 참조하시기 바랍니다.
5. 서두에 밝힌 바와 같이 AIM은 미국 국가공역체계(NAS)에서 필요한 절차를 수록한 것으로 국내 공역체계와 상이한 부분이 있다는 점을 인식할 필요가 있으며, 국내 공역체계에 대해서는 우리나라 항공법 및 관련 규정/지침/고시 등을 참조하시기 바랍니다.

끝으로 이 책을 발간할 수 있도록 관련 자료의 발췌, 번역 및 편집에 이르기까지 모든 부분에 걸쳐 도움을 주신 항공관련업계 및 항공교육 분야에 재직 중인 모든 분들의 협조에 깊은 감사를 드립니다.

편집부 일동

차 례

제1장. 공중항법(Air Navigation)

제2장. 항공등화 및 기타 공항 시각보조시설

제3장. 공역(Airspace)

제4장. 항공교통관제(Air Traffic Control)

제5장. 항공교통절차(Air Traffic Procedures)

제7장. 비행안전(Safety of Flight)

제10장. 헬리콥터 운항(Helicopter Operations)

제1장. 공중항법(Air Navigation)

제1절. 항행안전시설(Navigation Aids)

1-1-1. 일반(General)

a. 오늘날 다양한 유형의 항행안전시설이 각기 특별한 용도로 사용되고 있다. 이들 시설의 소유자 및 운용자는 연방항공청(FAA), 군, 민간기구, 각 주 그리고 외국정부 등과 같이 다양하다. FAA는 항행안전시설의 설치, 운용, 유지, 그리고 연방관제공역에서 계기비행에 사용되는 이들 시설의 운용에 대한 표준을 규정할 수 있는 법적권한을 가지고 있다. 이러한 시설들은 미국 차트 보충판(Chart Supplement U.S.)에 수록되어 있다.

b. 조종사는 지상기반 항행안전시설 송신기의 주요 신호발생기(예를 들면, glideslope, VOR 또는 NDB)가 작동하지 않을 경우, 조종실시현장치(cockpit display)에 순간적으로 오류가 나타날 수 있다는 것을 인식하고 있어야 한다. 특정 송신기가 NOTAM이나 다른 간행물에 사용불가 또는 부작동으로 식별되었다면, 조종사는 항행안전시설의 지시가 분명히 유효하더라도 이를 무시하여야 한다.

1-1-2. 무지향표지시설(Nondirectional Radio Beacon; NDB)

a. 저주파수 또는 중주파수 무지향표지시설은 적절한 장비를 갖춘 항공기의 조종사가 방위(bearing) 및 기지국(station)의 방향을 판단할 수 있도록 하는 무지향성신호를 송신한다. 이들 시설은 NDB의 주파수범위가 190~1,750 kHz인 ICAO 부속서 10을 기준으로 하여 일반적으로 190~535 kHz의 주파수대에서 운용되며, 400 또는 1,020 Hz 변조주파수로 연속하여 반송파(carrier)를 송신한다. 컴퍼스 로케이터(compass locator)를 제외한 모든 무지향표지시설은 음성송신을 하는 동안을 제외하고, 연속적인 3자리의 문자로 된 식별신호(identification)를 부호화하여 송신한다.

b. 무지향표지시설을 계기착륙시설(ILS)의 marker로 사용할 때, 이를 Compass Locator 라고 한다.

c. 등급지시자(class designator)에 문자 "W"(without voice)가 포함되어 있지 않으면 무지향표지시설에 의해 음성송신이 이루어지는 것이다(HW).

d. 무지향표지시설은 부정확한 방위정보를 유발할 수 있는 전파방해를 받을 수 있다. 이러한 전파방해는 번개, 강수정전기(precipitation static) 등과 같은 요소에 의하여 발생한다. 무지향표지시설은 야간에 원거리기지국으로부터의 간섭에 취약하다. 자동방향탐지기(Automatic Direction Finder; ADF)의 방위지시에 영향을 미치는 거의 모든 전파방해는 시설의 식별에도 영향을 미친다. 잡음 식별부호(noisy identification)는 일반적으로 ADF needle이 불규칙적일 때 발생한다. 연속 허위방위(false bearing)가 나타날 때는 음성, 음악 또는 틀린 식별부호가 청취될 수 있다. 부정확한 방위정보가 시현될 때 조종사에게 경고해 줄 수 있는 "flag"가 ADF 수신기에는 없기 때문에 조종사는 NDB의 식별부호를 지속적으로 경청하여야 한다.

1-1-3. 전방향표지시설(VHF Omni-directional Range; VOR)

a. VOR은 108.0~117.95 MHz 주파수대에서 운용되며 지정된 운용서비스범위(service volume) 내에서 통달범위에 신호를 제공하기 위하여 필요한 출력을 낸다. VOR은 가시선(line-of-sight)의 제한을 받으며 통달범위는 수신장비의 고도에 비례하여 변한다.

주(Note)

VOR의 각 등급별 표준통달범위는 1-1-8항, 항행안전시설(NAVAID) 서비스범위에 제시되어 있다.

b. 대부분의 VOR은 VOR 주파수로 음성송신을 하기 위한 장비를 갖추고 있다. 음성송신능력이 없는 VOR은 등급지시자에 문자 "W"(without voice)를 포함하여 나타낸다. (VORW)

c. VOR을 확실하게 식별하는 유일한 방법은 모스부호 식별신호(Morse Code identification)로 식별하거나, 송신소 명칭(range's name) 다음에 단어 "VOR"을 사용하여 나타내는 녹음된 자동음성식별신호로 식별하는 것이다. 전방향표지시설 식별부호의 판단을 관련된 비행정보업무국(FSS) (또는 접근관제시설)에 의해 송신되는 음성의 청취에 의존해서는 안된다. 많은 FSS가 서로 다른 명칭으로 여러 개의 VOR을 원격 운용하고 있다. 어떤 경우에는 "모(母, parent)" FSS의 명칭을 전혀 사용하지 않는 VOR도 있다. 정비기간 중에 시설은 T-E-S-T 부호(— • ••• —)를 송출하거나, 부호를 제거할 수 있다. 일부 VOR 장비는 식별부호를 해독하고 차트로 확인할 수 있도록 이를 조종사에게 시현하지만, 다른 장비는 신호음(audio tone)으로 확인 시에 도움을 주기 위한 보조수단으로 데이터베이스에서 예상되는 식별부호 만을 시현한다. 조종사는 이러한 항공기의 장비에 익숙해야 하며, 적절하게 사용할 수 있어야 한다. 장비가 식별부호를 자동으로 해독한다면 음성식별신호를 청취할 필요는 없다.

d. 음성식별신호가 다수의 VOR에 포함되어 있다. 송신은 일상적인 모스부호 식별신호와 교대로 송신하는 음성방송 "Airville VOR"로 구성된다.

e. VOR의 효율은 지상 및 항공기 탑재장비의 적절한 사용과 조정여부에 좌우된다.

1. 정확도(Accuracy). VOR의 진로정렬(course alignment) 정확도는 일반적으로 ±1° 정도로 정확하다.

2. 조잡성(Roughness). 일부 VOR에서 미소한 진로 조잡성(course roughness)이 발견될 수도 있으며, 이는 course needle이나 순간적인 경보 flag의 작동에 의해 알 수 있다 (일부 수신기는 다른 수신기보다 이러한 불규칙에 더 민감하다). 보통 산악지역에 있는 몇몇 기지국에서 조종사는 때때로 "기지국(station) 접근"의 지시와 유사하게 순간적으로 course needle이 흔들리는 것을 볼 수도 있다. 익숙하지 않은 비행로를 비행하는 조종사는 이러한 예상치 못한 변화를 경계하여야 하며, 특히 확실한 송신소 통과여부를 판단하기 위하여 "to/from" indicator를 사용할 때에는 주의를 기울여야 한다.

(a) 특정 프로펠러 RPM 설정이나 헬리콥터 로터속도는 VOR 진로편차지시계(Course Deviation Indicator)를 ±6° 정도 동요하게 하는 원인이 될 수 있다. 일반적으로 RPM 설정을 약간 변경함으로써 이러한 조잡성을 제거할 수 있다. VOR 기지국(station)이나 항공기장비가 만족스럽지 않게 작동하고 있다고 보고하기 전에 이러한 변조현상(modulation phenomenon)의 여부를 점검할 것을 조종사에게 권장한다.

f. VOR Minimum Operational Network (MON). VOR 기반의 비행절차 및 비행로구조는 점진적으로 성능기반항행(PBN) 절차로 대체되고 있기 때문에 FAA는 선정된 VOR을 업무에서 제외하고 있다. PBN 절차는 주로 GPS와 이의 보강시설에 의해 실행되며, 이를 전체적으로 위성항행시스템(Global Navigation Satellite System; GNSS)이라고 한다. DME/DME를 탑재한 항공기는 GNSS 중단동안 계속해서 PBN 운항을 할 수 있도록 backup을 제공하는 RNAV를 사용할 수도 있다. GNSS를 이용할 수 없게 된 경우, FAA는 DME/DME를 탑재하지 않은 항공기의 운항 시 사용자에게 기본적인 기존 항행업무를 제공하기 위한 VOR MON이라고 하는 제한된 VOR network를 유지하고 있다. GNSS 중단동안 MON은 GNSS에 의존하지 않고 항공기가 영향을 받는 지역을 지나 항행하거나, MON 공항에 안전하게 착륙할 수 있도록 한다. MON을 이용한 항행은 새로운 PBN 비행로 구조만큼 효율적이지는 않지만, MON의 이용은 미국 산악지역 서부(WUSMA) 외곽의 NAS 전역에 거의 지속적으로 5,000 ft AGL의 신호통달범위를 제공한다.

주(Note)

WUSMA의 NAVAISD와 비행로구조를 변경할 계획은 가지고 있지 않다.

VOR MON은 주로 DME/DME 항공전자장비를 갖추지 않은 IFR 항공기를 위하여 유지되었다. 그러나 VFR 항공기도 원하면 MON을 이용할 수 있다. DME/DME 항법시스템을 갖춘 항공기는 대부분의 경우 RNAV를 이용한 목적지까지의 운항에서 계속하여 DME/DME를 사용할 것이다. 그러나 이러한 항공기도 MON을 이용할 수 있다.

1. MON 공항까지의 거리(Distance to a MON airport). VOR MON은 미국대륙(CONUS)에서 항공기의 위치에 관계없이 MON 공항(기존 ILS 또는 VOR 접근시설을 갖춘)이 100 nautical miles 이내에 있도록 한다. 이러한 공항을 "MON 공항(MON airport)"라고 하며, ILS를 이용할 수 없으면 ILS 접근 또는 VOR 접근을 한다. 이러한 접근을 유지하기 위한 VOR은 VOR MON으로 유지될 것이다. MON 공항은 저고도 항공로차트에 차트화되며, 미국 차트 보충판과 그 밖의 해당 간행물에 포함되어 있다.

주(Note)

VOR 운용중지의 경우, 일부 적합한 공항이 착륙에 사용할 수 있다. 예를 들어, DME를 갖춘 항공기는 DME가 필요하고 ILS 접근이 수립된 공항을 이용할 수 있다. MON 공항의 의도는 레이더를 이용할 수 없을 때 ADF나 DME를 갖추지 않은 항공기가 사용할 있는 접근을 제공하는 것이다.

2. 공항으로 운항(Navigating to an airport). VOR MON은 조종사가 5,000 ft AGL로 비행할 때 거의 계속적으로 VOR 신호를 수신할 수 있도록 충분한 VOR을 유지하고 VOR 서비스범위를 증가시킨다. MON의 핵심개념은 항공기가 항상 GPS에 의존하지 않는 계기접근이 수립된 공항의 100 NM 이내에 있도록 하는 것이다 (그림 1-1-8 참조). 조종사가 GPS 운용중지에 처하면 조종사는 GPS 운용중지 지역을 지나 5,000 ft AGL로 VOR-to-VOR 항행으로 비행하거나, MPN 공항 또는 필요한 경우 다른 적합한 공항에 안전하게 착륙할 수 있다. WUSMA 내부 및 COMUS 외부 VOR은 거의 항상 유지되고 있다. 이러한 지역에서 조종사는 GPS 운용중지 지역을 지나 비행하거나 착륙하기 위하여 현행 (Victor와 Jet) 비행로구조 및 VOR을 이용한다.

3. VOR MON 이용(Using the VOR MON)

(a) 예정된 GPS 운용중지의 경우(예를 들면, 발간된 NOTAM에 발표된 운용중지), 조종사는 해당되고 ATC의 허가를 받은 경우, MON을 이용하여 운용중지 지역을 지나는 비행계획을 수립할 수 있다. 마찬가지로 GPS를 갖추지 않은 항공기는 해당되고 ATC의 허가를 받은 경우 MON을 이용한 비행 및 착륙계획을 수립할 수 있다.

주(Note)

대부분의 경우 MON을 이용한 비행에는 GPS-enabled RNAV 비행보다 더 많은 우회 비행로(circuitous route)가 포함될 수 있다.

(b) 예정되지 않은 GPS 운용중지의 경우, 조종사와 ATC는 모든 항공기에 대하여 최선의 결과를 조율할 필요가 있다. GPS 운용중지는 ATC 업무에 지장을 주며, 과도한 업무부담 및 업무요구를 유발할 수 있다. VOR MON 개념은 조종사가 GPS 운용중지 지역을 지나 비행하거나, MON 공항 또는 적절한 접근이 수립되거나 시계비행상태인 다른 공항에 착륙할 수 있도록 하는 것이다.

(1) VOR MON은 GPS 중단동안 계속해서 RNAV를 이용할 수 없는 항공기가 이용할 수 있도록 FAA가 제공하는 전환 업무(reversionary service)이다. FAA는 GPS 또는 WAAS 탑재 항공기가 예상하지 못한 GPS 운용중지의 경우에 MON 공항까지 비행하기 위하여 충분한 연료를 탑재해야 한다는 규정을 비행전 또는 비행중 계획에 포함할 것을 요구하지는 않는다. 특히 제출된 교체공항인 MON 공항으로 비행할 때는 확실하게 필요가 없다. 물론 VOR 항행의 숙달을 유지하기 위한 비행계획시에 GPS 운용중지의 가능성을 고려하는 것이 현명한 일이다.

(2) 또한 GPS 운용중지의 경우, 조종사는 운용중지 지역을 지나 계속 비행할지 또는 착륙할 지를 결정하기 위하여 ATC와 조율할 수 있다. VOR MON은 항공기가 공항의 100 NM 이내에 있도록 설계되지만, 조종사는 착륙이 이루어질 수 있는 적합한 공항으로 비행하는 것을 결정할 수 있다. Part 91에 의거하여 비행하는 WAAS 이용자는 VOR 항공전자장비를 탑재할 필요가 없다. 이러한 이용자는 VOR MON을 이용할 성능이나 요건을 갖추고 있지 않다. 이러한 WAAS 단독 항공기의 경우, 현명한 비행계획은 GPS의 운용중지 가능성을 고려하는 것이다.

주(Note)

FAA는 VOR이 제거되고, 계기접근이 수립된 대부분의 공항이 GPS 나 WAAS 기반의 접근 만을 갖출 때 non-GPS 기반 접근이 감소될 것이라는 것을 인식하고 있다. VOR/ILS 항공전자장비를 갖추고 있으면서 GPS나 WAAS를 탑재한 항공기로 비행하는 조종사는 GPS 운용중지의 경우에 VOR 및 ILS 접근시 숙련도를 유지하기 위하여 노력해야 한다.

1-1-4. VOR 수신기 점검(Receiver Check)

a. FAA VOR 시험시설(VOT)은 VOT가 위치해 있는 지상에 있는 동안 VOR 수신기의 작동상태와 정확성을 측정할 수 있도록 사용자에게 편리한 수단을 제공하는 시험신호(test signal)를 송신한다. 비행중에 VOT를 이용하는 것이 허용되지만, 이의 이용은 미국 차트 보충판(Chart Supplement U.S.) 또는 해당 보충판에서 특별히 승인된 지역과 고도로 엄격히 제한된다.

b. VOT 서비스를 이용하기 위하여 당신의 VOR 수신기를 VOT 주파수에 맞추어라. Omni-bearing selector(OBS)를 0°에 맞추면 진로편차지시계(CDI)는 중앙으로 오고 to/from 지시는 "from"을 나타내어야 하며, OBS를 180°에 맞추면 to/from 지시는 "to"를 나타내어야 한다. VOR 수신기가 RMI (Radio Magnetic Indicator)를 작동시키면 RMI는 어떤 OBS 설정에서도 180°를 가리킨다. 두 가지의 식별방법이 사용된다. 하나는 일련의 dot이고, 다른 하나는 연속발신음(continuous tone)이다. 각 시험신호에 관한 정보는 지역 FSS에서 구할 수 있다.

c. VOR 수신기의 주기적인 교정은 대단히 중요하다. 수신기의 자동이득조절장치(Automatic Gain Control) 또는 변조회로(modulation circuit)의 기능이 저하될 경우 VOR 또는 VOT에 가까운 곳에서는 기준에 맞는 정확성과 감도로 시현되고, 신호가 더 약한 지역인 원거리에 위치하고 있을 때에는 허용오차를 초과(out-of-tolerance)한 값이 시현될 가능성이 있다. 이러한 성능저하의 가능성은 수신기에 따라 서로 다르며, 일반적으로 시간과의 함수라고 생각할 수 있다. 정확한 수신기를 확보하기 위한 최선의 방안은 주기적인 교정이다. 승인된 수리시설에서 제작사의 설명서에 따라 1년 주기로 수신기를 재교정할 것을 권고한다.

d. 연방항공규칙(14 CFR 91.171절)은 계기비행방식으로 비행하기 전에 반드시 VOR 장비의 정확성을 점검할 것을 규정하고 있다. 이러한 요구조건을 준수하고 항공기탑재시스템의 만족스러운 운용을 보장하기 위하여 FAA는 VOR 수신기의 정확성을 점검할 수 있는 다음과 같은 수단을 조종사에게 제공하고 있다.

1. VOT 또는 적정등급의 무선시설수리공장(radio repair station)에서 방사되는 시험신호

2. 승인된 공중점검지점(certified airborne check point)

3. 공항지표면의 승인된 점검지점(certified check points on the airport surface)

e. 적정등급의 무선시설수리공장에서 방사되는 VOT는 FAA VOR 신호와 동일한 목적으로 사용되며, 점검은 다음과 같은 차이점이 있지만 VOT와 거의 동일한 방식으로 이루어진다.

1. 연방통신위원회(FCC)가 인가한 주파수는 일반적으로 108.0 MHz이다.

2. 수리공장(repair station)은 계속해서 VOR 시험신호를 방사하지 않기 때문에 항공기 소유자나 운용자가 시험신호를 송신받기 위해서는 수리공장과 사전협의를 하여야 한다. 모든 무선시설수리공장이 이러한 업무를 제공하지는 않는다. 항공기 소유자나 운용자는 현지 지역의 어떤 수리공장이 이러한 서비스를 제공하는지 알아두어야 한다. 수리공장의 대표자는 radial의 정확성과 송신일자를 항공기 logbook 또는 그 밖의 공인된 영구기록부에 기입하여야 한다. 소유자, 운용자 또는 수리공장의 대표자는 항공기의 필요한 점검을 수행하고 점검결과를 logbook에 기입하여야 한다. 어떠한 test radial이 송신되었는지, 그리고 "to" 또는 "from" 지시가 나타났는지의 여부를 확인할 필요가 있다.

f. 공중과 지상점검지점은 공항지표면의 특정지점 또는 공항주변에서 체공 중 특정 랜드마크(landmark)

의 상공에서 수신할 수 있는 공인된 radial로 구성된다.

1. 지상점검을 하여 오차가 ±4°를 초과하거나 공중점검을 하여 ±6°를 초과한다면, 먼저 오차의 원인을 수정하지 않고 계기비행방식(IFR) 비행을 시도해서는 안된다.

주의(Caution)

제작사가 제공하는 수정카드(correction card) 수정치 이외의 수정을 VOR 수신기 점검에 적용해서는 안된다.

2. 공중점검(airborne check) 지점, 지상점검 지점 및 VOT의 위치는 미국 차트 보충판(Chart Supplement U.S.)에 게재된다.

3. 이중 시스템 VOR(안테나를 제외하고 상호독립된 장비)을 항공기에 장착하고 있다면 하나의 시스템을 다른 시스템과 비교하여 점검할 수도 있다. 두 시스템을 동일한 VOR 지상시설에 동조시키고 기지국으로의 지시방위(indicated bearing)를 주시한다. 두 지시방위 간의 최대허용편차는 4°이다.

1-1-5. 전술항행표지시설(TACAN; Tactical Air Navigation)

a. 군 작전 또는 해상운용의 특수성(특이한 자세의 함정상태, 함정의 pitching과 rolling 등)으로 인하여 민간용 VOR/거리측정시설(DME) 항법시스템은 군용이나 해상용으로는 부적합한 것으로 여겨졌다. 따라서 육해군은 군 및 해상 요구조건에 보다 더 적합한 새로운 항행시스템인 TACAN을 개발하게 되었다. 이러한 결과로 FAA는 민간 VOR/DME 프로그램과 TACAN 시설을 통합하였다. TACAN 장비는 이론적으로나 기술적인 작동원리에 있어서는 VOR/DME 시설과 완전히 다르지만 항행하는 조종사에게는 결과적으로 동일하다. 이 통합시설을 VORTAC 이라고 한다.

b. TACAN 지상장비는 고정식 또는 이동식송신기로 구성된다. 지상장비와 함께 항공기 탑재장비는 송신된 신호를 방위각(azimuth)과 거리정보의 시각적표현으로 변환시킨다. TACAN은 펄스방식(pulse system)이며 극초단파(UHF) 주파수대에서 운용된다. 이를 사용하기 위해서는 TACAN 항공기 탑재장비가 필요하며, 기존 VOR 장비로는 작동되지 않는다.

1-1-6. 전방향표지시설/전술항행표지시설(VHF Omni-directional Range/Tactical Air Navigation; VORTAC)

a. VORTAC은 VOR과 TACAN의 두 부분으로 구성된 시설로 한 위치에서 VOR 방위, TACAN 방위 및 TACAN 거리(DME) 세 가지의 각기 다른 정보를 제공한다. 한 개 이상의 부분으로 구성되고 하나 이상의 운용주파수를 통합하며 한 개 이상의 안테나시스템을 사용하지만, VORTAC은 통합된 하나의 항행안전시설로 간주된다. VORTAC의 두 부분은 동시에 작동하며, 항상 세 가지의 정보를 제공하는 것처럼 보여 진다.

b. VOR과 TACAN의 송신신호는 각각 3자리의 문자로 된 부호의 송신에 의해서 식별되며 연동되기 때문에, TACAN 거리와 함께 VOR 방위를 사용하는 조종사는 수신한 두 신호가 분명히 동일한 지상기지국(ground station)에서 송신된 것임을 확신할 수 있다. 각 VORTAC 시설의 VOR과 TACAN의 주파수채널(channel)은 체공중의 운용을 단순화하기 위한 국가계획에 따라 "쌍(pairing)"으로 되어 있다.

1-1-7. 거리측정시설(Distance Measuring Equipment; DME)

a. DME의 운용 중에는 특정 간격의 펄스쌍(paired pulses)이 항공기로부터 송신(이것을 질문이라고 한다)되고, 지상기지국에 수신된다. 그 다음 지상기지국(transponder)은 펄스간격은 동일하지만 주파수는 다른 펄스쌍을 다시 항공기에 송신한다. 이렇게 신호를 주고받기 위하여 왕복하는데 소요된 시간은 항공기탑재 DME 장비에 의해 측정되고, 항공기로부터 지상기지국까지의 거리(nautical mile)로 환산된다.

b. DME는 가시선(line-of-sight) 원리에 따라 작동하기 때문에 매우 높은 정확도의 거리정보를 제

공한다. 가시고도(line-of-sight altitude) 199 NM까지의 거리에서 1/2 mile 또는 거리의 3% 가운데 더 큰 수치 이내의 정확성을 가진 신뢰할 수 있는 신호를 수신할 수 있다. DME 장비로부터 수신되는 거리정보는 경사거리(slant range distance)이며 실제 수평거리는 아니다.

c. ICAO 부속서 10에 의한 DME의 운용주파수 범위는 960~1,215 MHz 이다. TACAN 장비를 갖춘 항공기는 VORTAC으로부터 자동으로 거리정보를 수신하지만, VOR을 갖춘 항공기는 별도의 DME 항공기 탑재장비가 있어야 한다.

d. FAA에 의해 설치된 VOR/DME, VORTAC, ILS/DME 및 LOC/DME 항행안전시설은 주파수 쌍(paired frequency) 계획 하에 병설부분에서 진로와 거리정보를 제공한다. 자동 DME 선택을 제공하는 항공기 수신장비는 지정된 VOR/DME, VORTAC, ILS/DME 및 LOC/DME를 선택하면 공통출처로부터 방위각(azimuth)과 거리정보의 수신을 보장한다.

e. 이용 가능한 주파수의 한정된 수로 인하여, 동일한 지역에 업무를 제공하지만 병설되어 있지 않고 수 마일이나 따로 떨어져 있는 군의 VOR과 TACAN 시설에 대하여 주파수 쌍(paired frequency)의 배정이 필요하게 되었다.

f. VOR/DME, VORTAC, ILS/DME 및 LOC/DME 시설은 시분할(time share) 방식에 의해 송신되는 동기화된 식별부호에 의해 식별된다. 시설의 VOR 또는 로컬라이저(localizer) 부분은 1,020 Hz의 부호화된 변조음(tone modulated) 또는 부호와 음성의 조합에 의해 식별된다. TACAN 또는 DME는 1,350 Hz의 부호화된 변조음에 의해 식별된다. VOR 또는 로컬라이저의 식별부호가 3회 또는 4회 송신될 때, DME 또는 TACAN 식별부호는 1회 송신된다. VOR 또는 DME 중 하나가 작동하지 않을 때 어느 식별부호가 운용시설에서 유지되고 있는 식별부호인지를 아는 것이 중요하다. 약 30초 간격으로 반복되는 단 하나의 식별부호는 DME가 작동하고 있다는 것을 나타낸다.

g. 자동 DME 선택을 제공하는 항공기장비는 지정된 VOR/DME, VORTAC 및 ILS/DME 항행안전시설을 선택하면 공통출처로부터 방위각과 거리정보의 수신을 보장한다. 조종사는 위치결정에 DME 기능이 설치되어 있지 않은 VOR이나 ILS 시설을 사용할 때, 자동으로 선택된 DME 장비의 어떤 거리정보라도 무시해야 한다는 점에 유의하여야 한다.

1-1-8. 항행안전시설 서비스범위(NAVAID Service Volume)

a. 유용한 진로유도를 제공하는 대부분의 항행안전무선시설은 지정된 표준서비스범위(standard service volume; SSV)를 갖고 있다. SSV는 제한받지 않고 임의/미발간비행로(random/unpublished route)의 항행에 사용할 수 있는 NAVAID의 수신범위를 규정한다.

b. 발간된 SSV 전반에 걸쳐 비행검사 신호강도 및 진로의 품질기준에 적합하지 않은 NAVAID는 제한사용으로 분류된다. 임의비행로에서 IFR 상태로 운항하는 동안 비행할 수 있는 고도(14 CFR 91.177절) 미만에서는 이 고도가 지정된 SSV 내에 있다 하더라도 NAVAID를 사용가능(usable)으로 간주해서는 안된다. 서비스범위(service volume)의 제한은 먼저 항공고시보(NOTAM)에 고시되며, 그 다음 미국 차트 보충판(Chart Supplement U.S.)에 NAVAID의 알파벳 순으로 수록된다.

c. 표준서비스범위(Standard Service Volume)의 제한은 발간된 IFR 비행로 또는 IFR 절차에는 적용되지 않는다.

d. VOR/DME/TACAN 표준서비스범위(SSV)

1. 표준서비스범위(SSV)는 그림 1-1-1~1-1-5와 같다. 기지국의 SSV는 기지국유형(station type) 명칭 앞에 등급지시자(class designator)를 덧붙여 나타낸다.

예시(Example)

TVOR, LDME 및 HVORTAC

2. 25 NM 이내에서 T 서비스범위의 하한은 그림 1-1-4의 곡선으로 나타나며, 40 NM 이내에서

L과 H 서비스범위의 하한은 그림 1-1-5의 곡선으로 나타난다. (표 1-1-1 참조)

e. 무지향표지시설(NDB)

1. NDB는 사용목적에 따라 분류된다.

2. NDB 서비스의 통달범위는 표 1-1-2와 같다. 거리(반경)는 모든 고도에서 동일하다.

그림 1-1-1. 표준 고고도 서비스범위(Standard High Altitude Service Volume)
(1,000 ft 미만의 고도는 그림 1-1-5 참조)

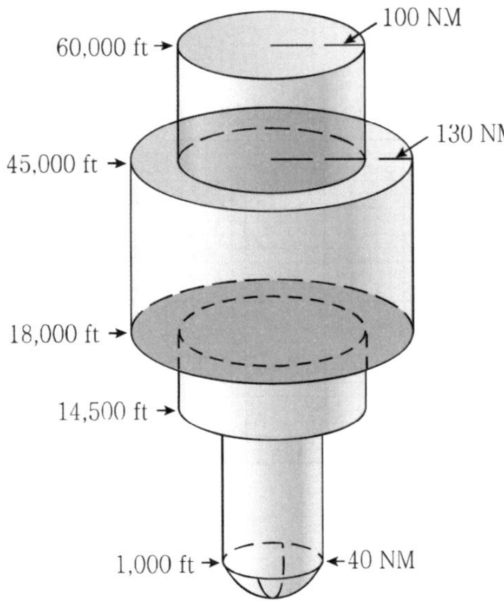

그림 1-1-2. 표준 저고도 서비스범위(Standard Low Altitude Service Volume)
(1,000 ft 미만의 고도는 그림 1-1-5 참조)

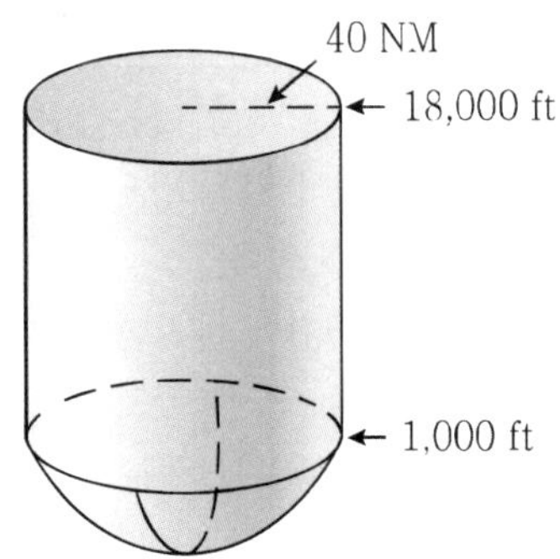

주(Note): 제시된 모든 표고는 기지국(station)이 위치한 장소의 표고(AGL)에 의한다. 포착범위(coverage)는 시설 직상공 공역의 원뿔 모양 범위에서는 유용하지 않다.

그림 1-1-3. 표준 터미널 서비스범위(Standard Terminal Service Volume)
(1,000 ft 미만의 고도는 그림 1-1-4 참조)

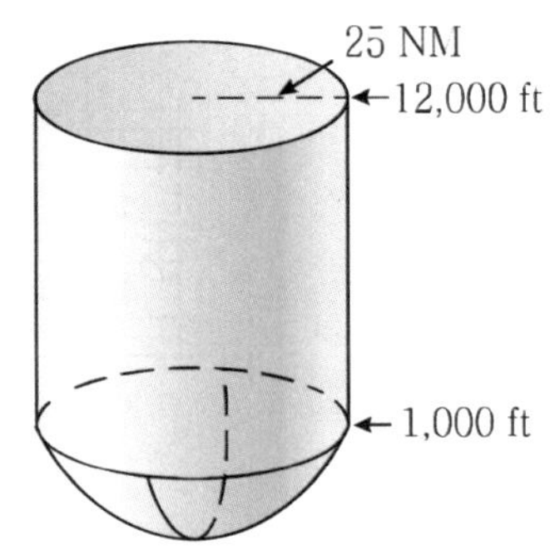

표 1-1-1. VOR/DME/TACAN 표준서비스범위(Standard Service Volume)

SSV 등급지시자(SSV Class Designator)	고도 및 거리범위(Altitude and Range Boundary)
T(터미널)	1,000 ft AGL 초과, 12,000 ft AGL 이하의 고도에서 25 NM까지의 반경거리
L(저고도)	1,000 ft AGL 초과, 18,000 ft AGL 이하의 고도에서 40 NM까지의 반경거리
H(고고도)	1,000 ft AGL 초과, 14,500 ft AGL 이하의 고도에서 40 NM까지의 반경거리 14,500 ft AGL 초과, 60,000 ft 이하의 고도에서 100 NM까지의 반경거리 18,000 ft AGL 초과, 45,000 ft AGL 이하의 고도에서 130 NM까지의 반경거리

표 1-1-2. NDB 서비스범위(NDB Service Volume)

등급(Class)	거리(반경)
Compass Locator	15 NM
MH	25 NM
H	50 NM*
HH	75 NM

* 각 시설의 서비스 통달범위는 50 nautical mile(NM) 미만이 될 수도 있다. 서비스범위(service volume)에 대한 제한은 먼저 항공고시보(NOTAM)에 고시되며, 그 다음 미국 차트 보충판(Chart Supplement U.S.)에 NAVAID의 알파벳 순으로 수록된다.

그림 1-1-4. 터미널 서비스범위 하한(Service Volume Lower Edge Terminal)

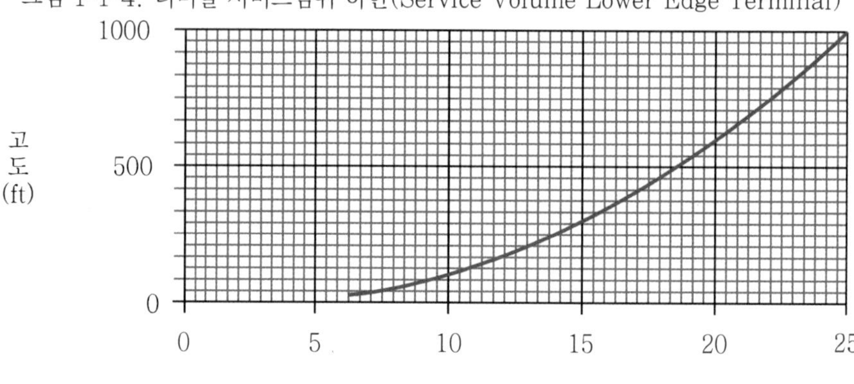

그림 1-1-5. 고고도 및 저고도 서비스범위 하한(Service Volume Lower Edge Standard High and Low)

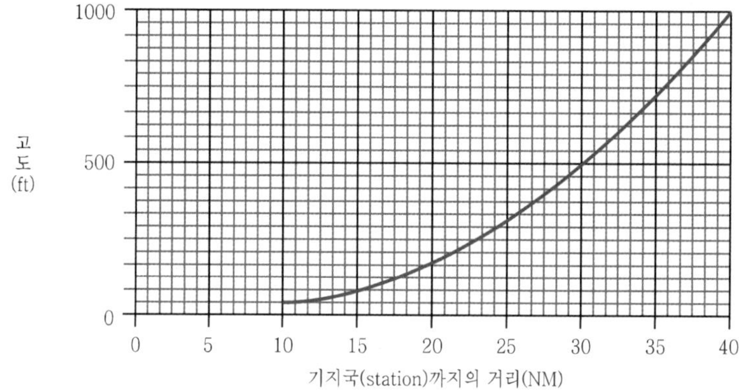

1-1-9. 계기착륙시설(ILS)

a. 일반(General)

1. ILS는 활주로로 최종접근시 항공기의 정확한 활주로정대(alignment) 및 강하를 위한 접근로(approach path)를 제공하기 위하여 설계되었다.

2. 지상장비는 두 개의 고성능 지향성송신시스템과 접근로를 따라 설치되는 세 개(또는 그 이하)의 마커비콘(marker beacon)으로 구성된다. 지향성송신기(directional transmitter)란 로컬라이저(localizer) 및 글라이드 슬롭(glide slope) 송신기를 말한다.

3. 시스템은 기능에 따라 세 부분으로 구분할 수 있다.

(a) 유도정보(Guidance Information); 로컬라이저(localizer), 글라이드 슬롭(glide slope)

(b) 거리정보(Range Information); 마커비콘(marker beacon), DME

(c) 시각정보(Visual Information); 진입등, 접지구역등 및 활주로중심선등, 활주로등

4. 외측마커(OM) 또는 중간마커(MM)에 위치한 컴퍼스 로케이터(compass locator) 또는 정밀레이더는 마커비콘(marker beacon)을 대체할 수 있다. 절차에 명시되어 있을 경우, DME는 외측마커(OM)를 대체할 수 있다.

5. 활주로의 양 끝단에 완전한 ILS 시스템이 설치된 경우(예를 들어, 접근활주로 4의 시단과 접근활주로 22의 시단), ILS 시스템은 동시에 운용되지 않는다.

b. 로컬라이저(Localizer)

1. 로컬라이저 송신기(localizer transmitter)는 108.10~111.95 MHz 주파수범위 내에서 40개의 ILS 채널 중 하나로 운용된다. 신호는 조종사에

게 활주로중심선으로의 진로유도(course guidance)를 제공한다.

2. 로컬라이저의 접근진로는 전방진로(front course)라고 하며 글라이드 슬롭(glide slope), 마커비콘(marker beacon) 등과 같이 다른 기능을 하는 부분과 함께 사용된다. 로컬라이저 신호는 활주로의 반대편 끝단에서 송신된다. 활주로시단에서 700 ft(좌측 최대 비행범위에서 우측 최대 비행범위까지)의 진로 폭이 되도록 조절된다.

3. 활주로중심선의 연장선을 따라 전방진로(front course) 반대방향으로의 진로를 후방진로(back course)라고 한다.

주의(Caution)

항공기의 ILS 장비가 역방향감지(reverse sensing) 능력이 없다면 후방진로 상에서 inbound 비행할 때, 진로이탈(off-course) 상태에서 정진로(on-course)로 수정 조작시에는 needle 편향의 반대방향으로 항공기를 조종해야 한다. 이러한 "needle 반대로의 비행(flying away from the needle)"은 로컬라이저의 전방진로 상에서 outbound 비행 시에도 필요하다. 특정 활주로에 후방진로 접근절차가 발간되고 ATC에 의하여 절차가 인가되지 않는 한, 접근을 위해 후방진로 신호를 이용해서는 안된다.

4. 식별신호는 국제모스부호(International Morse Code)로 되어 있으며, 로컬라이저 주파수로 송신되는 문자 I (••) 다음에 3자리의 식별문자로 구성된다.

예시(Example)

I-DIA

5. 로컬라이저는 안테나로부터 18 NM의 거리에서부터 활주로시단까지의 진로 상에서 가장 높은 지역의 상공 1,000 ft의 고도와 안테나 site 표고 상공 4,500 ft 사이의 강하경로(descent path) 전체에 대하여 진로유도를 제공한다. 다음과 같은 각을 이루고 있는 운용서비스범위의 구역에 적절한 진로이탈(off-course) 지시가 제공된다.

(a) 안테나로부터 반경 18 NM 이내에서 진로(course)의 양쪽 측면 10° 까지

(b) 반경 10 NM 이내에서 진로(course)의 양쪽 측면 10°부터 35° 까지 (그림 1-1-6 참조)

6. 신뢰할 수 없는 신호가 이 구역 외부에서 수신될 수 있다.

그림 1-1-6. 로컬라이저 통달범위(Limits of Localizer Coverage)

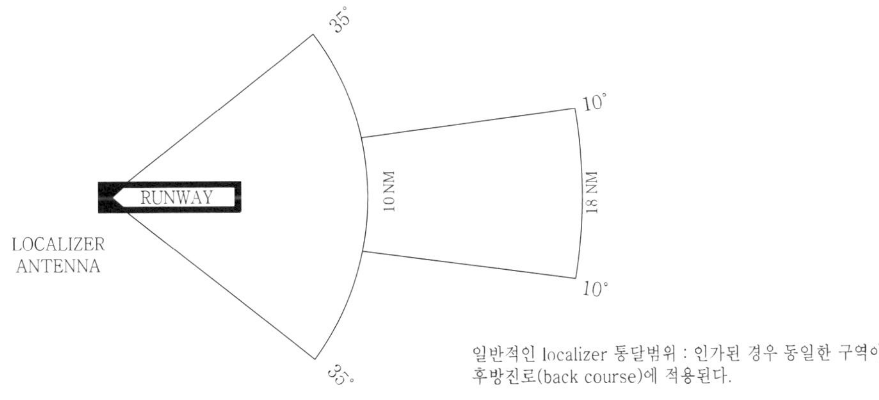

c. 로컬라이저형 방향보조시설(Localizer Type Directional Aid; LDA)

1. LDA는 로컬라이저(localizer)처럼 유용하고 정밀하지만, 완전한 ILS의 구성품은 아니다. LDA 진로는 일반적으로 6° 또는 12°의 진로 폭을 갖는 유사시설인 단순지향성표지시설(SDF)보다 더 정밀한 접근진로를 제공한다.

2. LDA는 활주로와 일직선이 아니다. 진로와 활주로 간의 배열이 30°를 초과하지 않는 곳은 직진입최저치(straight-in minimum)가 공고될 수 있

다. 선회최저치(circling minimum)는 이 정렬이 30°를 초과하는 곳에서만 공고된다.

3. 또한 LDA 접근의 아주 소수만이 glideslope를 포함하고 있다. 이것은 계기접근차트의 평면도(plan view)에 "LDA/Glideslope"라고 표기된다. 이 절차는 5-4-5항 계기접근절차차트, a7(b)절에 기술된 수직유도정보가 제공되는 접근절차(Approach with Vertical Guidance; APV)라고 하는 새로 정의된 접근범주에 해당된다. Glideslope를 포함하고 있거나, 포함하고 있지 않는 LDA 최저치는 접근차트의 minima line에 S-LDA/GS와 S-LDA로 표기되어 제시된다. 최종접근진로가 활주로중심선과 일치하지 않기 때문에 ILS 접근에 비해 부가적인 기동이 필요하다.

d. 활공각/활공로(Glide Slope/Glide Path) 제공시설

1. 329.15 MHz~335.00 MHz 주파수범위 내에서 40개의 ILS 채널 중 하나로 운용되는 UHF 활공각송신기(glide slope transmitter)는 로컬라이저의 전방진로 방향으로 신호를 송출한다. 용어 "활공로(glide path)"는 로컬라이저와 교차하는 glide slope의 부분을 의미한다.

주의(Caution)

Glide slope 경보 flag를 나타내거나 사라지게 하는 신뢰할 수 없는 glide slope 정보를 유발하는 허위 glide slope 신호가 로컬라이저 후방진로(back course) 접근지역에 존재할 수 있다. 로컬라이저 후방진로로 접근할 경우, Glide slope가 접근 및 착륙차트에 명시되어 있지 않는 한 모든 glide slope 지시를 무시하여야 한다.

2. Glide slope 송신기(transmitter)는 접근활주로의 시단(활주로 아래쪽으로)으로부터 750~1,250 ft 사이에 위치하며, 활주로중심선으로부터 250~650 ft 벗어나 있다. 송신기는 폭 1.4°(수직으로)의 glide path 신호전파를 송신한다. 신호는 인가된 ILS 접근절차에 명시되어 있는 인가된 최저결심고도(DH)까지 강하할 수 있도록 강하정보를 제공한다. 인가된 최저 DH 미만으로의 운항에 glidepath를 사용하기에는 적합하지 않으며, 이 고도 미만에서는 활주로환경의 시각참조물이 glidepath 지시에 대한 참조물로 추가되어야 한다. 발간된 DH가 없는 glidepath는 활주로시단(runway threshold)까지 사용할 수 있다.

3. Glide path 투사각(projection angle)은 보통 수평선 상부 3°로 조정되어 있으며, 활주로표고 상부 약 200 ft에서 MM과 교차하고 약 1,400 ft에서 OM과 교차한다. 일반적으로 glide slope는 10 NM의 거리까지 사용할 수 있다. 그러나 10 NM을 초과하는 확장된 서비스범위의 glide slope가 승인된 지역도 있다.

4. 조종사는 glidepath에 진입하기 위하여 접근할 때에는 경계를 하여야 한다. 부정확한 진로와 역방향감지(reverse sensing)가 발간된 경로보다 훨씬 더 큰 각도에서 발생할 수 있다.

5. 지시된 glide path를 유지하기 위해 모든 노력을 기울여야 한다.

주의(Caution)

장애물/지형회피(obstacle/terrain clearance)를 보장하기 위하여 glide path 아래로의 비행을 피해야 한다.

6. 발간된 glide slope 활주로시단통과높이(TCH; (threshold crossing height)가 활주로시단 상공 glide path의 실제 정진로(on-course)를 지시하는 높이를 나타내는 것은 아니다. TCH는 항공기가 활주로시단 4 mile에서부터 중간마커 glidepath 구간까지 형성된 경로를 유지할 경우, 항공기의 glide slope 안테나가 통과하게 될 활주로시단 상공의 높이를 나타내며 비행계획 목적의 참조용으로 사용된다.

7. 조종사는 항공기의 착륙형태에서 glide slope 안테나와 주착륙장치 간의 수직높이를 알고 있어야 하며, DH에서 활주로시단 상공의 바퀴통과높이(wheel crossing height)가 발간된 TCH를 충족시키지 못할 수도 있다면 적절하게 강하각을 조절할 계획을 수립하여야 한다. 실험결과는 충분한 바퀴통과높이는 항공기 기종에 좌우되며, 약 20~30 ft라는 것을 보여준다.

주(Note)
활주로의 TCH는 평소에 활주로를 사용하는 가장 큰 항공기 category, 공항배치가 glide slope 안테나 위치에 영향을 미치는 정도, 그리고 지형 등의 여러 가지 요소에 의하여 설정된다. 동일한 glide path 각도에서 적정 TCH보다 더 높은 TCH의 접근경로가 자세변경(flare) 전까지 유지된다면 항공기는 시단에서 멀리 떨어진 곳에 접지할 수 있다. 조종사는 항공기 정지시 이용할 수 있는 활주로의 높은 TCH 영향을 고려하여야 한다.

e. 거리측정시설(DME)

1. ILS와 함께 설치되고 접근절차에 명시되어 있을 경우, DME는 다음과 같이 사용될 수 있다.

(a) OM을 대신하여

(b) 후방진로(BC) 최종접근픽스(FAF)로서

(c) 로컬라이저 진로(localizer course)에서 그 밖의 fix를 설정하기 위하여

2. 어떤 경우에는 분리된 시설의 DME가 국지계기절차(Terminal Instrument Procedures; TERPS) 제한사항 내에서 다음과 같이 사용될 수 있다.

(a) 원호비행(arc) 최초접근구역을 제공하기 위하여

(b) BC 접근을 위한 FAF로서

(c) OM을 대신하여

f. 마커비콘(Marker Beacon)

1. ILS 마커비콘(marker beacon)은 3 watt 이하의 정격출력을 가지며, 안테나배열은 안테나의 상부 1,000 ft에서 약 2,400 ft 폭과 4,200 ft 길이 범위의 타원형모양을 형성하도록 설계된다. 수신감도를 선택할 수 있는 기능이 있는 항공기탑재 마커비콘 수신기는 ILS 마커비콘의 적절한 수신을 위하여 항상 "low" 감도위치에서 운용하여야 한다.

2. 통상적으로 ILS와 관련된 OM과 MM의 두 개의 마커비콘이 있다. Category II ILS가 있는 장소에는 내측마커(IM)가 설치된다. 항공기가 마커 상공을 통과할 때 조종사는 표 1-1-3과 같은 지시를 수신한다.

표 1-1-3. 마커 통과 지시(Marker Passage Indication)

마커(Marker)	부호(Code)	등화(Light)
OM	− − −	청색(Blue)
MM	• − • −	황색(Amber)
IM	• • • •	백색(White)
BC	• • • •	백색(White)

(a) 보통 외측마커(OM)는 로컬라이저 진로상의 적절한 고도에 있는 항공기가 ILS glide path로 진입할 위치를 나타낸다.

(b) 중간마커(MM)는 착륙활주로시단(landing threshold)으로부터 약 3,500 ft의 위치를 나타낸다, 이것은 또한 glide path 상의 항공기가 접지구역표고 약 200 ft 상공의 고도에 있을 때의 위치이다.

(c) 내측마커(IM)는 항공기가 MM과 착륙활주로시단 사이 glide path 상의 설정된 결심고도(DH)에 있을 때의 지점을 나타낸다.

3. 일반적으로 후방진로 마커(back course marker)는 접근강하가 시작되는 ILS 후방진로 최종접근픽스(final approach fix)를 나타낸다.

g. 컴퍼스 로케이터(Compass Locator)

1. 컴퍼스 로케이터 송신기(compass locator transmitter)는 일반적으로 MM과 OM이 설치된 장소에 위치한다. 송신기는 25 watt 이하의 출력과 최소 15 mile의 통달범위를 가지며 190~535 kHz에서 운용된다. 일부 장소에서는 400 watt 까지의 고출력 radio beacon이 OM 컴퍼스 로케이터로 사용된다. 일반적으로 이러한 것에는 기상녹음방송(TWEB) 정보가 실려 송신된다.

2. 컴퍼스 로케이터는 2자리 문자의 식별부호 group을 송신한다. 외측 로케이터(outer locator)는 로케이터 식별부호 group의 첫 2자리 문자를 송신하고, 중간 로케이터(middle locator)는 로케이터 식별부호 group의 마지막 2자리 문자를 송신한다.

h. ILS 주파수(ILS Frequency)
(표 1-1-4 참조)

표 1-1-4. ILS에 배정된 주파수 쌍(Frequency Pairs Allocated for ILS)

Localizer MHz	Glide Slope
108.10	334.70
108.15	334.55
108.30	334.10
108.35	333.95
108.50	329.90
108.55	329.75
108.70	330.50
108.75	330.35
108.90	329.30
108.95	329.15
109.10	331.40
109.15	331.25
109.30	332.00
109.35	331.85
109.50	332.60
109.55	332.45
109.70	333.20
109.75	333.05
109.90	333.80
109.95	333.65
110.10	334.40
110.15	334.25
110.30	335.00
110.35	334.85
110.50	329.60
110.55	329.45
110.70	330.20
110.75	330.05
110.90	330.80
110.95	330.65
111.10	331.70
111.15	331.55
111.30	332.30
111.35	332.15
111.50	332.90
111.55	332.75
111.70	333.50
111.75	333.35
111.90	331.10
111.95	330.95

i. ILS 최저치(ILS Minimums)

1. 정상 작동하는 모든 필수 지상 및 항공기탑재 시스템 구성요소에 따라 인가되는 ILS 최저치는 다음과 같다.

(a) Category I. 결심고도(DH) 200 ft, 활주로가시거리(RVR) 2,400 ft (접지구역등과 중심선등이 있을 때 RVR 1,800 ft, 또는 자동조종장치, FD나 HUD 사용 시 RVR 1,800 ft)

(b) 특별인가 Category I. DH 150 ft, 활주로가시거리(RVR) 1,400 ft, DH까지 HUD 사용

(c) Category Ⅱ. DH 100 ft, RVR 1,200 ft (접지 시 까지 자동착륙장치나 HUD를 사용하고 인가에 언급된 경우, RVR 1,000 ft)

(d) 낮은 등화광도의 특별인가 Category Ⅱ. DH 100 ft, 접지 시 까지 자동착륙장치나 HUD를 사용하고 인가에 언급된 경우, RVR 1,200 ft (접지구역등, 중심선등 및 ALSF-2는 필요하지 않음)

(e) Category Ⅲa. DH 100 ft 미만 또는 DH 적용하지 않음, RVR 700 ft 이상

(f) Category Ⅲb. DH 50 ft 미만 또는 DH 적용하지 않음, RVR 700 ft 미만 150 ft 이상

(g) Category Ⅲc. DH 및 RVR 제한 적용하지 않음

주(Note)

Category Ⅱ 및 Ⅲ는 특별한 인가와 장비가 요구된다.

j. ILS 구성요소 부작동(Inoperative)

1. 로컬라이저(localizer) 부작동. 로컬라이저가 고장 났을 경우, ILS 접근은 허가되지 않는다.

2. 글라이드 슬롭(glide slope) 부작동. 글라이드 슬롭이 고장 났을 경우, ILS는 비정밀 로컬라이저 접근으로 전환된다.

참조(Reference)

작동하지 않는 항공기탑재 또는 지상시스템 장비로 인한 최저치의 조정은 미국정부 터미널절차간행물(TPP)의 부작동장비목록(inoperative component table)을 참조한다.

k. ILS 진로 왜곡(ILS Course Distortion)

1. 모든 조종사는 지상차량이나 항공기가 로컬라이저 또는 glide slope 안테나 주변에서 운행할 때에는 ILS 로컬라이저와 glide slope 진로에 방해가 될 수 있다는 점을 인식하고 있어야 한다. 대부분의 ILS 시설은 지상차량, 항공기 또는 이들 모두에 의

해 신호간섭을 받을 수 있다. 각 로컬라이저 및 glide slope 안테나 주변에는 ILS 보호구역(critical area)이 설정된다.

2. ATC는 관제공항에서 공항관제탑(ATCT)이 다음과 같은 기상상태에서 운영되는 동안에 ILS 보호구역 내에서 간섭을 일으키는 운행을 회피하기 위하여 관제지시를 발부한다.

(a) 기상상태(Weather Condition). 공식기상 관측 결과, 운고 800 ft 미만 및/또는 시정 2 mile 미만이다.

(1) 로컬라이저 보호구역(Localizer Critical Area). 착륙, 활주로 개방, 출발 또는 실패접근을 하는 항공기를 제외하고 도착하는 항공기가 외측마커(OM)나 OM 대신에 사용되는 fix 안쪽에 있을 때에는 보호구역 내 또는 상공으로 차량 및 항공기의 운행이 허가되지 않는다. 추가하여 공식기상 관측결과 운고(ceiling) 200 ft 미만 또는 시정 RVR 2,000 ft 이하인 경우, 도착하는 항공기가 ILS MM 안쪽에 있을 때는 보호구역 내 또는 상공으로 항공기나 차량의 운행이 허가되지 않는다. 또한 기상상태가 200 ft 미만의 보고된 운고(ceiling) 또는 2,000 ft 미만의 RVR 인 경우, 도착하는 항공기가 MM 안쪽에 있을 때 또는 MM 최종접근진로 1/2 mile 안쪽에 있지 않을 때에는 차량 및 항공기의 운행이 허가되지 않는다.

(2) Glide slope 보호구역(Critical Area). 도착하는 항공기가 ILS 외측마커(OM)나 OM 대신에 사용되는 fix 안쪽에 있을 경우, 도착하는 항공기가 활주로 육안확인 보고를 하지 않고 다른 활주로에 착륙하기 위하여 측면이동하거나 선회하는 것이 아니라면 보호구역 내 또는 상공으로 차량 및 항공기의 운행이 허가되지 않는다.

(b) 기상상태(Weather Condition). 운고 800 ft 이상 또는 시정 2 mile 이상인 경우

(1) 이러한 기상상태에서는 보호구역을 보호하기 위한 조치가 취해지지 않는다.

(2) 이러한 기상상태에서 운항승무원은 자동착륙 또는 복합접근(coupled approach)을 수행할 것이라는 것을 관제탑에 통보하여야 한다.

예문(Example)

Denver Tower, United 1153, Request Autoland /Coupled Approach (활주로)

ATC 응답: United 1153, Denver Tower, Roger, Critical Areas not protected.

3. 외측마커(outer marker)와 공항 사이의 5,000 ft 미만에서 체공중인 항공기는 ILS 접근을 하는 항공기의 로컬라이저 신호변화를 유발할 수 있다. 따라서 기상 또는 시정상태가 운고(ceiling) 800 ft 미만 또는 시정 2 mile 미만인 경우, 이러한 체공은 허가되지 않는다.

4. 조종사는 ATC 통제를 받지 않는 차량운행이 ILS 진로 또는 glide slope 신호의 순간적인 편차를 유발할 수 있다는 점에 유의하여야 한다. 또한 보호구역은 비관제공항, 또는 기상이나 시정상태가 요구되는 보호기준 이상일 때는 관제탑이 운영되는 공항에서도 보호되지 않는다. 복합(coupled) 또는 자동착륙운항을 하는 항공기는 특별히 주의를 기울여 자동비행조종시스템을 감시하여야 한다. (그림 1-1-7 참조)

주(Note)

비행표준으로 달리 조정되지 않는 한, 결심고도(DA)보다 낮은 100 ft 지점 미만에서 Category I 활주로의 ILS 신호는 비행 검사되지 않는다. 이 고도 미만에서는 유도신호의 이상현상(anomaly)이 발생할 수 있다.

그림 1-1-7. FAA 계기착륙시설(Instrument Landing System)

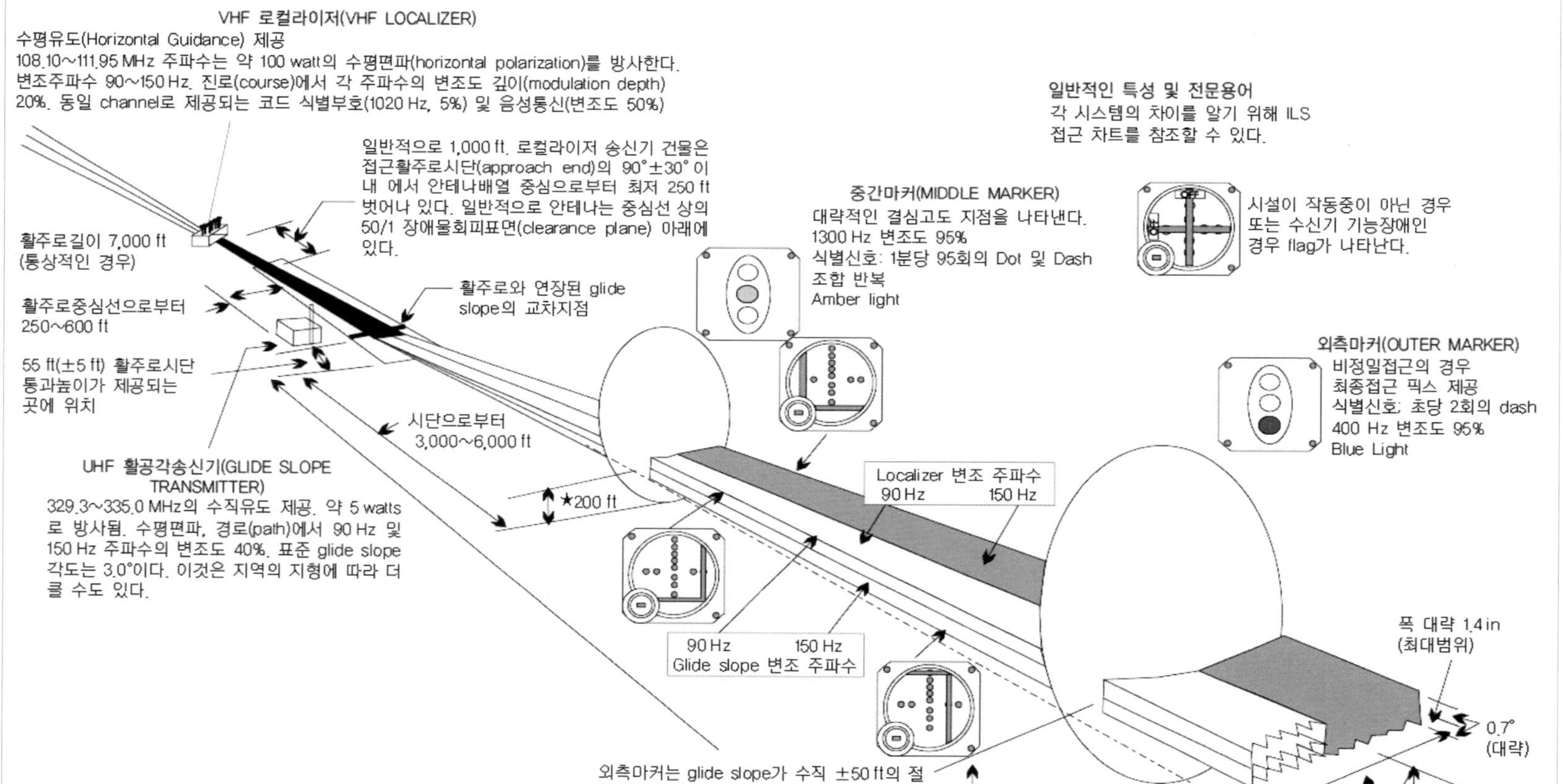

VHF 로컬라이저(VHF LOCALIZER)
수평유도(Horizontal Guidance) 제공
108.10~111.95 MHz 주파수는 약 100 watt의 수평편파(horizontal polarization)를 방사한다.
변조주파수 90~150 Hz. 진로(course)에서 각 주파수의 변조도 깊이(modulation depth)
20%. 동일 channel로 제공되는 코드 식별부호(1020 Hz, 5%) 및 음성통신(변조도 50%)

일반적으로 1,000 ft. 로컬라이저 송신기 건물은 접근활주로시단(approach end)의 90°±30° 이내 에서 안테나배열 중심으로부터 최저 250 ft 벗어나 있다. 일반적으로 안테나는 중심선 상의 50/1 장애물회피표면(clearance plane) 아래에 있다.

활주로길이 7,000 ft
(통상적인 경우)

활주로중심선으로부터
250~600 ft

55 ft(±5 ft) 활주로시단
통과높이가 제공되는
곳에 위치

활주로와 연장된 glide
slope의 교차지점

시단으로부터
3,000~6,000 ft

UHF 활공각송신기(GLIDE SLOPE TRANSMITTER)
329.3~335.0 MHz의 수직유도 제공. 약 5 watts로 방사됨. 수평편파, 경로(path)에서 90 Hz 및 150 Hz 주파수의 변조도 40%. 표준 glide slope 각도는 3.0°이다. 이것은 지역의 지형에 따라 더 클 수도 있다.

★200 ft

일반적인 특성 및 전문용어
각 시스템의 차이를 알기 위해 ILS
접근 차트를 참조할 수 있다.

중간마커(MIDDLE MARKER)
대략적인 결심고도 지점을 나타낸다.
1300 Hz 변조도 95%
식별신호: 1분당 95회의 Dot 및 Dash
조합 반복
Amber light

시설이 작동중이 아닌 경우
또는 수신기 기능장애인
경우 flag가 나타난다.

외측마커(OUTER MARKER)
비정밀접근의 경우
최종접근 픽스 제공
식별신호: 초당 2회의 dash
400 Hz 변조도 95%
Blue Light

Localizer 변조 주파수
90 Hz 150 Hz

90 Hz 150 Hz
Glide slope 변조 주파수

폭 대략 1.4 in
(최대범위)

0.7°
(대략)

외측마커는 glide slope가 수직 ±50 ft의 절
차선회(최저체공) 고도를 교차하는 지점인
활주로종단으로부터 4~7 mile에 위치한다.

수평선 상부 3°
(최적)

모든 marker는 변조도 약
95%, 대략 2 watt의 75 MHz
주파수를 송신한다.

강하율 차트 (feet per minute)

속도 (knots)	각도(Angle)		
	2.5°	2.75°	3°
90	400	440	475
110	485	535	585
130	575	630	690
150	665	730	795
160	707	778	849

정격출력 25 watts, 190~535 kHz compass locator는 다수의 외측마커 및 일부의 중간마커에 설치된다. 400 Hz 또는 1020 Hz 반송파의 변조도 약 95% 신호음은 외측 로케이터에서 ILS 식별부호의 첫 2자리 문자로, 중간 로케이터에서 마지막 2자리 문자로 송신된다. 일부 지역에서는 식별부호의 부호율이 적절히 감소되고 동시 음성송신이 관제탑에서 제공된다.

★별표 표시가 된 수치는 일반적인 수치다.
실제 수치는 markers, glide 각도 및 로
컬라이저 폭의 편차에 따라 다르다.

진로 폭(course width)은
다양하다; 활주로시단에서
700 ft(최대범위)가 되도록
3~6° 사이에서 조절된다.

1-1-10. 단순지향성표지시설(SDF; Simplified Directional Facility)

a. SDF는 ILS 로컬라이저와 유사한 최종접근진로를 제공하며, glide slope 정보는 제공하지 않는다. ILS 로컬라이저 및 아래에 서술된 부가적인 요소를 명확히 이해함으로서 SDF의 운용특성 및 용도를 완전하게 이해할 수 있다.

b. SDF는 108.10~111.95 MHz의 범위 내에서 신호를 송신한다.

c. SDF 계기접근에 사용되는 접근기법 및 절차는 SDF 진로가 활주로와 일직선이 아니며, 진로가 ILS 로컬라이저보다 더 넓기 때문에 정밀도가 더 낮다는 점 외에는 표준 로컬라이저 접근 수행시에 사용하는 접근기법 및 절차와 근본적으로 동일하다.

d. 유효한 진로이탈(off-course) 지시는 진로중심선의 양 측면 35°까지로 제한된다. 35°를 초과하여 수신된 계기지시는 무시하여야 한다.

e. SDF 안테나는 활주로중심선에서 벗어나 있을 수 있다. 그렇기 때문에 최종접근진로와 활주로 방위 간의 수렴각(angle of convergence)은 계기접근절차차트를 참조하여 결정하여야 한다. 일반적으로 이 각도는 3°를 초과하지 않는다. 그러나 접근진로가 안테나 site에서 시작되므로, 활주로시단을 지나 계속되는 접근은 항공기를 활주로중심선으로 유도하는 대신에 활주로중심선에서 벗어난 SDF 위치로 유도한다는 것을 알아야 한다.

f. SDF 신호는 최대 비행성능과 최적의 진로특성을 제공하기 위하여 필요에 따라 6° 또는 12° 중의 하나에 고정되어 있다.

g. 식별부호는 SDF 주파수에 모스부호(Morse Code)로 송신되는 3자리의 식별문자로 구성된다. 특정공항에서 사용되는 식별문자는 해당 계기접근차트에 명시된다.

1-1-11. 정비 중 NAVAID 식별부호 제거(NAVAID Identifier Removal During Maintenance)

일상적인 정비나 긴급정비를 하는 동안에는 특정 FAA NAVAID에서 식별부호(또는 해당되는 경우, 부호 및 음성)가 제거된다. 식별부호의 제거는 시설의 조정(tune-up) 또는 수리를 위해 공식적으로 방송을 하지 않고 있으며, 간헐적이거나 일정한 신호가 수신된다 하더라도 신뢰할 수 없다는 것을 경고하는 것이다.

주(Note)

정비기간 중에 VOR은 T-E-S-T 부호(– • ••• –)를 송출할 수 있다.

주(Note)

식별부호가 포함되어 있다 하더라도 NOTAM에 폐지(out of service)되었다고 고시된 절차로 비행하려고 해서는 안된다. 어떤 경우에는 시험의 일부로서 짧은 주기의 식별부호가 발신될 수 있다.

1-1-12. 음성기능이 있는 NAVAID(NAVAID with Voice)

a. 음성기능이 있는 항공로 항행안전무선시설은 비행정보업무국(FSS) 또는 접근관제시설의 운용통제하에 있다. 음성통신은 일부 시설에서 이용할 수 있다. 비행중악기상조언업무(Hazardous Inflight Weather Advisory Service; HIWAS) 방송기능은 미국대륙 전역에 걸쳐 선정된 VOR site에서 이용할 수 있으며 양방향음성통신은 제공하지 않는다. 양방향음성통신과 HIWAS의 가용여부는 미국 차트 보충판(Chart Supplement U.S.)과 항공차트에 표시된다.

b. 차트에 달리 기재되어 있지 않는 한, 모든 무선항행안전시설은 정비를 위해 일시 중단된 동안을 제외하고는 계속해서 운용된다. 계속해서 운용되지 않는 시설의 운용시간은 차트 및 미국 차트 보충판(Chart Supplement U.S.)에 표기된다.

1-1-13. NAVAID 또는 위성항행시스템(GNSS) 성능 및 간섭의 사용자보고 요청

a. 국가공역시스템(NAS)의 사용자는 NAVAID 고장이나 GNSS 문제점을 조기에 수정할 수 있도록 소중한 조언을 할 수 있으며, 바람직하지 않은 성능의 관측결과를 보고하여 줄 것을 사용자에게 권장하고 있다. NAVAID가 전자식탐지기에 의해 감시된

다 하더라도 전자간섭의 역효과, NAVAID 주변의 새로운 장애물 또는 지형변화 등은 지상감시기에 탐지되지 않을 수 있다. 보고해야 할 고장 또는 성능저하 특성 중의 일부로는 불규칙적인 진로 또는 방위지시; 간헐적 또는 계속적인 flag 경보; 잘 알아들을 수 없거나, 누락되었거나 또는 명백하게 부적합한 식별부호; 불량한 통신상태; 또는 주파수간섭의 경우, 무선통신 또는 NAVAID 식별부호와 함께 들리는 잡음이나 소리 등을 들 수 있다. 예를 들어 GNSS 간섭이 있는 지역에서 운항을 하는 조종사는 GPS를 항행에 사용하지 못하거나, ADS-B를 감시에 이용하지 못할 수 있다. 무선 주파수간섭은 조종사의 항행 및 항공교통관제사의 감시 둘 다에 영향을 미칠 수 있다. 장비 및 통합(integration) 여부에 따라, 조종사에게 조언등(advisory light} 또는 조언 메시지로 알릴 수 있다. ADS-B 보고를 감시하는 항공교통관제사는 수신을 정지할 수 있다.

더불어 항공기 정비업무에 사용하려고 하는 GPS 재냉각장치계통(re-radiator system)이 고장이 났거나 결함이 있으며, 부적합하게 장착, 작동 또는 수정되었으면 의도하지 않은 항공 GNSS 수신기의 장애로 이어질 수 있다. 이러한 유형의 장애는 주요 비행 displays/indicator 및 다른 항공기와 항공교통관제 시스템에 flag로 경고되지 않은 잘못된 위치 정보 신호를 발생시킬 수 있다. 수신기자체 무결성감시장비(RAIM)는 이러한 유형의 장애(사실상 "signal spoofing")에 대해서는 단지 부분적으로 유효하기 때문에, 조종사는 항법지시계의 오류를 인식하지 못할 수 있다; ATC는 이러한 장애를 식별하고, IFR 분리 시 항공기를 감시하는 동안 예기치 못한 항공기 위치를 탐지할 수 있는 유일한 수단이다.

b. 조종사 잠재적간섭보고(Pilots reporting potential interference)에는 NAVAID(예를 들면, VOR) 고장 또는 GNSS 문제점, 항공기의 위치(즉, 위도, 경도 또는 기준 NAVAID로부터의 방위/거리), 자방위, 고도, 관측날짜와 시간, 항공기의 기종(제작사/모델/호출부호), 그리고 관측조건의 설명 및 사용 수신기의 종류(즉, 제작사/모델/소프트웨어 개정사항) 등을 보고하여야 한다. 다음과 같은 방법으로 보고할 수 있다.

1. 즉시 관할 ATC 시설 또는 FSS에 무선통신을 이용하여 보고

2. 장애가 발생한 공역을 관할하는 가장 인접한 FAA 시설에 전화로 보고

3. 추가적으로 GNSS 문제점은 인터넷 http://www.faa.gov/air_traffic/nas/gps_reports/의 GPS 이상현상보고 양식(Anomaly Reporting Form)으로 보고하여야 한다.

c. 한 개 이상의 수신기를 갖춘 항공기는 각 장비간에 상호간섭의 가능성이 높아지며, 부정확한 항법지시, 또는 전체적이거나 부분적인 시현 중단의 원인이 될 수 있다.

주(Note)

알려진 NOTAM 시험운영(testing)과 관련된 GPS 간섭 또는 운용중지는 ATC에 보고할 필요가 없다.

1-1-14. 장거리항행안전시설(LORAN)

주(Note)

2010년 DHS의 세출예산법에 따라 미국해안경비대(USCG)는 2010년 2월 8일에 모든 미국 LORAN-C 신호의 송신을 종료하였다. 또한 USCG는 2010년 8월 1일에 Russian American 신호의 송신을 종료하고, 2010년 8월 3일에는 Canadian LORAN-C 신호의 송신을 종료하였다. 더 상세한 정보를 얻기 위해서는 http://www.navcen.uscg.gov를 이용한다. 또한 운용자는 TSO-C60b, Airborne Area Navigation Equipment Using LORAN-C Inputs이 FAA에 의해 취소되었다는 점에 유의해야 한다.

1-1-15. 관성기준장치(IRU), 관성항법장치(INS) 및 자세방위기준장치(AHRS)

a. 관성기준장치(Inertial Reference Unit: IRU)는 시스템 구성품의 관성효과로부터 유발되는 신호에 의하여 항공기 자세(pitch, roll 및 heading), 위치 그리고 속도정보를 제공하는 자이로(gyro)와 가속도계(accelerometer)로 구성된 자립항법시스

템이다. 알려진 위치와 정렬되면 IRU는 계속해서 위치와 속도를 산정한다. IRU 위치정확도는 시간이 지남에 따라 감소한다. 이러한 정확성의 저하를 "drift"라고 한다.

b. 관성항법장치(Inertial Navigation System; INS)는 관성항법컴퓨터와 IRU의 구성요소를 결합한 것이다. 이 시스템은 일련의 waypoint programming을 통해 사전에 결정된 항적(track)을 따라 항행할 수 있도록 한다.

c. 자세방위기준장치(Attitude Heading Reference System; AHRS)는 기상레이더 및 자동조종장치(autopilot)와 같은 항공기시스템에 자세정보를 제공하는 전자장치이지만, 위치정보를 직접 산출하지는 않는다.

d. Slaved compass system을 갖춘 항공기는 일반적으로 지표면 또는 유도로와 주기장에 묻혀 있는 물질에서 볼 수 있는 자기장 방해(자속 자계)에 노출됨으로 인해 야기되는 방위각 오차(heading error)의 영향을 받기 쉽다. 이러한 물질들은 항공기의 compass system flux detector 또는 "gate"에 의하여 감지될 수 있는 자기장을 발생시키며, 이는 항공기의 시스템을 지구 본연의 자기장 대신에 물질의 자기장에 정렬시키는 원인이 될 수도 있다. 시스템의 잘못된 방위(heading)는 자체 수정되지 않을 수 있다. 이륙하기 전에 조종사는 지상활주 중에 방위 비정렬(heading misalignment)이 발생할 수도 있다는 점을 인식해야 한다. 이륙을 시작하기 전에 가능한 방위 비정렬을 수정하기 위하여 제작사나 그 밖의 해당 절차에 따를 것을 조종사에게 권장한다.

1-1-16. 도플러 레이더(Doppler Radar)

도플러 레이더는 지상기반보조시설 또는 외부보조시설로부터 획득한 정보에 지속적으로 의존하지 않는 반자동 자립 추측항법시스템(레이더 센서와 컴퓨터를 합한)이다. 이 시스템은 대지속도와 편류각(drift angle)을 탐지하고 측정하기 위하여 레이더 신호를 이용하며, 방향기준으로서 항공기 compass 시스템을 사용한다. 그러나 도플러는 INS보다 정확하지 않으며, 장거리비행 시에 허용되는 위치정확도를 얻으려면 주기적인 update를 위해 외부참조물의 사용이 필요하다.

1-1-17. 위성위치식별시스템(Global Positioning System; GPS)

a. 시스템 개요(System Overview)

1. 시스템 설명(System Description). 위성위치식별시스템(GPS)은 세계 어디에서나 정확한 위치를 판단하기 위하여 사용되는 우주기반의 무선항법시스템이다. 24개의 위성군은 전 세계의 사용자가 항상 최소한 5개의 위성을 볼 수 있도록 설계되어 있다. 수신기가 정확한 3차원의 위치를 얻기 위해서는 최소한 4개의 위성이 필요하다. 수신기는 mask angle(수신기가 위성을 이용할 수 있는 수평선으로부터의 가장 낮은 각도) 이상인 위성으로부터의 자료를 이용한다. 국방부(DOD)는 GPS 위성군의 운용 및 적절한 운용을 확보하기 위한 GPS 위성감시에 대한 책임이 있다. 각 위성의 궤도변수(천체력 자료)는 GPS 신호에 포함되는 데이터 메시지의 일부로서 발신되도록 각 위성에 보내어 진다. GPS 좌표계는 세계측지시스템 1984(WGS-84)에서 규정된 직교(Cartesian) 지구중심 지구고정 좌표(earth-centered earth-fixed coordinate)이다.

2. 시스템 가용성 및 신뢰성(System Availability and Reliability)

(a) 위성의 모든 궤도변수(천체력 자료)는 GPS 신호에 포함되는 데이터 메시지의 일부로서 발신되도록 각 위성에 보내어 진다. GPS 위성의 상태는 GPS에 의해 전송되는 데이터 메시지의 일부로서 발신된다. 또한, GPS 상태정보는 미국해안경비대 항법정보 서비스: (703) 313-5907, 인터넷 http://www.navcen.uscg.gov/ 에서도 이용할 수 있다. 추가하여, 위성상태는 항공고시보(NOTAM) 시스템으로도 알 수 있다.

(b) GNSS의 운용상태는 사용하는 장비의 유형에 좌우된다. 단독 GPS 장비 TSO-C129 또는 TSO-C196()의 경우, 비행계획수립 목적의 비정

밀접근 성능의 운용상태는 수신기에 내장되어 있거나 또는 별도로 제공되는 예측프로그램을 통해 이루어진다.

3. 수신기자체 무결성감시장비(RAIM; Receiver Autonomous Integrity Monitoring). RAIM은 주어진 비행단계에서 이용 가능한 위성신호가 무결성 요건을 충족하는지 자체적으로 무결성감시를 수행하는 GPS 수신기의 기능이다. RAIM 기능이 없는 경우, 조종사는 GPS 위치의 정확성을 확신할 수 없다. RAIM은 조종사에게 즉시 감시결과를 보낸다. 위성 지상관측소가 잘못된 위성송신을 탐지하고 이를 수정하기 전까지 최대 2시간의 지연이 발생할 수 있으므로, 성능기반항행(PBN)(1-2-1항, Performance-Based Navigation (PBN) and Area Navigation (RNAV), for an introduction to PBN 참조)의 경우 이러한 고장탐지(fault detection)가 아주 중요하다.

(a) RAIM의 경우, 위성이 손상된 정보를 제공하는 지의 여부를 판단하기 위하여 항행에 필요한 위성 이외에 적어도 하나의 위성은 RAIM 기능을 수행하는 수신기에서 보이는 위치에 있어야 한다. 무결성 이상현상을 탐지하기 위해서 RAIM은 최소 5개의 위성 또는 4개의 위성과 기압고도계 입력(baro-aiding)을 필요로 한다. Baro-aiding은 5번째의 위성 대신에 위성 이외의 입력자료를 이용하여 GPS 무결성 해결책을 증대시키는 방법이다. 일부 GPS 수신기는 위치계산에서 고장난 위성을 배제할 수 있는 고장탐지 및 제거(detection and exclusion; FDE)라고 하는 RAIM 기능을 갖추고 있다. FDE 기능이 있는 GPS 수신기는 6개의 위성, 또는 baro-aiding을 갖춘 5개의 위성을 필요로 한다. 이 기능은 GPS 수신기가 손상된 위성신호를 분리하고 위치계산에서 이를 배제할 수 있도록 하여 계속해서 무결성이 보장되는 위치신호를 제공한다. Baro-aiding을 이용할 수 있도록 하기 위해서는 사용설명서에 기술된 것과 같이 수신기에 최신 고도계수정치(altimeter setting)를 입력하여야 한다. 큰 GPS 수직오차는 무결성감시 기능을 무효화 시킬 수 있으므로 GPS에서 얻어진 고도를 사용해서는 안된다.

(b) 일반적으로 두 가지 유형의 RAIM 고장 message가 있다. 첫 번째 유형의 message는 RAIM 무결성감시를 제공하기 위해 이용할 수 있는 위성이 충분하지 않다는 것을 나타낸다. GPS 항법계산이 허용된다 하더라도 계산의 무결성은 보장할 수 없다. 두 번째 유형은 RAIM 무결성감시가 잠재적인 오차를 탐지하였고, 주어진 비행단계의 항법계산에 모순이 있다는 것을 나타낸다. RAIM 기능이 없는 경우, 조종사는 GPS 위치의 정확성을 확신할 수 없다.

4. 선택적 가용성(Selective Availability). 선택적 가용성(SA)은 의도적으로 GPS의 정확도를 떨어뜨리는 방법이다. 이 기능은 정확한 GPS 위치 식별자료가 적대적 목적으로 사용되지 않도록 하기 위한 것이다. SA는 2000년 5월 1일 중단되었지만 많은 GPS 수신기는 여전히 SA가 작동되고 있다는 가정하에 설계되어 있다. 새로운 수신기는 ICAO 부속서 10의 성능값에 의거한 SA 중단의 이점을 갖고 있다.

b. GPS의 운용용도(Operational Use of GPS). 미국 민간운용자는 대양 공역, 특정 외딴 지역, 승인된 국가공역시스템 및 그 밖의 주(해당 항공정보 간행물 참조)에서 인가를 받은 GPS 장비를 사용할 수 있다. GPS 이외의 장비가 원하는 운항에 필요할 수도 있다. GPS 항법은 시계비행방식(VFR) 및 계기비행방식(IFR) 운항 모두에 사용된다.

1. VFR 운항(VFR Operations)

(a) GPS 항법은 조종사에게 증가된 항법성능과 향상된 상황인식을 제공하는 자산이 되었다. GPS가 VFR 조종사에게 많은 이점을 주지만 시스템 성능을 초과하지 않도록 하기 위해 주의를 기울여야 한다. VFR 조종사는 지문항법과 추측항법은 물론 다른 형식의 전자항법과 GPS 항법을 통합하여야 한다.

(b) VFR 항행에 사용되는 수신기는 VFR 운항을 지원하기 위해 사용되는 IFR/VFR 완전 통합 설비에서부터 휴대용 수신기까지 다양하다. 조종사는 항법정보의 잘못된 사용을 피하기 위해 비행에

사용하기 전에 수신기의 제한사항을 알고 있어야 한다 (표 1-1-6 참조). 대부분의 수신기는 사용하기가 쉽지 않다. 조종사는 수신기의 운용에 사용되는 다양한 key의 입력, knob 기능 및 display를 배워야 한다. 일부 제작사는 조종사가 장비의 운용방법을 익히는 데에 사용할 수 있는 컴퓨터를 이용한 수신기의 설명서 또는 simulation을 제공한다.

(c) VFR 운항에서 GPS를 사용할 경우, RAIM 기능, 데이터베이스 최신화 및 안테나 위치 등이 중요한 관심사항이 된다.

(1) RAIM 기능(Capability). Panel 장착형 VFR GPS 수신기와 휴대용 장비는 RAIM 경고 기능을 가지고 있지 않다. 이것은 보이는 위치에 필요한 위성 숫자의 부족 또는 위치오차의 탐지를 조종사에게 경고할 수 없도록 한다. 조종사는 다른 항법기법과의 체계적인 상호비교를 통해 위치를 확인하여야 한다. 두 위치가 일치하지 않으면 GPS 위치를 의심해 보아야 한다.

(2) 데이터베이스 최신화(Currency). 데이터베이스의 최신화 여부를 확인한다. 데이터베이스는 IFR 운항 시에 반드시 갱신하여야 하며, 다른 운항 시에도 갱신하여야 한다. 그러나 VFR 항행 시 데이터베이스를 갱신해야 한다는 요건은 규정되어 있지 않다. 위험한 공역구역 내부나 주변에서 유효기간이 지난 데이터베이스의 이동지도(moving map)를 사용하는 것은 권장하지 않는다. 유효기간이 지난 데이터베이스를 사용하는 조종사는 최신 항공 산출물, 예를 들면 미국 차트 보충판(Chart Supplement U.S.), 구역차트(Sectional Chart)나 항공로차트와 같은 산출물을 이용하여 waypoint를 확인하여야 한다.

(3) 안테나 위치(Antenna Location). IFR과 VFR 운항에 사용되는 GPS 수신기의 안테나 위치는 다를 수 있다. VFR 안테나는 성능보다는 통상적으로 편의성을 고려하여 설치위치를 선정하는 반면, IFR 설비는 위성과의 시야가 확보될 수 있도록 하여야 한다. 시야가 확보되지 않은 안테나는 위성항법신호의 상실을 일으킬 수 있는 중요한 원인이 된다. 특히 휴대용 GPS 수신기의 경우가 여기에 해당한다. 통상적으로 조종실 창문의 내부에 GPS 안테나를 설치하기 위해 흡착기(suction cup)를 사용한다. 이러한 방법이 대단히 실용적이기는 하지만, 모든 이용 가능한 위성의 시야를 확보하는 것이 어려운 조종실이나 객실로 안테나 위치가 제한된다. 결과적으로 항공기구조의 위성신호 차단으로 인해 신호상실이 유발되어 항법성능의 상실이 발생할 수 있다. RAIM 기능이 없는 경우, 이러한 상실은 아무런 경고없이 조종사에게 잘못된 위치와 항법정보를 제공하게 된다. VFR 운항에서 휴대용 GPS의 사용이 규정으로 제한되어 있지는 않지만, panel-mounted holder 또는 yoke-mounted holder 설치와 같은 항공기의 개조는 14 CFR Part 43의 적용을 받는다. 규정의 준수와 안전한 설치를 위해 정비사와 협의한다.

(d) VFR 항행시 전적으로 GPS에 의존해서는 안된다. VFR GPS 수신기에 적용할 정확성이나 무결성의 기준은 정해져 있지 않다. VFR 운항 시에 정확한 비행경로를 유지하기 위하여 VFR GPS 수신기는 다른 유형의 항법과 함께 사용하여야 한다. GPS 수신기의 운용에 익숙해져서 머리를 숙이는 시간을 최소화하고 항공기, 지형과 장애물을 탐색할 수 있도록 시야를 외부에 두어야 한다.

(e) VFR 웨이포인트(VFR waypoint)

(1) VFR waypoint는 VFR 조종사에게 지역항법 수신기를 갖춘 항공기로 육안 항행하는 동안 위치인식을 돕기 위한 보조수단을 제공한다. VFR waypoint는 최신 항법절차를 보조하기 위한 수단으로 사용된다. VFR waypoint의 용도에는 지역에 익숙하지 않은 조종사를 위한 항행안전시설, waypoint로 정의한 현행 보고지점, B등급과 C등급 공역 내 및 주변에서의 증진된 항행, 그리고 특수사용공역 주변에서의 증진된 항행 제공 등이 포함된다. VFR 조종사는 시계운항을 위해 특별히 발간된 해당 최신 항공차트에 의존하여야 한다. 터미널지역에서 운항 중인 경우, 발간되어 있다면 그 지역에서 이용할 수 있는 터미널지역 차트를 이용하여야 한다. VFR waypoint의 사용이 14 CFR Part 91의 운항요건을 준수할 조종사의 책임을 면하여 주는 것

은 아니다.

(2) VFR waypoint 명칭(컴퓨터 입력 또는 비행계획을 위한)은 문자 "VP"로 시작되는 5자리의 문자로 이루어지며, 항행 데이터베이스(navigation database)에서 검색할 수 있다. VFR waypoint 명칭은 발음이 가능하도록 하려는 것은 아니며, ATC 통신에서 사용하기 위한 것도 아니다. VFR 차트에서 단독(stand-alone) VFR waypoint는 IFR waypoint에 사용되는 것과 동일한 사각별(four-point star) 부호를 이용하여 표시된다. 차트 상에 시각참조점과 함께 배치되는 VFR waypoint는 자홍색의 작은 깃발 부호로 식별된다. 시각참조점과 함께 배치되는 VFR waypoint는 시각참조점의 명칭으로 발음하며, ATC 통신에 사용할 수 있다. 각 VFR waypoint 명칭은 차트 상의 지리적 위치 근처의 괄호 안에 표시된다. 설정된 모든 VFR waypoint의 위도/경도 data는 해당 지역 미국 차트 보충판(Chart Supplement U.S.)에서 살펴볼 수 있다.

(3) VFR waypoint는 IFR 비행계획에 사용할 수 없다. VFR waypoint는 IFR 시스템에서는 인정되지 않으며, IFR 비행로 배정의 목적으로 사용해서는 안된다.

(4) 조종사는 VFR 비행계획 시 비행경로란에 waypoint로 5자리의 문자 식별자(identifier)를 사용할 수 있다. 조종사는 VFR 상태에서 운항할 때에만 VFR waypoint를 사용할 수 있다. Waypoint로 예정된 진로변경을 나타내거나 계획된 비행경로를 기술할 수 있다. VFR 비행계획서의 제출은 비행경로에 VOR을 사용할 때의 방법과 유사하다.

(5) 비행중에 사용하기 위한 VFR waypoint는 지상에 있는 동안 수신기에 load 되어야 한다. 일단 이륙하면, 조종사는 수신기에 비행로나 VFR waypoint chain을 설정하는 것을 피해야 한다.

(6) 조종사는 VFR waypoint 근처에서 운항하는 동안에는 다른 항공기를 육안회피하기 위하여 특히 경계하여야 한다. GPS 항법의 이용 및 정확성 증가와 더불어 VFR waypoint 근처에서 교통량의 증가가 예상된다. 공역 등급에 관계없이, 주변에서 운항하는 다른 항공기에 대한 교통정보를 얻기 위하여 이용 가능한 ATC 주파수를 경청하여야 한다. 상세한 정보는 7-5-2항, 혼잡한 지역에서의 VFR을 참조한다.

2. GPS의 IFR 이용

(a) 일반적인 요구조건. IFR로 GPS 운항을 하기 위한 승인을 받기 위해서는 다음과 같은 사항을 필요로 한다.

(1) IFR 운항에 사용되는 GPS 항법장비는 기술표준지시(Technical Standard Order; TSO) TSO-C129(), TSO-C196(), TSO-C145() 또는 TSO-C146()에 명시된 요건에 의거하여 인가를 받아야 하며, 권고회보 AC 20-138(), Airworthiness Approval of Global Positioning System에 의거하여 설치하여야 한다. TSO-C115a에 의거하여 인가된 장비는 TSO-C129의 요건을 충족시키지 못한다. 시계비행방식(VFR)과 휴대용 GPS 시스템은 IFR 항행, 계기접근, 또는 계기비행의 주요 참조수단으로 인가되지 않는다.

(2) IFR로 항행시 보강되지 않은 GPS (TSO-C129() 또는 TSO-C196()) 항법장비를 사용하는 항공기는 비행예정경로의 항행에 적합한 인가를 받고, 작동되는 대체항법수단을 갖추어야 한다. 무결성감시를 위하여 RAIM을 이용할 수 있다면 대체항법장비의 감시를 수행할 필요는 없다. 대체항법수단의 감시는 GPS RAIM 기능이 상실되었을 경우에만 필요하다.

(3) RAIM 기능의 상실이 발생할 것으로 예상되는 경우에 대비하여 절차를 수립하여야 한다. RAIM을 이용할 수 없을 것으로 예상되는 상황의 경우, 비행은 인가를 받은 다른 항법장비에 의존하거나, RAIM을 이용할 수 있는 곳으로 비행로를 재배정하거나, 출발을 연기하거나, 또는 비행을 취소하여야 한다.

(4) GPS 운항은 FAA가 승인한 비행교범(AFM)이나 비행교범 보충판에 의거하여 수행하여야 한다. 운항승무원은 항공기에 장착된 특정 GPS 장비, 수신기 운용교범, 그리고 AFM 또는 비행교범 보충판을 완전히 숙지하여야 한다. GPS 장비의 조작법, 수신기 표시 방식 및 기능은 서로 다르다.

서로 다른 제품의 GPS 수신기, 또는 동일한 제품의 모델이더라도 운용에는 이러한 차이가 있기 때문에 완전한 운용지식이 없이 IFR에서 GPS 운항을 시도해서는 안된다. 대부분의 수신기는 항공기에서 운용하기 전에 조종사가 운용에 익숙해질 수 있도록 도와주는 내장 simulator mode를 갖고 있다.

(5) IFR 인가된 GPS로 항행하는 항공기는 performance-based navigation(PBN) 항공기로 간주되며 특별한 탑재장비 접미어가 주어진다. 표 5-1-3에 의거하여 ATC 비행계획서에 해당하는 탑재장비 접미어를 기록한다. GPS 항공전자장비가 작동하지 않게 되면 조종사는 ATC에 통보하고 탑재장비 접미어를 수정하여야 한다.

(6) GPS IFR로 운항하기 전에 조종사는 해당하는 NOTAM과 항공정보를 살펴보아야 한다. (GPS NOTAM/항공정보 참조)

(b) 데이터베이스 요구조건. 탑재 항행 데이터베이스는 예정된 운항지역에 대한 최신의 적합한 데이터이어야 하며, 항행안전시설, waypoint, 그리고 출발, 도착 및 교체 비행장의 관련 부호화된 터미널 공역절차를 포함하고 있어야 한다.

(1) 터미널 및 항공로의 데이터베이스 요건에 대한 추가 지침은 AC 90-100, U.S. Terminal and En Route Area Navigation (RNAV) Operations에서 살펴볼 수 있다.

(2) 항행성능기준(RNP) 계기접근 운항, RNP 터미널 및 RNP 항공로 요건은 AC 90-105(), Approval Guidance for RNP Operations and Barometric Vertical Navigation in the U.S. National Airspace System에서 살펴볼 수 있다.

(3) 비행할 모든 접근절차는 장비 제작사 또는 다른 FAA 승인 공급원에 의해 공급되는 최신의 탑재 항행 데이터베이스에서 검색할 수 있어야 한다. 시스템은 일련의 waypoint를 수동으로 입력하는 것이 아니라, 항공기 항행 데이터베이스에서 절차를 명칭으로 검색할 수 있어야 한다. 접근절차에서 위도/경도 또는 장소/방위를 이용한 waypoint의 수동입력은 허용되지 않는다.

(4) 탑재 항행 데이터베이스에서 검색된 절차나 waypoint를 사용하기 전에 조종사는 데이터베이스의 유효성(validity)을 확인하여야 한다. 이러한 확인에는 다음과 같은 비행전 그리고 비행중 단계를 포함하여야 한다.

〔a〕 비행전(Preflight)

〔1〕 데이터베이스의 발행일자를 살펴보고 예정 사용일자/시간이 유효기간 만료일자/시간 이전인지를 확인한다.

〔2〕 데이터베이스 제공자가 특정 waypoint나 절차의 사용 제한을 공고하지 않았는지 확인한다.

〔b〕 비행중(Inflight)

〔1〕 Waypoint 및 전환 명칭(transition name)이 절차차트에서 볼 수 있는 명칭과 일치하는 지 확인한다. 발간된 절차차트에 표기된 철자와 정확하게 일치하지 않는 waypoint를 사용해서는 안된다.

〔2〕 Waypoint 위치가 올바른 순서에 따라 대체로 타당한지, 서로의 방향이 수평과 수직으로 절차차트 상의 방향과 같은지를 판단한다.

주(Note)

절차에서 waypoint의 일반적인 관계 또는 각 waypoint 위치의 타당성의 확인 말고는 각 waypoint의 위도와 경도, waypoint의 유형 또는 고도제한의 확인에 대한 특정 요건은 없다.

〔3〕 위의 〔2〕에 명시된 절차 타당성 또는 각 waypoint 위치를 대략적으로 확인한 결과 잠재적인 오차가 나타나면, 위도와 경도, waypoint 유형과 고도제한이 발간된 data와 완전히 일치하다는 것이 확인될 때 까지 검색된 절차나 waypoint를 사용해서는 안된다.

(5) 운송용 및 사업용항공기 운영자는 인가된 운영기준(operation specification)의 해당 규정을 충족하여야 한다.

〔a〕 상업용 또는 임대용 항공기의 국내 운항 동안 운영자는 전환하여 운용하거나, 우발상황에서 운용할 수 있는 이차 항법시스템을 갖추어야 한다.

〔b〕 운영자는 비행할 비행로에 적합한 두 개의 독립된 항법시스템이나, 또는 적절한 하나의 시스템과 운영자가 안전하게 비행하여 다른 공항에 착

륙할 수 있도록 독립적인 backup 성능이 있는 두 번째의 시스템을 갖추어야 하며, 항공기는 충분한 연료를 탑재하여야 한다 (14 CFR 121.349, 125.203, 129.17 및 135.165 참조). 이러한 규정은 단일 고장점(single point of failure)이 되지 않도록 하여 운항의 안전을 보장한다.

주(Note)

Multi-sensor 항법시스템 인가를 받고 단일 항법시스템을 갖춘 항공기는 비행관리시스템(FMS)을 포함한 항법시스템 가운데 하나의 구성품이 고장난 경우에도 안전하게 항행하거나 계속 비행할 수 있는 성능을 유지하여야 한다. FMS로부터 독립된 VOR 성능을 보유한 경우 이러한 요건에 충족된다.

〔c〕 이차시스템에 대한 요건은 무선항법 수신기와 같은 시스템의 각 구성품 뿐만 아니라 항법성능을 얻기 위해 필요한 전 set의 장비에 적용된다. 예를 들면 요건에 의거하여 두 개의 RNAV 시스템(예, GPS 및 DME/DME/IRU)을 사용하기 위해서 항공기는 두 개의 독립적인 무선항법 수신기 및 두 개의 독립적인 항법컴퓨터(예, 비행관리시스템(FMS))를 갖추어야 한다. 그렇지 않으면, 설치되어 운용 가능한 VOR 성능이 있는 단일 RNAV 시스템을 사용할 때의 요건에 의거하여 VOR 성능은 FMS로부터 독립되어 있어야 한다.

〔d〕 두 개의 독립된 항법시스템에 대한 요건을 충족시키기 위하여 주 항법시스템이 GPS 기반이면, 두 번째 시스템은 GPS로부터 독립되어 있어야 한다 (예를 들면, VOR 또는 DME/DME/IRU). 이렇게 함으로써 GPS 또는 WAAS service가 이루어지지 않는 경우에도 계속해서 항행할 수 있도록 한다. GPS service의 상실을 초래하는 GPS 간섭 및 시험운영이 더 보편화되고 있다는 것을 인식하고, FAA는 항공로 및 터미널 운항의 경우 DME/DME, IRU 또는 VOR, 그리고 최종접근의 경우 VOR 및 ILS로 구성된 non-GPS 항법성능을 유지하기 위하여 운영자가 14 CFR 121.349, 125.203, 129.17 및 135.65에 의거하여 IFR 운항을 하도록 규정하고 있다. 이러한 시스템은 복귀기능(reversionary capability)으로 사용될 예정이므로 하나의 장비품으로 충분하다.

3. 대양, 국내 항공로 및 터미널지역 운항(Oceanic, Domestic, En Route, and Terminal Area Operations)

(a) 인가를 받은 항공전자 시스템을 설치한 경우에만 대양지역에서 GPS IFR 운항을 할 수 있다. TSO-C196() 사용자 및 등급 A1, A2, B1, B2, C1이나 C2 운항의 승인을 받은 TSO-C129() GPS 사용자는 이중 INS와 같은 인가된 다른 장거리 항법수단 대신에 GPS를 사용할 수 있다 (표 1-1-5와 1-1-6 참조). 위의 규격을 충족하는 단일 GPS 설비는 하나의 장거리 항법수단이 필요한 단거리 대양 항공로의 운항이 승인된다. (AC 20-138(), 부록 1 참조)

표 1-1-5. GPS IFR 장비 등급/범주(GPS IFR Equipment Classes/Categories)

TSO-C129						
장비 등급 (Equipment Class)	RAIM	RAIM 동등 성능 제공 통합 항법시스템	대양 (Oceanic)	항공로 (En Route)	터미널 (Terminal)	비정밀접근 성능
A등급 - GPS sensor 및 항법성능						
A1	제공		제공	제공	제공	제공
A2	제공		제공	제공	제공	미제공
B등급 - 통합항법시스템(즉, FMS, multi-sensor 항법시스템 등) GPS sensor data						
B1	제공		제공	제공	제공	제공
B2	제공		제공	제공	제공	미제공
B3		제공	제공	제공	제공	제공
B4		제공	제공	제공	제공	미제공

C등급 - 비행기술오류(flight tech. errors)를 감소시키기 위하여 자동조종장치나 비행지시기에 증진된 유도를 제공하는 통합항법시스템 GPS sensor data(B등급 처럼). 14 CFR Part 121 또는 동등 기준의 제한을 받음						
C1	제공		제공	제공	제공	제공
C2	제공		제공	제공	제공	미제공
C3		제공	제공	제공	제공	제공
C4		제공	제공	제공	제공	미제공

표 1-1-6. GPS 인가 필요/승인 용도(GPS Approval Required/Authorized Use)

장비 유형[1] (Equipment Type)	설비 인가 필요	운항 승인 필요	IFR 항공로[2]	IFR 터미널[2]	IFR 접근[3]	대양 원거리	ADF 또는 DME[3] 대신
휴대용(Hand held)[4]	X[5]						
VFR Panel Mount[4]	X						
IFR 항공로 및 터미널	X	X	X	X			X
IFR 대양/원거리	X	X	X	X		X	X
IFR 항공로, 터미널 및 접근	X	X	X	X	X		X

주(Note)

[1] 장비인가와 제한사항을 알아보기 위해서는 AFT, AFM 보충판 또는 조종사지침서를 참조한다.

[2] 데이터베이스의 유효기간이 지났다면 데이터의 정확성을 확인할 필요가 있다.

[3] 최신의 데이터베이스를 요청하거나, 데이터베이스의 유효기간이 지난 이후에 절차가 개정되지 않았는지의 확인을 요청한다.

[4] VFR 및 휴대용 GPS 시스템은 IFR 항법, 계기접근 또는 계기비행의 주요 참조수단으로 인가되지 않는다. IFR 운항을 하는 동안 이러한 장비는 단지 상황인식을 위한 보조도구로만 고려하여야 한다.

[5] 휴대용수신기는 인가를 받을 필요가 없다. 그러나 외부 안테나나 영구적인 장착 받침대(bracket)의 설치 등과 같이 휴대용수신기를 지원하기 위한 항공기의 개조에는 인가가 필요하다.

(b) 인가를 받은 항공전자 시스템을 설치한 경우에만 GPS 국내, 항공로 및 터미널 IFR 운항을 할 수 있다. 조종사는 등급 A1, B1, B3, C1 이나 C3 운항 승인을 받은 TSO-C129()의 GPS, TSO-C196()의 GPS 또는 TSO-C145()나 TSO-C146()를 갖춘 GPS/WAAS를 사용할 수 있다. TSO-C129() 또는 TSO-C196() 수신기를 사용할 경우, 목적지공항과 필요한 교체공항(alternate airport)까지의 비행로에 적합한 지상기반 시설의 모든 것을 수신하기 위하여 필요한 항공전자장비를 설치하고 운용하여야 한다. 이러한 비행로에 필요한 지상기반 시설도 운용하여야 한다.

(1) TSO-C145() 또는 TSO-C146() GPS/광역보강시스템(WAAS)을 설치하고 운용할 경우, 알래스카의 지상기반 항행안전시설 운용 서비스범위 외부에서 GPS 항공로 IFR 운항을 할 수 있다. WAAS를 미국에서는 위성기반보강시스템(satellite-based augmentation system; SBAS)이라고 한다.

〔a〕 항공기가 항공교통관제(ATC) 레이더감시를 받는 동안에는 GPS (TSO-C129()나 TSO-C196())를 갖추고, 또는 ATC 레이더감시가 필요하지 않는 GPS/WAAS (TSO-C145()나 TSO-C146())을 갖추고 알래스카의 GNSS Q-route에서 항공기를 운항할 수 있다.

〔b〕 GPS/WAAS (TSO-C145() 또는 TSO-C146()) 장비를 갖춘 항공기는 알래스카의 GNSS T-route에서만 항공기를 운항할 수 있다.

(2) GPS/WAAS 항법시스템을 사용할 경우

항공로 IFR 운항 시 지상기반항법장비가 설치되고 운용될 필요는 없다. GPS/WAAS 항법시스템이 작동되지 않는 경우, 모든 운영자는 대체항법수단을 이용할 수 있어야 한다.

(3) 알래스카 외부의 Q-route 및 T-route. Q-route에서는 현재 시스템성능이 AC 90-100(), U.S. Terminal and En Route Area Navigation (RNAV) Operations에 언급된 기준을 충족하는 GPS, GPS/WAAS 또는 DME/DME/IRU RNAV 시스템을 필요로 한다. T-route에서는 GPS 또는 GPS/WAAS 장비를 필요로 한다.

(c) 인가를 받은 항공전자 시스템을 설치하고 다음과 같은 요건을 충족한 경우, GPS IFR 접근/출발운항을 할 수 있다.

(1) 항공기는 TSO-C145() 또는 TSO-C146() 또는 TSO-C196() 또는 등급 A1, B1, B3, C1 이나 C3의 TSO-C129() 이다. 그리고

(2) 접근/출발은 항법컴퓨터의 최신 탑재 항행 데이터베이스에서 검색할 수 있어야 한다. 시스템은 항공기 항행 데이터베이스에서 명칭으로 절차를 검색할 수 있어야 한다. 접근절차에서 위도/경도 또는 장소/방위를 이용한 waypoint의 수동입력은 허용되지 않는다.

(3) GPS 계기접근/출발의 승인은 미국 공역으로 제한된다.

(4) 그 밖의 공역에서 GPS의 사용은 특별히 FAA 기관의 승인을 받아야 한다.

(5) 미국 외부의 GPS 계기접근/출발운항은 해당 국가기관의 승인을 받아야 한다.

4. 출발 및 계기출발절차(DP; Departures and Instrument Departure Procedure)

발간된 IFR 출발과 DP 차트로 비행하기 위해서 GPS 수신기는 터미널 CDI 감도(±1 NM)와 데이터베이스에 포함된 항로로 설정하여야 한다. 터미널 RAIM은 수신기에 의해 자동으로 제공되어야 한다 (waypoint가 사용 비행계획의 일부가 아니라면, 첫 번째 목적지로 직진하는 경우 외에는 출발 시에 터미널 RAIM을 이용할 수 없을 수도 있다). 특히 진로로 레이더 유도되거나 waypoint까지의 특정 진로로 진입하는 것이 필요할 때, DP의 일부 구간에서는 조종사에 의한 일부 수동조종이 필요할 수 있다. 데이터베이스에 모든 전환(transition)과 모든 활주로의 출발이 포함되어 있지 않을 수 있으며, 일부 GPS 수신기의 데이터베이스에도 DP가 포함되어 있지 않을 수 있다. 헬리콥터 출발절차와 실패접근은 고정익 장애물회피표면(obstacle clearance surface; OCS)의 두 배인 20:1 OCS를 적용하기 때문에 헬리콥터 절차에서는 70 knot 이하로 비행해야 하며, 선회지역 또한 이 속도를 기준으로 한다.

5. GPS 계기접근절차

(a) GPS 중첩접근(overlay approach)은 조종사가 GPS 항공전자장비, 로컬라이저형 방향보조시설(LDA)을 사용하여 비행하는 것을 승인받은 비정밀 계기접근절차이며, 단순지향성표지시설(SDF)은 승인되지 않는다. 중첩절차는 표제(title)의 "절차명"과 "or GPS" (예, VOR/DME or GPS RWY 15)로 식별된다. 승인을 받은 절차는 최신의 탑재 항행 데이터베이스에서 검색할 수 있어야 한다. 또한 항행 데이터베이스는 기존 NAVAID 접근정보에 포함된 지도를 보여주어 위치파악 능력을 향상시킬 수 있다. 이러한 접근정보를 GPS 중첩접근과 혼동해서는 안된다 (항행 데이터베이스에서 이러한 접근을 식별하는 상세방법은 수신기 사용설명서, AFM 또는 AFM 보충판을 참조한다).

주(Note)

중첩접근(overlay approach)은 5-4-5m장, Area Navigation (RNAV) Instrument Approach Charts, for stand-alone GPS approaches의 설계기준에 따르지 않는다. 중첩접근기준은 지상기반 NAVAID 접근에 사용되는 설계기준을 기반으로 한다.

(b) 기존의 많은 중첩접근(overlay approach)이 GPS 용으로 특별히 설계된 단일(stand-alone) 접근절차로 대체되고 있다. 표제에 "GPS"가 포함되어 있는 모든 접근(예, "VOR or GPS RWY 24", "GPS RWY 24" 또는 "RNAV (GPS) RWY 24")은 GPS를 사용하여 비행할 수 있다. GPS를 갖춘 항공기는 접근 시 기본적인 지상기반 NAVAID나

관련된 항공전자장비를 필요로 하지 않는다. 감시가 가능한 경우, 기본적인 지상기반 NAVAID에 의한 접근의 감시는 권장한다. 현행 중첩접근은 GPS 표제(title)를 사용하도록 하고 있다; 예를 들면, VOR 또는 GPS RWY 24는 "GPS RWY 24"로 할 수 있다. 일부 GPS 절차에는 기본적인 RNAV 접근과 더불어 터미널 도착구역(TAA)이 포함되어 있다.

(c) 비행계획 수립 목적으로 고장탐지 및 제거(FDE) 성능을 갖춘 항법시스템인 TSO-C129() 또는 TSO-C196() 장비를 갖추고 RNAV (GPS) 접근에 대한 적절한 지식과 필요한 훈련을 받고 GPS 기반 IAP 수행을 승인받은 사용자(GPS 사용자)는 RNAV (GPS) 접근이 이루어질 공항에서 접근 무결성에 대한 비행전 RAIM 오류예측을 수행하는 경우, 목적지공항 또는 교체공항의 GPS 기반 IAP에 의거한 비행계획서를 제출할 수 있다. 조종사는 교체공항의 다음과 같은 계획을 수립할 수 있다.

(1) 횡적항행(lateral navigation; LNAV) 또는 선회접근 최저강하고도(MDA)

(2) 인가된 barometric 수직항법(baro-VNAV) 장비를 갖추고 사용하는 경우, LNAV/횡적항행(LNAV/VNAV) DA

(3) 조종사가 인가된 예측 프로그램을 통해 항행성능기준(RNP) 가용성을 확인하였고 인가된 baro-VNAV 장비를 사용하는 특별히 승인을 받은 사용자인 경우, RNAV (RNP) IAP의 RNP 0.3 DA

(d) 위의 조건들을 충족시킬 수 없다면 필요한 교체공항은 GPS 기반 접근절차 이외에 도착예정시간에 운용되어 이용할 수 있을 것으로 예상되며, 항공기가 비행할 수 있는 장비를 갖추고 있는 인가된 계기접근절차가 수립되어 있어야 한다.

(e) GPS 접근 수행절차

(1) RNAV(GPS) 절차는 터미널 도착구역(TAA)과 관련되어 있을 수 있다. RNAV 절차의 기본적인 설계는 "T" 설계이거나 "T"의 변형이다(5-4-5d장, Terminal Arrival Area (TAA), for complete information 참조).

(2) 조종사는 최초접근 waypoint(IAWP) 또는 전이로(feeder route)로 부터 완전한 접근을 할 RNAV(GPS) 접근에 대하여 ATC의 허가를 받아야 한다. 중간픽스(intermediate fix)에서 임의로 접근절차에 진입하는 경우, 지형회피가 보장되지 않는다.

(3) 접근이 비행계획에 load 되면 항법시스템은 공항/헬기장 표점(reference point)으로부터 30 NM 직선거리에서 "장전(arm)" 상태표시를 한다. 아직 접근모드가 장전되지 않았다면 조종사는 이 시점에서 접근모드를 장전하여야 한다 (일부 수신기는 자동으로 장전된다). 접근모드가 장전되지 않으면 수신기는 중심선 양 측면 ±5 NM의 항공로 CDI 감도와 RAIM 감도에서 ±1 NM의 터미널 감도로 변하지 않는다. IAWP가 이 30 mile 지점 내에 있을 경우, 접근모드가 장전되고 항공기가 공항/헬기장 표점으로부터 30 NM 내에 있다면 CDI 감도의 변화가 생길 것이다. IAWP가 30 NM 밖에 있고 접근모드가 장전된 경우, 항공기가 공항/헬기장 표점의 30 mile 이내에 진입할 때까지는 CDI 감도가 변하지 않는다. 전이로(feeder route) 장애물회피는 공항/헬기장 표점 30 NM 이내의 터미널 CDI 감도(±1 NM)와 RAIM의 수신기를 기반으로 하며, 따라서 수신기는 항상 30 NM 상태표시보다 늦지 않게 장전되어야 한다 (필요한 경우).

(4) 조종사는 특정 수신기가 예상선회(turn anticipation)를 산출하기 위하여 사용하는 경사각/선회율이 얼마인지, 그리고 수신기의 계산에 바람과 대기속도가 포함되는지의 여부를 알고 있어야 한다. 이러한 정보는 수신기 사용설명서에 포함되어 있다. 최종접근진로에서의 과도하거나 부족한 선회경사각은 진로 진입을 심각하게 지연시킬 수 있고, 다음 구간의 고도에 도달하기 위해서 높은 강하율을 취해야 할 수도 있다.

(5) 접근모드가 장전되고 최종접근 waypoint(FAWP)의 2 NM 이내로 접근할 경우 접근모드가 활성화되며, 그 결과 RAIM과 CDI가 접근감도로 변화한다. 최대 범위 CDI 감도는 FAWP의 2 NM 이전에서 변하기 시작하여 FAWP에서 ±1 NM에서 ±0.3 NM로 유연하게 변한다. FAWP에 접근하면서 CDI 감도가 ±1 NM에서 ±0.3 NM 까지 변함에

따라 이에 상응하여 CDI가 중앙에 있지 않고 변위가 증가하는 경우, 항공기가 허용되는 진입 기수방향(heading)에 있다 하더라도 의도하는 진로에서 훨씬 멀리 떨어진 것 같은 느낌을 줄 수 있다. 접근모드에서 digital 항적 변위정보(cross track 오차)를 참조할 수 있다면, 이러한 상황에서 조종사가 향하고자 하는 위치를 유지하는데 도움을 줄 수 있다. 2 NM에서 감도 변화가 시작되기 전에 최종접근진로로 진입을 완료하는 것이 급격한 강하 중에 CDI display 해석의 문제점을 예방할 수 있도록 한다. 따라서 FAWP 2 NM 이내의 최종접근진로로 항공기를 진입하게 할 수 있는 레이더유도를 요구하거나 수용하는 것은 권고하지 않는다.

(6) 최종접근진로로 레이더유도를 받고 있는 경우, 대부분의 수신기 사용설명서는 수신기를 FAWP에서 non-sequencing mode에 놓고 수동으로 진로를 설정할 것을 권하고 있다. 이것은 항공기가 활주로 방향과 일치하는 어떤 현행 구간 외부의 최종접근진로로 레이더 유도될 경우 연장된 최종접근진로를 제공한다. 발간된 접근구간에 진입할 때까지는 배정된 고도를 유지하여야 한다. FAWP 또는 단계강하 fix 외부 waypoint에서의 요구고도를 고려하여야 한다. 적절한 위치에서 강하하기 위하여 FAWP까지의 거리를 계산하는 것이 필요할 수 있다.

(7) 선정된 감도는 접근하는 동안에 자동으로 차단되고 접근모드 상태표시는 중지된다. FAWP 2 NM 전까지 접근모드가 장전되지 않았다면, FAWP 2 NM 이전에 접근모드는 활성화되지 않으며 장비에는 flag 표시가 나타난다. 이러한 상태에서는 RAIM과 CDI 감도가 급격하게 저하하지 않으며, 조종사는 MDA까지 강하하지 말고 MAWP까지 비행하여 실패접근을 하여야 한다. FAWP 이전에 접근 작동 표시기(annunciator) 또는 수신기의 접근모드가 활성화되어 있는지 확인하여야 한다.

(8) 탑재 데이터베이스의 절차가 최신화되어 있고, 접근차트에 "GPS"로 식별되지 않는 한 접근을 시도해서는 안된다. 기존 NAVAID를 이용하여 이러한 접근을 하는 동안, 일반적으로 지도를 제공하는 방법으로 위치파악 능력을 향상시키는 비중첩(non-overlay) 접근절차에 대한 정보를 항행 데이터베이스에 포함할 수 있다. 이러한 접근정보를 GPS 중첩접근과 혼동해서는 안된다 (항행 데이터베이스에서 이러한 접근을 식별하는 상세방법은 수신기 사용설명서, AFM 또는 AFM 보충판을 참조한다). 접근 시 지점간(point to point) 비행이 발간된 접근절차의 준수를 보장해 주지는 않는다. 적절한 RAIM 감도는 이용할 수 없으며 CDI 감도는 자동으로 ±0.3 NM 까지 변하지 않는다. 수동으로 CDI 감도를 설정하는 일부 수신기는 RAIM 감도가 자동으로 변하지는 않는다. 현재의 일부 비정밀접근절차는 GPS에 사용하기 위하여 부호화할 수 없으며, 중첩접근으로 이용할 수 없다.

(9) 조종사는 체공장주의 수행, 그리고 중첩접근의 경우 절차선회와 같은 운항 시에는 각별한 주의를 기울여 GPS 수신기를 정확하게 운용하여야 한다. 이러한 절차들은 수신기의 waypoint 순차전환(sequencing)을 중지시키고, 기동이 완료된 후 자동 GPS 항법 전환으로 복귀하기 위하여 조종사의 수동조종을 필요로 할 수 있다. 동일한 waypoint가 여러 번에 걸쳐 연속적으로 비행경로에 나타날 수 있다 (예를 들면, IAWP, FAWP, 절차선회에서 MAHWP). 특히 하나 이상의 fly-over waypoint를 건너뛴다면, 수신기가 순차적으로 비행절차 단계의 해당 waypoint로 전환되는지 주의를 기울여야 한다 (예를 들어 절차선회 중이 아니라면 IAWP 보다는 FAWP). 조종사는 waypoint 순서에 따라 해당 장소에서 GPS 자동 순차 전환(sequencing)이 시작되도록 하기 위하여 지나친 한 개 이상의 동일한 fly-over waypoint를 순차 전환시키는 것이 필요할 수도 있다.

(10) GPS 수신기의 부정확한 입력은 특히 접근 중에 위험하다. 어떤 경우에는 부정확한 입력이 수신기의 접근모드를 중단시키는 원인이 될 수 있다.

(11) DME fix로 식별되는 중첩접근 상의 fix는 발간된 명칭이 부여되어 있지 않는 한 GPS 수신기의 waypoint 수순에 나타나지 않는다. 명칭이 부여되어 있다면 waypoint까지의 along track distance(ATD)는 접근차트에 언급된 DME가 아

니라 0이 나타날 수도 있다. 조종사는 본래의 접근에 DME가 사용된 중첩절차에서는 이러한 점에 주의를 기울여야 한다.

(12) 시각강하지점(VDP)이 발간된 경우, waypoint의 수순에는 포함되지 않는다. 조종사는 시각강하를 하기 위하여 ATD와 같은 통상적인 조종기술을 사용하여야 한다.

(13) 최종접근구역의 명칭이 부여되지 않은 단계강하 fix는 항공기의 항행 데이터베이스의 waypoint 수순에 부호화되어 있거나 부호화되어 있지 않을 수도 있으며, ATD를 이용하여 식별하여야 한다. RNAV (GPS) 접근의 최종접근구역에서 단계강하(stepdown) fix는 ATD로 식별될 뿐 아니라 명칭이 부여된다. 그러나 GPS 항공전자장비는 FAF와 MAP 간의 waypoint를 제공할 수도, 제공하지 않을 수도 있다. 조종사는 GPS 장비의 기능을 알고 있어야 하며, 필요할 경우 ATD를 이용하여 이러한 단계강하 fix를 계속 식별하여야 한다.

(f) 실패접근(Missed Approach)

(1) GPS 실패접근은 MAWP를 지나 절차의 실패접근부분까지 수신기가 순차 전환되도록 하기 위한 조종사의 조치가 필요하다. 조종사는 항공기에 설치된 특정 GPS 수신기의 작동절차를 완전히 알고 있어야 하며, MAWP를 지난 이후에 적절한 조치를 취하여야 한다. MAWP 이전에 실패접근을 하는 것은 CDI 감도를 바로 터미널 감도(±1 NM)로 변하게 하는 원인이 될 수 있으며, 수신기는 MAWP까지 계속 항행하도록 할 것이다. 수신기는 MAWP를 지난 이후에는 순차 전환되지 않는다. MAWP 이전에 선회를 시작해서는 안된다. 실패접근을 하지 않았다면 GPS 수신기는 최종접근진로의 inbound 연장선을 시현하고, MAWP를 통과한 이후 ATD는 수동으로 순차 전환할 때 까지 MAWP로부터 증가한다.

(2) 첫 번째 항적이 다음 waypoint까지 직진하는 대신 하나의 진로를 경유하는 실패접근 비행로의 설정은 조종사가 진로를 설정하는 추가 조치가 필요하다. 비행단계에서 입력에 필요한 모든 것을 숙지하는 것이 특히 중요하다.

(g) GPS NOTAM/항공정보

(1) GPS 위성의 운용중지는 국내 및 국제 양쪽의 GPS NOTAM으로 발행된다. 그러나 작동하지 않을 것으로 예상되는 위성을 NOTAM 정보에 의거하여 배제할 수 있는 RAIM 가용성 오류예측 프로그램(availability prediction program)을 갖추고 있지 않는 한, 조종사가 예정된 운항에서 운용중지의 영향을 판단할 수는 없다.

(2) 용어 UNRELIABLE 및 MAY NOT BE AVAILABLE은 GPS NOTAM과 관련하여 사용된다. UNRELIABLE 및 MAY NOT BE AVAILABLE 둘 다 기대하는 수준의 service를 이용하지 못할 수도 있다는 것을 조종사에게 나타내는 조언이다. UNRELIABLE이 GPS 신호 무결성(signal integrity)에 문제가 있다는 것을 의미하는 것은 아니다. GPS service를 이용할 수 있으면 조종사는 계속 운항할 수도 있다. LNAV 또는 LNAV/VNAV service를 이용할 수 있으면 조종사는 시현되는 수준의 service를 접근에 사용할 수도 있다. GPS 운항은 시험 또는 이상현상으로 인해 NOTAM에 UNRELIABLE 또는 MAY NOT BE AVAILABLE로 고시될 수 있다 (GPS 운용성능의 저하 또는 service의 상실을 포함한 GPS의 이상현상은 1-1-13항을 참조하여 가능한 빨리 보고하여 줄 것을 조종사에게 권장하고 있다). 실제 시험 중이고 GPS testing NOTAM이 발행된 경우, 항공교통관제기관은 GPS를 이용할 수 없는 GPS 또는 RNAV (GPS) 접근의 허가 또는 요청을 조종사에게 통보하고 의도를 요구하여야 한다. 조종사가 GPS 이상현상을 보고하면 항공교통관제기관은 조종사의 의도를 요구하거나, 이용할 수 있고 운용 중이라면 대체접근을 조종사에게 허가한다.

예문(Example)

다음은 GPS testing NOTAM의 예이다.

!GPS 06/001 ZAB NAV GPS (INCLUDING WAAS, GBAS, AND ADS-B) MAY NOT BE AVAILABLE WITHIN A 468NM RADIUS CENTERED AT 330702N1062540W (TCS 093044) FL400-UNL DECREASING IN

AREA WITH A DECREASE IN ALTITUDE DEFINED AS: 425NM RADIUS AT FL250, 360NM RADIUS AT 10000FT, 354NM RADIUS AT 4000FT AGL, 327NM RADIUS AT 50FT AGL. 1406070300-1406071200.

(3) 민간조종사는 제작사가 제공하는 RAIM 오류예측 tool, 또는 FAA 항공로 및 터미널 RAIM 오류예측(prediction) 웹사이트의 Service Availability Prediction Tool(SAPT)을 사용하여 비정밀접근절차에 대한 GPS RAIM 가용성 정보를 구할 수 있다. 조종사는 비행전 브리핑 시 비행정보업무국에 GPS RAIM 항공정보를 요청할 수도 있다. 3시간 동안(예를 들어 도착예정시간이 1215시 이라면, 1100시부터 14 00시까지 이용할 수 있는 GPS RAIM 정보) 또는 특정 공항의 24시간대 GPS RAIM 항공정보를 구할 수 있다. FAA briefer는 조종사가 특정 시간대를 지정하여 요청하지 않는 한, ETA 전후 1시간 동안의 RAIM 정보를 제공한다. 발간된 GPS 출발절차로 비행한다면 출발공항에 대한 RAIM 오류예측(prediction)도 요청할 수 있다.

(4) 군은 군용 비행장에서의 비정밀접근절차에 대한 비행장의 특정 GPS RAIM NOTAM을 제공한다. RAIM 운용중지는 M-series NOTAM으로 발행되며, 요청시간으로부터 24시간까지의 정보의 구할 수 있다.

(5) 수신기 제작사 또는 데이터베이스 공급회사는 데이터베이스 오류와 관련된 "NOTAM" 유형의 정보를 제공할 수도 있다. 조종사는 전자 데이터베이스와 관련된 가장 최근의 정보를 보유하고 있을 수 있도록 가능하면 이러한 자료를 확인하여야 한다.

(h) 수신기 자체 무결성감시장비(Receiver Autonomous Integrity Monitoring: RAIM)

(1) RAIM 운용중지(outage)는 불충분한 수의 위성, 또는 위치계산에서 오차를 더 증가시킬 수 있는 위성의 부적합한 기하학적 배열로 인하여 발생할 수 있다. 위성신호 수신 실패 및 RAIM 경고의 상실은 항공기의 기동(pitch 또는 경사각의 변화)에 의해 발생할 수도 있다. 항공기의 안테나 위치, 수평선에 대한 위성의 위치와 항공기 자세는 하나 또는 그 이상의 위성신호의 수신에 영향을 줄 수 있다. 위성의 상대적인 위치는 계속 변하기 때문에 공항에서 이전에 수신이 되었다고 언제나 수신을 보장해 주지는 않으며, 항상 RAIM 가용성을 점검하여야 한다.

(2) RAIM을 이용할 수 없다면 도착 시에 RAIM을 이용할 수 있을 것으로 확실시 되지 않는 한 다른 유형의 항법시스템과 접근시스템을 사용하거나, 다른 비행로나 목적지를 선정하거나 또는 출발을 연기하여야 한다. 장거리 비행의 경우 조종사는 비행하는 동안 목적지에 대한 RAIM 오류예측(prediction)의 재점검을 고려하여야 한다. 이렇게 함으로써 이륙 이후에 발생한 예기치 않은 위성의 운용중지를 조기에 인지할 수 있다.

(3) 최종접근 waypoint(FAWP) 이전에 RAIM 고장/상태표시가 나타나면 GPS는 더 이상 필요한 정확도를 제공하지 않기 때문에 접근을 계속해서는 안된다. 접근모드 진입 조건으로 RAIM을 이용할 수 있도록 FAWP 2 NM 이전에서 수신기 RAIM 오류예측(prediction)을 수행한다. 조종사는 FAWP 이전(보통 2 NM 이전에 발생)에 수신기가 "Armed"에서 "Approach"로 순차적으로 전환되는지를 확인하여야 한다. 순차적으로 전환이 되지 않는 것은 위성 이상의 탐지, 수신기 장전(arm)의 실패(필요한 경우) 또는 접근을 계속할 수 없도록 하는 다른 문제점이 있다는 의미일 수 있다.

(4) 만약 수신기가 FAWP 이전에 접근모드로 순차적으로 전환되지 않거나 RAIM 고장/상태표시가 나타나면 조종사는 접근하거나 강하를 해서는 안되며, FAWP를 경유하여 실패접근 waypoint(MAWP)까지 진행하여 실패접근을 한 후 가능한 한 빨리 ATC와 교신하여야 한다. RAIM 고장/상태표시가 나타난 후에도 계속해서 GPS 수신기를 운용할 수 있지만, 항법정보는 단지 조언으로만 고려되어야 한다. FAF 이전의 RAIM 기능상실과 관련된 특정 지시 및 설명에 대해서는 수신기 사용설명서를 참조한다.

(5) FAWP 이후에 RAIM flag/상태표시가

나타나면 조종사는 상승하거나 실패접근을 하여야 한다. RAIM flag/상태표시가 나타난 후에도 계속해서 GPS 수신기를 운용할 수 있지만, 항법정보는 단지 조언으로만 고려되어야 한다. RAIM 기능상실시 작동 mode 정보에 대해서는 수신기 사용설명서를 참조한다.

(i) 웨이포인트(Waypoint)

(1) GPS 수신기는 하나의 지정된 지점에서 항공기 탑재 항행 데이터베이스에서 검색된 다른 지점으로 항행한다. Waypoint(발음이 가능한 5자리 문자의 명칭), 기존의 VHF 교차지점, 발음이 가능한 5자리 문자의 명칭 및 3자리 문자의 NAVAID ID를 갖고 있는 DME fix가 이러한 지점이 된다. 각 waypoint는 위도/경도 지리적 좌표로 나타내는 지리적 위치이다. 이러한 5자리 문자의 waypoint, VHF 교차지점, 발음이 가능한 5자리 문자의 DME fix 및 3자리 문자의 NAVAID ID는 다양한 FAA 항법 산출물(IFR 항공로차트, VFR 차트, 터미널 절차간행물 등)에 게재된다.

(2) 또한 Computer Navigation Fix(CNF)는 위도/경도좌표로 나타낸 지점으로 Performance-Based Navigation(PBN) 운항을 지원하기 위하여 필요하다. GPS 수신기는 지점에서 지점으로 항행하기 위하여 waypoint와 관련된 CNF를 사용한다. 그러나 CNF는 ATC에 사용되지는 않는다. ATC는 자체 데이터베이스에 CNF를 유지하지 않으며, 항공교통관제 목적으로 CNF를 사용하지도 않는다. CNF는 단지 조언 목적으로 FAA 항법 산출물에 차트화되어 차트 범례에 목록화 될 수도 있다. 조종사는 지점간(point to point) 항행, 비행계획의 제출 또는 항공기/ATC 통신에 CNF를 사용해서는 안된다. 항공차트 상에 표시된 CNF는 항공기 데이터베이스 비행경로의 지점과 항공차트의 지점을 확인하여 조종사의 상황인식을 증진시킬 수 있도록 한다. CNF는 waypoint처럼 발음이 가능하지 않는 무작위의 5자리 문자 식별자이며, 괄호 안에 나타낸다. 최종적으로 모든 CNF는 문자 "CF"로 시작하여 "CF" 다음에 3자리의 자음으로 표기될 것이다 (예를 들면, CFWBG). 이러한 5자리 식별자(identifier)는 항공로차트의 "x" 다음에서 볼 수 있으며, 접근차트에서 볼 수도 있다. 터미널절차간행물의 계기접근절차(차트)에서 CNF는 명칭이 부여되지 않은 DME fix, DME arc의 시작지점과 끝지점, 그리고 일부 GPS 중첩접근의 sensor(지상기반 신호, 즉, VOR, NDB, ILS FAF) 최종접근픽스를 대신할 수 있다. 이러한 CNF는 지상기반 sensor 접근을 반영하는 중첩접근을 할 수 있도록 하는 절차상의 지점과 함께 GPS를 제공한다. 이러한 지점은 항행을 위한 GPS 시스템에만 사용되어야 하며, 조종사는 접근시에 다른 목적으로 이를 사용해서는 안된다. 국제민간항공기구(ICAO)가 CNF 개념을 채택하거나 권장하고 있지는 않다.

(3) GPS 접근은 접근시에 비행로구간으로 진입하기 위하여 fly-over 및 fly-by waypoint를 이용한다. Fly-by waypoint는 항공기가 다음 waypoint의 진로로 선회하기 위하여 현재의 waypoint 이전에 선회할 수 있도록 하여 두 구간을 연결한다. 이것을 예상선회(turn anticipation)라고 하며, 공역 및 지형회피를 위하여 보정된다. MAWP와 실패접근체공 waypoint(MAHWP)는 접근시에 fly-by waypoint가 아닌 단지 2개의 waypoint가 된다. Fly-over waypoint는 항공기가 새로운 진로로 선회를 시작하기 전에 waypoint 상공을 통과해야 할 때 사용된다. Fly-over waypoint 부호는 동그라미가 그려진 waypoint 모양이다. 일부 waypoint는 NoPT 비행로의 IF로서 사용되는 경우 fly-by waypoint, 그리고 동일한 waypoint가 IAF/IF hold-in-lieu of PT로도 사용되는 경우 fly-over waypoint의 두 가지 용도로 사용될 수 있다. 이러한 경우 제한이 더 적은(fly-by) 부호가 표기된다. 중첩(overlay) 접근차트와 일부 초기의 단일 GPS 접근차트에는 이러한 규정이 반영되어 있지 않을 수도 있다.

(4) 각 공항의 명칭이 부여되지 않은 waypoint는 데이터베이스에 다르게 식별된다. 이 식별자가 다른 공항에 사용될 수도 있지만(예를 들어, RW36은 활주로 36이 있는 각 공항의 식별자가 될 수 있다), 각 공항에서 실제 지점은 특정 위도/경도좌표

로 나타낸다.

(5) 일반적으로 MAWP라고 하는 활주로시단 waypoint는 5자리의 문자 식별자(예, SNEEZ)를 가지거나 RW##(예, RW36, RW36L)로 부호화 된다. 활주로시단에 위치하는 MAWP는 RW## 식별자로 변경되고 있지만, 시단에 위치하지 않는 MAWP는 5자리의 문자 식별자를 갖게 된다. 이것은 모든 변경이 이루어질 때 까지 접근차트를 항공기 데이터베이스와 다르게 하는 원인이 될 수 있다. 또한 활주로시단 waypoint는 대부분의 GPS 접근에서 최저안전고도(MSA)의 중심으로 사용된다.

(j) 위치파악(Position Orientation). 조종사는 GPS를 사용하는 동안 위치파악에 각별한 주의를 기울여야 한다. 거리 및 항적정보는 고정된 항행안전시설이 아닌 사용 중인 다음 waypoint까지 제공된다. 조종사가 레이더유도를 받고 있거나 기상으로 인하여 비행로를 이탈하는 경우와 같이 사용 중인 비행로를 따라 비행하지 않을 때에는 비행로에서 다른 waypoint에 근접하여 수신기가 순차적으로 전환될 수도 있다. 이는 수신기를 nonsequencing mode로 설정함으로써 예방할 수 있다. 수신기가 nonsequencing mode일 경우 선정된 waypoint까지의 방위와 거리가 제공되며, 자동 sequence mode로 돌려놓거나 조종사가 다른 waypoint를 선정하기 전까지 수신기는 비행로의 다음 waypoint로 순차적으로 전환되지 않는다. 수신기는 VOR 또는 ILS 지상기지국까지의 DME 대신에 다음 waypoint까지의 along-track distance를 나타내기 때문에 조종사는 단계강하(stepdown) fix 및 중첩접근 시 다른 지점까지의 along-track distance를 산출해야 할 수도 있다.

(k) PBN 시스템의 자기편차 영향(Impact of Magnetic Variation on PBN Systems)

(1) 지상기반 NAVAID 계기비행절차(IFP), 항공로차트, 접근차트 및 표준계기출발절차/표준터미널도착절차(SID/STAR) 차트 상에 실려 있는 자방위(magnetic course)와 PBN 시스템 간에는 차이가 있을 수 있다. 이런 차이는 자방위 계산에 사용된 자기편차로 인한 것이다. 처음에는 원하는 진북 기준의 지상항적(ground track)으로 계기절차의 모든 leg를 산정한다. 다음에 발간물의 자방위를 계산하기 위하여 진방위에 자기편차 보정을 적용한다. 자기편차 값을 진방위에 더할 것인 지의 여부는 절차의 유형으로 결정된다. 지상기반 NAVAID IFP는 자방위를 구하기 위하여 기록되어 있는 시설의 자기편차를 진방위에 적용한다. PBN 절차의 자방위는 서로 다른 두 가지 방법으로 계산된다. IFR 항공로차트가 magnetic reference bearing을 이용하는 반면에 SID/STAR 절차는 기록되어 있는 공항의 자기편차를 이용한다. PBN 시스템은 진북에 항공기 위치를 기반으로 하는 알고리즘(algorithm)으로 계산된 자기편차를 더하거나, 자체 항행 데이터베이스의 코드화된 자기편차를 더하여 보정을 한다. 이것은 PBN 시스템과 절차 설계자가 서로 다른 자기편차를 이용하는 결과를 초래할 수 있으며, 이는 PBN 시스템에 의해 시현되는 자방위와 IFP plate에 실려 있는 자방위를 서로 다르게 하는 원인이 될 수 있다. 하지만 PBN 시스템(VOR/DME RNAV 장비를 제외하고)은 진북을 기준으로 항행하며, 조종사 참조용으로만 자방위를 시현한다는 것을 아는 것이 중요하다. 그러므로 최신의 정확한 항행 데이터베이스를 갖추고 정상적으로 작동하는 PBN 시스템은 자기편차 적용으로 인한 것일 수 있는 시현된 자방위의 차이에도 불구하고 load 된 계기절차의 보정된 지상항적으로 비행할 것이다. 접근차트와 항행 데이터베이스의 PBN 시스템 항공전자장비 적용 간에 중요한 차이가 발생하면 NOTAM으로 추가 발간된 접근차트에 우선권이 있다.

(2) PBN 시스템 항공전자장비의 측지선 경로(geodesic path)의 산출, waypoint 간의 거리와 자기편차 적용 시의 차이로 인하여 waypoint로의 진로는 이전의 waypoint를 출발하는 진로와 항상 180°의 차이가 나지 않을 수도 있다. PBN 시스템 간의 거리값은 다음 waypoint까지 계산된 ATD이며, 근본적인 절차의 발간되는 DME 값은 기지국까지 측정된 경사거리(slant-range distance)이기 때문에 거리의 편차가 발생한다. 이러한 차이는 항공기 고도가 높아질수록, 그리고 NAVAID에 가

까워질수록 증가한다.

(l) GPS 숙달(GPS Familiarization)

조종사는 계기기상조건(IMC)에서 비행을 하기 전에 장비(수신기 및 설비)의 모든 면에 완전히 익숙해질 때 까지 시계기상조건(VMC)에서 GPS 접근을 연습해야 한다. 조종사는 다음과 같은 분야에 숙달되어야 한다.

(1) 수신기 자체 무결성감시장비(RAIM) 오류예측 기능의 사용

(2) 필요한 경우, 터미널 RAIM을 출발에 이용할 수 있다는 조건 하에서 터미널 CDI 감도의 설정을 포함하여 비행계획에 DP 입력

(3) 목적지공항 계획

(4) 중첩접근 계획 및 비행 (특히 절차선회 및 원호비행)

(5) 접근을 선택한 이후 다른 접근으로 변경

(6) "직진(direct)" 실패접근 계획 및 비행

(7) "배정 비행로(routed)" 실패접근 계획 및 비행

(8) 특히 체공장주에 두 번째 waypoint가 있는 중첩접근에서 체공장주의 진입, 비행과 이탈

(9) 체공장주로부터 "비행로 배정(route)" 계획 및 비행

(10) 중간구역(intermediate segment)까지 레이더유도에 의한 접근 계획 및 비행

(11) FAWP 이전과 이후에서 RAIM 고장시 요구되는 조치사항 식별

(12) VOR로부터의 radial과 거리 계획 (종종 출발지시에 사용됨)

1-1-18. 광역보강시스템(WAAS: Wide Area Augmentation System)

a. 일반(General)

1. FAA는 GPS 신호의 정확성, 무결성 및 가용성을 향상시키기 위하여 WAAS를 개발하였다. 이것이 완료되면 WAAS는 이륙부터 접근까지에 GPS를 항공 항법시스템으로 사용할 수 있도록 할 것이다. WAAS는 민간항공에서 위성항법시스템이 중단되지 않도록 하기 위한 FAA의 전략적 목표의 중요한 요소이며, 이는 수용능력 및 안전성을 향상시킨다.

2. 국제민간항공기구(ICAO)는 WAAS와 같은 위성기반보강시스템(satellite-based augmentation system; SBAS))에 대하여 국제표준 및 권고방식(SARP)을 규정하였다. 일본, 인도와 유럽은 유사 시스템인 유럽의 위성기반보강시스템(EGNOS), 인도의 위성기반보강항법(GAGAN) 시스템, 그리고 일본의 다목적위성(MTSAT)－위성기반보강시스템(MSAS)을 구축하고 있다. 이러한 시스템의 통합을 통해 GPS와 유사하지만 더 높은 정확성, 가용성 및 무결성의 광범위한 항법성능을 이끌어 낼 수 있을 것이다.

3. 기존의 지상기반 항행안전시설과는 달리 WAAS는 더 광범위한 업무구역을 담당하게 된다. 정확하게 측지된 광역 지상기준국(WRS)은 미국 WAAS network와 연결된다. WRS는 위성 시계 및 천체력의 보정을 결정하고, 전리층의 반사파 영향을 model로 삼기 위하여 GPS 위성의 신호를 감시한다. Network 상의 각 기준국은 보정정보를 산출하는 광역 주기지국(WMS)에 자료를 중계한다. 보정 message가 생성되면 지상지구국(ground earth station; GES)에 위치한 GEO uplink 하위시스템(GEO uplink subsystem; GUS)을 통하여 정지지구궤도위성(geostationary earth orbit satellite; GEO)으로 uplink 된다. 다음에 message는 WAAS GEO의 방송 통달범위 내의 WAAS 수신기에 GPS와 동일한 주파수(L1, 1575.42 MHz)로 방송된다.

4. 보정신호의 제공과 더불어 WAAS GEO는 부가적인 의사거리 측정치를 항공기 수신기에 제공하며, 이는 결과적으로 보이는 곳에 추가의 GPS 위성을 제공함으로써 GPS의 가용성을 향상시킨다. 실시간 감시를 통해 GPS의 무결성이 향상되었으며, 차동보정(differential correction)을 제공하여 오차를 감소시킴으로써 정확성은 향상되었다. GPS/WAAS glide path(수직유도)를 가진 접근절차가 충분히 가능할 만큼 성능이 향상되었다.

5. FAA는 3개의 GEO 위성 link, 38개의 WRS, 3개의 WMS, 6개의 GES 그리고 2곳의 종합통제

센터를 포함한 WAAS network를 지원하기 위해 필요한 지상통신시설의 설치를 완료하였다. FAA는 WAAS를 공공용으로 사용하기 전에 일련의 시험과 검증활동을 수행하였다. 향후 이중 주파수(dual frequency) 운용계획이 수립되어 있다.

6. GPS와 WAAS를 포함한 GNSS 항법은 WGS-84 좌표계를 기준으로 한다. 이것은 항공정보간행물(전자 data와 항공차트 포함)이 WGS-84 또는 이와 동등한 좌표계를 따르는 곳에서만 사용하여야 한다. 다른 국가의 민간항공 담당기관은 그들의 SBAS 시스템에 추가적인 제한을 할 수 있다.

b. 계기접근 성능

1. 정밀접근에 대한 ICAO 부속서 10의 요건을 충족하지는 않지만, 수직유도정보를 제공하는 등급의 접근절차가 전 세계적으로 위성항법을 항공에 적용하는 것을 지원하기 위하여 개발되었다. ICAO 부속서 6에 규정된 정밀접근이 아닌 이 절차를 수직유도정보가 제공되는 접근절차(Approach with Vertical Guidance; APV)라고 하며, 여기에는 LNAV/VNAV 및 수직유도정보가 제공되는 로컬라이저 성능(localizer performance with vertical guidance; LPV)과 같은 접근이 포함된다. 이 접근은 수직유도를 제공하지만 더 엄격한 정밀접근의 기준에는 미치지 못한다. 적절한 인가를 받은 WAAS 수신기는 WAAS electronic glide path를 사용하는 이러한 LPV 최저치 및 LNAV/VNAV 최저치로 비행할 수 있도록 하며, 기압고도계 사용에 의해 유발될 수 있는 오차를 제거한다.

2. LPV 최저치는 WAAS가 제공하는 정확성이 높은 유도 및 증가된 무결성을 활용한다. WAAS가 생성하는 각도유도(angular guidance)는 ILS 접근에 사용하는 기준과 동일한 TERP 접근을 사용할 수 있도록 한다. 지형과 공항 기반시설이 가장 낮은 최저치를 지원할 경우, LPV 최저치는 1/2 mile의 낮은 시정최저치에서 접지구역상공 200 ft의 낮은 결심고도를 가질 수 있다. LPV 최저치는 RNAV (GPS) 접근차트에 공고된다. (5-4-5항, 계기접근절차차트 참조)

3. 지형 또는 장애물로 인해 수직유도되는 LPV 절차를 발간할 수 없는 지역에 Localizer Performance (LP)라고 하는 새로운 비정밀 WAAS 절차가 추가되고 있다. 이 새로운 접근은 ILS 로컬라이저와 유사한 횡적절차만을 제공하는 WAAS에 의해 이루어지는 횡적각도유도 및 더 적은 위치오차의 이점을 가지고 있다. LP 절차는 제한된 장애물회피표면으로 인해 LNAV 절차보다 더 낮은 최저치를 제공할 수 있다.

주(Note)

TSO-C145b 및 TSO-C146b 보다 이전에 승인된 WAAS 수신기는 LPV 성능을 가지고 있지만, 수신기가 upgrade 되어 있지 않는 한 LP 성능을 포함하고 있지는 않다. LP 절차 비행능력이 있는 수신기는 WAAS 및 GPS 접근절차 유형에 대한 성능은 물론, 수신기가 그밖에 LP 성능을 가지고 있다는 것을 언급한 내용을 비행교범(AFM), AFM 보충판 또는 승인된 보충 비행교범에 포함시켜야 한다.

4. WAAS는 시스템 통달범위 내에서 LNAV, LP, LNAV/VNAV 및 LPV minima line으로의 RNAV (GPS) 접근을 포함한 모든 비행단계를 지원하는 수준의 service를 제공한다. 통달범위 가장자리 근처의 일부 장소에서는 수직유도의 가능성이 낮아질 수 있다.

c. 일반적인 요구조건(General Requirement)

1. WAAS 항공전자장비는 기술표준지시(TSO) TSO-C145(), Airborne Navigation Sensors Using the (GPS) Augmented by the Wide Area Augmentation System(WAAS) 또는 TSO-146(), Stand-Alone Airborne Navigation Equipment Using the Global Positioning System(GPS) Augmented by the Wide Area Augmentation System(WAAS)에 의거하여 승인을 받아야 하며, 권고회보(AC) (AC) 20-138(), Airworthiness Approval of Positioning and Navigation Systems에 의거하여 설치하여야 한다.

2. GPS/WAAS 운용은 FAA가 승인한 비행교범(AFM)이나 비행교범보충판에 의거하여 수행하여야 한다. 비행교범보충판에는 수신기가 지원하는

접근절차의 수준이 언급될 것이다. IFR 인가 WAAS 수신기는 적절한 수준으로 횡적성능이 제 기능을 하는 동안에만 모든 GPS 단독운용을 지원한다. WAAS는 GPS와 WAAS 위성 모두를 감시하고 무결성을 제공한다.

3. 운용자가 고장탐지 및 제거(FDE) 예측프로그램을 확보하면 GPS/WAAS 장비는 자체적으로 대양과 원거리운항을 지원할 수 있다.

4. 운송용 및 사업용항공기 운영자는 인가된 운영기준(operations specifications)의 해당 규정을 충족하여야 한다.

5. GPS/WAAS IFR 운항 전에 조종사는 해당 항공고시보(NOTAM)와 항공정보를 살펴보아야 한다. 이러한 정보는 비행정보업무국에 요청하여 이용할 수 있다. FAA는 조종사에게 WAAS의 상태와 이용할 수 있는 service의 수준을 조언하기 위하여 NOTAM을 제공할 것이다.

(a) 용어 MAY NOT BE AVBL은 WAAS NOTAM과 관련하여 사용되며, 전리층의 상태로 인하여 수직유도를 이용할 수 없을 때에도 횡적유도는 계속 이용할 수도 있다는 것을 나타낸다. 특정 상황에서는 횡적 및 수직유도 모두를 이용하지 못할 수도 있다. 이 NOTAM 용어는 기대하는 수준의 WAAS service(LNAV/VNAV, LPV, LP)를 이용하지 못할 수도 있다는 것을 조종사에게 나타내는 조언이다.

예문(Example)

!FDC FDC NAV WAAS VNAV/LPV/LP MINIMA MAY NOT BE AVBL 1306111330 -1306141930EST

또는

!FDC FDC NAV WAAS VNAV/LPV MINIMA NOT AVBL, WAAS LP MINIMA MAY NOT BE AVBL 1306021200-1306031200EST

WAAS MAY NOT BE AVBL NOTAM은 사실상 예측이고, 비행계획 수립 목적으로 발행된다. WAAS 항공전자장비가 LNAV/VNAV 또는 LPV service를 이용할 수 있다고 지시하면, NOTAM에 WAAS MAY NOT BE AVBL로 고시된 위치에 접근을 시작한 다음 시현되는 수준의 service를 이용한 접근을 완료하기 위하여 수직유도를 사용할 수 있다. 접근 중에 운용중지가 발생하면 LNAV 최저치로 복귀하거나, 대체계기접근절차가 필요할 수도 있다. 실제 시험 중이고 GPS testing NOTAM이 발행된 경우, 항공교통관제기관은 GPS를 이용할 수 없는 GPS 또는 RNAV (GPS) 접근의 허가 또는 요청을 조종사에게 통보하고 의도를 요구하여야 한다. 조종사가 GPS 이상현상을 보고하면 항공교통관제기관은 조종사의 의도를 요구하거나, 이용할 수 있고 운용 중이라면 대체접근을 조종사에게 허가한다.

(b) WAAS를 이용할 수 없고 서비스 구역에 영향을 미칠 경우, WAAS area-wide NOTAM이 발행된다. Area-wide WAAS NOT AVAILABLE (AVBL) NOTAM은 WAAS 시스템의 상실 또는 고장을 나타낸다. 비행중 ATIS 방송에 포함되어 있지 않으면 항공교통관제기관은 WAAS NOT AVBL NOTAM의 GPS 또는 RNAV (GPS) 접근을 요구할 것을 조종사에게 통보할 것이다.

예문(Example)

비정기적인 신호 또는 서비스 상실의 경우, NOTAM의 예: !FDC FDC NAV WAAS NOT AVBL 1311160600-1311191200EST.

정기적인 신호 또는 서비스 상실의 경우, NOTAM의 예: !FDC FDC NAV WAAS NOT AVBL 1312041015-1312082000EST.

(c) Site-specific WAAS NOT BE AVBL NOTAM은 예상되는 service의 수준을 나타낸다(예, LNAV/VNAV or LPV may not be available). 조종사는 비행계획 수립시에 site-specific WAAS NOTAM을 요구하여야 한다. 항공교통관제기관은 비행 중인 조종사에게 WAAS MAY NOT BE AVBL NOTAM을 통보하지 않는다.

주(Note)

지금은 이용할 수 없지만 FAA는 추후에 이러한 site-service를 제공하기 위하여 오류예측 tool을 update하고 있다.

(d) 북미 대부분은 두 개 이상의 정지궤도 위성에 의해 통달범위가 중복되어 있다. 하나의 예외는 알래스카의 북쪽 경사지이다. 이러한 지역에 통달범위를 제공하는 위성과 관련된 문제점이 있는 경우, 다음의 예와 유사한 NOTAM이 발행될 것이다.

예문(Example)

!FDC 4/3406 (PAZA A0173/14) ZAN NAV WAAS SIGNAL MAY NOT BE AVBL NORTH OF LINE FROM 7000N150000W TO 6400N 16400W. RMK WAAS USERS SHOULD CONFIRM RAIM AVAILABILITY FOR IFR OPERATIONS IN THIS AREA. T-ROUTES IN THIS SECTOR NOT AVBL. ANY REQUIRED ALTERNATE AIRPORT IN THIS AREA MUST HAVE AN APPROVED INSTRUMENT APPROACH PROCEDURE OTHER THAN GPS THAT IS ANTICIPATED TO BE OPERATIONAL AND AVAILABLE AT THE ESTIMATED TIME OF ARRIVAL AND WHICH THE AIRCRAFT IS EQUIPPED TO FLY. 1406030812-1406050812EST.

6. 실제 시험 중이고 GPS testing NOTAM이 발행된 경우, 항공교통관제기관은 GPS를 이용할 수 없는 GPS나 RNAV (GPS) 접근의 허가 또는 요청을 조종사에게 통보하고 의도를 요구하여야 한다. 조종사가 GPS 이상현상을 보고하면 항공교통관제기관은 조종사의 의도를 요구하거나, 이용할 수 있고 운용 중이라면 대체접근을 조종사에게 허가한다.

예문(Example)

GPS testing NOTAM의 예는 다음과 같다.

!GPS 06/001 ZAB NAV GPS (INCLUDING WAAS, GBAS, AND ADS-B) MAY NOT BE AVAILABLE WITHIN A 468NM RADIUS CENTERED AT 330702N1062540W (TCS 093044) FL400-UNL DECREASING IN AREA WITH A DECREASE IN ALTITUDE DEFINED AS: 425NM RADIUS AT FL250, 360NM RADIUS AT 10000FT, 354NM RADIUS AT 4000FT AGL, 327NM RADIUS AT 50FT AGL. 1406070300-1406071200.

7. 접근차트에 부호 **W**가 표시되어 있는 경우, WAAS LNAV/VNAV와 LPV 수직유도 service의 운용중지에 대한 site-specific WAAS MAY NOT BE AVBL NOTAM 또는 항공교통조언은 제공되지 않는다. WAAS 시스템 통달범위의 가장자리와 가까운 장소에서는 수직유도 운용중지가 매일 발생할 수 있다. 목적지공항으로든 교체공항으로든 이러한 지역의 비행계획에는 LNAV 또는 선회접근 minima line을 사용한다. WAAS 항공전자장비가 LNAV/VNAV 또는 LPV service를 이용할 수 있다고 지시하면, 이러한 장소의 운항에는 시현되는 수준의 service를 이용한 접근을 완료하기 위하여 수직유도를 사용할 수 있다. 절차 중에 운용중지가 발생하면 LNAV 최저치로의 복귀가 필요할 수도 있다.

주(Note)

Area-wide WAAS NOT AVBL NOTAM은 접근차트에 부호 **W**가 표시된 공항의 접근을 포함하여 NOTAM에 지정된 WAAS NOT AVBL 지역의 모든 공항에 적용된다.

8. GPS/WAAS는 비행할 비행경로에 적절한 다른 무선항법장비가 없더라도 북미의 GEO 통달범위 내에서 사용할 수 있도록 개발되었다. WAAS 통달범위의 외부이거나 WAAS 고장의 경우, GPS/WAAS 장비는 GPS 단독 운용으로 전환되며 기본적인 GPS 장비에 대한 요건을 충족시킨다 (이러한 요건에 대해서는 1-1-17항 참조).

9. 다른 항법수단의 보조수단으로 승인된 TSO-C129와는 달리 WAAS 항공전자장비는 다른 항법시스템에 의존하지 않고 계산을 수행한다. 따라서 항공기에 WAAS 항공전자장비를 설치한 경우 비행할 비행로에 적절한 다른 장비를 갖출 필요가 없다 (장비요건에 대한 더 상세한 정보는 1-1-17d 참조).

(a) WAAS 수신기를 가진 조종사는 다음의 제한사항과 함께 필요한 교체공항에서 계획된 접근에 WAAS 항공전자장비와 사용할 수 있도록 인가된 계기접근절차를 사용하기 위한 비행계획을 수립할

수 있다. 교체공항에서 WAAS를 사용할 때 비행계획은 RNAV (GPS) LNAV 또는 선회접근 minima line, GPS 접근절차의 최저치, 또는 표제에 "or GPS"가 부여된 기존의 접근절차로 비행하는 것을 기준으로 하여야 한다. 연방규정집(CFR) Part 91 비정밀 기상요구조건을 계획수립에 사용하여야 한다. 교체공항에 도착하여 WAAS 항법시스템이 LNAV/VNAV 또는 LPV service를 이용할 수 있다고 지시하면 시현되는 수준의 service를 이용한 접근을 완료하기 위하여 수직유도를 사용할 수 있다. FAA는 교체공항에서 인가된 WAAS 수신기 접근에 사용할 수 있도록 선택된 RNAV (GPS)와 GPS 접근절차에서 ▲ NA(Alternate Minimums Not Authorized) 부호를 삭제하기 시작하였다. 일부 접근절차에서는 보고된 기상 없음과 같은 그 밖의 이유로 ▲ NA가 여전히 필요할 것이기 때문에 모든 절차에서 이 부호를 삭제할 수는 없다. 모든 절차는 개별적으로 평가되기 때문에 RNAV (GPS)와 GPS 절차로부터 ▲ NA를 제거하는 데는 어느 정도의 시간이 걸릴 것이다.

주(Note)

적절한 훈련을 받고, 필요한 인가를 받은 TSO-C145() 또는 TSO-C146() 장비를 갖추고 더불어 인가받은 baro-VNAV 장비를 사용하는 사용자(WAAS 사용자)는 교체공항의 LNAV/VNAV DA에 대한 계획을 수립할 수 있다. 인가된 baro-VNAV 장비를 사용하며 더불어 특별하게 승인을 받은 WAAS 사용자도 조종사가 인가된 예측프로그램을 통해 RNP 가용성을 확인하였다면 교체공항의 RNP 0.3 DA에 대한 계획을 수립할 수 있다.

d. WAAS 절차 비행(Flying Procedures with WAAS)

1. WAAS 수신기는 모든 기본적인 GPS 접근기능을 지원하며 부가적인 성능을 제공한다. 주요한 개선사항 중의 하나는 지상장비 또는 기압계의 도움을 받지 않고 glide path 유도를 할 수 있는 능력이다. 이것은 고온 및 저온 영향, 부정확한 고도계수정치 또는 국지고도계 source 부족과 같은 몇 가지 문제점을 제거한다. 또한 각 공항 또는 활주로에서 지상기지국 설치의 비용을 들이지 않고 접근절차를 수립할 수 있도록 한다. 접근이 승인된 일부 수신기는 Baro-VNAV와 유사한 성능을 가진 glide path만을 생성할 수 있으며, RNAV (GPS) 접근차트 상의 LNAV/VNAV minima line으로 비행하는 것만이 인가된다. 부가적인 성능(빠른 데이터 갱신율과 작은 무결성범위 포함)을 가지고 있는 수신기는 LPV minima line으로 비행하는 것이 인가된다. 횡적 무결성(lateral integrity)은 GPS, LNAV와 LNAV/VNAV 접근모드에 대한 범위 0.3 NM(556 m)에서부터 LPV에 대한 범위 40 m까지 급격하게 변한다. 이것은 또한 수직 무결성감시를 제공하며, 250 ft 이상의 최저치를 가진 LNAV/VNAV와 LPV에 대한 수직오차의 범위는 50 m이고 250 ft 미만의 최저치를 가진 LPV에 대한 수직오차의 범위는 35 m 이다.

2. 접근절차가 선택되고 활성화되면, 수신기는 선택된 접근절차 minima line의 명명규칙을 사용하여 WAAS 신호, 수신기 그리고 선택된 접근의 조합에 의해 지원되는 가장 정확한 수준의 service를 조종사에게 알려준다. 예를 들어 LPV 최저치를 가진 접근이 발간되고 수신기가 LNAV/VNAV에 대해서만 승인되었다면, WAAS 신호가 LPV를 지원한다 하더라도 장비는 "LNAV/VNAV available"이라고 지시할 것이다. LPV 최저치가 없는 기존의 LNAV/VNAV 절차로 비행중이라면, 수신기가 LPV에 대해 승인되고 신호가 LPV를 지원한다 하더라도 수신기는 조종사에게 "LNAV/VNAV available"이라고 알려줄 것이다. 신호가 LPV 또는 LNAV/VNAV 최저치를 가진 절차 상에서 수직유도를 지원하지 않는다면 수신기의 상태표시에는 "LNAV available"이라고 나타날 것이다. LP 및 LNAV 최저치를 가진 횡적절차에서만 수신기는 이용할 수 있는 횡적 service의 수준에 의하여 "LP available" 또는 "LNAV available"이라고 지시할 것이다. Service 수준을 조종사에게 알려 주었다면 이 service 수준을 이용할 수 없게 되지 않는 한 수신기는 이 접근절차 동안에는 이 mode로 운용될 것이다. 다음에 접근을 할 때까지는 더 정확한 수준의 service로 되돌

아 갈 수 없다.

주(Note)

일단 수신기가 활성화되면 더 낮은 수준의 service로 내려가지는 않는다. 접근을 시작한 이후에 비행규칙에 비행할 접근유형의 변경을 허용하고 있다면, 조종사는 수직유도 off flag가 나타나는 경우에만 LNAV 최저치 사용여부를 결정할 수 있다. LP 접근 시에 횡적 무결성범위를 초과하였다면, 접근을 하는 동안에는 횡적 경보범위를 재설정할 방법이 없기 때문에 실패접근이 필요할 수 있다.

3. WAAS 수신기의 또 다른 부가적인 특징은 불량 GPS 신호를 배제하고 정상적으로 운용을 계속할 수 있는 능력이다. 이것은 일반적으로 WAAS 보정정보에 의해 이루어진다. WAAS 통달범위 외부이거나 WAAS를 이용할 수 없을 경우, 이것은 FDE라고 하는 수신기 알고리즘(algorithm)으로 이루어진다. "불량(bad)" 신호를 차단한 이후에도 수신기는 이용할 수 있는 다른 위성과 계속해서 작동될 것이기 때문에 대부분의 경우 조종사는 이러한 작동상황을 알아차릴 수 없을 것이다. 이러한 성능은 항법의 신뢰성을 증진시킨다.

4. LNAV/VNAV 및 LPV 접근절차에 대한 횡적 및 수직 범위조정(scaling) 둘 다 기본적인 GPS의 선형 범위조정(linear scaling)과는 다르다. 완전한 발간절차로 비행할 때 FAF 이전 2 NM 까지는 ±1 NM의 선형 범위조정이 제공되며, 감도는 ILS의 각도 범위조정과 유사하게 증가한다. WAAS 범위조정(scaling)과 ILS의 두 가지 다른 점으로는; 1) 멀리 떨어진 최종접근구역에서 초기의 범위조정은 GPS와 동등한 성능을 이루기 위해 ±0.3 NM 이다 (활주로와 멀리 떨어진 곳에서 덜 민감한 ILS 보다는 양호하다) 2) 활주로시단에 근접하면 범위조정은 계속해서 더 민감해지는 대신에 선형으로 변한다는 것을 들 수 있다. 일반적으로 최종접근진로의 폭은 활주로시단에서 전체 폭이 700 ft가 되도록 맞추어진다. 최종접근진로의 벌어진 각도(splay angle)는 정해져 있을 수 있지만, 로컬라이저와 같은 안테나 위치로 인하여 각진 부분의 경우 측면으로 벌어지기 시작하는 지점은 정해져 있지 않기 때문에 서로 다른 활주로길이에서 최종접근진로로 레이더유도되는 항공기에 대하여 일관된 최종접근 fix의 폭을 형성할 수 있다. 완전한 발간절차로 비행하지 않으며 대신에 항공기가 ILS와 유사한 연장된 최종접근진로를 포착하는 것이 필요할 때, VTF (vector to final) mode를 사용한다. VTF에서 범위조정은 FAWP로부터의 거리에 관계없이 ILS의 벌어진 각도(splay angle)가 ±1 NM의 폭에 도달하는 지점까지는 ±1 NM으로 선형이다.

5. 또한 WAAS 크기변환(scaling)은 실패접근의 최초부분에서 GPS TSO-C129()와는 다르다. 여기에는 두 가지의 다른 점이 있다. 첫 번째, 조종사가 GPS로 강하하기보다 실패접근유도를 선택하거나 또는 대략 이륙활주로 종단에서 크기변환은 접근 크기변환에서 실패접근 크기변환으로 급격하게 변한다. 두 번째, 실패접근의 첫 구간이 inbound 진로의 3° 이내로 정렬된 Track to Fix(TF) 일 때, 실패접근절차의 첫 번째 waypoint의 시작지점을 선회할 때 까지 수신기는 0.3 NM의 선형 감도로 변하고 선회한 다음에는 급격하게 터미널 감도(±1 NM)로 변한다. 이것은 실패접근의 초기 단계에서 DA 증가의 원인이 될 수 있는 장애물에 근접되지 않도록 한다.

6. 계기접근의 최종접근구역을 선택할 수 있는 두 가지 방법이 있다. 조종사가 menu를 이용하여 공항, 활주로, 특정 접근절차 그리고 최종적으로 IAF를 선택하는 방법과 더불어 채널 번호(channel number) 선택방법이 있다. 조종사가 접근차트에 제시된 고유한 5자리 숫자의 번호를 입력하면, 수신기는 항공기 데이터베이스에서 일치하는 최종접근구역을 불러 온다. 이용 가능한 IAF를 포함한 정보목록이 시현되면 조종사는 해당 IAF를 선택한다. 조종사는 접근 ID와 접근차트에도 제시되는 접근 ID와 상호비교하여 정확한 최종접근구역이 load되었는지 확인하여야 한다.

7. LNAV 절차(최저강하고도 포함)의 최종접근구역에서 Along-Track Distance(ATD)는 MAWP까지이다. 결심고도로 LNAV/VNAV 및 LPV 접근 시에는 실패접근 waypoint가 없으므로 along-

track distance는 일반적으로 활주로시단에 위치한 지점까지를 시현한다. 대부분의 경우 LNAV 접근 시의 MAWP는 활주로시단의 활주로중심선에 위치하며, 따라서 이 거리는 동일할 것이다. ILS DME는 활주로의 훨씬 아래쪽에 위치해 있기 때문에 이 거리는 나타낼 수 있는 ILS DME 마다 항상 약간씩 다르다. LNAV/VNAV 및 LPV 접근 시 실패접근의 시작은 여전히 14 CFR 91.175절에 수록된 시각참조물이 없이 결심고도에 도달하는 것을 기반으로 하며, ATD가 0에 도달하도록 기다리는 동안 지연되지 않아야 한다. GPS 수신기와 달리 WAAS 수신기는 RNAV에 대한 실패접근절차가 설계되어 있다면 MAWP를 지나서 자동으로 순차 전환된다. 또한 조종사는 MAWP 이전에 실패접근을 선택할 수 있지만, waypoint 순차 전환(sequencing)이 일어나기 전까지는 계속해서 MAWP로 항행할 것이다.

1-1-19. 지상기반보강시스템(Ground Based Augmentation System; GBAS) 착륙시설(GLS)

a. 일반(General)

1. GLS는 활주로에 접근하는 항공기의 정확한 정렬과 강하를 위한 정밀한 항행유도를 제공한다. GBAS 장비는 위성위치식별시스템(GPS)에 특정 지역의 차별화된 보강을 제공한다.

주(Note)

FAA는 국제용어와 일관성을 유지하기 위해 종전 용어 Local Area Augmentation System(LAAS) 대신에 GBAS라는 용어를 사용한다.

2. GLS는 ILS와 매우 흡사한 3차원의 수직 및 수평 항행유도를 조종사에게 시현한다. GLS 항행은 국지 GBAS 지상 기지국(ground station)에서 VHF로 송신되는 위치 수정, 무결성 변수 및 접근경로 정의 정보로 보강된 GPS 신호를 기반으로 한다. 하나의 GBAS 기지국은 GBAS 최대사용거리 내의 근처 활주로까지 다수의 GLS 정밀접근을 지원할 수 있다.

3. GLS는 ILS 접근과는 다른 크기의 접근 서비스범위를 갖지만, 최종접근구역에 ILS 접근과 유사한 유도를 제공한다. GLS 접근은 RNP 접근(RNP APCH) 항행요건을 사용하여 구성되며, IAF 이후나 실패접근절차에 수직유도 선회가 포함될 수 있다. 또한 IAF 이전 및 최종접근구역 이후의 접근부분에서는 통상적으로 항행성능기준 1(RNP 1)을 사용하는 지역항법(RNAV)을 요구할 수도 있다. 항행요건에 대한 더 상세한 정보는 1-2-1항을 참조한다.

4. GLS는 GBAS 지상시설(GGF), 최소 4개의 지상기준국(ground reference stations), 수정 프로세서(correction processor), VHF Data Broadcast (VDB) uplink 안테나, 항공기 GBAS 수신기 및 차트화된 계기접근절차로 구성된다.

b. 절차(Procedure)

1. 조종사는 비행관리시스템(FMS) menu에서 관련된 GLS 접근 5자리 숫자의 GBAS 채널 번호를 선택하거나, 5자리의 숫자를 수동으로 선택(시스템 의존)한다. 또한 GBAS 채널 번호를 선택하면 VDB에 동조된다.

2. 절차를 선택한 다음 조종실에 시현되는 RPI와 차트화된 Reference Path Indicator(RPI)나 접근 ID를 상호비교하거나, 또는 모스부호(일부 시스템의 경우)의 RPI 음성식별신호를 상호비교하여 정확한 GLS 절차가 load 되었는지의 여부를 확인할 수 있다. 항공기가 접근 서비스범위 내부에 진입하면 활주로시단까지의 거리가 조종사에게 시현된다.

3. 조종사는 GLS 최종접근진로로 진입하기 위하여 기수방향(heading)이나 횡적 steering mode를 사용한 다음, 항공기가 glide path 진입지점 이전의 접근 서비스범위에 진입하면 해당 접근항법 mode로 전환하는 것을 포함하여 대부분 ILS와 동일한 기법을 사용하여 GLS 접근을 할 것이다. GLS에 대한 더 상세한 정보는 Instrument Procedures Handbook을 참조한다.

그림 1-1-8. GLS 표준 접근 서비스범위(GLS Standard Approach Service Volume)

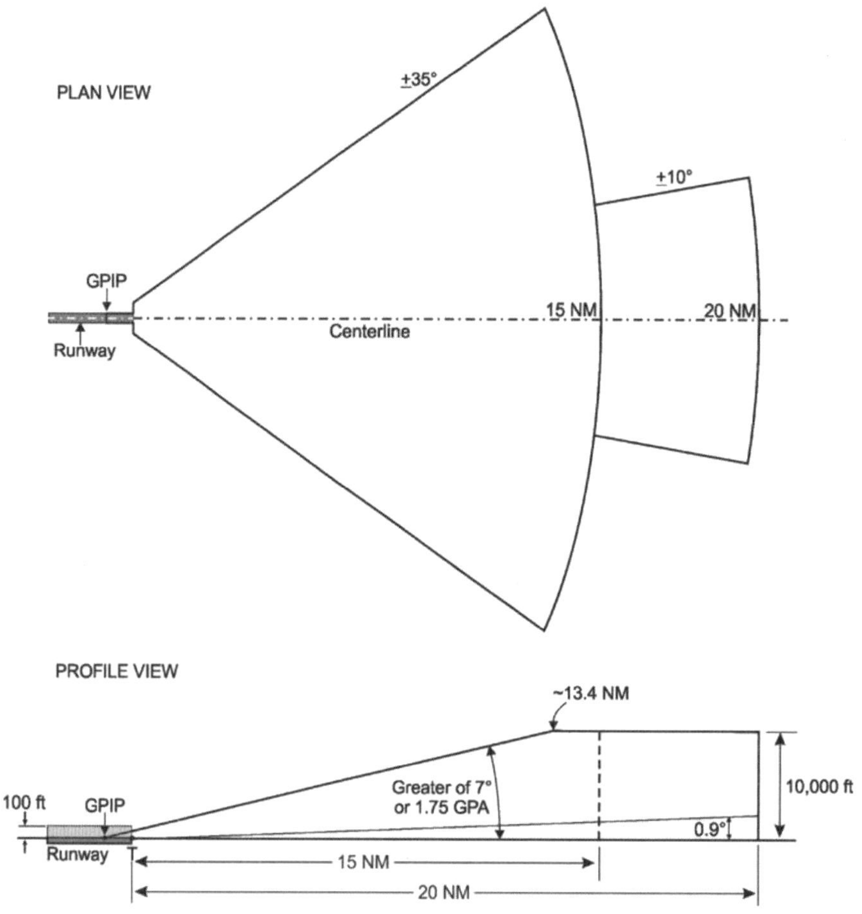

1-1-20. ILS 및 GLS 이외의 정밀접근시스템(Precision Approach Systems other than ILS, and GLS)

a. 일반(General)

ILS 및 GLS 이외의 정밀접근시스템의 인가와 사용을 위해서는 특별계기접근절차의 발간을 필요로 한다.

b. 특별계기접근절차(Special Instrument Approach Procedure)

1. 조종사훈련, 항공기장비 또는 항공기성능이 발간된 절차와 다를 경우 항공기운영자에게 특별계기접근절차를 발부하여야 한다. 특별계기접근절차는 일반 공공용으로 배포되지 않는다. 이 절차는 운용인가조건을 충족할 경우, 항공기운영자에게 발부된다.

2. 특별절차를 인가받고자 하는 일반항공운영자는 지역의 비행표준사무국에 문의하여 인가서를 받을 수 있다. 특별절차를 인가받고자 하는 운송용항공기 운영자는 Certificate Holding District Office에 문의하여 운영기준의 인가를 받을 수 있다.

c. 트랜스폰더 착륙시설(Transponder Landing System; TLS)

1. TLS는 기존 항공기탑재 ILS 로컬라이저, glide slope 및 트랜스폰더 장비를 활용하여 접근유도를 제공하기 위하여 설계되었다.

2. 지상장비는 트랜스폰더 질문기(transponder interrogator), 수평과 수직위치를 탐지하기 위한 감지기 배열(sensor array)과 ILS 주파수 송신기로 구성된다. TLS는 트랜스폰더로 질문을 하여 항공기의 위치를 탐지한다. 그리고 원하는 접근로로

항공기를 유도하기 위하여 ILS 주파수 신호를 송출한다.

3. TLS 계기접근절차는 지정된 특별계기접근절차이다. 특별한 운항승무원 훈련이 필요하다. TLS 지상장비는 한 번에 하나의 항공기에 대해서만 접근유도를 제공한다. ILS 수신기에 TLS 신호가 수신되더라도 고정진로(fixed course) 또는 glidepath는 형성되지 않는다. 운용개념은 항공교통관제사가 제공하는 레이더유도와 매우 유사하며, 레이더유도와 마찬가지로 유도는 의도한 항공기에 대해서만 유효하다. TLS 지상장비는 트랜스폰더 code에 의하여 하나의 항공기를 추적하고, 추적된 항공기의 위치에 의거하여 진로와 glidepath에 대한 보정신호를 제공한다. 다른 항공기를 대상으로 산출된 TLS 보정치로 비행하는 것은 접근에 대한 유도를 제공하지 않으므로, 운항승무원은 TLS 지상장비 운용자와 필요한 조정을 완료하고 접근허가를 받지 않은 한 항행에 TLS 신호를 사용해서는 안된다. 운항승무원이 TLS 유도를 확인할 수 있도록 하기 위하여 기존 NAVAID 또는 GPS에 의거한 항행 fix가 특별계기접근절차에 제공된다.

d. 특별 Category I 차동 GPS(Special Category I Differential; SCAT-I DGPS)

1. SCAT-I DGPS는 GPS에 차동보정(differential correction)을 발신함으로써 접근유도를 제공하기 위하여 설계되었다.

2. SCAT-I DGPS는 항공기장비와 조종사훈련을 필요로 한다.

3. 지상장비는 GPS 수신기와 VHF 디지털 무선송신기로 구성된다. SCAT-I DGPS는 GPS 수신기장비와 관련된 GPS 위성의 위치를 탐지하며, VHF 디지털 무선으로 차동보정을 발신한다.

4. Category I 지상기반보강시스템(GBAS)은 공공용 service에서 SCAT-I DGPS를 대체할 것이다.

제2절. 성능기반항행 및 지역항법(Performance-Based Navigation (PBN) and Area Navigation (RNAV))

1-2-1. 일반(General)

a. PBN 서론(Introduction to PBN)

항공교통의 발달과 더불어 항법방식은 운용에 더 많은 융통성을 부여할 수 있도록 향상되었다. 지역항법의 산하에 PBN이 있다. 절차 표제(title)와 마찬가지로 이 문맥에서 RNAV라는 용어는 항공기 장비의 성능과 관계없이 단지 "지역항법(area navigation)"을 의미한다. 많은 운영자가 PBN의 이점을 취하기 위하여 자체 시스템을 upgrade 하였다. PBN에서 항법방식에는 지역항법(RNAV) 및 항행성능기준(RNP)의 주요 2가지 category가 있다. 이 문맥에서 용어 RNAV x 는 횡적정확도 수치가 명시되어 있는 특정 항행요건을 의미한다. PBN 요건을 충족하는 항공기의 경우, 명시된 RNAV나 RNP 정확도는 비행시간의 95% 동안 충족되어야 한다. RNP는 탑재성능감시와 경고기능(예를 들면, 수신기 자체 무결성감시장비(RAIM))을 포함하고 있는 PBN 시스템이다. 또한 PBN은 정의된 공역개념 내에서 항법적용을 지원하기 위해 필요한 일련의 항공기 및 운항승무원 요건인 항행요건(NavSpecs)의 개념을 도입하고 있다. RNP 및 RNAV NavSpecs 둘 다에서 숫자 지시자(numerical designation)는 공역, 비행로 또는 절차 내에서 운항하는 항공기 들이 비행시간 최소 95% 동안 달성할 것으로 예상되는 nautical mile 단위의 횡적 항행 정확도를 나타낸다. 이러한 정보는 국제민간항공기구(ICAO) Doc 9613, Performance-based Navigation (PBN) Manual 및 최신 AC 90-105, Approval Guidance for RNP Operations and Barometric Vertical Navigation in the U.S. National Airspace System and in Remote and Oceanic Airspace에 상세하게 기술되어 있다.

그림 1-2-1. 항행요건(Navigation Specifications)

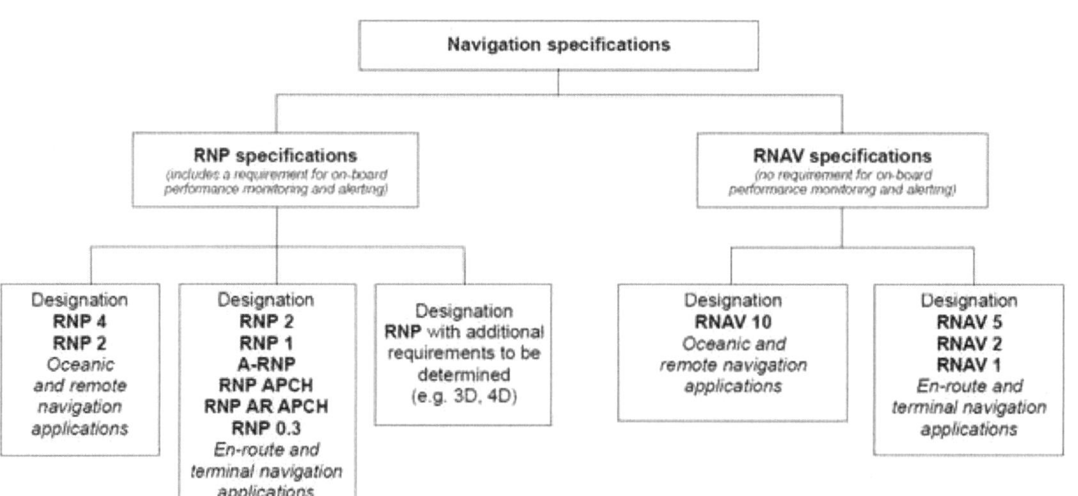

b. 지역항법(Area Navigation; RNAV)

1. 일반(General). RNAV는 지상이나 우주기반 항행안전시설의 통달범위 내에서, 또는 자립 항행안전시설이나 이들을 조합한 시설의 성능 한계 내에서 원하는 비행경로로 항공기의 운항을 가능하게 하는 항법의 한 방식이다. 앞으로는 지상기반 항행안전시설에 의해 지정된 비행로 대신에 RNAV의 사용에 대한 의존이 증가할 것이다. 계기출발절차(DP)

와 표준터미널도착절차(STAR)를 포함한 RNAV 비행로와 터미널절차는 RNAV 시스템을 염두에 두고 설계되고 있다. RNAV 비행로와 절차의 몇 가지 잠재적인 이점은 다음과 같다.

(a) 시간 및 연료의 절약

(b) 레이더유도, 고도와 속도 배정의 의존을 줄임으로써 요구되는 ATC 무선송신의 감소

(c) 효율적인 공역의 사용. 또한 이 manual에서 볼 수 있는 정보 외에 국내 RNAV DP, STAR 그리고 비행로에 대한 지침은 권고회보 AC 90-100(), U.S. Terminal and En Route Area Navigation(RNAV) Operations에서 살펴볼 수 있다.

2. RNAV 운항(RNAV Operation). DP와 STAR와 같은 RNAV 절차는 엄격한 조종사의 상황인식, 그리고 절차에서 항공로 중심선의 유지를 요구한다. 조종사가 적절한 방법으로 RNAV 절차를 비행하기 위해서는 비행할 항공기의 항법시스템에 관한 실제적인 지식을 갖추고 있어야 한다. 추가하여 조종사는 RNAV 절차에 이용되는 다양한 waypoint 및 leg의 종류를 알고 있어야 하며, 이것은 아래에 상세하게 언급되어 있다.

(a) 웨이포인트(Waypoint). Waypoint는 위도/경도좌표로 정의되는 사전에 결정된 지리적위치이다. Waypoint는 단순히 명칭이 부여된 공간의 지점이거나, 현행 NAVAID, 교차지점 또는 fix와 관련된 지점일 수 있다. Waypoint는 원하는 경로에서 방향, 속도 또는 고도의 변경을 나타내기 위하여 가장 자주 사용된다. RNAV 절차는 fly-over와 fly-by waypoint 모두를 사용할 수 있다.

(1) Fly-by waypoint는 항공기가 두 개의 비행로구간을 분리하는 waypoint에 도달하기 전에 다음 진로로 선회를 시작해야 할 때 사용된다. 이것을 예상선회(turn anticipation)라고 한다.

(2) Fly-over waypoint는 항공기가 선회를 시작하기 전에 지점 상공을 통과해야 할 때 사용된다.

주(Note)

그림 1-2-2는 fly-by waypoint와 fly-over waypoint 간의 차이점을 보여준다.

그림 1-2-2. Fly-by waypoint와 Fly-over waypoint

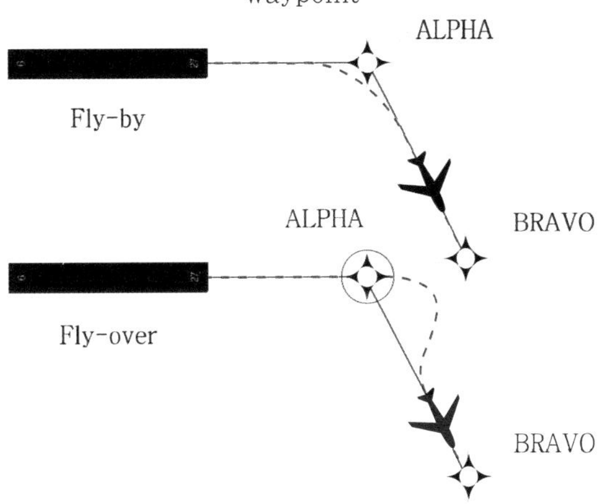

(b) RNAV leg 종류. Leg 종류란 RNAV 절차에서 진행하거나 따라가고자 하는 경로, 또는 waypoint 간의 경로를 말한다. Leg 종류는 경로(예, 기수방향, 진로, 항적 등)와 종료지점(예, 경로는 고도, 거리, fix 등에서 종료된다)을 나타내는 2자리의 문자 code로 식별된다. 절차설계에 사용되는 leg 종류는 항공기 항행데이터베이스에 포함되지만 일반적으로 절차차트에는 제시되지 않는다. RNAV 차트의 절차설명문(narrative depiction)은 절차를 비행하는 방법을 기술한다. "경로 및 종료지점(path and terminator)의 개념"은 절차의 모든 leg는 종료지점 및 이 종료지점으로 어떤 경로를 가지고 있다고 정의한다. 이용할 수 있는 일부 leg 종류는 아래에 기술되어 있다.

(1) Track to Fix. Track to Fix(TF) leg는 다음 waypoint까지의 비행항적(flight track)으로 진입함으로써 얻어진다. 이러한 이유로 track to fix leg를 때로는 point-to-point leg 라고도 한다.

절차설명문(Narrative): "on track 087 to CHEZZ WP". 그림 1-2-3 참조

(2) Direct to Fix. Direct to Fix(DF) leg는 처음의 구역에서 다음 waypoint로 향하는 항공기의 항적(track)으로 나타내는 경로이다.

절차설명문(Narrative): "left turn direct BARGN WP". 그림 1-2-4 참조.

그림 1-2-3. Track to Fix Leg 종류

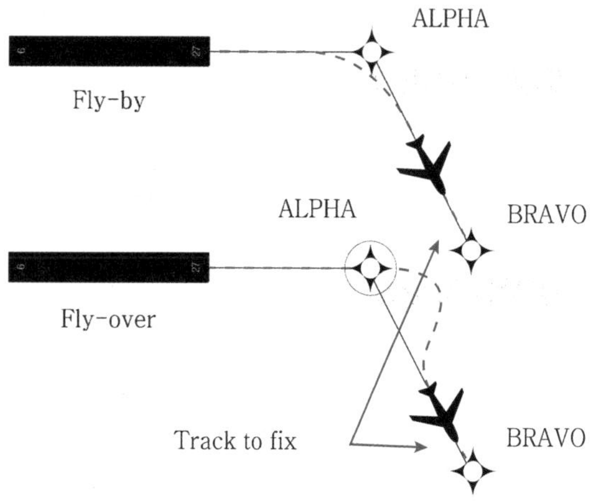

그림 1-2-4. Direct to Fix Leg 종류

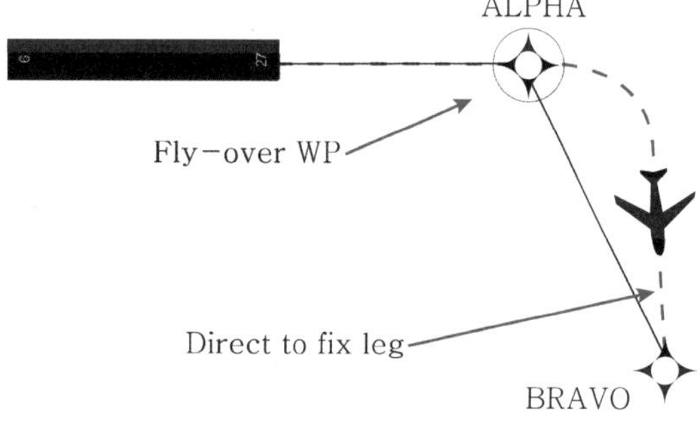

(3) Course to Fix. Course to Fix(CF) leg는 fix에 지정된 진로(course)의 해당 fix에서 종료되는 경로이다.
절차설명문(Narrative): "on course 150 to ALPHA WP". 그림 1-2-5 참조.

그림 1-2-5. Course to Fix Leg 종류

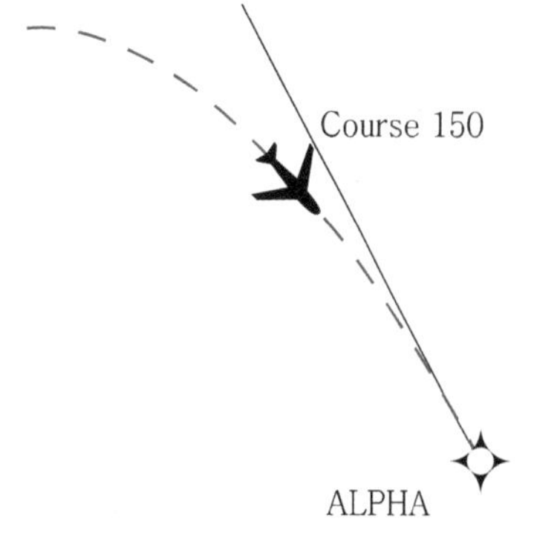

(4) Radius to Fix. Radius to Fix(RF) leg는 fix에서 종료되는 지정된 선회중심 주위의 일정한 반지름의 원형경로(circular path)라고 정의할 수 있다. 그림 1-2-6 참조.

그림 1-2-6. Radius to Fix Leg 종류

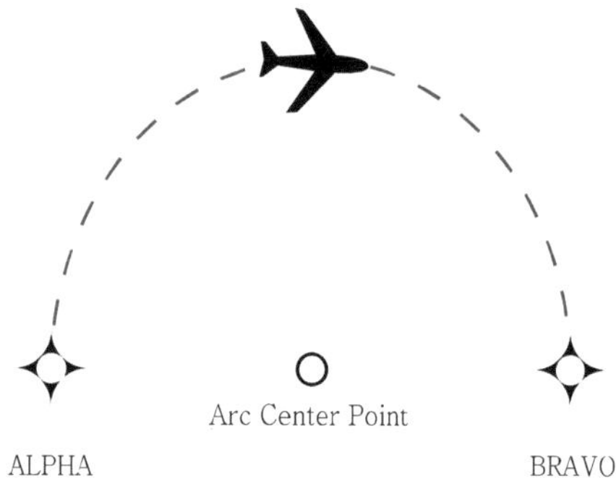

(5) Heading. Heading leg는 Heading to Altitude(VA), Heading to DME range(VD) 그리고 Heading to Manual Termination, 즉 Vector(VM)로 정의할 수 있지만, 이것만으로 한정하지는 않는다.
절차설명문(Narrative): "climb runway heading 350 to 1500", "heading 265, at 9 DME west of PXR VORTAC, right turn heading 360", "fly heading 090, expect radar vectors to DRYHT INT".

(c) 항행 고려사항. 조종사는 더 자세한 정보에 의거한 결정을 내리기 위하여 항법시스템 입력, 경고, 상태의 표시(annunciation)에 대해 알고 있어야 한다. 더불어 특정 센서/시스템의 가용성 및 적합성을 고려하여야 한다.

(1) GPS/WAAS. TSO-C129(), TSO-C196(), TSO-C145() 또는 TSO-C146() 시스템을 이용하는 운용자는 적절한 RAIM 가용성 및 CDI 감도를 확보하기 위하여 출발공항 및 도착공항을 확실하게 입력하여야 한다.

(2) DME/DME. 운용자는 DME/DME 위치 updating은 항법시스템 logic과 DME 시설 근접도, 가용성, 기하학적 배열, 그리고 신호 차폐에 좌우된다는 것을 인식하고 있어야 한다.

(3) VOR/DME. 독특한 VOR 특성은 GPS 또는 DME/DME 위치 updating보다 VOR/DME

updating의 정확도가 더 낮기 때문일 수 있다.

(4) 관성항법(Inertial Navigation). 관성기준장치와 관성항법장치는 전반적인 항법시스템의 성능을 증진시키기 위하여 종종 다른 유형의 항법입력(input), 예를 들면 DME/DME 또는 GPS와 연동된다.

주(Note)

특정 관성위치(inertial position) updating 요건이 적용될 수도 있다.

(d) 비행관리시스템(Flight Management System; FMS). FMS는 감지기(sensor), 수신기(receiver) 그리고 컴퓨터가 하나로 통합되어 있으며 항행데이터베이스와 연동된다. 일반적으로 이 시스템은 자동비행조종시스템과 시현장치에 RNAV 유도 및 성능을 제공한다. GPS, VOR, LOC와 IRU와 같은 다수의 source로부터 입력(input)이 이루어질 수 있다. 이러한 입력은 하나씩 또는 조합되어 항법 solution에 적용된다. 적절한 항법신호를 이용할 수 있을 때, FMS는 위치 update를 위해 보통 GPS 또는 DME/DME(즉 둘 이상의 DME station으로부터의 거리정보 사용)에 의존한다. 다른 입력도 FMS 시스템 구조와 항법 source의 기하학적 배열에 의거하여 통합될 수 있다.

주(Note)

하나 이상의 IRU와 연동되는 DME/DME 입력은 종종 DME/DME/IRU 또는 D/D/I의 약어로 표시된다.

(e) RNAV 항행요건(Nav Specs). 항행요건(Nav Specs)은 정의된 공역개념 내에서 항법적용을 지원하기 위해 필요한 일련의 항공기 및 운항승무원 요건이다. RNP 및 RNAV 지시자의 경우, 숫자 지시자(numerical designation)는 공역, 비행로 또는 절차 내에서 운항하는 항공기 들이 비행시간 최소 95% 동안 달성할 것으로 예상되는 nautical mile 단위의 횡적 항행 정확도를 나타낸다 (그림 1-2-1 참조).

(1) RNAV 1. 통상적으로 RNAV 1은 DP 및 STAR에 사용되며, 차트에 제시된다. 항공기는 전체 비행시간의 95% 동안에 1 NM 미만의 전체 시스템오차를 유지하여야 한다.

(2) RNAV 2. 달리 명시되지 않는 한, 통상적으로 RNAV 2는 항공로 운항에 사용된다. T-routes 및 Q-routes는 이러한 Nav Spec.의 예이다. 항공기는 전체 비행시간의 95% 동안에 2 NM 미만의 전체 시스템오차를 유지하여야 한다.

(3) RNAV 10. 통상적으로 대양운항에 사용된다. RNP 10과 RNAV 10 용어 간의 관계에 대한 구체적인 설명은 4-7-1항을 참조한다.

1-2-2. 항행성능기준(Required Navigation Performance; RNP)

a. 일반(General). RNAV 항행요건(NavSpecs) 및 RNP NavSpesc가 특정 항행요건을 포함하고 있는 반면에, RNP는 추가된 탑재성능감시와 경고기능(OBPMA) 요건을 갖춘 RNAV 이다. 또한 RNP는 지정된 공역 내에서 운항 시 필요한 항행성능의 정도이다. RNP의 중요한 구성요소는 운항하는 동안 수행되는 항법성능을 감시하여, 운항요건에 충족하는지 또는 충족하지 않는지를 조종사가 식별할 수 있도록 하는 항공기 항법시스템의 성능이다. OBPMA 기능은 결과적으로 전반적인 운항안전을 달성하기 위한 항공교통관제 조정과 절차상의 분리에 대한 의존을 줄일 수 있도록 한다. 항공기의 RNP 성능은 전반적인 운항제한이 충족되도록 하기 위한 분리기준의 결정에 주요 구성요소이다. 항공기의 RNP 성능은 항공기 장비와 항행기반시설에 따라 다를 수 있다. 예를 들면, 항공기는 RNP 1에 적합하더라도 제한된 항행안전시설 통달범위나 항전장비의 고장으로 RNP 1 운항의 성능이 되지 않을 수도 있다. 항공기의 비행교범(AFM)이나 항공전자장비 문서에 항공기의 RNP 적격여부를 명확하게 언급하여야 한다. 이러한 정보가 누락되었거나 불충분하면 항공기나 항전장비의 제작회사에 문의하여야 한다. NavSpecs는 기술된 횡적 항행 정확도를 기반으로 "좋음"이나 "나쁨"이 아닌, 서로 다른 것으로 간주하여야 한다. 이러한 개념하에 각 NavSpec 적합성을 항공전자장비 문서나 AFM에 별도로 수록하도록 요구하고 있다. 예를 들면, RNP 1은

RNAV 1과 다르며, RNP 1 적합성이 자동 RNP 2나 RNAV 1의 적합성을 의미하지는 않는다. 안전장치로서 FAA는 항공기 항행 데이터베이스에 항공기 적합성을 유지하는 절차만을 유지할 것을 요구하고 있다. 항공기의 항행 데이터베이스에서 특정 계기절차를 찾으려고 하는데 찾을 수 없다면, 절차에 항공기가 산출하거나 비행할 수 없는 PBN 요소나 부적합한 PBN 요소가 포함되어 있을 가능성이 크다. 더불어 Radius-to-fix(RF) turn 또는 확장성 같은 선택적 기능은 AFM이나 항공전자 문서에 기술하여야 한다. 데이터베이스에서 절차를 불러온 후에 항공전자장비의 기능을 이용하여 해당 waypoint와 항적(track) 자료를 확인하여야 한다.

b. RNP 운항(RNP Operation)

1. 횡적정확도 수치(Lateral Accuracy Value). 횡적정확도 수치는 선정된 공역, 비행로 또는 절차에 적용할 수 있다. 횡적정확도 수치는 통상적으로 예정된 절차, 비행로 또는 경로의 중심선으로부터 nautical mile 단위의 거리로 나타낸 값이다. 또한 RNP는 잠재적 오차를 고려하여 횡적정확도 수치의 몇 배수를 적용한다 (예, RNP 횡적정확도 수치의 2배).

(a) RNP NavSpecs. 전형적인 RNP 공역 사용자를 지원하는 미국 표준 NavSpecs는 아래에 명시되어 있다. 다른 NavSpecs에는 ICAO 또는 다른 주에서 식별한 것과 다른 횡적정확도 수치가 포함되어 있을 수 있다. (그림 1-2-1 참조)

(1) RNP 접근(APCH). 미국에서 RNP APCH 절차는 RNAV (GPS)로 표제가 부여되며 횡적항행(LNAV), LNAV/수직항행(LNAV/VNAV), 수직유도정보가 제공되는 로컬라이저 성능(LPV) 및 로컬라이저 성능(LP)과 같은 다양한 수준의 항공기 장비를 수용하기 위한 각각의 minima line을 제공한다. 우주기반보강시스템(SBAS)를 갖추거나 갖추지 않은 GPS(예, WAAS)는 LNAV 최저치를 지원하기 위하여 횡적정보를 제공할 수 있다. LNAV/VNAV는 barometric이나 SBAS 수직항행의 성능이 있는 시스템 및 운영자에게 수직경로 유도정보를 제공하는 LNAV 횡적항행을 포함한다. 조종사는 LPV 또는 LP 최저치로 비행하기 위하여 SBAS를 사용하는 것이 필요하다. RNP APCH 적합여부에서 RF turn 기능은 선택사항이다. 이것은 항공기가 RNP APCH 운항에 적합하더라도, RF turn이 명확히 항공전자장비의 기능으로 수록되어 있지 않으면 RF turn으로 비행하지 않을 수 있다는 것을 의미한다. 또한 GBAS 착륙시설(GLS) 절차는 RNP APCH NavSpecs을 사용하여 구성되며, 정밀접근 성능을 제공한다. RNP APCH는 터미널 및 실패접근구간에서 1의 횡적정확도 수치를 가지며, 기본적으로 최종접근 시에는 RNP 0.3으로 조정된다 (5-4-18항, RNP AR 계기접근절차 참조).

(2) 승인필요 RNP 접근(RNP Authorization Required Approach; RNP AR APCH). 미국에서 RNP AR 절차는 RNAV (RNP)로 표제가 부여된다. 이러한 절차에는 엄격한 장비요건과 조종사 훈련표준이 포함되며, 비행하기 위하여 특별한 FAA 승인을 필요로 한다. 확장성과 RF turn 기능은 RNP AR APCH 적합여부에 필수이다. RNP AR APCH 수직항행성능은 barometric VNAV 또는 SBAS를 기반으로 한다. RNP AR은 특정 지역에서 특정한 이점을 제공하기 위한 것이다. 모든 운영자 또는 항공기에게 이점을 제공하지는 않는다. RNP AR 성능은 필요한 안전목표 수준을 달성하기 위한 특정한 항공기성능, 설계, 운항절차, 훈련 및 특정절차 설계기준을 필요로 한다. RNP AR APCH는 터미널 및 실패접근구간에서 1 미만, 기본적으로 최종접근 시에는 RNP 0.3 이하로 조정될 수 있는 횡적정확도 수치를 갖는다. 이러한 절차를 수행하기 전에 운영자는 최신 AC 90-101, Approval Guidance for RNP Procedures with AR을 참조하여야 한다 (5-4-18항 참조).

(3) 승인 필요 RNP 출발(RNP Authorization Required Departure; RNP AR DP). RNP AR 접근과 유사하게 RNP AR 출발절차에는 엄격한 장비요건과 조종사 훈련표준이 포함되며, 비행하기 위하여 특별한 FAA 승인을 필요로 한다. 확장성과 RF turn 기능은 RNP AR DP 적합여부에 필수이

다. RNP AR DP는 특정 지역에서 특정한 이점을 제공하기 위한 것이다. 모든 운영자 또는 항공기에게 이점을 제공하지는 않는다. RNP AR DP 성능은 필요한 안전목표 수준을 달성하기 위한 특정한 항공기성능, 설계, 운항절차, 훈련 및 특정절차 설계기준을 필요로 한다. RNP AR DP는 최초 출발 비행경로에서 RNP 0.3 이상으로 조정될 수 있는 횡적정확도 수치를 갖는다. 이러한 절차를 수행하기 전에 운영자는 최신 AC 90-101, Approval Guidance for RNP Procedures with AR을 참조하여야 한다 (5-4-18항 참조).

(4) 진보된 RNP(A-RNP). 진보된 RNP (Advanced RNP)는 항공기의 항공전자장비를 사용할 수 있도록 최소한의 필수적인 기능을 갖춘 NavSpec 이다. 미국에서 이 최소한의 기능에는 RF turn 산출 및 수행, RNP 확장, 그리고 평행 offset 비행경로 생성 등의 성능이 포함된다. 특정 대양 및 외딴 지역 공역에서는 더 높은 지속성(이중 시스템과 같은)이 필요할 수도 있다. 항공로 환경에서 사용하기 위한 그 밖의 "진보된(advanced)" 선택사항(고정 반경전환과 도착시간 조정과 같은)은 미국에서는 선택사항이다. 통상적으로 A-RNP에 적합한 항공기는 RNP APCH, RNP/RNAV 1, RNP/RNAV 2, RNP 4 및 RNP/RNAV 10을 포함하는 운항에도 적합하다. A-RNP는 터미널 환경에서 RNP 횡적 항행 수치(1.0 또는 0.3)가 변하는 것이 허용된다. 이러한 축소된 횡적 정확도를 사용하기 위해서는 일반적으로 항공기의 자동조종장치나 비행지시기(flight director)를 필요로 한다. NavSpec 판매 선택사항, 적합성 판단 및 운항 승인 등을 포함한 A-RNP에 대한 상세한 정보는 최신 AC 90-105를 참조한다.

주(Note)

RNP AR 적합 여부는 별도의 결정 절차 및 특별 FAA 승인이 필요하므로, A-RNP 적합 항공기가 반드시 RNP AR APCH 또는 RNP AR DP 운항에 적합한 것은 아니다.

(5) RNP 1. RNP 1은 터미널지역의 도착 및 출발, 그리고 PBN 구간이 있는 기존 절차(예, PBN feeder, IAF 또는 실패접근이 있는 ILS)에 사용되는 최초 및 중간접근단계의 경우 1의 횡적정확도를 필요로 한다. RNP 1 적합여부에서 RF turn 기능은 선택사항이다. 이것은 항공기가 RNP 1 운항에 적합하더라도, RF turn이 명확히 항공전자장비의 기능으로 수록되어 있지 않으면 RF turn으로 비행하지 않을 수 있다는 것을 의미한다.

(6) RNP 2. RNP 2는 2의 횡적정확도를 가진 국내 및 대양/외딴 지역 운항 양쪽에 적용한다.

(7) RNP 4. RNP 4는 4의 횡적정확도를 가진 대양 및 외딴 지역 운항에만 적용한다. RNP 4에 적합하면 자동으로 RNP 10에 적합하다.

(8) RNP 10. RNP 10 NavSpec은 10의 횡적정확도를 가진 특정 대양 및 외딴 지역 운항에 적용한다. RNP 10에 적합한 항공기는 RNAV 10 운항에 적합하다고 간주되기 때문에 이러한 공역에서는 RNAV 10 NavSpec이 적용된다. 나아가 RNP 4 운항에 적합한 항공기는 자동으로 RNP 10/RNAV 10 운항의 자격이 부여된다. (대양 RNP/RNAV 운항에 대한 더 상세한 정보는 최신 AC 91-70, Oceanic and Remote Continental Airspace Operations을 참조한다)

(9) RNP 0.3. RNP 0.3 NavSpec은 승인된 모든 비행단계에서 0.3의 횡적정확도를 필요로 한다. RNP 0.3은 대양, 외딴 지역, 또는 최종접근구간에는 승인되지 않는다. 저속 항공기에 RNP 0.3을 사용하는 것이 고려되고 있지만, 초기에는 회전날개 항공기의 운항에만 RNP 0.3 NavSpec을 적용한다. RNP 0.3 적합여부에서 RF turn 기능은 선택사항이다. 이것은 항공기가 RNP 0.3 운항에 적합하더라도, RF turn이 명확히 항공전자장비의 기능으로 수록되어 있지 않으면 RF turn으로 비행하지 않을 수 있다는 것을 의미한다.

주(Note)

터미널절차 또는 항공로 차트에서 표제(title) "RNP 0.3"의 NavSpec을 차트에 표시되는 0.30의 RNP 수치나 0.30 폭의 표준 최종접근진로구간과 혼동해서는 안된다. NavSpec 표제는 "RNP 0.3"으로 표시되지만, 차트에 표시되는 RNP 0.30

이하의 수치는 두 자리의 소수 자리를 포함해야 한다 (예, RNP 0.15, 0.10 또는 0.30).

(b) 표준 횡적정확도 수치의 적용. RNAV 운항이 지원되는 다양한 비행로와 절차에 사용하는 통상적인 미국 표준 횡적정확도 수치는 특정 항법시스템 또는 GPS와 같은 sensor, 또는 적합한 성능을 가진 multi-sensor RNAV 시스템의 사용을 기반으로 한다.

(c) PBN 요건의 표기. 미국에서 절차에 적용할 수 있는 횡적정확도 수치나 NavSpecs과 같은 PBN 요건은 영향을 받는 차트와 절차에 표기된다. 미국에서 특정 절차의 성능기반항행(PBN) 요건은 별도의 표준화된 주석 박스(note box)에 눈에 잘 띄게 표시된다. PBN 요소가 있는 절차의 경우 "PBN box"에는 절차의 NavSpec, 그리고 필요 시 항법계산에 필요한 특정 sensor나 기반시설, 추가 또는 고급 기능 요건, 최저 RNP 수치, 그리고 부연 설명 등이 포함된다. 이러한 PBN box에 수록되는 항목은 절차의 PBN 요소로 비행하기 위해서는 필수이다. 예를 들어 RNAV 실패접근이 있는 ILS는 절차의 실패접근구간을 비행하기 위해서는 특정한 성능이 요구된다. 요구 성능은 PBN box에 수록된다. 별도의 장비요건 box에는 지상기반장비 또는 공항의 특정요건이 수록된다. PBN 요소와 지상기반 장비요건이 있는 절차에는 PBN 요건 box가 먼저 수록된다. (그림 5-4-1 참조)

표 1-2-1. 미국 표준 RNP 수준(U.S. Standard RNP Level)

RNP 수준(Level)	통상적인 적용	주요 비행로 폭(NM) - 중심선에서 경계선까지
0.1 ~ 1.0	RNP AR 접근구역(Approach Segment)	0.1 ~ 1.0
0.3 ~ 1.0	RNP 접근구역(Approach Segment)	0.3 ~ 1.0
1	터미널 및 항공로(Terminal and En Route)	1.0
2	항공로(En Route)	2.0
4	30 NM 수평분리가 적용되는 대양/외딴 지역	4.0
10	50 NM 횡적분리가 적용되는 대양/외딴 지역	10.0

c. 미국 외부에서 다른 RNP의 적용. FAA와 ICAO 회원국은 대양운항의 RNP 개념 시도에 주도적인 역할을 하였다. 예를 들어, RNP-10 비행로를 북태평양(NOPAC)에 설정하여 항적 간의 거리를 50 NM까지 감소시킴으로써 수용능력과 효율성을 향상시켰다. (4-7-1항 참조)

d. 항공기 및 항공기 탑재장비의 RNP 운항 적합성. RNP 운항에 적합하기 위해서 항공기는 AFM, 항공전자 매뉴얼, 또는 보충 자료에 특수조건 및 제한사항을 포함하여 해당 내용이 기입되어 있어야 한다. AFM 또는 항공전자장비 문서에 특정한 RNP 적합성의 언급이 없는 항공기 운영자는 특정 RNP 적합성에 대한 특수조건과 제한사항이 포함된 운항 승인을 받을 수 있다.

주(Note)

일부 항공기탑재시스템은 항행성능의 척도로서 예상 위치 불확실성(Estimated Position Uncertainty; EPU)을 사용한다. EPU를 실제항행성능(Actual Navigation Performance; ANP) 또는 예상위치 오차(Estimated Position Error; EPE) 라고도 한다.

1-2-3. 기존 절차와 비행로에서 적합한 지역항법 시스템(RNAV System) 이용

a. 논제(Discussion). 이 항에서는 앞으로의 정책 수립뿐만 아니라, 미국 국가공역시스템(NAS) 내에서 기존 non-RNAV 비행로와 절차로 운항하거나 전환할 때 RNAV 시스템의 적합성 및 이용에 관한 운항지침 및 감항지침을 제공한다.

1. 초단파(VHF) 전방향표지시설(VOR), 거리측정시설(DME), 전술항행표지시설(TACAN), VOR/TACAN(VORTAC), VOR/DME, 무지향표지시

설(NDB) 또는 locator 외측마커 및 locator 중간마커를 포함한 compass locator 시설의 운용이 중단된 경우(즉, 항행안전시설 정보를 이용할 수 없음); 항공기가 자동방향탐지기(ADF) 또는 DME를 갖추지 않았거나, 항공기에 설치된 ADF 또는 DME가 작동하지 않을 경우 항행의 대체수단으로 적합한 RNAV 시스템을 이용할 수 있다. 예를 들어, 적합한 RNAV 시스템을 갖추고 있다면 조종사는 운용이 중단된 NDB 상공을 비행할 수도 있다.

2. VOR, DME, VORTAC, VOR/DME, NDB, TACAN 또는 locator 외측마커 및 locator 중간마커를 포함한 compass locator 시설이 운용되고 있고 각 항공기가 각자 기존 NAVAID와 호환되는 운용 항법장비를 갖추고 있을 경우, 항법의 대체수단으로 적합한 RNAV 시스템을 이용할 수 있다. 예를 들어 적합한 RNAV 시스템을 갖추고 있다면, 조종사는 VOR을 감시하지 않는 RNAV 시스템을 이용하는 VOR 기반의 절차 또는 비행로로 비행할 수 있다.

주(Note)

1. 추가정보 및 관련요건은 권고회보 AC 90-108 제목 "Use of Suitable RNAV Systems on Conventional Routes and Procedures"에서 살펴볼 수 있다.

2. 현명한 계획과 RNAV 시스템에 대한 이해는 안전 및 성공적인 운항에 매우 중요하다.

3. 운용이 중단된 NAVAID 대신에 항행유도의 대체수단으로 RNAV 시스템을 이용하고자 하는 조종사는 이러한 의도와 성능을 ATC에 통보하는 것이 필요할 수도 있다.

4. 항행데이터베이스는 비행하는 동안 최신화되어 있어야 한다. 비행하는 동안 AIRAC 주기가 변한다면, 운영자와 조종사는 비행경로 및 절차를 한정하기 위하여 사용되는 항행안전시설의 적합성을 포함하여 항법 data의 정확성을 확보할 수 있는 절차를 수립하여야 한다. 데이터베이스 최신화여부의 확인을 용이하게 할 수 있도록 FAA는 계기접근절차가 마지막으로 개정된 수정일자를 공고하기 위한 절차를 제정하였다. 예를 들면 Amdt 4 14Jan10과 같이 수정일자는 수정번호 다음에 온다. 그림형식의 출발절차 및 STAR의 최신화 여부는 절차 표제의 숫자식별자(numerical designation)로 확인할 수도 있다. 절차에 대한 수정차트가 발간되었거나, 차트에 제시된 절차 수정일자가 데이터베이스의 유효기간을 경과했다면 운용자는 운항의 수행에 그 데이터베이스를 사용해서는 안된다.

b. 적정 RNAV 시스템의 자격이 있는 RNAV 시스템의 유형. 해당 감항 설치요건에 의해 설치되고 해당 운항지침(예, 비행교범 및 권고회보 자료)에 의하여 운항할 때, 다음 시스템은 적정 RNAV 시스템의 자격이 있다.

1. AC 20-138, Airworthiness Approval of Global Positioning System(GPS) Navigation Equipment for Use as a VFR and IFR Supplemental Navigation System 또는 AC 20-130A, Airworthiness Approval of Navigation or Flight Management Systems Integrating Multiple Navigation Sensors에 의하여 설치되고, 계기비행방식(IFR) 항공로 및 터미널운항("ADF 또는 DME 대신 GPS" 운항이 사전 인가된 시스템 포함)이 승인된 TSO-C129/-C145/-C146 장비를 갖춘 RNAV 시스템

2. AC 90-100A, U.S. Terminal and En Route Area Navigation(RNAV) Operations, for RNAV routes의 장비규정을 준수하는 DME/ DME/IRU를 갖춘 RNAV 시스템. 준수해야 할 장비의 목록은 다음 웹사이트: http://www.faa.gov/about/office_org/headquarters_offices/avs/offices/afs/afs400/afs470/policy_guidance/ 에서 확인할 수 있다.

주(Note)

GPS/WAAS 위치입력이 없는 DME/DME/IRU를 사용하는 인가된 RNAV 시스템은 특정절차에 대하여 항공고시보(NOTAM)나 그 밖의 특정절차에 대한 FAA 지침에 의하여 명확하게 승인된 경우에만 항행의 대체수단으로서 이용할 수 있다. 또한 DME/DME/IRU 시스템의 사용을 인가한 NOTAM이나 그 밖의 FAA 지침은 FAA의 DME 항행기반시설

평가에 의거하여 필요한 DME 시설을 식별한다.

c. 적정 RNAV 시스템의 이용. 운용자는 운항요건에 따르면서 다음과 같은 방식에 적정 RNAV 시스템을 이용할 수 있다.

1. VOR (아래의 주 6 참조), TACAN, NDB, compass locator, DME fix, 또는 VOR radial, TACAN 진로, NDB 방위 또는 VOR이나 로컬라이저 진로를 교차하는 compass locator 방위에 의해 지정된 명칭이 부여된 fix로부터의 거리 또는 항공기의 상대적 위치 결정

2. VOR, TACAN, NDB 또는 compass locator 로/부터의 항행

3. VOR, TACAN, NDB, compass locator 또는 DME fix 상공의 체공

4. DME에 의한 원호(arc) 비행

주(Note)

1. 시설이 절차에 필요하다고 식별된 경우(예를 들면, "Note ADF required")에도 이 절에 기술된 허용한계를 적용한다.

2. 이러한 운항에는 미가공(raw) 로컬라이저 data에 관계없이 로컬라이저 기반의 진로(로컬라이저 후방진로 유도 포함)에서의 횡적항행은 포함되지 않는다.

3. 달리 명시되지 않는 한, 적정 RNAV 시스템은 NOTAM에 예외없이 인가되지 않음(not authorized ("NA") without exception)으로 식별된 절차의 항행에 이용할 수 없다. 예를 들어 운용자는 만기가 되거나 불충분한 비행검사의 영향을 받은 절차, 또는 최근에 사용이 중지된 NAVAID에 의거한 절차로 항행하기 위하여 RNAV 시스템을 이용할 수 없다.

4. 조종사가 최종접근구역의 횡적유도를 제공하는 NAVAID(예를 들면, VOR 또는 NDB)를 대신할 수는 없다. 이 제한사항은 GPS나 WAAS를 이용할 경우 표제에 "or GPS"를 가진 계기접근절차에는 적용되지 않는다. 이러한 허용한계는 다른 조건이 여전히 존재하여 결과적으로 이용할 수 없는 절차로서, NOTAM에 예외없이 인가되지 않음(NA)으로 식별된 절차에는 적용되지 않는다. 예를 들어, 이러한 허용한계는 만기가 되었거나 불충분한 비행검사와 관련된 절차 또는 최근에 사용이 중지된 NAVAID에 의거한 절차에 적용해서는 안된다.

5. VOR, TACAN 또는 NDB 신호를 기반으로 하는 계기접근절차의 최종접근구역으로 항행하기 위한 수단으로 적합한 RNAV 시스템을 사용하는 것을 허용할 수 있다. 기본적인 NAVAID가 운용되어야 하며, NAVAID는 최종접근구역 진로 정렬이 감시되어야 한다.

6. c항의 목적을 위해 "VOR"은 VOR, VOR/DME 그리고 VORTAC 시설을 포함하며, "compass locator"는 locator 외측마커와 locator 중간마커를 포함한다.

d. 교체공항(Alternate Airport) 고려사항. 비행계획의 목적상 필요한 교체공항은 GPS의 사용이 필요하지 않는 이용할 수 있는 계기접근절차를 가지고 있어야 한다. 이러한 제한사항에는 대체항법수단을 이용하여 교체공항에서 GPS의 사용을 기반으로 기존접근을 하는 것을 포함한다. 예를 들어 이러한 제한사항은 교체공항에서 ILS 실패접근절차를 지원하는 운용이 중단된 VOR의 대체항법수단으로 GPS 장비를 사용하기 위한 계획 시에 적용된다. 이러한 경우 GPS의 사용에 의존하지 않는 다른 절차를 이용하여야 한다. 이러한 제한사항은 TSO-C145/-C146 WAAS 장비를 사용하는 RNAV 시스템에는 적용되지 않는다. 추가 WAAS 지침은 1-1-18항을 참조한다.

1. 비행계획수립 목적으로 고장탐지 및 제거(fault detection and exclusion; FDE) 성능을 갖춘 항법시스템인 TSO-C129() 또는 TSO-C196() 장비를 갖추고 RNAV (GPS) 접근에 대한 적절한 지식과 필요한 훈련을 받고 GPS 기반 IAP 수행을 승인받은 사용자는 RNAV (GPS) 접근이 이루어질 공항에서 비행전 RAIM 오류예측을 수행한 경우, 목적지공항 또는 교체공항의 GPS 기반 IAP에 의거한 비행계획서를 제출할 수 있다. 교체공항의 경우, 조종사는 다음을 사용하여 적용할 수 있는 교체공항기상최저치에 대한 계획을 수립할 수 있다.

(a) 횡적항행(Lateral navigation; LNAV) 또는 선회접근 최저강하고도(MDA)

(b) 인가된 barometric 수직항법(baro-VNAV) 장비를 갖추고 사용하는 경우, LNAV/횡적항행(LNAV/VNAV) DA

(c) 조종사가 인가된 예측프로그램을 통해 항행성능기준(RNP) 가용성을 확인하였고 인가된 baro-VNAV 장비를 사용하며 특별히 승인을 받은 사용자인 경우, RNAV (RNP) IAP의 RNP 0.3 DA

2. 위의 조건들을 충족할 수 없는 경우, 필요한 교체공항은 GPS 접근절차 이외에 도착예정시간에 운용되어 이용할 수 있을 것으로 예상되며 항공기가 비행할 수 있는 장비를 갖추고 있는 인가된 계기접근절차가 수립되어 있어야 한다.

3. 이러한 제한사항은 TSO-C145() 및 TSO-C146() 장비를 갖춘 사용자(WAAS 사용자)에게는 적용되지 않는다. 추가 WAAS 지침은 1-1-18항을 참조한다.

1-2-4. 간섭 또는 스푸핑을 인식한 조종사 및 항공교통관제사(Pilots and Air Traffic Controllers Recognizing Interference or Spoofing)

a. 조종사는 항행시 위치인식을 유지할 필요가 있다. 이러한 인식은 관련 지상기반의 기존 항행안전시설에 동조하고 이용할 수 있게 유지함으로써 용이하게 이루어 질 수 있다. 이러한 절차를 활용함으로써 상황인식을 촉진하고, 조종사가 GPS 간섭의 시작을 인식하는 것을 상당히 지연되는 것을 방지할 수 있다. 조종사는 그밖에 탐지되지 않은 위험을 완화하는데 유용한 다른 항공기탑재시스템(예를 들면, DME/DME/IRU 또는 VOR)의 상호비교 방법을 알아낼 수도 있다.

b. 비행전계획 시 조종사는 비행경로에서 항행(GPS 또는 WAAS)에 영향을 줄 수 있는 NOTAM, 예를 들면 국방부의 GPS 전자신호 test 같은 것에 특히 경계하여야 한다.

c. 조종사가 GPS로 항행 시 GPS 중단이 발생하면, 조종사와 ATC 둘 다 더 많은 업무부담을 받을 수 있다. 항공기의 조종사는 GPS로 획득되는 신호가 필요하지 않는 방법(예를 들면, DME/DME/IRU 또는 VOR)을 결정하기 위한 위치로 변경하는 것이 필요할 수 있다. 조종사는 VOR 항행으로 전환하면 최신 미국 차트 보충판을 참조하여 VOR Minimum Operational Network(MON) program과 관련된 기존의 방법을 이용하여 접근할 수 있는 공항을 식별하여야 한다. 조종사의 항공기가 ATC 레이더 또는 다변측정 감시시스템(multilateration) 하에 있다면, ATC는 조종사 요구 시 간섭의 영향을 받는 지역을 벗어나거나 목적지교체공항으로 레이더유도를 제공할 수 있다. ADS-B Out 항공기의 방송정보는 부정확할 수 있으며, 정확도가 독립적인 수단에 의해 정확도가 확인되지 않은 한 간섭이나 스푸핑(spoofing)를 받고 있다고 생각되는 경우 감시에 의존해서는 안된다. 접근단계에서 조종사는 시계비행상태로 계속 비행하거나, 발간된 실패접근절차를 수행하는 것이 필요할 수도 있다. 발간된 실패접근절차가 GPS 기반이면 조종사에게는 대체지시가 필요하다. 조종사가 시계비행상태로 계속 비행하기를 원하면, 조종사는 IFR 비행계획을 취소하고 착륙할 공항으로 시계비행을 함으로써 관제사를 도울 수 있다. ATC는 조종사의 IFR 허가를 취소하고, 관제사가 다른 항공기를 처리할 수 있도록 VFR squawk를 발부할 것이다.

d. FAA는 GPS 항법이나 감시에 중단이 발생하면 조종사가 ATC에 보고할 것을 요청하고 있다. 간섭/운용중지가 항공기로 항행하기 위한 조종사의 능력에 영향을 미치지 않는 한, 알려진 NOTAM 시험운영(testing)과 관련된 GPS 간섭 또는 운용중지는 ATC에 보고할 필요가 없다.

제2장. 항공등화 및 기타 공항 시각보조시설(Aeronautical Lighting and Other Airport Visual Aids)

제1절. 공항등화시설(Airport Lighting Aids)

2-1-1. 진입등시스템(Approach Light System; ALS)

그림 2-1-1. 정밀 및 비정밀 배열(Precision & Nonprecision Configurations)

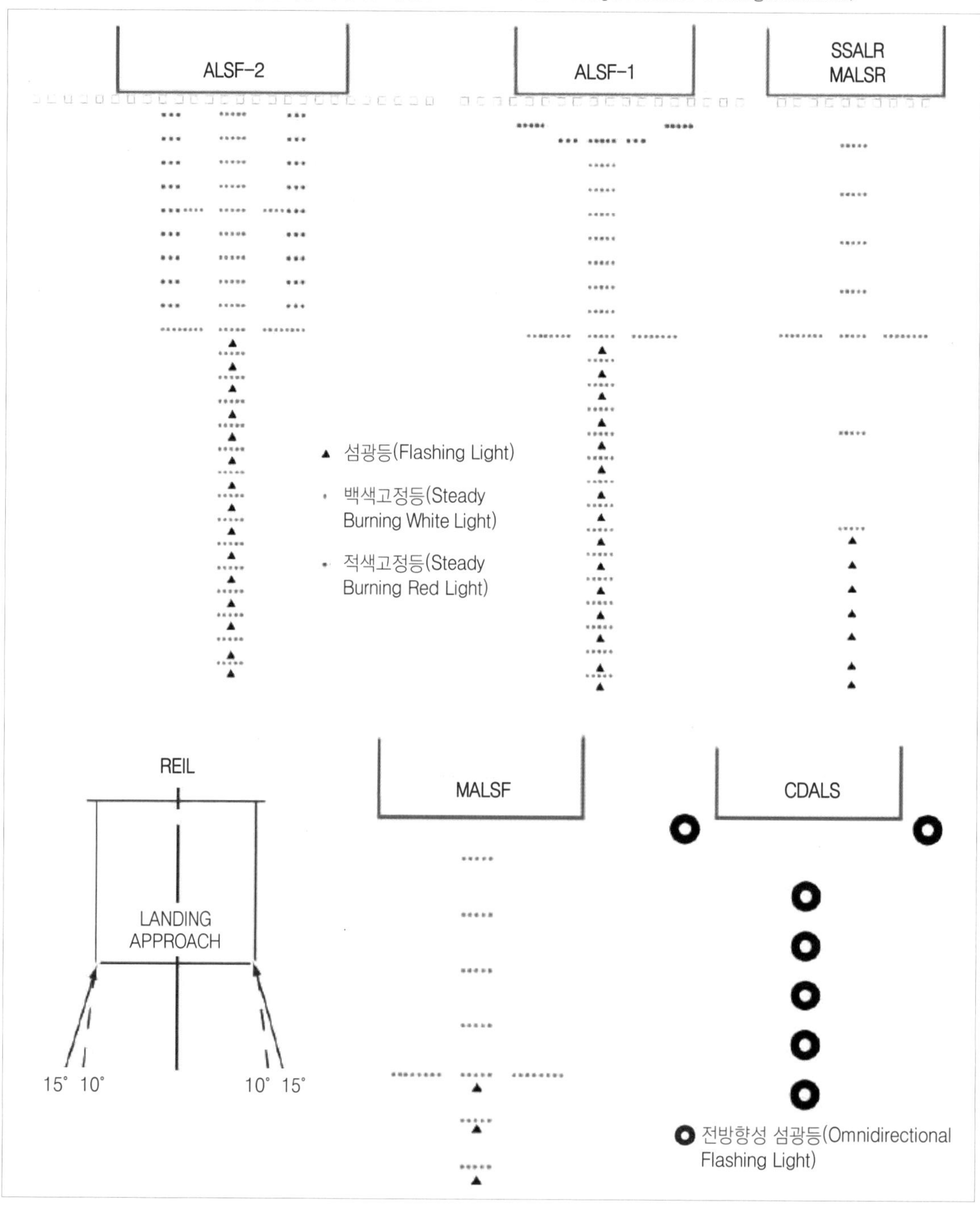

주(Note)
민간 ALSF-2는 양호한 기상상태에서는 SSALR로 운용될 수 있다.

a. ALS는 착륙을 위해 계기비행에서 시계비행으로 전환하기 위한 기본적인 수단을 제공한다. 특정 활주로에 대한 진입등시스템의 정밀성과 배치형태는 운영요건에 규정된다.

b. ALS는 착륙활주로시단(landing threshold)에서 접근구역(approach area)으로 정밀계기활주로의 경우 2,400~3,000 ft, 비정밀계기활주로의 경우 1,400~1,500 ft의 거리에 이르는 신호등(signal light)의 배열이다. 어떤 시스템은 조종사에게 불덩어리가 고속으로 활주로를 향해 이동(초당 2회)하는 것 같이 보이는 연속섬광등(sequenced flashing light)을 포함하고 있다. (그림 2-1-1 참조)

2-1-2. 시각활공각지시등(Visual Glideslope Indicator)

a. 시각진입각지시등(Visual Approach Slope Indicator; VASI)

1. VASI 시설은 전면(near), 중간(middle)과 후면(far) bar라고 하는 bar에 설치되는 2개, 4개, 6개, 12개 또는 16개의 등화장치로 구성될 수 있다. 대부분의 VASI 시설은 전면과 후면의 2개 bar 및 2개, 4개 또는 12개의 등화장치로 구성된다. 일부 VASI는 조종실이 높은 항공기의 편의를 도모하기 위하여 부가의 시각적인 활공로(glide path)를 제공하는 전면, 중간과 후면 3개의 bar로 구성된다. 이 시설은 6개 또는 16개의 등화장치로 구성된다. 2개, 4개 또는 6개의 등화장치로 구성된 VASI 시설은 일반적으로 활주로 좌측의 한 측면에만 설치된다. 12개 또는 16개의 등화장치로 구성된 시설에서는 활주로의 양 측면에 등화장치를 설치한다.

2. 2-bar VASI 시설은 일반적으로 3°로 설정되는 한 개의 시각적인 활공로(glide path)를 제공한다. 3-bar VASI 시설은 두 개의 시각적인 활공로를 제공한다. 낮은 활공로는 전면과 중간 bar에 의해 제공되며 일반적으로 3°에 설정되고, 높은 활공로는 중간과 후면 bar에 의해 제공되며 보통 1/4° 더 높다. 높은 활공로는 조종실이 높은 항공기에게 충분한 활주로시단통과높이(threshold crossing height)를 제공하기 위해서만 의도적으로 사용된다. 정상적인 활공로각도는 3° 이지만 일부 지역에서 각도는 적당한 장애물회피를 위해 4.5°까지 높아질 수 있다. 고성능항공기의 조종사는 3.5°를 초과하는 VASI 각도의 사용은 착륙과 지상활주에 필요한 활주로길이를 증가시킬 수 있다는 점에 유의하여야 한다.

3. VASI의 기본원리는 적색과 백색 색상 간의 차이이다. 각 등화장치는 불빛의 상부에서는 백색구간을 형성하는 불빛을 비추고, 불빛의 하부에서는 적색구간을 형성하는 불빛을 비춘다. 등화장치는 접근 중에 VASI를 사용할 수 있도록 배열되어 있기 때문에 조종사는 접근 중에 아래 그림과 같은 등화의 조합을 볼 수 있다.

4. VASI는 활주로에 접근하는 동안 시각적인 강하유도정보를 제공하기 위하여 배열된 등화시스템이다. 이 등화는 주간에는 3~5 mile에서 야간에는 20 mile 이상에서 식별이 가능하다. VASI의 시각적인 활공로(glide path)는 활주로중심선의 연장선 ±10° 이내에서 활주로시단으로부터 4 NM 까지 안전한 장애물회피를 제공한다. 활주로와 시각적으로 정대될 때까지는 VASI를 이용한 강하를 시작해서는 안된다. 횡적진로유도(lateral course guidance)는 활주로 또는 활주로등에 의해 제공된다. 경우에 따라서는 지역의 제한으로 인해 불빛의 폭이 좁아지거나 이용할 수 있는 거리가 감소함에 따라 안전한 장애물회피구역이 감소되거나, VASI가 연장된 활주로중심선으로부터 벗어나 있을 수 있다. 이것은 미국 차트 보충판(Chart Supplement U.S.)이나 해당 항공고시보(NOTAM)에 표기된다.

5. 2-bar VASI(4개 등화장치), 그림 2-1-2 참조

그림 2-1-2. 2-Bar VASI

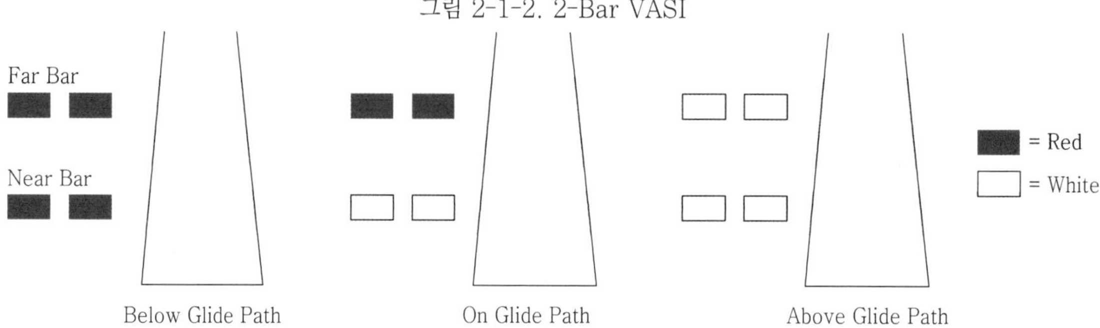

6. 3-bar VASI (6개 등화장치), 그림 2-1-3 참조

그림 2-1-3. 3-Bar VASI

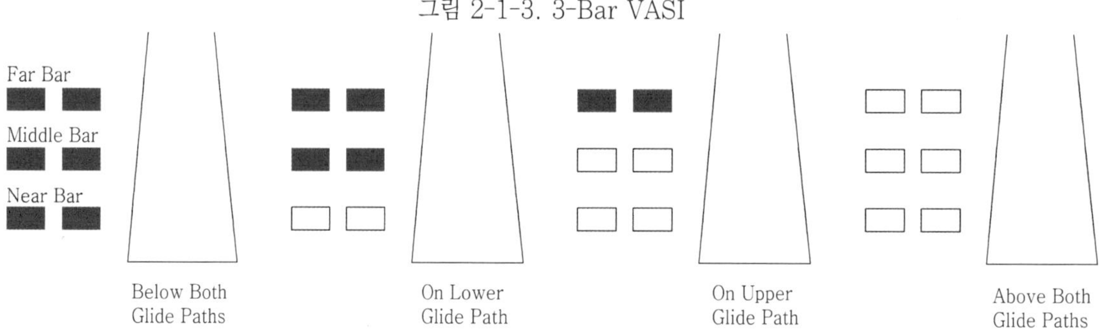

7. 기타 VASI 배열, 그림 2-1-4 참조

그림 2-1-4. VASI 변화(VASI Variations)

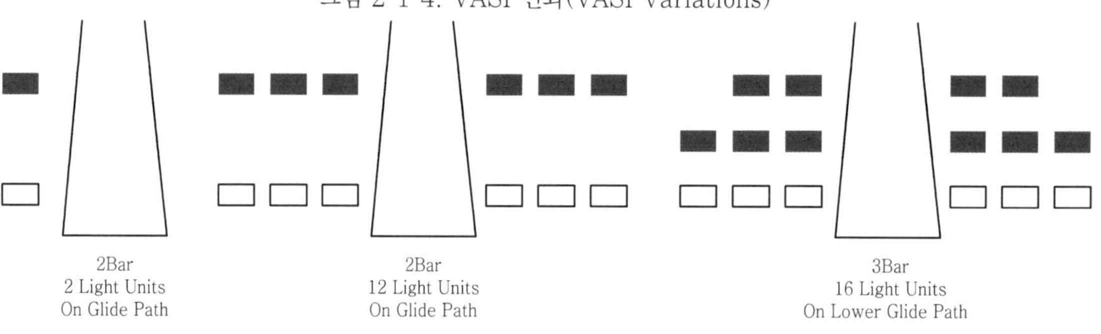

b. 정밀진입각지시등(Precision Approach Path Indicator; PAPI)

정밀진입각지시등(PAPI)은 VASI와 유사한 등화장치를 사용하지만 2개 또는 4개의 등화장치가 1열로 설치된다. 이 등화는 주간에는 약 5 mile, 그리고 야간에는 20 mile 까지 식별이 가능하다. PAPI의 시각적인 활공로(glide path)는 통상적으로 활주로중심선의 연장선 ±10° 이내에서 활주로시단으로부터 3.4 NM 까지 안전한 장애물회피를 제공한다. 활주로와 시각적으로 정대될 때까지는 PAPI를 이용한 강하를 시작해서는 안된다. 1열의 등화장치는 일반적으로 활주로의 좌측에 설치되며, 활공로지시는 그림과 같다. 횡적진로유도는 활주로 또는 활주로등에 의해 제공된다. 경우에 따라서는 지역의 제한으로 인해 불빛의 폭이 좁아지거나 이용할 수 있는 거리가 감소함에 따라 안전한 장애물회피구역이 감소되거나, VASI가 연장된 활주로중심선으로부터 벗어나 있을 수 있다. 이것은 미국 차트 보충판(Chart Supplement U.S.)이나 해당 NOTAM에 표기된다. (그림 2-1-5 참조)

그림 2-1-5. 정밀진입각지시등(PAPI)

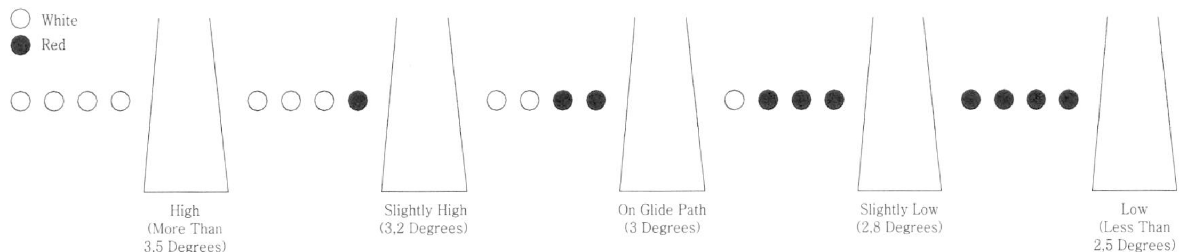

c. 3색 시스템(Tri-color System)

일반적으로 3색 시각진입각지시등은 지시등이 설치되어 있는 활주로의 최종접근구역에 3가지 색상의 시각적인 접근로를 표시하는 단일등화장치로 구성된다. 낮은 활공로지시는 적색, 높은 활공로지시는 황색(amber)이며 적정한 활공로(on glide path) 지시는 녹색이다. 이러한 유형의 지시등은 시정상태에 따라 대략 주간에는 1/2~1 mile, 그리고 야간에는 5 mile의 범위까지 유용하다. (그림 2-1-6 참조)

그림 2-1-6. 3색 시각진입각지시등(Tri-Color Visual Approach Slope Indicator)

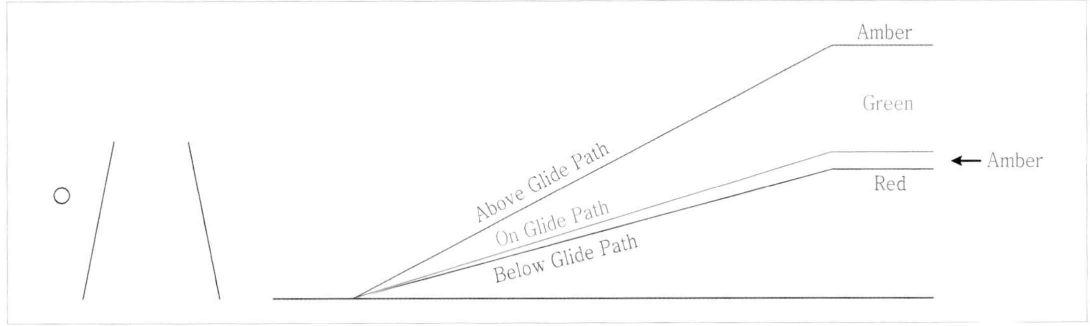

주(Note)

1. 3색 VASI는 다른 광원(light source)과 혼동할 수 있는 단일 광원이기 때문에 조종사는 불빛신호의 정확한 위치와 식별에 상당한 주의를 기울여야 한다.
2. 항공기가 녹색에서 적색으로 강하할 때, 조종사는 녹색에서 적색으로 변화되는 동안 짙은 황색(dark amber)을 볼 수도 있다.

그림 2-1-7. 점멸식 시각진입각지시등(Pulsating Visual Approach Slope Indicator)

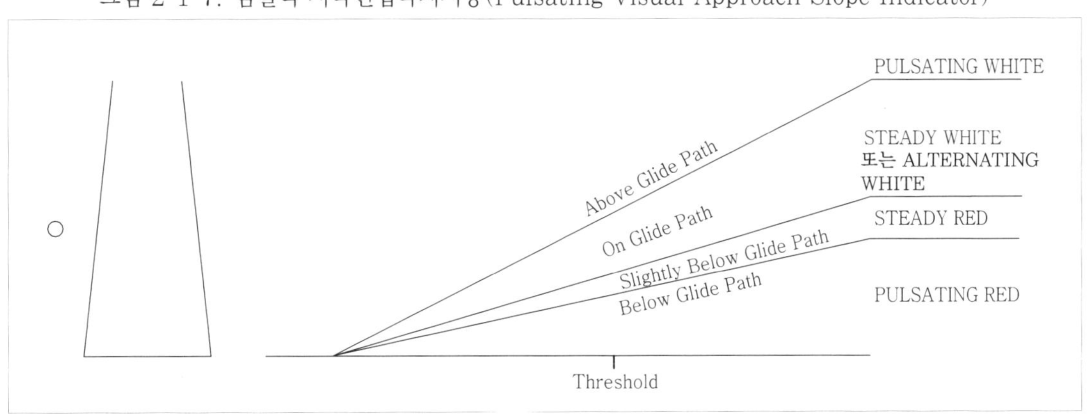

주(Note)
PVASI는 다른 광원(light source)과 혼동할 수 있는 단일 광원으로 이루어져 있기 때문에 조종사는 불빛 신호의 정확한 위치와 식별에 상당한 주의를 기울여야 한다.

그림 2-1-8. 구조물배치(Alignment of Elements)

Above Glide Path On Glide Path Below Glide Path

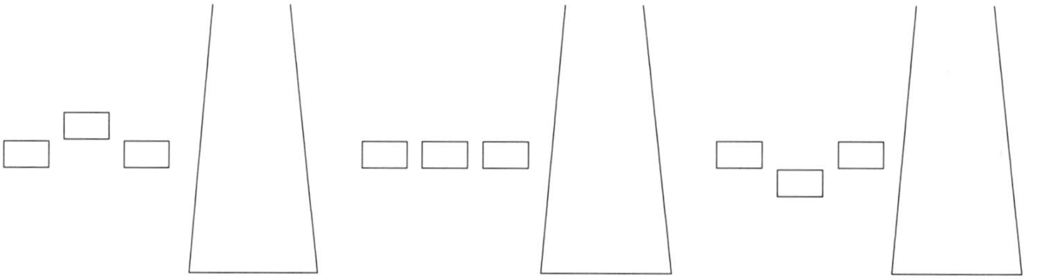

d. 점멸식 시스템(Pulsating System)

일반적으로 점멸식 시각진입각지시등은 지시등이 설치되어 있는 활주로의 최종접근구역에 두 가지 색상의 시각적인 접근로를 표시하는 단일등화장치로 구성된다. 적정한 활공로지시는 백색고정등 또는 교차하는 적색과 백색등이다. 약간 낮은 활공로지시는 적색고정등이다. 항공기가 활공로보다 더 낮게 강하하면 적색등이 점멸하기 시작한다. 높은 활공로지시는 백색점멸등이다. 항공기가 필요한 활공경사보다 더 올라가거나 내려갈수록 점멸율은 증가한다. 이 시스템의 유용한 범위는 주간에는 약 4 mile 이고, 야간에는 약 10 mile 까지이다. (그림 2-1-7 참조)

e. 구조물배치 시스템(Alignment of Elements System)

구조물배치 시스템은 일부 소규모 일반항공 공항에 설치되며, 보통 흑색과 백색 또는 형광성의 주황색 페인트를 칠한 합판으로 이루어지는 저가 시스템이다. 이들 시스템 중의 일부는 야간에 사용할 수 있도록 등화시설이 되어 있다. 이 시설의 유용한 범위는 대략 3/4 mile 이다. 이 시스템을 이용하기 위해서 조종사는 항공기가 구조물과 일직선이 되도록 위치시켜야 한다. 활공로지시는 그림 2-1-8과 같다.

2-1-3. 활주로종단식별등(REIL; Runway End Identifier Lights)

REIL은 특정 접근활주로종단의 신속하고 확실한 식별을 위해 대부분의 비행장에 설치된다. 이 시스템은 활주로시단(runway threshold)의 양 측면에 가로로 위치한 한 쌍의 동시섬광등(flash light)으로 이루어진다. REIL은 접근구역을 향해서 전방향성(omnidirectional)이거나 단방향성(unidirectional)이다. 이 등은 다음과 같은 경우에 효과적이다.

a. 높은 광도의 다른 등화에 의해 둘러싸인 활주로의 식별

b. 주변 지형과 구분이 잘 되지 않는 활주로의 식별

c. 시정이 감소된 동안 활주로의 식별

2-1-4. 활주로등 시스템(Runway Edge Light Systems)

a. 활주로등(runway edge light)은 어두울 때나 시정이 제한된 상태에서 활주로의 가장자리를 나타내기 위해 사용된다. 이 등화시스템은 발생할 수 있는 광도 또는 밝기에 따라 고광도활주로등(HIRL), 중광도활주로등(MIRL) 및 저광도활주로등(LIRL)으로 분류된다. HIRL과 MIRL 시스템은 광도를 조절할 수 있는 반면에 LIRL은 보통 하나의 광도로 설정되어 있다.

b. 활주로등은 착륙을 위한 주의구역(caution zone)을 형성하기 위하여 계기활주로에서 마지막 2,000 ft 또는 활주로길이의 절반 중 짧은 곳에서 백색이 황색으로 대체되는 것을 제외하고는 백색이다.

c. 활주로종단(runway end)을 표시하는 등화는

출발항공기에게 활주로종단을 나타내기 위하여 활주로 쪽으로 적색불빛을 비추고, 착륙항공기에게는 시단(threshold)을 나타내기 위하여 활주로종단 바깥쪽으로 녹색을 비춘다.

2-1-5. 활주로의 등화(In-runway Lighting)

a. 활주로중심선등 시스템(Runway Centerline Lighting System; RCLS)

활주로중심선등은 악시정상태에서 착륙을 돕기 위해 일부 정밀접근활주로에 설치된다. 이 등은 활주로중심선을 따라 50 ft 간격으로 설치된다. 착륙활주로시단(landing threshold)에서 보았을 때 활주로 마지막 3,000 ft 까지의 활주로중심선등은 백색이다. 다음 2,000 ft 구간에서 백색등은 적색등과 교대로 설치되고, 활주로의 마지막 1,000 ft 구간의 경우 모든 중심선등은 적색이다.

b. 접지구역등(Touchdown Zone Lights; TDZL)

접지구역등은 악시정상태에서 착륙할 때 접지구역을 알려주기 위하여 일부 정밀접근활주로에 설치된다. 이 등은 활주로중심선에 대해 대칭으로 배열되는 2열의 가로등화(transverse light) bar로 이루어진다. 이 시스템은 착륙활주로시단으로부터 100 ft 떨어진 곳에서 시작하여 착륙활주로시단으로부터 3,000 ft 또는 활주로 중간지점 중 짧은 곳 까지 이어지는 백색고정등으로 이루어진다.

c. 유도로중심선(Taxiway Centerline) Lead-Off Light

유도로중심선 lead-off light는 활주로를 벗어나는 인원에게 시각적인 안내를 제공한다. 이 등은 조종사와 차량운전자에게 그들이 활주로환경 또는 계기착륙시설(ILS) 보호구역 중 더 제한되는 곳 내에 있다는 것을 경고하기 위하여 색상으로 구분된다. 활주로중심선에서부터 녹색등을 시작으로 활주로정지위치 또는 ILS 보호구역 정지위치를 지나 하나의 유도로중심선등 위치까지 녹색등과 황색등이 교대로 설치된다.

d. 유도로중심선(Taxiway Centerline) Lead-On Light

유도로중심선 lead-on light는 활주로로 진입하는 인원에게 시각적인 안내를 제공한다. "Lead-on" light도 조종사 및 차량운전자에게 그들이 활주로환경 또는 계기착륙시설(ILS) 보호구역 중 더 제한되는 곳 내에 있다는 것을 경고하기 위하여 lead-off light와 동일한 색상 형태의 색상으로 구분된다. Lead-on light에 사용되는 시설은 양방향성이다. 즉 한 쪽이 lead-off 기능의 불빛을 비추는 동안 다른 쪽은 lead-on 기능의 불빛을 비춘다. Lead-off 기능을 위하여 황색불빛을 비추는 모든 시설은 또한 lead-on 기능을 위한 황색불빛을 비출 수 있어야 한다. (그림 2-1-9 참조)

e. 착륙 및 잠시대기등(Land and Hold Short Light)

착륙 및 잠시대기등은 착륙 및 잠시대기 운영(LAHSO)이 인가된 활주로 상의 지정된 잠시대기 지점을 나타내기 위하여 사용된다. 착륙 및 잠시대기등은 잠시대기지점에 활주로를 가로질러 설치되는 일렬의 점멸식백색등으로 이루어진다. 이 등이 설치되어 있을 때, 등이 점등되어 있을 경우에는 언제든지 LAHSO는 유효하며 LAHSO가 유효하지 않을 경우 이 등은 소등된다.

2-1-6. 활주로상태표시등(Runway Status Light; RWSL) 시스템

a. 서론(Introduction)

RWSL은 활주로의 진입, 통과, 이륙 및 착륙이 불안전할 때 이를 명확히 나타내기 위하여 조종사 및 지상차량운전자에게 활주로상태정보를 제공하는 완전자동시스템이다. RWSL 시스템은 감시시스템의 정보를 처리하고, 탐지된 지상교통과 접근교통의 위치 및 속도에 따라 활주로진입등(REL), 이륙대기등(THL), 교차활주로표시등(RIL) 및 최종접근활주로 점유신호(FAROS)를 작동시킨다. REL, THL 및 RIL은 조종사와 지상차량운전자가 직접 육안으로 볼 수 있는 포장면 매립형등화시설이다. FAROS는 도착하는 조종사에게 접근활주로가 사용되고 있다는 것을 정밀진입각지시등(PAPI)을 섬광하여 경고한다. FAROS는 RWSL 시스템에 추가로 시행되거나, RWSL 시스템이 없는 공항에서 독립형시스템으로 시행될 수 있다. RWSL은 ATC 허가를 전달하거나 대신하지는 않는 독립적 안전증진장치이다. 진입, 통과, 이륙, 착륙 또는 활주로 상에서의 운영에 대한 허가는 여전히 ATC로부터 받아야 한다. ATC는 시스템을 통해 제한된 제어를 하지만, 근무자는 매일 ATC 운영을 하는 동안에 등화시설의 작동 및 작동중단을 직접 하지 않거나 보지 못할 수도 있다.

b. 활주로진입등(Runway Entrance Light; REL)

REL 시스템은 유도로중심선에 평행하고 유도로중심선을 따라 초점이 맞추어져 있으며, 활주로대기선(hold line)에서 조종사 쪽으로 향하는 포장면 매립형, 단방향성등화시설로 구성된다. REL 등화의 배열은 활주로대기선의 첫 번째 등화에 이어 활주로가장자리까지 일정한 간격을 가진 일련의 등화를 포함하며, 활주로중심선의 하나의 추가 등화는 활주로가장자리 이전 마지막 두 개의 등화와 일치한다 (그림 2-1-9 및 2-1-12 참조). 작동되었을 경우 적색등화는 활주로 상에 고속교통(high speed traffic)이 있거나, 작동지역 이내에서 항공기가 최종접근 중에 있다는 것을 나타낸다.

그림 2-1-9. 활주로상태표시등 시스템(Runway Status Light System)

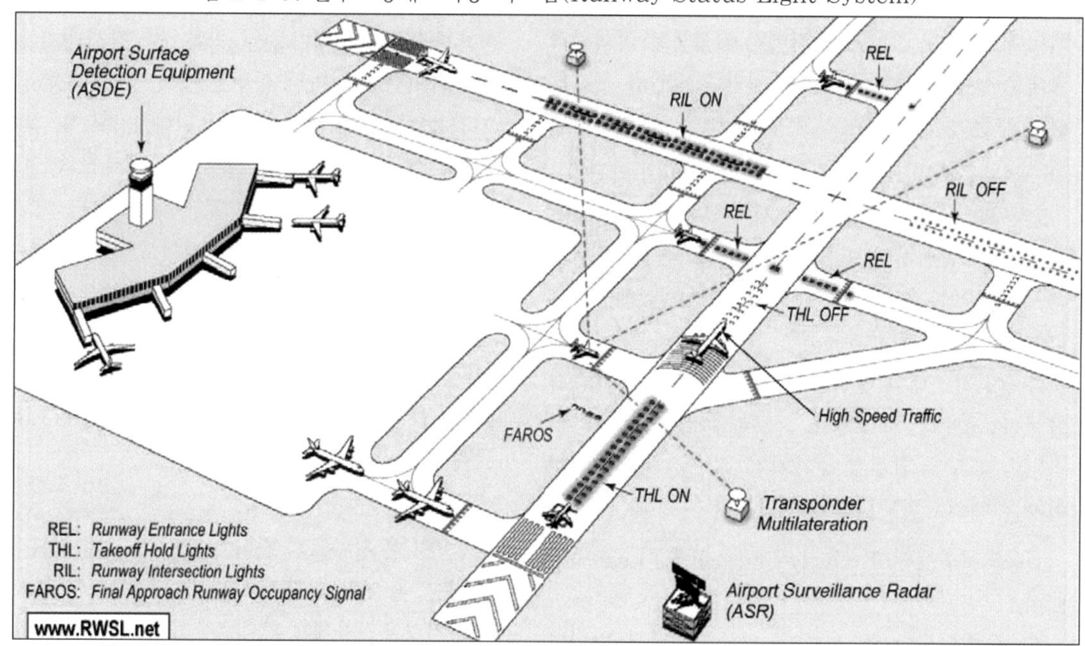

1. REL 운영특성 - 출발항공기

출발항공기가 대략 30 knot의 해당 장소 설정속도에 도달할 경우, 항공기의 전방활주로를 따라 REL 배열이 된 모든 유도로교차지점은 점등된다 (그림 2-1-9 참조). 항공기가 REL를 갖춘 유도로교차지점에 접근할 때, 그 교차지점의 등화는 항공기가 그곳에 도착하기 대략 3초 내지 4초 전에 소등된다. 이것은 관제사가 "예상분리(anticipated separation)"를 적용하여 안전을 저해하지 않으면서 ATC에게 교통을 더 신속하게 처리할 수 있도록 한다. 항공기가 시스템에 의해 "비행중(airborne)"으로 인정된 이후에 이 활주로와 관련된 모든 REL 등화는 소등될 것이다.

2. REL 운영특성 - 도착항공기

최종접근 중의 항공기가 활주로시단으로부터 대략 1 mile에 있을 때, 활주로를 교차하는 일련의 모든 유도로 REL 등화배열은 점등된다. 거리는 특정공항에서의 일정한 운항에 맞도록 조정되고 설정될 수 있다. 항공기가 약 80 knot(해당 장소 설정변수)로 감속될 때 까지 예상분리를 적용하기 위하여, 등화는 각각의 등화를 갖춘 유도로교차지점에서 항공기가 그곳에 도착하기 대략 3초 내지 4초 전에 소등된다. 80 knot 미만에서 항공기 전방경로의 30초 이내에 있지 않는 모든 등화배열은 소등된다. 도착항공기가 대략 34 knot(해당 장소 설정변수)로 감속되면 지상활주상태에 있는 것으로 인정되고 모든 등화는 소등된다.

3. 조종사는 무엇을 볼 수 있는가: 활주로대기선에 있거나 활주로로 접근하는 조종사는 활주로 상에서 운행하는 항공기나 차량 또는 활주로시단으로부터 1 mile 이내에서 운항하는 도착항공기에 반응하여 REL이 점등되고 소등되는 것을 볼 수 있을 것이다.

4. 조종사가 REL의 적색등화를 보았을 경우, 그 조종사는 활주로대기선에 정지하거나 정지상태를 유지하여야 한다. 조종사는 허가가 등화와 일치하지 않으면 그 때에는 ATC에 연락하여 문의하여야 한다. 조종사가 안전상의 이유로 활주로에서 벗어나 머무를 수 없는 상황(예를 들면, 항공기가 이미 활주로에 진입한 경우)에서 조명이 점등되었다는 것을 알아 차렸다면, 점등된 등화가 활주로진입이나 통과가 불안전하다는 것을 나타낸다는 것을 알더라도 승무원은 최선의 판단에 따라 진행하여야 한다. 가능한 가장 빠른 시기에 ATC와 교신하여야 한다.

c. 이륙대기등(Takeoff Hold Light; THL)

THL 시스템은 활주로중심선등의 양 측면에 정렬된 이중의 세로로 늘어선 포장면 매립형 단방향성시설로 구성된다. 시설은"이륙위치에서의 대기(line up and wait)" 지점의 활주로 도착부(arrival end)를 향하여 초점이 맞추어져 있다. THL은 출발활주로시단으로부터 375 ft 지점에서 출발하는 대기항공기의 전방으로 1,500 ft에 이른다 (그림 2-1-13 참조). 점등된 적색등화는 이륙이나 활주위치의 항공기에게 활주로가 다른 항공기나 지상차량에 의해 사용되고 있거나 또는 사용될 무렵에 있기 때문에 이륙이 불안전 하다는 신호를 제공한다. 등화가 점등되기 위해서는 두 대의 항공기, 또는 한 대의 지상차량과 한 대의 항공기가 필요하다. 출발항공기는 이륙위치 또는 이륙활주(takeoff roll) 시작위치에 있어야 한다. 다른 항공기나 지상차량은 활주로를 통과하고 있거나 통과할 무렵에 있어야 한다.

그림 2-1-12, 활주로진입등(Runway Entrance Light)

그림 2-1-13. 이륙대기등(Takeoff Hold Light)

그림 2-1-14. 유도로 Lead-On Light 배열 (Taxiway Lead-On Light Configuration)

1. THL 운영특성 - 출발항공기

THL은 활주로로 진입할 무렵에 활주로 상에 다른 항공기나 차량이 있을 경우, 출발위치에 있거나 출발하는 항공기를 위하여 점등된다 (그림 2-1-9 참조). 항공기나 차량이 활주로를 벗어나면 THL은 소등된다. 조종사는 착륙항공기나 차량이 활주로에서 완전히 벗어났지만 여전히 움직이는 중에 등화가 소등된다는 것을 알 수 있을 지도 모른다. REL 처럼 THL도 "예상분리" 기능을 갖고 있다.

주(Note)

THL이 소등될 때, 이것이 이륙활주(takeoff roll)의 시작을 허가하는 것은 아니다. 모든 이륙허가는 ATC로부터 발부받아야 한다.

2. 조종사는 무엇을 볼 수 있는가: 활주로에서 출발위치에 있거나 이륙활주를 시작한 조종사는 THL이 활주로 상의 항공기나 차량, 또는 그곳에 진입하거나 통과하는 항공기나 차량에 반응하여 점등되는 것을 볼 수 있을 것이다. 등화는 활주로가 사용되지 않을 때 소등된다. 조종사는 통과하는 교통량에 따라 점등 및 소등되는 각각의 주기를 볼 수 있다.

3. 조종사가 THL의 적색등화를 보았을 경우, 조종사는 가능하면 안전하게 정지하거나 정지상태를 유지하여야 한다. 조종사는 허가가 등화와 일치하지 않으면 ATC에 연락하여 문의하여야 한다. 조종사가 이륙활주 동안에 안전상의 이유로 정지하는 것이 불가능한 상황에서 조명이 점등되었다는 것을 알아 차렸다면, 점등된 등화가 이륙을 계속하는 것이 불안전하다는 것을 나타낸다는 것을 알더라도 승무원은 최선의 판단에 따라 진행하여야 한다. 가능한 가장 빠른 시기에 ATC와 교신하여야 한다.

d. 교차활주로표시등(RIL; Runway Intersection Light)

RIL 시스템은 THL과 동일한 방식으로 활주로중심선등의 양 측면에 정렬된 이중의 횡렬(longitudinal row) 포장면 매립형 단방향성등화시설로 구성된다. 조종사에게 이것의 외관은 THL의 외관과 유사하다. 시설은 활주로의 도착부(arrival end)를 향하여 초점이 맞추어져 있으며, 교차활주로에 접근하는 항공기의 전방 3,000 ft에 이른다. 이 등은 교차활주로의 착륙 및 잠시대기 운영(LASHO) 등화 bar 또는 활주로대기선에서 끝난다.

1. RIL 운영특성 - 출발항공기

RIL은 교차활주로 상에 고속교통이 있을 경우, 출발하는 항공기나 출발위치에 있는 항공기를 위하여 점등된다 (그림 2-1-9 참조). RIL이 점등되기 위해서는 RIL을 볼 수 있는 위치에 항공기나 차량이 있어야 한다는 점에 주목하여야 한다. 일단 상반되는 교통이 교차지점을 통과하면 RIL은 소등된다.

2. RIL 운영특성 - 도착항공기

RIL은 교차활주로 상의 교차지점에서 ±5초에 마주치는 고속교통이 있을 때 착륙하였거나 지상활주하는 항공기를 위하여 점등된다. 일단 상반되는 교통이 교차지점을 통과하면 RIL은 소등된다.

3. 조종사는 무엇을 볼 수 있는가: 출발하거나 도착하는 조종사는 RIL이 교차활주로에서 고속교통에 반응하여 점등되는 것을 볼 수 있을 것이다. 이 등화는 그 교통이 활주로교차지점을 통과할 때 소등된다.

4. 조종사가 RIL 배열의 적색등화를 보았을 경우, 조종사는 언제나 교차활주로의 활주로대기선 또는 LAHSO 정지선 이전에 정지하여야 한다. RIL이 점등되었을 때 출발항공기가 이미 고속의 이륙활주상태에 있다면, 안전상의 이유로 정지하는 것이 불가능 할 수 있다. 점등된 등화가 이륙을 계속하는 것이 불안전하다는 것을 나타낸다는 것을 알더라도 승무원은 최선의 판단에 따라 안전하게 운항하여야 한다. 가능한 가장 빠른 시기에 ATC와 교신하여야 한다.

e. 최종접근활주로 점유신호(FAROS)는 정밀진입각지시등(PAPI)의 섬광에 의해 전달된다 (그림 2-1-9 참조). 작동되었을 경우 PAPI 등화시설은 접근하는 조종사에게 활주로가 사용되고 있고, 착륙이 불안전 할 수도 있다는 것을 나타내기 위하여 섬광 또는 점멸한다.

주(Note)

FAROS는 ATC 제어나 입력(input)에 의존하지 않는 독자적 자동경고시스템이다.

1. FAROS 운영특성
항공기나 지상차량이 FAROS를 갖춘 활주로를 사용하고 있으면 그 활주로 상의 PAPI는 섬광 또는 점멸한다. 활공로지시는 영향을 받지 않으며, 접근 시 조종사에 의해 관측되는 적색 및 백색 PAPI 등화의 배열은 변하지 않는다. FAROS 시스템은 항공기가 활주로에 진입할 때, 항공기가 접근중이거나 착륙활주로시단의 1.5 NM 이내에 있을 경우 PAPI를 섬광시킨다.

2. 조종사는 무엇을 볼 수 있는가: 활주로로 접근 중인 조종사는 활주로에 교통이 있으면 PAPI의 섬광을 볼 수 있으며, 교통이 활주로의 정지선 외부로 이동할 때에는 PAPI의 섬광이 멈춘다는 것을 알게 될 것이다.

3. 조종사가 지표면으로부터 500 ft의 고도(AGL), 포착고도(contact height)에서 섬광하는 PAPI를 보았을 경우, 조종사는 활주로의 교통을 찾아서 육안으로 확인하여야 한다. 300 ft AGL에서 조종사는 FAROS 지시가 허가와 일치하지 않으면 ATC에 연락하여 문의하여야 한다. PAPI가 계속해서 섬광하면 조종사는 즉시 "복행(go around)"하고 가능한 가장 빠른 시기에 ATC와 교신하여야 한다.

f. 조종사 조치(Pilot Actions)

1. RWSL이 있는 공항에서 운항할 경우, 조종사는 gate나 주기장(parking area)에 도착한 후 엔진작동을 멈출 때 까지는 gate나 주기장을 출발할 때 트랜스폰더를 "On"하여 운항할 것이다. 이것은 RWSL 시스템에 정보를 제공하는 ASDE-X/Airport Surface Surveillance Capability (ASSC)와 같은 FAA 감시시스템과의 상호작용을 보장한다.

2. 조종사는 ATC 지시사항과 일치하지 않는 RWSL 또는 FAROS 지시로 인하여 정지하였거나, 착륙허가를 확인하거나 복행(go-around)을 하는 경우에는 항상 ATCT에 통보하여야 한다. 조종사는 지상활주, 이륙 또는 착륙허가의 설명을 요청하여야 한다.

3. 점등된 적색등화를 절대 통과해서는 안된다. 정상적인 상황에서는 ATC에 의해 이전에 발부된 조종사의 지상활주 또는 이륙허가를 RWSL로 확인할 수 있다. RWSL이 활주로 이륙, 착륙, 통과 또는 진입이 안전하지 않다는 것을 지시하면 즉시 불일치를 ATC에 통보하고 허가를 재확인하여야 한다.

4. 등화가 소등될 때 ATC 허가없이 진행해서는 안된다. RWSL은 ATC 허가가 정확하다는 것을 확인해주는 것이며, 이것이 ATC 허가를 대신하지는 않는다.

5. PAPI가 계속해서 섬광하면 절대 착륙해서는 안된다. 복행(go around)을 하고 ATC에 통보한다.

g. ATC의 RWSL 시스템 제어(ATC Control of RWSL System)

1. 관제사는 모든 시정 및 등화상태에서 최대한 눈에 띄도록 하기 위하여 5단계 밝기 중의 하나로 포장면 매립형등화를 설정할 수 있다. REL, THL 및 RIL 하위시스템(subsystems)은 별개로 설정할 수 있다.

2. RWSL 운영이 항공교통의 효율적인 운행에 좋지 않은 영향을 주거나, 선임된 ATC 관리자가 불안전한 운항의 원인이 된다고 판단하면 시스템등화가 필요 없을 수 있다. REL, THL, RIL 및 FAROS 등화시설은 따로따로 고장이 날 수 있다. FAROS 하위시스템의 고장이 PAPI 등화를 소등시키거나, 활공로(glide path) 지시에 영향을 미치지는 않는다. 시스템이나 구성요소가 고장 났을 때는 언제든지 NOTAM을 발행하고 공항정보자동방송업무(ATIS)를 갱신하여야 한다.

2-1-7. 독립형 최종접근활주로 점유신호(Stand-Alone Final Approach Runway Occupancy Signal; FAROS)

a. 서론

독립형 FAROS 시스템은 착륙이 불안전할 수 있는지의 여부를 나타내기 위하여 최종접근시 조종사에게 활주로 점유상태를 제공하는 완전자동시스템이다. 항공기 또는 차량이 활주로 상에서 발견되면, 정밀진입각지시등(PAPI) 등화시설은 활주로가 사용되고 있으며 착륙이 불안전할 수도 있다는 것을 나타내기 위한 신호로서 섬광된다. 독립형 FAROS 시스템은 작동구역을 사용하고 있는 항공기 또는 지상차량을 탐지하는 국지감지기나 광범위감지기에 의해 작동된다.

독립형 FAROS 시스템은 구역의 항공기나 지상차량의 존재여부를 판단하기 위하여 작동구역(activation zone)이라고 하는 활주로의 특정지역을 감시한다(그림 2-1-10 참조). 이러한 작동구역은 정상적인 공항운영 동안 지상교통에 의해 빈번히 점유되고, 착륙항공기에게 위험할 수 있는 활주로 상의 지역이라고 정의할 수 있다. 작동구역에는 활주로 전체길이 출발위치, 활주로 중간 출발위치, 빈번히 교차하는 교차지점 또는 전체 활주로가 포함될 수 있다.

조종사는 작동구역의 배치에 대한 공항 특정 FAROS 조종사 정보지를 참조할 수 있다.

활주로에 대한 착륙허가는 항공교통관제기관(ATC)에 의해 발부되어야 한다. ATC 근무자는 시스템에 우선하여 제한된 통제권을 가지며, FAROS 신호를 보지 못할 수도 있다.

그림 2-1-10. FAROS 작동구역(FAROS Activation Zone)

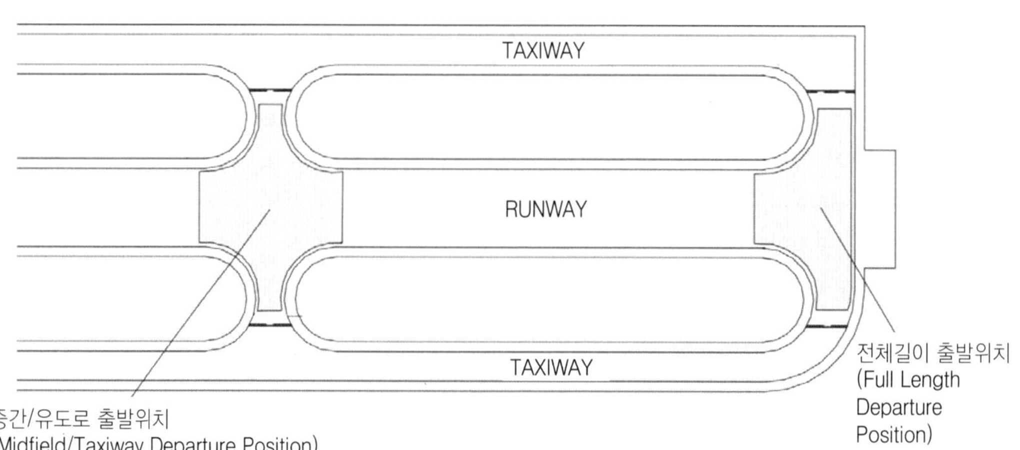

b. 운영특성(Operating Characteristics)

항공기나 지상차량이 활주로 상의 작동구역을 사용하고 있으면 그 활주로 상의 PAPI 등화시설은 섬광된다. 활공로지시는 영향을 받지 않으며, 즉 접근시 조종사에 의해 관측된 적색 및 백색 PAPI 등화의 배열은 변하지 않는다. 독립형 FAROS 시스템은 교통이 작동구역을 사용하고 있을 때는 접근중인 항공기가 있는지의 여부에 관계없이 PAPI 등화를 섬광시킨다.

c. 조종사 관측(Pilot Observation)

활주로로 접근 중인 조종사는 활주로 작동구역에 교통이 있으면 PAPI 등화가 섬광되는 것을 볼 수 있고, 교통이 작동구역 외부로 이동할 때에는 PAPI 등화의 섬광이 멈추는 것을 알게 된다. 활주로에서 출발하는 조종사는 섬광되는 PAPI 등화의 관측을 무시하여야 한다.

d. 조종사 조치(Pilot Action)

조종사가 지표면으로부터 500 ft의 고도(AGL)에서 섬광하는 PAPI를 보았을 경우, 조종사는 활주로의 교통을 찾아서 육안으로 확인하여야 한다. 300 ft AGL에서 조종사는 FAROS 지시가 허가와 일치하지 않으면 ATC에 연락하여 문의하여야 한다(그림 2-1-11 참조). PAPI가 계속해서 섬광하고, 착륙하는 것이 안전한지를 시각적으로 판단할 수 없으면 조종사는 즉시 "복행(go around)"하여야 한다. Non-FAROS 공항의 운항에서도 마찬가지로 계속 접근해서 활주로에 착륙하는 것이 안전한 지의 여부를 판단하는 것은 항상 조종사의 책임이다.

조종사는 ATC 지시사항과 일치하지 않는 FAROS 지시로 인해 복행을 하였을 때는 ATCT에 통보하여야 한다.

주(Note)
현재 독립형 FAROS 시스템은 널리 시행되고 있지는 않으며, 평가의 목적으로 사용된다.

그림 2-1-11. FAROS Glide Slope 조치지점(FAROS Glide Slope Action Points)

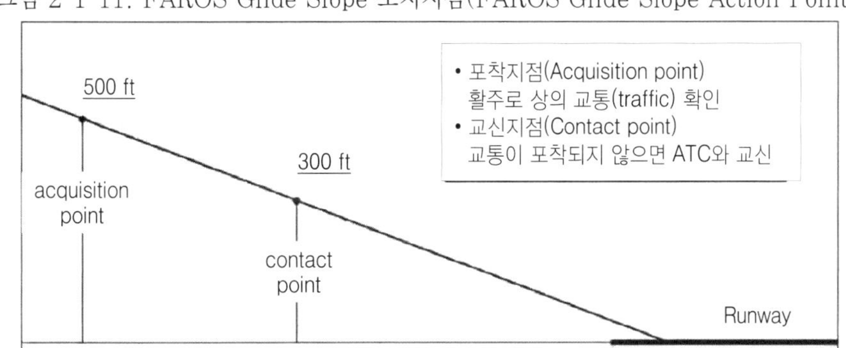

2-1-8. 등화시스템의 제어(Control of Lighting System)

a. 진입등시스템 및 활주로등화의 운용은 관제탑(ATCT)에 의해 제어된다. 일부 지역에서는 FSS가 관제탑이 운영되지 않는 일부 지역의 등화를 제어한다.

b. 조종사가 등화의 점등 또는 소등을 요구할 수도 있다. 활주로등, 포장면 매립형등화 및 진입등도 조종사의 요구에 따라 광도를 변화시킬 수 있는 조절기능을 갖고 있다. 연속섬광등(Sequenced flashing lights; SFL)도 점등하거나 소등할 수 있다. 일부의 연속섬광등시스템 또한 광도조절기능을 갖고 있다.

2-1-9. 조종사의 공항등화 제어(Pilot Control of Airport Lighting; PCL)

비행중 등화의 제어를 제공하는 지정된 공항에서는 항공기 마이크로폰(microphone)의 키(key)를 눌러 등화의 무선제어가 가능하다. 등화시스템의 제어는 등화시간이 지정되어 있지 않은 지역, 관제탑이나 FSS가 없는 곳, 관제탑이나 FSS가 업무를 종료했을 때(시간제운영 관제탑 또는 FSS가 있는 지역)나 지정된 시간에 주로 이용된다. 공항에서 무선으로 제어되는 모든 등화시스템은 단일활주로 인지 또는 다수활주로 인지의 여부에 관계없이 동일한 무선주파수로 운용된다. (표 2-1-1 및 표 2-1-2 참조)

a. FAA 인가시스템인 다양한 중광도진입등, 활주로등화, 유도로등화, VASI 그리고 REIL을 조합한 등화는 무선제어로 작동시킬 수 있다. 진입등 및 활주로등화(활주로등, 유도로등 등) 시스템이 모두 있는 활주로에서는 진입등시스템이 예측된 시정상태에 따라 사전 결정된 광도단계(intensity step)로 설정되어 있는 활주로등화시스템에 비해 공지무선제어에 대한 우선권을 갖는다. 진입등이 없는 활주로는 무선으로 활주로등의 광도를 조절할 수도 있다. VASI, REIL 그리고 유도로등화를 포함한 그 밖의 등화시스템은 활주로등과 함께 제어되거나 활주로등과 별도로 제어된다.

b. 제어시스템은 3회, 5회 또는 7회의 마이크로폰 클릭(click)에 반응하는 3단계(3-step) 제어로 이루어진다. 이 3단계 제어는 1단계, 2단계 또는 3단계로 작동할 수 있는 등화시설을 점등시킨다. 2단계와 3단계 등화시설은 광도를 변경시킬 수 있지만 1단계는 광도를 변경시킬 수 없다. 모든 등화는 가장 최근의 작동시간부터 15분 동안 점등되고, 15분이 경과되기 전에는 소등되지 않는다 (필요하면 마이크 key를 각각 3회 또는 5회 눌러 소등할 수 있는 1단계와 2단계 REIL은 제외).

c. 처음에는 항상 마이크 키(mike key)를 7회 사용할 것을 권장하며, 이렇게 함으로써 제어되는 모든 등화가 이용할 수 있는 최대광도로 점등되도록 한다. 조절할 수 있는 성능이 제공되는 곳에서는 이후에 필요하면 키를 3회 또는 5회 눌러 저광도(또는

REIL 소등)로 조절할 수 있다. 동일한 주파수를 사용하는 공항이 인접하여 있기 때문에 무선제어 등화 수신기(lighting receiver)는 저감도로 설정되어 있으며, 시스템을 작동시키기 위해서는 상대적으로 항공기가 근접하여야 한다. 따라서 등이 점등되어 있는 경우에도 착륙하고자 하는 공항상공을 비행할 때나 최종접근구역에 진입하기 직전에 지시받은 대로 항상 마이크 키를 작동시켜야 한다. 이것은 항공기가 시스템을 작동시킬 수 있을 만큼 충분히 근접하여 15분의 전체 등화시간을 사용할 수 있도록 한다. 인가된 등화시스템은 표 2-1-3에 제시된 것과 같이 마이크 키(5초 이내)를 눌러 작동시킬 수 있다.

표 2-1-3. 무선제어시스템(Radio Control System)

마이크 키 (Key Mike)	기능(Function)
5초 이내 7회	가능한 최대 광도
5초 이내 5회	중간 또는 저광도 (저광도 REIL 또는 REIL 소등)
5초 이내 3회	가능한 최저 광도 (저광도 REIL 또는 REIL 소등)

표 2-1-1. 진입등이 있는 활주로(Runways with Approach Lights)

등화시스템	광도단계	비사용기간 동안의 상태	Mike Click 수 대 선정되는 광도단계		
			3 Clicks	5 Clicks	7 Clicks
진입등(중광도)	2	Off	저광도	저광도	고광도
진입등(중광도)	3	Off	저광도	중광도	고광도
MIRL	3	Off 또는 Low	◆	◆	◆
HIRL	5	Off 또는 Low	◆	◆	◆
VASI	2	Off	★	★	★
주(Note): ◆ 사전 결정된 광도단계 ★ 야간에 사용하는 경우 저광도. 광전지제어에 의해 결정되는 주간에 사용하는 경우 고광도					

표 2-1-2. 진입등이 없는 활주로(Runways without Approach Lights)

등화시스템	광도단계	비사용기간 동안의 상태	Mike Click 수 대 선정되는 광도단계		
			3 Clicks	5 Clicks	7 Clicks
MIRL	3	Off 또는 Low	저광도	중광도	고광도
HIRL	5	Off 또는 Low	1 또는 2 단계	3 단계	5 단계
LIRL	1	Off	On	On	On
VASI★	2	Off	◆	◆	◆
REIL★	1	Off	Off	On/Off	On
REIL★	3	Off	저광도	중광도	고광도
주(Note): ◆ 야간에 사용하는 경우 저광도. 광전지제어에 의해 결정되는 주간에 사용하는 경우 고광도 ★ VASI 또는 REIL의 제어는 다른 등화시스템으로부터 독립되어 있을 수 있다.					

d. FAA 표준시스템을 갖춘 공공용공항의 경우 등화의 유형, 활주로 및 시스템의 작동에 사용되는 주파수는 미국 차트 보충판(Chart Supplement U.S.)에 수록되어 있다. IAP가 수립되어 있는 공항의 등화시스템 식별, 등화시스템이 설치되어 있는 활주로와 시스템을 작동시키기 위하여 사용하는 주파수에 대한 자료는 접근차트에 포함되어 있다.

주(Note)

대부분의 공항에서 등화를 작동시키기 위하여 CTAF를 사용하지만 다른 주파수도 사용할 수 있다. 공항에서 등화를 작동시키기 위한 해당 주파수는 미국 차트 보충판(Chart Supplement U.S.)과 표준계기접근절차 간행물에서 제공된다. 구역차트(Sectional chart)에서는 이러한 주파수를 확인할 수 없다.

e. IAP가 수립되어 있지 않는 공항에는 인가된 FAA 표준제어시스템이나 아니면 공항후원사가 설치한 다른 형식의 독자적인 시스템을 갖추고 있을 수 있다. 미국 차트 보충판(Chart Supplement U.S.)에는 FAA 인가시스템 이외의 시스템을 갖추고 있는 각 공항에 대한 조종사제어 등화시스템과 등화유형에 대한 설명, 제어방법 그리고 운용주파수가 평문(clear text)으로 수록되어 있다.

2-1-10. 비행장/헬기장등대(Airport/Heliport Beacon)

a. 비행장등대 및 헬기장등대는 수평선 1°부터 10°까지에서 가장 유효한 불빛을 형성하도록 수직불빛분포를 이루지만, 이러한 정점부위(peak spread) 위나 아래에서도 잘 볼 수 있다. 등대는 전방향성(omnidirectional) capacitor 방전장치이거나, 일정한 간격의 시각적인 섬광효과를 얻기 위하여 일정한 속도로 회전한다. 한 가지 또는 두 가지의 색상이 교대로 섬광하며 총섬광횟수는 다음과 같다.

1. 공항, 랜드마크(landmark) 및 연방항공로(federal airway) 상의 지점을 나타내기 위한 등대는 분당 24~30회

2. 헬기장(heliport)을 나타내기 위한 등대는 분당 30~45회

b. 등대(beacon)의 색상과 색의 조합은 다음과 같다.

1. 백색과 녹색 - 등화시설을 갖춘 육상비행장
2. *단일 녹색 - 등화시설을 갖춘 육상비행장
3. 백색과 황색 - 등화시설을 갖춘 수상비행장
4. *단일 황색 - 등화시설을 갖춘 수상비행장
5. 녹색, 황색과 백색 - 등화시설을 갖춘 헬기장

주(Note)

* 단일 녹색 또는 단일 황색은 각각 백색과 녹색 또는 백색과 황색 등대의 표시에 관련해서만 사용된다.

c. 군 비행장등대는 백색과 녹색이 교대로 섬광되지만, 녹색섬광 사이에 백색이 두 번 섬광(두 번의 빠른)된다는 점이 민간등대와 다르다.

d. B등급, C등급, D등급 및 E등급 공항교통구역(surface area)에서 주간에 비행장등대를 운영하는 것은 대개의 경우, 지상시정이 3 mile 미만이거나 운고(ceiling)가 1,000 ft 미만이라는 것을 나타낸다. 교통장주 내에서 착륙, 이륙 그리고 비행을 하기 위해서는 14 CFR Part 91에 의거하여 ATC 허가를 받아야 한다. 조종사는 기상상태가 IFR 인지 VFR 인지의 여부를 전적으로 비행장등대의 운영에 의존해서는 안된다. 관제탑이 운영되는 일부 지역에서 관제사가 관제탑에 있을 때 ATC 근무자는 비행장등대를 점등시키거나 소등시킬 수 있다. 대부분의 공항에서 비행장등대는 광전지 또는 시간기록계(time clock)에 의해 점등되며, ATC 근무자는 이를 제어할 수 없다. 주간운영에 대한 요구조건은 규정되어 있지 않으며, 14 CFR 91.103절에 규정된 해당 비행전계획을 준수하는 것은 조종사의 책임이다.

2-1-11. 유도로등화(Taxiway Light)

a. 유도로등(Taxiway Edge Light)

유도로등은 어두울 때나 시정이 제한된 상태에서 유도로의 가장자리(edge)를 나타내기 위해 사용된다. 이 시설은 청색불빛을 비춘다.

주(Note)

대부분의 주요공항에서 유도로등은 광도의 설정을 변경할 수 있으며, 조종사의 요구나 관제사가 필요하다고 판단할 때에도 조절할 수 있다.

b. 유도로중심선등(Taxiway Centerline Light)

유도로중심선등은 저시정상태에서 지상교통을 돕기 위해 사용된다. 유도로중심선등은 직선구간에서는 직선으로 유도로중심선을 따라서 곡선구간에서는 중심선 상에 설치되며, 활주로, 주기장 및 계류장구역의 구간에서는 지정된 지상활주경로를 따라 설치된다. 유도로중심선등은 고정등이며 녹색불빛을 비춘다.

c. 통과선등(Clearance Bar Light)

통과선등은 저시정상태에서 정지위치의 선명도를 증가시키기 위하여 유도로상의 정지위치에 설치된다. 또한 이 등은 어두울 때 유도로교차지점의 위치를 나타내기 위해서 설치되기도 한다. 통과선(clearance bar)은 세 개의 매립형 황색고정등으로 구성된다.

d. 활주로경계등(Runway Guard Light)

활주로경계등은 유도로/활주로교차지점에 설치된다. 활주로경계등은 저시정상태 하에서 유도로/활주로교차지점의 선명도를 높이기 위해 주로 사용되지만, 어떠한 기상상태에서도 사용할 수 있다. 활주로경계등은 유도로의 양쪽 측면에 설치되는 한 쌍의 노출형 황색섬광등, 또는 활주로정지위치표지에 전체 유도로를 가로질러 설치되는 일렬의 매립형 황색등으로 이루어진다.

주(Note)

일부 공항에는 유도로/활주로교차지점에 3열 또는 5열의 매립형 황색등이 설치되어 있을 수도 있다. 이 등을 2-1-9c항 통과선등(clearance bar light)에 기술된 통과선등과 혼동해서는 안된다.

e. 정지선등(Stop Bar Light)

설치된 정지선등은 저시정상태(활주로가시거리 1,200 ft 미만)에서 사용활주로의 진입 또는 통과에 대한 ATC 허가를 확인하기 위해서 활용된다. 정지선등은 활주로정지위치에 전체 유도로를 가로질러 설치되는 일렬의 단방향성 매립형 적색고정등과 양쪽 측면의 노출형 적색고정등으로 이루어진다. 제어되는 정지선등은 정지선등에서부터 활주로 쪽으로 계속되는 유도로중심선 lead-on light와 함께 운영된다. 진행에 대한 ATC 허가에 이어 정지선등은 소등되고, lead-on light는 점등된다. 정지선등과 lead-on light는 sensor 또는 backup timer에 의해 자동으로 재설정된다.

주의(Caution)

조종사는 활주로 통과나 활주로로의 진행에 대한 ATC 허가를 받았다고 하더라도, 절대로 점등된 적색 정지선등을 통과해서는 안된다.

주(Note)

정지선등을 통과한 후 유도로중심선 lead-on light가 과실로 인해 소등되어 있다면, 조종사는 그 위치에 일단 정지하고 추가지시를 받기 위하여 ATC와 교신하여야 한다.

제2절. 항행등 및 항공장애등(Air Navigation and Obstruction Lighting)

2-2-1. 항공등대(Aeronautical Light Beacon)

a. 항공등대는 공항, 헬기장, 랜드마크(landmark), 산악지역에 있는 연방항공로의 특정지점 또는 장애물의 위치를 나타내기 위해 백색섬광 또는 다른 색상의 불빛으로 표시하는 시각 NAVAID 이다. 항공등대에는 회전 beacon 또는 한 개 이상의 섬광등(flashing light)을 사용할 수 있다. 더 낮은 광도의 고정등으로 섬광등을 보조할 수 있다.

b. 특정 항공등대 또는 이의 보조등화에 의해 표시되는 색상과 색의 조합은 그 항공등대가 착륙장소, 랜드마크, 연방항공로의 지점 또는 장애물을 나타내고 있는지의 여부를 표시한다. 나아가 부호를 점멸하는 보조등화가 사용되었다면 이는 항공등대의 위치를 나타낸다.

2-2-2. 식별등대 및 항로등(Code Beacon and Course Light)

a. 식별등대(Code Beacons). 모든 방향에서 볼 수 있는 식별등대는 공항과 랜드마크를 식별하기 위해 사용된다. 식별등대는 분당 6~8회의 국제모스부호에 의해 3~4개의 공항식별문자를 점멸한다. 녹색점멸은 육상비행장을 나타내는 반면에, 황색점멸은 수상비행장을 나타낸다.

b. 항로등(Course Light). 한 방향에서만 명확하게 볼 수 있는 항로등은 연방항공로시스템의 rotating beacon으로만 사용되며, 서로 등을 맞대고 있는 두 개의 항로등은 항공로의 진로를 따라 양쪽 방향으로 부호를 점멸하는 불빛을 비춘다.

주(Note)

항공로등대(Airway beacon)는 현재의 전자적인 설비를 갖춘 연방항공로시스템 이전에 설치된 "등화(lighted)" 항공로의 잔존물이다. 이들 항공로등대의 일부만이 외딴 산악지역의 항공로구간을 나타내기 위하여 오늘날에도 남아 있다. 모스부호(Morse code)에 의한 점멸은 항공등대의 위치를 나타낸다.

2-2-3. 항공장애등(Obstruction Lights)

a. 항공장애등은 주간과 야간조건 하에서 장애물의 존재를 항공종사자에게 경고하기 위한 표지 또는 등화이다. 이들은 다음 중의 어떤 조합으로 표지되거나 등화된다.

1. 적색장애등(Aviation Red Obstruction Light). 야간운영동안 점멸하는 적색 beacon(분당 20~40회 점멸)과 고정된 적색등. 밝은 주황색과 백색 색상은 주간장애표지에 사용된다.

2. 중광도 점멸백색장애등(Medium Intensity Flashing White Obstruction Light). 중광도 점멸백색장애등은 주간과 박명(twilight)에 사용되며, 야간운영 시에는 설정된 광도로 자동으로 감소된다. 높이가 500 ft(153 m) AGL 이하인 구조물에 이 시스템을 사용할 경우, 구조물의 다른 표지 또는 등화는 생략할 수 있다. 500 ft(153 m) AGL을 초과하는 구조물의 주간장애표지에는 항상 밝은 주황색 및 백색 페인트를 칠해야 한다. 일반적으로 200 ft(61 m) AGL 미만의 구조물에는 이 시스템을 설치하지 않아도 된다.

3. 고광도 백색장애등(High Intensity White Obstruction Light). 주간에는 고광도로 점멸하며, 박명 및 야간운영 시에는 광도가 감소하는 백색등. 이러한 유형의 시스템을 사용할 경우, 적색장애등 및 밝은 주황색과 백색 페인트의 구조물표지는 생략할 수 있다.

4. 이중 등화(Dual Lighting). 야간운영을 위한 점멸적색 beacon과 고정 적색등 그리고 주간운영을 위한 고광도 백색점멸등의 조합. 밝은 주황색 및 백색 페인트는 생략할 수 있다.

5. 현수선 등화(Catenary Lighting). 고전압(69KV 이상) 송전선 현수선 wire의 야간 선명도를 높이기 위하여 등화표지(lighted marker)가 사용된다. 등화표지는 야간뿐만 아니라 주간에도 선명도를 제공한다.

b. 전방향성 중광도점멸백색등 시스템은 현수선(catenary) 지지구조물에 야간뿐만 아니라 주간에도

선명도를 제공한다. 특유한 연속/동시(sequential/simultaneous) 점멸등 시스템은 조종사에게 현수선 wire 관련 구조물을 경고해준다.

c. 고광도점멸백색등은 강, 깊은 구렁(chasm), 골짜기 등을 가로질러 위치한 가공(overhead, 架空) 송전선을 지지하는 일부 구조물을 표시하기 위하여 사용된다. 이 등은 중간등, 상부등, 하부등의 순으로 분당 약 60회 점멸한다. 일반적으로 상부등은 지지구조물의 상단 근처에 설치되는 반면에 하부의 백색등은 wire span 항행등 및 항공장애등의 대략적인 아랫부분을 나타낸다. 등은 가까운 구조물을 비추고 wire span 구역을 식별하여 준다.

d. 또한, 고광도점멸백색등은 굴뚝과 철탑과 같이 항행에 장애가 될 만큼 높은 구조물을 식별하기 위하여 사용한다. 이 등은 구조물 주위 360° 방향으로 분당 40회 점멸하며, 구조물의 높이에 따라 1단에서 7단의 등으로 구성된다. 1단을 초과하는 곳에서 수직으로 늘어선 등은 동시에 점멸된다.

제3절. 공항표지시설과 표지판(Airport Marking Aids and Sign)

2-3-1. 일반(General)

a. 공항포장면의 표지(marking)와 표지판(sign)은 이륙, 착륙 그리고 지상활주를 하는 동안 조종사에게 유용한 정보를 제공한다.

b. 한 공항에서 다른 공항까지의 공항표지와 표지판의 일치는 안전성을 높이고 효율성을 증대시킨다. 조종사에게 이 절에 기술되어 있는 표지와 표지판의 표준화를 이루기 위해 본인이 이용하는 공항의 운영자와 함께 노력할 것을 권장한다.

c. 공항에서 비효율적이거나 부정확하며, 또는 혼동을 유발할 수 있는 표지나 표지판을 발견한 조종사는 공항운영자에게 문제점을 알려야 한다. 이러한 사항도 7-6-1항에 기술된 항공안전보고 프로그램(Aviation Safety Reporting Program)에 의거하여 보고할 수 있다. 또한 조종사는 이러한 사항을 FAA 지방공항분소에 보고할 수도 있다.

d. AIM의 이 절에 기술된 표지 및 표지판은 FAA가 권고하는 현행 표준을 나타낸다.

2-3-2. 공항포장면표지(Airport Pavement Marking)

a. 일반. 이 절의 목적상 공항포장면표지를 4개의 구역별로 분류하면 다음과 같다.

1. 활주로표지(Runway Marking)
2. 유도로표지(Taxiway Marking)
3. 정지위치표지(Holding Position Marking)
4. 기타 표지(Other Marking)

b. 표지 색상(Marking Color). 활주로표지는 백색이다. 백색 열십자기호에 적색 "H"를 사용하는 병원헬기장(heliport)을 제외한 헬기장의 착륙구역을 나타내는 표지 또한 백색이다. 유도로, 항공기가 사용하지 않는 지역(폐쇄지역 및 위험지역) 및 정지위치(활주로 상에 있다 하더라도)의 표지는 황색이다.

2-3-3. 활주로표지(Runway Marking)

a. 일반(General)

활주로표지에는 시각, 비정밀계기 그리고 정밀계기활주로 세 가지 종류의 표지가 있다. 표 2-3-1은 각 활주로 종류에 따른 표지의 구성요소를 나타내며, 표 2-3-2는 활주로시단표지를 나타낸다.

b. 활주로명칭(Runway Designator)

활주로번호와 문자는 진입방향에 의해 정해진다. 활주로번호는 자북에서부터 시계방향으로 측정한 활주로중심선 자방위(magnetic azimuth)의 10분의 1에 가장 가까운 정수이다. 문자는 다음과 같이 평행 활주로의 좌측(Left; L), 우측(Right; R) 또는 중앙(Center; C)을 구분한다.

1. 두 개의 평행활주로(parallel runway)인 경우 "L", "R"

2. 세 개의 평행활주로(parallel runway)인 경우 "L", "C", "R"

표 2-3-1. 활주로표지 구성요소(Runway Marking Element)

표지 구성요소 (marking element)	시각활주로 (visual runway)	비정밀계기활주로 (nonprecision instrument runway)	정밀계기활주로 (precision instrument runway)
명칭(designation)	X	X	X
중심선(centerline)	X	X	X
시단(threshold)	X^1	X	X
목표점(aiming point)	X^2	X	X
접지구역(touchdown zone)			X
옆선(side stripe)			X
X^1 : 국제상업운송에 사용하고 있거나, 사용하려는 활주로 X^2 : 제트항공기가 사용하는 4,000 ft(1,200 m) 이상의 활주로			

c. 활주로중심선표지(Runway Centerline Marking)

활주로중심선은 활주로의 중앙을 나타내며, 이착륙 중에 정렬유도(alignment guidance)를 제공한다. 활주로중심선은 일정한 길이의 줄무늬(stripe)와 간격(gap)으로 된 선으로 이루어진다.

d. 활주로목표점표지(Runway Aiming Point Marking)

목표점표지는 항공기가 착륙하는 동안 시각 목표점으로서의 역할을 한다. 이 표지는 폭이 넓은 백색 줄무늬(stripe)로 구성된 두 개의 직사각형 표지이며, 그림 2-3-1, 정밀계기활주로표지와 같이 착륙활주로시단(landing threshold)으로부터 약 1,000 ft 지점의 활주로중심선 양 측면에 위치한다.

e. 활주로접지구역표지(Runway Touchdown Zone Marker)

접지구역표지는 착륙시 접지구역을 알려주고 500 ft(150 m) 간격으로 거리정보를 제공하기 위하여 설치된다. 이 표지는 한 개, 두 개 그리고 세 개의 직사각형 막대(bar) group으로 구성되며, 그림 2-3-1 정밀계기활주로표지와 같이 활주로중심선에 대해 쌍으로 대칭이 되게 배열된다. 활주로 양 끝에 접지구역표지가 있는 활주로의 경우, 활주로시단 사이의 중간지점 900 ft(270 m) 이내에 위치한 각 쌍의 표지는 삭제된다.

f. 활주로옆선표지(Runway Side Stripe Marking)

활주로옆선표지는 활주로의 가장자리(edge)를 나타낸다. 이 표지는 활주로와 주변 지형 또는 갓길(shoulder) 간의 시각적인 대조를 제공한다. 옆선표지는 백색의 연속 줄무늬(stripe)로 구성되며, 그림 2-3-4와 같이 활주로의 양 측면에 위치한다.

g. 활주로갓길표지(Runway Shoulder Marking)

활주로갓길표지는 활주로옆선(side stripe)을 보충하여 항공기가 사용하지 않는 활주로가장자리에 인접한 포장구역을 식별하기 위하여 사용된다. 활주로갓길표지는 황색이다. (그림 2-3-5 참조)

h. 활주로시단표지(Runway Threshold Marking)

활주로시단표지는 두 가지의 형태로 표시된다. 이 표지는 그림 2-3-1과 같이 활주로중심선에 대해 대칭으로 배열된 같은 크기의 8개의 세로 줄무늬, 또는 표 2-3-2와 같이 활주로의 폭에 따른 줄무늬의 수로 구성된다. 시단표지는 착륙에 사용할 수 있는 활주로의 시작지점 식별에 도움을 준다. 어떤 경우 착륙활주로시단은 재배치되거나 이설될 수 있다.

그림 2-3-1. 정밀계기활주로표지(Precision Instrument Runway Marking)

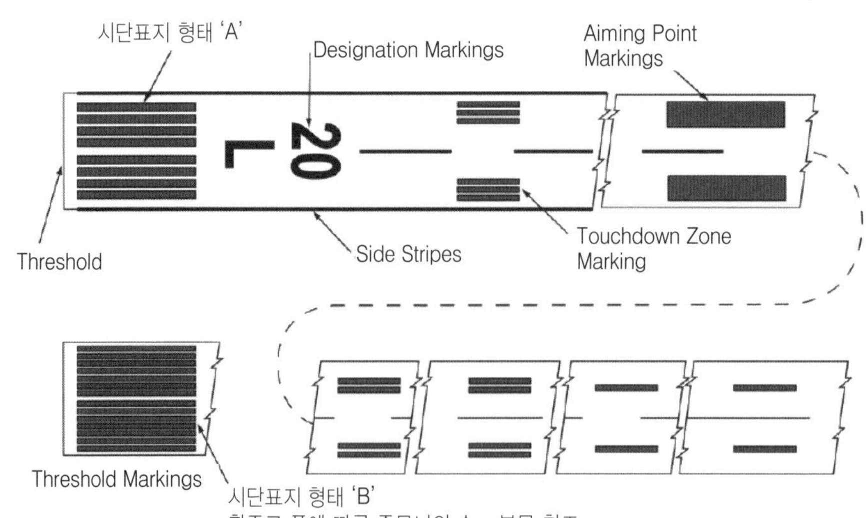

그림 2-3-2. 비정밀계기활주로 및 시각활주로표지

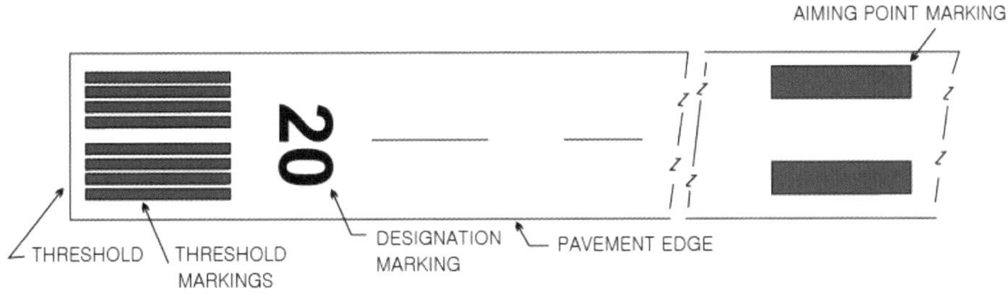

비정밀계기활주로표지(Nonprcision Instrument Runway Markings)

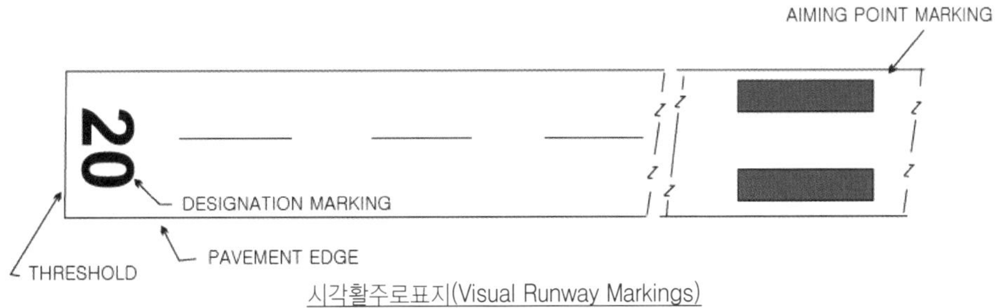

시각활주로표지(Visual Runway Markings)

표 2-3-2. 활주로시단 줄무늬의 수(Number of Runway Threshold Stripes)

활주로 폭 (Runway Width)	줄무늬 수 (Number of Stripes)
60 ft (18 m)	4
75 ft (23 m)	6
100 ft (30 m)	8
150 ft (45 m)	12
200 ft (60 m)	16

1. 시단(Threshold)의 재배치(Relocation). 공사, 정비 또는 그 밖의 사유로 때로는 시단을 착륙 후 활주로의 지상활주방향으로 재배치하는 것이 필요할 수도 있다 (그림 2-3-3 참조). 시단이 재배치되면 접근활주로시단의 설정된 부분은 폐쇄되고 반대방향의 활주로길이는 줄어든다. 이러한 경우 공항운영자는 폐쇄된 활주로부분을 나타내기 위하여 "10/28 W 900 CLSD"와 같이 NOTAM을 발행하여야 한다. 재배치 기간은 수 시간에서부터 몇 달까지 서로 다르기 때문에 새로운 시단을 나타내는 방법도 다양하다. 하나의 일반적인 관행은 활주로를 가로지르는 폭 10 ft의 백색 시단선(threshold bar)을 사용하는 것이다. 예전의 시단과 새로운 시단 간의 구역에 있는 활주로등화가 점등되지 않는다 하더라도 반드시 이 구역의 활주로표지를 지우거나, 제거하거나 또는 덮어서 가릴 필요는 없다.

그림 2-3-3. 활주로와 일직선인 유도로의 표지가 있는 시단의 재배치(Relocation of a Threshold)

2. 이설시단(Displaced Threshold). 이설시단은 활주로의 지정된 시작지점 이외에 활주로 상의 다른 지점에 위치한 시단이다. 활주로시단의 이설은 착륙에 이용할 수 있는 활주로의 길이를 감소시킨다. 이설된 활주로 뒤의 활주로부분은 이륙 시에는 양방향에서, 착륙 시에는 반대방향에서만 사용할 수 있다. 이설시단에는 폭 10 ft의 백색 시단선(threshold bar)이 활주로를 가로질러 설치된다. 백색화살표는

활주로의 시작지점과 이설시단 사이의 구간에 활주로중심선을 따라 설치된다. 백색화살표의 머리부분은 그림 2-3-4와 같이 시단선 바로 앞에 활주로를 가로질러 설치된다.

주(Note)

시단의 재배치(relocation) 또는 이설(displacement)을 보고할 때, 공항운영자는 이들 둘을 서로 혼동할 수 있는 용어를 피해야 한다.

그림 2-3-4. 이설시단표지(Displaced Threshold Marking)

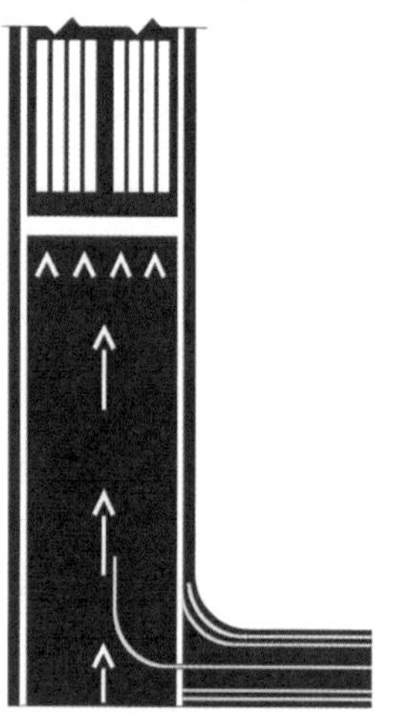

그림 2-3-5. 활주로갓길표지(Runway Shoulder Markings)

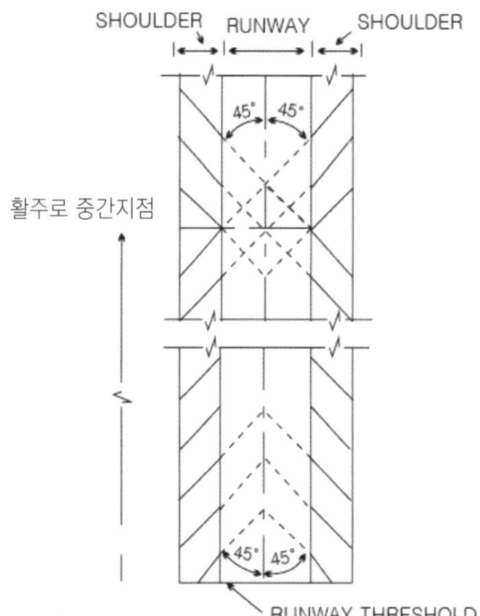

i. 경계선(Demarcation Bar)

경계선은 이설시단이 있는 활주로를 활주로 앞쪽에 있는 제트분사대(blast pad), 정지로(stopway) 또는 유도로와 구분한다. 경계선의 폭은 3 ft(1 m)이며, 그림 2-3-6과 같이 활주로 상에 위치하고 있지 않기 때문에 황색이다.

그림 2-3-6. 이설시단 앞쪽의 제트분사대, 정지로 또는 유도로표지(Markings for Blast Pad or Stopway or Taxiway Preceding a Displaced Threshold)

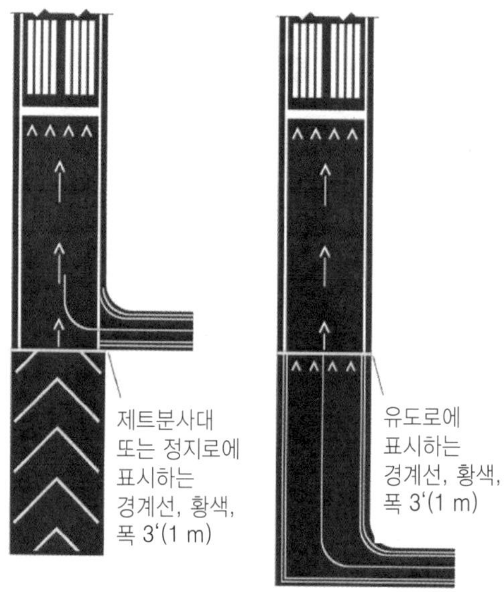

그림 2-3-7. 제트분사대 및 정지로 표지(Markings for Blast Pads and Stopway)

1. 갈매기형(Chevron) 표지. 이 표지는 착륙, 이륙과 지상활주에 사용할 수 없는 활주로와 일직선인 포장구역을 나타내기 위하여 사용된다. 갈매기형 표지는 황색이다. (그림 2-3-7 참고)

j. 활주로시단선(Runway Threshold Bar)

활주로시단선은 시단이 재배치되거나 이설되었을 경우에 착륙에 이용할 수 있는 활주로의 시작지점을 나타낸다. 활주로시단선의 폭은 10 ft(3 m)이며, 그림 2-3-4와 같이 활주로를 가로질러 설치된다.

2-3-4. 유도로표지(Taxiway Marking)

a. 일반(General)

모든 유도로에는 중심선표지와 활주로와 교차하는 지점에 활주로정지위치표지를 하여야 한다. 유도로가장자리표지(taxiway edge marking)는 항공기가 사용하지 않는 포장면과 유도로를 분리시킬 필요가 있을 경우, 또는 유도로의 가장자리를 나타내기 위하여 설치된다. 또한 유도로에는 갓길표지(shoulder marking)와 계기착륙시설(ILS) 보호구역 및 유도로/유도로교차지점을 표시하기 위한 정지위치표지가 설치된다.

b. 유도로중심선(Taxiway Centerline)

1. 표준형중심선(Normal Centerline)

유도로중심선(taxiway centerline)은 폭 6~12 in (15~30 cm)인 한 줄의 황색실선이다. 이것은 지정된 경로를 따라 지상활주를 할 수 있도록 시각적인 신호(visual cue)를 제공한다. 지상활주를 하는 동안 이 선 위에 항공기의 중심을 유지하는 것이 이상적이다. 그러나 유도로중심선에 중심을 두었다고 해서 다른 항공기나 다른 물체와의 날개끝 여유거리(wingtip clearance)가 보장되는 것은 아니다.

2. 개량형중심선(Enhanced Centerline)

주로 대형사업용항공기를 운영하는 공항과 같은 일부 공항에서는 개량형유도로중심선(enhanced taxiway centerline)이 사용된다. 개량형유도로중심선표지는 표준형유도로중심선 양쪽 측면의 평행한 황색점선으로 이루어진다. 개량형유도로중심선은 활주로정지위치표지의 최대 150 ft 이전까지 이어진다. 이러한 개량형의 목적은 활주로정지위치표지로 접근하고 있다는 것과 ATC가 활주로의 진입이나 통과를 허가하지 않는 한 정지할 준비를 하여야 한다는 것을 조종사에게 알려 주기 위한 것이다. (그림 2-3-8 참조)

그림 2-3-8. 개량형 유도로중심선(Enhanced Taxiway Centerline)

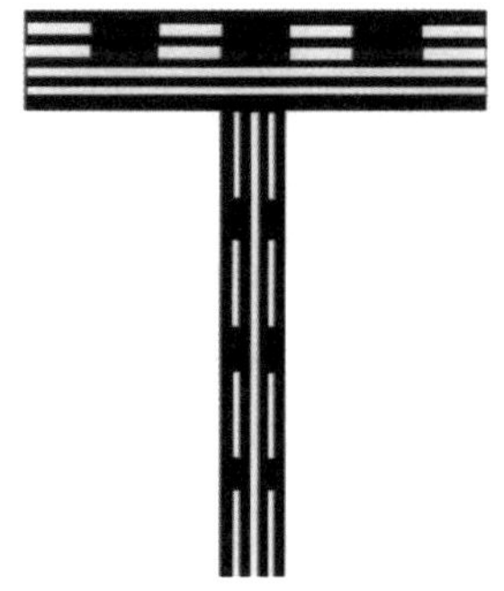

c. 유도로가장자리표지(Taxiway Edge Marking)

유도로가장자리표지는 유도로의 가장자리(edge)를 나타내기 위하여 사용된다. 이 표지는 기본적으로 유도로 가장자리가 포장면의 가장자리와 일치하지 않을 때 사용된다. 항공기가 유도로 가장자리를 횡단할 것인지의 여부에 따라 다음과 같은 두 가지 종류의 표지가 있다.

1. 실선표지(Continuous Marking). 이 표지는 각각의 선이 폭 최소 6 in(15 cm), 간격 6 in (15 cm)인 이중의 황색실선으로 이루어진다. 실선표지는 갓길(shoulder) 또는 항공기가 사용하지 않을 그 밖의 인접한 포장면에서 유도로 가장자리를 나타내기 위하여 사용된다.

2. 점선표지(Dashed Marking). 이 표지는 유도로 가장자리 또는 항공기가 사용할 유도로 가장자리에 인접한 포장면, 예를 들면 계류장(apron)과 같은 포장면의 유도선(taxilane) 가장자리를 운용상 나타낼 필요가 있을 경우에 사용된다. 점선의 유도로 가장자리표지는 각각의 선이 폭 최소 6 in(15 cm), 간격(모서리부터 모서리까지) 6 in(15 cm)인 이중의 황색점선으로 이루어진다. 이들 선의 길이는 15 ft (4.5 m), 간격(gap)은 25 ft(7.5 m) 이다. (그림 2-3-9 참조)

그림 2-3-9. 점선표지(Dashed Markings)

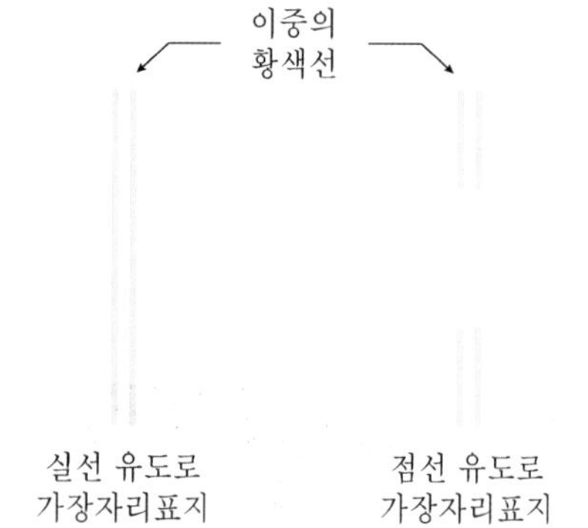

d. 유도로갓길표지(Taxi Shoulder Marking)

제트분사(blast)나 물에 의한 침식을 방지하기 위하여 때로는 유도로, 대기지역(holding bay) 및 계류장에 포장된 갓길이 갖추어진다. 갓길이 외견상으로 완전한 강도를 지닌 포장면으로 보이더라도 이 포장면은 항공기가 사용하기 위해 만든 것도 아니고, 항공기를 지지하지 못할 수도 있다. 일반적으로 유도로가장자리표지는 이러한 지역을 나타낸다. 유도로갓길표지는 가장자리 줄무늬(stripe) 부분이 항공기가 사용할 수 있는 것으로 혼동을 유발할 수 있는 고립지역(islands) 또는 유도로 곡선부와 같은 상황들이 존재하는 곳에서 사용할 수 없는 포장면이라는 것을 나타내기 위하여 사용된다. 유도로갓길표지는 황색이다. (그림 2-3-10 참조)

e. 표면에 표시하는 유도로방향표지(Surface Painted Taxiway Direction Sign)

표면에 표시하는 유도로방향표지는 황색바탕에 흑색문자로 되어있으며, 교차지점에 유도로방향표지판을 설치할 수 없는 경우나 이러한 표지판을 보완할 필요가 있는 경우에 설치된다. 이 표지는 중심선에 인접하게 설치되며, 좌회전을 지시하는 표지는 유도로중심선의 좌측에 우회전을 지시하는 표지는 중심선의 우측에 위치한다. (그림 2-3-11 참조)

f. 표면에 표시하는 위치표지(Surface Painted Location Sign)

표면에 표시하는 위치표지는 흑색바탕에 황색문자로 되어있다. 이 표지는 유도로 측면을 따라 설치된 위치표지판을 보완하거나, 항공기가 위치한 유도로의 명칭(designation)을 조종사가 확인하는 것을 돕기 위하여 필요가 있을 때 사용된다. 이들 표지는 중심선의 우측에 위치한다. (그림 2-3-11 참조)

그림 2-3-10. 유도로갓길표지(Taxi Shoulder Marking)

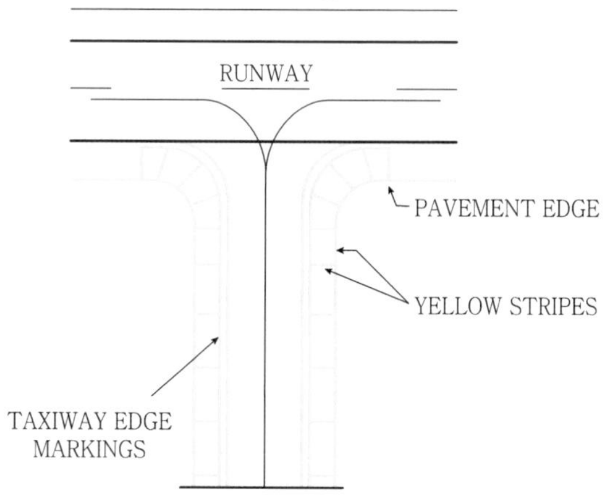

그림 2-3-11. 표면에 표시하는 표지(Surface Painted Signs)

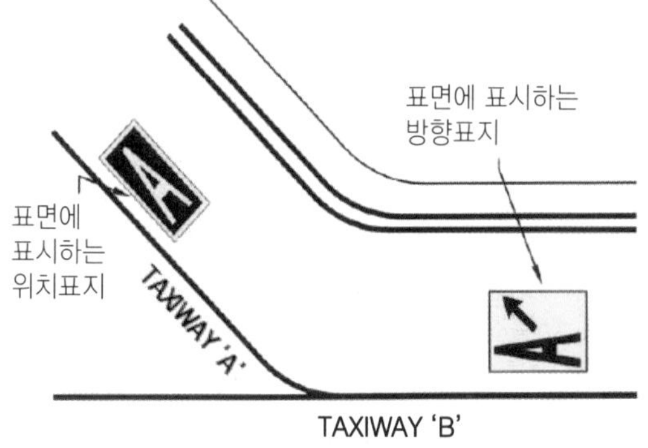

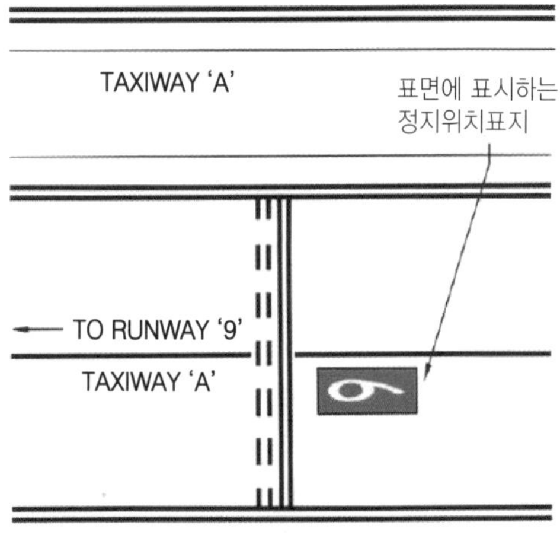

g. 지리적위치표지(Geographic Position Marking)

이 표지는 공항의 지상이동안내 및 통제시스템(Surface Movement Guidance Control System; SMGCS) 계획에 의하여 지정된 저시정 지상활주경로(taxi route)의 지점에 설치된다. 이 표지는 저시정운영 시에 지상활주하는 항공기의 위치를 파악하기 위하여 사용된다. 저시정운영(low visibility operations)이란 활주로가시거리 1,200 ft(360m) 미만에서의 운영을 말한다. 이 표지는 지상활주방향으로 유도로중심선의 좌측에 위치한다 (그림 2-3-12 참조). 지리적위치표지는 중앙에 분홍색 원이 있는 백색의 고리(ring)와 접하는 외부의 흑색고리로 이루어지는 원(circle) 이다. 아스팔트나 그 밖의 검은 색상의 포장면에 표시할 때는 백색고리와 흑색고리가 서로 바뀐다. 즉 백색고리가 바깥쪽고리가 되고 흑색고리는 안쪽고리가 된다. 표지는 숫자 또는 숫자와 문자로 표기된다. 숫자는 해당 표지가 경로상에서 몇 번째 위치인지를 알려준다.

2-3-5. 정지위치표지(Holding Position Marking)

a. 활주로정지위치표지(Runway Holding Position Marking)

활주로에서 이 표지는 항공기가 활주로로 접근할 때 정지해야 하는 지점을 나타낸다. 활주로정지위치표지는 6 in 또는 12 in 간격의 두 줄의 실선과 두 줄의 점선으로 된 네 줄의 황색선으로 이루어지며, 유도로 또는 활주로를 가로질러 설치된다. 실선은 항상 항공기가 정지해야 하는 쪽에 위치한다. 활주로정지위치표지가 설치되는 세 곳의 위치는 다음과 같다.

1. 유도로 상의 활주로정지위치표지(Runway Holding Position Markings on Taxiway). 이 표지는 활주로진입 허가를 받지 않았을 때, 항공기가 정지해야 하는 유도로 상의 지점을 표시한다. 또한 활주로정지위치표지는 일반적으로 활주로를 벗어나는 항공기의 활주로안전구역(runway safety area; RSA) 경계를 나타낸다. 활주로정지위치표지는 그림 2-3-13과 그림 2-3-16과 같다. ATC가 "Hold short of Runway XX"를 지시하면, 조종사는 항공기의 어느 부분도 활주로정지위치표지를 넘지 않도록 정지하여야 한다. 운영되는 관제탑이 있는 공항에서 활주로로 접근중인 조종사는 ATC의 허가없이 활주로정지위치표지를 넘어서는 안된다. 운영되는 관제탑이 없는 공항에서 활주로로 접근중인 조종사는 활주로정지위치표지를 넘어가기 전에 다른 항공기, 차량 및 보행자와 적절한 분리를 하여야 한다. 활주로를 이탈하는 항공기는 항공기의 모든 부분이 해당 정지위치표지를 통과하기 전까지는 활주로를 벗어난 것이 아니다.

주(Note)

활주로정지위치표지(Runway holding position marking)는 RSA의 시작을 식별하며, 조종사는 지나가기 전에 허가를 받기 위하여 정지하여야 한다. (운영되는 관제탑이 있는 공항의 경우)

2. 활주로 상의 활주로정지위치표지(Runway Holding Position Markings on Runways). 이 표지는 항공기가 정지해야 하는 활주로 상의 지점을 표시한다. 이 표지는 ATC가 착륙 및 잠시대기 운영(그림 4-3-8 예시 참조)나 지상활주운영을 위해 사용되는 경우에만 활주로에 설치된다. 지상활주운영의 경우, ATC로부터 특별히 통과 허가를 받지 않은 한 조종사는 정지위치표지 전에 정지하여야 한다. 이 대기지점표지 근처에 적색바탕에 백색문자의 표지가 위치한다 (그림 2-3-14 참조). 정지위치표지는 다른 활주로와의 교차지점 이전이나 일부 지정된 지점의 활주로 상에 위치한다. ATC로부터 "Cleared to land Runway XX, hold short of Runway YY"와 같은 지시를 받고 수락한 조종사는 정지위치표지 이전에 활주로 "XX"에서 이탈하거나, 활주로 "YY" 이전의 정지위치표지에서 정지하여야 한다. 이러한 지시를 받지 않은 조종사는 활주로의 전체착륙길이를 사용하는 것을 허가받은 것이기 때문에 정지위치표지를 무시할 수 있다.

3. 활주로 접근구역에 위치한 유도로 상의 활주로정지위치표지(Holding Position Markings on Taxiways Located in Runway Approach Area). 이 표지는 항공기가 활주로 상에서의 운행에 방해가

되지 않도록 하기 위해서 활주로의 접근 또는 출발 구역에 위치한 유도로 상에 항공기를 잠시 대기시킬 필요가 있는 일부 공항에서 사용된다. 이 표지는 활주로 접근/출발구역 정지위치표지판과 함께 설치된다. ATC가 "Hold short of Runway XX approach 또는 Runway XX departure area"의 특정한 지시를 하였다면, 조종사는 항공기의 어느 부분도 정지위치표지를 넘지 않도록 정지하여야 한다. (2-3-8b2절, 활주로 접근구역 정지위치표지판과 그림 2-3-15 참조)

b. 계기착륙시설(ILS)의 정지위치표지(Holding Position Markings for ILS)

ILS 보호구역의 정지위치표지는 그림과 같이 유도로를 가로지르는 10 ft 간격의 한 쌍의 실선에 연결된 2 ft 간격의 두 줄의 황색실선으로 되어 있다(그림 2-3-16 참조). 적색바탕에 백색명칭의 표지판이 이 정지위치표지 근처에 위치한다. ILS 보호구역에서 ATC의 잠시대기 지시를 받은 경우, 조종사는 항공기의 어느 부분도 정지위치표지를 넘지 않도록 정지하여야 한다. 정지위치표지로 접근하는 조종사는 ATC 허가없이 표지를 넘어서는 안된다. 항공기의 모든 부분이 해당 정지위치표지를 통과하기 전까지는 ILS 보호구역을 벗어난 것이 아니다.

c. 교차하는 유도로의 정지위치표지(Holding Position Markings for Intersecting Taxiway)

교차하는 유도로의 정지위치표지는 그림과 같이 유도로를 가로지르는 한 줄의 점선으로 되어 있다(그림 2-3-17 참조). 이 표지는 ATC가 유도로교차지점에서 항공기를 잠시대기 시키는 유도로 상에 위치한다. ATC가 "Hold short of Taxiway XX"를 지시하면 조종사는 항공기의 어느 부분도 정지위치표지를 넘지 않도록 정지하여야 한다. 이 표지가 없을 경우, 조종사는 유도로교차지점 상의 항공기로부터 적절히 떨어진 지점에 항공기를 정지시켜야 한다.

d. 표면에 표시하는 정지위치표지(Surface Painted Holding Position Sign)

표면에 표시하는 정지위치표지는 적색바탕에 백색문자로 되어 있으며, 정지위치에 위치한 표지판(sign)을 보충한다. 일반적으로 이러한 유형의 표지는 유도로 상의 정지위치의 폭이 200 ft(60 m)를 초과하는 곳에서 사용된다. 이 표지는 대기지점표지 전 대기지점 상의 유도로중심선 좌측에 위치한다. (그림 2-3-11 참조)

그림 2-3-12. 지리적위치표지(Geographic Position Marking)

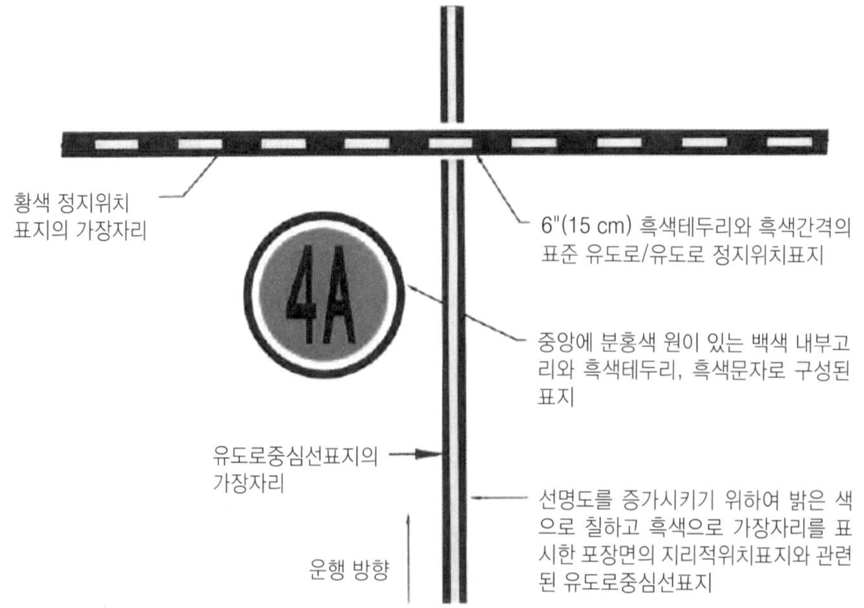

그림 2-3-13. 유도로 상의 활주로정지위치표지(Runway Holding Position Markings on Taxiway)

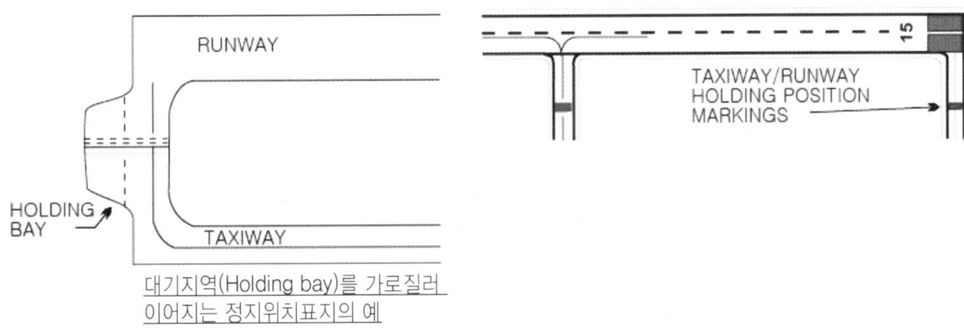

그림 2-3-14. 활주로 상의 활주로정지위치표지(Runway Holding Position Markings on Runway)

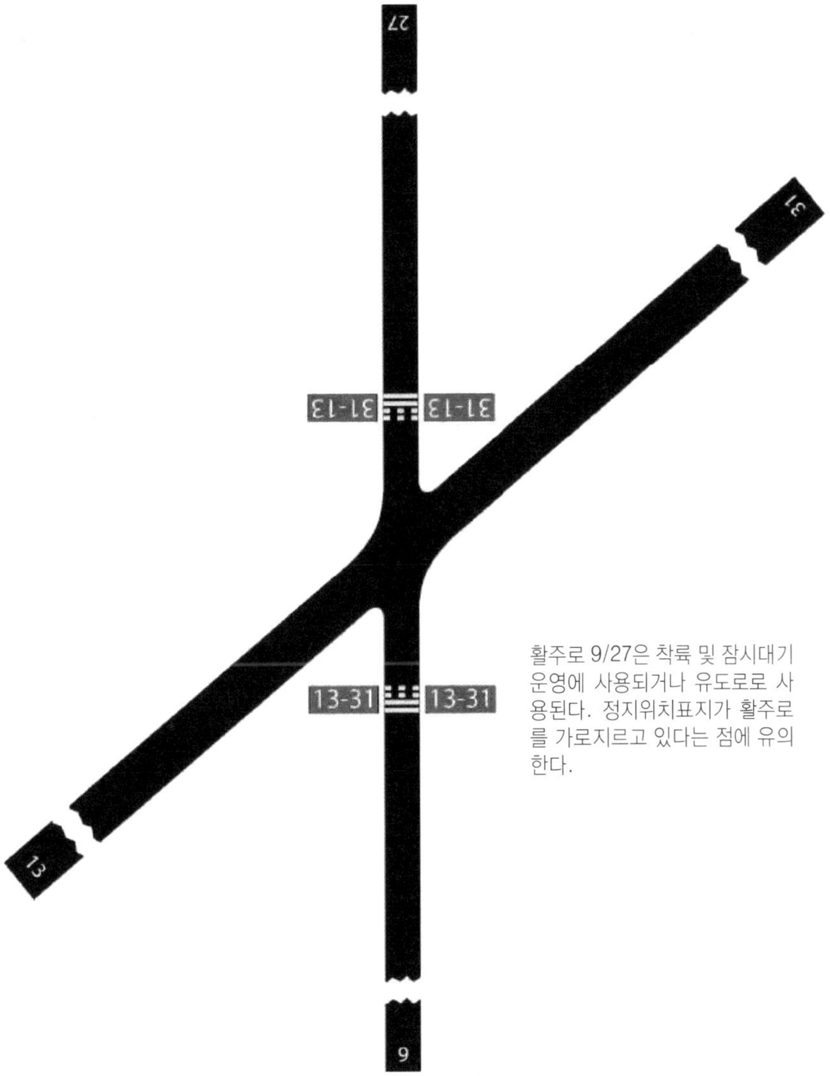

활주로 9/27은 착륙 및 잠시대기 운영에 사용되거나 유도로로 사용된다. 정지위치표지가 활주로를 가로지르고 있다는 점에 유의한다.

그림 2-3-15. 활주로 접근구역에 위치한 유도로(Taxiways Located in Runway Approach Area)

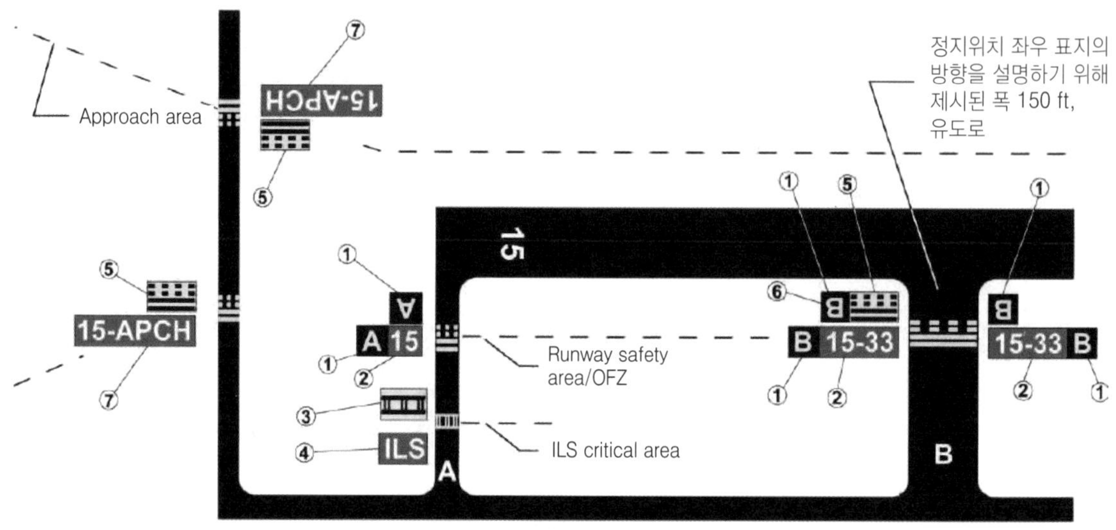

그림 2-3-16. 정지위치표지: ILS 보호구역(Holding Position Markings: ILS Critical Area)

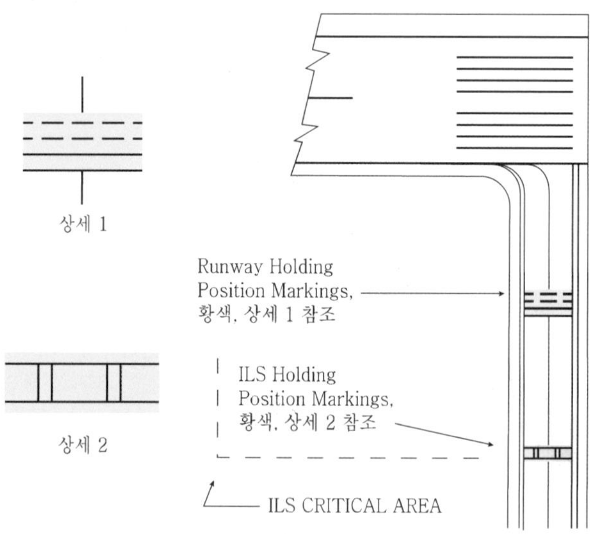

2-3-6. 그 밖의 표지(Other Marking)

a. 차량도로표지(Vehicle Roadway Marking)

차량도로표지는 차량운행을 위한 통로이면서 항공기도 사용하는 교차지역(crossing area)을 나타낼 필요가 있을 경우에 사용된다. 이 표지는 도로의 각 가장자리를 나타내는 백색실선과 도로 가장자리 안쪽의 차로를 분리하는 점선으로 이루어진다. 차량도로의 가장자리를 나타내기 위해 실선 대신에 지퍼표지(zipper marking)를 사용할 수도 있다 (그림 2-3-18 참조). 상세한 지퍼표지(zipper marking)의 그림은 그림 2-3-19와 같다.

b. VOR 수신기점검지점표지(VOR Receiver Checkpoint Marking)

VOR 수신기점검지점표지는 조종사가 항행안전시설 신호로 항공기의 계기를 점검할 수 있도록 한다. 이 표지는 중앙에 화살표가 있는 원으로 되어 있으며, 화살표는 점검지점 방위(azimuth)의 방향으로 맞추어진다. 표지 및 관련 표지판은 항공기가 접근하기 쉬우면서도 다른 공항의 교통을 심하게 방해하지 않는 공항 계류장 또는 유도로 상의 선정된 지점에 위치한다. (그림 2-3-20 참조)

주(Note)

관련 표지판에는 VOR 기지국 식별문자와 점검에 선정된(발간된) 진로(course), 문자 "VOR check course" 및 DME 자료(해당할 경우)가 표기된다. 문자와 숫자의 색은 황색바탕에 흑색이다.

예시(Example)

DCA 176-356

VOR check course

DME XXX

그림 2-3-17. 정지위치표지: 유도로/유도로교차지점(Holding Position Markings: Taxiway/Taxiway Intersection)

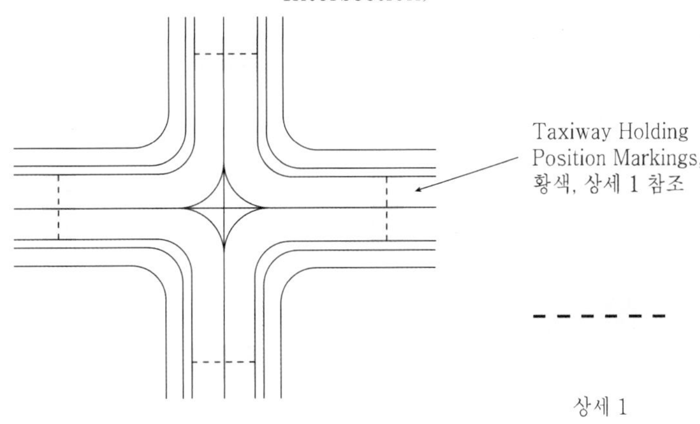

그림 2-3-18. 차량도로표지(Vehicle Roadway Marking)

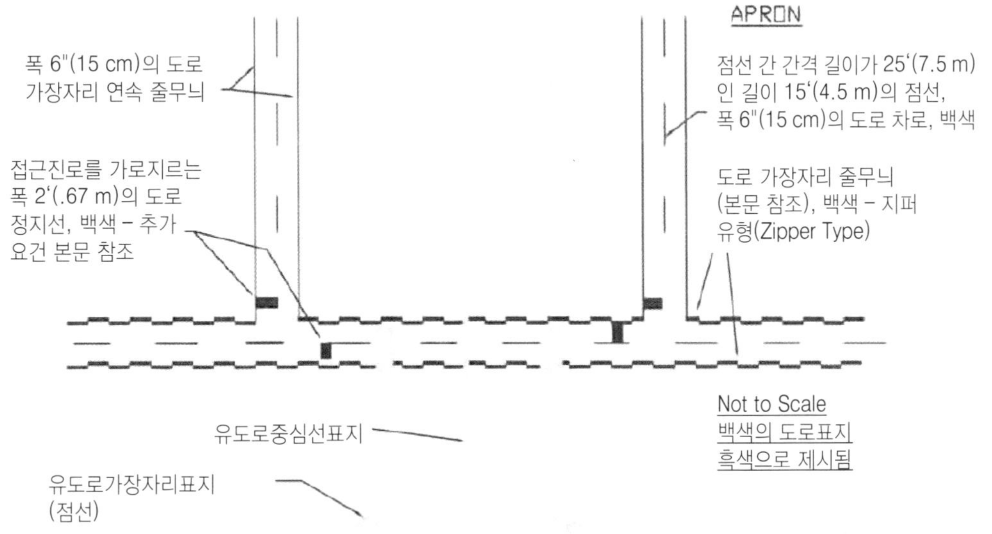

그림 2-3-19. 도로 가장자리 줄무늬, 백색, 지퍼 유형 (Roadway Edge Stripes, White, Zipper Style)

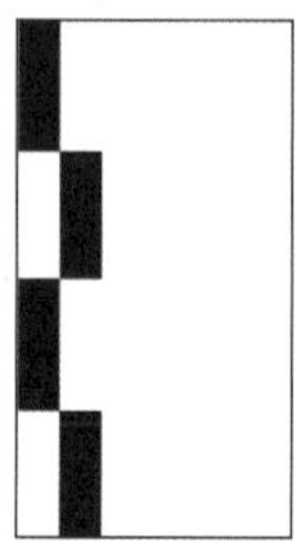

그림 2-3-20. 지상 수신기점검지점표지(Ground Receiver Checkpoint Markings)

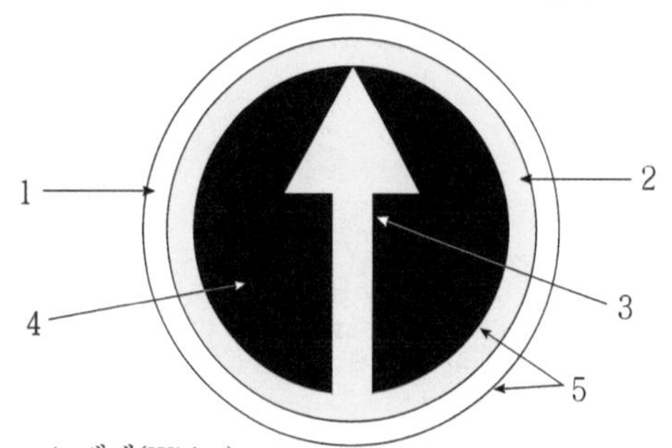

c. 비이동지역경계표지(Nonmovement Area Boundary Marking)

이 표지는 이동지역(movement area), 즉 항공교통관제 하에 있는 지역을 나타낸다. 이 표지는 황색이고 이동지역과 비이동지역 사이의 경계에 위치한다. 비이동지역경계표지는 폭 6 in(15 cm)의 두 개의 황색 선(한 개의 실선과 한 개의 점선)으로 이루어진다. 실선은 비이동지역 쪽에 위치하고, 점선은 이동지역 쪽에 위치한다. 비이동지역경계표지는 그림 2-3-21과 같다.

d. 영구폐쇄 활주로와 유도로(Permanently Closed Runways and Taxiway)의 표지 및 등화

영구적으로 폐쇄되는 활주로와 유도로의 등화배선 전원은 차단된다. 활주로시단(runway threshold), 활주로명칭(runway designation)과 접지구역표지는 지워지고, 활주로의 각 끝 부분에 1,000 ft 간격으로 황색 십자형기호가 표시된다. (그림 2-3-22 참조)

그림 2-3-21. 비이동지역경계표지(Nonmovement Area Boundary Markings)

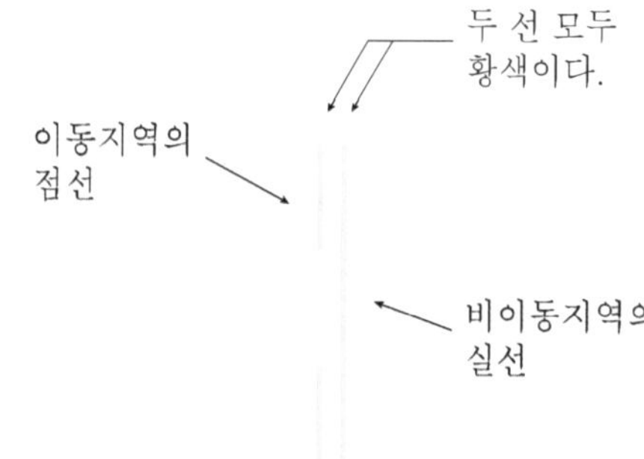

e. 임시폐쇄 활주로와 유도로(Temporarily Closed Runways and Taxiway)

조종사에게 활주로가 임시로 폐쇄되었다는 시각적인 지시를 제공하기 위하여 활주로 각 끝 부분에만 활주로 상에 십자형기호가 표시된다. 십자형기호의 색상은 황색이다. (그림 2-3-22 참조)

그림 2-3-22. 영구폐쇄 또는 임시폐쇄 활주로 및 유도로표지(Closed or Temporarily Closed Runway and Taxiway Marking)

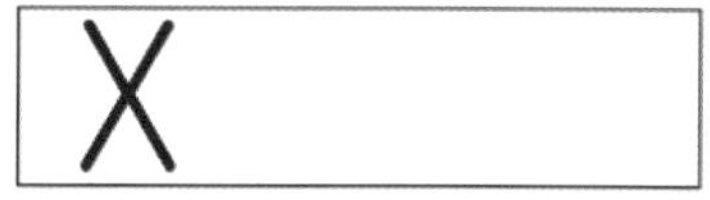

1. 활주로가 폐쇄되었다는 것을 나타내기 위해서, 절 e의 임시폐쇄 활주로와 유도로에 기술된 표지 대신 세워 놓는 황색의 십자형등화를 각 활주로의 끝 부분에 설치할 수 있다.

2. 폐쇄 이유, 폐쇄 기간, 비행장의 지형과 공항관제탑의 유무 및 운영시간에 따라 시각적인 지시가 제공되지 않을 수도 있다. 조종사는 국지활주로(local runway)와 유도로의 폐쇄정보에 대한 NOTAM 및 공항정보자동방송업무(ATIS)를 확인해야 한다.

3. 일반적으로 임시폐쇄되는 유도로는 항공기의 일부분도 진입할 수 없는 위험지역으로 간주되고, 바리케이드(barricade)로 차단된다. 그러나 대안으로 유도로의 각 입구에 황색의 십자형기호를 표시할 수도 있다.

f. 헬리콥터 착륙구역(Helicopter Landing Area)
그림 2-3-23의 표지는 공공용헬기장과 병원헬기장의 착륙구역과 이륙구역을 식별하기 위하여 사용된다. 표지의 문자 "H"는 의도하는 접근방향과 일치하도록 맞추어져 있다. 또한 그림 2-3-23은 폐쇄된 공항을 나타내는 표지이다.

그림 2-3-23. 헬리콥터 착륙구역(Helicopter Landing Area)

HELICOPTER LANDING AREA

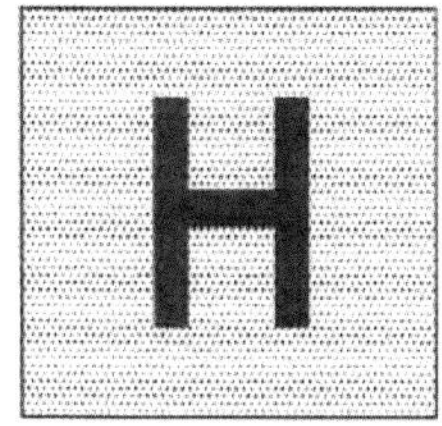

민간헬기장의 권장 표지

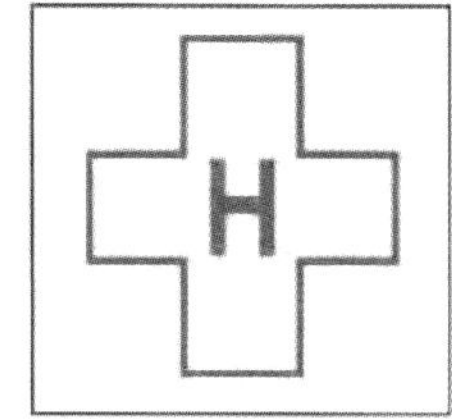

병원헬기장의 권장 표지

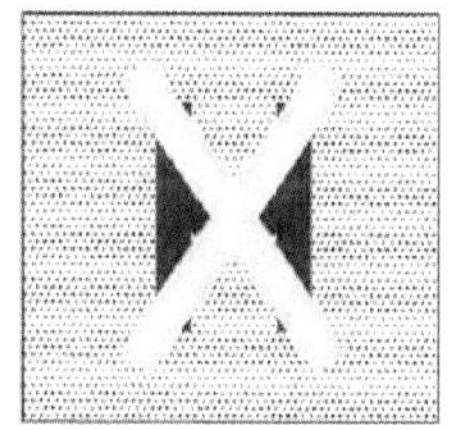
폐쇄된 헬기장의 권장 표지

2-3-7. 공항표지판(Airport Sign)

비행장에 설치되는 표지판에는 명령지시표지판, 위치표지판, 방향표지판, 목적지표지판, 정보표지판 및 활주로잔여거리표지판 등 6가지 종류가 있다. 이러한 표지판의 특성과 용도는 2-3-8항의 명령지시표지판에서부터 2-3-13항의 활주로잔여거리표지판까지에 언급되어 있다.

2-3-8. 명령지시표지판(Mandatory Instruction Sign)

a. 이 표지판은 적색바탕에 백색문자로 되어 있으며, 다음을 나타내기 위하여 사용된다.

1. 활주로 또는 보호구역(critical area)으로의 진입
2. 항공기의 진입이 금지된 구역

b. 전형적인 명령표지판(mandatory sign)과 적용은 다음과 같다.

1. 활주로정지위치표지판(runway holding position sign). 이 표지판은 활주로와 교차하는 유도로 또는 다른 활주로와 교차하는 활주로 상의 정지위치(holding position)에 설치된다. 그림 2-3-24와 같이 표지판의 문자에는 교차하는 활주로의 명칭이 포함된다. 표지판의 활주로번호는 각각의 활주로시단과 일치하도록 배열된다. 예를 들어, "15-33"은 활주로 15의 시단(threshold)은 좌측에 있으며, 활주로 33의 시단은 우측에 있다는 것을 나타낸다.

(a) 모든 다른 표지판이 활주로 양 방향의 명칭(designation)을 나타내는 반면에, 이륙활주로의 시작지점과 교차하는 유도로 상에는 표지판에 그림 2-3-25와 같이 이륙활주로의 명칭만을 나타낸다.

그림 2-3-24. 활주로정지위치표지판(Runway Holding Position Sign)

그림 2-3-25. 이륙활주로 시작시점의 정지위치표지판(Holding Position Sign)

(b) 두 활주로의 교차지점을 교차하는 유도로 상에 표지판이 위치한다면, 그림 2-3-26과 같이 각 활주로의 대략적인 배열(alignment)을 보여주는 화살표와 함께 두 활주로의 명칭을 표지판에 나타낸다. 화살표는 대략적인 활주로배열을 보여주는 것 외에도 화살표 바로 다음 명칭의 활주로시단으로의 방향을 나타낸다.

(c) 유도로 상의 활주로정지위치표지판은 유도로 포장면의 정지위치표지 근처에 설치된다. 일반적으로 활주로가 항공교통관제기관에 의해 "착륙, 잠시대기(Land, Hold Short)" 운영이나 유도로로

서 사용되고 있다면, 활주로 상에서 정지위치표지는 표지판 근처의 활주로 포장면에만 설치된다. 정지위치표지는 2-3-5항 정지위치표지에 기술되어 있다.

그림 2-3-26. 두 활주로의 교차지점을 교차하는 유도로의 정지위치표지판(Holding Position Sign for a Taxiway)

↙5-23↗ ↖9-27↘

2. 활주로 접근구역 정지위치표지판(Runway Approach Area Holding Position Sign). 이 표지판은 항공기가 활주로 상에서의 운행에 방해가 되지 않도록 하기 위해서 활주로의 접근 또는 출발구역에 위치한 유도로 상에 항공기를 잠시 대기시킬 필요가 있는 일부 공항에서 사용된다. 이런 경우 접근활주로시단의 명칭 다음에 dash(－)와 문자 "APCH"를 표시한 표지판이 유도로의 정지위치에 설치된다. 2-3-5항 정지위치표지에 따라 정지위치표지는 유도로 포장면 상에 표시된다. 이 표지판의 한 예는 그림 2-3-27과 같다. 이 예의 표지판은 활주로 15로의 접근이나 활주로 33에서의 출발을 보호한다.

그림 2-3-27. 활주로 접근구역의 정지위치표지판(Holding Position Sign)

15-APCH

3. ILS 보호구역 정지위치표지판(ILS Critical Area Holding Position Sign). 계기착륙시설이 운영되는 일부 공항에서는 2-3-5항 정지위치표지에 기술된 정지위치가 아닌 다른 지점의 유도로 상에 항공기를 정지시키는 것이 필요하다. 이러한 경우 이의 운영을 나타내는 정지위치표지판은 "ILS" 문자를 표시하며, 2-3-5항에 기술된 유도로 상의 정지위치표지 근처에 위치한다. 이러한 표지판의 예는 그림 2-3-28과 같다.

그림 2-3-28. ILS 보호구역 정지위치표지판(Holding Position Sign for ILS Critical Area)

4. 진입금지표지판(No Entry Sign). 그림 2-3-29의 진입금지표지판은 해당 지역으로 항공기가 진입하는 것을 금지한다. 전형적으로 이 표지판은 일방(one direction) 통행로로 사용될 유도로, 또는 활주로와 차량도로의 교차지점이나 유도로와 차량도로의 교차지점, 또는 유도로로 오인하거나 그밖에 항공기가 이동할 수 있는 포장면으로 오인할 수 있는 도로가 있는 계류장에 위치한다.

주(Note)
정지위치표지판은 조종사에게 정지위치표지의 위치에 대한 시각적인 신호(visual cue)가 되어 준다.

그림 2-3-29. 해당 지역 항공기 진입금지표지판(Sign Prohibiting Aircraft Entry into an Area)

2-3-9. 위치표지판(Location Signs)

a. 위치표지판은 항공기가 위치한 유도로나 활주로를 식별하기 위하여 사용된다. 그 밖의 위치표지판은 조종사가 지역을 벗어날 시기를 결정하는 데에 도움을 주기 위한 시각적인 신호(visual cue)를 제공한다. 각 위치표지판은 다음과 같다.

1. 유도로위치표지판(Taxiway Location Sign). 이 표지판은 그림 2-3-30과 같이 황색테두리의 흑색바탕에 황색문자로 되어 있다. 이 문자는 항공기가 위치하고 있는 유도로의 명칭(designation)이다. 이 표지판은 단독으로 또는 방향표지판(direction sign)이나 활주로정지위치표지판과 함께 유도로를 따라 설치된다. (그림 2-3-31 및 그림 2-3-35 참조)

그림 2-3-30. 유도로위치표지판

그림 2-3-31. 활주로정지위치표지와 함께 설치된 유도로위치표지판(Taxiway Location Sign)

2. 활주로위치표지판(Runway Location Sign). 그림 2-3-32와 같이 황색테두리의 흑색바탕에 황색숫자로 되어 있다. 이 숫자는 항공기가 위치하고 있는 활주로의 명칭(designation)이다. 이 표지판은 조종사가 자기나침반(magnetic compass)에 의하여 이용할 수 있는 정보를 보충하기 위한 의도이며, 전형적으로 둘 이상의 활주로가 서로 근접하여 조종사가 어느 활주로에 있는지 혼동을 유발할 수 있는 곳에 설치된다.

그림 2-3-32. 활주로위치표지판

그림 2-3-33. 활주로경계표지판

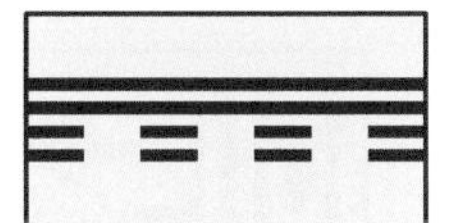

3. 활주로경계표지판(Runway Boundary Sign). 이 표지판은 그림 2-3-33과 같이 포장면의 정지위치표지를 나타내는 그림의 흑색문자와 황색바탕으로 되어 있다. 활주로를 향하고 있어서 활주로를 벗어나는 조종사가 볼 수 있는 이 표지판은 포장면의 정지위치표지 근처에 설치된다. 이 표지판은 조종사가 "활주로에서 벗어났다는 것(clear of the runway)"을 판단하기 위한 안내자로 사용할 수 있는 또 다른 시각적신호를 제공하기 위한 것이다.

4. ILS 보호구역경계표지판(ILS Critical Area Boundary Sign). 이 표지판은 그림 2-3-34와 같이 포장면의 ILS 정지위치표지를 나타내는 그림의 흑색문자와 황색바탕으로 되어 있다. 이 표지판은 ILS 정지위치표지 근처에 위치하고 있어서 보호구역을 벗어나는 조종사가 볼 수 있다. 이 표지판은 조종사가 "ILS 보호구역을 벗어났다는 것(clear of the ILS critical area)"을 판단하기 위한 안내자로 사용할 수 있는 또 다른 시각적신호를 제공하기 위한 것이다.

그림 2-3-34. ILS 보호구역경계표지판

2-3-10. 방향표지판(Direction Sign)

a. 방향표지판은 황색바탕에 흑색문자로 되어있다. 문자는 조종사가 회전해야 하거나 잠시 대기하여야 할 교차지점을 벗어나는 교차유도로의 명칭(designation)을 나타낸다. 각 명칭에는 회전방향을 나타내는 화살표가 함께 표시된다.

b. e항에 기재된 것을 제외하고, 표지판에 나타나는 각 유도로명칭은 단지 하나의 화살표와 함께 표시된다. 하나 이상의 유도로명칭을 표지판에 나타낼 경우, 각 명칭 및 함께 표시하는 화살표는 그림 2-3-35와 같이 수직의 메시지구분선(message divider)이나 유도로위치표지판으로 다른 유도로명칭과 구분하여야 한다.

c. 일반적으로 방향표지판은 교차지점 이전의 좌측에 위치한다. 출구를 나타내기 위해 활주로 상에 사용될 경우, 표지판은 출구와 같은 방향의 활주로 측면에 위치한다. 그림 2-3-36은 활주로출구를 나타내기 위해 사용되는 방향표지판을 나타낸다.

d. 표지판에 유도로명칭과 함께 표시하는 화살표는 조종사의 좌측 첫 번째 유도로에서부터 시작하여 시계방향으로 배열된다. (그림 2-3-35 참조)

e. 위치표지판이 방향표지판과 함께 위치하면 모든 좌회전에 대한 명칭은 위치표지판의 좌측에, 연속직진이나 모든 우회전에 대한 명칭은 위치표지판의 우측에 위치하도록 설치한다. (그림 2-3-35 참조)

그림 2-3-35. 교차지점 건너편의 위치표지판과 방향표지판 배열

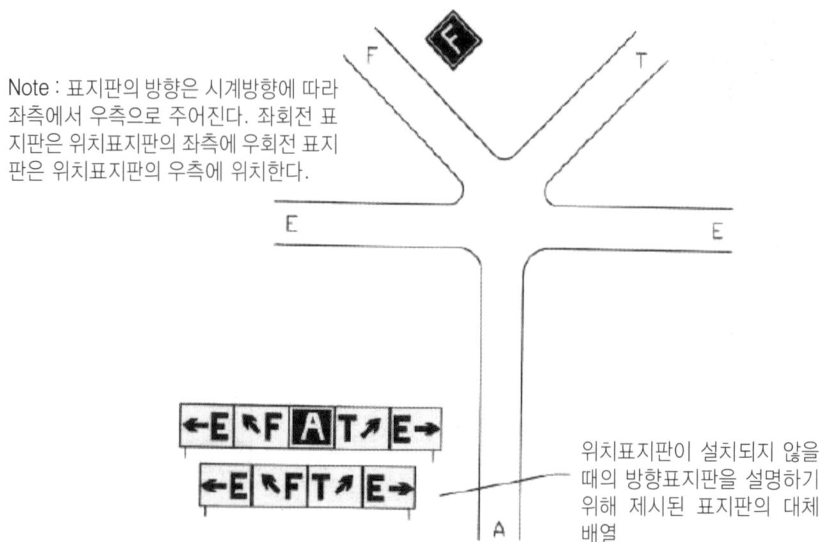

f. 통과하는 하나의 유도로 만으로 교차지점이 되어 있을 경우에는, 그림 2-3-37과 같이 통과하는 유도로와 관련된 두 개의 화살표를 표시할 수도 있다. 이런 경우 위치표지판은 방향표지판의 좌측에 위치한다.

그림 2-3-36. 활주로출구의 방향표지판

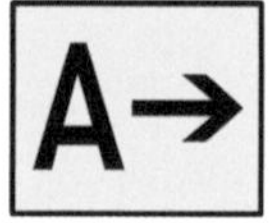

그림 2-3-37. 복잡하지 않은 교차지점의 방향표지판 배열

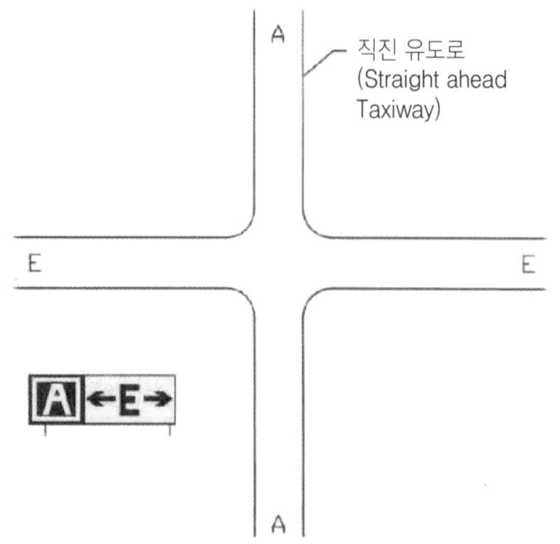

2-3-11. 목적지표지판(Destination Sign)

a. 목적지표지판도 황색바탕에 공항에서의 목적지를 나타내는 흑색문자로 되어있다. 이 표지판은 항상 목적지까지 지상활주경로의 방향을 나타내는 화살표와 함께 표시된다. 그림 2-3-38은 목적지표지판의 전형적인 예이다. 목적지표지판의 화살표가 회전을 지시할 경우, 이 표지판은 교차지점 이전에 설치된다.

그림 2-3-38. 군용구역의 목적지표지판
(Destination Sign for Military Area)

b. 일반적으로 이러한 유형의 표지판에 나타내는 목적지에는 활주로, 계류장(apron), 터미널, 군용구역, 민항구역, 화물취급구역, 국제선구역 및 지상운항지원실 등을 포함한다. 이러한 목적지를 나타내는 일부 표지판의 문자에는 약어가 사용되기도 한다.

c. 지상활주경로가 동일한 두 개 이상의 목적지에 대한 문자를 표지판에 나타낼 경우, 목적지는 "점(dot(●))"으로 구분하고 그림 2-3-39와 같이 하나의 화살표가 사용된다. 표지판의 문자가 지상활주경로가 서로 다른 두 개 이상의 목적지를 포함하는 경

우 각 목적지는 화살표와 함께 표시되고, 그림 2-3-40과 같이 표지판 상에서 수직의 흑색 메시지구분선(divider)에 의해 다른 목적지와 구분된다.

그림 2-3-39. 지상활주경로가 동일한 두 활주로까지의 목적지표지판(Destination Sign for Common Taxiing Route to Two Runways)

27•33 →

그림 2-3-40. 지상활주경로가 다른 두 활주로까지의 목적지표지판

←5 | 13↑

2-3-12. 정보표지판(Information Signs)

정보표지판은 황색바탕에 흑색문자로 되어있다. 이 표지판은 관제탑에서 보이지 않는 지역, 적용할 수 있는 무선주파수와 소음감소절차 등과 같은 정보를 조종사에게 제공하기 위하여 사용한다. 이 표지판의 필요여부, 크기 그리고 설치위치는 공항운영자가 결정한다.

2-3-13. 활주로잔여거리표지판(Runway Distance Remaining Sign)

활주로잔여거리표지판은 흑색바탕에 백색숫자로 되어 있으며, 활주로의 한쪽 또는 양쪽 편을 따라 설치된다. 표지판의 숫자는 착륙활주로의 잔여거리(1,000 ft 단위로)를 나타낸다. 마지막 표지판, 즉 숫자 "1"의 표지판은 활주로종단으로부터 최소한 950 ft 지점에 위치한다. 그림 2-3-41은 활주로잔여거리표지판의 한 예이다.

그림 2-3-41. 3,000 ft의 활주로 잔여거리를 나타내는 활주로잔여거리표지판

3

2-3-14. 항공기 초과저지장치(Aircraft Arresting System)

a. 어떤 공항은 활주로 상의 군용기를 신속하게 정지시킬 수 있는 장치를 갖추고 있다. 이 장치를 보통 비상제동장치(emergency arresting gear)라고 하며, 일반적으로 고무재질의 "도넛(donut)"모양 구조물에 의해 활주로표면에 지지되는 늘어진 케이블로 구성된다. 대부분의 장치는 과주로구역(overrun area)에 위치하지만, 이 초과저지장치의 일부는 활주로종단(runway end) 근처의 운영지역 상에 펼쳐 있는 케이블을 가지고 있다.

b. 활주로를 가로지르는 초과저지 케이블(arresting cable)은 케이블의 위치를 나타내기 위해 활주로 상에 특별한 표지를 필요로 한다. 이 표지는 활주로 중심선에 직각으로 활주로전체를 가로질러, "황색식별(identification yellow)" 페인트로 내부가 칠해진 직경 10 ft, 중심까지의 간격이 30 ft인 원으로 구성된다. 부가적인 상세한 정보는 AC 150/5220-9, Aircraft Arresting Systems for Joint Civil/Military Airports에 포함되어 있다.

주(Note)

활주로 상에서의 항공기운용은 항공기 초과저지장치의 설비에 제한을 받지 않는다.

c. Engineered materials arresting systems (EMAS). EMAS는 선정된 강도의 고에너지 흡수형물질(high energy-absorbing material)로 구축되며, 활주로종단을 지난 안전구역에 위치한다. EMAS는 황색의 갈매기형태(chevron)로 표시된다. 이것은 사업용항공기의 중량 미만에서 파손되도록 설계되어 있으며, 착륙장치(landing gear)에 감속력을 미친다. 이 장치는 비행기의 정상적인 착륙 및 이륙에는 영향을 미치지 않는다. EMAS에 관한 더 자세한 정보는 FAA 권고회보 AC 150/5220-22, Engineered Materials Arresting Systems (EMAS) for Aircraft Overruns에 포함되어 있다.

주(Note)

EMAS는 활주로종단에서 35 ft를 지난 지점에 최대한 가까이 위치한다. 항공기는 결코 활주로를 가

로질러 지상활주하거나 운행해서는 안된다. 항공기와 지상차량은 EMAS를 가로지르거나, EMAS가 있다면 활주로종단을 넘어서 지상활주하거나 운행해서는 안된다.

그림 2-3-42. Engineered Materials Arresting System (EMAS)

2-3-15. 보호구역(Security Identifications Display Area; SIDA) (공항 주기장구역)

a. 보호구역(SIDA)은 CFR 49 Part 1542의 절차에 따라 발급되는 출입증을 필요로 하는 출입제한 구역이다. 이 구역으로의 이동이나 통과는 제시할 수 있는 적절한 신분증이 없으면 금지된다. SIDA의 위치를 확신할 수 없으면 추가정보를 얻기 위하여 공항담당기관에 연락하여야 한다. SIDA가 있는 공항은 다음과 같은 이용 가능 정보를 보유하고 있어야 한다.

1. 영역 및 관련 특징을 상세히 설명하는 설명서 및 지도

2. CFR 49 Part 1542.201(b)(1)에서 규정하고 있는 출입통제기능을 수행하기 위해 사용하는 조치사항

3. CFR 49 Part 1542.201(b)(3)에서 규정하고 있는 출입증을 포함한 보호구역 내에서의 이동을 통제하기 위한 절차

4. CFR 49 Part 1542.201(b)(6)에서 규정하고 있는 안내 게시판의 기재사항

b. SIDA(주기장구역)의 출입이 목격된 적절한 출입증이 없는 조종사나 승객은 TSA나 공항보안부서에 보고될 수 있다. 승객에게 이러한 것을 알려 줄 것을 조종사에게 권고한다.

제3장. 공역(Airspace)

제1절. 일반사항(General)

3-1-1. 일반(General)

a. 공역 또는 공역구역의 두 가지 범주는 다음과 같다.

1. 규제적 (A, B, C, D등급과 E등급 공역구역, 제한구역 및 금지구역)

2. 비규제적 (군작전구역〔MOA〕, 경고구역, 경계구역, 통제사격구역 및 국가보안구역〔NSA〕)

주(Note)

특수사용공역(금지구역, 제한구역〔영구 또는 임시〕, 경고구역, MOA〔영구 또는 임시〕, 경계구역, CFA 및 NSA)에 대한 추가정보는 3장 공역, 4절 특수사용공역, 3-4-1항부터 3-4-8항까지에 기술되어 있다.

b. 이러한 두 가지 범주에는 다음과 같은 네 가지의 유형이 있다.

1. 관제(Controlled)
2. 비관제(Uncontrolled)
3. 특수사용(Special use)
4. 그 밖의 공역(Other airspace)

c. 공역의 범주와 유형은 다음에 의해 구분된다.

1. 항공기 운행의 복잡성 또는 과밀여부
2. 공역 내에서 수행되는 운항의 성격
3. 필요한 안전의 수준
4. 국가 및 공공의 이익

d. 조종사는 다양한 유형 또는 등급의 공역 각각에 대한 운항요건에 익숙해지는 것이 중요하다. 다음 절에서는 이해하기 쉽도록 상세하게 각 등급을 다룬다.

3-1-2. 공역구간의 일반적인 범위(General Dimensions of Airspace Segment)

공역의 특정범위, 예외사항, 포함되는 지리적 지역, 특정 트랜스폰더 또는 장비의 요건 그리고 운항에 대해서는 연방규정집(CFR)을 참조한다.

3-1-3. 중첩된 공역지정 체계(Hierarchy of Overlapping Airspace Designations)

a. 동일한 공역에 중첩된 공역지정(airspace designation)을 적용할 때는 더욱 제한된 공역지정과 관련된 운항규칙을 적용한다.

b. 공역제한을 구체적으로 설명하면,

1. A등급 공역은 B등급, C등급, D등급, E등급 또는 G등급 공역보다 더 제한된다.

2. B등급 공역은 C등급, D등급, E등급 또는 G등급 공역보다 더 제한된다.

3. C등급 공역은 D등급, E등급 또는 G등급 공역보다 더 제한된다.

4. D등급 공역은 E등급 또는 G등급 공역보다 더 제한된다.

5. E등급 공역은 G등급 공역보다 더 제한된다.

3-1-4. 기본 VFR 기상최저치(Basic VFR Weather Minimum)

a. 비행시정이나 구름으로부터의 거리가 고도와 공역등급에 따라 규정된 것보다 낮을 때에는 기본 VFR 로 항공기를 운항할 수 없다. (표 3-1-1 참조)

주(Note)

조종연습생은 14 CFR 61.89(a) (6) 및 (7)절을 준수하여야 한다.

b. 14 CFR 91.157절 특별시계비행 기상최저치(Special VFR Weather Minimums)에 규정된 경우를 제외하고 운고(ceiling)가 1,000 ft 미만일 경우, 공항의 지표면까지의 지정된 관제공역 횡적범위 이내에서는 누구도 VFR로 운고 아래에서 항공기를 운항할 수 없다. (14 CFR 91.155(c)절 참조)

표 3-1-1. 기본 VFR 기상최저치(Basic VFR Weather Minimums)

공역(Airspace)			비행시정(Flight Visibility)	구름으로부터의 거리 (Distance from Cloud)
A등급			미적용	미적용
B등급			3 SM	구름을 피할 수 있는 거리
C등급			3 SM	아래로 500 ft, 위로 1,000 ft, 수평으로 2,000 ft
D등급			3 SM	아래로 500 ft, 위로 1,000 ft, 수평으로 2,000 ft
E등급	10,000 ft MSL 미만		3 SM	아래로 500 ft, 위로 1,000 ft, 수평으로 2,000 ft
	10,000 ft MSL 이상		5 SM	아래로 1,000 ft, 위로 1,000 ft, 수평으로 1 SM
G등급	지표면에서 1,200 ft 이하 (MSL 고도에 관계없이)	주간, 91.155(b) 절은 예외	1 SM	구름을 피할 수 있는 거리
		야간, 91.155(b) 절은 예외	3 SM	아래로 500 ft, 위로 1,000 ft, 수평으로 2,000 ft
	지표면에서 1,200 ft 초과 MSL 10,000 ft 미만	주간	1 SM	아래로 500 ft, 위로 1,000 ft, 수평으로 2,000 ft
		야간	3 SM	아래로 500 ft, 위로 1,000 ft, 수평으로 2,000 ft
	지표면에서 1,200 ft 초과 10,000 ft MSL 이상		5 SM	아래로 1,000 ft, 위로 1,000 ft, 수평으로 1 SM

3-1-5. VFR 순항고도와 비행고도(VFR Cruising Altitudes and Flight Level)

(표 3-1-2 참조)

표 3-1-2. VFR 순항고도와 비행고도(VFR Cruising Altitudes and Flight Levels)

자방위(지상항적 〔ground track〕)	지표면 상공 3,000 ft 초과 18,000 ft MSL 미만으로 비행하는 경우	18,000 ft MSL 이상 FL 290까지 비행하는 경우
0~179	1,000 ft MSL의 홀수배에 500 ft를 더한 고도 (3,500 ft, 5,500 ft, 7,500 ft 등)	비행고도의 홀수배에 500 ft를 더한 고도 (FL 195, FL 215, FL 235 등)
180~359	1,000 ft MSL의 짝수배에 500 ft를 더한 고도 (4,500 ft, 6,500 ft, 8,500 ft 등)	비행고도의 짝수배에 500 ft를 더한 고도 (FL 185, FL 205, FL 225 등)

제2절. 관제공역(Controlled Airspace)

3-2-1. 일반(General)

a. 관제공역(Controlled Airspace). 공역(A등급, B등급, C등급, D등급 및 E등급 공역)의 다른 분류방법 및 공역분류에 따라 IFR 비행과 VFR 비행에 대해 항공교통관제업무가 제공되는 한정된 범위를 나타내는 일반적인 용어. (그림 3-2-1 참조)

b. IFR 요건. 관제공역의 어떤 등급에서든 IFR 운항을 하기 위해서 조종사는 IFR 비행계획서를 제출하고 적절한 ATC 허가를 받아야 한다.

c. IFR 분리(Separation). 관제공역에서 IFR로 운항하는 모든 항공기에 표준 IFR 분리가 제공된다.

d. VFR 요건. B등급, C등급 또는 D등급 공역에 진입하기 전에 ATC 허가 또는 무선통신요건이 충족되었는지를 확인하는 것은 조종사의 책임이다. ATC 레이더조언을 받고 있을 때에도 이러한 책임은 계속 유지된다. (14 CFR Part 91 참조)

e. 교통조언(Traffic Advisory). 관제사의 업무상황이 허용되는 한, 모든 항공기에게 교통조언이 제공된다.

f. 안전경보(Safety Alert). 안전경보는 필수적인 업무이며, 모든 항공기에게 제공된다. 안전경보에는 다음과 같은 두 가지 유형이 있다.

1. 지형/장애물경고(Terrain/Obstruction Alert). 지형/장애물경고는 관제사가 항공기의 고도가 지형 또는 장애물에 불안전하게 근접해 있다고 판단했을 때 발부한다.

2. 항공기충돌/Mode C 침범기경고(Aircraft Conflict/Mode C Intruder Alert). 다른 항공기가 불안전하게 근접해 있다는 것을 관제사가 인지한 때에는 항공기충돌/Mode C 침범기경고를 발부한다. 가능하면 관제사는 조종사에게 대처방안을 제공한다.

그림 3-2-1. 공역등급(Airspace Class)

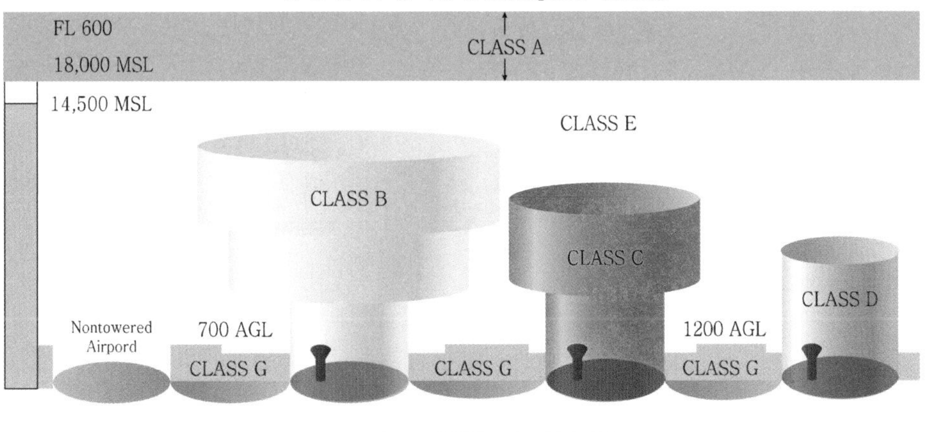

MSL - mean sea level
AGL - above ground level
FL - flight level

g. 초경량비행장치(Ultralight Vehicle). A등급, B등급, C등급이나 D등급 공역 또는 공항의 지정된 E등급 공역 공항교통구역의 횡적범위 내에서는 해당 공역을 관할하는 ATC 기관으로부터 사전에 허가를 받지 않는 한 초경량비행장치를 운용할 수 없다. (14 CFR Part 103 참조)

h. 무인자유기구(Unmanned Free Balloon). ATC에 의해 달리 허가되지 않는 한, B등급, C등급, D등급 또는 공항의 지정된 E등급 공역의 지표

면으로부터 2,000 ft 미만의 횡적범위 내에서는 무인자유기구를 운용할 수 없다. (14 CFR Part 101 참조)

i. 낙하산강하(Parachute Jump). 해당 공역을 관할하는 ATC 기관의 허가를 받지 않거나 발부된 ATC 허가의 조건을 위반하여 A등급, B등급, C등급 또는 D등급 공역에서 또는 공역 안으로 낙하산강하를 해서는 안되며, 기장은 항공기로부터 낙하산강하를 허가해서는 안된다. (14 CFR Part 105 참조)

3-2-2. A등급 공역(Class A Airspace)

a. 정의(Definition)

일반적으로 A등급 공역은 본토 48개 주와 알래스카 해안으로부터 12 NM 이내 수역상부의 공역; 그리고 국내 항행안전무선시설 신호 또는 ATC 레이더 포착범위(radar coverage) 지역 내의 국내절차가 적용되는 본토 48개 주와 알래스카 해안으로부터 12 NM 이상의 설정된 국제공역을 포함한 18,000 ft MSL부터 FL 600까지 이다.

b. 운항규칙 및 조종사/장비요건

달리 허가되지 않는 한 모든 조종사는 IFR로 항공기를 운항해야 한다. (14 CFR 71.33절 및 14 CFR 91.167절부터 14 CFR 91.193절까지 참조)

c. 차트(Chart)

A등급 공역은 특별히 차트에 표기되지 않는다.

3-2-3. B등급 공역(Class B Airspace)

a. 정의(Definition)

일반적으로 IFR에 의한 운항이나 승객탑승으로 매우 분주한 공항주변의 지표면으로부터 10,000 ft MSL까지의 공역이다. 각 B등급 공역구역의 형태는 서로 다르고 공항교통구역과 두 개 이상의 층(layer)으로 구성되며(일부 B등급 공역구역은 웨딩 케이크를 거꾸로 뒤집어 놓은 모양과 유사하다), 항공기가 공역에 진입하면 발간된 모든 계기절차가 포함되도록 설계된다. 이 구역에서 운항하기 위해서 모든 항공기는 ATC 허가가 필요하며, 허가를 받은 항공기는 공역 내에서 분리업무를 제공받는다. VFR 운항의 구름회피기준(cloud clearance requirement)은 "구름으로부터 벗어나는 것(clear of clouds)"이다.

b. 운항규칙 및 VFR 운항을 위한 조종사/장비요건

기상상태에 관계없이 B등급 공역 내에서 운항하기 전에 ATC 허가가 필요하다. 조종사는 14 CFR 91.215절과 14 CFR 91.131절의 요구조건이 충족되지 않는 한, B등급 공역 내에서의 운항허가를 요청해서는 안된다. 요구조건에 포함되는 사항은 다음과 같다.

1. ATC에 의해 달리 허가되지 않는 한, 항공기는 B등급 공역에서 해당 주파수로 ATC와 교신할 수 있는 송수신무선통신기(two-way radio)를 갖추어야 한다.

2. 최소한 자가용조종사 자격증명을 소지하지 않은 기장(pilot-in-command)은 민간항공기로 B등급 공역 내의 다음 주요공항에서 이륙하거나 이들 공항에 착륙할 수 없다.

(a) 메릴랜드주, 앤드루스 공군기지

(b) 조지아주, 애틀랜타 하츠필드 공항

(c) 매사추세츠주, 보스턴 로건 공항

(d) 일리노이주, 시카고 오헤어 국제공항

(e) 텍사스주, 댈러스/포트워스 국제공항

(f) 캘리포니아주, 로스앤젤레스 국제공항

(g) 플로리다주, 마이애미 국제공항

(h) 뉴저지주, 뉴어크 국제공항

(i) 뉴욕주, 뉴욕 케네디 공항

(j) 뉴욕주, 뉴욕 라과디아 공항

(k) 컬럼비아 특별구, 로널드레이건 워싱턴 국립공항

(l) 캘리포니아주, 샌프란시스코 국제공항

3. 다음과 같은 조건을 갖추지 않는 한, B등급 공역 내에 있는 공항에서 민간항공기로 이륙 또는 착륙하거나 B등급 공역 내에서 민간항공기를 운항할 수 없다.

(a) 기장(pilot-in-command)이 최소한 자가용조종사 자격증명을 소지하거나,

(b) 항공기는 자가용조종사 자격증명을 취득하려는 조종연습생 또는 레크레이션 조종사(recreational

pilot)에 의해 운항되어야 하며, 14 CFR 61.95절의 요구조건을 충족하여야 한다.

4. ATC에 의해 달리 허가되지 않는 한, 주요공항에 입출항하는 대형 터빈동력엔진 비행기를 운항하는 조종사는 B등급 공역의 횡적범위(lateral limit) 내에 있는 동안에는 지정된 하한고도(floor) 이상에서 비행해야 한다.

5. ATC에 의해 달리 허가되지 않는 한, 각 항공기는 다음과 같은 장비를 갖추어야 한다.

(a) IFR 운항의 경우, 사용가능한 VOR이나 TACAN 수신기 또는 사용 가능하며 적합한 RNAV 시스템

(b) 모든 운항의 경우, 그 구역에서 해당 주파수로 ATC와 교신할 수 있는 송수신무선통신기

(c) ATC에 의해 달리 허가되지 않는 한, 자동고도보고장치(automatic altitude reporting equipment)를 갖춘 사용가능한 레이더비컨 트랜스폰더

주(Note)

ATC는 고도보고장치 요건의 위배요청을 통보받으면 이를 즉시 승인하겠지만, 최소한 운항예정 1시간 전까지 관할 ATC 기관에 4096 트랜스폰더 장치 요건의 위배요청을 하여야 한다.

6. Mode C Veil. 14 CFR Part 91의 1절, 부록 D에 수록된 공항(보통 B등급 공역구역 이내의 주요공항)으로부터 30 NM 이내의 지표면으로부터 상공 10,000 ft MSL까지의 공역이다. ATC에 의해 달리 허가되지 않는 한, 이 공역 내에서 운항하는 항공기는 Mode C 기능이 있는 자동기압고도보고장치를 갖추어야 한다.

그러나 원래 엔진구동전기시스템을 인가받지 않았거나, 이후에 설치된 시스템을 인가받지 않은 항공기가 A등급, B등급 또는 C등급 공역 밖에서, 그리고 공항으로 지정된 B등급이나 C등급 공역구역의 운고(ceiling) 또는 1,000 ft MSL 고도 중 더 낮은 고도 아래에 머무른다면 Mode C veil 내에서 운항할 수 있다.

c. 차트(Chart)

B등급 공역은 구역차트, IFR 저고도항공로차트 및 터미널지역차트에 표기된다.

d. 비행절차(Flight Procedure)

1. 비행(Flight). B등급 공역 내의 항공기는 최신의 IFR 절차에 따라 비행하여야 한다. 주요공항으로의 시각접근(visual approach) 허가가 터빈동력비행기에 대하여 B등급 공역의 지정된 하한고도(floor) 미만에서의 운항을 허가하는 것은 아니다.

2. VFR 비행

(a) 도착하는 항공기는 B등급 공역에 진입하기 전에 ATC 허가를 받아야 하며, 국지차트(local chart)에 표시된 지리적 fix에서 해당 주파수로 ATC와 교신하여야 한다. 조종사가 최초교신을 할 때 B등급 공역의 하한고도(floor) 아래에서 운항하고 있더라도 순서배정과 간격분리 목적으로 지시된 지점에서 ATC와 교신이 이루어져야 한다.

(b) 출발하는 항공기는 B등급 공역을 출발하기 위한 허가를 받아야 하며, 허가중계소(clearance delivery position)에 의도하는 고도 및 비행경로를 통보하여야 한다. B등급 공역의 지리적범위를 벗어난 경우, 보통 ATC는 VFR 항공기에 이를 통보하여 준다. 관제사가 별도로 언급하지 않는 한 이러한 조언업무와 더불어 레이더업무는 자동으로 종료되지는 않는다.

(c) 주요공항에 착륙하거나, 주요공항에서 출발하지 않는 항공기는 교통상황이 허용되고 14 CFR 91.131절의 요건을 충족하면 B등급 공역을 통과하기 위한 ATC의 허가를 받을 수 있다. 이 같은 VFR 항공기는 가능한 한 B등급 공역을 초과하거나 미만인 고도로 운항하거나, 설정된 VFR 회랑(corridor)을 지나 통과할 것을 권장하고 있다. VFR 회랑에서 운항하는 조종사는 항공기 위치정보의 교환 시 주파수 122.750 MHz를 사용할 것을 권고한다.

e. ATC 허가 및 분리(ATC Clearances and Separation)

B등급 공역으로 진입하여 공역 내에서 운항하기 위해서는 ATC 허가를 받아야 한다. VFR 조종사에게는 B등급 공역 내에서 비행하는 동안 순서배정(sequencing)과 다른 항공기와 분리가 제공된다.

주(Note)

1. 이러한 업무를 레이더에 의존하고 있을 때 레이더가 운용중지된 경우, VFR 항공기의 순서배정과 간격분리는 중단된다. 조종사는 레이더업무를 제공받을 수 없다는 것을 통보받고, 바람 및 활주로정보 그리고 관제탑과 교신할 시기 또는 장소를 발부받는다.

2. CENRAP를 운용하는 동안 VFR 항공기의 간격분리는 중단될 것이다. 교통조언과 주요공항으로의 순서배정은 업무량이 허용하는 한도 내에서 제공된다. CENRAP(center radar presentation)를 사용 중일 때 조종사는 이를 통보받을 것이다.

1. VFR 항공기는 무게 19,000 lbs 이하의 모든 VFR/IFR 항공기로부터 다음과 같은 최저치로 분리된다.

(a) 표적분석(target resolution), 또는

(b) 500 ft 수직분리, 또는

(c) 시계분리(visual separation)

2. VFR 항공기는 무게 19,000 lbs를 초과하는 모든 VFR/IFR 항공기 및 터보제트항공기로부터 다음과 같은 최저치 이상으로 분리된다.

(a) 1 1/2 mile 횡적분리(lateral separation), 또는

(b) 500 ft 수직분리(vertical separation), 또는

(c) 시계분리(visual separation)

3. 이러한 프로그램이 VFR 기상상태로 운항중인 다른 항공기의 육안회피, 심각한 후류(wake) 조우를 회피하기 위하여 필요한 운항과 비행경로의 조정, 적절한 지형과 장애물회피의 유지 또는 CFR 91.155절에서 요구하는 최저치와 같거나 더 양호한 기상상태를 유지해야 하는 조종사의 책임을 면하여 주는 것으로 판단해서는 안된다. 배정된 비행로, 기수방향(heading) 또는 고도의 준수가 지형과 장애물회피, 난기류탐지, 그리고 기상최저치와 관련된 조종사의 책임에 저해될 것 같은 경우에는 접근관제소에 이를 통보하고 수정된 허가 또는 지시를 받아야 한다.

4. ATC는 VFR 항공기에 14 CFR 91.159절과 상반되는 고도를 배정할 수도 있다. 분리를 위한 고도배정이 더 이상 필요하지 않거나 B등급 공역을 떠날 때, "resume appropriate VFR altitudes" 라고 지시받게 될 것이다. 조종사는 14 CFR 91.159절에 부합하는 고도로 복귀하여야 한다.

f. 근접운항(Proximity operation)

B등급 공역에 근접하여 운항하는 VFR 항공기는 경계선, 특히 B등급 공역의 하한고도(floor)가 지표면 상부 3,000 ft 미만인 지역 또는 VFR 순항고도가 더 높은 높이의 하한고도 근처인 지역의 근접운항에 대하여 주의를 기울여야 한다. 이러한 예방조치의 준수는 B등급 하한고도에서 운항하는 항공기와 조우할 수 있는 가능성을 줄여 준다. 추가하여 VFR 항공기는 B등급 공역에 근접한 비행계획수립을 위한 도구로서 VFR 비행계획수립용차트를 활용할 것을 권장하고 있다. 차트화된 VFR 비행로 비행계획수립용차트(Planning chart)는 현재 VFR 터미널지역차트의 뒷면에 게재된다.

3-2-4. C등급 공역(Class C Airspace)

a. 정의(Definition)

일반적으로 관제탑이 운영되고 레이더접근관제업무가 제공되며, 일정 수준의 IFR 운항이나 승객탑승이 이루어지는 공항주변의 지표면으로부터 공항표고(차트에는 MSL로 표기) 4,000 ft 상공까지의 공역이다. 각 C등급 공역구역의 형태는 서로 다르지만, 일반적으로 공역은 지표면으로부터 공항표고 4,000 ft 상공까지 이어지는 반경 5 NM의 공항교통구역 중심부(core surface area)와 공항표고 1,200 ft에서부터 4,000 ft 상공까지 이어지는 반경 10 NM의 선반모양의 지역(shelf area)으로 구성된다.

b. 차트(Chart)

C등급 공역은 구역차트, IFR 저고도항공로차트 및 해당하는 터미널지역차트에 표기된다.

c. 운항규칙 및 조종사/장비요건

1. 조종사 자격(Pilot Certification)

특별한 자격이 요구되지 않는다.

2. 장비(Equipment)

(a) 송수신무선통신기

(b) ATC에 의해 달리 허가되지 않는 한, 자동고도보고장치를 갖춘 사용가능한 레이더비컨 트랜스폰더(radar beacon transponder)

주(Note)

C등급 공역의 상공을 운항하기 위한 Mode C 트랜스폰더 요건은 4-1-20항 트랜스폰더 운용, f2(a)항을 참조한다.

3. 도착 또는 통과비행 진입요건(Arrival or Through Flight Entry Requirement)

진입하기 전에 ATC 업무를 제공하는 ATC 기관과 양방향무선교신이 이루어져야 하며, 그 후 C등급 공역 내에 있는 동안 무선교신을 유지하여야 한다. 도착하는 항공기의 조종사는 공고된 주파수로 C등급 공역의 ATC 기관과 교신하여 항공기 위치, 고도, 레이더비컨 코드(radar beacon code), 목적지를 통보하고 C등급 업무를 요청하여야 한다. 양방향무선교신이 이루어지기 전에 C등급 공역에 진입하지 않도록 하기 위하여 C등급 공역 경계에서 충분히 떨어진 곳에서부터 무선교신을 시도하여야 한다.

주(Note)

1. 관제사가 무선호출에 대하여 "(항공기 호출부호) standby"로 응답하면 무선교신이 이루어진 것이며, 조종사는 C등급 공역에 진입할 수 있다.
2. 업무량이나 교통상황으로 인하여 C등급 업무를 즉시 제공할 수 없는 경우, 관제사는 업무제공이 가능할 때까지 C등급 공역 밖에서 머무를 것을 조종사에게 통보한다.
3. 최초 무선호출에 대하여 관제사가 항공기 식별부호(aircraft identification)를 사용하지 않고 응답했다면 무선교신이 이루어지지 않은 것이므로, 조종사는 C등급 공역에 진입해서는 안된다는 것을 아는 것이 중요하다.
4. 규제조치가 필요하지는 않지만 C등급 공역구역은 절차상 외측구역(outer area)을 포함하고 있다. 통상적으로 이 구역은 C등급 공역의 주요공항으로부터 20 NM까지 이다. 수직범위는 무선/레이더 포착범위의 하한부(lower limit)에서부터 위임된 접근관제공역의 운고(ceiling)까지 이어지며, C등급 공역 및 그 밖의 해당 공역은 제외된다. (이 외측구역은 차트에 표기되지 않는다)
5. C등급 업무를 제공하는 공항에 접근하는 조종사는 계기접근이나 시각접근을 하는 동안 5~10 mile 선반모양지역(shelf area)의 하한고도(base altitude) 아래로 강하하면 트랜스폰더를 갖추지 않은 VFR 항공기와 마주칠 수도 있다는 것을 인식하고 있어야 한다.

예문(Example)

1. 〔항공기 호출부호〕 "remain outside the Class Charlie airspace and standby."
2. "Aircraft calling Dulles approach control, standby."

4. 출발(Departure)

(a) 관제탑이 운영되는 주요공항 또는 인접공항의 출발. 양방향무선교신이 이루어지고 유지되어야 하며, 그 후 C등급 공역에서 운항하는 동안에는 ATC의 지시에 따라야 한다.

(b) 관제탑이 운영되지 않는 인접공항의 출발. 출발 후 가능한 한 빨리 C등급 공역을 관할하는 ATC 기관과 양방향무선교신이 이루어져야 한다.

5. 항공기속도(Aircraft Speed)

ATC에 의해 요청되거나 달리 허가되지 않는 한, C등급 공역구역의 주요공항으로부터 4 NM 이내의 지표면으로부터 상공 2,500 ft 이하에서는 200 knot (230 mph) 이상의 지시대기속도로 항공기를 운항할 수 없다.

d. 항공교통업무(Air Traffic Service)

양방향무선교신과 레이더포착(radar contact)이 이루어진 경우, 모든 VFR 항공기에게 다음의 업무가 제공된다.

1. 주요공항으로의 순서배정(sequencing)

2. C등급 공역과 외측구역(outer service) 내에 C등급 업무 제공

3. 업무량이 허용하는 한도 내에서 외측구역 외부에 기본레이더업무를 제공한다. 이것은 업무에 영향을 주면 관제사에 의해 종료될 수 있다.

e. 항공기 분리(Aircraft Separation)

양방향무선교신과 레이더포착이 이루어진 후, C등급 공역과 외측구역 내에 분리가 제공된다. VFR 항공기는 다음 중 한 가지 방법에 의해 C등급 공역 내에서 IFR 항공기와 분리된다.

1. 시계분리(visual separation)
2. 500 ft 수직분리
3. 표적분석(target resolution)
4. 다음의 모든 항공기에게 항적난기류 분리가 제공된다.
   (a) 초대형(super) 또는 중항공기(heavy aircraft) 후방 1,000 ft 미만에서 운항하는 경우
   (b) B757 항공기 후방 500 ft 미만에서 운항하는 소형항공기
   (c) 최종접근시 대형항공기를 뒤따르는 소형항공기

주(Note)

1. 이러한 업무를 레이더에 의존하고 있을 때 레이더가 운용중지된 경우, VFR 항공기의 순서배정과 간격분리는 중단된다. 조종사는 레이더업무를 제공받을 수 없다는 것을 통보받고, 바람 및 활주로정보 그리고 관제탑과 교신할 시기 또는 장소를 발부받는다.
2. CENRAP를 운용하는 동안 VFR 항공기의 간격분리는 중단될 것이다. 교통조언과 주요공항으로의 순서배정은 업무량이 허용하는 한도 내에서 제공된다. CENRAP(center radar presentation)를 사용 중일 때 조종사는 이를 통보받을 것이다.
3. 외측구역 내에서의 조종사참여는 자발적이며, 외측구역 내에서 조종사의 요구에 의해 중단될 수 있다. 조종사가 업무의 종료를 요구하지 않는 한 외측구역에서 C등급 업무가 제공된다.
4. 일부 기관은 공고된 시간 동안에만 C등급 업무를 제공한다. 이 시간 외에도 터미널 IFR 업무는 제공될 것이다. 무선교신 및 트랜스폰더 요건은 공고된 시간 외에는 설정된 공역등급에 좌우된다는 것을 아는 것이 중요하다.

f. 인접공항(Secondary Airports)

1. 일부 지역에서 C등급 공역은 인접공항의 D등급 공항교통구역과 중첩될 수 있다. 인접공항의 관제탑이 운영 중일 때, 이 관제탑이 항공기에게 업무를 제공할 수 있도록 하기 위하여 중첩되는 C등급 공역부분은 절차에서 제외될 수 있다. 이렇게 절차에서 제외된 구역에서 운항하는 항공기는 인접공항 관제탑과 교신 시에 공항교통관제업무만을 제공받을 것이다.

2. 인접공항으로 입항하는 항공기는 해당 관제탑 또는 조언주파수로 변경할 시간을 주기 위하여 충분한 거리에서 종료된다. 이러한 항공기에 대한 C등급 업무는 항공기가 관제탑과 교신하거나 조언주파수로 변경할 것을 지시 받았을 때 종료된다.

3. 인접관제공항을 출발하는 항공기는 레이더에 식별되고, C등급 공역기관과 양방향무선교신이 이루어지기 전까지는 C등급 업무를 제공받지 못할 것이다.

4. 이러한 프로그램이 VFR 기상상태로 운항중인 다른 항공기의 육안회피, 심각한 후류(wake) 조우를 회피하기 위하여 필요한 운항과 비행경로의 조정, 적절한 지형과 장애물회피의 유지 또는 CFR 91.155절에서 요구하는 최저치와 같거나 더 양호한 기상상태를 유지해야 하는 조종사의 책임을 면하여 주는 것으로 판단해서는 안된다. 배정된 비행로, 기수방향(heading) 또는 고도의 준수가 지형과 장애물회피, 난기류탐지, 그리고 기상최저치와 관련된 조종사의 책임에 저해될 것 같은 경우에는 접근관제소에 이를 통보하고 수정된 허가 또는 지시를 받아야 한다.

g. 주(State)별 C등급 공역구역

이 주들은 최근에 C등급 공역구역으로 지정되었으며, 구역차트(Sectional chart)에 표기되어 있다. 조종사는 이용할 수 있는 업무에 대한 최근정보를 얻기 위하여 최신 구역차트와 NOTAM을 참고하여야 한다. 조종사는 일부 C등급 공역은 B등급 공역 아래에 있거나, B등급 공역에 인접해 있다는 것을 인식하고 있어야 한다. (표 3-2-1 참조)

표 3-2-1. 주별 C등급 공역구역(Class C Airspace Areas by State)

State/City	Airport
ALABAMA	

State/City	Airport
Birmingham	Birmingham-Shuttlesworth International
Huntsville	International-Carl T Jones Fld
Mobile	Regional
ALASKA	
Anchorage	Ted Stevens International
ARIZONA	
Davis-Monthan	AFB
Tucson	International
ARKANSAS	
Fayetteville (Springdale)	Northwest Arkansas Regional
Little Rock	Adams Field
CALIFORNIA	
Beale	AFB
Burbank	Bob Hope
Fresno	Yosemite International
Monterey	Peninsula
Oakland	Metropolitan Oakland International
Ontario	International
Riverside	March AFB
Sacramento	International
San Jose	Norman Y. Mineta International
Santa Ana	John Wayne/Orange County
Santa Barbara	Municipal
COLORADO	
Colorado Springs	Municipal
CONNECTICUT	
Windsor Locks	Bradley International
FLORIDA	
Daytona Beach	International
Fort Lauderdale	Hollywood International
Fort Myers	SW Florida Regional
Jacksonville	International
Palm Beach	Sanford International
Pensacola	NAS
Pensacola	Regional
Sarasota	Bradenton International
Tallahassee	Regional
Whiting	NAS
GEORGIA	
Savannah	Hilton Head International
HAWAII	
Kahului	Kahului
IDAHO	
Boise	Air Terminal
ILLINOIS	
Champaign	Urbana U of Illinois-Willard
Chicago	Midway International

State/City	Airport
Moline	Quad City International
Peoria	Greater Peoria Regional
Springfield	Abraham Lincoln Capital
INDIANA	
Evansville	Regional
Fort Wayne	International
Indianapolis	International
South Bend	Regional
IOWA	
Cedar Rapids	The Eastern Iowa
Des Moines	International
KANSAS	
Wichita	Mid-Continent
KENTUCKY	
Lexington	Blue Grass
Louisville	International-Standiford Field
LOUISIANA	
Baton Rouge	Metropolitan, Ryan Field
Lafayette	Regional
Shreveport	Barksdale AFB
Shreveport	Regional
MAINE	
Bangor	International
Portland	International Jetport
MICHIGAN	
Flint	Bishop International
Grand Rapids	Gerald R. Ford International
Lansing	Capital City
MISSISSIPPI	
Columbus	AFB
Jackson	Jackson-Evers International
MISSOURI	
Springfield	Springfield-Branson National
MONTANA	
Billings	Logan International
NEBRASKA	
Lincoln	Lincoln
Omaha	Eppley Airfield
Offutt	AFB
NEVADA	
Reno	Reno/Tahoe International
NEW HAMPSHIRE	
Manchester	Manchester
NEW JERSEY	
Atlantic City	International
NEW MEXICO	
Albuquerque	International Sunport
NEW YORK	

State/City	Airport
Albany Buffalo Islip Rochester Syracuse	International Niagara International Long Island MacArthur Greater Rochester International Hancock International
NORTH CAROLINA	
Asheville Fayetteville Greensboro Pope Raleigh	Regional Regional/Grannis Field Piedmont Triad International AFB Raleigh-Durham International
OHIO	
Akron Columbus Dayton Toledo	Akron-Canton Regional Port Columbus International James M. Cox International Express
OKLAHOMA	
Oklahoma City Tinker Tulsa	Will Rogers World AFB International
OREGON	
Portland	International
PENNSYLVANIA	
Allentown	Lehigh Valley International
PUERTO RICO	
San Juan	Luis Munoz Marin International
RHODE ISLAND	
Providence	Theodore Francis Green State
SOUTH CAROLINA	
Charleston Columbia Greer Myrtle Beach Shaw	AFB/International Metropolitan Greenville-Spartanburg International Myrtle Beach International AFB
TENNESSEE	
Chattanooga Knoxville Nashville	Lovell Field McGhee Tyson International
TEXAS	
Abilene Amarillo Austin Corpus Christi Dyess	Regional Rick Husband International Austin-Bergstrom International International AFB

State/City	Airport
El Paso Harlingen Laughlin Lubbock Midland San Antonio	International Valley International AFB Preston Smith International International International
VERMONT	
Burlington	International
VIRGIN ISLANDS	
St. Thomas	Charlotte Amalie Cyril E. King
VIRGINIA	
Richmond Norfolk Roanoke	International International Regional/Woodrum Field
WASHINGTON	
Point Roberts Spokane Spokane Whidbey Island	Vancouver International Fairchild AFB International NAS, Ault Field
WEST VIRGINIA	
Charleston	Yeager
WISCONSIN	
Green Bay Madison Milwaukee	Austin Straubel International Dane County Regional-Traux Field General Mitchell International

3-2-5. D등급 공역(Class D Airspace)

a. 정의(Definition)

일반적으로 D등급 공역은 관제탑이 운영되는 공항주변의 지표면으로부터 공항표고(차트에는 MSL로 표기) 2,500 ft 상공까지 이어진다. 각 D등급 공역구역의 형태는 서로 다르며, 계기절차를 발간할 때 공역은 일반적으로 절차가 포함되도록 설계된다.

1. D등급 공항교통구역은 전일제(24시간 관제탑 운영) 또는 시간제로 지정될 수 있다. 시간제 D등급 유효시간은 미국 차트 보충판에 표기된다.

2. D등급 공항교통구역이 시간제인 경우, 공역은 E등급 공항교통구역(3-2-6el항 참조)이나 G등급 공역으로 되돌아 갈 수 있다. 시간제 D등급 공항교통구역이 G등급으로 변경된 경우, 공항교통구역은 중첩관제공역(overlying controlled airspace) 미만까지 G등급 공역이 된다.

주(Note)
1. 미국 차트 보충판에 수록되는 공항은 시간제 공항교통구역 상태를 언급한다. (예를 들면, "other times CLASS E" 또는 "other times CLASS G")
2. 일반적으로 중첩관제공역은 700 ft AGL(자홍색 색조) 또는 1,200 ft AGL(파란색 색조)에서 시작되는 E등급 전환구역공역(transition area airspace)이다. 이것은 해당하는 VFR 구역 또는 터미널지역 차트를 참조하여 확인할 수 있다.

b. 운항규칙 및 조종사/장비요건

1. 조종사 자격(Pilot Certification)
특별한 자격이 요구되지 않는다.

2. 장비(Equipment)
ATC에 의해 달리 허가되지 않는 한, 사용가능한 송수신무선통신기가 필요하다.

3. 도착 또는 통과비행 진입요건
진입하기 전에 ATC 업무를 제공하는 ATC 기관과 양방향무선교신이 이루어져야 하며, 그 후 D등급 공역 내에 있는 동안 무선교신을 유지하여야 한다. 도착하는 항공기의 조종사는 공고된 주파수로 관제탑과 교신하고 항공기 위치, 고도, 목적지 및 요구사항을 통보하여야 한다. 양방향무선교신이 이루어지기 전에 D등급 공역에 진입하지 않도록 하기 위하여 D등급 공역 경계에서 충분히 떨어진 곳에서 무선교신을 시도하여야 한다.

주(Note)
1. 관제사가 무선호출에 대하여 "(항공기 호출부호) standby"로 응답하면 무선교신이 이루어진 것이며, 조종사는 D등급 공역에 진입할 수 있다.
2. 업무량이나 교통상황으로 인하여 D등급 공역에 즉시 진입할 수 없는 경우, 관제사는 진입이 가능할 때까지 D등급 공역 밖에서 머무를 것을 조종사에게 통보한다.

예문(Example)
1. "〔항공기 호출부호〕 remain outside the Class Delta airspace and standby."
최초 무선호출에 대하여 관제사가 항공기 호출부호를 사용하지 않고 응답했다면 무선교신이 이루어지지 않은 것이므로, 조종사는 D등급 공역에 진입해서는 안된다는 것을 아는 것이 중요하다.
2. "Aircraft calling Manassas tower standby."
하루 24시간 동안 관제탑을 운영하지 않는 공항의 관제탑 운영시간은 해당 차트와 미국 차트 보충판(Chart Supplement U.S.)에 수록된다. 관제탑이 운영되지 않는 시간 동안에는 E등급 공항교통구역 규칙, 또는 지표면으로부터 상공 700 ft의 고도까지 E등급 규칙과 지표면까지의 G등급 규칙을 조합한 규칙이 적용될 것이다. 상세한 내용은 미국 차트 보충판(Chart Supplement U.S.)을 확인한다.

4. 출발(Departure)

(a) 관제탑이 운영되는 주요공항 또는 인접공항의 출발. 양방향무선교신이 이루어지고 유지되어야 하며, 그 후 D등급 공역에서 운항하는 동안에는 ATC의 지시에 따라야 한다.

(b) 관제탑이 운영되지 않는 인접공항의 출발. 출발 후 가능한 한 빨리 D등급 공역을 관할하는 ATC 기관과 양방향무선교신이 이루어져야 한다.

5. 항공기속도(Aircraft Speed)
ATC에 의해 요청되거나 달리 허가되지 않는 한, D등급 공역구역의 주요공항으로부터 4 NM 이내의 지표면으로부터 상공 2,500 ft 이하에서는 200 knot (230 mph) 이상의 지시대기속도로 항공기를 운항할 수 없다.

c. D등급 공역구역은 구역차트 및 터미널차트에는 청색점선으로 표기되고, IFR 저고도항공로차트에는 사각형 내부에 D로 표기된다.

d. 공항교통구역 도착비행로 연장부분(Surface area arrival extensions)

1. 계기접근절차의 D등급 공항교통구역 도착비행로 연장부분(arrival extension)은 D등급 공역이거나 E등급 공역일 수 있다. 일반적으로 모든 연장부분이 2 mile 이하이면 계속 D등급 공항교통구역의 일부로 남는다. 그러나 하나의 연장부분이라도 2 mile을 초과하면 모든 연장부분은 E등급 공역이 된다.

2. 공항교통구역 도착비행로 연장부분은 공항교통구역의 발간된 시간 동안 유효하다. E등급 공역으로 되돌아 간 시간제 D등급 공항교통구역의 경

우, 도착비행로 연장부분은 사실상 E등급 공역으로 남는다. G등급 공역으로 변경된 시간제 D등급 공항교통구역의 경우, 도착비행로 연장부분은 동시에 G등급 공역이 된다.

e. VFR 항공기 분리. VFR 항공기에게는 분리업무가 제공되지 않는다.

3-2-6. E등급 공역(Class E Airspace)

a. 정의(Definition)

E등급 공역은 이 항에 기술된 것과 같은 터미널이나 항공로 용도의 다양한 도움을 주기 위하여 지정된 관제공역이다.

b. 운항규칙 및 조종사/장비요건

1. 조종사 자격(Pilot Certification)

특별한 자격이 요구되지 않는다.

2. 장비(Equipment)

공역에서는 특별한 장비가 요구되지 않는다.

3. 도착 또는 통과비행 진입요건(Arrival or Through Flight Entry Requirement)

특별한 요건은 없다.

c. 차트(Chart)

14,500 ft MSL 미만의 E등급 공역은 구역차트, 터미널차트 및 IFR 저고도항공로차트에 표기된다.

d. 수직범위(Vertical limits)

18,000 ft MSL을 제외하고 E등급 공역의 수직범위는 정해져 있지 않지만, 지표면 또는 지정된 고도에서부터 위쪽으로 중첩되거나 인접한 관제공역까지 이어진다.

1. 48개 주와 알래스카의 해안으로부터 12 mile 이내의 수역을 포함한 본토의 48개 주, 컬럼비아 특별구 및 알래스카 상부의 14,500 ft MSL부터 위쪽으로 18,000 ft MSL 미만까지 이어지는 공역이며, 다음 공역은 제외된다.

(a) 경도 160°00′00′′의 서쪽 알래스카 반도

(b) 특별히 저고도로 지정하지 않는 한 지표면으로부터 1,500 ft 미만의 공역 (예를 들면, 13,000 ft MSL을 초과하는 산악지역)

2. FL 600을 초과하는 공역은 E등급 공역이다.

e. E등급 공역의 기능(Function of Class E Airspace). E등급 공역은 다음과 같은 용도로 지정될 수 있다.

1. 관제탑이 운영되지 않는 공항의 지정된 공항교통구역(surface area). E등급 공항교통구역은 지표면에서부터 위쪽으로 지정된 고도까지 이어지거나, 또는 관제공역과 중첩되거나 인접한 관제공역까지 이어진다. 공역은 모든 계기절차가 포함되도록 구성된다.

(a) E등급 공항교통구역의 자격이 되기 위해서 공항은 기상관측 및 보고기능을 갖추어야 하며, 활주로 표면으로 강하하는 항공기와 통신기능이 있어야 한다.

(b) 또한 시간제 운영의 편의를 도모하기 위하여 E등급 공항교통구역이 지정될 수 있다. (예를 들면, 관제탑이 운영되지 않는 기간)

(c) 조종사는 공항교통구역 상태정보에 대해서 해당 미국 차트 보충판의 공항 페이지를 참조하여야 한다.

2. 공항교통구역까지의 연장부분(extension). E등급 공역은 B등급, C등급, D등급 및 E등급 공항교통구역까지의 연장부분으로 지정될 수 있다. E등급 공역 연장부분은 지표면에서 시작되어 중첩관제공역까지 이어진다. 연장부분은 VFR로 운항하는 조종사에게 무선교신 요건없이 표준계기접근절차에 진입할 수 있는 관제공역을 제공한다. 공항교통구역 도착비행로 연장부분은 공항교통구역의 일부분이 되며, 동시에 공항교통구역으로 시행된다.

주(Note)

C등급이나 D등급 공항교통구역이 계속해서 시행되지 않는 경우(예를 들면, 관제탑이 시간제로 운영되는 지역), 공항교통구역 공역은 E등급 공항교통구역이나 G등급 공역으로 변경된다. 이러한 경우, 미국 차트 보충판의 공항에 대한 공역 진입은 ″other times Class E″ 또는 ″other times Class G″로 언급된다. 시간제 공항교통구역이 E등급 공역으로 변경되면 E등급 도착비행로 연장부분은 E등급 공역으로 남는다. 시간제 C등급, D등급 또는 E등급 공항교통구역이 G등급 공역이 되면, 도착비행로 연장부분은 동

시에 G등급으로 변경된다.

3. 전환(transition)에 사용되는 공역. E등급 공역구역은 항공기를 터미널 또는 항공로환경으로부터/으로 전환하기 위하여 지정될 수 있다.

(a) E등급 전환구역은 700 ft AGL(구역차트에 자홍색 색조로 제시됨) 또는 1,200 ft AGL(파란색 색조)에서 위쪽으로 이어지며, 인가된 계기절차를 가진 공항으로 지정된다.

(b) 700 ft/1,200 ft AGL E등급 공역 전환구역은 공항운영시간이나 공항교통구역 상태에 관계없이 계속해서 유효하다.

주(Note)

700 ft와 1,200 ft E등급 전환구역(transition area)을 공항교통구역이나 공항교통구역 연장부분(extension)과 혼동해서는 안된다.

4. 국내항공로구역(en route domestic areas). 지정된 고도로부터 위쪽으로 이어지며, IFR 항공로 ATC 업무제공이 필요하지만 연방항공로시스템으로는 부적합한 구역에 관제공역을 제공하는 국내항공로공역구역인 E등급 공역구역이다.

5. 연방항공로 및 RNAV 비행로(Federal Airways and Low-Altitude RNAV Routes). 연방항공로 및 저고도 RNAV 비행로는 E등급 공역구역이며, 달리 지정되지 않는 한 1,200 ft에서부터 18,000 ft MSL 미만까지 이다.

(a) 연방항공로는 저/중주파수(L/MF) 항공로(채색된 연방항공로) 및 VOR 연방항공로로 구성된다.

(1) L/MF 항공로는 무지향표지시설(NDB)를 기반으로 하며 녹색, 적색, 황색 및 청색으로 식별된다.

(2) VOR 연방항공로는 VOR/VORTAC 시설을 기반으로 하며 접두어 "V"로 식별된다.

(b) 저고도 RNAV 비행로는 T-routes 및 헬리콥터 RNAV routes(TK-routes)로 구성된다.

주(Note)

더 상세한 내용 및 차트 정보는 AIM 5-3-4항, 항공로 및 비행로시스템(Airways and Route Systems)을 참조한다.

6. 해양(offshore) 공역구역. 지정된 고도로부터 18,000 ft MSL 미만까지 이어지며, 해양공역구역으로 지정된 E등급 공역구역이다. 미국 국내절차가 적용되며 IFR 항공로 ATC 업무제공이 필요한 구역으로 미국의 해안으로부터 12 mile을 초과하는 관제공역을 제공한다.

f. VFR 항공기 분리(Separation for VFR Aircraft)

VFR 항공기에게는 분리업무가 제공되지 않는다.

제3절. G등급 공역(Class G Airspace)

3-3-1. 일반(General)

G등급 공역(비관제공역)은 A등급, B등급, C등급, D등급 또는 E등급 공역으로 지정되지 않은 공역의 부분이다.

3-3-2. VFR 요건(VFR Requirement)

VFR 비행에 적용되는 규칙은 다른 항공기를 육안 회피하여야 할 조종사의 책임 충족에 도움을 주기 위하여 채택되었다. VFR 비행을 위한 최저비행시정과 구름으로부터의 거리는 14 CFR 91.155절에 제시되어 있다. (표 3-1-1 참조)

3-3-3. IFR 요건(IFR Requirement)

a. Title 14 CFR은 IFR 비행을 위한 조종사와 항공기장비의 요건을 명시하고 있다. 조종사는 고도 또는 비행고도요건 외에도, 14 CFR 91.177절에는 비행경로로부터 수평거리 4 NM 범위 안의 가장 높은 장애물로부터 최소한 1,000 ft(지정된 산악지역에서는 2,000 ft) 이상을 유지해야 한다는 요건이 포함되어 있다는 것을 생각하고 있어야 한다.

b. IFR 고도. (표 3-3-1 참조)

표 3-3-1. G등급 공역 IFR 고도(IFR Altitudes Class G Airspace)

자항로 (지상항적) [magnetic course (ground track)]	18,000 ft MSL 미만으로 비행하는 경우
0°~179°	1,000 ft MSL의 홀수배 (3,000 ft, 5,000 ft, 7,000 ft 등)
180°~359°	1,000 ft MSL의 짝수배 (2,000 ft, 4,000 ft, 6,000 ft 등)

제4절. 특수사용공역(Special Use Airspace)

3-4-1. 일반(General)

a. 특수사용공역(SUA)은 공역의 특성상 비행활동이 제한되거나, 제한이 비행활동의 일부분이 아닌 항공기 운항에 적용되거나 또는 이 모두가 적용되는 공역으로 구성된다. 통제사격구역(CFA), 군작전구역(MOA)과 일시적제한구역을 제외한 SUA 구역은 항공차트에 표기되어 있다.

b. 금지구역과 제한구역은 규제적인 특수사용공역이며, 14 CFR Part 73의 규정 제정절차에 따라 설정된다.

c. 경고구역, MOA, 경계구역, CFA와 국가보안구역(NSA)은 비규제적인 특수사용공역이다.

d. 특수사용공역에 대한 설명(CFA 제외)은 FAA Order Jo 7400.8, 특수사용공역에 제시되어 있다.

e. 특수사용공역(CFA 제외)은 IFR 또는 시계비행차트에 표기되며 운영시간, 고도 및 관할기관이 포함되어 있다.

e. 영구적인 SUA(CFA 제외)는 구역항공차트, VFR 터미널지역차트 및 해당 항공로차트에 표기되며 운영시간, 고도 및 관할기관이 포함되어 있다.

주(Note)

조종사는 일시적제한구역과 일시적 MOA에 대하여 항공고시보 간행물(NTAP; Notices to Airman Publication), FAA SUA 웹사이트를 살펴보고, 비행경로에 표기되지 않은 SUA 구역의 유효여부를 관할 ATC 시설에 문의하여 확인하여야 한다.

3-4-2. 금지구역(Prohibited Area)

금지구역은 항공기의 비행이 금지되는 지표면 상의 구역으로 식별된 지정된 범위의 공역이다. 이러한 구역은 안전 또는 그 밖의 공공복리와 관련된 이유 때문에 설정된다. 이 구역은 연방관보(Federal Register)에 공고되고, 항공차트에 표기된다.

3-4-3. 제한구역(Restricted Area)

a. 제한구역은 항공기의 비행이 전적으로 금지되지는 않지만 제한을 받는 지표면 상의 구역으로 식별된 공역이다. 이 구역 내의 비행활동은 공역의 특성상 제한되거나, 비행활동의 일부분이 아닌 항공기 운항 상에 제한이 가해지거나 또는 이 둘 다 적용되어야 한다. 제한구역은 포사격, 항공사격 또는 유도미사일과 같이 항공기에 뜻하지 않은 위험이 존재한다는 것을 의미한다. 사용기관이나 관할기관의 허가 없이 제한구역을 통과하는 것은 항공기와 탑승객에게 대단히 위험할 수 있다. 제한구역은 연방관보(Federal Register)에 공고되고, 14 CFR Part 73에 규정되어 있다.

b. ATC 기관은 공동으로 사용하는 제한구역 내에 있는 비행로를 경유하여 항공기가 IFR 허가(VFR-on-top을 유지하기 위한 ATC 허가 포함)에 의해 운항할 때에는 다음 절차를 적용한다.

1. 제한구역이 사용되지 않고 관할기관(FAA)에 이양되었다면, ATC 기관은 특별한 허가의 발부없이 항공기가 제한구역에서 운항하는 것을 허용할 것이다.

2. 제한구역이 사용되고 있고 관할기관(FAA)에 이양되지 않았다면, ATC 기관은 항공기가 허가받은 고도유보(altitude reservation) 임무 중이거나 공역에서의 운항허가를 받고 이를 관할기관에 통보하지 않는 한 제한구역을 회피하도록 허가를 발부할 것이다.

주(Note)

위의 사항은 공동사용제한구역에만 적용되며 금지구역 및 비공동사용구역에는 적용되지 않는다. 후자 범주의 경우 ATC 기관은 항공기가 허가받은 고도유보(altitude reservation) 임무 중이거나, 공역에서의 운항허가를 받고 이를 관할기관에 통보하지 않는 한 제한구역을 회피하도록 허가를 발부할 것이다.

c. 영구적제한구역은 구역 항공차트, VFR 터미널 지역 차트 및 해당 항공로 차트에 표기된다.

주(Note)

일시적제한구역(temporary restricted area)은

차트에 표기되지 않는다.

3-4-4. 경고구역(Warning Area)

경고구역은 비참여항공기에게 위험할 수 있는 활동을 포함하고 있는 미국의 해안 3 NM 밖에서부터 외부로 이어지는 지정된 범위의 공역이다. 이러한 경고구역의 목적은 비참여조종사에게 잠재적인 위험을 경고하기 위한 것이다. 경고구역은 국내해상이나 공해상 또는 양쪽에 위치할 수 있다.

3-4-5. 군작전구역(Military Operations Area)

a. MOA는 IFR 항공기로부터 특정 군훈련활동을 분리할 목적으로 설정된 수직 및 횡적범위의 공역으로 이루어진다. MOA가 운용될 때 마다 ATC가 IFR 분리를 제공할 수 있다면 비참여 IFR 항공기는 MOR 통과를 허가받을 수도 있다. 그렇지 않으면 ATC는 비참여 IFR 항공기를 제한하거나 비행로를 재배정할 수 있다.

b. MOA에서 수행되는 활동의 예로는 공중전투기동, 공중요격, 곡예비행, 편대훈련 및 저고도기동 등을 들 수 있으며, 이것으로만 국한하는 것은 아니다. 사용 중인 MOA에서 비행하는 군조종사는 D등급과 E등급 공항교통구역, 그리고 연방항공로 내에서 곡예비행을 금지하는 14 CFR 91.303(c)와 (d)절의 규정에서 제외된다. 더불어 국방부는 사용 중인 MOA 내의 10,000 ft MSL 미만에서 250 knot를 초과하는 지시대기속도로 항공기를 운항할 수 있는 허가를 발부한다.

c. VFR로 비행중인 조종사는 군작전비행이 수행중일 때 MOA 내에서의 비행중에는 극히 주의를 기울여야 한다. MOA의 활동상태(사용/비사용)는 수시로 변경될 수 있다. 그러므로 조종사는 MOA 운영시간에 관한 정확한 실시간정보를 얻기 위하여 그 지역의 100 mile 이내에 있는 FSS와 교신하여야 한다. 사용 중인 MOA에 진입하기 전에 조종사는 교통조언을 얻기 위해 관할기관과 교신하여야 한다.

d. 영구 MOA는 구역 항공차트, VFR 터미널지역차트 및 해당하는 저고도항공로차트에 표기된다.

주(Note)

일시적 MOA는 차트에 표기되지 않는다.

3-4-6. 경계구역(Alert Area)

경계구역은 대규모 조종사의 훈련이나 비정상적인 항공활동이 수행될 수 있는 구역이라는 것을 비참여 조종사에게 알려주기 위하여 항공차트에 표기된다. 조종사는 이 구역에서 비행할 때는 특히 경계하여야 한다. 경계구역 내에서의 모든 활동은 CFR에 의거하여 수행해야 하며, 구역을 통과하는 조종사뿐만 아니라 참여항공기의 조종사도 동일하게 충돌회피의 책임이 있다.

3-4-7. 통제사격구역(Controlled Firing Area)

통제사격구역(CFA)은 통제된 상황에서 수행되지 않으면 비참여항공기에게 위험할 수 있는 활동을 포함하고 있다. 다른 특수사용공역에 비해 통제사격구역의 독특한 특징은 관측 항공기, 레이더 또는 지상 경계소가 그 구역에 접근할 것 같은 항공기를 발견하면 즉시 활동을 중지시킨다는 것이다. 통제사격구역은 비참여항공기가 비행경로를 변경할 필요가 없기 때문에 차트에 표기되지 않는다.

3-4-8. 국가보안구역(National Security Area)

NSA는 지상시설의 보안과 안전의 증가가 요구되는 지역에 설정되는 한정된 횡적 및 수직범위의 공역으로 이루어진다. 표기된 NSA를 통과하는 비행을 자발적으로 회피할 것을 조종사에게 요구하고 있다. 보다 높은 수준의 보안과 안전을 제공하는 것이 필요할 때에는 14 CFR 99.7절 조항의 규정에 의거하여 NSA에서의 비행을 일시적으로 금지시킬 수 있다. 규제력이 있는 금지는 FAA의 System Operations Security 부서에서 발행하며, NOTAM으로 전파된다. NSA에 대한 문의는 System Operations Security 부서에 하여야 한다.

3-4-9. 특수사용공역 상황 획득(Obtaining Special Use Airspace Status)

a. 조종사는 사용하거나 관할하는 기관에 연락하

여 SUA의 상황을 요청할 수 있다. 관할 기관의 주파수는 해당 IFR과 VFR 차트의 여백 부분에 수록되어 있다.

b. 특수사용공역정보업무(Special Use Airspace Information Service; SUAIS) (알래스카에서만). SUAIS는 군이 24시간 운영하는 업무이며, 알래스카 중부 특정 MOA 및 제한구역의 군용기 운항에 대한 정보를 VFR로 비행하는 민간 조종사에게 제공한다. 이 업무는 알래스카 MOA 및 제한구역의 군용기 활동에 대한 정보를 거의 "실시간(real time)"으로 제공한다. 또한 SUAIS는 포사격, 알려진 헬리콥터 운항 및 무인항공기 운항에 대한 정보를 제공한다. VFR로 비행하는 조종사에게 SUAIS를 이용할 것을 권장하고 있다. 운항시간, 전화번호 및 무선주파수에 대한 내용은 알래스카 차트 보충판을 참조한다.

c. 비행전 계획을 위한 특별사용공역 일정 자료는 FAA SUA 웹사이트에서 이용할 수 있다.

제5절. 그 밖의 공역구역(Other Airspace Area)

3-5-1. 공항조언/정보업무(Airport Advisory/Information Service)

a. 선정된 공항에서 이용할 수 있는 조언업무에는 다음과 같은 두 가지 유형이 있다.

1. 국지공항조언(Local Airport Advisory; LAA) 업무는 알래스카에서만 이용할 수 있으며, 관제탑이 운영되지는 않지만 공항에 FSS가 위치한 공항의 10 SM 이내에서 운영된다. 이러한 지역에서는 FSS가 도착 및 출발항공기에게 완전한 국지공항조언업무를 제공한다. 기상이 급변하는 동안 FSS는 업무의 일부로서, 항공기가 "on-final"이나 "taking-the-active-runway"라고 보고할 때부터 "on-the-ground"나 "airborne"이라고 보고할 때까지 자동으로 Final Guard 업무를 제공할 것이다.

주(Note)

현재의 정책은 원격 ATC 업무를 요청하고자 할 때, 조종사는 ATC 업무를 요청하기 전에 착륙공항의 자동기상방송을 경청할 것을 요구하고 있다. FSS는 LAA/원격공항조언(Remote Airport Advisory; RAA) 업무를 운영하는 동안 필요시 자동으로 Final Guard 업무를 제공한다. Final Guard는 바람/고도계 감시업무가 추가된 업무이며, 기상활동이 활발한 동안 조종사가 on-final 또는 taking the active runway라고 보고할 때 바람 및 고도계의 자동점검을 제공한다. 이륙이나 착륙하는 동안 바람이나 고도계가 현저하게 변화할 때, FSS 담당자는 변화가 운항에 영향을 줄 것이라고 생각할 경우 중대한 변화를 맹목방송할 것이다. 조종사는 조종실업무로 인해 맹목방송에 인지응답하지는 않겠지만, 첫 번째 바람/고도계점검에는 응답하여야 한다. 업무를 종료시키기 위하여 조종사가 on-the-ground나 airborne이라고 보고하는 것이 현명하다.

2. 원격공항정보업무(RAIS; Remote Airport Information Service)는 중소규모 자가용비행기 야외극장(fly-in)과 같은 단기간의 특별한 행사를 지원하기 위하여 제공된다. 이 업무는 NOTAM D로만 공고된다. FSS는 현재 바람과 고도계의 정보에 계속 접속할 수는 없기 때문에 RAIS에는 기상이나 Final Guard 업무가 포함되지 않는다. 그러나 알려진 교통상황, 특별한 행사현황 및 그 밖의 모든 업무는 제공된다.

주(Note)

공항책임자나 관리자는 업무를 제공하는 FSS의 관리자에게 최소한 60일 이전에 공식문서로 직접 RAIS 지원을 요청하여야 한다. 인가권한은 FSS 관리자에게 있으며, 업무량과 이용할 수 있는 자원여부에 따라 이를 인가한다.

b. 조종사가 공항조언 프로그램에 참여하는 것은 의무사항은 아니다. 참여는 혼잡한 GA 공항 근처를 운항하는 모두에게 안전을 증진시키므로, 모든 사람이 프로그램 개선에 도움을 줄 수 있는 feedback의 제공에 참여하여 줄 것을 권장하고 있다.

3-5-2. 군훈련경로(Military Training Route)

a. 국가안보의 상당부분이 군 항공력에 의한 억제효과에 좌우되고 있다. 기량숙달을 위하여 조종사들은 광범위한 공중기동훈련을 하여야 한다. 이러한 훈련 중의 한 단계에는 "저고도(low level)" 전투기동이 포함되어 있다. 필요한 기동과 고속은 이러한 운항이 이루어지는 구역에서 때때로 더 한층 경계하지 않고는 VFR 비행의 육안회피를 더 어렵게 할 수 있다. 모든 운항에서 최대수준의 실질적인 안전을 확보하기 위한 노력의 일환으로 군훈련경로(MTR) 프로그램이 고안되었다.

b. MTR 프로그램은 FAA와 국방부(DOD)의 합작사업이다. MTR은 저고도, 고속훈련수행의 목적으로 군에서 사용하기 위하여 공동으로 개발되었다. 1,500 ft AGL 초과 경로는 가능한 최대범위까지 IFR로 비행하기 위하여 개발되었다. 1,500 ft AGL 이하의 경로는 일반적으로 VFR로 비행하기 위하여 개발되었다.

c. 일반적으로 MTR은 10,000 ft 이하에서 250

knot를 초과하는 속도로 운항할 수 있도록 설정되었다. 그러나 경로구간(route segment)은 경로연속의 목적을 위해 더 높은 고도로 설정될 수 있다. 예를 들어 경로구간은 강하, 초기상승(climbout) 및 산악지역에 맞도록 설정될 수 있다. IFR과 VFR 경로는 다음과 같다.

1. IFR 군훈련경로(IFR Military Training Routes; IR). 이 경로상에서의 비행은 기상상태에 관계없이 IFR에 의하여 이루어진다.

2. VFR 군훈련경로(VFR Military Training Routes; VR). 비행시정이 5 mile 이상이어야 한다는 것을 제외하고, 이 경로상에서의 비행은 VFR에 의하여 이루어져야 하며 3,000 ft AGL 미만의 운고에서 비행을 해서는 안된다.

d. 군훈련경로는 다음과 같이 식별되고, 차트에 표기된다.

1. 경로식별(Route identification)

(a) 1,500 ft AGL을 초과하는 구간이 없는 MTR은 4자리 숫자로 식별하여야 한다. 예를 들면, IR1206, VR1207

(b) 1,500 ft AGL을 초과하는 구간을 하나 이상 포함하고 있는 MTR은 3자리 숫자로 식별하여야 한다. 예를 들면, IR206, VR207

(c) IR/VR 경로 또는 경로구간은 기본/주요경로 명칭(designation) 다음에 문자 접미어를 사용하여 식별한다. 예를 들면, IR008A, VR1007B 등

2. 경로차트(Route chart)

(a) IFR 저고도항공로차트(IFR Enroute Low Altitude Chart). 이 차트에는 1,500 ft AGL 초과 고도의 운항을 위한 모든 IR 경로와 모든 VR 경로를 표기한다.

(b) VFR 구역항공차트(VFR Sectional Aeronautical Chart). 이 차트에는 IR 및 VR 정보와 같은 군훈련활동을 표기한다.

(c) 지역 비행계획수립용(AP/1B) 차트 (DOD 비행정보간행물-FLIP). 이 차트는 원래는 군용으로 국립지리정보국(NGA)에 의해 발간되며, IR과 VR 경로 모두에 대한 상세한 정보를 담고 있다.

e. FLIP에는 이러한 경로(route)의 차트와 절차 설명문(narrative description)이 포함되어 있다. 이러한 간행물을 구하기 위해서는 아래에 기재된 곳으로 연락하라.

Defense Logistics Agency for Aviation
Mapping Customer Operations (DLA AVN/QAM)
8000 Jefferson Davis Highway
Richmond, VA 23297-5339
무료전화번호: 1-800-826-0342
일반전화: 804-279-6500

이 NGA FLIP은 FSS와 대부분의 공항에서 조종사브리핑에 이용할 수 있다.

f. 비참여항공기의 MTR 내에서의 비행이 금지되어 있지는 않지만, 이 경로를 통과하거나 근처에서 비행할 때에는 철저히 경계를 하여야 한다. 조종사는 최근정보 또는 주변경로의 사용여부를 알기 위하여 특정 MTR의 100 NM 이내에 있는 FSS와 교신하여야 한다. 이용할 수 있는 정보에는 예정된 사용시간, 각 경로구간에서 사용되는 고도 및 실제경로의 폭이 포함된다. 경로의 폭은 각 MTR에 따라 다르며, 차트화된 MTR 중심선의 양 측면에서 수 마일까지 확장될 수 있다. FLIP AP/1B에서도 추가적인 MTR(저속경로/공중급유경로)과 더불어 IR과 VR MTR 경로의 폭에 대한 정보를 얻을 수 있다. 조종사가 MTR 정보를 요청할 때에는 주파수혼잡을 줄이기 위하여 위치, 비행경로 및 목적지를 통보하고, FSS 담당자가 영향을 받을 수 있는 MTR을 확인할 수 있도록 여유를 주어야 한다.

3-5-3. 일시적비행제한(Temporary Flight Restriction)

a. 개요(general). 이 항에서는 FAA가 일시적으로 비행을 제한할 수 있는 조건의 유형을 기술한다. 또한 어느 FAA 부서에 일시적비행제한 NOTAM을 발행할 수 있는 권한이 위임되어 있는지, 그리고 FAA가 일시적비행제한 설정에 대한 요청을 접수받아야 할 책임이 있는 기관/사무소의 유형을 나열하고 있다. 14 CFR은 일시적비행제한구역에서 어떠한 운항이 금지되고 제한되며, 또는 허용되는지에

대하여 명시하고 있다. 조종사는 일시적비행제한이 유효한 구역에서 비행을 할 때에는 14 CFR 91.137, 91.138, 91.141절과 91.143절을 준수할 책임이 있으며, 비행계획 시에 해당 NOTAM을 확인하여야 한다.

b. 일시적비행제한구역의 설정목적은 다음과 같다.

1. 저공으로 비행하는 항공기가 지상의 사고를 확대, 변경, 확산 또는 악화시킬 수 있을 경우, 사고와 관련하여 현존하거나 닥쳐올 수 있는 위험으로부터 공중 또는 지상의 인명과 재산보호 (14 CFR 91.137(a)(1)절)

2. 재난구조항공기의 운항을 위한 안전한 환경제공 (14 CFR 91.137(a)(2)절)

3. 공공의 높은 관심을 유발할 수 있는 사고, 또는 행사현장 상공에서 이를 구경하는 항공기의 불안전한 혼잡 방지 (14 CFR 91.137(a)(3)절)

4. 하와이주에 인도적인 이유로 선포되는 국가재난의 보호 (14 CFR 91.138절)

5. 대통령, 부통령 또는 그 밖의 공인 보호 (14 CFR 91.141절)

6. 항공우주국(space agency) 운영을 위한 안전한 환경제공 (14 CFR 91.143절)

c. 피랍상황을 제외하고 14 CFR 91.137(a)(1)절 또는 (a)(2)절의 대비가 필요한 경우, 관련 지역을 관할하는 항공로교통관제센터(ARTCC)의 지역관리자에서 의해서 또는 관리자를 거쳐야만 일시적비행제한구역을 설정할 수 있다. 14 CFR 91.137(a)(3)절의 상황과 관련된 일시적비행제한 NOTAM은 관련 공역을 관리하는 업무구역사무소 책임자의 지시로 발행될 것이다. 피랍상황이 포함된 경우, 일시적비행제한구역은 TSA 항공지휘소(Aviation Command Center)를 통해서 이루어질 것이다. 이러한 요청을 받는 즉시 해당 FAA 항공교통부서는 14 CFR 91.137(a)(1)절에 의하여 일시적비행제한구역을 설정할 것이다.

d. FAA는 군 주요사령부, 비상기획실의 지역책임자, 주 민방위책임자, 주지사 또는 다른 유사기관으로부터 14 CFR 91.137(a)(1)절에 의한 일시적비행제한구역의 설정권고를 받아들인다. 14 CFR 91.137(a)(2)절과 관련된 상황의 경우, FAA는 지역, 소구역책임자 또는 수색 및 구조(SAR) 책임자의 직무를 맡은 군 지휘관; 재난구조와 관련된 항공작전을 지시하고 조정하는 군 지휘관 또는 편성된 구조항공작전을 지시하고 조정하는 민간담당기관(비상기획실, 미국 산림관리국 및 주 항공기관의 책임자 포함)의 권고를 받아들인다. 14 CFR 91.137(a)(3)절에 의한 일시적비행제한 설정의 고유권한은 위에 나열된 사람 또는 주, 지역(country)이나 시 정부기관에 있다.

e. FAA는 발부하는 제한의 종류를 필요한 목적을 달성할 수 있을 정도로만 최소화하여야 한다. 14 CFR 91.137(a)(1)절에서 최대한으로 제한할 수 있는 상황은 유독가스의 누출 또는 유출, 로터나 프로펠러 후류(wash)에 의해 퍼지면 지상에 있는 사람이나 재산에 위험을 초래하거나, 또는 항공기가 진입하는 경우 항공기에 있는 사람이나 재산에 위험을 초래할 수 있는 인화성물질이나 기체; 체공항공기 및 탑승객을 위태롭게 할 수 있는 임박한 화산폭발; 방사능사고 또는 준사고, 그리고 항공기납치(hijacking) 등을 포함하며, 이것으로만 국한하는 것은 아니다. 14 CFR 91.137(a)(2)절과 관련하여 제한할 수 있는 상황에는 항공기로 진화제를 살포하여 진화중인 산불, 그리고 재난(지진, 해일, 홍수 등)에 따른 항공기 구조활동이 포함된다. 14 CFR 91.137(a)(3)절의 제한은 구경하는 항공기의 불안전한 혼잡을 유발할 수 있는 행사와 사고의 경우에 설정된다.

f. 인명과 재산을 보호하거나 구조/구난 항공기운영을 위한 안전한 환경을 제공하기 위하여 필요한 공역의 크기는 보통 지표면 상공 2,000 ft 미만의 반경 3 NM 이내로 제한된다. B등급, C등급 또는 D등급 공역 내에서 발생한 준사고(incident)는 보통 기존 절차대로 처리하며, 일시적비행제한 NOTAM을 발행할 필요는 없다. 미국 및 미국 영역과 속령 외부의 공역에 영향을 미치는 일시적비행제한은 12 mile 영해선 외부의 공역을 제외하고는 구두로 발부된다.

g. 일반적으로 사고지점에서 가장 인접한 FSS가

"구조조정기관(coordination facility)"이 된다. FAA의 통신지원이 필요하면 지정된 FSS는 비상통제기관과 영향을 미치는 항공기 간의 조정을 위한 주요 통신시설로서의 기능을 한다. 지정된 FSS와 구조기관 간에 적절한 통신이 이루어지지 않으면 ARTCC가 비상통제기관의 연락부서로서의 역할을 할 수 있다. 예를 들어, 구조항공기가 사용하는 고도에서 보도기관의 항공기운항이 허가된 경우, 구조조정기관은 현장의 비상대책담당자의 허가를 중계할 수 있다.

h. 14 CFR 91.137(a)(2)와 (a)(3)절에 비행제한이 설정되어 있는 경우에만 ATC는 재량으로 일시적비행제한구역에서의 운항을 허가할 수 있다. 그렇지만 해당 ARTCC/공항관제탑 관리자는 이러한 비행허가가 제한의 적용에 지장을 주는지 또는 활동을 방해하고 있지 않는지를 확인하여야 한다.

i. 잘못 이해되는 것을 방지하기 위하여 시행되는 NOTAM에는 특정하면서도 일정한 형식을 갖춘 정보가 포함된다. 일시적비행제한구역을 설정하는 기관은 일시적비행제한구역의 위치; 유효기간; statute mile 단위의 지정구역; 영향을 받는 고도; FAA 조정기관 및 일반전화번호; 일시적비행제한의 이유; 구조활동 총괄기관 및 일반전화번호; 발령기관에서 적절하다고 판단한 그 밖의 정보 앞에 용어 "Flight restrictions"로 시작되는 형식의 NOTAM을 발행한다.

예시(Example)

1. 14 CFR 91.137(a)(1)절

다음의 NOTAM은 NOTAM에 지정된 항공기를 제외한 모든 항공기의 운항을 금지하고 있다.

Flight restrictions Matthews, Virginia, effective immediately until 9610211200. Pursuant to 14 CFR Section 91.137(a)(1) temporary flight restrictions are in effect. Rescue operations in progress. Only relief aircraft operations under the direction of the Department of Defense are authorized in the airspace at and below 5,000 ft MSL within a 2-nautical-mile radius of Laser AFB, Matthews, Virginia. Commander, Laser AFB, in charge (897) 946-5543 (122.4). Steenson FSS (792)555-6141 (123.1) is the FAA coordination facility.

2. 14 CFR 91.137(a)(2)절

다음의 NOTAM은 14 CFR 91.137(a)(2)절에 의거하여 운항을 허용하고 있다. 현장의 비상대책담당자는 구조항공기가 사용하는 고도 미만에서 보도기관 항공기운항을 허가한다.

Flight restrictions 25 mile east of Bransome, Idaho, effective immediately until 9601202359 UTC. Pursuant to 14 CFR Section 91.137 (a)(2) temporary flight restrictions are in effect within a 4-nautical-mile radius of the intersection of county roads 564 and 315 at and below 3,500 ft MSL to provide a safe environment for fire fighting aircraft operations. Davis County sheriff's department (792) 555-8122 (122.9) is in charge of on-scene emergency response activities. Glivings FSS (792) 555-1618 (122.2) is the FAA coordination facility.

3. 14 CFR 91.137(a)(3)절

다음의 NOTAM은 구경하는 항공기(sightseeing aircraft)의 운항을 금지하고 있다.

Flight restrictions Brown, Tennessee, due to olympic activity. Effective 9606181100 UTC until 9607190200 UTC. Pursuant to 14 CFR Section 91.137(a)(3) temporary flight restrictions are in effect within a 3-nautical-mile radius of N355783/W835242 and Volunteer VORTAC 019 degree radial 3.7 DME fix at and below 2,500 ft MSL. Norton FSS (423) 555-6742 (126.6) is the FAA coordination facility.

4. 14 CFR 91.138절

다음의 NOTAM은 비상 또는 재난구조 대책활동을 담당하고 있는 관련 공무원의 허가를 받고 운항하는 항공기, 법집행공무원 수송항공기, 긴급하거나 합법적인 과학목적과 관련된 인원 수송항공기, 적법하게 인가된 보도기관 인원 수송항공기, 그리고 ATC 허가나 지시에 따라 운항하는 항공기를 제외한 모든 항공기의 운항을 금지하고 있다.

Flight restrictions Kapalua, Hawaii, effective 9605101200 UTC until 9605151500 UTC. Pursuant to 14 CFR Section 91.138 temporary flight restrictions are in effect within a 3-nautical-mile radius of N205778/W1564038 and Maui/OGG/VORTAC 275 degree radial at 14.1 nautical mile. John Doe 808-757-4469 or 122.4 is in charge of the operation. Honolulu/HNL 808-757-4470 (123.6) FSS is the FAA coordination facility.

5. 14 CFR 91.141절

다음의 NOTAM은 모든 항공기의 운항을 금지하고 있다.

Flight restrictions Stillwater, Oklahoma, June 21, 1996. Pursuant to 14 CFR Section 91.141 aircraft flight operations are prohibited within a 3-nautical-mile radius, below 2000 ft AGL of N360962/W970515 and the Stillwater/SWO/VOR/DME 176 degree radial 3.8-nautical-mile fix from 1400 local time to 1700 local time June 21, 1996, unless otherwise authorized by ATC.

6. 14 CFR 91.143절

다음의 NOTAM은 FAA가 발급한 조종사 자격증명소지자의 항공기운항 또는 미국에 등록되어 있는 항공기의 운항을 금지하고 있다.

Kennedy space center space operations area effective immediately until 9610152100 UTC. Pursuant to 14 CFR Section 91.143, flight operations conducted by FAA certificated pilots or conducted in aircraft of U.S. registry are prohibited at any altitude from surface to unlimited, within the following area 30-nautical-mile radius of the Melbourne/MLB/VORTAC 010 degree radial 21-nautical-mile fix. St. Petersburg, Florida/PIE/FSS 813-545-1645 (122.2) is the FAA coordination facility and should be contacted for the current status of any airspace associated with the space shuttle operations. This airspace encompasses R2933, R2932, R2931, R2934, R2935, W497A and W158A. Additional warning and restricted areas will be active in conjunction with the operations. Pilots must consult all NOTAMs regarding this operation.

3-5-4. 낙하산강하 항공기운항(Parachute Jump Aircraft Operation)

a. 낙하산강하지역에 관한 절차는 14 CFR Part 105에 포함되어 있다. 미국의 낙하산강하지역 목록은 미국 차트 보충판(Chart Supplement U.S.)에 수록되어 있다.

b. 낙하산강하 운항에 참여하는 항공기의 조종사는 ATC가 중요한 교통정보를 제공하는 것이 가능하도록 모든 보고고도는 적절한 해발고도(mean sea level) 또는 비행고도(flight level)와 관련되어야 한다는 것을 생각하고 있어야 한다.

c. 관제탑이 운영되지 않는 공항주변에서의 낙하산강하 운항 - 공항주변에 있는 동안 경계를 대신해주는 것은 없다. 낙하산강하 운항을 수행하는 조종사는 다른 항공기를 경계하고, 4-1-9항 관제탑이 운영되지 않는 공항의 교통조언지침에서 권장하는 것처럼 교통정보를 교환하는 것이 반드시 필요하다. 추가하여 조종사는 다른 항공기가 공항교통장주에 있을 때, 그 교통장주에 있는 동안에는 낙하산강하를 피하여야 한다. 조종사는 지정된 공통교통조언주파수(Common Traffic Advisory Frequency; CTAF)로 적절한 방송을 하고 모든 낙하산활동이 종료되거나 항공기가 지역을 벗어날 때 까지 CTAF를 경청하여야 한다. 강하운항을 시작하기 전에 조종사는 공항과 관련한 항공기의 고도와 위치, 대략적인 강하 시작시간과 종료시간을 방송하고, 지역 내에 있는 다른 항공기의 위치보고를 청취하여야 한다.

3-5-5. 발간되는 VFR 비행로(Published VFR Route)

그림 3-5-1. VFR 비행로 비행계획수립용차트(VFR Flyway Planning Chart)

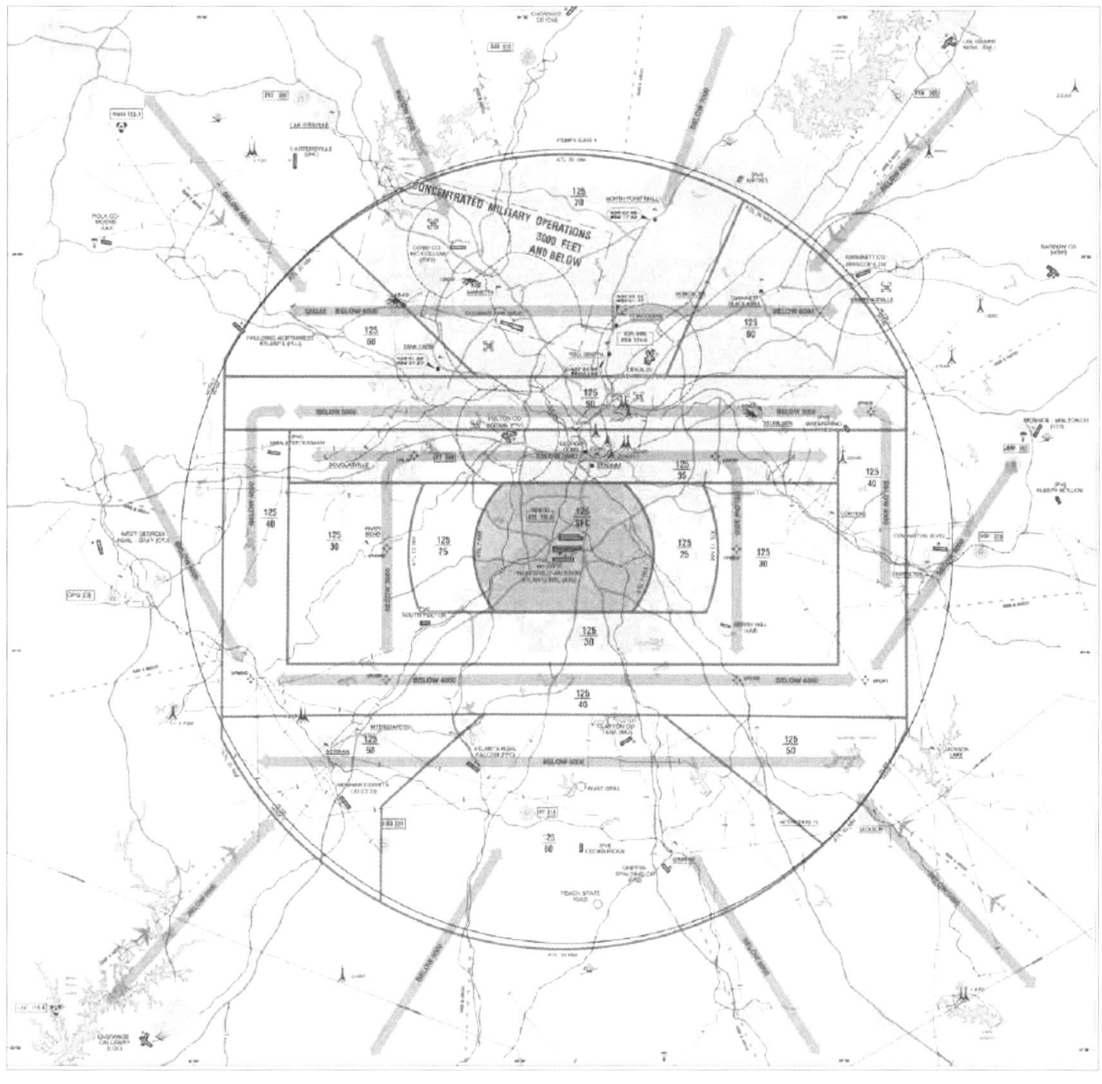

B등급 공역과 같이 복잡한 공역을 통과하거나, 주변이나 아래로 전환하기 위하여 발간되는 VFR 비행로는 FAA와 다수의 항공업계에 의하여 개발되었다. "VFR Flyway", "VFR Corridor" 및 "Class B Airspace VFR Transition Route" 용어는 동일하거나 상이한 유형의 비행로 또는 공역을 언급할 때 사용된다. 다음 항에서는 각 비행로의 유형별 기능을 구분하여 설명하고, ATC 허가가 필요한 시기와 장소를 명시한다.

a. VFR 비행로(VFR Flyway)

1. VFR 비행로와 관련 비행로 비행계획수립용차트(Planning chart)는 국가공역검토위원회의 권고에 의하여 개발되었다. VFR 비행로는 특정 진로가 아니라 조종사가 B등급 공역을 회피하기 위하여 복잡한 터미널공역으로 진입, 이탈, 통과하거나 또는 근처로의 비행계획수립에 사용하기 위한 일반적인 비행경로(flight path)라고 정의할 수 있다. 이러한 비행로를 비행하기 위하여 ATC 허가를 받을 필요는 없다.

2. VFR 비행로는 일반적으로 B등급 공역 차트

라고 하는 일부 VFR 터미널지역차트(TAC)의 뒷면에 실려 있다 (그림 3-5-1 참조). 최종적으로는 모든 TAC에 VFR 비행로 비행계획수립용차트가 수록될 것이다. 이 차트는 VFR 조종사가 관제되는 주요 교통흐름을 회피하는데 도움이 될 수 있도록 고안된 VFR 비행로를 식별한다. 나아가 이 차트에는 B등급 공역 내의 비행에서 대체비행로로 사용할 수 있는 전 지역의 다수 VFR 비행로를 표기할 수도 있다. 지상참조물(ground reference)은 시계운항을 향상시키기 위한 안내자의 역할을 한다. 이러한 비행로는 B등급 공역 내로의 VFR 운항요청을 하지 못하게 하려는 것이 아니라, 조종사가 실제 B등급 공역으로 진입하지 않으면서 단지 혼잡한 B등급 공역 주변이나 아래로의 비행계획수립 시에 도움을 주기 위하여 고안되었다.

3. 이러한 권고비행로에는 다른 항공기도 있다는 것을 기억하여야 한다. B등급 공역 전체, 그리고 이의 하부 공역은 서로 다른 기종의 많은 항공기들로 매우 혼잡할 수 있다. 조종사는 항상 VFR 규칙을 준수해야 한다. 나아가 B등급 공역 아래에서 운항할 때, B등급 공역 아래의 B등급, C등급 및 D등급 공항교통구역(surface area)을 통과하는 동안에는 항공기와 관제탑 간에 교신이 이루어지고 유지되어야 한다.

b. VFR 회랑(VFR Corridor)

1. 초기 B등급 공역구역의 일부 설계에서는 비관제항공기의 통행을 위한 회랑(corridor)을 제공하였다. VFR 회랑(VFR corridor)은 항공기가 ATC 허가나 항공교통관제기관과 교신없이 운항할 수 있는 지정된 수직과 횡적범위의 B등급 공역을 통과하는 공역이라고 정의할 수 있다.

2. 사실상 이 회랑은 B등급 공역을 통과하는 "구멍(hole)"이다 (그림 3-5-2 참조). 대표적인 사례로는 로스앤젤레스의 B등급 공역을 통과하는 회랑을 들 수 있으며, 이 회랑은 이후에 특별비행규칙공역(SFR airspace)으로 변경되었다. 회랑은 B등급 공역에 의해 사방이 둘러싸여 있으며, VFR 비행로처럼 지표면까지 이어지지는 않는다. 제한된 횡적 및 수직범위, 그리고 회랑을 이용하는 VFR 교통량으로 인해 극히 주의와 경계를 기울여야 한다.

그림 3-5-2. B등급 공역(Class B Airspace)

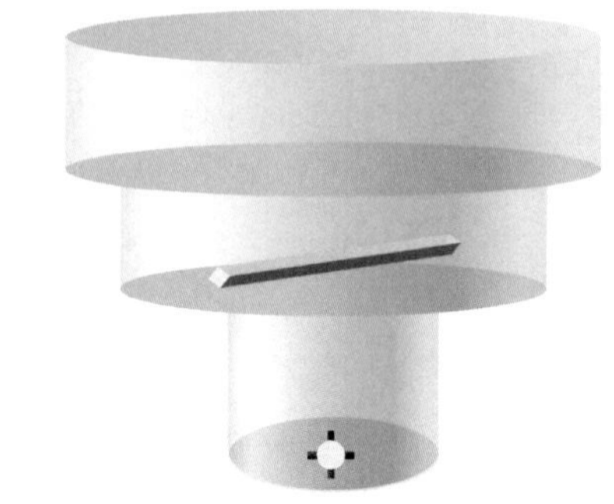

3. 많은 교통량 그리고 교통흐름의 효율적인 관리에 필요한 절차로 인하여, 최근에는 B등급 공역의 개발 또는 수정에 VFR 회랑을 반영할 수 없게 되었다.

c. B등급 공역 VFR 전환로(Class B Airspace VFR Transition Route)

1. 시애틀, 피닉스 그리고 로스앤젤레스와 같은 특정 B등급 공역을 통과하는 VFR 교통을 수용하기 위하여 B등급 공역 VFR 전환로(transition route)가 개발되었다. B등급 공역 VFR 전환로는 특정한 B등급 공역으로 전환할 수 있도록 TAC에 표기된 특정 비행진로(flight course)라고 정의할 수 있다. 이러한 비행로에는 ATC가 배정한 특정고도가 포함되며, 조종사는 비행로 상의 B등급 공역으로 진입하기 전에 ATC 허가를 받아야 한다.

2. 그림 3-5-3에 표기된 이러한 비행로는 일반적으로 최소한의 지연 또는 지연 없이 ATC 허가가 예상되는 B등급 공역의 외부나 B등급 공역을 벗어나 항공기를 위치 시, 조종사에게 항공기가 위치해야 할 곳을 나타내 주기 위하여 만들어진다. ATC 허가를 받을 때까지 조종사는 B등급 공역의 외부에 머물러 있어야 한다. 최초교신 시 조종사는 자신의 위치, 고도, 원하는 비행로명칭 그리고 비행방향을 ATC에 통보하여야 한다. 허가를 받은 후 조종사는 표기된 비행로로 비행해야 하며, 가장 중요한 것은 ATC 지시사항을 준수하는 것이다.

그림 3-5-3. VFR 전환로(VFR Transition Route)

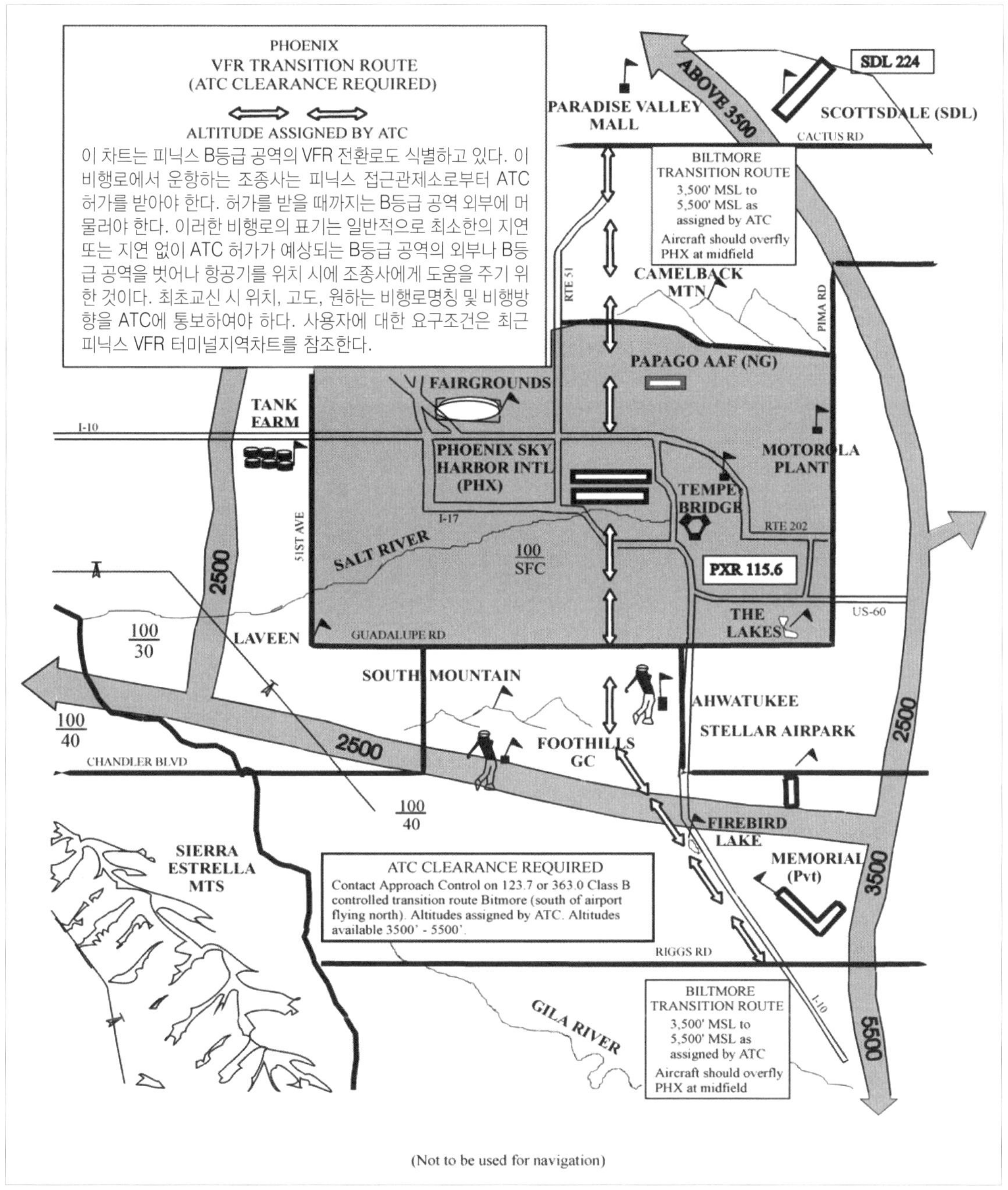

3-5-6. 터미널레이더업무구역(Terminal Radar Service Area ; TRSA)

a. 배경. 원래 TRSA는 선정된 공항에서 터미널레이더프로그램의 일부로서 설정되었다. 규정적인 관점에서 보면 TRSA의 설정은 규정제정절차를 거치지 않기 때문에 TRSA는 관제공역이 아니며, 따라서 TRSA는 14 CFR Part 71에 포함되지 않을 뿐만 아니라 14 CFR Part 91에도 TRSA 운용규칙은 포함되어 있지 않다. 최종적으로는 모든 TRSA를 공항레이더업무구역(ARSA) 프로그램의 일부로 대체하자는 것이었다. 그러나 ARSA 요건이 상대

적으로 더 엄격해졌으며 이후에는 TRSA가 전환되기 전에 ARSA 기준을 충족해야 한다고 결정되었다. TRSA는 미국의 어떤 공역분류에도 맞지 않으며, 따라서 TRSA는 참여하는 조종사가 TRSA 업무로 재 정의된 추가 레이더업무를 받을 수 있는 non-Part 71 공역구역으로 계속 유지될 것이다.

b. TRSA. TRSA 내의 주요공항은 D등급 공역이 된다. TRSA의 나머지 부분은 일반적으로 700 ft 또는 1,200 ft에서 시작되는 E등급 공역 및 항공로단계에서 터미널단계로, 터미널단계에서 항공로단계로 전환되는 다른 관제공역 위에 놓여 있다.

c. 참여(Participation). VFR로 운항하는 조종사는 레이더접근관제소와 교신하고 TRSA 업무를 이용할 것을 권장하고 있다. 그러나 참여여부는 조종사의 자발적인 선택에 달려 있다. 상세한 내용과 절차는 제4장 항공교통관제를 참조한다.

d. 차트(Chart). TRSA는 흑색실선 및 각 구간별 고도로 VFR 구역차트 및 터미널지역차트에 표기된다. D등급 부분은 청색점선으로 표시된다.

3-5-7. 특별항공교통규칙(Special Air Traffic Rules; SATR) 및 특별비행규칙공역(Special Flight Rules Area; SFRA)

a. 배경. 미국연방규정집(CFR)은 특정 지정공역 범위 내에서 운항하는 항공기에 대한 특별비행항공교칙을 기술하고 있다. 이 공역은 14 CFR Part 93에 수록되어 있으며, NAS 전역에 설치되어 있다. 절차, 운용 유형, 배열, 크기 및 교통량 등은 지정구역 간에 서로 다르다.

b. SFRA. 항공교통관제기관에 달리 허가되지 않는 한, 항공기의 비행이 14 CFR Part 93에 제시된 규칙의 적용을 받는 육지 또는 해상에 설정된 한정된 범위의 공역. 14 CFR Part 93에 수록된 구역이 모두 설정된 SFRA는 아니지만, 14 CFR Part 93에 기술된 모든 구역에 특별항공교통규칙이 적용된다.

c. 참여(Participation). STAR 구역으로 설정된 공역으로/으로부터 또는 공역 내에서 운항하는 조종사는 ATC가 달리 허가하지 않거나 요구하는 경우, 14 CFR Part 93에 제시된 해당 특별항공교통규칙을 준수하여야 한다.

d. 차트(Chart). SFRA는 VFR 구역차트, 터미널지역차트 및 헬리콥터 비행로차트에 표시된다. (그림 3-5-4 참조)

그림 3-5-4. SFRA 경계(SFRA Boundary)

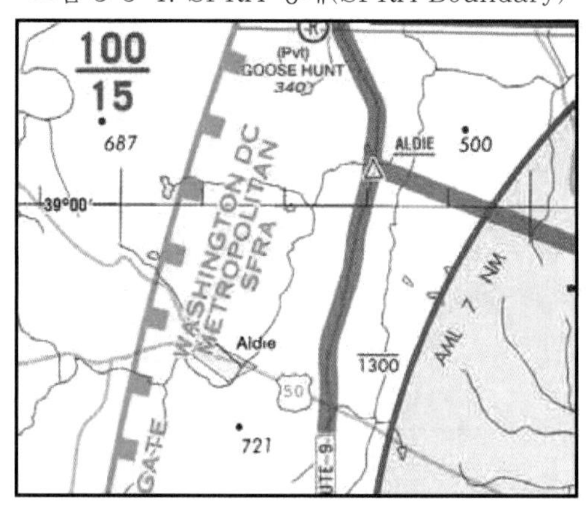

e. 각 구역의 비행절차를 포함한 SFRA에 관한 추가정보 및 자료는 FAA Safety 웹사이트 www.faasafety.gov에서 살펴볼 수 있다.

3-5-8. 기상정찰구역(Weather Reconnaissance Area; WRA)

a. 일반(General). 미국공군예비군 제53기상정찰비행대대(WRS)의 허리케인 관측기(hurricane hunter) 및 미국해양대기관리청(NOAA) 항공기운항센터(AOC)는 국립허리케인운영계획(NHOP)을 지원하는 허리케인 및 열대성저기압(tropical cyclone)의 기상자료를 수집하기 위하여 기상 정찰/조사 임무 항공기를 운용하고 있다. 일반적으로 제53 WRS 및 NOAA AOC 항공기는 발간된 WRA 항공고시보(NOTAM)에 식별된 공역에서 이러한 임무를 수행한다.

b. WRA. NOTAM에 의하여 발간되고 한정된 범위가 있는 공역으로 기상정찰/조사비행을 지원하기 위하여 설정된다. WRA 내에서는 ATC 업무가 지원되지 않는다. 제53 WRS 및 NOAA AOC의 기

상정찰/조사에 참여하는 항공기 만이 WRA 내에서 운항하는 것이 허용된다. WRA는 미국 공역 외부의 미국 비행정보구역(FIR) 내의 공역에만 설정된다.

c. 발간된 WRA NOTAM는 WRA의 공역 범위와 WRA 내에서 예상되는 활동을 기술한다. WRA는 인접한 외국 FIR과 접할 수 있지만, 미국 FIR 내에 완전히 포함된다. WRA 내에서 ATC 업무는 제공되지 않으므로 비참여항공기는 WRA를 회피하여야 하며, IFR 항공기는 WRA를 회피하기 위해 비행로의 재배정을 예상해야 한다.

제4장. 항공교통관제(Air Traffic Control)

제1절. 조종사가 이용할 수 있는 업무(Services Available to Pilots)

4-1-1. 항공로교통관제센터(Air Route Traffic Control Centers; ARTCC)

항공로교통관제센터는 원칙적으로 항공로비행을 하는 동안, 관제공역 내에서 주로 IFR 비행계획에 의해 운항하는 항공기에게 항공교통업무를 제공하기 위하여 설립되었다.

4-1-2. 관제탑(Control Tower)

관제탑(tower)은 공항 및 공항주변에서의 안전, 질서 및 신속한 교통흐름을 제공하기 위하여 설립되었다. 책임이 위임되었을 경우 관제탑은 터미널지역에 있는 IFR 항공기의 분리도 제공한다.

4-1-3. 비행정보업무국(Flight Service Station)

비행정보업무국(FSS)은 조종사브리핑, 비행계획서 처리, 항공로비행조언, 수색 및 구조업무 그리고 실종항공기 및 비상상황에 처한 항공기에 대한 지원을 제공하는 항공교통시설이다. 또한 FSS는 ATC 허가의 중계, 항공고시보(Notice to Airmen) 처리, 항공기상 및 항공정보 방송, 그리고 국경을 넘는 비행을 세관 및 국경보호국에 통보한다. 또한 알래스카의 지정된 FSS는 TWEB 녹음을 제공하고 기상관측을 하며, 공항조언업무(AAS)를 제공한다.

4-1-4. 녹음 및 감청(Recording and Monitoring)

a. 무선과 ATC 운영 전화선(관제사의 지시, 브리핑, 비행계획서의 제출 및 종료, IFR 허가 및 수정발부, 피랍상황 대응활동 등과 같은 운영상의 목적으로 사용되는 전화선)을 통한 항공교통관제기관(ARTCC, 관제탑, FSS, 중앙교통통제소 및 통제센터)과의 교신은 사고조사, 사고방지, 수색 및 구조목적, 전문가 교육과 평가, 그리고 관제 및 통신시스템의 기술적인 평가와 수리와 같은 운영에 사용하기 위하여 감청되고 녹음될 수 있다.

b. 공중전화가 녹음되는 경우에는 통화가 녹음된다는 것을 알려주는 발신음이 필요하지 않다. FCC는 "발신음(beep tone)" 대신에, 통화자에게 녹음에 동의할 것인가를 알리도록 하는 의무적인 요건으로 대체하였다. 통화 시작 시 제공되는 이러한 통보에 의해 운영시설에 전화를 거는 개인별로 녹음에 동의한 것으로 간주된다.

4-1-5. 관제탑이 운영되지 않는 공항에 착륙하는 IFR 항공기의 주파수변경

관제탑이 운영되지 않는 공항에 착륙하기 위해 IFR 비행계획으로 운항중인 항공기는 ATC와 더 이상 직접교신이 필요하지 않을 때, 공항조언주파수(airport advisory frequency)로 변경할 것을 지시받을 것이다. 관제탑과 교통관제센터는 관제탑이 없는 공항의 교통정보와 사용 중인 활주로의 정보를 가지고 있지 않다. 따라서 계기접근은 사용활주로와 정대되지 않을 수도 있으므로 조종사는 사전에 정보를 받지 못했다면 지시를 받았을 때 신속히 공항조언주파수로 변경해야 하다.

4-1-6. 조종사의 항공교통시설 방문(Pilot Visits to Air Traffic Facility)

조종사에게 지역 조종사/항공교통관제사 지원활동에 참여할 것을 권장하고 있다. 그러나, 보안 및 관련 업무량으로 인하여 항공교통시설의 방문이 항상 승인되지는 않는다. 따라서 방문요청은 항공교통시설에 가능한 한 빨리 제출하여야 한다. 조종사는 시설과 접촉하여 방문인원수, 방문예정일시 그리고 방문단의 주요 관심사를 통보할 필요가 있다. 항공교통시설은 요청이 승인되면 추가로 필요한 내용을 알려줄 것이다.

4-1-7. Operation Rain check

Operation Rain Check은 지역 항공교통시설 관

리자가 계획하고 관리하는 프로그램이다. 이의 목적은 조종사를 ATC 시스템, 이의 기능, 책임 및 유용성에 익숙하게 하기 위한 것이다.

4-1-8. VFR 도착항공기에 대한 접근관제업무(Approach Control Service)

a. 대다수의 접근관제시설은 도착하는 VFR 항공기가 착륙정보를 얻기 위하여 접근관제소와 교신할 수 있는 프로그램을 수립하고 있다. 이 정보에는 바람, 활주로 그리고 착륙하고자 하는 공항의 고도계수정치(altimeter setting)가 포함된다. 이러한 정보는 공항정보자동방송업무(ATIS) 방송에 포함되어 있고, 조종사가 해당 ATIS code를 언급하는 경우 생략될 수 있다.

주(Note)

조종사의 "have numbers"의 사용이 ATIS 방송을 수신하였음을 의미하는 것은 아니다. 추가로 관제사는 업무량이 허용하는 한도 내에서 교통조언을 제공할 것이다.

b. 이러한 정보는 관련 접근관제시설과 최초교신 시에 제공될 것이다. 조종사는 추가 착륙정보를 받기 위하여 사전에 결정된 시간 또는 지점에서 관제탑주파수로 변경할 것을 지시 받을 수 있다.

c. 이용할 수 있을 경우, 이러한 절차의 사용은 항공기 간의 지나친 간격분리나 우회비행로의 요구로 인한 VFR 비행 운항의 지연이 발생하지 않도록 할 것이다.

d. 이러한 절차를 따르는 것이 의무는 아니지만, 조종사의 참여를 권장하고 있다.

주(Note)

VFR 항공기에 대한 접근관제업무는 보통 ATC 레이더에 의존하고 있다. 레이더의 운용중지 동안에는 이러한 업무를 이용할 수 없다. CENRAP가 사용중일 때에는 VFR 항공기에 대한 접근관제업무가 제한된다.

4-1-9. 관제탑이 운영되지 않는 공항의 교통조언 지침(Traffic Advisory Practices)

(표 4-1-1 참조)

a. 관제탑이 운영되지 않는 공항운영

1. 공항주변에 있는 동안 경계를 대신해 주는 것은 없다. 관제탑이 운영되지 않는 공항에 접근하거나 공항에서 출발할 때 조종사는 필수적으로 다른 항공기를 경계하고 관찰하며, 교통정보를 교환하여야 한다. 이것은 다른 항공기가 통신수행능력이 없을 수도 있고, 어떤 경우에는 조종사가 이러한 공항에 입출항 할 때 위치나 의도를 통보하지 않을 수도 있기 때문에 특히 중요하다. 가장 높은 안전도를 달성하기 위해서 조종사는 다음과 같이 하여야 한다.

(a) 무선장비를 갖춘 모든 항공기는 공항조언 목적으로 설정된 공통주파수(common frequency)로 송수신하여야 한다.

(b) 위치나 의도를 알리거나 교통정보를 교환할 때 혼동할 수 있는 위험을 감소시키기 위하여 조종사는 해당 항공간행물에 식별된 정확한 공항명칭을 사용하여야 한다.

2. 어떤 공항에는 공항에 위치한 전일제나 시간제운영 관제탑이나 FSS, 또는 전일제나 시간제(part-time) 운영 UNICOM 시설이 있으며 전혀 항공국(aeronautical station)이 없는 곳도 있다. 운영되는 관제탑이 없는 공항에서 운항할 때 조종사가 자신의 의도를 알리고 공항/교통정보를 얻기 위해서는 FSS 운용자와의 교신, UNICOM 운용자와의 교신 또는 맹목방송을 하는 3가지 방법이 있다.

주(Note)

FSS 공항조언은 알래스카에서만 이용할 수 있다.

3. 지금은 대부분의 공항에서 전적으로 자동 UNICOM 시스템에 의해 자동기상정보, 무선점검기능, 그리고 공항조언정보를 제공하고 있다. 이러한 시스템은 UNICOM 주파수에 의해 통상적으로 마이크로폰 click으로 선택할 수 있는 다양한 기능을 제공한다. 자동 UNICOM의 가용여부는 미국 차트 보충판(Chart Supplement U.S.) 및 접근 차트에 수록된다.

b. 공통주파수에 의한 무선교신(Communicating on a Common Frequency)

1. 관제탑이 운영되지 않는 공항에서 무선교신을

할 때 중요한 점은 정확한 공통주파수의 선택이다. CTAF는 공통교통조언주파수(Common Traffic Advisory Frequency)를 의미하는 약어이다. CTAF는 관제탑이 운영되지 않는 공항으로 입출항하는 동안 공항조언지침을 수행할 목적으로 지정된 주파수이다. CTAF는 UNICOM, MULTICOM, FSS 또는 관제탑주파수 일 수 있으며, 해당 항공간행물에서 확인할 수 있다.

주(Note)

FSS 공항조언은 알래스카에서만 이용할 수 있다.

표 4-1-1. 권고 통신절차의 요약(Summary of Recommended Communication Procedure)

순번	공항 시설 (Facility at Airport)	사용주파수 (Frequency Use)	통신/방송절차(Communication/Broadcast Procedures)		
			출항(Outbound)	입항(Inbound)	연습계기접근 (Practice Instrument Approach)
1	UNICOM (관제탑이나 FSS 없음)	발간된 CTAF 주파수(122.7; 122.8; 122.725; 122.975 또는 123.0)로 UNICOM 시설과 교신. UNICOM 시설과 교신이 불가능하면 CTAF로 맹목방송 절차 사용	지상활주 이전 및 출발하기 위하여 활주로로 지상활주하기 이전	10 mile 밖에서. 배풍(downwind), 베이스(base) 및 최종접근경로에 진입할 때. 활주로를 벗어날 때	
2	관제탑, FSS 또는 UNICOM 없음	MULTICOM 주파수 122.9로 맹목방송	지상활주 이전 및 출발하기 위하여 활주로로 지상활주하기 이전	10 mile 밖에서. 배풍(downwind), 베이스(base) 및 최종접근경로에 진입할 때. 활주로를 벗어날 때	최종접근픽스(명칭)를 출발하거나 또는 최종접근구역으로 입항(inbound)할 때
3	FSS 업무 개시, 운영되는 관제탑 없음(알래스카에서만)	CTAF 주파수로 FSS와 교신	지상활주 이전 및 출발하기 위하여 활주로로 지상활주하기 이전	10 mile 밖에서. 배풍(downwind), 베이스(base) 및 최종접근경로에 진입할 때. 활주로를 벗어날 때	접근을 완료/종료하였을 때
4	FSS 업무 종료(관제탑 없음)	CTAF로 맹목방송	지상활주 이전 및 출발하기 위하여 활주로로 지상활주하기 이전	10 mile 밖에서. 배풍(downwind), 베이스(base) 및 최종접근경로에 진입할 때. 활주로를 벗어날 때	
5	운영되는 관제탑이나 FSS 없음	CTAF로 맹목방송	지상활주 이전 및 출발하기 위하여 활주로로 지상활주하기 이전	10 mile 밖에서. 배풍(downwind), 베이스(base) 및 최종접근경로에 진입할 때. 활주로를 벗어날 때	
6	지정된 CTAF 지역(알래스카에서만)	차트 또는 알래스카 보충판(A/FD)에 명시된 CTAF로 맹목방송	지상활주 이전 및 출발하기 위하여 활주로로 지상활주하기 이전에 지정된 지역을 벗어날 때 까지	지정된 CTAF 지역에 진입할 때	

2. CTAF (알래스카에서만). 또한 알래스카에서 CTAF는 VFR 교통량이 많은 지정된 지역에서 운항하는 동안 공항조언지침을 수행할 목적으로 지정될 수도 있다.

3. 특정공항이나 지역의 CTAF 주파수는 미국 차트 보충판(Chart Supplement U.S.), 알래스카 차트 보충판, 알래스카 터미널절차간행물, 계기접근절차차트 및 계기출발절차(DP) 차트에 수록되

어 있다. 또한 CTAF 주파수는 FSS에 연락하여 알아볼 수도 있다. 육안경계 및 다음의 권고하는 바람직한 운항지침과 더불어 적절한 CTAF의 사용은 비관제공항의 입출항시 비행안전을 증진시킬 것이다.

c. 권고하는 교통조언지침

1. 입항항공기의 조종사는 착륙 10 mile 전부터 배정된 CTAF를 적절히 경청하고 교신하여야 한다. 출발하는 항공기의 조종사는 CFR 또는 국지절차에서 달리 요구하지 않는 한, 시동부터 지상활주 중 그리고 공항에서 10 mile 까지는 해당 주파수를 경청/교신하여야 한다.

2. 도착 및 출발항공기가 일반적으로 이용하는 고도에서 도착이나 출발 이외의 비행을 하는 항공기의 조종사는 CFR 또는 국지절차에서 달리 요구하지 않는 한, 공항 10 mile 이내에서는 해당 주파수를 경청/교신하여야 한다. 이러한 운항에는 낙하산강하/투하, 항공로, 기동연습(practicing maneuvers) 등이 포함된다.

3. CFR 또는 국지절차에서 달리 요구하지 않는 한, 알래스카의 명시된 CTAF 지역에서 도착이나 출발운항을 하는 항공기의 조종사는 명시된 지역 내에서 운항하는 동안 해당 주파수를 경청/교신하여야 한다. 이러한 운항에는 낙하산 강하/투하, 항공로, 기동연습 등이 포함된다.

d. FSS 제공 공항조언/정보업무(Airport Advisory/Information Service)

1. 선정된 공항에서 제공하는 조언업무에는 다음과 같은 두 가지 유형이 있다.

(a) 국지공항조언(Local Airport Advisory; LAA)업무는 알래스카에서만 이용할 수 있으며, 관제탑이 없거나 관제탑이 시간제로 운영되는 공항에 FSS가 위치하고 있는 경우에 제공된다. LAA 공항의 CTAF는 해당 항공간행물에 수록된다.

(b) 원격공항정보업무(RAIS; Remote Airport Information Service)는 관제탑이 없는 공항에서 특별한 경우에 도움을 주기 위하여 공항책임자의 요청에 의해 제공된다.

2. CTAF로 FSS와 교신 시에는 출항/입항의도나 정보를 송신하기 전에 공항의 자동기상점검 및 양방향무선교신이 이루어져야 한다. 입항항공기는 공항으로부터 약 10 mile 전에서 교신을 시도하여 항공기 식별부호 및 기종, 고도, 공항과 관련된 위치, 의도(착륙 또는 상공통과), 자동기상정보의 수신여부를 보고하고 공항조언업무나 공항정보업무를 요청하여야 한다. 출발항공기는 지상활주 이전에 교신을 시도하여 항공기 식별부호 및 기종, VFR 또는 IFR, 공항에서의 위치, 의도, 이륙방향, 자동기상정보의 수신여부를 보고하고 공항조언업무나 정보업무를 요청하여야 한다. 또한 출발하기 위하여 사용활주로로 지상활주하기 이전에 의도를 보고하여야 한다. FSS에 최초보고 후 다른 업무를 위해 주파수를 변경해야 했다면 교통보고 update를 위해서 FSS 주파수로 복귀하여야 한다.

(a) 입항(Inbound)

예문(Example)

Vero Beach radio, Centurion Six Niner Delta Delta is tenmiles south, two thousand, landing Vero Beach. I have the automated weather, request airport advisory.

(b) 출항(Outbound)

예문(Example)

Vero Beach radio, Centurion Six Niner Delta Delta, ready to taxi to runway 22, VFR, departing to the southwest. I have the automated weather, request airport advisory.

3. 공항조언업무는 풍향과 풍속, 선호하거나 배정된 활주로, 고도계수정치(altimeter setting), 알려진 공중 및 지상교통, NOTAM, 공항 지상활주경로, 공항교통장주정보, 그리고 계기접근절차를 포함한다. 이러한 요소들은 가장 최근의 교통상황을 제공하기 위하여 변경된다. 일부 공항운영자는 특정 바람이나 그 밖의 상황 하에서는 배정된 활주로를 사용하도록 지정하기도 한다. 조종사는 사용하기를 원하는 활주로를 FSS에 요구하여야 한다.

주의(Caution)

공항주변에 있는 모든 항공기가 FSS와 교신을 하고 있는 것은 아니다.

e. 항공조언시설(Aeronautical Advisory Station)에 의해 제공되는 정보 (UNICOM)

1. UNICOM은 관제탑이나 FSS가 없는 공공용 공항에서 공항정보를 제공하기 위한 비정부 공지무선통신시설(nongovernment air/ground radio communication station)이다.

2. 조종사의 요청에 따라 UNICOM 시설은 조종사에게 기상정보, 풍향, 추천 활주로 또는 그 밖의 필요한 정보를 제공한다. UNICOM 주파수가 CTAF로 지정된다면, 해당 항공간행물에 식별된다.

f. FSS 또는 UNICOM의 정보 이용 불가능

FSS 또는 항공조언시설 UNICOM으로부터 LAA를 이용할 수 없다면, 바람과 기상정보는 공항정보자동방송업무(ATIS) 또는 자동기상관측시스템(AWOS) 주파수를 통하여 근처의 관제공항에서 얻을 수도 있다.

g. 위치 또는 의도의 맹목방송(self-announce Position and/or Intention)

1. 일반. 맹목방송(self-announce)은 조종사가 지정된 CTAF로 자신의 위치 또는 의도하는 비행활동이나 지상운행을 방송하는 절차이다. 이 절차는 주로 FSS가 없는 공항에서 사용된다. 맹목방송 절차는 조종사가 지정된 CTAF로 FSS와 교신할 수 없을 때에도 사용할 수 있다. "Traffic in the area, please advise"라는 조종사 언급은 권고하는 위치 및 의도의 맹목방송 어휘가 아니며, 어떠한 상황에서도 사용해서는 안된다.

2. 관제탑이 있는 공항의 업무가 일시적으로 중단되거나 시간제로 운영이 될 때, 그리고 공항에 FSS가 없거나 FSS 업무가 종료되었다면 위치나 의도를 맹목방송하기 위하여 CTAF를 사용한다.

3. 공항에 관제탑, FSS 또는 UNICOM 시설이 없는 곳에서는 맹목방송 절차에 MULTICOM 주파수 122.9를 사용한다. 이러한 공항은 해당 항공정보간행물에 수록된다.

4. 연습접근(practice approach). 연습계기접근을 하는 조종사는 반대방향에서 출발할 수 있는 다른 항공기를 특히 경계하여야 한다. 연습접근을 수행할 때 그 밖의 공항운영과 관련된 방향에 관계없이 조종사는 다음과 같은 경우 CTAF로 방송을 하여야 한다.

(a) Inbound 최종접근픽스(비정밀접근)를 출발할 때, 또는 외측마커나 inbound 외측마커 대신에 사용되는 픽스(정밀접근)를 출발할 때

(b) 최종접근구역에 진입하거나 ATC의 관제 종료 즉시

(c) 접근을 완료하였거나 종료하는 즉시

(d) 실패접근절차를 실시하는 즉시

5. 출발항공기는 반대방향에서 오는 도착항공기를 항상 경계하여야 한다.

6. 추천하는 맹목방송 관제용어: 공항 근처의 다른 공항으로 입출항하는 항공기가 동일한 UNICOM 또는 MULTICOM 주파수로 맹목방송을 할 수도 있다는 것을 알아야 한다. 다른 공항과의 식별을 위하여 각 맹목방송 송신의 처음과 끝에 공항명칭을 말해야 한다.

(a) 입항(Inbound)

예문(Example)

Strawn traffic, Apache Two Two Five Zulu, (위치), (고도), (강하중) 또는 entering downwind/base/final (적절하게) runway one seven full stop, touch-and go, Strawn.

Strawn traffic Apache Two Two Five Zulu clear of runway one seven Strawn.

(b) 출항(Outbound)

예문(Example)

Strawn traffic, Queen Air Seven One Five Five Bravo (공항에서의 위치) taxiing to runway two six Strawn.

Strawn traffic, Queen Air Seven One Five Five Bravo departing runway two six. Departing the pattern to the (방향), climbing to (고도) Strawn.

(c) 연습계기접근(Practice Instrument Approach)

예문(Example)

Strawn traffic, Cessna Two One Four Three Quebec (공항으로부터의 위치) inbound descending

through (고도) practice (접근명칭) approach runway three five Strawn.
Strawn traffic, Cessna Two One Four Three Quebec practice (비행방식) approach completed or terminated runway three five Strawn.

h. UNICOM 교신절차

1. UNICOM 시설과의 교신시 다음과 같은 지침은 주파수혼잡 감소, 보다 나은 조종사 의도 이해의 도모, 교통장주에서 항공기 위치식별의 지원, 그리고 비행안전의 증진에 도움을 줄 것이다.

(a) 정확한 UNICOM 주파수를 선택하라.

(b) 매 송신시에 당신이 호출하고자 하는 UNICOM 시설의 식별부호(identification)를 언급하라.

(c) 천천히 그리고 명확하게 말하라.

(d) 공항으로부터 약 10 mile 전에서 고도보고 및 항공기 기종, 항공기 식별부호, 공항과 관련된 위치 언급, 착륙 또는 상공통과(overflight)의 여부를 말하고 바람정보와 사용활주로를 요청하라.

(e) 배풍(downwind) 경로, 베이스(base) 경로 및 최종접근경로에서 보고하라.

(f) 활주로를 벗어날 때 보고하라.

2. 추천하는 UNICOM 관제용어

(a) 입항(Inbound)

관제용어(Phraseology)

Frederick UNICOM Cessna Eight Zero One Tango Foxtrot 10 miles southeast descending through (고도) landing Frederick, request wind and runway information Frederick. Frederick traffic Cessna Eight Zero One Tango Foxtrot entering downwind/base/final (적절하게) for runway one niner (착륙/접지후이륙) Frederick. Frederick traffic Cessna Eight Zero One Tango Foxtrot clear of runway one niner Frederick.

(b) 출항(Outbound)

관제용어(Phraseology)

Frederick UNICOM Cessna Eight Zero One Tango Foxtrot (공항에서의 위치) taxing to runway one niner, request wind and traffic information Frederick. Frederick traffic Cessna Eight Zero One Tango Foxtrot departing runway One Niner. "Remaining in the pattern" or "Departing the pattern to the (방향) (적절하게)" Frederick.

4-1-10. IFR 접근/지상차량 운행(IFR Approach/Ground Vehicle Operation)

a. IFR 접근. IFR 허가에 따라 운항 시 조언주파수로의 변경을 ATC가 허가하였을 때에는 신속하게 CTAF로 변경하고 권장하는 교통조언절차에 따라야 한다.

b. 지상차량 운행. 공항이동지역에서 무선시설을 갖춘 공항지상차량을 운행할 때에는 CTAF 주파수를 경청하고, 항공기가 사용 중인 활주로/유도로에서 벗어나야 한다. 지상차량의 무선송신은 안전과 관련된 사항으로 제한하여야 한다.

c. 공항등화시스템의 무선제어. 가능하면 언제든지, 운영되는 관제탑이 없는 공항에서 공항등화시스템을 제어하기 위하여 CTAF를 사용할 수 있다. 이것은 조종사가 등화를 켜기 위하여 주파수를 변경할 필요가 없도록 하고, 계속해서 단 하나의 주파수로 경청할 수 있도록 한다. CTAF는 계기접근차트와 이외의 해당 항공정보간행물에 수록된다. 무선제어 등화에 관련된 더 상세한 내용은 AC 150/5340-27, Air-to-Ground Radio Control of Airport Lighting Systems을 참조한다.

4-1-11. UNICOM/MULTICOM 지정주파수

주파수 용도(Frequency use)

a. 다음 목록은 연방통신위원회(FCC)에 의해 지정된 UNICOM 및 MULTICOM 주파수 용도를 표기한다. (표 4-1-2 참조)

표 4-1-2. UNICOM/MULTICOM 주파수 용도

용도(Use)	주파수
관제탑이 운영되지 않는 공항	122.700 122.725 122.800 122.975 123.000 123.050 123.075
(MULTICOM 주파수) 관제탑, FSS 또는 UNICOM이 없는 공항을 비롯한 일시적, 계절적, 비상상황 또는 수색 및 구조활동	122.900
(MULTICOM 주파수) 산림관리 및 화재진압, 수렵관리 및 보호 그리고 환경감시 및 보호	122.925
관제탑이 있는 공항 또는 공항의 FSS	122.950

주(Note)

1. 국가의 일부 지역에서는 동일한 UNICOM 주파수를 사용하는 근처 공항으로부터 주파수간섭이 발생할 수도 있다. 문제점이 있는 곳의 UNICOM 운용자는 관제탑이 운영되지 않는 공항의 지정된 주파수사용과 관련하여, 주파수 "간섭 최소화(least interference)"를 위한 공항의 주파수배정계획을 수립할 것을 권장한다. UNICOM 사업자는 25 kHz 채널간격의 UNICOM 주파수를 적용할 것을 권장한다. 매우 제한된 50 kHz 채널간격의 주파수 수량 때문에 25 kHz 주파수간격이 적용되어야 한다. UNICOM 사업자는 계획에 의거하여 주파수배정을 FCC에 요청할 수 있으며, FCC는 검토하여 인가여부를 고려할 것이다.
2. UNICOM 주파수 122.950으로 풍향과 활주로 정보를 이용하지 못할 수도 있다.

b. 다음 목록은 연방통신위원회(FCC)에 의해 지정된 그 밖의 주파수의 용도를 나타낸다. (표 4-1-3 참조)

표 4-1-3. FCC 지정 그 밖의 주파수 용도(Other Frequency Usage Designated by FCC)

용도(Use)	주파수
공대공통신 (자가용 고정익항공기)	122.750
공대공통신 (일반항공 헬리콥터)	123.025
조종교육, 활공기, 열기구 (조언업무에는 사용되지 않음)	123.300 123.500

4-1-12. 항공교통관제 목적을 위한 UNICOM의 사용(Use of UNICOM for ATC Purpose)

UNICOM 업무는 다음 상황에서만 ATC 목적으로 사용할 수 있다.

a. 출발예정시간의 변경

b. 이륙, 도착 또는 비행계획 취소시간

c. ATC 허가. ATC 기관과 이러한 message를 취급하는 UNICOM 사업자 간에 협의가 이루어진 경우

4-1-13. 공항정보자동방송업무(ATIS; Automatic Terminal Information Service)

a. ATIS는 빈번한 비행활동이 이루어지는 선정된 터미널지역에서 녹음된 비관제정보(noncontrol information)를 계속해서 방송하는 것이다. 이의 목적은 필수적이지만 일상적인 정보를 반복적으로 자동 송신함으로써 관제사의 업무효율을 증가시키고, 주파수의 혼잡을 줄이기 위한 것이다. 정보는 불연속 VHF 무선주파수나 국지 NAVAID의 음성부분을 통해 연속적으로 방송된다. 불연속 VHF 무선주파수에 의한 도착 ATIS 송신은 각 시설요건에 따라 설계되며, 일반적으로 ATIS site로부터 20 NM에서 60 NM 까지 그리고 최대고도 25,000 ft AGL의 서비스보호범위를 갖는다. 출발 ATIS의 경우 서비스보호범위는 5 NM 및 100 ft AGL을 초과할 수 없다. 공항지표면의 대부분 지역에서 ATIS 신호를 수신할 수 있지만, 국지상황에 따라 최대 ATIS 수신거리와 고도는 제한될 수 있다. 접근관제, 지상관제 및 국지관제주파수의 주파수혼잡을 줄이기 위하여 ATIS 프로그램에 협조하도록 조종사에게 권장하고 있다. ATIS가 제공되는 공항은 미국 차트 보충판(Chart Supplement U.S.)에 표기되어 있다.

b. ATIS 정보에 포함되는 사항은 다음과 같다.

1. 공항/시설명칭(Airport/facility name)
2. 음성문자코드(Phonetic letter code)
3. 최근 기상전문의 시간〔Time of the latest weather sequence (UTC)〕
4. 기상정보

(a) 풍향과 풍속(Wind direction and velocity)

(b) 시정(Visibility)

(c) 시정장애(Obstructions to vision)

(d) 공식기상관측에 포함된 하늘상태, 기온, 이슬점, 고도계수정치, 필요시 밀도고도조언, 그리고 그 밖의 관련사항 등으로 구성된 현재 기상상태

5. 계기접근 및 사용활주로(Instrument approach and runway in use)

운고(ceiling)가 5,000 ft를 초과하고, 시정이 5 mile을 초과하면 운고/하늘상태, 시정 및 시정장애는 ATIS 방송에서 생략할 수 있다. 출발을 위한 별도의 ATIS가 있는 지역을 제외하고, 출발활주로는 착륙활주로와 다른 경우에만 제공된다. 방송에는 VFR로 도착하는 항공기를 위하여 접근관제소와 최초교신을 하기 위한 해당 주파수와 지시사항을 포함할 수 있다. 터미널지역에 도착하거나 출발하는 항공기의 조종사는 조종실의 업무가 바쁘지 않을 때 계속해서 ATIS 방송을 수신할 수 있고, 원하는 만큼 반복해서 청취할 수 있다. ATIS 방송은 정시기상 및 특별기상을 접수하면 갱신되어야 한다. 활주로의 변경, 사용 중인 계기접근 등과 같은 그 밖의 관련 자료가 변경되었을 때도 새로 녹음을 한다.

예문(Example)

Dulles International information Sierra. One four zero zero zulu. Wind three five zero at eight. Visibility one zero. Ceiling four thousand five hundred broken. Temperature three four. Dew point two eight. Altimeter three zero one zero. ILS runway one right approach in use. Departing runway three zero. Advise on initial contact you have information sierra."

c. 조종사는 ATIS가 운용중일 때에는 언제든지 ATIS 방송을 청취해야 한다.

d. 조종사는 최초교신 시에 방송에 첨부되는 알파벳 코드 용어(code word)를 복창하여 ATIS 방송을 수신했다는 것을 관제사에게 통보하여야 한다.

예문(Example)

"Information Sierra received."

e. 조종사가 ATIS 방송을 수신하였음을 응답한 경우, ATIS가 최근의 정보라면 관제사는 방송에 포함된 내용을 생략할 수 있다. 급격하게 변화하는 기상상태는 ATC가 발부하며, ATIS에는 다음과 같은 용어를 포함한다.

예(Example)

"Latest ceiling/visibility/altimeter/wind/(그 밖의 상태) will be issued by approach control/tower."

주(Note)

ATIS에 하늘상태나 운고(ceiling) 또는 시정이 포함되어 있지 않다는 것은 하늘상태 또는 운고가 5,000 ft 이상이고, 시정이 5 mile 이상이라는 것을 나타낸다. "The weather is better than 5000 and 5"라고 방송되거나, 또는 현재 기상이 방송될 수도 있다.

f. 관제사는 방송의 수신여부를 응답하지 않거나, 현재의 자료가 아닌 방송의 수신을 응답한 조종사에게 적절한 정보를 발부한다.

g. 주파수가 한정된 항공기를 위하여 FSS는 ATIS 음성송출국(voice outlet)으로 사용되는 대부분의 항공로 VOR에서 VOR 주파수로 송신할 수 있는 장비를 갖추고 있다. 이러한 통신은 ATIS 방송을 방해한다. 다른 FSS 주파수로 수신할 수 있는 장비를 갖춘 항공기의 조종사에게 송신차단(override transmission)이 최소한도로 유지될 수 있도록 다른 FSS 주파수를 사용할 것을 권장하고 있다.

h. ATIS가 수신되는 곳에서 ATIS 방송을 활용하는 것은 바람직한 운항방법이며, 일부 조종사는 관제탑과 교신시에 "have numbers"라는 용어를 사용한다. 이 용어의 사용은 조종사가 바람, 활주로 그리고 고도계 정보만을 수신했다는 것을 의미하며 관제탑은 이 정보를 반복할 필요가 없다. 이것이 ATIS 방송을 수신하였음을 의미하는 것은 아니며, 절대 이러한 목적으로 사용해서는 안된다.

4-1-14. 자동비행정보업무(Automatic Flight Information Service; AFIS)–알래스카 FSS

a. AFIS는 FSS가 국지공항조언업무를 제공하는 알래스카의 공항에서 녹음된 비관제정보를 연속해서 방송하는 것이다. 이의 목적은 국지공항조언주파수의 주파수혼잡을 줄여 FSS 담당자의 업무효율을 증가시키는 것이다.

1. AFIS 방송은 필수적이지만 일상적인 정보(예를 들면, 기상, 선호활주로, 제동상태, 공항 NOTAM 등)를 반복적으로 자동 송신한다. 정보는 불연속 VHF 무선주파수(일반적으로 ASOS 주파수)로 연속해서 방송된다.

2. AFIS의 사용이 의무는 아니지만 국지공항조언주파수의 주파수혼잡을 줄이므로, FSS와 양방향 무선교신을 하기로 한 조종사에게 AFIS를 청취할 것을 권장하고 있다. AFIS 방송은 공식 정시기상 및 특별기상의 접수, 그리고 그 밖의 관련 자료의 변경에 따라 갱신된다.

3. 조종사가 AFIS 방송을 수신하였음을 응답한 경우, 응답한 AFIS가 최근의 정보라면 FSS 담당자는 방송에 포함된 내용을 생략할 수 있다. 급격하게 변화하는 기상상태가 있을 경우, 최신의 운고, 시정, 고도계수정치, 바람 및 그 밖의 상태는 AFIS에서 생략할 수 있으며 해당 무선주파수로 FSS 담당자가 발부한다.

예문(Example)

"Kotzebue information ALPHA. One six five five zulu. Wind, two one zero at five; visibility two, fog; ceiling one hundred overcast; temperature minus one two, dew point minus one four; altimeter three one zero five. Altimeter in excess of three one zero zero, high pressure altimeter setting procedures are in effect. Favored runway two six. Weather in Kotzebue surface area is below V-F-R minima - an ATC clearance is required. Contact Kotzebue Radio on 123.6 for traffic advisories and advise intentions. Notice to Airmen, Hotham NDB out of service. Transcribed Weather Broadcast out of service. Advise on initial contact you have ALPHA."

주(Note)

알래스카 FSS AFIS에 하늘상태나 운고(ceiling) 또는 시정이 포함되어 있지 않다는 것은 하늘상태 또는 운고가 5,000 ft를 초과하고, 시정이 5 mile을 초과한다는 것을 나타낸다. "The weather is better than 5000 and 5"라고 방송될 수도 있다.

b. 조종사는 알래스카 FSS AFIS가 운용중일 때에는 언제든지 알래스카 FSS AFIS 방송을 청취해야 한다.

주(Note)

일부 알래스카 FSS는 시간제로 운영되거나, 계절에 따라 다르게 운영된다.

c. 조종사는 최초교신 시에 방송에 첨부되는 알파벳 음성문자를 복창하여 알래스카 FSS AFIS 방송을 수신했다는 것을 관제사에게 통보하여야 한다.

예문(Example)

"Information Alpha received."

d. 알래스카 FSS AFIS가 수신되는 곳에서 이 방송을 활용하는 것은 바람직한 운항방법이며, 일부 조종사는 FSS와 교신시에 "have numbers"라는 용어를 사용한다. 이 용어의 사용은 조종사가 바람, 활주로 그리고 고도계 정보만을 수신했다는 것을 의미하며, 알래스카 FSS는 이 정보를 반복할 필요가 없다. 이것이 AFIS 방송을 수신하였음을 의미하는 것은 아니며, 절대 이러한 목적으로 사용해서는 안 된다.

4-1-15. 레이더교통정보업무(Radar Traffic Information Service)

이것은 ATC 레이더시설에 의해 제공되는 업무이다. 이 업무를 받고 있는 조종사는 현재 항공기의 위치나, 의도하는 비행경로에 아주 근접할 수 있다고 레이더시현장치(radar display)에 관측되어 주의를 기울여야 하는 레이더표적(radar target)을 조언받게 된다. 이러한 업무가 지속적으로 다른 항공기를 육안으로 보고 회피해야 하는 조종사의 경계에 대한 책임을 면하여 주기 위한 것은 아니다.

a. 업무의 목적(Purpose of the Service)

1. 레이더시현장치의 관측에 따른 교통정보의 발부는 특정 레이더표적의 위치 및 항적(track)이 조종사가 의도하는 비행경로에 아주 근접하게 교차하거나 통과할 수 있어서 주의를 기울여야 한다는 것을 조종사에게 알리고, 조언하기 위한 목적으로 이루어진다. 이것은 그러한 교통을 경계하고 감시함으로써 필요할 경우 적절한 조치를 취할 수 있는 보다 좋은 위치에 있을 수 있도록 한다.

2. ATC에 의해 사용되는 감시레이더는 항공기에 Mode C가 장착되어 있고 레이더시설이 고도정보를 나타낼 수 있는 성능이 있지 않는 한, 고도정보를 제공하지 않는다는 것을 조종사는 잊지 말아야 한다.

b. 업무의 제공(Provisions of the Service)

1. 레이더의 제한, 교통량, 관제사의 업무량 및 통신주파수의 혼잡과 같은 여러 가지 요소는 관제사가 이러한 업무를 제공하는 데 지장을 줄 수 있다. 관제사는 특정한 경우에 그들이 업무를 제공할 수 있는지, 또는 계속해서 업무를 제공할 것인지의 여부를 결정할 수 있는 완전한 재량을 갖는다. 특정한 경우에 관제사가 업무를 제공하지 못하거나 또는 계속해서 제공하지 못하는 이유는 질문의 대상이 되지 않을 뿐만 아니라, 조종사에게 그 이유를 통보할 필요도 없다. 달리 말하면 이 업무의 제공은 전적으로 관제사가 이를 제공할 수 있는 상황에 있다고 생각하는 지의 여부에 달려있다. 교통정보는 조종사가 업무를 거부한 경우를 제외하고 IFR 비행계획으로 운항중인 모든 항공기, 또는 조종사가 A등급 공역 내에서 운항할 때 정기적으로 제공된다. IFR 비행계획으로 운항하지 않는 조종사의 요청이 있을 때에는 이러한 비행에도 교통정보가 제공될 수 있다.

주(Note)

ATC 레이더시설은 A등급 공역 내에서 그리고 A등급 공역 밖에서 어떤 상황(일차레이더 통달범위를 넘거나, 이차레이더만을 이용할 수 있는 항공로구역에 있는 경우)에 의해 이차레이더가 유일한 시현공급원(display source)으로 사용되는 경우를 제외하고, 일차레이더와 이차레이더를 이용할 수 있을 경우 일반적으로 이들 모두를 시현하고 감시한다. 일차레이더가 일시적으로 고장이 났거나 이용할 수 없을 때, 이차레이더가 유일한 시현공급원으로서 A등급 공역 밖에서 사용될 수도 있다. 영향을 받는 ATC 기관과 교신중인 조종사는 일시적인 운용중지가 발생했을 때, 일반적으로 "primary radar out of service; traffic advisories available on transponder aircraft only"라는 조언을 통보받는다. 이것은 일차레이더가 일시적으로 고장이 났을 때, 단지 트랜스폰더를 갖추고 운용하는 항공기만이 ATC 레이더지시기에 시현된다는 것을 의미한다.

2. VFR 레이더조언업무를 받고 있을 때 조종사는 항상 배정된 주파수를 경청하여야 한다. 이것은 관제사의 관할 하에 있는 항공기의 무선통신 두절이나 비상 시 지원에 대하여 관제사가 우려하지 않도록 하기 위한 것이다. 조종사가 요청하지 않는 한, VFR 레이더조언업무에는 충돌위험이 있는 항공기를 회피하도록 하는 레이더유도가 포함되지 않는다. 조언업무가 더 이상 필요하지 않으면 주파수를 변경하기 전에 관제사에게 통보한 다음, 트랜스폰더가 있으면 트랜스폰더 code를 1200으로 변경한다. 조종사는 VFR 순항고도를 변경할 때도 관제사에게 통보하여야 한다. 레이더업무가 자동으로 종료되는 프로그램의 경우를 제외하고, 관제사는 레이더업무가 종료되었을 때 조종사에게 통보할 것이다.

주(Note)

일부 터미널지역에 적용되는 공식 프로그램에 대한 VFR 조종사의 참여는 조종사의 요청에 의해 이루어진다. 또한 이것은 도착하는 VFR 비행은 관제탑과 접근관제주파수로 최초 교신하도록 권장하고 있는 지역의 참여조종사에게도 적용된다.

c. 교통정보의 발부(Issuance of Traffic Information)

교통정보에는 레이더에 식별된 항공기에 대한 교통의 구성요소가 될 수 있는 표적과 관련된 다음과 같은 사항이 포함된다.

1. 레이더에 식별된 표적(Radar identified)

(a) 12시간 시각의 용어로 나타내는 항공기로부터의 방위(azimuth), 또는

(b) 민간 시험비행기 또는 군용기가 급격히 기동하여 위의 (a)에 의하여 정확한 교통조언을 발부할 수 없을 경우, 나침반의 주요 8방위 지점(N, NE, E, SE, S, SW, W, NW) 용어로 항공기 위치로부터의 방향을 명시한다. 이 방법은 조종사의 요청이 있을 때 중단하여야 한다.

(c) 해상마일(nautical mile) 단위의 항공기로부터의 거리

(d) 표적(target)의 진행방향

(e) 인지한 경우, 항공기의 기종 및 고도

예문(Example)

Traffic 10 o'clock, 3 miles, west-bound (인지한 경우, 관측한 교통의 항공기 기종 및 고도). 고도는 Mode C에 의해 알 수 있지만 정확한지의 여부를 조종사에게 확인하지는 않는다 (ATC가 분리목적으로 사용하기 위해서는 Mode C 고도판독의 정확성을 확인하여야 한다. 일반적으로 이것은 레이더시스템에 최초 진입시의 고도판독과 조종사가 보고한 고도를 비교하거나, 공항에 있는 항공기로부터 계속해서 고도판독자료를 받고 있는 경우에는 공항표고와 비교하여 확인할 수 있다). 확인되지 않은 고도정보를 포함한 교통조언을 발부할 필요가 있을 경우, 관제사는 항공기의 지시고도를 발부한다. 조종사는 교통정보를 수신하면 이러한 교통을 회피하기 위한 레이더유도(기수방향)를 요구할 수 있다. 레이더유도할 항공기가 관제사의 관할 하에 있는 공역 내에 있다면 레이더유도는 관제사의 판단에 따라 가능한 범위 내에서 제공된다.

2. 레이더에 식별되지 않은 표적(Not radar identified)

(a) 픽스(fix)로부터의 거리 및 방향

(b) 표적의 진행방향

(c) 인지한 경우, 항공기의 기종 및 고도

예문(Example)

Traffic 8 miles south of the airport northeast-bound, (인지한 경우, 항공기의 기종 및 고도).

d. 다음 그림에 표시된 예는 조종사가 항적(track)을 유지하기 위하여 편류수정(drift correction)을 해야 할 필요가 있을 때 이러한 교통의 위치에서 일어날 수 있는 착오를 나타낸다. 이러한 착오는 레이더교통정보가 발부된 때에 진로(course)의 변경이 이루어진 경우에도 발생할 수 있다.

그림 4-1-1. 교통의 위치로 인하여 유발되는 착오(Induced Error in Position of Traffic)

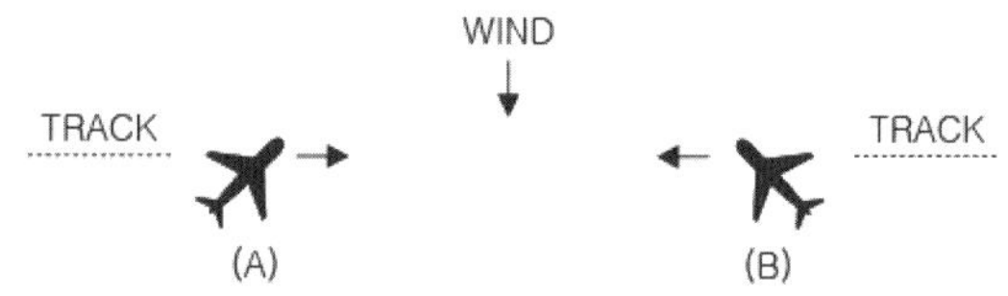

예시(Example)

그림 4-1-1에서 교통정보는 "A" 항공기의 조종사에게 12시로 발부될 것이다. "A" 항공기의 조종사에게 보이는 항공기의 실제위치는 2시 일 것이다. "B" 항공기에도 교통정보가 12시로 주어지겠지만, 이런 경우 "B" 항공기의 조종사는 10시에서 항공기를 보게 될 것이다.

그림 4-1-2. 교통의 위치로 인하여 유발되는 착오(Induced Error in Position of Traffic)

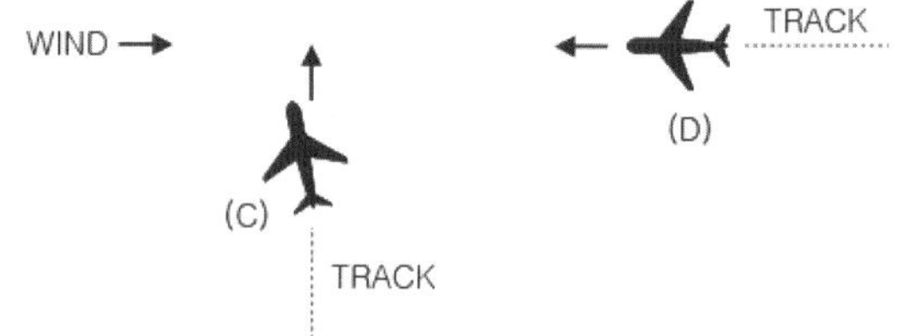

예시(Example)

그림 4-1-2에서 "C" 항공기의 조종사에게 발부되는 교통정보는 2시 일 것이다. "C" 항공기의 조종사에게 보이는 항공기의 실제위치는 3시 일 것이다. "D" 항공기에 발부되는 교통정보는 11시 위치가 될 것이다. "D" 항공기의 조종사는 항적(track)을 유지하기 위한 바람수정(crab)을 적용할 필요가 없기 때문에 발부되는 실제위치는 정확할 것이다. 레이더관제사는 레이더시현장치 상에 나타난 항공기 항적

(진로) 만을 관찰할 수 있으며 교통조언은 이에 따라 발부되므로, 조종사는 통보된 항공기를 찾을 때에 이러한 사실을 감안하여야 한다.

4-1-16. 안전경보(Safety Alert)

관제사의 판단에 ATC에 의해 관제되고 있는 항공기가 지형, 장애물 또는 다른 항공기와 근접한 고도에 있어서 불안전한 상태에 놓여있다고 인식되면, 항공기의 조종사에게 안전경보를 발부할 것이다. 이 업무의 제공은 지형, 장애물 그리고 비관제항공기와의 불안전한 근접을 포함한 관제사의 상황인식 능력에 달려 있다. 안전경보의 발부를 규정할 수는 없지만, 간헐적으로 발부되었던 안전경보를 기준으로 하여 합리적으로 예측할 수는 있다. 경고가 발부된 뒤 어떠한 조치를 취할 지 결정하는 것은 전적으로 조종사의 특권이다. 이 절차는 항공기의 안전이 의심스러운 위급한 상황에서 사용하기 위한 것이다. 위급한 상황이 아닌 경우에는 정상적인 교통경고 절차에 따라 처리해야 한다.

a. 지형 또는 장애물 경고(Terrain or Obstruction Alert)

1. 관제사의 판단에 항공기가 지형/장애물에 불안전하게 근접한 고도에 있다고 인지되면, 관제사는 즉시 관제 하에 있는 항공기의 조종사에게 경고를 발부한다. 불안전한 근접을 탐지하는 근본적인 방법은 Mode C 자동고도보고에 의한 것이다.

예문(Example)

Low altitude alert Cessna Three Four Juliet, check your altitude immediately. And if the aircraft is not yet on final approach, the MVA (MEA/MIA/MOCA) in your area is six thousand.

2. 대부분의 항공로와 터미널 레이더시설은 관제하의 Mode C 장비를 갖춘 항공기의 항적이 사전에 결정된 최저안전고도 미만이거나 미만이 될 것으로 예상될 때 관제사에게 자동으로 경고하는 기능을 갖고 있다. 최저안전고도경고(Minimum Safe Altitude Warning; MSAW)라고 하는 이 기능은 지형/장애물에 근접하여 잠재적으로 불안전한 항공기를 탐지하는 데 있어서 전적으로 관제사를 보조하기 위한 시설로 설계되었다. MSAW를 운용중일 때 아래와 같이 운항하는 경우, 레이더시설은 시스템에 의해 추적되는 작동 Mode C 고도 encoding 트랜스폰더를 갖춘 모든 항공기에게 MSAW 감시를 제공할 것이다.

(a) IFR 비행계획으로 운항

(b) MSAW 감시를 요청한 VFR 운항

3. Terminal AN/TPX-42A(숫자 beacon 해독 시스템〔number beacon decoder system〕) 시설은 저고도경고시스템(Low Altitude Alert System; LAAS)이라고 하는 자동기능을 갖고 있다. LAAS는 MSAW처럼 정교하지는 않지만, IFR 비행계획으로 운항하는 Mode C 트랜스폰더를 갖춘 항공기가 사전에 결정된 최저안전고도 미만일 때 관제사에게 경고를 해준다.

주(Note)

VFR로 운항하는 조종사는 항공기에 Mode C 트랜스폰더를 갖추고 있다면, MSAW 또는 LAAS 감시를 요청할 수 있다.

예문(Example)

Apache Three Three Papa request MSAW/LAAS.

4. 지형 및 장애물회피 자료의 부족으로 인하여 멕시코와 캐나다 상공을 비행하는 항공기에 정확한 자동화 데이터베이스를 이용하여 MSAW 정보를 제공하지 못할 수 있다. 미국/멕시코/캐나다 국경선의 항공교통시설은 정확한 지형자료를 이용할 수 없는 곳에서 MSAW computer 처리가 규제될 수 있다.

b. 항공기 충돌경고(Aircraft Conflict Alert)

1. 관제사의 판단에 관제 하에 있는 항공기와 관제 하에 있지 않는 다른 항공기가 서로 불안전하게 근접한 고도에 있다고 인지되면, 관제사는 즉시 관제 하에 있는 항공기의 조종사에게 경고를 발부한다. 경고와 함께, 가능하면 관제사는 시간이 허용되는 경우 항공기의 위치 및 취해야 할 대처방안을 제공한다. 관제사가 조종사에게 권고할 수 있는 대처방안은 관제사의 관제 하에 있는 다른 교통만을 기

초로 한 것이다.

예문(Example)

American Three, traffic alert, (시간이 허용되면, 항공기의 위치), advise you turn right/left heading (각도) 및/또는 climb/descend to (고도) immediately.

4-1-17. VFR 항공기에 대한 레이더업무지원 (Radar Assistance to VFR Aircraft)

a. 레이더를 갖춘 FAA ATC 기관은 VFR 항공기가 시설과 교신할 수 있고, 레이더 포착범위 내에 있으며 레이더로 식별할 수 있으면 VFR 항공기에게 레이더업무지원 및 항행업무(레이더유도)를 제공한다.

b. 이러한 레이더업무항행지원에 따라 비행하도록 하는 허가가 조종사에게 CFR 위배를 허용하는 것은 아니라는 것을 조종사는 확실하게 이해해야 한다. 항행유도정보에 기초하여 제공되는 지원은 사실상 조언에 불과하며, 항공기의 안전한 비행에 대한 책임은 조종사에게 있다.

c. 대부분의 경우, 관제사는 계기비행상태로의 비행이 본인의 지시로 인한 것인지의 여부를 판단할 수 없을 것이다. IFR 상태로 레이더 유도됨으로써 일어날 수 있는 위험가능성을 피하기 위하여, 조종사는 운항하는 지역과 진로전방의 기상상태를 계속해서 관제사에게 통보하여야 한다.

d. 레이더항행지원(레이더유도)은 다음 중 하나의 조건에 해당할 때, 관제사에 의해 개시된다.

1. 관제사가 레이더유도를 제안하고 조종사가 받아들인 경우

2. 특별프로그램이 수립되고 레이더유도업무가 공고된 경우

3. 관제사의 판단에 비행안전을 위하여 레이더유도가 필요한 경우

e. 레이더항행지원(레이더유도) 및 그 밖의 레이더에서 얻은 정보는 조종사의 요구에 따라 제공될 것이다. 레이더의 제한, 교통량, 통신주파수의 혼잡 및 관제사의 업무량과 같은 여러 가지 요소는 관제사가 이러한 업무를 제공하는 데 지장을 줄 수 있다. 관제사는 특정한 경우에 그들이 업무를 제공할 수 있는지의 여부를 결정할 수 있는 완전한 재량을 갖는다. 특정한 경우에 업무를 제공하지 않기로 한 관제사의 결정은 질문의 대상이 되지 않는다.

4-1-18. VFR 항공기에 대한 터미널레이더업무 (Terminal Radar Services for VFR Aircraft)

a. 기본레이더업무(Basic Radar Service)

1. IFR 항공기의 관제에 레이더가 이용되며, 더불어 위임된 모든 레이더시설은 VFR 항공기에게도 다음의 기본적인 레이더업무를 제공한다.

(a) 안전경보(safety alert)

(b) 교통조언(traffic advisory)

(c) 제한적인 레이더유도(업무량이 허용하는 한도 내에서 제공)

(d) 이러한 목적을 위하여 절차가 수립되어 있거나 합의서에 명시된 지역에서의 순서배정(sequencing)

주(Note)

Stage service가 개발되었을 때 기본적인 두 가지 레이더업무(교통조언과 제한된 레이더유도)는 "Stage I"으로 분류되었다. 그 후 이러한 정의는 불필요하게 되었고, "Stage I"이라는 용어는 사용하지 않게 되었다. 용어 "Stage II"는 공역 재분류와 관련하여 삭제되었으며, 국지절차가 있는 지역의 순서배정업무 및/또는 이러한 업무를 제공하기 위한 합의서는 VFR 항공기에 대한 기본업무에 포함되었다. 이러한 기본업무가 B등급, C등급, D등급 또는 E등급 공역을 포함하는 지의 여부에 관계없이 업무는 모든 터미널 레이더시설에 의해 변함없이 제공될 것이다. "Stage III" 업무는 해당하는 "B등급"과 "TRSA" 업무로 대체되고 있다.

2. 레이더유도업무는 조종사가 요구할 때, 또는 ATC가 제안하고 조종사가 받아들이는 경우에만 제공된다.

3. 도착하는 항공기의 조종사는 공고된 주파수로 접근관제소와 교신하여야 하며 위치, 고도, 항공기 호출부호, 항공기 기종, 레이더비컨 코드(트랜스폰

더가 장착되어 있다면), 목적지를 통보하고 교통정보를 요청한다.

4. 접근관제소는 조종사가 "have numbers"를 사용하거나, 바람 및 활주로정보가 ATIS 방송에 포함되어 있고 조종사가 최근의 ATIS 정보를 수신하였음을 알린 경우를 제외하고, 바람 및 활주로정보를 제공한다. 교통정보는 업무량이 허용하는 한도 내에서 제공된다. 접근관제소는 조종사가 추가 착륙정보를 획득하기 위하여 관제탑과 국지관제주파수로 교신하여야 할 시간 또는 장소를 통보한다. 레이더업무는 자동으로 종료되며, 레이더업무를 받는 VFR 도착항공기가 기본레이더업무가 제공되는 관제탑이 있는 공항에 착륙했을 때, 또는 관제탑이나 조언주파수로 변경하도록 지시하였을 때에는 조종사에게 종료를 통보할 필요가 없다. (FAA Order JO 7110.65, Air Traffic Control, 5-1-13항, Radar Service Termination 참조)

5. VFR 항공기에 대한 순서배정은 특정 터미널 지역에서 이용할 수 있다 (미국 차트 보충판에 수록되어 있는 지역 참조). 이 업무의 목적은 교통장주에 도착하는 VFR 및 IFR 항공기의 흐름을 안전하고 질서있게 조절하고, 출발하는 VFR 항공기에게 레이더교통정보를 제공하기 위한 것이다. 조종사의 참여를 권고하지만 의무사항은 아니다. 교통정보는 업무량이 허용하는 한도 내에서 제공된다. VFR 항공기 간 또는 VFR과 IFR 항공기 간의 표준레이더 분리는 제공되지 않는다.

(a) 도착하는 VFR 항공기의 조종사는 순서배정업무가 제공되고 있는 공항으로부터 약 25 mile 지점에서 공고된 주파수로 접근관제소와 최초 무선교신을 시도하여야 한다. VFR 항공기에 의한 최초 교신 시, 접근관제소는 순서배정업무를 요청한 것으로 가정할 것이다. 레이더포착(radar contact)이 이루진 후 조종사는 교통장주로 진입하기 위하여 자체항법을 사용할 수 있으며, 또는 접근관제소는 교통상황에 따라 공항으로 향하는 항공로 상의 다른 VFR과 IFR 교통을 고려하여 적절한 순서배정에 필요한 비행로배정(routing) 또는 레이더유도를 조종사에게 제공할 수 있다. 선행항공기 뒤에서 비행하고 있는 조종사가 선행항공기를 육안 확인하였다고 보고한 경우, 조종사는 선행항공기를 뒤따를 것을 지시받을 수 있다. 선행항공기를 뒤따르라는 ATC 지시는 조종사가 선행항공기에게 발부된 어떠한 ATC 허가나 지시에 따르는 것을 허가하는 것은 아니다. 다른 "비참여" 또는 "국지" 항공기가 교통장주에 있다면 관제탑은 착륙순서를 부여할 것이다. 도착하는 항공기가 레이더업무를 원하지 않는 경우, 조종사는 접근관제소와 최초교신 시 "Negative radar service" 라고 하거나 또는 유사한 언급을 하여야 한다.

(b) 출발하는 VFR 항공기의 조종사는 지상관제소와 최초교신 시 예정된 비행방향과 요구사항을 통보하고, 레이더교통정보를 요구할 것을 권장한다.

예문(Example)

Xray ground control, November One Eight Six, Cessna One Seventy Two, ready to taxi, VFR southbound at 2,500, have information bravo and request radar traffic information.

주(Note)

이륙한 다음에 관제탑은 출발관제소와 교신할 시간을 통보한다.

(c) 구역을 통과하며, 접근관제소와 레이더포착/교신을 하는 항공기의 조종사는 업무량이 허용하는 한도 내에서 교통정보를 받게 된다. 이러한 항공기의 조종사는 위치, 고도, 항공기 호출부호, 항공기 기종, 레이더비컨 코드(트랜스폰더가 장착되어 있다면), 목적지 및 비행경로를 통보하여야 한다.

b. TRSA 업무(TRSA에서 VFR 항공기에 대한 레이더 순서배정 및 간격분리 업무)

1. 이 업무는 특정 터미널지역에서 시행되고 있다. 이 업무는 미국 차트 보충판(Chart Supplement U.S.)에 공고된다. 이 업무의 목적은 터미널레이더 업무구역(TRSA)으로 정의된 공역 내에서 운항하는 모든 IFR 항공기 및 참여하는 모든 VFR 항공기 간에 분리를 제공하는 것이다. 조종사의 참여를 권고하지만 의무사항은 아니다.

2. 만일 어떤 항공기가 이 업무를 원하지 않는다

면, 조종사는 접근관제소 또는 지상관제소와 최초교신 시 "Negative radar service" 라고 하거나 또는 유사한 언급을 적절히 하여야 한다.

3. TRSA는 구역항공차트에 표기되고, 미국 차트 보충판(Chart Supplement U.S.)에 수록된다.

4. 조종사는 TRSA 내에서 운항하는 동안 TRSA 업무 및 이 절에 규정된 분리를 제공받는다. 이러한 업무를 레이더에 의존하고 있을 때 레이더가 운용중지된 경우, VFR 항공기의 순서배정과 간격분리는 중단된다. 조종사는 레이더업무를 제공받을 수 없다는 것을 통보받고, 바람 및 활주로정보 그리고 관제탑과 교신할 시기 또는 장소를 발부받는다. 교통정보는 업무량이 허용하는 한도 내에서 제공된다.

5. 상황이 허용되면 다음과 같이 시계분리가 적용된다.

(a) 선행항공기 뒤에서 비행하고 있는 조종사가 선행항공기를 육안 확인하였다고 보고할 경우, 조종사는 ATC에 의해 선행항공기를 뒤따를 것을 지시받을 수 있다. 선행항공기를 뒤따르라는 ATC 지시는 조종사가 선행항공기에게 발부된 어떠한 ATC 허가나 지시에 따르는 것을 허가하는 것은 아니다.

(b) 다른 "비참여" 또는 "국지" 항공기가 교통장주에 있다면, 관제탑은 착륙순서를 부여할 것이다.

(c) 출발 VFR 항공기는 TRSA에서 출발한 선행항공기를 육안으로 보면서 뒤따를 수 있는지의 여부를 질문 받을 수도 있다. 조종사가 그 항공기를 시야에 둘 수 있으면 조종사는 항공기를 뒤따를 것을 지시받을 것이다.

6. VFR 항공기는 다음 중 어느 하나에 의하여 VFR/IFR 항공기로부터 분리된다.

(a) 500 ft 수직분리

(b) 시계분리(visual separation)

(c) 표적분석(target resolution) (상호관련이 있는 레이더표적이 서로 맞닿지 않도록 하는 처리과정)

7. TRSA에서 VFR로 운항하는 참여조종사(participating pilots operating VFR in a TRSA)

(a) 지정된 고도 이하를 유지하도록 고도배정이 되어 있지 않는 한, ATC가 배정한 고도를 유지하여야 한다. ATC는 분리를 위하여 14 CFR 91.159절과 상반되는 고도를 배정할 수도 있다. 분리를 위한 고도배정이 더 이상 필요하지 않거나 TRSA를 떠날 때, "resume appropriate VFR altitudes" 라고 지시받게 될 것이다. 이때 조종사는 가능한 한 빨리 14 CFR 91.159절에 부합하는 고도로 복귀하여야 한다.

(b) 고도를 배정받지 않았을 때는 고도를 변경하기 전에 ATC와 협의하여야 한다.

8. TRSA 내에서 관측되었으나 식별되지 않은 표적(target)에 대한 정보는 가능한 범위 내에서 모든 IFR 항공기와 참여 VFR 항공기에 제공될 것이다. 레이더유도할 항공기가 관제사의 관할 하에 있는 공역 내에 있다면, 조종사는 관측된 교통을 회피하기 위하여 요구하는 즉시 레이더유도를 받을 수 있을 것이다.

9. 출발항공기는 의도하는 목적지 또는 비행경로와 예정된 순항고도를 ATC에 통보하여야 한다.

10. TRSA의 지리적범위를 벗어난 경우, 보통 ATC는 참여하는 VFR 항공기에게 이를 통보한다. 관제사가 별도로 언급하지 않는 한, 이러한 조언업무와 더불어 레이더업무는 자동으로 종료되지는 않는다.

c. C등급 업무(Class C Service)

이 업무는 기본레이더업무에 추가하여 IFR 및 VFR 항공기 간의 인가된 분리, 그리고 주요공항에 도착하는 VFR 항공기의 순서배정(sequencing)을 제공한다.

d. B등급 업무(Class B Service)

이 업무는 기본레이더업무에 추가하여 IFR, VFR 또는 중량에 의거한 항공기의 인가된 분리, 그리고 주요공항에 도착하는 VFR 항공기의 순서배정(sequencing)을 제공한다.

e. 조종사 책임. 이러한 업무가 VFR 기상상태로 운항중인 다른 항공기의 육안회피, 심각한 후류(wake) 조우를 회피하기 위하여 필요한 운항과 비

행경로의 조정, 적절한 지형과 장애물회피의 유지 또는 CFR 91.155절에 규정된 최저치와 같거나 더 양호한 기상상태를 유지해야 하는 조종사의 책임을 면하여 주는 것으로 판단해서는 안된다. 배정된 비행로, 기수방향(heading) 또는 고도의 준수가 지형과 장애물회피와 관련된 조종사의 책임에 저해가 될 것 같은 경우에는 접근관제소에 이를 통보하고 수정된 허가 또는 지시를 받아야 한다.

f. 터미널레이더업무에 참여하는 VFR 항공기에 대한 ATC 업무는 ATC 레이더에 의존하고 있다. VFR 항공기에 대한 업무는 레이더가 운용중지된 동안에는 이용할 수 없으며, CENRAP가 사용 중일 때에는 제한된다. VFR 업무가 제한되거나 이용할 수 없을 경우, 조종사는 이를 통보받게 될 것이다.

주(Note)

B등급 및 C등급 공역은 규제를 받는 공역이다. ATC 레이더가 없다고 해서 B등급 공역으로 진입하기 위한 ATC 허가나 C등급 공역으로 진입하기 위한 ATC와의 양방향무선교신 요건의 효력이 없어지는 것은 아니다.

4-1-19. 관제탑항공로관제(Tower En Route Control; TEC)

a. TEC는 대도시구역에 입출항하는 항공기에게 업무를 제공하기 위한 ATC 프로그램이다. 이것은 국가공역시스템의 현존하는 항공로구조로 이루어진 식별된 비행로연결망(network of routes)에 의해 지정된 접근관제소구역을 연결한다. FAA는 가능한 많은 시설을 포함시키기 위하여 TEC 프로그램의 확대에 착수하였다. 이 프로그램의 의도는 저고도시스템에서 ATC 업무를 증진시킬 수 있는 별도의 수단을 제공하기 위한 것이다. 예전부터 일부 시설들은 터보제트항공기가 밀워키와 시카고와 같이 특정한 두 도시 간에 관제탑항공로(tower en route)를 경유하여 비행하는 것을 허용해 왔으며, 이들 지역에서의 이러한 업무는 계속될 것이다. 그러나 확대된 TEC 프로그램은 일반적으로 10,000 ft 이하에서 운항하는 터보제트 이외의 항공기에 적용될 것이다. 이 프로그램은 전적으로 접근관제공역 내의 다수 터미널시설에 적용된다. 본래 이것은 비교적 단거리비행을 위한 것이다. 참여조종사는 두 시간 이내의 비행 시 TEC를 활용할 것을 권장하고 있다. 더 장시간의 비행을 계획했다면, 예상치 않은 지연을 가져올 수 있는 복잡한 지역 내에서는 폭 넓은 조정이 필요할 수 있다.

b. TEC를 요청하는 조종사는 ATC 시스템의 다른 항공기들과 마찬가지로 목적지공항에서 동일한 지연 요인을 안고 있다. 게다가 각 시설의 업무량에 따라 출발지연 및 항공로지연이 발생할 수 있다. 주요 대도시공항의 지연이 심해지면, TEC 프로그램의 조종사는 지연이 없었던 교체공항을 고려해 주기를 바랄 수 있다.

c. 조종사가 TEC 프로그램을 활용하기 위한 특별한 요구조건은 없다. 통상적인 비행계획서 제출절차가 적절한 비행계획의 진행을 보장한다. 조종사가 관제탑항공로관제를 요청할 때는 비행계획서의 비고란에 약어 "TEC"를 포함시켜야 한다.

d. 이 시스템에서의 모든 접근관제가 10,000 ft의 최대 TEC 고도까지 운영되지 않을 수도 있다. 동일한 비행로를 경유하는 주요공항에 근접한 어떤 인접공항(satellite airport)으로의 IFR 비행도 가능하다.

4-1-20. 트랜스폰더 운용(Transponder Operation)

a. 일반(General)

1. 조종사는 지상이나 공중에서 운항하는 동안 트랜스폰더 운용절차의 올바른 적용이 VFR과 IFR 항공기 모두에게 보다 높은 안전성을 제공한다는 것을 인식하고 있어야 한다. 작동중인 고도보고 모드(Mode C 또는 S)를 갖춘 트랜스폰더는 항공기를 식별하기 위한 감시시스템의 능력을 대폭적으로 증가시키고, 따라서 증진된 상황인식과 잠재적인 공중충돌을 식별할 수 있는 능력을 항공교통관제사에게 제공한다. ATC와 교신하고 있지 않는 VFR 조종사일지라도 교통조언을 받고 있는 IFR 항공기와 VFR 항공기로부터 보다 많은 보호를 받게 된다. 그렇다 하더라도 조종사는 다른 항공기에 대한 육안탐색을 게을리 해서는 안된다.

2. 항공교통관제 비컨시스템(ATCRBS)은 군용의 부호화된 레이더비컨(coded radar beacon) 장치와 유사하며 호환이 된다. 민간 Mode A는 군용 Mode 3와 동일하다.

3. 지상에서 트랜스폰더 및 ADS-B 운용(Trans-ponder and ADS-B operations on the ground). 민간 및 군 항공기는 모든 공항에서 공항 이동지역에 항공기가 위치하고 있을 때에는 항상 고도보고 모드(고도보고가 가능한 특정 트랜스폰더 위치 확인은 항공기의 비행교범 참조) 및 ADS-B Out transmission이 가능하도록 트랜스폰더를 작동(장착하고 있다면)하여야 한다. 여기에는 지정된 모든 유도로 및 활주로가 포함된다. 조종사는 ATIS 및 공항 diagram 표기법, General Note(공항 차트에 포함된)에 각별한 주의를 기울여야 하며, 트랜스폰더와 ADS-B 사용법과 관련된 지시사항을 준수하여야 한다. 일반적으로 이러한 지시사항은 다음과 같다.

(a) 출발(Departure). 지상활주해서 주기지점을 벗어나거나 견인차량에 의해 주기지점에서 항공기가 후진하는 동안 고도보고를 하거나, ADS-B(장착하고 있다면)가 가능하도록 하는 트랜스폰더 모드를 선택한다. 사용활주로에 진입할 때 TA 또는 TA/RA(TCAS를 장착하고 있다면)를 선택한다.

(b) 도착(Arrival). 트랜스폰더를 고도보고 모드로 유지하거나, TCAS를 장착하고 있다면(TA 또는 TA/RA) 트랜스폰더를 고도보고 모드로 선택한다. 사용활주로를 벗어난 이후에 ADS-B Out 송신(장착하고 있다면)을 유지한다. 항공기의 주기지점이나 gate에 도착하면 트랜스폰더 및 ADS-B(장착하고 있다면)를 STBY 또는 OFF 위치에 놓는다.

4. 공중에서 트랜스폰더 및 ADS-B 운용(Trans-ponder and ADS-B operations in the air). 14 CFR 91.413절에 따라 정비된 사용가능한 ATC 트랜스폰더나 ADS-B 트랜스미터를 장착한 항공기를 운항하는 조종사는 Mode C/S 기능이 있다면 이를 포함하여 적절한 Mode 3/A code 또는 ATC가 배정한 code로 트랜스폰더/트랜스미터를 운용하여야 한다. ATC에 의해 달리 요청되지 않은 한, ADS-B Out을 갖춘 항공기를 운항하는 조종사는 체공 중 항상 송신 mode로 장비를 운용하여야 한다.

5. 목적지에 도착하기 전에 IFR 비행계획을 취소하기로 결정한 IFR 비행 조종사는 VFR 운항에 맞도록 트랜스폰더를 조정하여야 한다.

6. 미국 외부에서 미국 해양공역구역(offshore airspace area)으로 진입중이라면, 조종사는 미국 ATC 레이더시설과 최초로 교신할 때 트랜스폰더 장비가 작동한다는 뜻으로 항공기 식별부호에 "transponder"를 덧붙여 통보하여야 한다.

7. 조종사가 예측할 수 있는 감시범위는 지상 레이더 및 ADS-B 통신국의 "가시선(line of sight)"의 제한을 받는다는 것을 ATC 트랜스폰더와 ADS-B Out 시스템의 모든 사용자들은 주지하여야 한다. 저고도 또는 항공기 자체에 의한 항공기 안테나의 차폐는 항공기 포착(contact)의 상실 또는 포착의 범위를 감소시키는 결과를 가져올 수 있다. 감시범위는 보다 더 높은 고도로 상승함으로써 증가시킬 수 있다.

주(Note)

ADS-B를 갖춘 항공기의 조종사는 운용한계 및 절차의 전체적인 설명에 대하여 AIM 4-5-7항 자동종속감시방송업무(Automatic Dependent Surveillance-Broadcast Services) 업무를 참조한다.

b. 트랜스폰더 코드 배정(Transponder Code Designation)

1. ATC 목적으로 4096 discrete code 중의 하나 또는 조합을 활용하기 위하여 4자리 숫자의 code 배정이 사용된다. 예를 들면, code 2100은 Two One Zero Zero로 표현된다. 급속도로 발전하는 자동 ATC 시스템의 운용특성으로 인하여, ATC에 의해 특별히 달리 요청되지 않는 한 선택된 트랜스폰더 code의 마지막 2자리 숫자는 항상 "00"으로 판독하여야 한다.

c. 자동고도보고(Automatic Altitude Reporting)(Mode C)

1. 일부 트랜스폰더는 Mode C 자동고도보고기능을 갖추고 있다. 이 시스템은 질문(interrogating)

레이더시설에 Mode C 구성펄스(framing pulse)와 함께 송신되는 부호화된 디지털 정보를 100 ft 간격의 항공기고도로 전환시킨다. 트랜스폰더 패널의 설계방식은 서로 다르므로, ATC가 전체적인 기능을 알 수 있도록 하기 위하여 조종사는 트랜스폰더의 운용에 완전히 익숙해야 한다.

2. ATC가 작동중단을 지시하거나 탑재된 항공기장비가 14 CFR 91.217절에서 요구하는 시험을 거치지 않았거나 교정이 되지 않은 경우 이외에는, ATC가 배정한 Mode A/3 코드 및 장착되어 있다면 활성화된 고도보고기능을 가진 Mode C로 응답할 수 있도록 트랜스폰더를 조정한다. ATC가 작동중단을 요구하면 트랜스폰더의 고도보고기능을 끈다. "Stop altitude squawk, altitude differs (feet 단위 수치) feet"의 ATC 지시는 당신의 트랜스폰더가 부정확한 고도정보를 송신 중이거나, 고도계수정치가 부정확하다는 표시일 수 있다. 부정확한 고도계수정치가 당신의 트랜스폰더(트랜스폰더는 29.92로 미리 설정되어 있다)에서 송신되는 Mode C 고도정보에 영향을 미치지는 않지만, 당신으로 하여금 배정된 고도와는 상이한 실제고도에서 비행하도록 할 수 있다. 관제사로부터 고도판독이 부정확하다는 것을 통보받으면 조종사는 항공기의 고도계가 정확하게 설정되어 있는지 확인하여야 한다.

3. Mode C 고도보고 트랜스폰더를 운용중인 항공기의 조종사는 ATC 기관과 최초교신이 이루어졌을 때 100 ft 단위에 가장 가깝게 정확한 고도 또는 비행고도(flight level)를 통보하여야 한다. 최초교신 시 정확한 고도 또는 비행고도의 보고는 분리목적으로 Mode C 고도정보를 사용하기 이전에 필요한 정보를 ATC에 제공하는 것이다. 이것은 고도확인 요청을 현저하게 감소시킬 것이다.

d. 트랜스폰더 IDENT 기능(Transponder IDENT Feature)

1. 트랜스폰더는 ATC가 지정한 대로 운용하여야 한다. ATC 관제사의 요청이 있을 때만 "Ident" 기능(feature)을 작동시킨다.

e. 코드 변경(Code Change)

1. 일상적인 코드 변경 수행시, 조종사는 부주의로 code 7500, 7600 또는 7700을 선택하여 지상 자동화시설에 순간적으로 허위경보가 발령되지 않도록 하여야 한다. 예를 들어 code 2700에서 code 7200으로 변경할 경우, 먼저 2200으로 변경한 다음에 7200으로 맞추어야 하며 7700으로 변경한 다음에 7200으로 맞추어서는 안된다. 이 절차는 자동화시설의 특별한 경보장치를 작동시키는 nondiscrete code 7500, 그리고 7600과 7700 계열의 모든 discrete code(즉, 7600~7677, 7700~7777)에 적용된다. Nondiscrete code 7500 만이 피랍코드(hijack code)로 해독된다.

2. 여하한 경우에도 민간항공기의 조종사는 트랜스폰더를 code 7777로 운용해서는 안된다. 이 code는 군요격작전에 배정되어 있다.

3. 제한구역이나 경고구역 내에서 VFR 또는 IFR로 운항중인 군조종사는 ATC가 별도의 코드를 배정하지 않는 한 트랜스폰더를 code 4000으로 맞추어야 한다.

f. 모드 C 트랜스폰더 요구조건

1. Mode C 트랜스폰더 탑재 및 운용 요구조건에 대한 구체적인 사항, 예외사항 및 요구조건의 위배에 대한 ATC 허가 등은 14 CFR 91.215절과 14 CFR 99.12절에 제시되어 있다.

2. 일반적으로 CFR은 항공기가 다음에서 운항할 때, Mode C 트랜스폰더를 장착할 것을 요구하고 있다.

(a) 2,500 ft AGL 미만의 공역을 제외한, 본토 48개 주 또는 컬럼비아 특별구 상공 10,000 ft MSL 이상

(b) B등급 공역 주요공항 30 mile 이내의 10,000 ft MSL 미만. 기구, 활공기 그리고 엔진구동전기시스템을 갖추지 않은 항공기가 A등급 공역의 하한고도(floor) 미만에서 운항할 때, 또는 B등급 공역 외부와 B등급 공역의 운고 미만(또는 10,000 ft MSL 중 더 낮은 고도)에서 운항할 때는 위의 요건에서 제외된다.

(c) 모든 C등급 공역 이내의 상공 1,000 ft MSL 까지

(d) D등급 공항교통구역 외부 및 1,200 ft 미

만의 공역을 제외한 지정된 공항의 10 mile 이내. 기구, 활공기 및 엔진구동전기시스템을 갖추지 않은 항공기는 이러한 요건에서 제외된다.

3. 14 CFR 99.13절은 미국본토의 ADIZ로 진입하여 ADIZ 내에서 비행하거나, 또는 통과하는 모든 항공기는 Mode C 또는 Mode S 트랜스폰더를 장착할 것을 요구하고 있다. 기구, 활공기 및 엔진구동전기시스템을 갖추지 않은 항공기는 이러한 요건에서 제외된다.

4. 조종사는 이러한 공역에서 운항하는 동안 항공기 트랜스폰더가 ATC가 배정한 해당 VFR/IFR code로 작동되는지를 확인하여야 한다. 공중에서 트랜스폰더 기능의 작동상태가 의심스러운 경우, 가장 인접한 ATC 기관이나 FSS에 연락하면 장비의 상태를 확인하기 위하여 교신해야 할 시설을 알려줄 것이다.

5. 비행중 트랜스폰더 요건으로부터 "긴급(immediate)" 위배요청은 IFR로 계속 비행할 때, 또는 CFR에 저촉되지 않는 공역에서 VFR 강하와 VFR로 계속 비행하기 어려운 기상상태일 때에만 관제사가 인가할 것이다. 그 밖의 모든 위배요청은 가장 인접한 비행정보업무국이나 항공교통시설을 직접 방문하거나, 전화로 하여야 한다. 가장 인접한 ARTCC가 보통 관할기관이 되며 다른 ARTCC 구역의 위배와 관련된 요청을 조정할 책임이 있다.

g. 시계비행방식(VFR)에서의 트랜스폰더 운용

1. ATC 기관에 의해 달리 지시되지 않는 한, 고도에 관계없이 Mode 3/A code 1200으로 응답할 수 있도록 트랜스폰더를 조정한다.

주(Note)

1. ATC 기관과 교신하고 있지 않는 항공기는 화재진압구역 내에서, 또는 항공로에서 화재진압구역으로 입출항하는 동안에는 squawk 1200 대신 1255로 조정할 수 있다.

2. USAF 또는 USCG의 인가된 SAR 임무비행을 하는 VFR 항공기는 지정된 탐색지역 내에서, 또는 항공로에서 탐색지역으로 입출항하는 동안에는 squawk 1200 대신 1277로 조정하도록 통보받을 수 있다.

3. ATC 기관과 교신하고 있지 않는 활공기는 squawk 1200 대신 1202로 조정하여야 한다.

2. ATC가 작동중단을 지시하거나 장착된 장비가 14 CFR 91.217절에서 요구하는 시험을 거치지 않았거나 교정되지 않은 경우 외에는, 장착되어 있다면 활성화된 고도보고기능을 가진 Mode C로 응답할 수 있도록 트랜스폰더를 조정한다. 트랜스폰더가 고도보고기능의 작동을 중단시킬 수 있도록 설계되어 있고 작동중단이 필요하면, 고도보고 스위치를 끄고 Mode C 구성펄스(framing pulse)를 계속 송신한다. 이러한 성능이 없다면 Mode C를 끈다.

h. 레이더비컨 관제용어

민간 및 군 항공교통관제사 모두 항공교통관제 비컨시스템(ATCRBS)의 운용과 관련된 경우에 다음의 관제용어를 사용할 것이다. ATC 지시사항은 Mode A/3 또는 Mode C의 운용에만 관련되며, 그 밖에 다른 Mode의 트랜스폰더 운용에는 해당되지 않는다.

1. Squawk (number). Mode A/3에 지정된 code로 레이더비컨 트랜스폰더를 작동시켜라.

2. Ident. 트랜스폰더의 "Ident" 기능(군항공기는 I/P)을 작동시켜라.

3. Squawk (number) and Ident. Mode A/3에 지정된 code로 레이더비컨 트랜스폰더를 작동하고, "Ident" 기능(군항공기는 I/P)을 작동시켜라.

4. Squawk Standby. 트랜스폰더를 standby 위치로 변경하라.

5. Squawk Low/Normal. 지시한 대로 트랜스폰더를 저(low) 또는 정상(normal) 감도로 작동시켜라. ATC가 "Low" 위치에 놓으라고 지시하지 않는 한, 트랜스폰더는 "Normal" 위치에서 운용한다. (일부 유형의 트랜스폰더에는 master control label에 "Normal" 대신에 "On"으로 표시되어 있다)

6. Squawk Altitude. Mode C 자동고도보고기능을 작동시켜라.

7. Stop Altitude Squawk. 고도보고 스위치는 끄고, Mode C 구성펄스(framing pulse)는 계속 송신하라. 장비가 이러한 기능을 갖고 있지 않다면 Mode C를 끈다.

8. Stop Squawk (사용 중인 mode). 지시한 mode를 꺼라. (관제사가 군작전요구도를 알 수 없는 경우, 항공기에게 계속해서 다른 mode의 작동을 할 수 있도록 군용기에 사용)

9. Stop Squawk. 트랜스폰더를 꺼라.

10. Squawk Mayday. 트랜스폰더를 비상위치로 작동시켜라. (민간용 트랜스폰더는 Mode A Code 7700, 군용 트랜스폰더는 Mode 3 Code 7700과 비상 기능)

11. Squawk VFR. Mode A/3에서 Code 1200 또는 적절한 VFR code로 레이더비컨 트랜스폰더를 작동시켜라.

4-1-21. 공항예약운영 및 특별교통관리프로그램 (Airport Reservation Operations and Special Traffic Management Program)

이 절에서는 FAA가 지정한 공항이나 특별교통관리프로그램을 운영하는 공항에서 필요한 공항예약을 하기 위한 절차를 기술하고 있다.

a. 항공기 운항시각 조정공항(Slot Controlled Airports)

1. FAA는 어떤 공항에서의 부정기운항에 대하여 사전예약운영에 필요한 규칙을 제정할 수 있다. FAA가 제정한 규칙에 대한 정보 이외에 공항의 목록 및 관련 정보는 아래에 나열된 FAA 웹사이트에 수록되어 있다.

2. FAA는 항공기 운항시각 조정(slot controlled) 공항의 부정기비행에 대한 예약을 접수하고 처리하기 위하여 공항예약사무소(ARO)를 설치하였다. ARO는 예약배정에 개량형 컴퓨터음성예약시스템(e-CVRS)을 사용한다. 항공기 운항시각 조정공항에서의 예약은 운항개시 72시간 전부터 가능하다. 대기 목록(standby list)은 유지하지 않는다. 비상을 선언한 비행은 예약이 필요없다. 항공기 운항시각 조정공항의 최신목록, 제한사항 및 예약절차는 웹사이트에 접속하거나 전자식전화로 조회한다.

주(Note)

항공기 운항시각 조정공항의 부정기운항 예약을 위한 웹 접속/전화번호는 다음과 같다.

1. http://www.fly.faa.gov/ecvrs
2. 전자식전화(Touch-tone): 1-800-875-9694
3. 문의전화: 540-422-4246

3. 항공기 운항시각 조정공항에서의 운항 및 예약절차에 대한 더 상세한 정보는 14 CFR Part 93, Subpart K-High Density Traffic Airports를 참조한다.

b. 특별교통관리프로그램(STMP; Special Traffic Management Programs)

1. 특별절차는 지역의 정상적인 교통수요를 초과 수용하기 위하여 특별한 교통취급이 필요하거나(예를 들면, 인디애나폴리스 500 자동차경주, 슈퍼볼), 또는 공항수용능력이 감소되었을 때(예를 들면, 공항 공사를 위한 공항 활주로/유도로 폐쇄) 수립할 수 있다. 특별절차는 문제가 해소될 때까지, 또는 국지교통관리절차로 상황을 처리할 수 있어서 더 이상 특별취급을 할 필요가 없을 때까지 적용될 수 있다.

2. ATCSCC를 통해 운항시각을 예약하기 위하여 이용할 수 있는 방법에는 웹 접속과 전자식전화 접속의 두 가지 방법이 있다. 이러한 방법을 이용할 수 있다면 웹사이트 주소와 무료전화번호를 전파하기 위한 NOTAM이 발행된다. STMP에 포함되어 있는 공항, 일자 및 시간 예약의 필요여부, 예약요청의 시간제한, 예약담당자, 그리고 그 밖의 지시사항을 알아보기 위하여 최근 NOTAM을 확인하여야 한다.

주(Note)

STMP slot 예약을 위한 전화번호/웹 접속은 다음과 같다.

1. 전자식전화(Touch-tone): 1-800-875-9755
2. 웹 접속: http://www.fly.faa.gov
3. 문의전화: 540-422-4246

c. 예약을 하는데 문제가 있거나, 또는 항공기 운항시각 조정공항/STMP 규정과 절차에 관련하여 문의사항이 있을 경우 이용자는 (540) 422-4246으로 ARO에 문의할 수 있다.

d. 예약(Making Reservations)

1. 인터넷 이용자. 접속하여 예약 시스템을 이용하기 위한 상세한 정보와 이용자 안내서는 웹 사이트 http://www.fly.faa.gov/ecvrs, slot controlled airports (e-CVRS) 및 http://www.fly.faa.gov/estmp, STMPs (e-STMP)에서 이용할 수 있다.

2. 전화 이용자. 전화를 이용하여 예약을 하는 경우에는 원하는 정보를 입력하면 된다. 전화기의 keypad를 사용하여 모든 입력을 할 수 있다. 전화의 단 한 가지 문제점은 대부분의 key에 문자와 숫자가 함께 있다는 것이다. 시스템이 날짜나 시간을 물어보면 이때는 숫자의 입력을 예상할 수 있다. 문제는 항공기 호출부호나 등록번호를 입력할 때 일어난다. 시스템은 문자(알파벳 문자)를 입력했는지 숫자를 입력했는지를 알지 못한다. 따라서 항공기 호출부호나 등록번호를 입력할 때는 각 문자나 숫자를 나타내기 위해 2개의 key를 사용한다. 숫자를 입력할 때는 01, 02, 03, 04...와 같이 번호 0 다음에 원하는 번호를 입력한다. 문자를 입력하려면 먼저 해당하는 문자가 있는 key를 누른 다음, 원하는 문자가 그 key의 첫 번째, 두 번째 또는 세 번째 문자 중 몇 번째 문자인지에 따라 1, 2 또는 3을 누른다. 예를 들어 문자 "N"을 입력하려면 "N"이 있는 "6" key를 먼저 누른 다음, 문자 "N"이 "6" key의 두 번째 문자이므로 "2" key를 누른다. 문자 "Q"와 "Z"의 key는 없기 때문에 e-CVRS에서는 숫자 "1" key가 이를 대신한다. 그래서 문자 "Q"를 입력하기 위해서는 11을 누르고 문자 "Z"를 입력하기 위해서는 12를 누른다.

주(Note)

이용자는 "N" 문자를 포함한 등록번호를 입력해야 한다는 것을 상기하여야 한다. (표 4-1-4 참조)

표 4-1-4. 호출부호/등록번호 입력 Code(Input Codes for Call Sign/Tail Number Input)

호출부호/등록번호 입력 Code			
A-21	J-51	S-73	1-01
B-22	K-52	T-81	2-02
C-23	L-53	U-82	3-03
D-31	M-61	V-83	4-04
E-32	N-62	W-91	5-05
F-33	O-63	X-92	6-06
G-41	P-71	Y-93	7-07
H-42	Q-11	Z-12	8-08
I-43	R-72	0-00	9-09

3. 그밖에 유용한 key의 입력방법은 표 4-1-5를 참조한다.

표 4-1-5. 유용한 Key 입력방법(Helpful Key Entries)

#	호출부호/등록번호 입력 후 "pound key" (#)를 두 번 누르면 입력이 끝났음을 나타낸다.
*2	이용자를 절차의 처음으로 되돌아가도록 한다.
*3	이전의 예약에 사용하였던 호출부호/등록번호를 반복한다.
*5	이전의 질문을 반복한다.
*8	초보자(Tutorial) Mode: 초보자 mode의 경우, 각 입력의 조언에는 입력 시 무엇을 해야 하는지에 대한 더 상세한 설명이 포함된다. *8은 on/off toggle 스위치이다. 초보자 mode에서 *8을 입력하면 일반 mode로 돌아간다.
*0	전문가(Expert) Mode: 전문가 mode의 경우, 각 입력을 조언해주는 설명은 없거나 매우 간략하다. 전문가 mode도 on/off toggle 스위치이다.

4-1-22. 연방규정집(14 CFR), Title 14에 의한 면제 및 허가의 요청

a. 면제나 허가의 인증요청(FAA 양식 7711-2) 또는 면제나 허가의 연장요청은 아무 FAA 시설에나 접수할 수 있으며 필요하면 면제권한을 가지고 있는 해당 부서로 발송된다.

b. 14 CFR에 의한 면제 또는 허가인증서를 발급받음으로서 인증서에 명시된 기간 동안 명시된 수준까지 특정 규제가 완화되며, 어떠한 주 법이나 지방조례가 면제되지는 않는다. 예정된 운항이 주 법이나 지방조례에 저촉되거나, 또는 지방담당기관이나 재산소유자의 허가가 필요하면 이러한 문제를 해결하는 것은 신청인의 책임이다. 면제를 받은 사람은 면제기간 및 관련 규정을 준수할 책임이 있다.

c. 면제는 FAA 기관, 면제 허가권자 또는 특정 운항감시 지정책임자에 의해 언제든지 취소될 수 있다. 이러한 경우에는 서면의 취소통보서 또는 서면의 구두(verbal) 취소확인서를 신청인에게 제공하여야 한다.

4-1-23. 기상시스템처리장치(Weather System Processor)

기상시스템처리장치(WSP)는 선정된 공항감시레이더(ASR)-9 시설에서 기상처리장치의 성능향상을 제공하기 위하여 국가공역시스템에 사용하기 위해 개발되었다. WSP는 위험한 윈드시어 및 마이크로버스트 경고를 항공교통에 제공한다. 또한, WSP는 공항운영에 영향을 줄 수 있는 돌풍(wind shift) 지역, 추후 예상위치와 강도는 물론 뇌우(storm cell)의 위치와 이동에 대한 터미널지역 6단계 기상(6-level weather)을 사용자에게 제공한다.

제2절. 무선통신 용어 및 기법(Radio Communications Phraseology and Techniques)

4-2-1. 일반(General)

a. 무선통신은 ATC 시스템에서 중요한 연결고리(link)이다. 이 연결고리는 조종사와 관제사를 강력하게 결속시킬 수도 있고, 불시에 단절되어 재난을 초래할 수도 있다. 여기에 언급한 내용은 신임조종사에게는 기본적인 절차를 제공하며, 또한 모든 조종사에게 안전운항 개념을 강조하기 위한 것이다.

b. 조종사와 관제사 간의 통신에서 가장 중요한 한 가지는 이해하는 것(understanding)이다. 따라서 조종사는 해당 항공기 호출부호(call sign)를 사용하여 ATC와의 각 무선교신에 응답하는 것이 매우 중요하다. 간결성(brevity)은 중요하며 교신은 가능한 한 간결하게 해야 하지만, 관제사는 적절한 관제업무를 수행하기 이전에 조종사가 무엇을 원하는지를 알아야 한다. 그리고 조종사도 관제사가 조종사에게 무엇을 원하는지를 정확하게 알아야 한다. 간결한 용어가 항상 적절하다고는 할 수 없으며 메시지(message)를 전달하기 위하여 필요한 다른 모든 단어를 사용할 수 있다. 조종사는 특히 사용활주로에서 운행하거나 착륙하기 위하여 최종접근을 수행할 때, 항공교통관제기관 무선통신주파수를 경청하여 다른 항공기와의 잠재적인 공중충돌에 대해 계속 경계하여야 한다.

c. 모든 조종사는 조종사/관제사용어사전이 어떤 단어나 용어의 의미를 이해하는데 있어서 대단히 유용하다는 것을 알게 될 것이다. 훌륭한 관제용어는 안전을 증진시키며 전문조종사의 증표(mark)이다. 은어, 수다 그리고 속어는 ATC 통신에서는 사용되지 않는다. 조종사/관제사용어사전은 FAA Order JO 7110.65, 항공교통관제에 사용되는 용어사전과 동일하다. 통신기량을 향상시키기 위하여 틈나는 대로 용어사전을 공부하고 복습할 것을 권장한다.

4-2-2. 무선통신 기법(Radio Technique)

a. 송신하기 전에 청취하라(Listen). 많은 경우 조종사는 ATIS나 교신 주파수의 경청을 통하여 원하는 정보를 얻을 수 있다. 약간의 주파수 중복(overlap)이 발생되는 일부 상황을 제외하고 다른 사람이 교신하는 것이 들리는 동안 송신기의 key를 누르는 것은 쓸모없는 일이며, 대개는 상대방 수신기에 전파방해를 일으켜서 그들의 호출을 반복하게 하는 원인이 된다. 방금 주파수를 변경하였다면 잠시 교신을 멈추고, 청취하여 주파수가 명료한지를 확인한다.

b. 송신키를 누르기 전에 생각하라(Think). 말하고자 하는 것을 잘 알고 있어야 하며, 비행계획이나 IFR 위치보고와 같이 내용이 길면 적어두어야 한다.

c. 마이크로폰(microphone)을 입술에 아주 가까이 대고 마이크 버튼을 누른 후, 첫 단어가 확실히 송신되도록 하기 위하여 잠시 기다릴 필요가 있다. 평상시의 대화 어조(normal conversational tone)로 말하라.

d. 버튼을 놓았을 때는 다시 호출하기 전에 수 초간 기다려라. 관제사나 FSS 담당자가 당신의 호출부호를 받아쓰고 있거나, 비행계획서를 찾거나 다른 주파수로 송신하고 있을 수 있으며, 또는 송신기를 당신의 주파수로 설정 중일 수도 있다.

e. 수신기에서 나는 소리 또는 소리가 나지 않는 것(lack of sound)에 주의하라. 음량(volume)을 점검하고 주파수를 다시 확인하며, 마이크로폰이 송신위치에 고착되어 있지 않는 지 확인한다. 의도하지 않은 송신기 작동으로 오랜 시간 주파수장애가 발생할 수 있다. 이런 유형의 간섭을 보통 "마이크 고착(stuck mike)"이라고 하며, 관제사가 예비주파수를 배정하려고 할 때에도 이러한 방식으로 언급할 수 있다. 배정된 주파수가 이러한 유형의 간섭으로 인해 완전히 단절되었다면, ATC와 통신을 유지하거나 재개하기 위하여 항공로 IFR 무선주파수 운용중지에 대비하여 기술된 절차를 이용한다.

f. 무선설비와 지상기지국 장비의 성능범위 내에 있는지를 확인하라. 원격통신국이 항상 시설의 이용 가능한 모든 주파수로 송수신하지는 않으며, 특히

조종사가 청취할 수는 있지만 지상기지국의 수신기에는 도달되지 않는 VOR site의 경우가 그러하다. 더 높은 고도가 VHF "가시선(line of sight)" 통신 범위를 증가시킨다는 것을 기억하라.

4-2-3. 교신절차(Contact Procedures)

a. 최초교신(Initial Contact)

1. 용어 최초교신(initial contact) 또는 최초호출(initial callup)이란 정해진 시설과 이루어지는 최초의 무선호출(first radio call), 또는 시설 내의 다른 관제사나 FSS 담당자에 대한 최초의 호출을 의미한다. 다음과 같은 형식을 사용한다.

(a) 호출할 시설의 명칭

(b) 비행계획서에 기재되었거나, 4-2-4항 항공기 호출부호에서 언급한 전체 항공기 식별부호(full aircraft identification)

(c) 공항지표면에서 운행 중이라면, 위치를 언급한다.

(d) 내용이 짧은 경우, 전문 내용(type of message) 또는 요구사항

(e) 필요시 "Over"라는 용어

예문(Example)

"New York Radio, Mooney Three One One Echo."

"Columbia Ground, Cessna Three One Six Zero Foxtrot, south ramp, I-F-R Memphis."

"Miami Center, Baron Five Six Three Hotel, request V-F-R traffic advisories."

2. 다수의 FSS가 원격통신송출국(RCO; Remote Communications Outlet)을 갖추고 있으며 하나의 지역 이상에서 동일한 주파수로 송신할 수 있다. 특정지역에서 이용할 수 있는 주파수는 차트 상의 FSS communication box 위에 표기되어 있다. FSS 담당자가 정확한 송신을 할 수 있도록 하기 위하여 조종사는 응답할 수 있는 위치 및 주파수를 통보한다.

예문(Example)

세인트루이스 FSS는 미주리주 파밍턴 또는 일리노이주 디케이터에서 주파수 122.3으로 송신할 수 있으며 당신이 디케이터 주변에 있다면, "Saint Louis radio, Piper Six Niner Six Yankee, receiving Decatur One Two Two Point Three."와 같이 호출하여야 한다.

3. 무선수신이 확실한 경우, 최초교신 시에 요구사항, 위치 또는 고도, 그리고 용어 "(ATIS) Information Charlie received"를 포함하는 것은 무선주파수혼잡을 감소시키는데 도움을 준다. 지상기지국으로부터 응답을 받지 못했다면, 무선통신기를 재점검하거나 다른 송신기를 사용하되 그 다음 교신은 짧게 해야 한다.

예문(Example)

"Atlanta Center, Duke Four One Romeo, request V-F-R traffic advisories, Twenty Northwest Rome, seven thousand five hundred, over."

b. 송신주파수와 수신주파수가 다를 때의 최초교신

1. 지상기지국과 교신하여, 송신한 주파수가 아닌 다른 주파수로 수신을 받고자 한다면 응답할 수 있는 VOR 명칭이나 주파수를 통보한다. 대부분의 FSS와 관제기관은 그 지역에 있는 여러 개의 VOR 기지국에서 송신할 수 있다. 차트에 표시된 해당 FSS 호출부호를 사용해야 한다.

예문(Example)

뉴욕 FSS는 케네디, 햄프턴 및 칼버튼 VORTAC으로 송신한다. 당신이 칼버튼 지역에 있다면, "New York radio, Cessna Three One Six Zero Foxtrot, receiving Calverton V-O-R, over."와 같이 호출하여야 한다.

2. FSS 주파수가 차트의 VORTAC 윗부분이나 FSS communication box 내에 표시되어 있다면, 현재 위치에서 가장 가까운 주파수로 송신 또는 수신한다.

3. 교신이 이루어지지 않아 아무 지상기지국이나 호출하고자 할 때에는 용어 "Any radio (관제탑) (지상기지국), give Cessna Three One Six Zero Foxtrot a call on (주파수) 또는 (V-O-R)"를 사용한다. 비상상황이거나 도움이 필요하면 이를 언급

한다.

c. 연속적인 교신 및 지상시설의 호출에 대한 응답(Subsequent Contacts and Responses to Callup from a Ground Facility)

이전의 송신에서 호출과 함께 언급한 메시지(message)나 요구사항을 제외하고, 최초교신에 사용한 것과 동일한 형식을 사용한다. 메시지에 명확한 응답이 요구되고 잘못 이해할 가능성이 없다면 지상기지국 명칭과 단어 "Over"를 생략할 수 있다. 관제사 또는 FSS 담당자가 달리 통보하지 않는 한, 조종사는 모든 호출 또는 허가에 응답하여야 한다. 관제사는 다른 항공기에게 시급한 지시를 발부해야만 하는 경우도 있으며, 시각적으로나 레이더 상으로 당신의 응답을 주시할 수 있는 상황에 있을 수도 있다. 당신이 대응해야 할 상황이라면, 적절한 조치를 취하거나 문제점을 즉시 시설에 통보한다. 송신의 처음이나 끝에 항공기 식별부호와 함께, 단어 "Wilco", "Roger", "Affirmative", "Negative" 중의 하나 또는 "Piper Two One Four Lima, Roger"와 같이 적절한 다른 용어를 사용하여 응답할 수 있다. 조종사가 VFR 교통조언과 같은 업무를 받고 구역을 이탈하고 있는 중이거나, 또는 주파수를 변경하는 중이라면 ATC 기관에 통보하고 교신을 종료한다.

d. 주파수변경의 인지응답(Acknowledgement of Frequency Change)

1. ATC로부터 주파수변경을 지시받으면 지시에 응답하여야 한다. 조종사가 응답을 하지 않고 새로운 주파수로 변경한다면, 관제사는 조종사가 지시사항을 수신했는지 아니면 무선통신이 두절되었는지의 여부를 알 수 있는 방법이 없기 때문에 관제사의 업무량은 증가하게 된다.

2. 때로 관제사/담당자는 다수의 주파수가 배정된 구역에서 근무할 수도 있다. 불필요한 군말(verbiage)을 없애고 관제사/담당자가 우선순위가 높은 송신을 먼저 할 수 있도록 하기 위하여 관제사/담당자는 조종사에게 "(항공기 식별부호), change to my frequency 123.4"를 요구할 수 있다. 이 용어는 관제사/담당자를 변경하는 것이 아니라 주파수만을 변경하는 것이며, 최초호출 관제용어는 간소화될 수 있다는 것을 관제사/담당자가 조종사에게 알리는 것이다.

예문(Example)

"United Two Twenty-Two on one two three point four" 또는 "one two three point four, United Two Twenty-Two."

e. 주파수변경의 이행

ATC가 주파수변경을 지시하면, 특정 시간, fix 또는 고도에서 변경하도록 지시받지 않는 한 가능한 빨리 새로운 주파수를 선택하여야 한다. 주파수변경의 지연은 중요한 정보를 적시에 받지 못하는 결과를 초래할 수도 있다. 특정 시간, fix 또는 고도에서 주파수를 변경하도록 지시 받았다면, ATC에 의해 달리 지시되지 않는 한 특정 시간, fix 또는 고도에 도달할 때 까지 현재의 주파수를 경청하여야 한다.

4-2-4. 항공기 호출부호(Aircraft Call Signs)

a. 호출부호 사용시 주의사항(Precautions in the Use of Call Sign)

1. 부적절한 호출부호의 사용은 조종사가 다른 항공기에 대한 허가를 수행하는 결과를 초래할 수 있다. 최초로 교신할 때 또는 다른 항공기 호출부호의 숫자/발음이나 식별번호/숫자가 유사할 때는 어느 때고 결코 호출부호를 간소화해서는 안된다. (예, Cessna 6132F, Cessna 1622F, Baron 123F, Cherokee 7732F 등)

예(Example)

관제사가 체공중인 항공기들(holding stack)의 하층부에 있는 항공기에게 접근허가를 발부했고, 유사한 호출부호를 가진 항공기(체공중인 항공기들의 상층부에 있는)가 호출부호의 마지막 두 자리 또는 세 자리의 숫자로 허가에 인지응답했다고 가정하자. 만약 체공중인 항공기들의 하층부에 있던 항공기가 이러한 허가 응답을 듣지 못하고 사이에 끼어든다면 비행안전에 영향을 미칠 것이고, 관제사나 조종사 어느 쪽도 무엇이 잘못되었는지를 알아채지 못할 것이다. 이러한 "인적요소(human factor)"에 의한 실수는 순식간에 발생할 수 있으며 수습하기가 매우 어렵다.

2. 따라서 조종사는 ATC 허가에 따르기 전에 항공기 식별부호를 반드시 완전하고 명확하게 확인하여야 한다. ATC 담당자는 허가한 호출부호를 가진 운송용항공기 또는 그 밖의 민간항공기의 호출부호는 간소화하지 않을 것이다. 통신이 이루어진 후, ATC 담당자는 항공기 식별부호의 접두어와 마지막 세 자리 숫자/문자를 사용하여 그 밖의 항공기의 호출부호를 간소화 할 수 있다. 조종사는 ATC 담당자와 추후의 교신 시에 간소화된 호출부호를 사용할 수 있다. ATC 담당자는 유사하거나 동일한 호출부호가 있음을 알았을 때에는 특정 숫자/문자를 강조하거나, 전체 호출부호나 접두어를 반복하거나 또는 조종사에게 임시로 다른 호출부호를 사용할 것을 요청하는 방법으로 실수를 최소화하기 위한 조치를 취한다. 식별이 올바른지 의심스러운 경우, 조종사는 용어 "Verify clearance for (전체 호출부호)"를 사용하여야 한다.

3. 민간항공기 조종사는 항공기 기종, 모델 또는 제작회사의 명칭 다음에 등록번호(registration number)의 문자/숫자를 사용해야 한다. 항공기제작회사의 명칭 또는 모델이 언급되면, Aztec Two Four Six Four Alpha와 같이 접두어 "N"은 생략한다.

예문(Example)

1. Bonanza Six Five Five Golf.
2. Breezy Six One Three Romeo Experimental (최초교신 후 "Experimental" 생략).

4. FAA가 허가한 호출부호를 갖고 있지 않는 air taxi나 그 밖의 사업용항공기 운영자는 음성문자(phonetic word) "Tango"를 정상적인 식별부호 앞에 덧붙여야 한다.

예문(Example)

Tango Aztec Two Four Six Four Alpha.

5. FAA가 허가한 호출부호를 갖고 있는 운송용항공기 및 commuter 항공기는 전체 호출부호(숫자의 경우 사용) 및 해당하면 "super" 또는 "heavy"를 언급하여 항공기를 식별한다.

예문(Example)

1. United Twenty-Five Heavy.
2. Midwest Commuter Seven Eleven.

6. 군용기는 일련번호(serial number), 호출부호 단어(word call sign), 그리고 문자/숫자의 조합을 포함한 다양한 시스템을 사용한다. Army Copter 48931, Air Force 61782, REACH 31792, Pat 157, Air Evac 17652, Navy Golf Alfa Kilo 21, Marine 4 Charlie 36 등을 예로 들 수 있다.

b. 환자수송비행(Air Ambulance Flight)

ATC 시스템에서 환자수송비행에는 우선권이 부여되므로, 용어 "MEDEVAC"을 사용할 때에는 명확한 판단이 필요하다. 이것은 단지 긴급한 의료상황의 임무 및 신속한 처리가 필요한 비행구간에만 사용하기 위한 것이다. 조종사가 요청할 경우 환자의 신속한 지상처치 등에 필요한 통보는 ATC가 하겠지만, 이 정보는 ATC 통신시스템 이외의 시스템을 통하여 사전에 전달되어야 한다.

1. 응급의료상황으로 인한 민간환자수송비행(사고현장의 첫 번째 호출, 환자수송, 장기기증자, 인체장기 또는 그밖에 긴급한 구급의료용품)은 필요시 ATC에 의해 신속하게 처리된다. 신속한 처리가 필요할 경우에는 5-1-8항 및 5-1-9항에 따라 비행계획서에 단어 "MEDEVAC"을 포함시킨다. 무선통신 시에는 항공기 등록문자/숫자 앞에 호출부호 "MEDEVAC"을 사용한다.

예문(Example)

1. MEDEVAC Two Six Four Six.

2. 특별 요청이 있을 경우에만 우선취급을 받을 수 있는 비행을 제외하고, 환자수송비행(air ambulance flights)에서 "AIR EVAC" 및 "HOSP" 사용을 위한 유사규정이 제정되어 있다.

3. 응급의료상황과 관련된 운송용항공기와 air taxi도 필요한 경우에는 ATC에 의해 신속히 처리된다. 이러한 응급의료상황의 비행이란 일반적으로 긴급을 요하는 구급의료용품 또는 중요장기의 운송과 관련된 비행을 말한다. 회사/조종사는 특정 의료

용화물의 성격/긴급여부에 따라 ATC 우선지원이 필요한 지의 여부를 결정해야 할 필요가 있다. 신속한 처리가 필요한 경우, 조종사는 5-1-8항 및 5-1-9항에 따라 비행계획서에 단어 "MEDEVAC"을 기입하고, 모든 송신 시에는 호출부호 "MEDEVAC" 다음에 회사명(company name)과 항공편명(flight number)을 사용하여야 한다. "MEDEVAC" 상태임을 ATC가 알고 있도록 하는 것이 중요하며 ATC에 이러한 정보를 확실하게 제공하는 것은 조종사의 책임이다.

예문(Example)

MEDEVAC Delta Thirty-Seven.

c. 조종연습생 무선식별부호(Student Pilots Radio Identification)

1. FAA는 조종연습생이 비행에 필요한 환경에서 충분한 실질적인 경험을 얻을 수 있도록 도와주려고 한다. 항공교통이 집중된 지역에서 운항을 하는 동안 추가적인 지원을 받기 위해서 조종연습생은 FAA 무선시설에 최초호출을 할 때 자신이 조종연습생 임을 밝힐 필요가 있다.

예문(Example)

Dayton tower, Fleetwing One Two Three Four, student pilot.

2. 이 특별한 식별부호는 FAA ATC 근무자에게 경계심을 갖도록 하며, 조종연습생이 필요로 하는 추가적인 지원을 제공하고 고려할 수 있도록 한다. 조종연습생은 지상활주하기 전에 지상관제, 관제탑, 접근 및 출발관제주파수로 각 허가중계소와 최초교신하거나 또는 FSS와 교신 시에 자신이 조종연습생 임을 밝힐 것을 권고한다.

4-2-5. 교체 또는 임대항공기의 기술(Description of Interchange or Leased Aircraft)

a. 관제사는 항공사 장비 및 색상/표지(marking)와 같이 익숙한 것에 의하여 교통정보를 발부한다. 항공운송회사가 다른 회사의 항공기를 이용하여 비행을 하면서 조종사가 이를 터미널 ATC 기관에 통보하지 않는다면, 항공기식별에 혼동을 초래하여 안전을 저해할 수 있다.

b. 회사 운영 항공기와는 다른 색상/표지를 가진 "교체" 또는 "임대" 항공기로 비행하는 조종사는 최초교신 시 운영회사명 및 편명(trip number) 다음에 항공기에 표시된 회사명, 그리고 항공기 기종을 터미널 ATC 기관에 통보하여야 한다.

예문(Example)

Air Cal Three Eleven, United (interchange/lease), Boeing Seven Two Seven.

4-2-6. 지상기지국 호출부호(Ground Station Call Signs)

조종사는 지상기지국을 호출할 때, 호출할 기관명칭 다음에 표 4-2-1에 제시된 호출할 기관종류(type of the facility)를 사용하여 호출하여야 한다.

표 4-2-1. 지상기지국 호출(Calling a Ground Station)

기관(Facility)	호출부호(Call Sign)
공항 UNICOM(Airport UNICOM)	"Shannon UNICOM"
FAA 비행정보업무국(FAA Flight Service Station)	"Chicago Radio"
공항관제탑(Airport Traffic Control Tower)	"Augusta Tower"
허가중계소(IFR)(Clearance Delivery Position [IFR])	"Dallas Clearance Delivery"
관제탑 지상관제석(Ground Control Position in Tower)	"Miami Ground"
레이더 또는 비레이더 접근관제석(Radar or Nonradar Approach Control Position)	"Oklahoma City Approach"
레이더 출발관제석(Radar Departure Control Position)	"St. Louis Departure"
FAA 항공로교통관제센터(FAA Air Route Traffic Control Center)	"Washington Center"

4-2-7. 음성 알파벳(Phonetic Alphabet)

국제민간항공기구(ICAO)의 음성 알파벳은 통신상황이 음성 알파벳을 사용하지 않고는 쉽게 정보를 수신할 수 없는 경우에 FAA 근무자에 의해 사용된다. 또한 ATC 기관은 유사하게 발음되는 식별부호를 가진 항공기가 동일한 주파수로 통신을 수신하고 있을 때에도 조종사에게 해당하는 음성문자를 사용하도록 요청할 수 있다. 조종사는 항공교통관제기관과 최초교신을 하는 동안 항공기 식별부호를 언급할 때 음성 알파벳을 사용하여야 한다. 그 외에 단일 문자의 경우, 또는 좋지 않은 통신상황에서 문자 group이나 어려운 단어를 표현하기 위해서 해당하는 음성 알파벳을 사용한다. (표 4-2-2 참조)

표 4-2-2. 음성 알파벳/모스부호(Phonetic Alphabet/Morse Code)

문자	모스부호	통신 단어 (Telephony)	음성(발음)
A	●−	Alfa	(AL-FAH)
B	−●●●	Bravo	(BRAH-VOH)
C	−●−●	Charlie	(CHAR-LEE) 또는 (SHAR-LEE)
D	−●●	Delta	(DELL-TAH)
E	●	Echo	(ECK-OH)
F	●●−●	Foxtrot	(FOKS-TROT)
G	−−●	Golf	(GOLF)
H	●●●●	Hotel	(HOH-TEL)
I	●●	India	(IN-DEE-AH)
J	●−−−	Juliett	(JEW-LEE-ETT)
K	−●−	Kilo	(KEY-LOH)
L	●−●●	Lima	(LEE-MAH)
M	−−	Mike	(MIKE)
N	−●	November	(NO-VEM-BER)
O	−−−	Oscar	(OSS-CAH)
P	●−−●	Papa	(PAH-PAH)
Q	−−●−	Quebec	(KEH-BECK)
R	●−●	Romeo	(ROW-ME-OH)
S	●●●	Sierra	(SEE-AIR-RAH)
T	−	Tango	(TANG-GO)
U	●●−	Uniform	(YOU-NEE-FORM) 또는 (OO-NEE-FORM)
V	●●●−	Victor	(VIK-TAH)
W	●−−	Whiskey	(WISS-KEY)
X	−●●−	Xray	(ECKS-RAY)
Y	−●−−	Yankee	(YANG-KEY)
Z	−−●●	Zulu	(ZOO-LOO)
1	●−−−−	One	(WUN)
2	●●−−−	Two	(TOO)
3	●●●−−	Three	(TREE)
4	●●●●−	Four	(FOW-ER)
5	●●●●●	Five	(FIFE)
6	−●●●●	Six	(SIX)
7	−−●●●	Seven	(SEV-EN)
8	−−−●●	Eight	(AIT)
9	−−−−●	Nine	(NIN-ER)
0	−−−−−	Zero	(ZEE-RO)

4-2-8. 숫자(Figures)

a. 운고(ceiling height) 및 9,900까지의 상층풍고도(upper wind level)와 관련하여 대략 100 단위나 1,000 단위로 표시하는 숫자는 다음과 같이 읽어야 한다.

예(Example)

1. 500 .... five hundred
2. 4,500 ..... four thousand five hundred

b. 9,900 이상의 숫자는 "thousand" 단어 앞의 숫자들을 따로따로 읽어야 한다.

예(Example)

1. 10,000 ..... one zero thousand
2. 13,500 ...... one three thousand five hundred

c. 항공로 또는 제트비행로 번호는 다음과 같이 송신한다.

예(Example)

1. V12 .... Victor Twelve
2. J533 ...... J Five Thirty-Three

d. 이외의 모든 번호는 각 숫자를 따로따로 발음하여 송신해야 한다.

예(Example)

10 .... one zero

e. 소수점이 있는 무선주파수의 경우, 소수점은 "Point"로 읽는다.

예(Example)

122.1 .... one two two point one

주(Note)
ICAO 절차는 소수점을 "Decimal"로 읽도록 규정하고 있다. FAA는 군용기 및 ICAO 절차를 따르는 것이 필요한 그 밖의 모든 항공기가 이와 같은 용어를 사용하는 것을 인정한다.

4-2-9. 고도와 비행고도(Altitudes and Flight Levels)

a. 18,000 ft MSL 미만은 1,000 단위로 숫자를 따로따로 읽고, 해당하면 100 단위를 붙인다.

예(Example)
12,000 ..... one two thousand
12,500 ..... one two thousand five hundred

b. 18,000 ft MSL 이상은 단어 "flight level" 다음에 비행고도(flight level)의 숫자를 따로따로 읽는다.

예(Example)
190 .... Flight Level One Niner Zero
275 .... Flight Level Two Seven Five

4-2-10. 방향(Directions)

방위(Bearing), 진로(course), 기수방향(heading) 또는 풍향의 세 자리 숫자는 자북을 기준으로 한다. 진북을 기준으로 하였을 때에는 단어 "true"를 붙여야 한다.

예(Example)
1. (Magnetic course) 005 ...... zero zero five
2. (True course) 050 ...... zero five zero true
3. (Magnetic bearing) 360 .... three six zero
4. (Magnetic heading) 100 ..... heading one zero zero
5. (Wind direction) 220 .... wind two two zero

4-2-11. 속도(Speeds)

속도를 나타내는 개개의 숫자 다음에 단어 "Knots"를 붙여 읽는다. 단, 관제사가 속도조절절차를 사용할 때에는 단어 "Knots"를 생략하여 "Reduce/increase speed to two five zero"와 같이 읽을 수 있다.

예(Example)
(속도) 250 .... two five zero knots
(속도) 190 .... one niner zero knots

마하수(Mach Number)를 나타내는 개개의 숫자 앞에 "Mach"를 붙여 읽는다.

예(Example)
(Mach Number) 1.5 ..... Mach one point five
(Mach Number) 0.64 ... Mach point six four
(Mach Number) 0.7 .... Mach point seven

4-2-12. 시간(Time)

a. FAA는 모든 운항에 국제표준시(Coordinated Universal Time; UTC)를 사용한다. 단어 "local"이나 등가시간대(time zone equivalent)는 전화나 무선교신 시 지방시(local time)가 주어질 때 지방시라는 것을 나타내기 위하여 사용해야 한다. UTC 대신에 "Zulu"라는 용어를 사용할 수도 있다.

예(Example)
0920 UTC ..... zero niner two zero,
zero one two zero pacific이나 local,
또는 one twenty AM

b. 표준시(Standard Time)를 국제표준시로 환산하기 위해서는 다음을 참조한다.

표 4-2-3. 표준시를 국제표준시로 환산(Standard Time to Coordinated Universal Time)

동부(Eastern) 표준시	5시간을 더한다.
중부(Central) 표준시	6시간을 더한다.
산악(Mountain) 표준시	7시간을 더한다.
태평양(Pacific) 표준시	8시간을 더한다.
알래스카(Alaska) 표준시	9시간을 더한다.
하와이(Hawaii) 표준시.........	10시간을 더한다.

주(Note)
일광절약시간(daylight time)으로 환산하기 위해서는 1시간을 뺀다.

c. 지방 일광절약시간(daylight time) 또는 표준

시(standard time)는 24 시각제(clock system)를 활용하여 언급할 수도 있다. 처음의 두 자리 숫자는 시(hour)를 나타내고, 마지막 두 자리 숫자는 분(minute)을 나타낸다.

예(Example)

0000 .... zero zero zero zero
0920 .... zero niner two zero

d. 잘못 이해할 가능성이 없다면 무선전화 교신 시 분 단위(두 자리 숫자)의 시간만을 언급할 수도 있다.

e. 기지국(station)에서 사용하는 현재시간은 조종사가 이 정보를 시간점검에 사용할 수 있도록 가장 가까운 4분의1 분(quarter minute) 단위로 읽는다. 8초 미만의 quarter minute 부분은 이전의 quarter minute로 읽고, 8초 이상의 quarter minute 부분은 다음의 quarter minute로 읽는다.

예(Example)

0929:05 ...... time, zero niner two niner
0929:10 ...... time, zero niner two niner and one-quarter

4-2-13. 항공기 송신기나 수신기 부작동 또는 모두 부작동시 관제탑과의 교신

a. 도착항공기(Arriving Aircraft)

1. 수신기 부작동(Receiver inoperative)

(a) 수신기가 작동하지 않는다고 믿을만한 근거가 있다면, 교통흐름과 방향이 파악될 때 까지 D등급 공항교통구역 상부나 밖에 머물면서 관제탑에 항공기 기종, 위치, 고도, 착륙의도를 통보하고 빛총신호로 관제해 줄 것을 요청한다.

(b) 공항으로부터 약 3~5 mile 지점에 있다면, 관제탑에 위치를 통보하고 공항교통장주로 진입한다. 이 지점부터는 관제탑의 빛총신호를 주시한다. 그 후 장주에 완전히 진입했다면 배풍(downwind) 경로 또는 베이스(base) 경로로 선회 시에 위치를 송신한다.

2. 송신기 부작동(Transmitter inoperative)
교통흐름과 방향이 파악될 때 까지 D등급 공항교통구역 상부나 밖에 머문 다음에 공항교통장주로 진입한다. 착륙정보나 교통정보를 알기 위하여 구역차트에 표기된 1차 국지관제주파수를 경청하고, 항공기에 보내는 빛총신호를 기다린다. 주간에는 날개(wing)를 흔들어 관제탑의 송신이나 빛총신호에 응답한다. 야간에는 착륙등 또는 항행등(navigation light)을 점멸하여 빛총신호에 응답한다. 주간에는 관제탑의 송신에 응답하기 위하여, 제자리비행(hovering)하는 헬리콥터는 관제시설 방향으로 향하고 착륙등을 점멸한다. 비행중인 헬리콥터는 반대방향으로 약간 기울어지게 하여 송신을 수신하였음을 응답한다. 야간에는 착륙등 또는 탐색등을 점멸하여 송신을 수신하였음을 표시한다.

3. 송신기와 수신기 부작동(Transmitter and receiver inoperative)
교통흐름과 방향이 파악될 때 까지 D등급 공항교통구역 상부나 밖에 머문 다음에 공항교통장주로 진입하고, 빛총신호를 받기 위하여 관제탑을 시야에 두고 있어야 한다. 위에서 설명한 것과 동일하게 빛총신호에 응답한다.

b. 출발항공기(Departing Aircraft)

주기장을 떠나기 전에 무선통신이 두절되었다면 장비를 수리하기 위하여 모든 노력을 다하여야 한다. 고장을 수리할 수 없다면 관제탑에 전화를 걸어 양방향무선교신 없이 출발하기 위한 허가를 요청한다. 관제탑의 허가를 받으면, 출발정보가 제공되고 적절하게 관제탑주파수를 청취하거나 빛총신호를 주시할 것을 요청받을 것이다. 주간에는 보조익(aileron) 또는 방향타(rudder)를 움직여 관제탑의 송신이나 빛총신호에 응답한다. 야간에는 착륙등 또는 항행등(navigation light)을 점멸하여 빛총신호에 응답한다. 주기장을 출발한 후에 무선통신기에 고장이 발생하였다면 관제탑의 빛총신호를 주시하거나 관제탑주파수를 경청한다.

4-2-14. VFR 비행의 통신(Communications for VFR Flight)

a. 서로 다른 기능을 하기 위한 주파수가 FSS와 Supplemental Weather Service Location

(SWSL)에 배정되어 있다. 예를 들면, 알래스카에서 어떤 FSS는 123.6 MHz 또는 미국 차트 보충판(Chart Supplement U.S.)에 수록되어 있는 다른 주파수로 국지공항조언을 제공한다. 어떤 주파수를 사용해야 할지 불확실하다면 대다수의 FSS에는 항공로 공통단방향주파수(common en route simplex frequency)로 122.2 MHz가 배정되어 있다.

주(Note)

신속하게 교신하기 위하여, 최초호출 시 사용하는 주파수와 항공기 위치를 말한다.

예문(Example)

Dayton radio, November One Two Three Four Five on one two two point two, over Springfield V-O-R, over.

b. 어떤 VOR 음성채널은 ATIS, HIWAS 등과 같은 녹음방송에 활용되고 있다. 이러한 업무와 해당 주파수는 미국 차트 보충판(Chart Supplement U.S.)에 수록되어 있다. VFR 비행시 이러한 주파수를 경청할 것을 조종사에게 권고한다. 관제기관과 교신할 때 이러한 방송을 청취하기 위하여 주파수를 떠나고자 한다면 관제사에게 통보하여야 한다.

제3절. 공항운영(Airport Operations)

4-3-1. 일반(General)

증가된 교통혼잡, 상승 및 강하하는 항공기, 조종사의 조종실업무 몰두 등은 공항주변에서 위험한 사고가 일어날 수 있는 가능성을 증가시키는 일부 요소이다. 기상이 최저 VFR 요건일 때, 즉 VFR 요건을 겨우 충족할 경우 상황은 더욱 복잡해진다. 조종사는 공항주변에서 운항할 때에는 특히 경계하여야 한다. 이 절에서는 안전한 공항운영을 위하여 조종사가 숙지하고 준수해야 할 규칙, 지침 및 절차 등을 정의한다.

4-3-2. 관제탑이 운영되는 공항(Airports with an Operating Control Tower)

a. 관제탑에 의해 교통관제가 이루어지는 공항에서 운항할 때, 조종사는 B등급, C등급과 D등급 공항교통구역(surface area) 내에서 운항 중에는 관제탑이 달리 허가하지 않은 한 관제탑과 양방향무선교신을 유지하여야 한다. 최초의 무선호출(initial callup)은 공항으로부터 약 15 mile 지점에서 이루어져야 한다. B등급, C등급 및 D등급 공항교통구역을 벗어나기 전에 관제탑주파수를 떠날만한 충분한 이유가 없는 한, 교통정보를 수신하기 위하여 관제탑주파수를 유지하는 것이 바람직한 운항방법이다. B등급, C등급과 D등급 공항교통구역을 벗어난 상태에서 이전의 관제탑주파수를 떠나기 위한 허가를 요청하는 것은 관제탑주파수의 혼잡을 줄이기 위하여 불필요하다는 것을 조종사는 생각해야 한다. 관제탑이 운영되는 모든 공항이 반드시 D등급 공역으로 설정되어 있는 것은 아니다. 이러한 공항에서는 이전에 관제권(control zone)이라고 했었던 지표면 기반(surface based)의 관제공역에 대한 요건인 기상보고를 제공하지 않는다. 이러한 공항상공의 관제공역은 보통 지표면으로부터 700 ft 또는 1,200 ft의 고도에서 시작되고, 시계비행 항공차트에서 찾아볼 수 있다. 조종사는 이 절에 기술된 것과 같은 바람직한 운항지침을 사용하여 관제탑과 교신하여야 한다.

b. 필요 시 관제탑의 관제사는 B등급, C등급 및 D등급 공항교통구역에서 운항중인 항공기에게 바람직한 비행경로(교통장주) 및 지상에서 운행 중인 항공기에게는 적절한 지상활주경로를 따르게 하기 위해 전반에 걸쳐 허가 또는 그 밖의 정보를 발부한다. 관제탑에 의해 달리 허가되거나 지시를 받지 않았다면, 착륙하기 위해 접근중인 고정익항공기의 조종사는 공항 좌측으로 선회하여야 한다. 착륙하기 위해 접근중인 헬리콥터조종사는 고정익항공기의 교통흐름을 방해하지 않아야 한다. 어떠한 경우에도 착륙하기 이전에 관제탑으로부터 적절한 허가를 받아야 한다.

그림 4-3-1. 교통장주의 구성요소(Components of a Traffic Pattern)

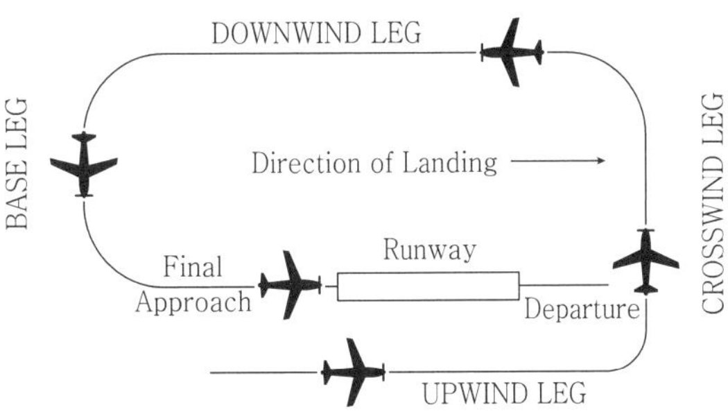

주(Note)
이 그림은 교통장주의 다양한 구성요소를 구별하기 위해 사용되는 용어만을 설명하기 위한 것이다. 이것을 교통장주에 진입하기 위해 참조하거나 지침으로 사용해서는 안된다.

c. 교통장주의 다양한 구성요소를 나타내는 다음의 용어는 관제탑과 조종사가 사용하는 표준으로 적용되어 있다. (그림 4-3-1)

1. 정풍경로(Upwind leg). 착륙방향으로 착륙활주로에 평행한 비행경로(flight path)

2. 측풍경로(Crosswind leg). 이륙활주로종단에서 떨어져 착륙활주로에 직각인 비행경로

3. 배풍경로(Downwind leg). 착륙 반대방향으로 착륙활주로에 평행한 비행경로

4. 베이스경로(Base leg). 접근활주로시단에서 떨어져 배풍경로에서부터 연장된 활주로중심선의

교차지점까지 연장되는 착륙활주로에 직각인 비행경로

5. 최종접근(Final approach) 경로. 베이스경로(base leg)에서부터 활주로까지 활주로중심선의 연장선을 따라 착륙방향으로의 비행경로

6. 출발(Departure). 이륙 후 시작되어 활주로 중심선의 연장선을 따라 일직선의 전방으로 이어지는 비행경로. 출발상승은 300 ft의 교통장주고도(traffic pattern altitude) 내에서, 이륙활주로종단을 지나 최소한 1/2 mile 지점에 도달할 때 까지 계속된다.

d. 많은 관제탑이 관제탑 레이더시현장치(radar display)를 갖추고 있다. 레이더의 용도는 국지관제 또는 관제탑관제사의 효율과 능률을 향상시키기 위한 것이다. 이것은 더 효율적인 관제탑 운영을 통해 얻어지는 경우는 제외하고, 조종사에게 레이더업무 또는 혜택을 제공하기 위한 것은 아니다. 네 가지의 기본용도는 다음과 같다.

1. 항공기의 정확한 위치 판단. 이것은 항공기의 squawk ident와 같이 레이더위치에 이용할 수 있는 기법을 사용하여 VFR 항공기를 식별하는 레이더에 의해 이루어진다. 일단 식별이 되면 항공기 위치 및 다른 항공기와의 공간적인 관계를 신속하게 판단할 수 있고, B등급, C등급 및 D등급 공항교통구역에서의 VFR 운항에 관한 표준지시사항을 발부할 수 있게 된다. 일단 VFR 항공기의 최초 레이더 식별이 이루어지고 적절한 지시사항이 발부되면, VFR 상태에서 국지관제사의 우선 감시방법은 공항과 국지지역을 육안탐색하는 것이기 때문에 레이더감시를 종료할 수 있다.

2. 레이더교통조언(radar traffic advisory) 제공. 레이더교통조언은 국지관제사가 레이더시현장치로 감시할 수 있는 범위 내에서 제공된다. 일반적으로 국지관제는 레이더감시업무보다 우선하며, 활주로 상에서 운행하는 항공기에 대한 1차적인 관제책임을 갖는다.

3. 비행방향 또는 권고 기수방향(heading) 제공. 국지관제사는 운항을 돕기 위하여 "Proceed southwestbound, enter a fight downwind runway three zero"와 같이 일반화된 지시사항을 VFR로 비행하는 조종사에게 제공할 수 있다. 또는, 레이더식별을 위해서나 항행의 조언으로서 "Suggested heading two two zero, for radar identification"과 같이 권고하는 기수방향(heading)을 제공할 수 있다. 이 두 가지 경우 모두 지시사항은 VFR로 비행하는 조종사에 대한 조언이며, 레이더유도는 아니다.

주(Note)
조종사는 권고하는 기수방향(heading) 또는 비행방향(direction)의 수용여부에 대하여 완전한 재량을 가지며, 다른 항공기를 육안으로 보고 회피해야 할 책임은 전적으로 조종사에게 있다.

4. B등급, C등급 및 D등급 공항교통구역 내에서 운항하는 항공기에 대한 정보제공 및 지시발부. 이러한 상황의 예로, 국지관제사는 베이스경로(base leg)로 선회해야 할 시기를 연장된 배풍경로(downwind leg) 상의 조종사에게 조언해 주기 위하여 레이더를 이용한다.

주(Note)
상기한 관제탑에서의 레이더적용은 국지관제석의 일반적인 기능을 증진시키기 위한 것이다. 관제사가 계속해서 레이더식별을 유지할 필요는 없다. 사실상 이러한 요구는 활주로와 A등급, B등급, C등급 및 D등급 공항교통구역 내에서 운항하는 항공기에 대한 FAA 책임을 충족시키기 위하여 공항과 국지지역을 육안탐색해야 할 국지관제사의 능력을 감소시킬 수 있다. 계속적인 레이더포착이 보장되지 않으며, 레이더식별의 목적이 레이더업무의 제공과는 관련이 없기 때문에 일반적으로 조종사에게 레이더에 포착되고 있다는 것을 통보하지는 않는다.

e. 레이더를 갖춘 일부 관제탑은 레이더로 계속해서 제한된 레이더접근관제의 기능을 수행하는 동안에 특정상황에 있는 항공기 간의 분리를 위하여 다른 레이더를 사용하는 것이 승인되어 있다. 레이더의 다양한 용도는 전적으로 FAA의 운영요구와 상관관계에 있다. 이러한 시설을 모두 관제탑이라고 하며, 레이더사용의 정도를 수록한 간행물은 없기 때문에 조종사가 시설을 구분하지 못할 수도 있다. 따라서 레이더가 있는 관제탑관제사와 교신할 때,

지속적인 레이더감시와 완전한 ATC 레이더업무가 제공될 것이라고 가정해서는 안된다.

4-3-3. 교통장주(Traffic Patterns)

a. 항공기는 아래에 수록된 고도에 따라 공항 교통장주로 진입할 것을 권고한다. 미국 차트 보충판에 다른 교통장주고도가 발간되어 있지 않거나, 구름으로부터의 적절한 거리를 유지하기 위하여 달리 필요하지 않는 한 이 고도를 유지하여야 한다.

1. 프로펠러 항공기는 1,000 feet의 고도(AGL)로 진입한다.

2. 대형 터빈항공기는 1,500 ft AGL 이상의 고도 또는 설정된 장주고도 상공 500ft의 고도로 교통장주에 진입한다.

3. 교통장주에서 운항하는 헬리콥터는 고정익항공기보다 낮은 고도(500 AGL)에서 활주로에 근접하여 고정익항공기의 비행장주와 유사한 비행장주로 비행할 수 있다. 이러한 교통장주는 대기속도가 필요하거나 연습 power-off 착륙(autorotation)의 경우, 그리고 국지 운영절차가 허용되면 고정익 교통장주 활주로의 반대쪽에 설정될 수 있다.

b. 조종사는 항공기의 성능특성에 따라 교통장주의 크기를 변경할 수 있다. 항공로의 항공기 조종사는 교통장주에 있는 다른 항공기를 항상 경계해야 하며, 가능하다면 이 구역을 회피해야 한다.

c. 헬리콥터를 제외하고, 달리 표기되어 있지 않은 한 교통장주에서의 모든 선회는 좌측으로 하여야 한다.

d. 구역항공차트 및 VFR 터미널지역차트의 경우, 공항자료란(airport data block) 아래 부분에 약어 "RP(Right Pattern)" 다음에 해당 활주로 번호를 사용하여 공공용 및 공동사용 공항의 우선회 교통장주를 표기한다.

예시(Example)

RP 9, 18, 22R

주(Note)

1. 표준교통장주를 사용할 것을 조종사에게 권장하고 있다. 그러나 직진입접근을 하거나, 접근을 위한 기동 및 접근을 하려는 조종사는 도착하거나 출발하는 항공기의 흐름을 방해해서는 안된다. 마찬가지로 교통장주에서 운항하는 조종사는 직진입접근을 하는 항공기를 항상 경계하여야 한다.

2. RP*는 특별한 상황이 존재한다는 것을 나타내며, 조종사는 미국 차트 보충판(Chart Supplement U.S.)을 참조하여야 한다.

3. 전일제 운영 관제탑이 운영되는 공항에는 우선회 교통장주가 없다.

그림 4-3-2. 단일활주로 교통장주운항(Traffic Pattern Operations Single Runway)

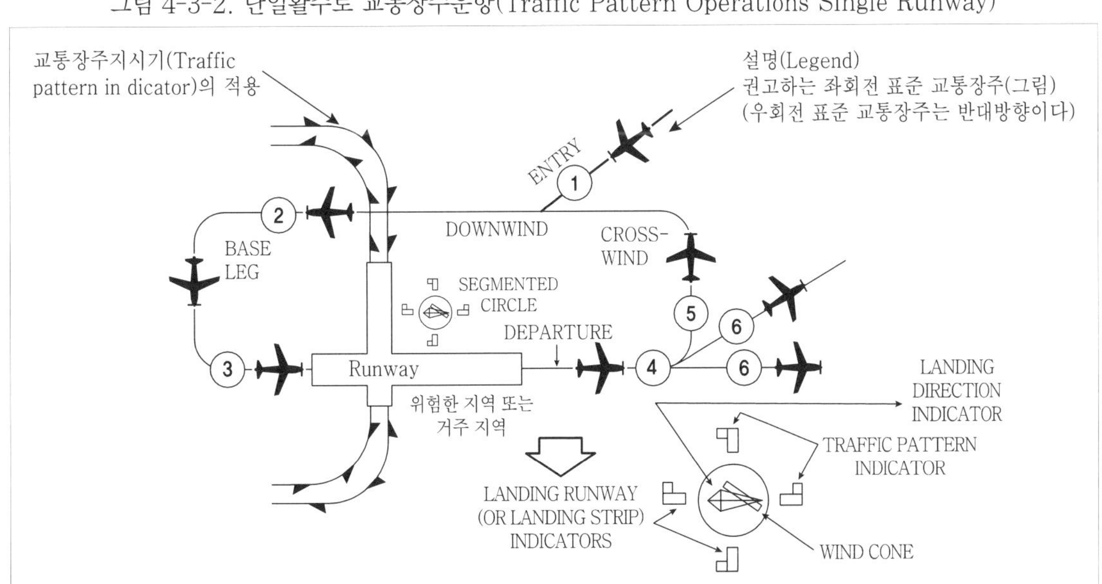

예시(Example)

교통장주 운항방법

1. 장주고도에서 활주로 중간지점의 직각방향으로(abeam) 수평비행을 하면서 장주로 진입하라.
2. 배풍경로(downwind leg) 상에서 착륙활주로 접근시단(approach end)의 직각방향(abeam)까지 장주고도를 유지하라.
3. 활주로로부터 최소한 1/4 mile 지점에서 최종접근경로로 선회를 완료하라.
4. 이륙활주로종단(departure end of runway)을 통과할 때 까지 전방으로 계속 직진하라.
5. 교통장주에 머무를 거라면, 이륙활주로종단을 통과한 다음 300 ft의 장주고도 내에서 측풍경로(crosswind leg)로 선회를 시작하라.
6. 교통장주를 벗어날 거라면, 이륙활주로종단을 통과한 다음 장주고도에 도달한 후에 계속 직진하여 이탈하거나 45°로 선회(좌선회 교통장주에서는 좌측, 우선회 교통장주에서는 우측으로 선회)하여 이탈하라.

그림 4-3-3. 평행활주로 교통장주운항(Traffic Pattern Operations Parallel Runways)

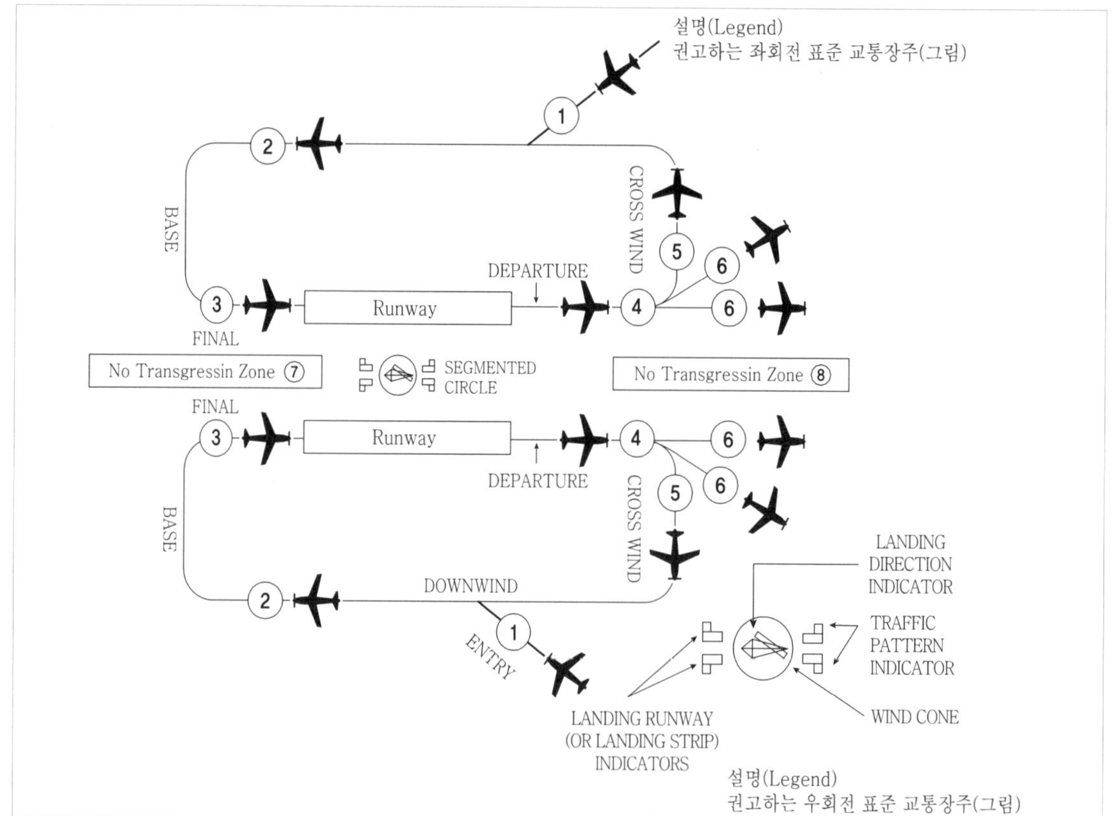

예시(Example)

교통장주 운항방법

1. 장주고도에서 활주로 중간지점의 직각방향으로(abeam) 수평비행을 하면서 장주로 진입하라.
2. 배풍경로(downwind leg) 상에서 착륙활주로 접근시단(approach end)의 직각방향(abeam)까지 장주고도를 유지하라.
3. 활주로로부터 최소한 1/4 mile 지점에서 최종접근경로로 선회를 완료하라.

4. 이륙활주로종단(departure end of runway)을 통과할 때 까지 전방으로 계속 직진하라.
5. 교통장주에 머무를 거라면, 이륙활주로종단을 통과한 다음 300 ft의 장주고도 내에서 측풍경로(crosswind 선회를 시작하라.
6. 교통장주를 벗어날 거라면, 이륙활주로종단을 통과한 다음 장주고도에 도달한 후에 계속 직진하여 이탈하거나 45°로 선회(좌선회 교통장주에서는 좌측, 우선회 교통장주에서는 우측으로 선회)하여 이탈하라.
7. 최종접근경로를 지나치거나, 또는 평행활주로의 최종접근경로를 침범할 수 있는 항적(track)으로 계속 비행하지 마라.
8. 평행활주로의 출발경로를 침범할 수 있는 항적으로 계속 비행하지 마라.

c. 바람상태는 다양한 각도로 모든 비행기에 영향을 준다. 그림 4-3-4는 활주로에 대한 풍향 및 풍속에 의거하여 정풍, 측풍 및 배풍성분을 판단하는데 사용되는 차트의 예이다. 조종사는 이러한 바람성분을 판단할 때에는 항공기제작회사에서 제공하는 유사한 정보를 참조하여야 한다.

그림 4-3-4. 정풍/배풍/측풍성분 계산자(Headwind/Tailwind/Crosswind Component Calculator)

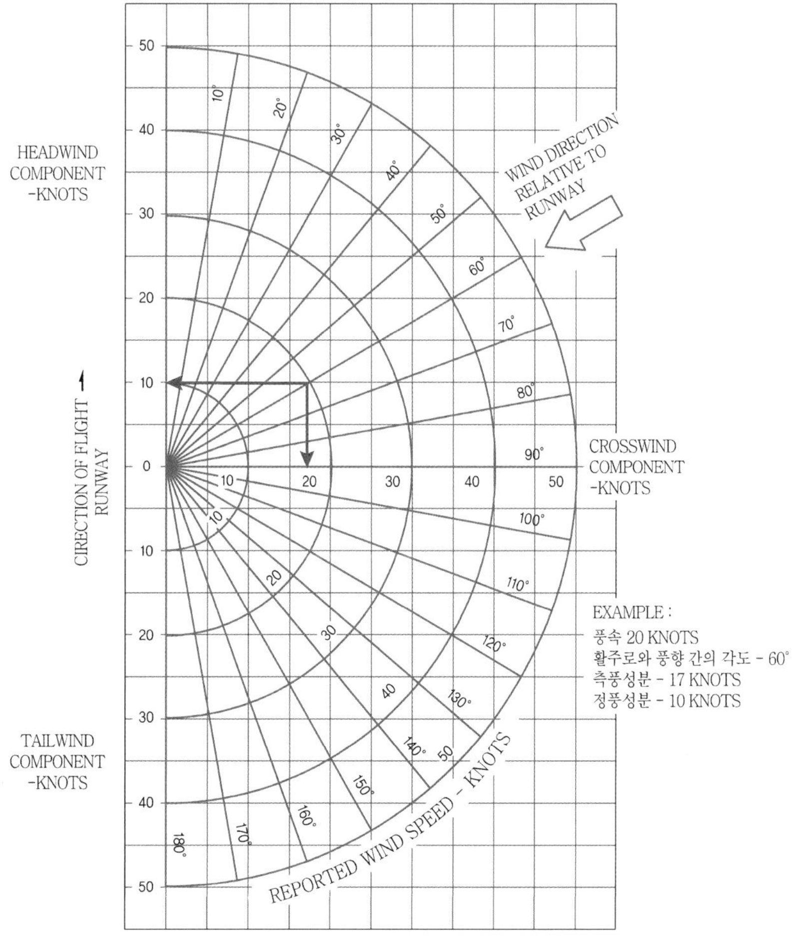

4-3-4. 관제탑이 운영되지 않는 공항의 시각지시기(Visual Indicators at Airports Without an Operating Control Tower)

a. 관제탑이 운영되지 않는 공항에서는 교통장주 정보를 제공하기 위하여 선분원시각지시시스템(segmented circle visual indicator system)이 설치된다.

b. 선분원시스템은 다음과 같은 구성요소로 이루어진다.

1. 선분원(segmented circle). 공중과 지상에서 조종사에게 가장 잘 보이는 지점에 설치되며, 중심부에 시스템의 다른 요소들이 설치될 수 있는 위치를 제공한다.

2. 풍향지시기(wind direction indicator). 바람의 방향을 나타내기 위하여 운용중인 활주로 근처에 설치되는 wind cone, wind sock 또는 wind tee. Wind cone/wind sock의 넓은 쪽은 wind tee의 큰 부분(cross bar)처럼 바람 쪽으로 향한다. 사면체형(tetrahedron) 대신에 wind tee와 함께 wind sock 또는 wind cone이 배열된 곳에서 wind tee는 착륙방향을 나타내기 위하여 인위적으로 사용활주로의 방향과 일치시킬 수 있다. 이러한 신호장치는 선분원의 중앙에 위치할 수 있으며, 야간에 사용하기 위하여 등화시설이 갖추어지기도 한다. 조종사는 풍향의 지시에 사면체형을 활용하지 않도록 주의하여야 한다.

3. 착륙방향지시기(landing direction indicator). 사면체형(tetrahedron)은 공항의 조건이 그것을 사용하기에 적합할 때 설치된다. 이것은 착륙과 이륙의 방향을 나타내기 위하여 사용된다. 사면체형은 선분원의 중앙에 위치할 수 있으며, 야간운용을 위해 등화시설이 갖추어지기도 한다. 사면체형의 좁은 쪽이 착륙방향을 지시한다. 조종사는 착륙방향지시 이외의 목적으로 사면체형을 활용하지 않도록 주의하여야 한다. 더불어 조종사는 사면체형이 지정된 무풍활주로의 방향과 일치하지 않을 수도 있기 때문에 매우 약한 바람이나 무풍상태에서 사면체형을 활용하여 활주로를 선정할 때에는 극히 주의를 기울여야 한다. 관제탑이 있는 공항에서 관제탑이 운영되지 않을 경우, 사면체형은 참조만 하여야 한다. 관제탑 지시사항이 사면체형 지시보다 우선한다.

4. 착륙대지시기(landing strip indicator). 선분원(segment circle) 그림에 표시된 것처럼 한 쌍으로 설치되며, 착륙대의 배열을 나타내기 위하여 사용된다.

5. 교통장주지시기(traffic pattern indicator). 착륙대지시기와 함께 한 쌍으로 배열되며, 정상적인 좌선회 교통장주에 변화가 있을 때 선회방향을 지시하기 위하여 사용된다. (공항에 선분원이 설치되어 있지 않으면, 활주로의 종단이나 종단 근처에 설치할 수 있다)

c. 관제탑이 없거나 관제탑이 운영되고 있지 않는 공항에 착륙하기에 앞서, 조종사는 사용할 접근활주로시단의 지시기에 신경을 써야 한다. 착륙하기 위하여 접근할 때, 교통장주지시기가 우선회 할 것을 지시하지 않는 한 모든 선회는 좌측으로 하여야 한다. 조종사가 사용하려고 하는 활주로의 지시기를 마음속으로 확대시켜 보면 비행할 교통장주의 베이스경로 및 최종접근경로가 바로 분명해 진다. 이륙활주로종단의 지시기도 동일한 방법으로 확대시켜 보면 이륙 후에 선회해야 할 방향이 명확하게 나타난다.

d. 두 대 이상의 항공기가 착륙하기 위하여 공항으로 접근중일 때, 낮은 고도의 항공기 조종사는 더 높은 고도에 있는 항공기의 조종사보다 통행우선권(right-of-way)을 갖는다. 그렇지만 착륙하기 위하여 최종접근중인 다른 항공기의 전방에 끼어들거나, 그 항공기를 추월하여 다른 항공기의 진로를 방해해서는 안된다.

4-3-5. 공항교통장주에서의 예기치 못한 기동

관제공항 주변에서 다수의 준사고가 발생했는데 이것은 주로 예기치 못한 기동을 하는 항공기가 원인이었다. ATC 업무는 관측되었거나 알려진 교통상황 및 공항의 상태를 바탕으로 한다. 관제사는 적절한 간격을 유지하기 위해 조종사에게 필요한 비행조작을 하도록 하여 도착 및 출발항공기의 순서를 조정한다. 관측된 교통, 조종사의 정확한 보고 그리고 예상되는 항공기의 기동만을 근거로 하여 이러한 조정을 할 수 있다. 조종사는 교통흐름을 방해하거나 혼잡한 장주가 유발되지 않도록 하기 위해 협조하여야 한다. 항공기의 기장(pilot-in-command)은 당해 항공기운항에 대한 직접적인 책임 및 최종적인 권한이 있다. 때에 따라서는 순서가 배정된 교통에서 간격을 유지하기 위하여 조종사가 다른 항공기를 뒤따르도록 항공기를 기동시키는 것이 필요할 수도 있다. 관제사는 작은 경사각의 "S"자 선회와 같은 경미한 기동을 예상할 수는 있다. 그렇지만 관제사는 360° 선회와 같은 과도한 기동을 예상할 수는 없다. 만약 조종사가 착륙순서를 배정받은 이후에 360° 선회를 하였다면 보통은 착륙간격이 벌어지는 결과를 초래하고 더 중요한 것은 뒤따라오는 항공기와 충돌하거나, 관제탑이나 접근관제사에 의해 배정된 순서를 방해하는 결과를 초래할 수 있는 연쇄작용의 원인이 된다. 조종사가 선행항공기와의 간격을 유지하기 위하여 선회기동을 하기로 결정하였다면, 가능한 한 조종사는 항상 관제사에게 통보하여야 한다. 관제사 요구 시나 비상상황을 제외하고, 레이더 업무를 받고 있는 중이나 교통장주에서 관제사에게 먼저 통보하지 않고는 절대 360° 선회를 해서는 안 된다.

4-3-6. 활주로/공시거리의 사용(Use of Runways/ Declared Distances)

a. 활주로는 활주로중심선의 방위각(azimuth)을 10° 단위에 가장 가깝게 지시하는 숫자에 의해 식별된다. 예를 들어 자방위(magnetic azimuth)가 183°인 곳의 활주로명칭(runway designation)은 18이 되고, 자방위가 87°이면 활주로의 명칭은 9가 될 것이다. 185와 같이 숫자 5로 끝나는 자방위에 대한 활주로의 명칭은 18 또는 19 중에 하나가 될 수 있다. 관제탑에 의해 발부되는 풍향도 자방위이며, 풍속의 단위는 노트(knot)이다.

b. 공항소유자는 국지적인 항공소음통제에 솔선해야 할 책임이 있다. 따라서 FAA에 특정한 소음감소계획을 제안할 수도 있다. 이러한 계획이 인가되면 소음감소목적을 위한 공식 또는 비공식 활주로사용프로그램(Runway Use Program)의 방식에 적용된다.

1. 활주로사용프로그램이 수립되어 있지 않는 공항에서의 ATC 허가는 다음과 같다.

(a) 풍속이 5 knot 이상일 경우, 풍향과 가장 가깝게 정대되는 활주로

(b) 풍속이 5 knot 미만일 경우, "무풍(calm wind)" 활주로

(c) 운영상 이점이 있을 경우, 다른 활주로

주(Note)

조종사가 배정된 활주로를 사용할 예정이거나, 활주로의 선정을 조종사에게 제안했다면 관제사는 특별히 질문할 필요가 없다. 조종사는 배정활주로 또는 풍향과 가장 가까이 정대된 활주로 이외의 다른 활주로를 사용하려면 그 사항을 ATC에 통보하여야 한다.

2. 활주로사용프로그램이 수립된 공항에서 ATC는 소음의 영향이 가장 적다고 판단되는 활주로를 배정할 것이다. 배정활주로보다 다른 활주로가 안전면에서 바람직하다고 판단될 경우, 조종사는 그러한 사항을 ATC에 통보하여야 한다. ATC는 이러한 의사를 존중하여 요구를 허가하며, 요구한 활주로가 소음민감지역일 경우에는 조종사에게 조언하여야 한다. 배정된 활주로가 아닌 다른 활주로의 사용을 요구한 경우, 교통흐름을 방해하거나 혼잡한 장주가 유발되지 않도록 하기 위한 조종사의 협조를 권장하고 있다.

c. 공시거리(Declared Distance)

1. 활주로의 공시거리(declared distance)란 이착륙거리 성능요건을 충족하기 위해 이용할 수 있는 적합한 최대거리를 의미한다. 이 거리는 활주로의 포장된 물리적 길이에 개방구역(clearway)이나 정지로(stopway)를 더하고, 표준활주로안전구역(standard runway safety area), 활주로무장애구역(runway object free area)이나 활주로보호구역(runway protection zone)을 확보하기 위하여 필요한 길이의 합을 제외하여 FAA 활주로설계

기준에 따라 결정된다. 이러한 가감의 결과로 활주로의 공시거리는 항공차트 및 관련 간행물에 표기되었거나, 미국정부나 영리회사에 의해 제공되는 전자식 항행데이터베이스에서 이용할 수 있는 활주로의 물리적인 길이보다 더 짧아지거나 길어질 수 있다.

2. 14 CFR Part 139의 모든 공항은 각 활주로의 공시거리를 고시한다. 또한 그 밖의 공항도 활주로 설계기준을 충족하기 위하여, 또는 개방구역이나 정지로의 존재를 나타내기 위하여 필요하면 활주로의 공시거리를 고시할 수 있다. 고시된 장소의 각 활주로종단(runway end)의 공시거리는 미국 차트 보충판(Chart Supplement U.S.)에 수록된다. 고시된 공시거리가 없는 활주로의 경우, 이설된 착륙활주로시단이 있고 시단 이설만큼 착륙가용거리(LDA)가 짧아진 경우를 제외하고, 공시거리는 활주로의 물리적인 길이와 동일하다고 가정할 수 있다.

주(Note)

활주로공시거리 정보를 이용할 수 있다는 것을 나타내기 위하여 부호 D가 미국정부차트에 제시된다. (해당 미국 차트 보충판(Chart Supplement U.S.), 알래스카 또는 태평양 보충판 참조)

(a) FAA는 활주로공시거리(declared distance)에 대해 다음의 정의를 사용한다. (그림 4-3-5 참조)

그림 4-3-5. 완전한 표준활주로안전구역, 활주로무장애구역 및 활주로보호구역과 공시거리

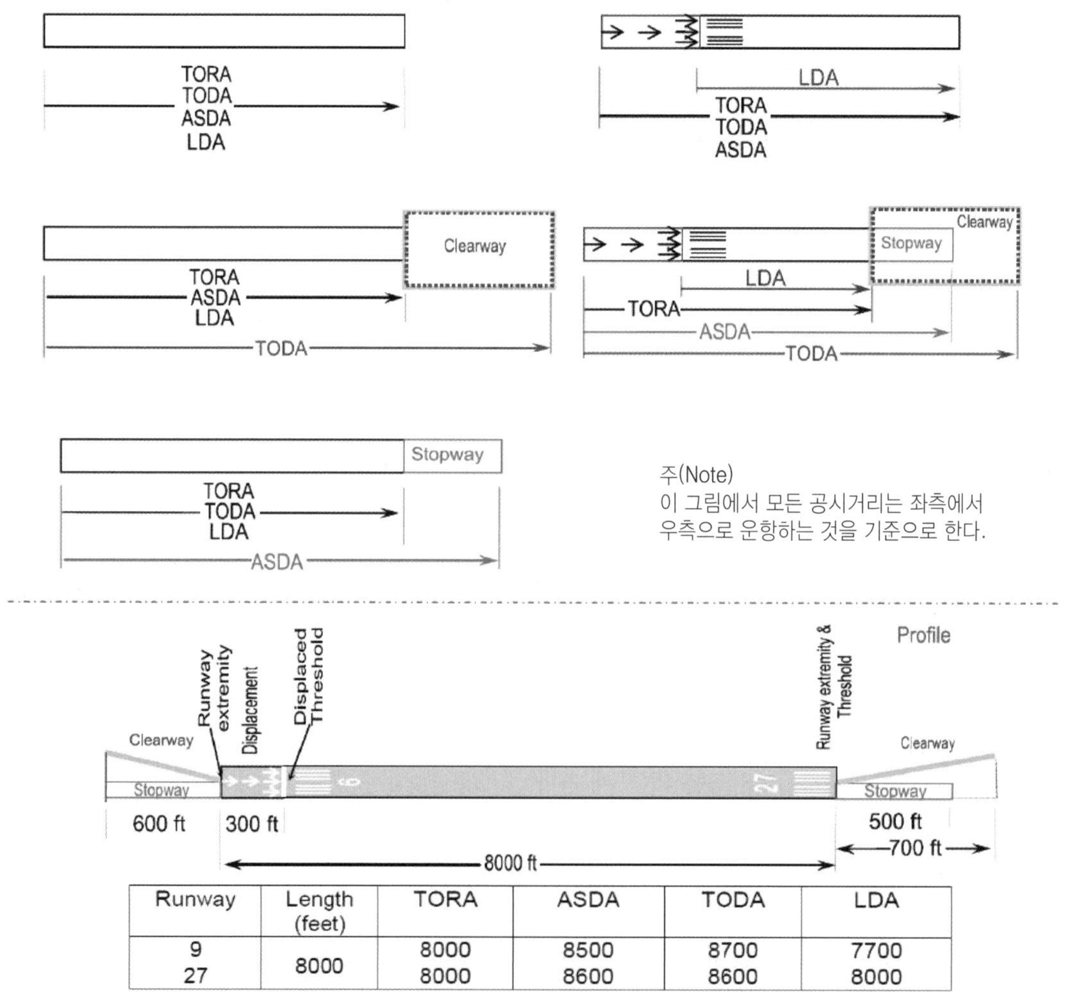

Runway	Length (feet)	TORA	ASDA	TODA	LDA
9	8000	8000	8500	8700	7700
27		8000	8600	8600	8000

(1) 이륙활주가용거리(TORA; Takeoff Run Available) - 비행기 이륙시 지상활주에 이용할 수 있는 적합한 활주로공시길이.

전형적으로 TORA는 활주로의 물리적 길이지만 활주로설계기준을 충족시키기 위하여 필요하면 활주로길이보다 더 짧을 수 있다. 예를 들어, 활주로의 일부가 활주로보호구역 요건을 충족시키기 위하여 사용되어야 한다면 TORA는 활주로길이보다 더 짧아질 수 있다.

(2) 이륙가용거리(TODA; Takeoff Distance Available) - 이륙활주가용거리에 잔여활주로 또는 이용할 수 있는 이륙활주방향 끝단 이후의 개방구역(clearway)을 더한 길이.

TODA는 인증규칙과 운항규칙 그리고 이용할 수 있는 성능자료의 이륙성능 산출 시에 개방구역을 감안할 수 있는 곳에서 비행기의 이륙거리요건 충족에 이용할 수 있는 공시거리이다.

주(Note)
이용할 수 있는 개방구역(clearway)의 길이는 미국 차트 보충판(Chart Supplement U.S.)의 활주로종단에 대한 항목에 수록된 TODA에 포함되어 있다.

(3) 가속정지가용거리(ASDA; Accelerate-Stop Distance Available) - 활주로길이에 이륙을 포기하는 비행기의 가속 및 감속에 이용할 수 있는 적합한 정지로(stopway) 공시길이를 더한 길이. 공항운영자가 정지로(stopway)를 이용할 수 있다고 지정한 경우, ASDA는 활주로의 물리적 길이보다 길 수 있으며, 또는 공항운영자가 활주로안전구역 요건을 달성하기 위해 활주로의 일부를 사용하는 곳에서는 활주로설계기준에 충족하기 위하여 활주로의 물리적 길이보다 짧을 수 있다. ASDA는 인증규칙과 운항규칙에서 가속정지거리(accelerate-stop distance) 산출을 규정하고 있는 곳에서 비행기 가속정지거리 성능요건을 충족시키기 위하여 사용하는 거리이다.

주(Note)
이용할 수 있는 정지로(stopway)의 길이는 미국 차트 보충판(Chart Supplement U.S.)의 활주로종단에 대한 항목에 수록된 ASDA에 포함되어 있다.

(4) 착륙가용거리(LDA; Landing Distance Available) - 착륙하는 비행기가 이용할 수 있는 적합한 활주로공시길이.

활주로설계기준에 충족하기 위하여 필요하면, 예를 들어 공항운영자가 활주로안전구역 요건을 달성하기 위해 활주로의 일부를 사용하는 곳에서는 LDA가 활주로의 물리적 길이 또는 이설시단 이외의 잔여활주로길이보다 짧을 수 있다.

일부 활주로요소(개방구역길이 및 정지로길이와 같은)는 정보를 구할 수도 있지만 조종사는 공항운영자에 의해 측정된 공시거리를 사용하여야 하며, 고시된 활주로의 물리적인 길이에 이러한 요소를 더하여 공시거리를 별도로 계산하려고 해서는 안된다.

(b) 비행기 운항규칙 또는 비행기 운용한계에는 비행교범이나 조종사 운용교범에서 제공되는 성능자료에 의거하여 이륙 및 착륙 시의 최소거리요건이 설정된다. 이륙 이전 계획수립이나 착륙 시에 수행되는 성능평가를 통해 얻어지는 이착륙에 필요한 최소거리는 조종사의 이륙이나 착륙이 이루어질 수 있는 활주로 이전의 해당 공시거리 이내이어야 한다.

(c) 활주로설계기준은 고시된 활주로의 물리적 길이나 분명하게 활주로표지와 등화로 드러나지 않는 길이를 이착륙에 사용할 수 있는 활주로의 길이에서 제한할 수 있다. 지리적으로 제한된 공항에서 활주로안전구역(RSA), 활주로무장애구역(ROFA) 및 활주로보호구역(RPZ)의 활주로요소는 활주로의 공시거리를 활주로의 물리적 길이 이하로 줄일 수 있다 (그림 4-3-6 참조).
이착륙성능 산출에 사용할 수 있는 활주로의 길이를 고려할 때는 활주로의 물리적 길이 대신에 항상 활주로의 고시된 공시거리를 사용하여야 한다.

(d) 공시거리와 관련된 일부 활주로요소(예를 들어, 이설시단 또는 정지로)는 활주로표지나 등화로 식별할 수 있지만, 각 공시거리한계는 활주로 상에 달리 식별되거나 표시되지 않는다. 활주로외관이 사용할 수 있는 활주로로 적절히 구분되면, 항공기는 이륙, 착륙 또는 지상활주 운행동안 공시거리한계를 넘어서는 운행이 금지되지는 않는다 (그림 4-3-6 참조). 다음의 예는 이 항의 의도를 설명한 것이다.

그림 4-3-6. 지리적제한으로 인한 활주로공시거리의 영향

활주로 27 운항 : 활주로 27 시단(threshold)은 접근활주로의 시단에서 필요한 RSA를 제공하기 위하여 이설되었다. 결과적으로 LDA는 200 ft 감소된다.

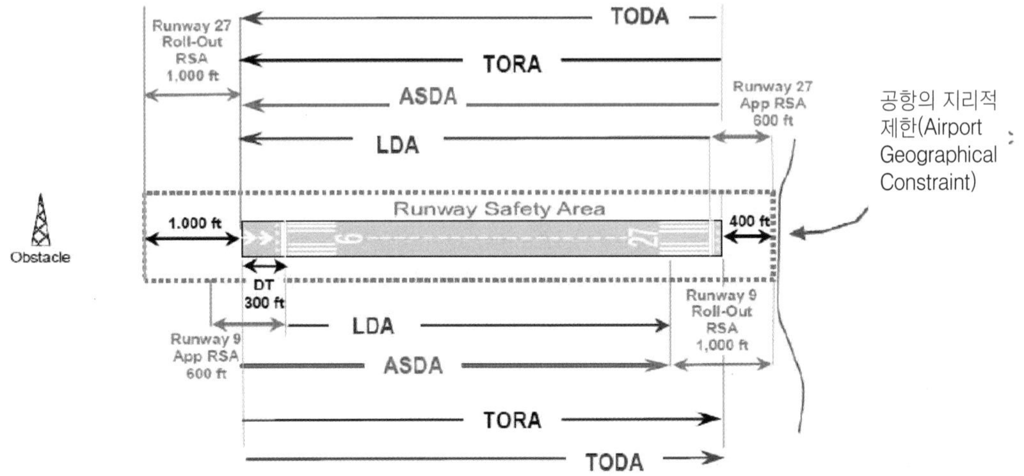

활주로 9 운항: ASDA는 활주로의 착륙 후 지상활주가 끝나는 지점(roll-out end)에서 필요한 RSA를 얻기 위해 600 ft 감소된다. LDA는 1) 접근활주로시단에 위치한 300 ft의 이설시단(approach obstacle로 인한) 및 2) 활주로의 착륙 후 지상활주가 끝나는 지점에서 필요한 RSA를 얻기 위해 필요한 600 ft의 활주로로 인해 결과적으로 900 ft 감소된다.

예(Example)

1. 해당 비행기 운항규칙 또는 비행기 운용한계의 착륙거리요건의 준수여부를 제시할 때, 또는 착륙성능 사전평가를 할 때는 활주로 9의 공시 LDA를 사용하여야 한다. LDA는 이설시단뿐만 아니라 RSA를 충족시키기 위하여 활주로 반대편 끝단 이후의 필요한 길이를 제하여야 하기 때문에 물리적인 활주로길이보다 더 짧다. 그러나 실제 착륙운항에서는 표시되지 않은 LDA 끝단 이후로 비행기가 지상활주하는 것을 허용할 수 있다.

2. 해당 비행기 운항규칙 또는 비행기 운용한계의 가속정지거리(accelerate-stop distance) 요건의 준수여부를 제시할 때는 활주로 9의 공시 ASDA를 사용하여야 한다. ASDA는 최대한 RSA 요건을 달성하기 위하여 필요한 길이를 제하여야 하기 때문에 활주로의 물리적인 길이보다 더 짧다. 그러나 이륙포기의 경우에는 사용할 수 있는 잔여활주로에서 완전히 정지할 수 있도록 표시되지 않은 ASDA 끝단 이후로 비행기가 지상활주하는 것을 허용할 수 있다.

주(Note)

활주로의 RSA는 시단 이전의 설정된 거리에서 시작되어 활주로의 설계기준에 따라 활주로종단 이후의 설정된 거리까지 이어진다. 이러한 필요 길이를 얻을 수 없으면, 가능한 범위 내에서 필요한 길이를 얻기 위하여 필요한 만큼 ASDA 또는 LDA가 감소된다.

4-3-7. 저고도 윈드시어/마이크로버스트 탐지 시스템(Low Level Wind Shear/Microburst Detection System)

저고도윈드시어경보장치(LLWAS), 공항도플러기상레이더(TDWR), 기상시스템처리장치(WSP) 및 통합터미널기상시스템(ITWS)은 공항주변의 위험한 윈드시어와 마이크로버스트 활동에 대한 정보를 조종사에게 중계하는 항공교통관제사에게 이러한 정보를 보여준다.

a. LLWAS는 윈드시어 경보와 돌풍전선(gust front) 정보를 제공하지만 마이크로버스트(microburst)

경보를 제공하지는 않는다. LLWAS는 공항주변의 저고도 윈드시어 상태를 탐지하기 위하여 고안되었으며, 이러한 한계를 벗어난 윈드시어는 탐지하지 못한다. 관제사는 공항 바람정보 다음에 공항주변의 바람정보를 제시하는 방법으로 조종사에게 이러한 정보를 제공할 것이다.

예(Example)

Wind shear alert, airport wind 230 at 8, south boundary wind 170 at 20.

b. LLWAS "network 확장"〔LLWAS NE〕과 LLWAS 재배치/유지(Relocation/Sustainment)〔LLWAS-RS〕는 TDWR과 통합된 시스템이다. 이들 시스템은 마이크로버스트와 윈드시어의 탐지능력을 갖추고 있다. 관제사는 적절한 윈드시어 경보나 마이크로버스트 경보를 발부할 수 있다. 이러한 시스템 중 일부는 관제사가 활주로시단이나 이륙활주로종단으로 향하는 바람정보를 발부할 수 있는 성능도 갖추고 있다.

예(Example)

Runway 17 arrival microburst alert, 40 knot loss 3 mile final.

c. ITWS와 같이 더욱 진보된 시스템이 실용화되거나 개발되고 있다. ITWS는 마이크로버스트, 윈드시어 및 심각한 뇌우활동에 대한 경보를 제공한다. ITWS는 활주로시단이나 이륙활주로종단으로 향하는 바람정보를 시현한다.

d. WSP는 선정된 공항감시레이더(ASR)-9 시설에서 기상처리장치의 성능향상을 제공한다. WSP는 윈드시어, 마이크로버스트 및 심각한 뇌우활동과 같은 위험한 기상의 탐지와 경보를 항공교통에 제공한다. WSP는 공항운영에 영향을 줄 수 있는 돌풍(wind shift) 지역, 추후 예상위치와 강도는 물론 터미널지역 6단계 기상, 뇌우(storm cell)의 위치와 이동을 시현한다. 관제사는 Areas Noted for Attention(ARENA)에 의거하여 경보를 접수하고 발부할 것이다. ARENA는 활주로중심선 상의 최종접근진로 3 mile에서부터 활주로까지 그리고 이륙활주로종단에서 2 mile 까지 이어진다.

e. LLWAS, ITWS 또는 WSP를 갖추고 있는 공항은 이러한 특정한 공항에 대한 미국 차트 보충판의의 기상자료 출처(Weather Data Source)에 수록되어 있다.

4-3-8. 제동상태보고와 조언(Braking Action Reports and Advisories)

a. 가능하면 ATC는 조종사로부터 접수한 활주로 제동상태(braking action)의 강도를 조종사에게 제공한다. 제동상태의 강도는 용어 "good", "good to medium", "medium", "medium to poor", "poor" 및 "nil"로 나타낸다. 조종사가 위에서 언급한 용어를 사용하여 제동상태의 강도를 보고할 때에는 각각의 항공기 기종과 함께 "braking action poor the first/last half of the runway"와 같이 쉽게 이해할 수 있는 서술적인 용어(descriptive terms)를 사용해야 한다.

b. FICON NOTAM은 포장된 활주로의 오염 측정값을 제공하지만, 제동상태 FICON NOTAM은 비포장 활주로표면, 유도로 및 계류장(apron)에만 사용된다. 이러한 NOTAM은 가장 중요한 용어("good to medium," "medium," "medium to poor," and "poor")에 따라 분류된다.

1. 포장된 활주로표면 제동상태의 FICON NOTAM 보고는 연방필수공항(Federally Obligated Airports) 또는 14 CFR Part 139에 의하여 인가를 받은 공항에는 허가되지 않는다.

2. 이러한 공항의 "NIL" 제동상태는 영향을 받는 표면의 폐쇄 여부에 따라 완화되어야 한다. FICON NOTAM에 항공기 기종을 포함해서는 안된다.

c. 관제탑관제사가 medium, poor 또는 nil의 용어가 포함된 활주로제동상태의 보고를 접수한 경우, 또는 기상상태가 악화되거나 활주로제동상태가 빠르게 변할 경우에는 언제든지 ATIS 방송에 "Breaking action advisories are in effect."라는 문구를 포함시킨다.

d. 제동상태조언이 유효한(in effect) 동안, ATC는 도착 및 출발항공기에게 사용되는 각 활주로에 대하여 보고된 가장 최근의 제동상태를 통보한다.

조종사는 악화되는 제동상태에 대비하여야 하며, 관제사가 발부하지 않으면 최근의 활주로상태정보를 요구하여야 한다. 또한 조종사는 착륙 후 관제사에게 서술적으로 활주로상태보고를 제공할 준비를 하여야 한다.

4-3-9. 활주로상태보고(Runway Condition Report)

a. 항공기 제동계수는 항공기 바퀴(wheel)의 타이어와 포장면 간의 표면 마찰에 좌우된다. 항공기 제동계수가 작고, 항공기 제동반응이 느리다는 것은 마찰이 적다는 것을 의미한다.

b. 활주로상태부호(Runway condition code; RwyCC) 값의 범위는 1(poor)에서 6(dry)까지이다. 오염된 활주로표면이 언 경우, 활주로상태부호 4의 지시값은 제동감속력(braking deceleration)이나 방향조종성이 good과 medium 사이의 수준이라는 것을 나타낸다.

주(Note)

"0"의 RwyCC는 NIL의 제동상태보고를 나타내기 위해 사용되며, FICON NOTAM으로 발부되는 것은 금지되어 있다.

c. 공항운영자는 젖은 활주로 또는 얼어붙은 눈이나 얼음으로 덮인 활주로의 활주로상태를 측정하여야 한다.

1. 측정값(numerical reading)은 Runway Condition Assessment Matrix(RCAM)를 사용하여 구할 수 있다.

(a) 사용활주로

(b) 측정시간

(c) 각 구역(touchdown, mid-point, roll-out)의 활주로상태부호

(d) 조종사가 보고한 제동상태보고 (가능한 경우)

(e) 오염 상태 (예를 들면, wet snow, dry snow, slush, ice 등)

2. 각 구역(4-3-9c1(c) 참조)에 대한 측정값은 오염된 표면을 "1"에서 "6"까지의 범위로 하여 활주로 상의 이륙과 착륙방향으로 발부된다.

주(Note)

"0"의 RwyCC는 NIL의 제동상태보고를 나타내기 위해 사용되며, FICON NOTAM으로 발부되는 것은 금지되어 있다.

3. 1 이상인 활주로상태부호가 6 미만으로 보고된 경우, 공항운영자는 조종사에게 전파될 수 있도록 ATC에 통보하여야 한다.

4. 관제사는 활주로 3구간의 모든 보고값이 6인 경우 활주로상태부호를 발부하지 않는다.

d. 공항운영자가 활주로상태부호를 보고하면 접근관제 또는 국지공항조언을 제공하는 ATC 기관은 모든 조종사에게 제공하여야 한다.

e. 조종사는 활주로의 적합성을 판단하기 위해 항공기성능 특성, 기종과 중량, 이전의 경험, 바람상태, 그리고 항공기 타이어 유형(즉, bias ply 타이어와 radial 구성 타이어)을 포함한 그 밖의 지식과 함께 활주로상태부호 정보를 이용하여야 한다.

f. Runway Condition Assessment Matrix는 서술적 용어 "good", "good to medium", "medium", "medium to poor", "poor" 및 제동상태보고에 사용하는 "nil"을 식별하고 있다.

그림 4-3-7. 활주로상태측정 매트릭스(Runway Condition Assessment Matrix; RCAM)

측정 기준 (Assessment Criteria)		조종성/제동력 측정기준 (Control/Braking Assessment Criteria)	
활주로상태 설명 (Runway Condition Description)	RwyCC	감속력 또는 방향 조종성 관찰 결과 (Deceleration or Directional Control Observation)	조종사 보고 제동 상태 (Pilot Reported Braking Action)
• Dry	6	-	-
• Frost • Wet(damp 및 깊이 1/8 inch 이하의 water 포함)	5	Wheel로 제동 시 제동 감속력이 보통이며, 방향 조종성이 보통이다	Good

깊이 1/8 inch(3mm) 이하: • Slush • Dry Snow • Wet Snow			
-15℃ 이하의 외기온도: • 얼어붙은 Snow	4	제동 감속력 또는 방향 조종성이 Good과 Medium 사이이다.	Good to Medium
• Wet 상태로 미끄러움(wet runway) • 얼어붙은 Snow 위에 Dry Snow 또는 Wet Snow (모든 깊이) 깊이 1/8 inch(3mm) 초과: • Dry Snow • Wet Snow -15℃ 초과 외기온도: • 얼어붙은 Snow	3	Wheel로 제동 시 제동 감속력이 현저하게 감소하거나, 방향 조종성이 현저하게 감소한다.	Medium
깊이 1/8 inch(3 mm) 초과: • Water • Slush	2	제동 감속력 또는 방향 조종성이 Medium과 Poor 사이이다.	Medium to Poor
• Ice	1	Wheel로 제동 시 제동 감속력이 현저하게 감소하거나, 방향 조종성이 현저하게 감소한다.	Poor
• Wet Ice • Ice 위의 Slush • 얼어붙은 Snow 위의 Water • Ice 위의 Dry Snow 또는 Wet Snow	0	Wheel로 제동 시 제동 감속력이 아주 적거나 없으며, 방향 조종성이 없어진다.	Nil

4-3-10. 중간이륙(Intersection Takeoff)

a. 공항수용능력을 증가시키고 지상활주거리를 감소시키며, 출발지연의 최소화 및 항공교통의 보다 효율적인 흐름을 증진시키기 위하여 관제사는 조종사가 중간이륙을 요구할 때 이를 허가할 뿐 아니라 먼저 권고할 수도 있다. 어떠한 이유로 조종사가 다른 교차지점 또는 활주로 전체길이를 사용하기를 원하거나, 또는 교차지점과 활주로 끝 간의 거리에서 이륙하기를 원한다면 조종사는 이 같은 상황을 ATC에 통보하여야 한다.

b. 조종사는 비행전계획 수립 시에 이륙에 사용할 교차지점의 적합성을 평가하여야 한다. 조종사는 이륙에 사용하려는 교차지점으로부터 고시된 활주로 길이 및 고시된 공시거리까지의 길이 감소결과를 고려하여야 한다. 이륙에 필요한 최소활주로는 이륙이 이루어질 수 있는 교차지점 이전의 감소된 활주로길이 및 감소된 공시거리 이내이어야 한다.

c. 관제사는 중간이륙의 사용이 적절한 지침에 포함되어 있지 않는 한, 요구하는 조종사 및 모든 군용항공기에 해당 교차지점에서 활주로 끝까지의 측정거리를 50 ft 단위로 버림하여 50 ft 단위에 가장 가깝게 발부한다. 그러나 관제사는 교차지점에서 고시된 공시거리의 끝까지의 거리를 조종사에게 통보할 수는 없을 것이다.

d. 사전에 지상관제소로부터 중간이륙을 허가받지 않는 한, 항공기는 배정된 활주로의 끝까지(활주로 상으로가 아니다) 지상활주하여야 한다.

e. 조종사는 활주로교차지점에서 이륙하기 위하여 관제탑을 호출할 때, 공항에서의 위치를 언급하여야 한다.

예문(Example)

Cleveland Tower, Apache Three Seven Two Two Papa, at the intersection of taxiway Oscar and runway two three right, ready for departure.

f. 관제사는 선행 대형항공기가 이륙한 시간과 뒤따르는 소형항공기가 이륙활주를 시작할 시간 간에

최소한 3분 간격을 적용하여, 동일활주로 상에서 대형 경항공기(B757 제외)와 뒤따라 중간이륙(동일 또는 반대방향)하는 소형항공기를 분리하여야 한다. 3분 분리요건은 최대인가이륙중량이 12,500 lbs를 초과하는 소형항공기 뒤를 따라 이륙하는 최대인가이륙중량이 12,500 lbs 이하인 소형항공기에도 적용된다. 요구되는 3분 대기(3-minute hold)를 조종사에게 통보하기 위하여, 관제사는 "Hold for wake turbulence"라고 말한다. 조종사가 항적난기류의 위험성을 고려한 결과, 더 적은 시간간격이 적절하다고 생각되면 조종사는 3분 간격의 위배를 요구할 수 있다. 이를 요구하기 위하여 "Request waiver to 3-minute interval" 또는 유사한 문장으로 간결하게 말한다. 관제사는 그 다음 다른 교통상황이 허용하면 이륙허가를 발부할 수 있으며, 그 후에는 조종사가 항적난기류에 대한 책임을 갖게 된다.

g. 교차지점이 선행항공기의 출발지점으로부터 500 ft 이하이고, 두 항공기가 동일방향으로 이륙하는 경우에는 3분 간격이 필요하지 않다. 관제사는 소형항공기가 선행 출발항공기의 비행경로를 회피하기 위하여 이륙 후 진로변경을 하도록 허가할 수 있다.

h. 초대형항공기(super aircraft) 후방의 소형, 대형 및 중항공기의 경우 4분 간격은 의무이다. 중항공기(heavy aircraft) 후방의 모든 항공기, 그리고 B757 후방의 소형항공기의 경우 3분 간격은 의무이다.

4-3-11. LAHSO(Land and Hold Short Operations) 수행시의 조종사 책임

a. LAHSO는 "Land and Hold Short Operations"의 약어이다. 이러한 운영에는 착륙 및 교차활주로, 교차유도로 또는 교차활주로나 유도로 이외의 지정된 어떤 활주로지점에서의 잠시대기(holding short)가 포함된다. (그림 4-3-8, 4-3-9, 4-3-10 참조)

b. 조종사의 책임과 기본 절차

1. LAHSO는 안전을 유지하며, 공항의 수용능력과 시스템의 효율증가를 위한 요구사항과 균형을 이루기 위해 조종사의 참여가 요구되는 항공교통관제 절차이다. 이 절차는 조종사와 관제사가 그들의 책임을 인식하고 이해한다면 안전하게 수행될 수 있다. 다음 항은 LAHSO를 수행할 때 조종사/관제사의 특정 책임을 간략하게 기술한다.

2. 관제공항에서 항공교통관제사는 조종사에게 착륙 및 잠시대기(land and hold short)를 허가할 수 있다. 기장은 항공기가 착륙하여 가용착륙거리(Available Landing Distance; ALD) 내에서 안전하게 정지할 수 있다고 판단되면 이러한 허가를 받아들일 수 있다. ALD 정보는 미국 차트 보충판(Chart Supplement U.S.)과 미국 터미널절차간행물의 특별공지란(special notices section)에 게재된다. 또한 관제사는 요청이 있을 때 ALD 정보를 제공한다. 조종연습생이나 LAHSO에 익숙하지 않은 조종사는 이 프로그램에 참여해서는 안된다.

3. 기장은 어떠한 착륙 및 잠시대기(land and hold short) 허가를 받아들이거나 거부할 수 있는 최종권한을 갖는다. 항공기의 안전과 운항에 대한 책임은 조종사에게 있다. 조종사는 LAHSO 허가가 안전을 저해한다고 판단되면 이를 거부하여야 한다.

그림 4-3-8. 교차활주로의 LAHSO

예(Example)

그림 4-3-10과 같이 활주로안전구역/근처 활주로의 비행경로와 충돌을 피하기 위하여 지정된 지점에서 잠시대기가 필요할 수 있다.

주(Note)

각 그림은 설치되어 있는 LAHSO 표지, 표지판 및 매립형등화의 대략적인 위치를 나타낸다.

그림 4-3-9. 교차유도로의 LAHSO

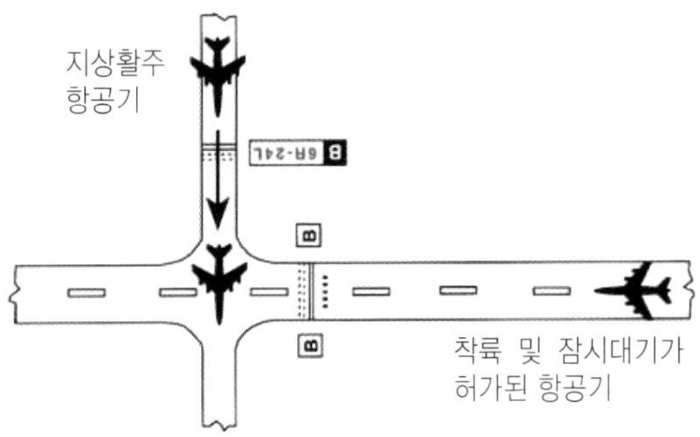

그림 4-3-10. 교차활주로 또는 교차유도로 이외 활주로에 지정된 지점의 LAHSO

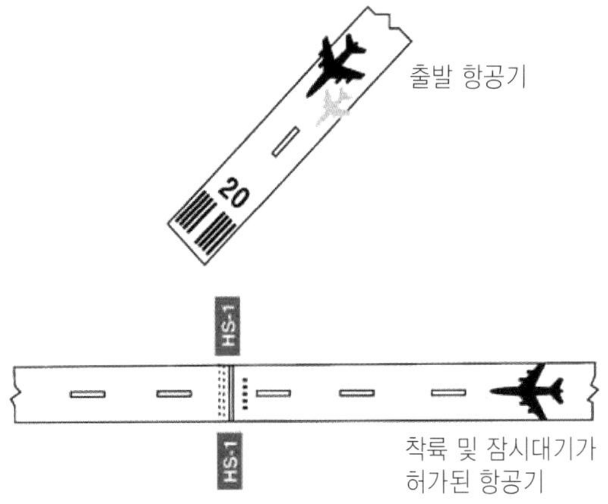

4. LAHSO를 수행하기 위하여 조종사는 목적지 공항의 LAHSO와 관련된 모든 이용 가능한 정보에 익숙해져야 한다. 조종사는 바로 이용할 수 있도록 착륙하고자 하는 각 공항의 모든 LAHSO 활주로구성에 대해 발간된 ALD와 활주로 경사정보를 소지하고 있어야 한다. 추가하여 착륙성능자료에 대한 지식은 지정된 활주로의 ALD가 안전한 LAHSO를 위해 충분한지 쉽게 결정할 수 있도록 한다. 조종사는 비행전계획 수립절차의 하나로서 목적지공항이 LAHSO를 운영하고 있는지를 알아보아야 한다. 만일 운영하고 있다면 어떠한 LAHSO 구성이 항공기의 필요한 착륙거리에서 그들에게 적용될 것인지에 대한 평가를 비행전계획 수립절차에 포함시켜야 한다. 현명한 조종사의 의사결정은 LAHSO가 제공된다면 LAHSO 허가를 받아들일 수 있는지의 여부를 사전에 아는 것이다.

5. LAHSO 교차지점 위치식별의 어려움, 바람상태, 항공기상태 등과 같은 어떤 이유가 있으면 조종사는 활주로 전체길이(full length)를 사용한 착륙, 다른 활주로에 착륙 또는 LAHSO 거부를 요구할 것인지를 결정하여 가능하면 허가가 발부되기 이전에 항공교통관제사에 신속히 통보하여야 한다. 일단 LAHSO 허가를 받았다면 수정된 허가를 받거나 비상상황이 발생하지 않는 한, 다른 ATC 허가와 마찬가지로 이를 준수하여야 한다. LAHSO 허가가 착륙포기(rejected landing)를 못하게 하는 것은 아니다.

6. LAHSO 허가를 받은 조종사는 착륙하고 나서 잠시대기지점(hold short point)에 도달하기 전에 첫 번째의 편리한 유도로(다른 지시가 없는 한)에서 활주로를 벗어나야 한다. 활주로를 벗어나지 않았다면 조종사는 잠시대기지점에 정지하여 대기하여야 한다. LAHSO 허가를 받은 이후에 착륙포기가 필요하게 되었다면, 조종사는 다른 항공기 또는 차량과의 안전한 분리를 유지하고 즉시 관제사에게 통보하여야 한다.

7. 관제사는 모든 LAHSO 허가에 대해 완전한 복창(read back)을 필요로 한다. 조종사는 LAHSO 허가를 복창하여야 하며, 모든 LAHSO 허가에 대한 인지응답에는 단어 "hold short of (runway/taxiway/또는 point)"를 포함하여야 한다. 주파수 혼잡을 감소시키기 위하여 LAHSO 허가의 복창을 요구하지 않아도 복창할 것을 권장하고 있다. 관제사가 복창을 요구하지 않도록 하라!

c. LAHSO 상황인식(Situational Awareness)

1. LAHSO의 성공적인 수행을 위해서는 상황인식이 극히 중요하다. 상황인식은 조종실의 조종사가 접근하기 쉬운 곳에 최근의 공항정보를 구비하는 것으로부터 시작된다. (공항 diagram은 조종사에게 공항에서의 위치식별에 도움을 주기 때문에 관제사에게 "점진적지상활주지시(progressive taxi instruction)"의 요청을 줄일 수 있다)

2. 상황인식에는 조종사-관제사 간의 효과적인 무선교신이 포함된다. ATC는 조종사가 다음과 같이 모든 LAHSO 허가에 명확하게 응답하고 복창할

것이라고 기대하고 있다.

예문(Example)

ATC: "(항공기 ID) cleared to land runway six right, hold short of taxiway bravo for crossing traffic (항공기 기종)."

Aircraft: "(항공기 ID), wilco, cleared to land runway six right to hold short of taxiway bravo."

ATC: "(항공기 ID) cross runway six right at taxiway bravo, landing aircraft will hold short."

Aircraft: "(항공기 ID), wilco, cross runway six right at bravo, landing traffic (항공기 기종) to hold."

3. 두 명의 승무원이 비행하는 항공기의 경우, 조종실 내에서 조종실승무원 간의 효과적인 의사소통 또한 매우 중요하다. 무선교신을 수행한 조종사가 LAHSO 허가를 접수하였으나, 항공기를 조종하는 조종사에게 이를 말하는 것을 잊어버린 경우도 여러 번 있었다.

4. 또한 상황인식에는 LAHSO와 관련된 공항표지, 표지판 및 등화의 전반적인 이해가 포함된다. 이러한 시각보조시설은 황색의 잠시대기표지, 적색과 백색표지판 그리고 어떤 경우에는 포장면 매립형 등화의 세 부분으로 된 시스템으로 구성된다. 시각보조시설은 조종사가 잠시대기 할 지점을 판단하는데 도움을 준다. 그림 4-3-8, 4-3-9 및 4-3-10은 설치된 표지, 표지판 그리고 등화가 어떻게 보이는지를 나타낸다. 조종사는 LAHSO를 운영하는 모든 공항에 위의 표지, 표지판 또는 등화가 모두 설치되어 있는 것은 아니라는 점에 유의하여야 한다.

5. 조종사는 최저운고가 1,000 ft, 그리고 최저 시정이 3 SM 일 때만 LAHSO 허가를 받을 수 있다. "기본" VFR 기상상태를 취하는 목적은 조종사가 다른 항공기 및 지상차량 운행을 시야에 둘 수 있도록 하기 위한 것이다. 조종사는 우세한 비행시정의 영향(태양을 마주보는 방향으로의 착륙과 같은)과 그것이 전반적으로 상황인식에 어떻게 영향을 미칠지를 고려하여야 한다. 추가하여 정비담당자에 의해 지상활주하는 지상차량과 항공기도, 특히 사용활주로횡단을 포함한 운행의 경우 LAHSO에 참여할 수 있다.

4-3-12. 저고도접근(Low Approach)

a. 저고도접근〔때로는 저고도통과(low pass)라고 한다〕은 접근에 이은 복행조작(go-around maneuver)을 말한다. 착륙이나 접지후이륙(touch-and-go) 대신 조종사는 특정한 조작(일련의 연습계기접근이 이러한 조작의 한 예이다)을 신속히 하기 위하여 복행(저고도접근)을 할 수도 있다. ATC에 의해 달리 허가되지 않는 한, 저고도접근은 구역에 있는 다른 항공기에 대한 육안확인을 완전히 마칠 때 까지는 선회 또는 상승하지 말고 전방으로 직진해야 한다.

b. B등급, C등급과 D등급 공항교통구역 내에서 운항 중에 저고도접근을 하고자 하는 조종사는 허가를 받기 위하여 관제탑과 교신하여야 한다. 이러한 요청은 최종접근을 시작하기 전에 이루어져야 한다.

c. B등급, C등급과 D등급 공항교통구역 이외의 공항으로 운항 중에 저고도접근을 하고자 하는 조종사는 inbound 최종접근픽스(비정밀접근)를 떠나기 전에, 또는 외측마커나 inbound 외측마커 대신에 사용되는 픽스(정밀접근)를 떠나기 전에 FSS, UNICOM에 통보하거나 적절한 방법으로 의사를 표시하여야 한다.

4-3-13. 공항 교통관제 등화신호(Airport Traffic Control Light Signals)

a. 다음 절차는 무전기를 갖추지 않은 항공기, 지상차량, 장비 및 인원의 통제를 위해 ATCT에 의해 사용된다. 무선교신이 이루어지지 않으면 무전기를 갖춘 항공기, 지상차량, 장비 및 인원의 통제에도 동일한 절차가 적용된다. ATC 근무자는 등화신호로 교통을 관제할 때는 가늘고 강한 색상(적색, 백색 또는 녹색 중의 하나)의 지정된 불빛을 비추어 지시하는 교통관제신호를 사용한다.

표 4-3-1. 공항 교통관제탑 빛총신호(Airport Traffic Control Tower Light Gun Signals)

	의미(Meaning)		
신호의 종류와 색상	이동 중인 차량, 장비 및 인원	지상에 있는 항공기	비행중인 항공기
연속되는 녹색	통과하거나 진행할 것	이륙을 허가함	착륙을 허가함
깜박이는 녹색	미적용	지상활주(taxi)를 허가함	착륙을 준비할 것 (적정 시간 뒤에 연속되는 녹색신호가 이어진다)
연속되는 적색	정지할 것	정지할 것	다른 항공기에게 진로를 양보하고 계속 선회할 것
깜박이는 적색	활주로 또는 유도로에서 벗어날 것	사용 중인 활주로에서 벗어나 지상활주할 것	공항이 불안전하니 착륙하지 말 것
깜박이는 백색	공항의 출발지점으로 돌아갈 것	공항의 출발지점으로 돌아갈 것	미적용
교차하는 적색과 백색	극히 주의할 것	극히 주의할 것	극히 주의할 것

b. 교통등화신호가 무전기를 갖추지 않은 항공기에게 일부분 관제를 할 수 있다는 이점이 있지만, 조종사는 다음과 같은 단점이 있다는 것을 인식하고 있어야 한다.

1. 항공기에 신호를 보낼 때 조종사가 관제탑을 보고 있지 않을 수도 있다.

2. 등화신호에 의해 보내어지는 지시는 조종사의 예상되는 행동을 인가함 또는 인가하지 않음 만을 전달할 수 있기 때문에 매우 제한적이다. 조종사에게 경계할 것을 조언하는 "일반적인 경고신호"의 사용을 제외하고는 보충하거나 설명하는 정보는 전달할 수 없다.

c. 일몰과 일출 사이에 관제탑의 주의를 끌고자 하는 조종사는 관제탑에서 항공기의 착륙등을 볼 수 있도록 하기 위하여 착륙등을 켜고 사용활주로를 벗어나 어떤 지점으로 지상활주한다. 조종사는 관제탑으로부터 적절한 신호를 받을 때까지 착륙등을 켜고 있어야 한다.

d. 항공교통관제탑 빛총신호(Light Gun Signal). (표 4-3-1 참조)

e. 주간에는 보조익 또는 방향타를 움직여 관제탑 송신이나 빛총신호에 응답한다. 야간에는 착륙등 또는 항행등(navigation light)을 점멸하여 빛총신호에 응답한다. 주기장을 출발한 후에 무선통신기에 고장이 발생하였다면 관제탑의 빛총신호를 주시하거나 관제탑주파수를 경청한다.

4-3-14. 무선통신(Communications)

a. 출발항공기의 조종사는 엔진시동시간, 지상활주 또는 허가정보를 받기 위하여 엔진을 시동하기 전에 해당 지상관제/허가중계주파수로 관제탑과 교신하여야 한다. 관제탑에서 달리 통보하지 않는 한 지상활주 및 run-up 중에 이 주파수를 유지하고, 그 다음 이륙허가를 요청할 준비가 되었을 때 국지관제주파수로 변경한다.

주(Note)

가능한 빨리 그 밖의 ATC 요건과 일치하는 국지관제주파수를 경청할 것을 조종사에게 권장하고 있다.

b. 달리 통보되지 않는 한, 관제탑관제사는 터빈항공기의 조종사가 활주로나 난기운전구역(warm-up block)에 도달했을 때 이륙준비가 완료된 것으로 간주한다.

c. 대다수의 지상관제주파수는 121.6~121.9 MHz 대역폭(bandwidth)에 있다. 도착 및 출발항공기에 깨끗한 VHF 채널을 제공하는 지상관제주파수는 관제탑(국지관제)주파수의 혼잡을 제거하기 위하여 마련되었으며 관제탑과 지상항공기 간, 그리고 관제탑과 공항의 다용도차량 간의 교신으로 한정되어 있다. 이 주파수는 지상활주 정보, 허가의 발부, 그리고 관제탑과 항공기 또는 공항에서 운용되는 그 외의 차량 간에 필요한 그 밖의 교신에 사용된다. 방금 착륙한 조종사는 관제사로부터 주파수변경을 지시 받을 때까지 관제탑주파수에서 지상관제주파수로 변

경해서는 안된다. 보통 한 공항에는 하나의 주파수만 배정되어 있지만, 교통량이 많은 장소에는 제2의 지상관제주파수 또는 허가중계주파수로 지정된 다른 주파수가 배정될 수 있다.

d. 관제사는 조종사가 사용주파수를 알고 있다고 판단되면 지상관제 또는 국지관제주파수를 생략할 수 있다. 지상관제주파수가 121 MHz 대역폭, 예를 들어 121.7 이면, 관제사는 "Contact ground point seven"과 같이 소수점 앞에 있는 숫자를 생략할 수 있다. 그러나 어떤 주파수가 사용 중인지 의심스러우면 조종사는 즉시 관제사에게 그 정보를 제공하여 줄 것을 요청하여야 한다.

e. 단좌로 알려진 헬리콥터가 제자리비행(hovering), 공중활주(air taxiing) 또는 지면근처에서 비행을 할 때, 일반적으로 관제사는 무선주파수 변경지시를 피하여야 한다. 때로는 필수적인 ATC 교신의 지연을 최소화하기 위하여 조종사는 단좌비행 상태임을 ATC에 알리는 것이 필요할 수도 있다. 가능하면 주파수변경이 이루어질 때 까지 ATC 지시는 감시하고 있는 주파수로 중계될 것이다. 조종사는 주파수 변경을 할 수 없으면 즉시 ATC에 통보하여야 한다. 또는 유도로 상이나 헬리콥터운행지역의 착륙과 같이 착륙이 다른 항공교통에 영향을 주지 않을 것이 확실하지 않는 한, 주파수를 변경하기 위하여 착륙해야 한다면 ATC에 통보하여야 한다.

4-3-15. 출발지연으로 인한 게이트 대기(Gate Holding Due to Departure Delay)

a. 출발지연이 15분을 초과하거나 15분을 초과할 것으로 예상될 때에는 언제든지 게이트 대기(gate hold) 절차가 시행될 수 있으므로 조종사는 엔진시동을 하기 전에 지상관제소 또는 허가중계소(clearance delivery)와 교신을 하여야 한다. 출발순서는 교통흐름관리제한에 따라 수정되지 않는 한 최초로 호출(call up)을 한 순서에 따라 정해진다. 조종사는 엔진시동 조언, 또는 지연이 변경된 경우 새로 계획된 시동시간을 지정받기 위하여 지상관제소 또는 비행허가중계소 주파수를 경청하여야 한다.

b. 달리 통보되지 않는 한, 관제탑관제사는 터빈항공기의 조종사가 활주로나 난기운전구역(warm-up block)에 도달했을 때 이륙준비가 완료된 것으로 간주한다.

4-3-16. 터미널지역의 VFR 비행(VFR Flights in Terminal Areas)

특히 터미널지역에서 VFR 비행의 특권을 행사하는데 있어서는 합리적인 제한을 적용하여야 한다. 기상최저치와 구름으로부터의 거리는 최저치이다. 특정한 경우에는 더 큰 여유(margin)를 두는 것이 아주 현명한 판단이다.

a. 접근구역(Approach Area). 공식시정이 3 또는 4 mile 일 때, B등급, C등급, D등급 및 E등급 공항교통구역에서 VFR 운항을 금지하지는 않지만 접근구역을 벗어나 있는 것이 현명한 판단이다.

b. 감소된 시정(Reduced Visibility). 강수가 전방의 시정을 감소시킨다는 사실을 항상 인식하고 있어야 한다. 따라서 강수가 있을 때 VFR로 비행할 수 있을 경우, IFR 비행계획을 취소하는 것이 전적으로 합법적일지라도, 그 대신 목적지에 상당히 가까워 질 때 까지 터미널지역으로 계속 IFR 운항을 하는 것이 바람직한 비행방법이다.

c. 모의계기비행(Simulated Instrument Flight). 모의계기비행을 할 때 기상은 비행계기에 더 많이 집중하고 안전감독조종사(safety pilot)의 제한된 시정을 보상할 수 있을 만큼 충분하여야 한다. 혼잡한 항공로나 항공로 주변 또는 공항 근처에서의 비행계획일 경우, 더 큰 여유(margin)를 두어야 한다.

4-3-17. 관제탑이 있는 공항의 VFR 헬리콥터 운항

a. 일반(general)

1. 다음의 ATC 절차 및 관제용어는 헬리콥터의 독특한 성능을 인식하고 모든 사용자에 대한 업무를 향상시키기 위하여 개발되었다. 헬리콥터의 설계특성과 사용자의 필요에 따라 종종 공항경계선 내의 이동지역(movement area)과 비이동지역에서의 운항을 필요로 한다. ATC에 이러한 절차를 적절하게 적용하기 위해서는 조종사 자신이 국지운항에 익

숙해야 하며, 추가적인 지시가 필요할 때 관제사에게 이것을 알리는 것이 필요하다.

2. 전반적인 지연을 최소화하기 위하여 헬리콥터 운항은 가능한 범위 내에서 고정익항공기의 흐름에 방해가 되지 않도록 지시하지만, 관련된 모두에게 이익이 되도록 고속/대형헬리콥터를 고정익항공기와 차별을 두지 않는 상황도 많이 있다. 예로는 IFR 비행, 소음민감지역의 회피 또는 혼잡한 지역에서 로터 내리흐름(rotor downwash)의 위험한 영향을 최소화하기 위한 활주로/유도로의 사용 등을 들 수 있다.

3. 헬리콥터조종사는 로터 내리흐름의 영향에 익숙하므로 안전하게 주어진 운항을 수행할 수 있을지 여부의 판단에는 조종사가 가장 적합하다. 따라서 조종사는 특정 대기속도/고도의 결정에 관하여 최종적인 권한을 가지고 있다. ATC 허가는 헬리콥터를 위험한 처지에 놓이게 하려고 하는 것이 결코 아니다. 특정 허가가 인명이나 재산에 심각한 위험의 원인이 되면 조종사는 ATC에 통보하여야 한다.

b. 관제사의 업무는 보통 이동지역에 대한 ATC 지상업무와 지시로 한정되며, 따라서 비이동지역에서의 운항은 국지정책, 절차 또는 합의서를 기반으로 조종사의 판단에 따라 수행되어야 한다. 헬리콥터 운항의 유연성을 최대화하기 위하여 조종사의 현명한 판단에 상당히 의존하여야 한다. 예를 들어, 조종사는 잔해, 장애물, 차량 또는 사람 등과 같은 위험요소를 인지하여야 하며, 이러한 위험요소를 회피하기 위하여 필요한 조치를 취해야 한다. 지상활주(taxi), hover taxi와 air taxi는 지상이동으로 간주된다. 이러한 운항을 수행하는 헬리콥터는 AIM의 다른 지상활주와 ATC 절차에 적용되는 것과 동일한 조건, 요건과 지침을 준수해야 한다.

1. 관제용어 지상활주(taxi)는 헬리콥터가 유도로 또는 그 밖의 정해진 경로를 경유하여 공항지표면을 지상활주하려고 하거나 지상활주가 예상될 때 사용한다. 지상활주(taxi)는 바퀴(wheel)가 달린 헬리콥터에 대해서나 조종사 요구에 대한 응답에 주로 사용된다. 로터 내리흐름의 영향을 최소화하는 것이 필요할 때는 이 방법에 우선권이 주어져야 한다.

2. 조종사는 느린 속도로 전방으로의 이동이 요구되거나, 매우 짧은 거리의 이동이 필요한 경우 공중활주(hover taxi)를 요구할 수 있다. 조종사는 로터의 내리흐름이 주기된 항공기에게 손상을 입힐 수 있거나, 날리는 먼지/눈 등이 시계를 가릴 수 있다면 이러한 절차는 피해야 한다. 조종사가 공중활주(hover taxi)를 할 때 25 ft AGL을 초과하여 운항하는 것이 필요하면 ATC에 요청하여야 한다.

3. 공중활주(air taxi)는 지상운항 및 상황이 허용되는 경우, 공항에서 헬리콥터의 지상이동에 선호되는 방식이다. 달리 요구받거나 지시받지 않는 한, 조종사는 100 ft AGL 미만을 유지하여야 한다. 그러나 정상적인 대기속도 또는 고도보다 더 높게 비행하기를 원하면 부양(lift-off) 전에 요청하여야 한다. 수행할 고도/운항에 대한 안전한 대기속도의 선택은 전적으로 조종사 책임이다. Air taxi의 사용은 조종사에게 최적의 대기속도/고도에서의 진행, 내리흐름(downwash) 영향의 최소화, 연료절약 및 한 지점에서 다른 지점으로의 신속한 이동을 가능하게 한다. 헬리콥터는 air-taxi 운항을 하는 동안 다른 항공기, 차량 및 인원 상공에서의 비행을 피해야 한다. 조종사는 사용활주로에 대하여 주의를 기울여야 하며, 공중활주(air taxi) 지시를 확실하게 이해하여야 한다. 익숙하지 않은 공항이나 다수/교차 사용활주로가 있는 공항에서는 특별히 조심하여야 한다. 지상활주절차는 4-3-18항 지상활주, 4-3-19항 저시정에서의 지상활주에 제시되어 있으며, 4-3-20항 착륙 후 활주로 개방에도 적용된다.

c. 이륙 및 착륙절차

1. 헬리콥터 운항은 활주로, 유도로, 착륙대 일부분 또는 사고장소, 건설현장이나 빌딩의 옥상 등과 같이 착륙장소로 사용할 수 있는 어떤 장애물이 없는 구역(clear area)에서 이루어질 수 있다. 헬리콥터 운항에서 지정된 지역을 나타내기 위하여 사용하는 용어는 이동지역(movement area), 이착륙구역(landing/takeoff area), 계류장/주기장, 헬기장(heliport)과 helipad 등이다 (조종사/관제

사용어사전 참조). 이들 지역은 정리되어 있거나 정리되어 있지 않을 수 있으며, 공항/헬기장에 위치하거나 분리되어 있을 수도 있다. ATC는 필요시 추가 지시와 함께 사용활주로 이외의 이동지역에서, 또는 사용활주로의 반대방향으로 이륙허가를 발부한다. 가능하면 언제든지 hover/air taxi 운항의 연장 대신에 이륙허가를 발부하여야 한다. 관제용어는 "Cleared for takeoff from (유도로, helipad, 활주로번호 등), make right/let turn for (방향, 기수방향, NAVAID radial) departure/departure route (번호, 명칭 등)" 이다. 조종사가 요구하지 않는 한 배풍이 5 knot를 초과하면, 배풍(downwind) 이륙허가를 발부해서는 안된다.

2. 조종사는 헬리콥터 주변의 바람지시(wind indication)는 물론 바람정보에도 주의를 기울여야 한다. ATC는 의도하는 출발방법을 통보받게 된다. 조종사가 주어진 방향으로 이륙허가를 요구하는 것은 바람상태를 수용하겠다는 의미이며, 관제사는 교통상황이 허용하면 이러한 의사를 존중하여 요구를 허가한다. 출발지점이 관제탑으로부터 상당히 먼 거리에 있어서 관제사가 바람에 대한 헬리콥터의 상대적인 위치를 판단하는 것이 어렵거나 불가능할 수 있다.

3. 비이동지역, 헬리콥터 사용 비인가지역, 관제탑에서 육안확인이 불가능한 지역, 야간등화시설이 없는 지역 또는 공항에서 떨어진 지역으로부터 이륙허가 요구가 있을 경우, 관제용어는 "Departure from (요구 지역) will be at your own risk (필요한 경우, 추가지시). Use caution (해당하는 경우)" 이다. 조종사는 안전한 방법으로 운항할 책임이 있으며, 주의를 기울여야 한다.

4. 헬리콥터 착륙운항에도 유사한 관제용어가 사용된다. 공항의 최종목적지로 직진비행하여 가능한 한 근처에 착륙하도록 모든 노력을 기울여야 한다. 교통량, 상세한 지상활주지시의 필요, 주파수혼잡 또는 그 밖의 요소들이 처리할 수 있는 업무범위에 영향을 미칠 수 있다. 지상이동운행과 마찬가지로 안전하고 효율적인 운항을 위해서는 조종사/관제사의 긴밀한 협력과 교신이 필요하다.

4-3-18. 지상활주(Taxiing)

a. 일반(general). 공항관제탑이 운영되는 동안 이동지역의 항공기 또는 차량은 이동하기 전에 허가를 받아야 한다.

1. 지상활주지시를 받기 위해 관제탑을 호출할 때에는 항상 공항에서의 당신의 위치를 말해주어야 한다.

2. 일반적으로 이동지역(movement area)은 공항운영자 또는 관제탑에서 발행하는 국지회보(local bulletin)에 표시되어 있다. 이러한 회보는 FSS, 지상운항지원실, 항공사사무소와 운항실에서 구할 수 있다.

3. 또한, 보이지 않거나 그 밖의 사유로 인해 관제탑이 ATC 업무를 제공할 수 없는 지역을 기술한 회보를 발간한다.

4. 공항관제탑이 운영되는 동안 활주로에서 지상활주, 이륙 또는 착륙을 하기 전에 허가를 받아야 한다.

5. 활주로를 횡단하기 전에 허가를 받아야 한다. ATC는 횡단하는 모든 활주로를 명시한 허가를 발부할 것이다.

6. 이륙활주로를 배정할 때 ATC는 먼저 활주로를 명시하고 지상활주지시를 발부하며, 지상활주경로가 활주로를 통과하면 진입전대기(hold short) 지시 또는 활주로횡단허가를 언급한다. 이것은 항공기가 배정한 출발활주로의 어느 지점으로 "진입(enter)" 또는 "횡단(cross)"하는 것을 허가하는 것은 아니다. ATC는 항공기의 지상활주허가와 관련하여 무선교신 상의 오해를 배제하기 위하여 용어 "cleared"를 사용하지 않는다.

7. 배정된 이륙활주로 이외의 어느 지점까지 지상활주지시를 발부할 때 ATC는 지상활주 해야 할 지점을 명시하여 지상활주지시를 발부하며, 지상활주경로가 활주로를 통과하면 진입전대기(hold short) 지시 또는 활주로횡단허가를 언급한다.

주(Note)

ATC는 모든 활주로의 진입전대기 지시사항에 대하여 조종사로부터 복창(readback)을 받아야 한다.

8. 조종사가 활주로 접근/출발 대기구역이나 ILS

정지위치(그림 2-3-15, 활주로 접근구역에 위치한 유도로 참조)에서 잠시 대기(Runway XX APPCH/Runway XX DEP)해야 한다면, ATC는 대기지시를 발부한다.

9. 관제사로부터 지상활주지시를 받았을 때, 조종사는 다음 사항을 항상 복창하여야 한다.

(a) 활주로배정(runway assignment)

(b) 특정 활주로진입(enter)의 허가

(c) 특정 활주로진입전대기(hold short) 또는 이륙위치에서 대기(line up and wait)의 지시

관제사는 조종사/차량운전자로부터 활주로진입전대기(runway hold short) 지시의 인지응답을 받지 않은 경우에는 복창을 요구하여야 한다.

b. 지상활주와 관련된 ATC 허가나 지시사항은 알려진 교통상황 및 알려진 공항의 물리적인 상황을 바탕으로 한다. 그렇기 때문에 조종사가 허가 또는 지시사항을 명확히 이해하는 것이 중요하다. CFR에 의거하여 운항할 때, 지상활주 목적으로 ATC 허가가 발부되었다 하더라도 다른 항공기와의 충돌을 회피할 책임은 조종사에게 있다. "항공기의 기장(pilot-in-command)은 당해 항공기운항에 대한 직접적인 책임 및 최종적인 권한이 있다."라고 되어 있기 때문에 조종사는 이해되지 않는 허가나 지시사항에 대해서는 설명을 요청하여야 한다.

1. 조종사는 허가가 이해될 때 까지 관제사에게 질문을 해야 하며, 전부 이해되었다면 모든 활주로횡단, 잠시대기 또는 이륙허가에 인지응답하는 것이 바람직한 운항방법이다.

주(Note)

항공교통관제사는 모든 활주로의 진입전대기 지시사항에 대하여 조종사로부터 복창(readback)을 받아야 한다.

2. 단좌항공기를 운항하는 조종사는 출발을 위해 사용활주로까지의 지상활주를 허가받은 후에는 배정된 ATC 통신만을 경청하여야 한다. 단좌항공기는 B등급, C등급 또는 D등급 공항교통구역에서의 비행을 종료할 때 까지 ATC 통신 이외의 다른 것을 청취해서는 안된다. 착륙허가를 받은 후부터 착륙하여 지상활주를 끝날 때까지는 이와 동일한 절차가 수행되어야 한다. 다른 항공기, 지상차량 또는 다른 장애물에 대한 적절한 효과적인 탐색이 어느 경우에나 지속적으로 이루어져야 한다.

3. 조종사가 공항에 익숙하지 않거나 또는 어떠한 이유로 정확한 지상활주경로를 혼동할 수 있다면, 단계적인 경로지시를 포함한 점진적지상활주지시(progressive taxi instruction)를 요청할 수도 있다. 점진적인 지시는 관제사가 교통상황 또는 유도로 공사나 유도로 폐쇄와 같은 비행장상황으로 인하여 필요하다고 생각하면 발부할 수도 있다.

c. 미국정부가 관제탑을 운영하며 B등급, C등급 또는 D등급 공항교통구역 내에서 운항하는 동안 양방향무선교신의 요건을 준수할 필요가 없다고 ATC가 허가한 공항에서, 또는 미국정부가 관제탑을 운영하지 않으며 무선교신이 이루어지지 않는 공항에서 조종사는 활주로로 지상활주하기 전에 그리고 이륙이나 착륙 전에 시각적인 등화신호에 의하여 허가를 받아야 한다.

d. 다음 관제용어와 절차는 항공지상국(aeronautical ground station)과의 무선전화 통신에 사용된다.

1. 출발전 지상활주지시 요청. 항공기 식별부호, 위치, 계획된 운항방식(VFR 또는 IFR) 및 첫 착륙예정지점을 언급하여야 한다.

예문(Example)

항공기: "Washington ground, Beechcraft One Three One Five Niner at hangar eight, ready to taxi, I-F-R to Chicago."

관제탑: "Beechcraft one three one five niner, Washington ground, runway two seven, taxi via taxiways Charlie and Delta, hold short of runway three three left."

항공기: "Beechcraft One Three One Five Niner, hold short of runway three three left."

2. ATC 허가 접수. ARTCC 허가는 다음과 같은 방법으로 항공교통관제사에 의해 조종사에게 중계된다.

예문(Example)

관제탑: "Beechcraft One Three One Five Niner,

cleared to the Chicago Midway Airport via Victor Eight, maintain eight thousand."

항공기: "Beechcraft One Three One Five Niner, cleared to the Chicago Midway Airport via Victor Eight, maintain eight thousand."

주(Note)

보통 IFR 허가는 지상관제사에 의해 조종사에게 중계된다. 그러나 분주한 지역에서는 지상관제사가 이러한 목적으로 배정된 주파수로 "허가중계소와 교신(contact clearance delivery)" 할 것을 조종사에게 지시할 수도 있다. 이러한 관제석은 항공기의 이동에 대한 감시나 관제를 하지 않는다.

3. 착륙 후 지상활주지시 요청. 항공기 식별부호, 위치 그리고 요청하는 지상활주지시를 언급한다.

예문(Example)

항공기: "Dulles ground, Beechcraft One Four Two Six One clearing runway one right on taxiway echo three, request clearance to Page."

관제탑: "Beechcraft One Four Two Six One, Dulles ground, taxi to Page via taxiways echo three, echo one, and echo niner."

또는,

항공기: "Orlando ground, Beechcraft One Four Two Six One clearing runway one eight left at taxiway bravo three, request clearance to Page."

관제탑: "Beechcraft One Four Two Six One, Orlando ground, hold short of runway one eight right."

항공기: "Beechcraft One Four Two Six One, hold short of runway one eight right."

4-3-19. 저시정에서의 지상활주(Taxi During Low Visibility)

a. 조종사와 항공기운영자는 어떤 저시정상태에서는 공항의 항공기와 차량의 이동을 관제탑관제사가 볼 수 없을 수도 있다는 것을 항상 인식하고 있어야 한다. 이러한 저시정은 항공기의 지상활주지시 준수여부를 시각적으로 확인하는 것을 방해할 수 있다.

b. 방향감각을 상실하였거나, 방향감각을 상실할 것 같은 첫 징후가 있을 때 조종사가 관제사에게 통보하는 것은 매우 중요한 일이다. 조종사가 태양을 마주보는 방향으로 지상활주 할 때는 극히 주의를 기울여 진행해야 한다. 조종사가 시야에 장애를 받았다면 즉시 관제사에게 통보하여야 한다.

c. 일반적으로 LVOSMGCS("LVO SMIGS"로 발음)라고 하는 권고회보 AC 120-57 Low Visibility Operations Surface Movement Guidance and Control System은 1,200 ft 활주로가시거리(RVR) 미만의 시정상태에서 이착륙운항을 하는 공항의 저시정 지상활주계획의 적절한 예시를 기술하고 있다. 운항승무원 및 차량운행자에게 영향을 주는 이 계획은 공항지표면의 교통을 통제하기 위한 등화, 표지 그리고 절차와 통합 운용될 수 있다. 이것은 500 ft RVR 미만에서의 운항과 500 ft RVR에서부터 1,200 ft RVR 미만에서의 운항의 2 level로 다루어진다.

주(Note)

특정 등화시스템 및 지표면표지는 2-1-11항 유도로등화(Taxiway Light)와 2-3-4항 유도로표지(Taxiway Marking)에서 살펴볼 수 있다.

d. 저시정상태에서 지상활주하는 동안, 조종사는 항공기의 안전운항에 모든 주의력을 집중하여야 한다. Checklist와 중요하지 않은 통신은 항공기를 정지시키고 brake를 작동시킬 때까지 보류하여야 한다.

4-3-20. 착륙 후 활주로 개방(Exiting the Runway After Landing)

착륙하여 지상활주속도(taxi speed)에 도달한 이후에는 다음 절차에 따라야 한다.

a. 첫 번째로 이용할 수 있는 유도로 또는 ATC가 지시한 유도로에서 지체없이 활주로를 벗어난다. ATC의 허가를 받지 않는 한 조종사는 다른 활주로

상의 착륙활주로로 진입해서는 안된다. 관제탑이 운영되는 공항에서 조종사는 먼저 ATC의 허가를 받지 않고 활주로 상에 정지하거나, 진로를 반대방향으로 변경해서는 안된다.

b. ATC에 의해 달리 지시되지 않는 한 활주로를 벗어나 지상활주한다. 항공기의 모든 부분이 활주로 가장자리를 지나고, 활주로정지위치표지 이후의 계속되는 이동에 대한 제한사항이 없을 때 항공기가 활주로를 개방했다고 가정한다. ATC 지시가 없을 경우, 조종사는 항공기가 다른 유도로 또는 주기장 구역으로 진입하거나 횡단하는 것이 필요하다 하더라도 착륙활주로와 관련된 활주로정지위치표지 이후까지 지상활주하여 착륙활주로를 벗어나야 한다. 항공기의 모든 부분이 활주로정지위치표지를 통과하면 조종사는 ATC의 추가지시를 발부받지 않은 한 대기하여야 한다.

주(Note)

1. 필요시 관제탑은 조종사에게 항공기가 다른 유도로, 활주로 또는 주기장구역으로 진입하는 것을 허용하는 지시를 발부한다.
2. 지상관제소는 주기를 위한 지상활주허가를 발부한다. 이 허가는 항공기가 활주로로 "진입(enter)" 또는 "횡단(cross)"하는 것을 허가하는 것은 아니다. 지상활주경로에 익숙하지 않는 조종사는 ATC에 상세한 지상활주지시를 요청하여야 한다.

c. 관제탑으로부터 지시를 받은 경우 즉시 지상관제주파수로 변경하고, 지상활주허가를 받아야 한다.

주(Note)

1. 관제탑은 조종사에게 지상관제소와 교신할 것을 통보하기 전에 다른 지상교통과의 잠재적인 충돌가능성을 해결하기 위하여 필요한 지시를 발부할 것이다.
2. ATC의 taxi to the ramp 허가는 항공기가 모든 활주로와 유도로교차지점을 횡단하는 것을 허가하는 것이다. 지상활주경로에 익숙하지 않는 조종사는 ATC에 상세한 지상활주지시를 요청하여야 한다.

4-3-21. 연습계기접근(Practice Instrument Approaches)

a. 각종 항공교통사고는 연습계기접근이 수행되는 곳에서 보다 체계적이고 통제된 운항을 하기 위한 대책의 적용이 필요하다는 것을 보여 주었다. 연습계기접근은 IFR 비행계획에 의하지 않는 VFR 항공기, 또는 IFR 비행계획에 의한 항공기에 의하여 수행되는 계기접근이라고 간주할 수 있다. 이를 달성하고 이를 통해 항공안전을 증진시키기 위하여 접근관제시설이 있는 지역, 그리고 자원이 허용되면 ARTCC 또는 모(母, parent) 접근관제시설에 의해 업무가 이루어지는 어떤 다른 지역에서 이와 같은 운항의 분리를 제공하는 것이 항공교통의 정책이다. 조종사의 연습계기접근 요청은 업무량 및 교통상황에 따라 ATC가 허가할 수 있다. 교통상황을 이유로 관제사가 어떤 경우에는 허가를 거부하거나 또는 이전의 허가를 취소하는 것이 필요할 수도 있다는 것을 조종사는 예상하여야 한다. 관제사가 분리를 제공한다 하더라도, VFR 비행계획의 조종사는 기본적인 VFR 기상최저치(14 CFR 91.155절)의 준수가 필요하다는 것을 분명하게 알고 있어야 한다. ATC 절차의 적용 또는 공중충돌을 회피하기 위하여 관제사에 의해 취해진 조치라도 VFR 상태(14 CFR 91.113절)로 운항하는 동안 다른 항공기를 육안으로 보고 회피해야 할 IFR과 VFR 조종사의 책임이 면하여 지는 것은 아니다. VFR 기상상태로 비행중에 정상적인 IFR 간격분리 최저치(시각분리 포함)에 추가하여 VFR 항공기 간에, 그리고 VFR 항공기와 IFR 항공기 간에 500 ft 수직분리를 적용할 수도 있다. IFR 비행계획에 의하지 않는 조종사가 연습계기접근을 원하는 경우에는 ATC에 요청할 때 항상 'practice'를 언급하여야 한다. 관제사는 계기접근을 요청한 VFR 항공기에게 VFR을 유지하도록 지시할 것이다. 이것은 항공기의 비행상태에 관하여 조종사와 관제사 간의 오해를 방지하기 위한 것이다. 만약 조종사가 계기비행방식으로 비행하기를 원하면 별도로 IFR 허가를 요청하여 허가를 받아야 한다.

b. 조종사는 연습계기접근을 하기 전에 수행하고자 하는 연습접근의 종류와 어떻게 연습접근을 종료할 것인지, 즉 착륙(full-stop landing), 접지후이륙 또는 실패접근이나 저고도접근 등과 같은 종료방법을 접근관제기관 또는 관제탑에 통보하여야 한다. 이러한 정보는 일련의 접근을 수행할 때 점진적으로 제공된다. 연속적인 계기접근을 하고 착륙(full-stop landing)을 하고자 하는 IFR 비행계획의 조종사는 최종착륙을 하였을 때 ATC에 통보하여야 한다. 관제사는 순회하는 도착 및 출발 IFR 또는 VFR 항공기의 흐름에 방해가 되지 않도록 하기 위해 연습계기접근 비행을 통제할 것이다. 연습계기접근보다 순회항공기(itinerant aircraft)에게 부여되는 우선권이 전체적으로 업무의 비효율적인 적용을 초래할 만큼 그렇게 엄격히 적용될 것이라는 의미는 아니다. 연습계기접근을 하는 항공기가 접근을 완료할 수 있도록 순회항공기에 대한 최소한의 지연이 있을 수 있다.

주(Note)
착륙에 대한 허가는 착륙활주로 상에서의 적절한 분리가 보장될 것이라는 것을 의미한다. 착륙허가가 이전에 발부한 조종사의 제한사항 준수를 면하여 주는 것은 아니다.

c. 관제탑이 없는 공항에서 연습계기접근을 하고자 하는 조종사는 접근차트에 표시되어 있는 대로 원하는 접근의 관제권을 가지고 있는 시설에 통보하여야 한다. 접근관제시설과 ARTCC는 연습계기접근을 수행하는 VFR과 IFR 항공기에게 표준분리를 제공하는 공항을 표기한 Letter to Airmen을 발간할 필요가 있다.

d. 접근관제시설이 있는 공항, 그리고 접근관제시설 또는 ARTCC에 의해 업무가 이루어지는 어떤 다른 공항으로 연습접근을 하도록 허가되었을 때, 관제사는 VFR과 IFR 항공기 간에 인가된 분리를 제공할 것이다. 관제사의 VFR 항공기에 대한 간격분리책임은 접근허가가 유효해지는 지점, 또는 항공기가 B등급이나 C등급 공역 또는 TRSA에 진입할 경우 중에 어느 것이든 먼저 도달할 때 시작된다.

e. 연습계기접근을 하는 VFR 항공기는 실패접근절차를 수행할 수 있도록 자동으로 허가된 것이 아니다. 조종사는 이러한 허가를 특별히 요청하여 관제사의 허가를 받아야 한다. 연습계기접근을 하는 VFR 항공기에게 IFR 분리의 적용을 ATC 절차에 규정한 경우, 실패접근을 포함한 절차 전체에 분리가 제공된다. 연습계기접근을 하는 동안 분리업무가 제공되지 않는 경우, 실패접근 동안에도 분리업무가 제공되지 않는다.

f. 비상 시를 제외하고, 연습계기접근을 허가받은 항공기는 관제사가 허가하지 않는 한 허가된 절차를 위배해서는 안된다.

g. 레이더접근관제소가 위치한 곳에서 완전한 접근절차(절차선회 등)가 인가될 수 없는 경우, 조종사는 그 공항의 일반적인 교통방향과 일치하는 연습계기접근의 최종접근진로로 레이더유도될 것을 예측해야 한다.

h. 연습계기접근을 허가할 때, 일반적으로 관제사는 조종사에게 inbound 최종접근픽스(비정밀접근)의 진입전이나 상공, 또는 외측마커 상공이나 inbound 외측마커 대신에 사용되는 픽스(정밀접근) 상공에서 관제탑으로 보고할 것을 요구할 것이다.

i. 관제탑은 있지만 연습계기접근을 수행하는 항공기에게 승인된 표준분리가 제공되지 않는 공항에 연습계기접근이 허가되었을 때, 관제탑은 연습접근을 허가하고 항공기에게 VFR을 유지하도록 지시하며 필요 시 교통정보를 발부한다.

j. 항공기가 연습계기접근을 하려는 의도를 관련 공항에 국지공항조언을 제공하는 FSS에 통보할 때, 분리업무가 제공되는지의 여부에 관계없이 조종사는 접근을 시작하기 전에 지정된 주파수로 해당 시설과 교신하도록 지시받을 것이다. 분리가 제공되지 않는 공항에서 FSS는 메시지(message)에 응답하고 알려진 교통정보를 발부하지만, 접근을 허가하지도 거부하지도 않는다.

k. 연습계기접근을 하는 조종사는 그 지역의 교통장주 또는 공항 근처에서 운항하는 다른 항공기를 특히 경계하여야 한다.

4-3-22. 선택접근(Option Approach)

"선택허가(Cleared for the Option)" 절차는 교관조종사, 평가관조종사 또는 그 밖의 조종사에게 접지후이륙(touch-and-go), 저고도접근, 실패접근, 정지후이륙(stop-and-go) 또는 착륙(full stop landing) 중에서 선택할 수 있도록 허가하는 것이다. 이 절차는 조종연습생이나 평가관조종사 모두 어떤 기동을 하게 될지 모르는 훈련상황에서 대단히 유용할 수 있다. 조종사는 계기접근에서 inbound 최종접근픽스를 통과할 때, 또는 VFR 교통장주의 배풍(downwind) 경로에 진입할 때 이 절차를 요청하여야 한다. ATC가 선택허가를 허가한 이후에 조종사는 정지후이륙(stop-and-go) 또는 착륙(full stop landing) 중 활주로 상에서의 지연을 가능한 빨리 ATC에 통보하여야 한다. 훈련 보조수단으로서 이 절차의 이점은 교관 또는 평가관이 상황변화 시 훈련생 또는 수험생의 반응을 살펴볼 수 있도록 하며, 조종사가 연습생의 과실이나 조종사의 숙달 필요로 인하여 절차 중도에 접근을 중단하지 않아도 되고, 마지막으로 더욱 더 유연하고 경제적인 훈련프로그램이 될 수 있도록 한다는 점이다. 이 절차는 관제탑이 운영되는 지역에서만 사용할 수 있으며, ATC 허가를 받아야 한다.

4-3-23. 항공기등화의 사용(Use of Aircraft Light)

a. 일몰부터 일출 사이에 지상에서 작동 중이거나, 비행중인 항공기는 항공기 위치등(position light)을 켜야 한다. 또한, 충돌방지등(anti-collision light) 시스템을 갖춘 항공기는 주야간 모든 형태의 운항시에 충돌방지등을 켜야 한다. 그러나 악기상상태에서 불빛이 안전에 위험을 유발할 수 있는 경우, 기장은 충돌방지등을 끌 수 있다 (14 CFR 91.209절). 보조섬광등(strobe light)은 지상에 있을 때 지상근무자나 다른 조종사에게 좋지 않은 영향을 주거나, 비행중에 구름으로부터 영향을 주는 반사가 생길 때에는 꺼야 한다.

b. 항공기 충돌방지등 시스템은 하나 또는 그 이상의 적색이나 백색 회전 beacon 또는 섬광등을 사용할 수 있으며, 항공기마다 서로 다른 광도(최저치 이상)를 갖는다. 많은 항공기가 회전 beacon과 섬광등시스템 둘 다를 갖추고 있다.

c. FAA는 육안회피(see-and-avoid) 개념을 증진시키기 위한 자발적인 조종사 안전프로그램, Operation Lights On을 운영하고 있다. 조종사에게 이륙 중, 즉 이륙허가를 받은 후 또는 이륙활주를 시작할 때에는 착륙등을 켜도록 권장하고 있다. 그 외 주간 또는 야간에 10,000 ft 미만에서 운항할 때, 특히 어떤 공항의 10 mile 이내 또는 시정이 감소한 상태, 그리고 해안지역, 호수지역, 쓰레기처리장 주변 등과 같이 조류활동이 예상되는 지역에서 운항할 때는 조종사에게 착륙등을 켜도록 권장하고 있다. 항공기등화를 켜는 것이 육안회피의 개념을 증진시켜 준다 하더라도 조종사는 이것이 다른 항공기에 대하여 철저한 경계를 유지시켜 줄 것이라고 안심해서는 안된다. 모든 항공기가 등화를 장착하고 있지는 않으며, 또한 어떤 조종사는 등화를 켜고 있지 않을 수도 있다. 착륙등과 전기시스템의 운용에 관한 항공기제작회사의 권고사항을 준수해야 한다.

d. 대형항공기에 의해 발생하는 프로펠러 후류와 제트분사(jet blast)의 힘은 이들 뒤에서 지상활주하는 더 작은 항공기들을 전복시키거나 파손시킬 수 있다. 유사한 사고를 피하고 이러한 힘으로 인해 지상근무자가 넘어지거나 다치는 것을 방지하기 위하여 FAA는 운송용 및 사업용항공기 운영자에게 항공기엔진이 작동되고 있을 때에는 언제나 회전비컨(rotating beacon)을 켤 것을 권장하고 있다. 회전비컨이 장착된 항공기를 사용하는 일반항공조종사도 잠재적인 위험을 다른 사람에게 경고하기 위하여 마련된 이 프로그램에 참여할 것을 권장하고 있다. 이것은 자발적인 프로그램이기 때문에 항공기엔진이 작동되고 있는지의 여부를 전적으로 회전비컨에 의존해서는 안되며, 주의를 기울여야 한다.

e. 지상활주를 하기 전에 항행등, 위치등, 충돌방지등 및 로고등(장착하고 있다면)을 켤 것을 권장한다. 지상에서 항공기를 이동 중이거나 이동할 예정인 경우에는 다른 조종사에게 의도를 알리기 위하여

활주등(taxi light)을 켜고, 정지하거나 다른 지상교통에 양보할 경우에는 끌 것을 고려하여야 한다. 섬광등(strobe light)이 다른 조종사나 지상근무자의 시야에 좋지 않은 영향을 미칠 경우 지상활주 동안에는 켜지 않아야 한다.

f. 활주로를 지상활주하거나 횡단할 때에는 기장의 판단에 따라 모든 외부등을 켤 수 있다. 이것은 관제사 및 지상활주, 활주로횡단 또는 착륙하기 위하여 접근하는 다른 항공기의 조종사에게 항공기를 눈에 더 잘 띄도록 한다. 조종사는 장비운용한계를 준수하고, 주변의 다른 항공기에 대한 착륙등과 섬광등의 영향을 고려하여야 한다.

g. 이륙이나 "이륙위치에서 대기(line up and wait)"하기 위하여 출발활주로에 진입할 때에는, 항공기가 ATC 및 접근 중인 다른 항공기에게 눈에 띄도록 하기 위하여 착륙등을 제외한 모든 등을 켜야 한다. 착륙등은 이륙허가를 받았을 때 또는 관제탑이 운영되지 않는 공항에서 이륙활주를 시작할 때 켜야 한다.

4-3-24. 터미널지역의 비행점검항공기(Flight Inspection/'Flight Check' Aircraft in Terminal Area)

a. Flight Check는 FAA 항공기를 NAVAID와 비행절차의 비행점검/검증에 사용할 때, 조종사와 항공교통관제사에게 경계하도록 하기 위하여 사용하는 호출부호이다. 비행점검항공기는 NAVAID 성능을 검증하기 위한 활주로 전체길이의 저고도통과를 포함하여 좌표(grid), 궤도(orbit), DME arc 및 항적(track)과 같이 사전에 미리 계획된 고/저고도 비행장주를 비행한다.

b. 조종사는 호출부호 "Flight Check"를 사용하는 항공기의 비행경로를 회피하고, 특별히 주의를 기울여야 한다. 이러한 비행은 보통 ATC로부터 특별취급을 받는다. 비행점검 자동기록(recording)을 방해하지 않기 위한 조종사의 인내와 협조는 신속한 비행점검, 많은 비용이 드는 반복수행의 최소화 및 미국 납세자의 부담 감소에 상당한 도움을 줄 수 있다.

4-3-25. 수신호(Hand Signal)

그림 4-3-11. 유도원 견인 지시(Signalman Directs Towing)

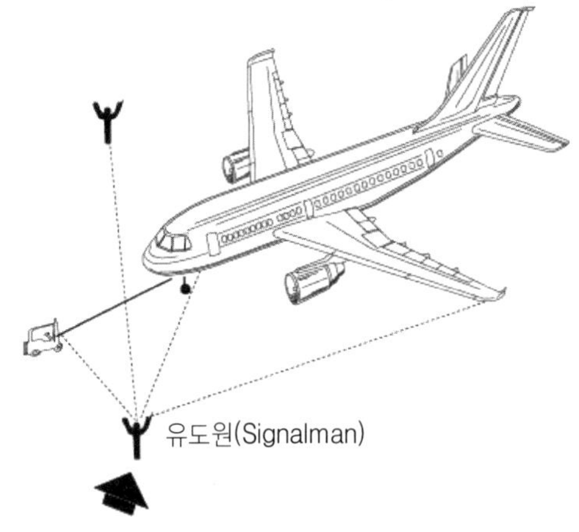

그림 4-3-12. 유도원의 위치(Signalman's Position)

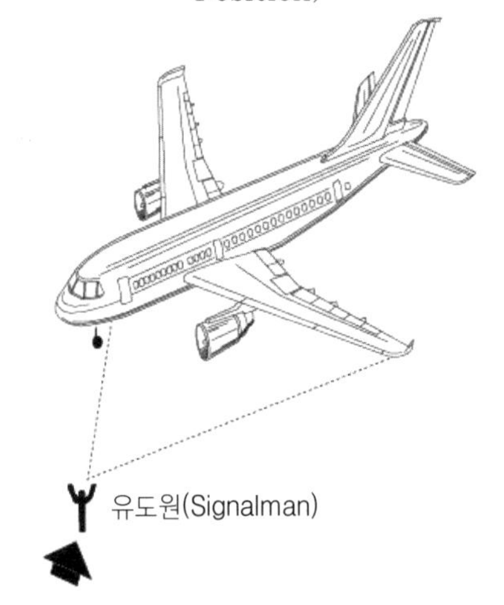

그림 4-3-13. 모든 것이 정상임(All Clear) (O.K.)

그림 4-3-14. 엔진 시동(Start Engine)

그림 4-3-15. Chock 제거(Pull Chocks)

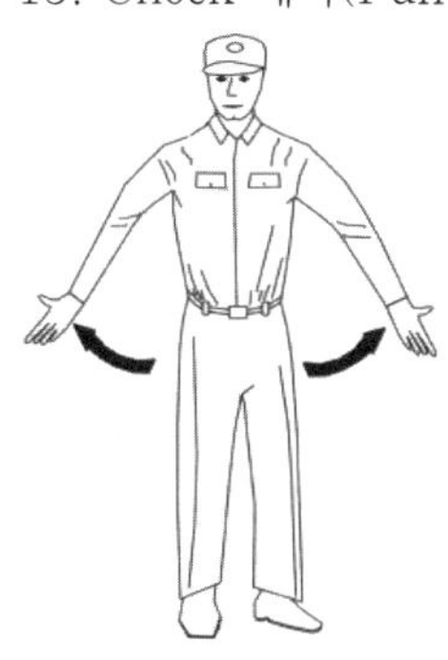

그림 4-3-16. 직진(Proceed Straight Ahead)

그림 4-3-17. 좌회전(Left Turn)

그림 4-3-18. 우회전(Right Turn)

그림 4-3-19. 서행(Slow Down)

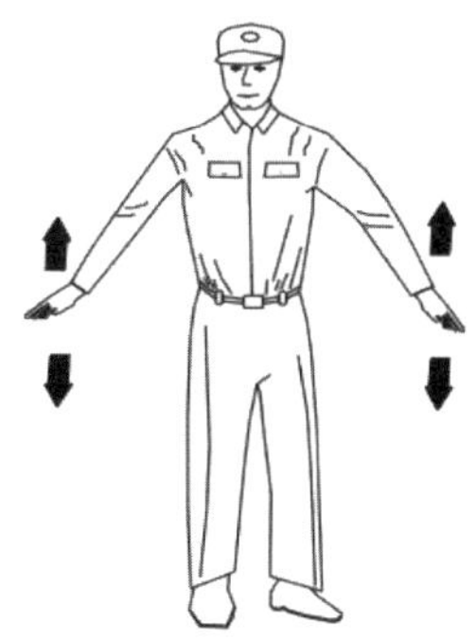

그림 4-3-20. 신호원 조종사 유도(Directs Pilot)

그림 4-3-21. Chock 삽입(Insert Chocks)

그림 4-3-22. 엔진 정지(Cut Engines)

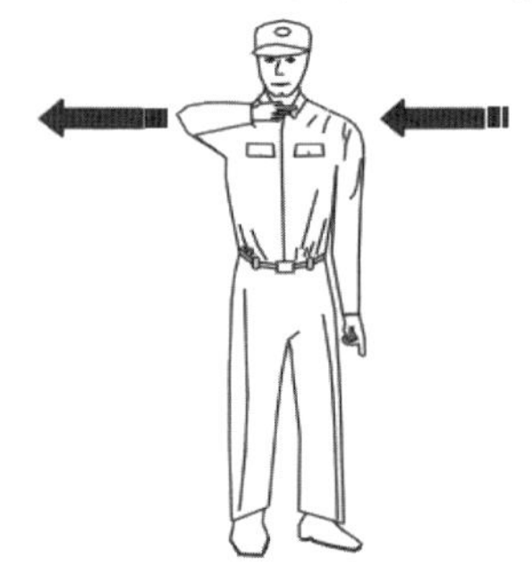

그림 4-3-23. 야간 운항(Night Operation)

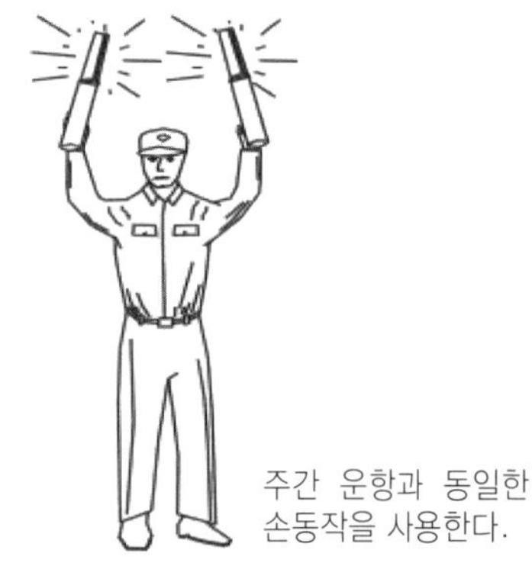

그림 4-3-24. 정지(Stop)

4-3-26. 자동지표관측시스템(ASOS)/자동기상감지시스템(AWSS)/자동기상관측시스템(AWOS)을 갖춘 비관제공항의 운항

a. 국가공역시스템의 대부분 공항은 ASOS, AWSS 또는 AWOS를 갖추고 있다. 운영중인 관제탑이나 기상관측자가 있는 대부분의 공항에서 기상은 매시간 항공정시관측보고(METAR) 또는 공항정보자동방송업무(ATIS)의 특별관측형식으로 제공되거나, 관제사/관측자에 의해 직접 조종사에게 전파된다.

b. 공지방송성능이 있는 ASOS/AWSS/AWOS를 갖추고 있는 비관제공항에서 1분마다 갱신되는 공항기상은 대략 공항의 25 NM 이내, 10,000 ft 미만에서 이용할 수 있다. 기상방송주파수는 구역차트 및 미국 차트 보충판(Chart Supplement U.S.)에 수록된다. 관제탑이 시간제(part-time)로 운영되는 일부 공항의 경우, 관제탑이 운영되지 않는 시간에는 ATIS 주파수로 자동기상방송을 하기도 한다.

c. 관제사는 조종사의 요청, 알려진 교통상황 그리고 이용할 수 있는 보고된 기상, 즉 METAR/항공비정기(특별)관측보고(SPECI)에 의거하여 SVFR 또는 IFR 허가를 발부한다. 조종사는 수마일 떨어져 있는 관제사로부터 기상을 받는 것 보다 비관제 ASOS/AWSS/AWOS 공항에서 보다 최근의 기상을 받을 수 있다. 관제사는 조종사가 현재의 공항기상을 ASOS/AWSS/AWOS로 판단할 것이라고 생각할 것이다. ASOS/AWSS/AWOS를 갖춘 비관제공항에서 출발하거나 도착하는 모든 항공기는 공역의 상태를 확인하기 위하여 공항기상주파수를 청취하여야 한다. E등급 공역의 조종사는 IFR/VFR에서 공역의 상태에 영향을 미칠 수 있는 기상상태의 변화에 경계하여야 한다. IFR/SVFR 접근/출발을 위해 ATC 업무가 필요하거나 VFR 업무를 위해 ATC 업무를 요청하려면 조종사는 관제사에게 1분기상(one-minute weather)을 수신했다는 것과 본인의 의도를 통보하여야 한다.

예문(Example)

"I have the (공항) one-minute weather, request an ILS Runway 14 approach."

제4절. 항공교통관제 허가와 항공기 분리(ATC Clearances and Aircraft Separation)

4-4-1. 허가(Clearance)

a. ATC가 발부하는 허가(clearance)는 알려진 교통상황 및 공항의 물리적인 상황에 기초를 둔다. ATC 허가란 관제공역 내에서 식별된 항공기 간 충돌 방지를 위한 목적으로 특정조건 하에 항공기를 진행할 수 있도록 하는 ATC의 승인을 의미한다. ATC 허가는 불안전하게 항공기를 운항하거나 어떠한 규칙, 규정 또는 최저고도를 위배할 수 있는 권한을 조종사에게 부여하는 것은 아니다.

b. 14 CFR 91.3(a)절은 "항공기의 기장(pilot-in-command)은 당해 항공기운항에 대한 직접적인 책임 및 최종적인 권한이 있다."라고 규정하고 있다. ATC가 발부한 허가가 규칙이나 규정에 위반되거나 또는 항공기를 위험한 상황에 처하게 할 수 있다고 조종사가 판단한 경우, 수정허가를 요청하는 것은 조종사의 책임이다. 마찬가지로 조종사가 착륙 또는 접근순서가 배정되었을 때 선행항공기와 간격을 유지하기 위하여 360° 선회를 한다든지, 다른 활주로에 착륙, 다른 교차지점에서의 이륙, 교차지점 대신 시단에서의 이륙 또는 운항지연 등과 같은 다른 대처방안을 따르기를 원한다면, 조종사는 그에 맞게 ATC에 통보하여야 한다. 조종사가 다른 대처방안을 요청한 경우라도, 조종사는 교통흐름을 방해하거나 혼잡한 장주가 유발되지 않도록 하기 위해 협조하여야 한다. 또한 조종사는 ATC 허가, 주파수변경 또는 조언정보에 인지응답할 때 해당 항공기 호출부호를 사용하여야 한다.

c. 공중충돌경고장치 회피조언의 대응절차에 따라 ATC 허가를 위배한 각 조종사는 가능한 빨리 이러한 위배사실을 ATC에 통보하여야 한다.

d. IFR 비행을 하는 동안 VFR 항공기가 ATC에 통보하지 않고 같은 구역에서 비행을 하고 있을 수도 있기 때문에 기상상태가 허용될 때 다른 항공기를 회피하는 것은 조종사의 직접적인 책임이다. 교통허가(traffic clearance)는 IFR 항공기 간에만 표준분리를 제공한다.

4-4-2. 허가 접두어(Clearance Prefix)

ATC 기관이 요구하여 공지통신국을 통하여 조종사에게 중계되는 허가, 관제정보 또는 정보의 요청에 대한 응답에는 서두에 "ATC clears", "ATC advises" 또는 "ATC requests"를 첨부한다.

4-4-3. 허가 사항(Clearance Items)

ATC 허가에는 보통 다음과 같은 사항이 포함된다.

a. 허가한계점(Clearance Limit)

보통 출발하기 전에 발부되는 교통허가는 착륙하고자 하는 공항까지의 비행을 허가한다. 많은 공항과 관련 NAVAID가 동일한 명칭 또는 식별부호를 사용하므로 허가한계점의 명확한 식별을 보장하기 위해 주의를 기울여야 한다. 허가한계점이 착륙하고자 하는 공항일 경우, 허가에는 공항명칭 다음에 단어 "airport"를 포함하여야 한다. 특정상황에서는 허가한계점이 NAVAID 또는 다른 fix 일 수 있다. 허가한계점이 NAVAID, 교차지점(intersection) 또는 waypoint 이고 유형(type)이 알려진 경우, 허가에는 유형을 포함하여야 한다. 어떤 경우 일부 지역에서는 터미널지역 내의 fix 또는 인근까지의 허가를 발부하는 단거리비행허가(short-range clearance) 절차가 활용되며, 조종사는 교통관제센터 관제사로부터 직선 장거리비행허가(long-range clearance)를 받을 주파수를 통보받는다.

b. 출발절차(Departure Procedure)

터미널지역에서 다른 항공교통으로부터 출발을 분리하기 위하여 비행할 기수방향(heading)과 고도제한이 발부될 수 있다. 교통량이 많은 지역에는 계기출발절차(DP)가 수립되어 있다.

c. 비행경로(Route of Flight)

1. 허가에는 보통 조종사가 요구한 고도 또는 비행고도(flight level)와 비행로(route)가 발부된다. 그러나 때로 ATC는 교통상황에 따라 조종사가 요구한 것과 다른 고도 또는 비행고도나 비행로를

배정하기도 한다. 게다가, 어떤 혼잡한 구역 또는 우선비행로(preferred route)로 향하는 모든 교통으로 인하여 교통 수용량이 증가하는 혼잡한 구역 간에는 일정한 교통흐름(flow pattern)이 만들어지게 된다. 이러한 교통흐름에 대한 정보는 비행전브리핑을 제공하는 사무실이나 비행계획서를 접수하는 곳에서 얻을 수 있다.

2. 필요한 경우 항공교통허가에는 조종사가 무선보고지점을 식별하는데 도움을 줄 수 있는 정보가 포함된다. 탑재한 무선설비가 허가에 따르기 위해 사용해야 하는 신호의 유형을 수신할 수 없다면, 이를 즉시 ATC에 통보하는 것은 조종사의 책임이다.

d. 고도 자료(Altitude Data)

1. ATC 허가에 포함된 고도 또는 비행고도(flight level) 지시사항은 비행이 관제공역에서 이루어질 때, 보통 조종사가 고도 또는 비행고도를 유지하도록 규정하고 있다. 항공로에서의 고도 또는 비행고도의 변경요청은 변경시점 이전에 이루어져야 한다.

2. 배정된 고도가 조종사가 요구한 고도와 다를 경우, ATC는 가능하다면 조종사에게 상승 또는 강하허가를 받을 수 있는 예상시기, 또는 다른 시설에 고도변경을 요구할 시기를 통보한다. 해당 ATC 시설구역의 경계를 통과하기 전에 허가를 받지 못했거나 여전히 다른 고도의 배정이 필요하다면, 조종사는 다음 관제시설에 다시 고도변경을 요구하여야 한다.

3. 조종사에게 최저 IFR 고도에서부터 순항허가시에 지정되는 고도까지의 공역구역을 배정하기 위하여 "maintain" 대신에 용어 "cruise"를 사용할 수 있다. 조종사는 이 공역구역 내의 어떤 중간고도에서나 수평비행(level off)을 할 수 있다. 이 구역내에서의 상승/강하는 조종사의 재량에 따라 이루어진다. 그러나 일단 조종사가 강하를 시작하고 구역에서 고도를 떠난다고 구두 보고했다면 조종사는 추가적인 ATC 허가없이 그 고도로 복귀할 수 없다.

e. 체공지시(Holding Instruction)

1. 항공기가 목적지공항이 아닌 다른 fix까지 허가가 되고 지연이 예상될 때, 완전한 체공지시(장주가 차트화되어 있지 않은 경우), EFC 시간 및 어떤 추가적인 항공로/터미널 지연의 정확한 예상정보를 발부하는 것은 ATC 관제사의 책임이다.

2. 체공장주가 차트화되어 있고 관제사가 완전한 체공지시를 발부하지 않았다면, 조종사는 해당 차트에 표기되어 있는 대로 체공하여야 한다. 장주가 차트화되어 있을 때에, 관제사는 "hold east as published"와 같이 차트화된 체공방향과 as published 라는 용어를 제외한 모든 체공지시를 생략할 수 있다. 관제사는 조종사의 요구가 있을 때에는 언제든지 완전한 체공지시를 발부하여야 한다.

주(Note)

미국정부가 발간하거나, FAA 요건을 충족하는 시판용으로 제작한 차트에 표기된 체공장주(holding pattern) 만을 이용할 수 있다.

3. 체공장주가 차트화되어 있지 않고 체공지시를 발부받지 않은 경우, 조종사는 fix에 도착하기 전에 ATC에 체공지시를 요구하여야 한다. 이러한 조치는 ATC가 바라는 것과는 다른 체공장주로 항공기가 진입할 가능성을 제거할 수 있다. Fix에 도착하기 전에 체공지시를 받을 수 없는 경우(주파수혼잡, 마이크로폰 고착 등으로 인하여) 조종사는 fix에 접근하는 진로상의 표준장주에서 체공하면서 가능한 빨리 추후허가를 요구한다. 이러한 경우, 필요시 분리는 제공되기 때문에 허가한계점(clearance limit)에서의 항공기의 고도/비행고도는 보호된다.

4. 항공기가 허가한계점으로부터 3분 이내의 거리에 있고 fix 다음 구간에 대한 비행허가를 받지 못했을 경우, 조종사는 항공기가 처음부터 최대체공속도 이하로 fix를 통과하도록 속도를 줄이기 시작하여야 한다.

5. 지연이 예상되지 않는 경우, 관제사는 가능한 빨리 그리고 가능하다면 항공기가 허가한계점에 도착하기 최소한 5분 전에 fix 이후에 대한 허가를 발부하여야 한다.

6. 조종사는 항공기가 허가한계점에 도착한 시간과 고도/비행고도를 ATC에 보고하여야 하며, 또한 허가한계점을 떠난다는 것을 보고하여야 한다.

주(Note)
양방향무선통신이 두절된 경우, 조종사는 14 CFR 91.185절에 따라야 한다.

4-4-4. 수정허가(Amended Clearance)

a. 항공교통관제사는 항공기 간의 충돌가능성을 피하기 위하여 조치가 필요하다고 판단되면 언제라도 최초허가에 대한 수정허가를 발부할 것이다. 수정허가는 비행을 "대기(hold)" 시키거나, 또는 다른 IFR 항공기와 표준분리가 더 이상 필요하지 않는 지점에 도달하기 이전에 고도변경을 지시할 것이다.

주(Note)
어떤 조종사는 이러한 조치에 의문을 갖고 "교통정보(traffic information)"를 요청하며, 응답이 "no traffic report" 일 때는 당혹스러울 수가 있다. 이런 경우 관제사는 원거리에서 발생할 수 있는 교통충돌을 방지하기 위한 조치를 취하고 있는 것이다.

b. 조종사는 수정허가 발부 시에 비행의 처리에 대한 설명을 바랄 수도 있지만, 관제사는 즉시 해결해야 할 관제업무로 인하여 시간을 낼 수 없을 수도 있으며 이를 설명해주기 위하여 ATC 통신채널을 오랫동안 사용할 여유가 없을 수도 있다. 조종사는 관련시설의 관제책임자에게 직접 전화를 하거나, 서신으로 설명을 들을 수도 있다.

c. 조종사는 다른 대처방안이 더 실질적이라는 정보를 갖고 있거나, 항공기장비의 제한 또는 항공사 절차에 따라 발부된 허가를 따를 수 없다면 ATC가 발부한 것과 다른 허가를 요구할 권한이 있다.

4-4-5. Coded Departure Route(CDR)

a. CDR은 제출된 비행로가 기상 또는 교통혼잡으로 인하여 부적합 할 때, 항공교통관제기관이 출발항공기의 비행로를 재배정하기 위한 신속한 수단을 제공한다.

b. CDR은 비행경로를 나타내는 8자리 문자의 지시자(designator)로 이루어져 있다. 처음 3자리의 글자와 숫자의 문자는 출발공항, 4번째부터 6번째 자리까지의 문자는 도착공항, 그리고 마지막 2자리의 문자는 관할 ARTCC에 의해 선정된다. 예를 들어, PITORDN1은 피츠버그부터 시카고까지의 대체비행로이다. 참여하는 운항승무원은 항공교통관제사에 의해 CDR 간소화된 허가, PITORDN1에 의하여 재 허가될 수 있다.

c. CDR은 56일 발간간격(charting cycle)으로 갱신된다. 참여하는 운항승무원은 그들의 CDR이 최신인지의 여부를 확인하여야 한다.

d. 통상적으로 CDR은 국지항공교통관제기관과 합의각서를 체결한 항공운송회사에 의해 사용되고 있다. 이 프로그램에 참여하기를 바라는 일반항공운용자는 지금 비행계획서의 비고란에 "CDR Capable" 이라고 입력할 수 있다.

e. 일반항공운용자가 비행계획서의 비고란에 "CDR Capable"이라고 입력한 경우, 최신 CDR을 비행계획 비행경로로 해독할 수 있는 능력이 있으며 제출한 비행경로 이외의 다른 경로로 비행할 수 있다는 의향을 통보하는 것이다.

4-4-6. 특별시계비행 허가(Special VFR Clearance)

a. 기상이 VFR 비행요건보다 낮을 경우, B등급, C등급, D등급 또는 E등급 공항교통구역 내에서 운항하기 전에 ATC 허가를 받아야 한다. VFR 조종사는 특별 VFR 상태로 대부분의 D등급과 E등급 공항교통구역 및 일부 B등급과 C등급 공항교통구역으로 진입, 이탈 또는 운항하기 위한 허가를 요구할 수 있으며, 교통상황이 허용되고 이러한 비행이 IFR 운항을 지연시키지 않을 때 허가될 수 있다. 모든 특별 VFR 비행은 구름으로부터 벗어난 상태(clear of clouds)를 유지하여야 한다. 특별 VFR 항공기(헬리콥터 이외)를 위한 시정요건은 다음과 같다.

1. B등급, C등급, D등급 및 E등급 공항교통구역(surface area) 내에서 운항하기 위해서는 최소한 1 SM의 비행시정

2. 이륙 또는 착륙할 때 최소한 1 SM의 지상시정(ground visibility). 공항의 지상시정이 보고되지 않았다면 비행시정이 최소한 1 SM 이어야 한다.

3. 위의 1절 및 2절의 제한사항은 헬리콥터에는

적용되지 않는다. 헬리콥터는 구름으로부터 벗어난 상태(clear of clouds)를 유지하여야 하며, 시정 1 SM 미만의 B등급, C등급, D등급 및 E등급 공항교통구역에서 운항할 수 있다.

b. B등급, C등급, D등급 또는 E등급 공항교통구역 내에 관제탑이 있을 때에는 관제탑에 허가를 요구하여야 한다. E등급 공항교통구역에서는 가장 인접한 관제탑, FSS 또는 center로부터 허가를 받을 수 있다.

c. 허가를 요구하기 위하여 전체 비행계획서를 제출할 필요는 없지만, 조종사는 ATC가 그들의 비행을 교통흐름에 참여시키도록 하기 위하여 의도를 상세하게 통보하여야 한다. 조종사는 구름으로부터 벗어난 상태를 유지하여야 하기 때문에 허가에 고도배정은 포함되지 않는다. 관제사는 다른 항공기로 인하여 어떤 고도 이하에서 조종사가 비행하도록 할 수 있으나 배정하는 고도는 최저안전고도 이상에서 비행하도록 허가하여야 한다. 부가적으로 레이더가 있는 곳에서 관제 목적상 필요하거나 조종사의 요구가 있을 때 비행은 레이더유도를 받을 수 있다.

주(Note)
장애물 또는 지형회피에 대한 책임은 조종사에게 있다.

d. 특별 VFR 허가는 B등급, C등급, D등급 및 E등급 공항교통구역 내에서만 유효하다. ATC는 특별 VFR 허가 시 항공기가 B등급, C등급, D등급 또는 E등급 공항교통구역을 벗어난 이후에는 분리를 제공하지 않는다.

e. 고정익항공기의 특별 VFR 비행은 IFR 교통량으로 인하여 일부 B등급과 C등급 공항교통구역에서는 금지되어 있다. 이러한 B등급과 C등급 공항교통구역의 목록은 14 CFR Part 91, 부록 D, 3절에 포함되어 있다. 또한 구역항공차트(Sectional aeronautical chart)에도 표기된다.

f. ATC는 특별 VFR 항공기 간 및 특별 VFR 항공기와 다른 IFR 항공기 간의 분리를 제공한다.

g. 고정익항공기의 특별 VFR 운항은 조종사가 계기비행증명이 있고 항공기가 IFR 비행을 위한 장비를 갖추고 있지 않는 한, 일몰부터 일출까지는 금지된다.

h. 자동기상방송성능(ASOS/AWSS/AWOS)이 있는 비관제공항에 도착하거나 출발하는 조종사는 방송주파수를 경청하고, "1분 기상(one-minute weather)"을 접수했다는 것을 관제사에게 통보하여야 하며 B등급, C등급, D등급 또는 E등급 공항교통구역 내에서 운항하기 전에 의도를 말하여야 한다.

4-4-7. 허가 발부시 조종사의 책임

a. ATC 허가 기록(Record). IFR 운항을 할 때에는 허가의 내용을 기록한다. 항공교통허가의 일부분인 특정조건이 비행계획서에 포함된 내용과 약간 다를 수도 있다. 게다가 ATC는 특정 출발비행로와 같은 조건을 추가할 필요가 있다고 생각할 수도 있다. ATC가 상이하거나 추가적인 조건을 지정한다는 사실 자체가 다른 항공기가 교통상황에 영향을 주고 있다는 것을 의미한다.

b. ATC 허가/지시 복창(Readback). 체공중인 항공기의 조종사는 상호확인의 수단으로써 고도배정, 레이더유도(vector) 또는 활주로배정을 포함한 ATC 허가와 지시사항의 이러한 부분들을 복창하여야 한다. "숫자(number)"의 복창은 조종사와 관제사간에 이중확인의 역할을 하며, 숫자를 잘못 들었거나 또는 숫자가 부정확할 때 발생할 수 있는 의사소통의 오류와 같은 것을 감소시킨다.

1. 모든 응답과 복창에 항공기 식별부호를 포함하여야 한다. 이것은 해당 항공기가 허가 또는 지시를 수신했다는 것을 관제사가 판단할 수 있도록 한다. 모든 응답과 복창에 항공기 식별부호를 포함해야 할 필요성은 유사한 호출부호를 가진 항공기가 동일한 주파수를 사용할 때, 그리고 주파수혼잡이 증가하는 상황에서 더욱 중요해진다.

예문(Example)
"Climbing to Flight Level three three zero, United Twelve" 또는 "November Five Charlie Tango, roger, cleared to land runway nine left."

2. 조종사는 허가 또는 지시를 받은 순서와 동일하게 고도, 고도제한 그리고 레이더유도(vector)를 복창한다.

3. DP, 계기접근 등과 같이 차트화되는 절차에 포함되는 고도는 관제사가 별도로 언급하지 않는 한 복창하지 않는다.

4. 지상활주, 출발 또는 착륙허가의 최초복창에는 해당하는 경우 좌측(left), 우측(right), 중앙(center) 등을 포함한 활주로배정을 포함하여야 한다.

c. 발부된 허가를 수용하거나 거부하는 것은 조종사의 책임이다.

4-4-8. IFR 항공기 운상시계비행 허가(IFR Clearance VFR-on-top)

a. IFR 비행계획으로 운항중인 조종사는 VFR 기상상태에서 배정된 고도 대신에 운상시계비행(VFR-on-top)을 요청할 수 있다. 이것은 조종사로 하여금 고도 또는 비행고도를 선택(ATC의 제한을 받음)할 수 있도록 허용하는 것이다.

b. 구름, 연무(haze), 연기(smoke) 또는 그 밖의 기상현상을 통과하여 상승한 후에 IFR 비행계획을 취소하거나, 운상시계비행을 하고자 하는 조종사는 운상시계비행을 위한 상승을 요구할 수 있다. ATC 허가에는 보고된 정상(top)의 높이, 또는 보고된 정상의 높이가 없다는 것과 운상시계비행상태 도달 보고의 요구를 포함하여야 한다. 부가적으로 운상시계비행이 지정된 고도에 도달하지 못하면 ATC 허가에는 허가한계점(clearance limit), 비행로배정(routing) 및 대체허가가 포함될 수 있다.

c. VFR 상태로 운항하는 IFR 비행계획의 조종사는 VFR 상태에서 상승/강하를 요구할 수 있다.

d. 조종사가 VFR 운항을 요청하지 않거나 VFR 상태의 운항허가가 IFR 출발비행로의 일부분이 FAA가 인가한 소음감소 비행로 또는 고도와 일치하지 않는 곳에서 소음감소효과가 있지 않는 한, ATC는 VFR-on-top/VFR 상태의 운항을 허가해서는 안된다.

e. VFR 상태로 운항할 때, "maintain VFR-on-top/maintain VFR conditions"의 ATC 허가를 받은 IFR 비행계획의 조종사는,

1. 14 CFR 91.159절에 규정된 해당 VFR 고도로 비행하여야 한다.

2. 14 CFR 91.155절(기본 VFR 기상최저치)의 VFR 시정 및 구름으로부터의 거리 기준을 준수하여야 한다.

3. 이 비행에 적용할 수 있는 계기비행방식, 즉 최저 IFR 고도, 위치보고, 무선교신, 비행경로, ATC 허가 준수 등에 따라야 한다.

주(Note)

정확한 교통정보의 교환을 위하여 고도를 변경하기 전에 ATC에 통보하여야 한다.

f. "Maintain VFR-on-top"의 ATC 허가는 조종사에게 차폐 기상현상(층) 위로만 운항하도록 제한하려는 것이 아니다. 그 대신 기상차폐가 없는 지역 또는 기상차폐층의 상부, 하부, 층(layer) 간에서의 운항을 허용하는 것이다. 그러나 조종사는 "VFR-on-top/VFR conditions"의 운항허가가 IFR 비행계획의 취소를 의미하는 것은 아니라는 것을 알아야 한다.

g. VFR-on-top/VFR 상태로 운항하는 조종사는 다른 IFR 또는 VFR 항공기에 대한 교통정보를 ATC로부터 받을 수 있다. 그러나 B등급 공역/TRSA에서 운항중인 항공기는 FAA Order JO 7110.65 항공교통관제에 의거하여 분리되어야 한다.

주(Note)

VFR 기상상태에서 운항중일 때, 다른 항공기를 육안으로 보고 회피할 수 있도록 경계해야 하는 것은 조종사의 책임이다.

h. ATC는 A등급 공역에서의 VFR 또는 운상시계비행(VFR-on-top)을 허가하지 않는다.

4-4-9. VFR/IFR 비행(VFR/IFR Flights)

항공로 IFR 허가를 받을 필요가 있거나 받으려는 VFR 출발조종사는 항공기 위치와 상대적인 지형/

장애물의 위치를 인식하고 있어야 한다. MEA/MIA/MVA/OROCA 미만에서 허가를 받았을 때, 조종사는 MEA/MIA/MVA/OROCA에 도달할 때까지 지형 및 장애물회피에 대한 책임이 있다. 조종사가 지형/장애물회피를 유지할 수 없는 경우 관제사에게 통보하고, 자신의 의도를 말하여야 한다.

주(Note)

OROCA는 미국 내의 비산악지역에서 1,000 ft 완충구역 및 지정된 산악지역에서는 2,000 ft 완충구역의 장애물회피를 제공하는 항공로이탈(off-route) 고도이다. 이 고도는 지상기반 항행안전시설, 항공교통관제 레이더의 신호통달범위 또는 통신범위가 아닐 수도 있다.

4-4-10. 허가 준수(Adherence to Clearance)

a. 시계 또는 계기비행방식으로 항공교통허가를 받았을 경우, 항공기의 기장은 수정된 허가가 발부되지 않는 한 해당 규정을 위배해서는 안된다. ATC가 허가나 지시를 발부할 때, 조종사는 접수하는 즉시 이 사항을 수행하여야 한다. ATC는 어떤 상황에서 임박한 상황의 긴급함과 조종사의 신속한 이행이 요구되며 안전상 필요하다는 것을 나타내기 위하여, 허가나 지시에 단어 "긴급(immediately)"을 포함시킨다. 상승이나 강하지점 또는 시간, 통과고도 등과 같은 VFR의 부가적인 사항이나 그 밖의 제한이 조종사의 비행경로나 그 밖의 ATC 허가사항 위배를 허용하는 것은 아니다.

b. ATC가 기수방향(heading)을 배정하거나 선회를 요구하는 경우 조종사는 신속히 선회를 하여야 하며, 선회를 완료한 후에는 추가적인 지시가 발부되지 않는 한 새로운 기수방향을 유지해야 한다.

c. ATC 허가의 고도정보에 포함되는 용어 "조종사의 판단에 따라(at pilot's discretion)"는 조종사가 필요할 때 상승 또는 강하할 수 있는 선택권을 ATC가 조종사에게 제공한다는 의미이며, 필요한 경우 어떠한 상승률 또는 강하율로도 상승 또는 강하할 수 있으며 어떠한 중간고도에서나 일시적으로 수평비행(level off)을 할 수 있도록 허가하는 것이다. 그러나 항공기가 고도를 떠났다면 그 고도로 다시 돌아갈 수 없다.

d. ATC가 용어 "조종사의 판단에 따라(at pilot's discretion)"를 사용하지 않고 상승이나 강하의 제한사항도 발부하지 않은 경우, 조종사는 허가에 응답한 즉시 상승 또는 강하를 시작하여야 한다. 배정고도의 1,000 ft 전까지는 항공기의 운용특성에 맞는 최적비율로 상승 또는 강하하고, 그 다음에는 배정고도에 도달할 때 까지 500~1,500 fpm의 비율로 상승하거나 강하하여야 한다. 조종사가 최소한 500 fpm의 비율로 상승 또는 강하할 수 없을 때에는 언제든지 ATC에 통보하여야 한다. 상승 또는 강하 중 중간고도에서 수평비행(level off)이 필요한 경우, 강하 시에 10,000 ft MSL 또는 공항표고 2,500 ft(C등급 또는 D등급 공항교통구역에 진입하기 전) 상공에서 감속을 위하여 필요한 때 수평비행을 하는 경우를 제외하고는 ATC에 통보하여야 한다.

주(Note)

14 CFR 91.117절 속도제한에 따라, 강하 시에 10,000 ft MSL 또는 공항표고 2,500 ft(C등급 또는 D등급 공항교통구역에 진입하기 전) 상공에서의 수평비행(leveling off)은 흔한 일이다. 관제사는 이러한 행동을 예측하고 이에 맞는 계획을 세운다. 상승 또는 강하 시 아무 때나 수평비행을 하는 것은 ATC가 항공교통을 처리하는 데에 심각한 영향을 줄 수도 있다. 따라서 조종사는 ATC의 안전한 처리와 신속한 교통을 돕기 위하여 위의 예측된 행동을 이행하기 위하여 모든 노력을 기울여야 한다.

e. ATC 강하허가의 고도정보에 "cross (fix) at" 또는 "at or above/below (고도)"의 사항이 포함되어 있으면 통과고도를 준수하기 위하여 수행하는 강하방법은 조종사의 판단에 달려 있다. 조종사의 판단에 따른 강하의 허가는 통과고도제한이 적용되는 비행구간에만 적용되며, 조종사는 허가사항의 통과고도를 준수하여야 한다. 조종사의 실행이 선택적인 그 밖의 허가에도 "at pilot's discretion"이 언급될 것이다.

예문(Example)
1. "United Four Seventeen, descend and maintain six thousand."

주(Note)
1. 조종사는 허가를 받는 즉시 강하를 시작하여 6,000 ft의 배정된 고도에 도달할 때 까지 권고하는 강하율로 강하하여야 한다.

예문(Example)
2. "United Four Seventeen, descend at pilot's discretion, maintain six thousand."

주(Note)
2. 조종사는 위에서 기술한 at pilot's discretion 용어의 범위 내에서 강하할 수 있는 허가를 받았다.

예문(Example)
3. "United Four Seventeen, cross Lakeview V-O-R at 또는 above Flight Level two zero zero, descend and maintain six thousand."

주(Note)
3. 조종사는 레이크뷰 VOR에 도달할 때 까지 자신의 판단에 따라(at pilot's discretion) 강하할 수 있는 허가를 받았으며, FL 200 이상으로 레이크뷰 VOR을 통과하라는 허가사항을 준수하여야 한다. 조종사는 레이크뷰 VOR을 통과한 후, 6,000 ft의 배정된 고도에 도달할 때 까지 권고하는 강하율로 강하하여야 한다.

예문(Example)
4. "United Four Seventeen, cross Lakeview V-O-R at six thousand, maintain six thousand."

주(Note)
4. 조종사는 자신의 판단에 따라(at pilot's discretion) 강하할 수 있는 허가를 받았지만, 6,000 ft로 레이크뷰 VOR을 통과하라는 허가사항을 준수하여야 한다.

예문(Example)
5. "United Four Seventeen, descend now to Flight Level two seven zero, cross Lakeview V-O-R at or below one zero thousand, descend and maintain six thousand."

주(Note)
5. 조종사는 허가를 받는 즉시 신속하게 강하하여 FL 270까지 강하하여야 한다. FL 270에 도달한 후, 조종사는 레이크뷰 VOR에 도달할 때 까지 "자신의 판단에 따라(at pilot's discretion)" 강하할 수 있는 허가를 받았다. 조종사는 10,000 ft 이하로 레이크뷰 VOR을 통과하라는 허가사항을 준수하여야 한다. 레이크뷰 VOR을 통과한 후, 6,000 ft에 도달할 때 까지 권고하는 강하율로 강하하여야 한다.

예문(Example)
6. "United Three Ten, descend now and maintain Flight Level two four zero, pilot's discretion after reaching Flight Level two eight zero."

주(Note)
6. 조종사는 허가를 받는 즉시 강하를 시작하여, 배정된 고도 FL 280에 도달할 때 까지 권고하는 강하율로 강하해야 한다. 이 지점에서, 조종사는 위에서 기술한 "at pilot's discretion" 용어의 범위 내에서 FL 240까지 강하할 수 있는 허가를 받았다.

f. 비상상황에 처하여 ATC의 허가사항을 위배한 경우, 기장은 가능한 빨리 ATC에 통보하고 수정된 허가를 받아야 한다. 14 CFR Part 91에 명시된 규칙을 위배하지 않았더라도 ATC가 항공기에게 우선권을 부여하는 것이 필요한 비상상황의 경우, 항공기의 조종사는 ATC가 요청할 때에는 이러한 비상상황이 발생한 때부터 48시간 이내에 ATC 기관의 관리자에게 보고하여야 한다.

g. 최종 ATC 허가가 이전 ATC 허가보다 우선한다는 것이 기본원칙이다. 사전에 발부된 허가 중에서 비행로 또는 고도가 수정된 경우, 관제사는 적절한 고도제한사항을 다시 언급한다. 출발전이든 비행중이든 유지해야 할 고도가 변경되었거나 다시 언급되고, 앞서 발부한 고도제한사항이 생략되었다면 출발절차와 STAR 고도제한을 포함한 이들 고도제한

은 취소된다.

예문(Example)

1. 출발비행은 목적지공항까지 FL 290을 유지하도록 허가를 받았다. 허가에는 어떤 통과고도제한이 있는 DP를 포함하고 있다. 비행은 이륙 직후 FL 290에서 FL 250으로 변경하고 유지하라는 새로운 허가를 받았다. 고도제한이 여전히 적용된다면, 관제사는 이 사항을 다시 언급한다.

2. 출발하는 항공기에게 Fluky 교차지점 3,000 ft 이상, Gordonville VOR을 12,000 ft 이상으로 통과한 다음 고도 FL 200을 유지하도록 허가되었다. 출발 직후, 유지해야 할 고도는 FL 240으로 변경되었다. 고도제한이 여전히 적용된다면, 관제사는 ″cross Fluky Intersection at or above three thousand, cross Gordonville V-O-R at or above one two thousand, maintain Flight Level two four zero″와 같이 수정된 허가를 발부한다.

3. 도착하는 항공기에게 V45 Delta VOR 직선비행로를 경유하여 목적지공항까지 직선비행이 허가되었으며, 10,000 ft로 Delta VOR을 통과한 다음 6,000 ft를 유지하도록 허가되었다. 관제사는 Delta VOR 이전에 ″turn right heading one eight zero for vector to runway three six I-L-S approach, maintain six thousand″와 같이 수정된 허가를 발부한다.

주(Note)

″Cross Delta V-O-R at 10,000 ft″의 고도제한은 수정허가에서 생략되었기 때문에 더 이상 효력이 없다.

h. 후기연소기(afterburner) 엔진을 장착한 터보제트항공기의 조종사는 항공로고도로 상승 중에 후기연소기를 사용할 예정이라면 이륙하기 전에 ATC에 통보하여야 한다. 때로 관제사는 고성능 상승에 편의를 도모하기 위한 교통계획을 수립하여, 제한없이 계획된 고도로 항공기가 상승할 수 있도록 허가할 수 있다.

i. ATC에 의하여 ″신속한(expedite)″ 상승 또는 강하허가가 발부되었고, 이어서 신속지시(expedite instruction)없이 유지해야 할 고도가 변경되었거나 재발부 되었다면 신속지시는 취소된 것이다. 일반적으로 신속한 상승/강하란 조종사가 항공기의 조종특성을 특별히 변경시키지 않고 최대상승률/강하율에 가깝게 비행하는 것을 말한다. 관제사는 보통 신속지시의 이유를 관제사에게 통보할 것이다.

4-4-11. IFR 분리기준(Separation Standard)

a. ATC는 서로 다른 고도를 배정함으로써 수직적으로 항공기를 분리시키거나, 동일하거나 수렴(converging) 또는 교차(crossing)하는 진로의 항공기 간에는 시간이나 거리단위로 나타낸 간격을 제공하여 줌으로써 종적으로 또는 서로 다른 비행경로를 배정함으로써 횡적으로 항공기를 분리시킨다.

b. 비행의 일부분(B등급 공역 외부 또는 TRSA)이 VFR-on-top/VFR 상태 허가로 수행되는 동안을 제외하고, IFR 비행계획에 의하여 운항중인 모든 항공기 간에 분리가 제공된다. 이러한 조건에 따라 ATC는 교통조언을 발부하지만, 다른 항공기를 육안으로 보고 회피할 수 있도록 경계해야 하는 것은 전적으로 조종사의 책임이다.

c. 같은 고도에 있는 항공기의 분리에 레이더가 사용될 때 레이더 안테나 site로부터 40 mile 이내에서 운항하는 항공기 간에는 최소 3 mile의 분리가 제공되고, 안테나 site로부터 40 mile 밖에서 운항하는 항공기 간에는 최소 5 mile의 분리가 제공된다. 이러한 최저치(minima)는 일부 특정상황에서는 증감될 수 있다.

주(Note)

CENRAP를 사용할 때, 터미널환경에서 분리기준은 증가한다.

4-4-12. 속도조절(Speed Adjustments)

a. ATC는 필요하거나 요구되는 간격을 확보하거나 유지하기 위하여 레이더관제를 받고 있는 항공기의 조종사에게 속도조절을 지시한다.

b. ATC는 FL 240 이상에서의 속도를 0.01 간격의 마하수(Mach number) 단위로 나타내는 것을

제외하고, 모든 속도조절을 5 또는 10 knot 간격의 지시대기속도(IAS)에 의거하여 knot 단위로 나타낸다. 마하수의 사용은 마하속도계(Mach meter)를 갖추고 있는 터보제트항공기에 한한다.

c. 속도조절 지시를 실행하는 조종사는 지시받은 속도의 ±10 knot, 또는 마하수 ±0.02 이내의 속도를 유지하여야 한다.

d. ATC가 속도조절을 지시할 때는 다음의 권고 최저치(recommended minima)에 의거하여야 한다.

1. FL 280~10,000 ft 사이의 고도에서 운항하는 항공기에 대해서는 최저 250 knot 또는 이와 대등한 마하수

주(Note)

1. 표준대기상태에서 250 knot CAS와 대등한 마하수(다소의 오차는 존재함)는 FL 240에서 0.6, FL 250에서 0.61, FL 260에서 0.62, FL 270에서 0.64, FL 280에서 0.65 그리고 FL 290에서는 0.66이다.
2. 운영상 이점이 있는 경우, 권고 최저치보다 낮은 속도를 적용할 수 있다.

2. 도착하는 터보제트항공기가 10,000 ft 미만의 고도에서 운항하는 경우

(a) 210 knot를 최저속도로 한다.

(b) 단, 착륙하고자 하는 공항으로부터 비행거리 20 mile 이내에서는 170 knot를 최저속도로 한다.

3. 착륙하고자 하는 공항의 활주로시단으로부터 비행거리 20 mile 이내의 도착하는 왕복엔진 또는 터보프롭항공기에 대해서는 150 knot를 최저속도로 한다.

4. 출발하는 항공기의 경우

(a) 터보제트항공기는 230 knot를 최저속도로 한다.

(b) 왕복엔진항공기는 150 knot를 최저속도로 한다.

e. ATC가 속도조절과 강하허가를 동시에 발부할 때, 단어 "then" 앞뒤의 지시사항 순서는 예상되는 수행순서를 나타낸다.

예문(Example)

1. Descend and maintain (고도); then, reduce speed to (속도).
2. Reduce speed to (속도); then, descend and maintain (고도).

주(Note)

14 CFR 91.117절에 설정된 10,000 ft 미만에서의 최대속도는 계속 적용된다. 이러한 허가의 수행방법과 관련한 의문이 있다면 ATC에 설명을 요청하여야 한다.

f. ATC는 속도조절절차를 더 이상 적용할 필요가 없다고 판단(접근허가가 발부되기 전에)하면 다음과 같이 조치한다.

1. 조종사에게 "정상속도로 복귀(resume normal speed)"하도록 지시한다. 정상속도(normal speed)는 발간된 속도제한이 적용되지 않는 구간에서 ATC가 지시한 속도조절을 종료시키기 위하여 사용된다. 이는 예정된 절차의 발간된 제한사항을 철회하는 것이 아니다. 이것이 조종사에게 14 CFR 91.117절에 적용되는 속도제한을 면하여 주는 것은 아니다.

예문(Example)

(항공기가 발간된 속도제한을 포함하고 있지 않는 SID로 비행하고 있다. ATC는 속도조절을 발부하고 속도조절을 종료할 지점을 항공기에게 지시한다):
"Maintain two two zero knots until BALTR then resume normal speed."

주(Note)

ATC가 지시한 220 knot의 속도배정은 BALTR까지 적용된다. 그 다음에 항공기는 14 CFR 91.117절을 준수하면서 정상운항속도로 복귀한다.

2. 항공기가 발간된 속도제한을 포함하고 있는 차트화된 절차에 진입하거나 복귀할 경우, 조종사에게 "속도제한을 준수(comply with speed restrictions)" 하도록 지시한다.

예문(Example)

(ATC는 다음 waypoint에서 절차로 재진입하기 위하여 SID를 벗어나도록 항공기를 레이더 유도한

다. 또한, 절차로 복귀하도록 항공기에게 지시할 때 ATC는 항공기 발간된 절차의 속도제한도 준수할 것을 바란다): "Resume the SALTY ONE departure. Comply with speed restrictions."

주의(Caution)

관제용어 "Descend via/Climb via SID"는 절차에 표기된 모든 고도 및 속도제한의 준수를 요구한다.

3. 조종사에게 "발간된 속도로 복귀(resume published speed)"하도록 지시한다. 발간된 속도로 복귀는 발간된 절차에 속도제한이 표기되지 않은 곳에서 속도조절을 종료시키기 위하여 발부된다.

주(Note)

속도제한을 준수하거나 발간된 속도로 복귀하도록 지시한 경우, ATC는 조종사가 발간된 속도로 waypoint/fix를 통과할 수 있도록 발간된 속도제한 이전에 필요한 최저거리에서 속도조절을 시작할 것이라고 예상한다. ATC는 14 CFR 91.117절을 준수하기 위하여 필요하거나, 또는 추가로 발간되거나 ATC가 지시한 속도제한에 따르기 위하여 조종사가 추가적인 조절이 필요할 때 까지 발간된 속도를 유지할 것이라고 예상한다.

예문(Example)

(항공기가 발간된 속도제한을 포함하고 있는 SID/STAR로 비행하고 있다. ATC는 속도조절을 발부하고 속도조절을 종료할 지점을 항공기에게 지시한다): "Maintain two two zero knots until BALTR then resume published speed."

주(Note)

ATC가 지시한 220 knot의 속도배정은 BALTR까지 적용된다. 그 다음에 항공기는 발간된 속도제한에 따른다.

4. ATC가 지시하거나, 또는 발간된 차트 상의 발간된 속도제한이 더 이상 필요하지 않는 경우 조종사에게 "속도제한을 무효화(delete speed restriction)" 하도록 지시한다.

예문(Example)

(항공기가 출발 시에 항공기를 추월하는 것을 방지하기 위하여 배정된 발간된 속도제한을 포함하고 있는 SID로 비행하고 있다. ATC는 충돌위험이 있는 항공기는 없으며, 속도제한은 무효화되었다고 판단한다): "Delete speed restrictions."

주(Note)

발간된 제한사항을 무효화한 경우, ATC는 항공기가 발간된 제한사항 적용이 없는 비행로에 진입할 때 까지 장애물회피를 보장하여야 한다. 이것이 조종사에게 14 CFR 91.117절에 적용되는 속도제한을 면하여 주는 것은 아니다.

5. 조종사에게 "climb via" 또는 "descend via" 하도록 지시한다. climb via 또는 descend via 허가는 이전에 발부한 속도제한, 그리고 표기된 출발 또는 도착비행로에 진입한 후 발간되거나 배정된 모든 고도제한 및 속도제한을 이행하기 위한 상승 및 강하를 취소한다.

예문(Example)

1. (항공기가 발간된 속도제한을 포함하고 있는 SID로 비행하고 있다. ATC는 간격유지를 위해 250 knot의 속도제한을 발부했다. ATC는 항공기 간의 간격유지가 적절하다고 판단하며, 항공기가 발간된 제한사항을 준수하기를 원한다.): "United 436, Climb via SID."

2. (항공기가 STAR에 진입하였다. ATC는 간격유지를 위해 항공기를 늦추어야 하고 280 knot의 속도를 배정하였다. 간격유지가 적절하면 ATC는 속도제한을 무효화하고, 항공기 STAR 상의 발간된 모든 제한사항을 준수하기를 원한다): "Gulfstream two three papa echo, descend via the TYLER One arrival."

주(Note)

1. 예문 1의 경우, ATC가 "Climb via SID" 허가를 발부하면 이전에 발부된 속도제한 또는 고도제한은 무효화된다. 이어서 조종사는 SID 상에 발간된 모든 속도제한 및 고도제한을 준수하여 수직으로 비행하여야 한다.

2. 예문 2의 경우, ATC가 "Descend via 〈STAR name〉 arrival,"를 발부하면 이전에 발부된 속도제한 또는 고도제한은 취소된다. 조종사는 STAR 상에 발간된 모든 속도제한 및 고도제한을 준수하여

수직으로 비행하여야 한다.

주의(Caution)

STAR로 강하할 때 조종사는 이전에 발부된 속도를 초과하여 과도하게 속도를 증가시켜서는 안된다. 그렇지 않으면, 이전의 제한사항으로 ATC가 설정한 STAR로 강하하는 항공기 간의 적절한 간격유지가 상실될 수 있다.

g. 접근허가는 이전의 어떠한 속도조절 지시보다 우선하며 조종사는 접근을 완료하기 위해 필요한 속도로 조절하여야 한다. 그러나 어떤 경우에는 연이어 도착하는 항공기 간의 분리를 유지하기 위하여 ATC는 접근허가를 발부한 이후라도 다시 속도조절을 발부할 필요가 있을 수도 있다. 이러한 상황 하에서 이전에 발부된 속도를 유지해야 하거나, 추가적인 속도조절을 원하면 이전에 발부된 속도조절을 다시 언급한다. 최종접근진로 상의 최종접근픽스(final approach fix) 안쪽 또는 활주로로부터 5 mile 이내의 지점 중 활주로에 더 가까이 있는 항공기에게는 속도조절을 지시하여서는 안된다.

h. 어떤 특정한 운항을 위한 최저안전속도가 지시받은 속도조절보다 더 크다면 조종사는 ATC의 속도조절 지시를 거부할 권한이 있다.

주(Note)

이러한 경우 조종사는 유지할 속도를 ATC에 통보해야 한다.

i. 조종사는 ATC의 속도조절 지시가 14 CFR 91.117(a), (c)와 (d)절에 기술된 최대지시대기속도를 초과할 것이라고 판단되면, 속도조절의 적용을 거부할 책임이 있다는 것을 생각하고 있어야 한다. 이 경우 조종사는 이러한 사실을 ATC에 통보해야 한다. 10,000 ft MSL 이상에서 운항 중에 250 knot를 초과하는 속도조절을 발부받고, 그 이후 10,000 ft 미만의 고도로 허가를 받은 조종사는 14 CFR 91.117(a)를 준수해야 한다.

j. 250 knot의 속도제한은 미국 비행정보구역 내의 해안선으로부터 12 NM 이상 떨어진 10,000 ft MSL 이하의 E등급 공역에서 운항하는 미국 등록 항공기에는 적용되지 않는다. 그러나 조종사는 공항으로 지정된 B등급 공역구역 아래의 공역, 또는 B등급 공역구역과 같은 곳을 통과하는 설정된 VFR 회랑(corridor)에서는 14 CFR 91.117(c)절에 규정된 200 knot 속도제한을 준수해야 한다.

k. C등급과 D등급 공항교통구역 운항의 경우, ATC는 이 공역 내에서의 운항에 대해 규정된 최대 지시대기속도보다 빠른 속도를 요청하거나 인가할 권한을 가지고 있다 (14 CFR 91.117(b)절).

주(Note)

조종사는 B등급 공역 아래나 B등급 공역의 VFR 회랑(VFR corridor)에서 운항할 때, 최대속도 200 knot를 준수하여야 한다. (14 CFR 91.117 (c)와 (d)절)

l. ARTCC 또는 접근관제시설과 교신할 때, 조종사가 통신주파수 변경과 관련된 최초 무선교신 시에 ATC가 지시한 속도제한을 언급하는 것은 바람직한 운항방법이다.

4-4-13. 활주로 분리(Runway Separation)

관제탑관제사는 적절한 간격을 유지하기 위해, 조종사에게 비행 또는 지상이동을 조절하도록 요구하여 도착 및 출발항공기의 순서를 배정한다. 관제사는 도착항공기와의 간격을 유지하기 위하여 조종사에게 활주로진입전 "대기(hold)"를 지시하거나, 도착 또는 출발항공기와의 간격을 유지하기 위하여 "extend downwind"를 지시할 수도 있다. 때로는 허가에 "cleared for immediate takeoff"와 같이 단어 "긴급(immediate)"을 포함시킬 수도 있다. 이런 경우에 "immediate"는 항공교통분리의 목적으로 사용된다. 허가의 이행이 운항에 좋지 않은 영향을 줄 것이라고 조종사가 판단할 경우, 허가를 거부하는 것은 모두 조종사의 판단에 달려 있다.

4-4-14. 시계분리(Visual Separation)

a. 시계분리(visual separation)는 터미널지역과 NAS 항공로공역에서 항공기를 분리하기 위하여 ATC가 사용하는 방법이다. 이러한 분리를 취하기 위하여 다음과 같은 두 가지 방법이 사용된다.

1. 관제탑관제사는 관련된 항공기를 육안으로 확인하고 필요 시 항공기가 서로 회피하도록 지시를 발부한다.

2. 조종사는 관련된 다른 항공기를 육안으로 확인하고, 관제사의 지시를 받자마자 항공기를 기동시켜 다른 항공기를 회피하기 위한 분리를 적용한다. 시계분리유지에 대한 책임이 조종사에게 있는 경우, 조종사는 다른 항공기가 더 이상 교통상황의 요인이 되지 않을 때 까지 지속적으로 시각적감시를 유지하고 다른 항공기를 가로질러서는 안된다.

주(Note)

접근단계에서 다른 항공기가 비행의 착륙단계이거나 실패접근을 하는 중일 때 또는 착륙단계나 비행로단계에서 다른 항공기가 다른 방향으로 선회하거나 다른 방향으로 분기되는 진로 상에 있을 때, 이 항공기는 더 이상 교통상황의 요인이 되지 않는다.

b. 다른 항공기 뒤를 따르라거나 시계분리를 적용하라는 지시에 대한 조종사의 수용은 조종사가 다른 항공기를 회피하거나, 일렬종대(in-trail)의 분리를 유지하기 위하여 필요하면 항공기를 기동시킬 것이라는 응답(acknowledgment)이다. Heavy 항공기 뒤에서 비행할 때, 또는 B757이나 다른 대형항공기 뒤의 소형항공기 조종사가 항적난기류 분리에 대한 책임을 수용하는 것도 필요하면 항공기를 기동시킬 것이라는 응답이다. 초대형항공기(super aircraft) 뒤에서는 시계분리(visual separation)가 금지된다.

주(Note)

조종사가 다른 항공기 뒤를 따르라거나 시계분리를 적용하라는 지시를 받았을 때 다른 항공기를 시야에서 놓쳤거나, 계속해서 시야에 둘 수 없거나 또는 조종사가 어떠한 이유로 분리에 대한 책임을 수용할 수 없는 경우에는 관제사에게 즉시 통보하여야 한다.

c. 다른 항공기가 있는 지 하늘을 탐색하는 것은 충돌회피를 위한 중요한 요소이다. 조종사와 부조종사(또는 우측 조종석 탑승객)는 조종석에서 보이는 하늘 전체를 지속적으로 살펴보아야 한다. 조종사는 자신의 시각능력을 최대화 할 수 있는 효과적인 탐색기법을 계발하여야 한다. 항공기 외부를 살펴보는데 더 많은 시간을 들일수록 잠재적인 충돌위협을 발견할 가능성은 높아진다. 조종사는 계기를 살펴보는 동안에도 주변공역을 효과적으로 탐색하기 위하여 시분할(timesharing) 기법을 활용하여야 한다.

d. 눈은 좁은 시각범위에만 초점을 맞출 수 있으므로, 중심시야(central visual field)에 하늘의 연이은 부분이 오도록 일련의 짧고 일정한 간격으로 눈을 움직여 효과적인 탐색을 할 수 있다. 각각의 움직임은 10°를 초과하지 않아야 하며, 충돌탐지를 하기 위해서 최소한 1초 동안 각 구역을 주시하여야 한다. 많은 조종사들이 전후방(back-and-forth) 수평탐색법을 더 선호하는 것 같지만, 각 조종사는 편리하면서도 최적의 효과를 보장하는 탐색방식을 계발하여야 한다. 그리고 조종사는 기상상태가 허용될 때, 규정상 다른 항공기를 육안으로 보고 회피해야 할 책임(14 CFR 91.113(a)절)이 있다는 것을 상기하여야 한다.

4-4-15. 시각경계절차의 사용(Use of Visual Clearing Procedure)

a. 이륙 전(Before Takeoff). 이륙준비를 하기 위하여 활주로 또는 착륙구역으로 지상활주하기 전에 조종사는 만일의 착륙항공기에 대비하여 접근구역을 탐색하고, 접근구역을 명확하게 볼 수 있도록 적절한 경계기동(clearing maneuver)을 수행하여야 한다.

b. 상승 및 강하(Climb and Descent). 다른 항공기를 육안탐색할 수 있는 비행상태에서 상승 및 강하하는 동안, 조종사는 주변공역을 계속 육안탐색할 수 있는 빈도로 약간 좌우로 경사지게 하여야 한다.

c. 직진 및 수평(Straight and Level). 다른 항공기의 육안탐색이 가능한 상황에서 계속 직진수평비행을 하는 동안, 효과적인 육안탐색을 위하여 적절한 경계절차가 일정한 간격으로 이루어져야 한다.

d. 교통장주(traffic pattern). 강하하면서 교통장주로 진입하는 것은 특정한 충돌위험을 초래할 수 있으므로 피해야 한다.

e. VOR 지점의 교통(Traffic at VOR Sites). VOR 주변 및 항공로교차지점에는 교통이 집중되기 때문에 모든 운용자는 지속적인 경계를 하여야 한다.

f. 훈련 운영(Training Operation). 조종사훈련 프로그램 운영자는 다음과 같은 지침을 채택할 것을 권고한다.

1. 비행교육을 받는 모든 조종사에게 기동하는 동안 경계습관을 심어주고 유지하게 하기 위하여 경계절차를 구두로 표현(left, right, above 또는 below "clear"라고 외침)하도록 하여야 한다.

2. 높은 날개 비행기(high-wing airplane). 선회하고자 하는 방향의 날개를 순간적으로 올리고 살펴본다.

3. 낮은 날개 비행기(low-wing airplane). 선회하고자 하는 방향의 날개를 순간적으로 내리고 살펴본다.

4. Chandelles, lazy eights, 실속, 저속비행, 상승, 직진수평비행, 스핀(spin) 및 그 밖의 복합된 기동을 포함하여 모든 선회를 하기 전에 적절한 경계절차가 이루어져야 한다.

4-4-16. 공중충돌경고장치(Traffic Alert and Collision Avoidance System; TCAS I & II)

a. TCAS I은 조종사가 침범항공기를 시각적으로 포착하는 것을 돕기 위한 근접경고(proximity warning) 만을 제공한다. TCAS I 경고의 직접적인 결과로서 권고되는 회피기동이 제공되거나 허가되지 않는다. TCAS I은 승객좌석수 10~30석을 갖춘 소형 commuter 항공기나 일반항공 항공기에 사용하기 위하여 마련되었다.

b. TCAS II는 교통조언(traffic advisory; TA) 및 회피조언(resolution advisory; RA)을 제공한다. 회피조언은 충돌위험이 있는 항공기를 회피하기 위하여 권고되는 수직방향으로의 기동(상승 또는 강하만)을 제공한다. 수송류항공기, 항공사 항공기, 그리고 승객 좌석수 31석 이상의 commuter 항공기 및 사업용항공기에는 TCAS II를 갖추어야 한다.

1. TA가 발생하면 TA 정보에 의거하여 배정된 허가에 위배되지 않는 한 다른 항공기의 시각적 포착을 시도하여야 한다.

2. RA가 발생하면 조종사는 즉시 RA 시현에 응답하고, 비행의 안전운항을 위태롭게 하지 않는 한 또는 RA를 유발한 항공기를 기장이 명확하게 시각적으로 포착할 수 있는 분리를 유지할 수 없는 한 지시한 대로 기동하여야 한다.

3. RA에 응하여 ATC 허가를 위배한 조종사는 가능한 한 빨리 ATC에 이러한 위배를 통보하여야 하며, 충돌위험에서 벗어나 이전에 배정된 허가로 복귀한 경우에는 ATC에 통보하여야 한다.

c. RA에 따르기 위해 필요한 규칙, 정책 또는 허가에 대한 위배는 최소한으로 하여야 한다. 대부분의 RA 기동은 배정된 고도로부터 최소한의 고도변화를 필요로 한다.

d. IFR 업무를 수행하는 항공교통시설은 다음 조건 중 하나가 될 때 까지는 RA 기동을 한 IFR 항공기에게 다른 항공기, 지형, 또는 장애물로부터 인가된 표준 IFR 분리를 제공할 책임이 없다.

1. 항공기가 배정된 고도 및 진로로 복귀하였다.

2. 대체 ATC 지시가 발부되었다.

3. 승무원이 TCAS 기동이 종료되었다는 것을 ATC에 통보하였다.

주(Note)

조종사의 기본적인 권한 및 안전한 비행을 하여야 할 책임을 TCAS가 대체하거나 줄여주지는 않는다. TCAS는 트랜스폰더를 장착하지 않은 항공기나 트랜스폰더가 고장난 항공기에 대해서는 반응하지 않기 때문에 모든 상황에서 TCAS 만으로는 안전한 분리가 보장되지 않는다. 현 시점에서는 항공기 TCAS 장비가 유효하다고 단정하고 항공교통업무를 수행하거나 처리하고 있지는 않다.

4-4-17. 교통정보업무(TIS; Traffic Information Service)

a. TIS는 조종사가 침범항공기를 시각적으로 포착하는 것을 돕기 위한 근접경고만을 제공한다. TIS 침범기 시현(display) 또는 TIS 경고의 직접적인 결과로서 권고되는 회피기동이 제공되거나 허가되

지 않는다. 이것은 TCAS가 필요하지 않는 항공기에 사용하기 위한 것이다.

b. 조종사의 기본적인 권한 및 안전한 비행을 하여야 할 책임을 TIS가 대체하거나 줄여주지는 않는다. TIS는 트랜스폰더를 장착하지 않은 항공기, 트랜스폰더가 고장난 항공기 또는 레이더 포착범위를 벗어난 항공기에 대해서는 반응하지 않기 때문에 모든 상황에서 TIS 만으로는 안전한 분리가 보장되지 않는다.

c. 현 시점에서는 항공기의 TIS 장비가 유효하다고 단정하고 항공교통업무를 수행하거나 처리하고 있지는 않다.

d. 현재 ADS-B 조종실 시현(cockpit display)이 유효하다고 단정하고 항공교통업무를 수행하거나 처리하고 있지는 않다. ATC에 대한 "traffic-in-sight" 응답은 조종실 시현이 아닌 조종실 창문 밖으로 육안확인한 항공기에 대하여 이루어져야 한다.

4-4-18. 자동종속감시방송(ADS-B)〔Automatic Dependent Surveillance-Broadcast〕

a. ADS-B(항공기 대 항공기)는 조종사가 다른 항공기를 시각적으로 포착하는 것을 돕기 위한 근접경고만을 제공한다. ADS-B 시현(display) 또는 ADS-B 경고의 직접적인 결과로서 권고되는 회피기동이 제공되거나 허가되지 않는다.

b. 조종사의 기본적인 권한 및 안전한 비행을 하여야 할 책임을 ADS-B가 대체하거나 줄여주지는 않는다. TIS-B는 ADS-B가 장착된 항공기만을 시현하므로 ADS-B가 장착되지 않은 항공기나 ADS-B가 고장난 항공기는 시현하지 않는다. ADS-B 만으로는 안전한 분리가 보장되지 않는다.

c. 현재 ADS-B 조종실 시현이 유효하다고 단정하고 항공교통업무를 수행하거나 처리하고 있지는 않다. ATC에 대한 "항공기 육안확인(traffic-in-sight)" 응답은 조종실 시현이 아닌 조종실 창문 밖으로 육안확인한 항공기에 의하여 이루어져야 한다.

4-4-19. 항공교통정보제공방송(TIS-B; Traffic Information Service-Broadcast)

a. TIS-B는 조종사가 다른 항공기를 시각적으로 포착하는 것을 돕기 위한 교통정보를 제공한다. TIS-B 시현(display) 또는 TIS-B 경고의 직접적인 결과로서 권고되는 회피기동이 제공되거나 허가되지 않는다.

b. 조종사의 기본적인 권한 및 안전한 비행을 하여야 할 책임을 TIS-B가 대체하거나 줄여주지는 않는다. TIS-B는 정상적으로 작동하는 트랜스폰더가 장착된 항공기만을 시현하므로 트랜스폰더가 장착되지 않은 항공기 또는 트랜스폰더가 고장난 항공기나 레이더 포착범위를 벗어난 항공기는 시현되지 않는다. TIS-B 만으로는 안전한 분리가 보장되지 않는다.

c. 현재 TIS-B 조종실 시현이 유효하다고 단정하고 항공교통업무를 수행하거나 처리하고 있지는 않다. ATC에 대한 "항공기 육안확인(traffic-in-sight)" 응답은 조종실 시현이 아닌 조종실 창문 밖으로 육안확인한 항공기에 의하여 이루어져야 한다.

제5절. 감시시스템(Surveillance Systems)

4-5-1. 레이더(Radar)

a. 특성(Capability)

1. 레이더는 전파(radio wave)를 대기 중에 발사하고, 전파가 beam의 경로에 있는 물체에 반사될 때 이를 수신하는 방법이다. 거리(range)는 전파가 물체에 도달한 다음 수신 안테나까지 되돌아오는 동안 걸린 시간을 측정(광속으로)하여 결정한다. 레이더 site에서 탐지된 물체의 방향은 전파의 반사부분이 수신될 때 회전하는 안테나의 위치에 의하여 결정된다.

2. 보다 신뢰성 있는 정비 및 개선된 장비로 인하여 레이더시스템의 고장은 무시해도 될 정도까지 감소되었다. 실제 대부분의 시설은 하나의 작동구성품과 주요부분에 고장이 발생하면 즉시 이를 대체하는 또 다른 구성품의 이중으로 된 구성품을 갖추고 있다.

b. 제한(Limitation)

1. 레이더업무에는 제한이 있다는 사실 및 ATC 관제사가 레이더 상으로 식별할 수 없는 항공기와 ATC 관제 하에 있지 않는 항공기에 대해서는 교통조언을 발부하지 못할 가능성이 항상 있을 수 있다는 것을 인식하는 것이 항공관계자에게는 대단히 중요하다. (그림 4-5-1 참조)

그림 4-5-1. 레이더업무 제한(Limitations to Radar Service)

강수로 인한 감쇠(Precipitation Attenuation)

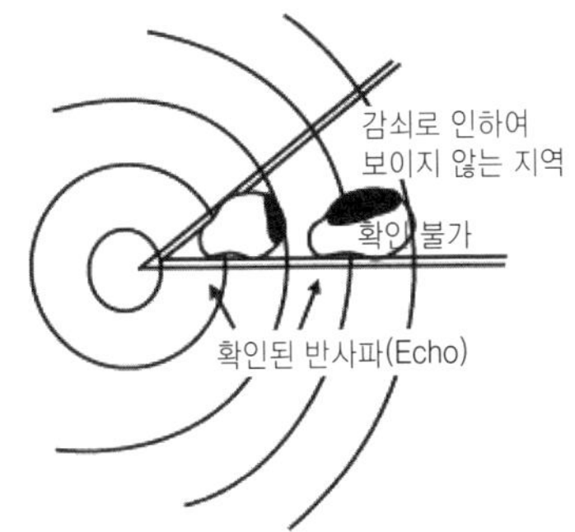

가까운 표적(Nearby target)의 흡수 및 산란(scatter)은 많은 energy를 유입하고 반사시켜 레이더는 멀리 떨어져 있는 표적을 탐지하지 못하게 된다.

(a) 전파(radio wave)의 특성은 다음과 같은 경우 외에는 보통 계속해서 직선으로 이동한다는 것이다.

(1) 기온역전과 같은 불규칙한 대기현상에 의한 "굴곡현상(bending)"

(2) 짙은 구름(heavy clouds), 강수, 지면 장애물, 산 등과 같이 밀도가 높은 물체에 의한 반사 또는 감쇠

(3) 고지대의 지형으로 인한 차폐(screen)

(b) 흔히 이상전파(anomalous propagation) 또는 ducting 이라고 하는 레이더 pulse의 굴곡현상(bending)은 전파가 지면 쪽으로 구부러지면 레이더 운용자의 시현장치 상에 관련 없는 많은 휘점(blip) 들이 나타나는 원인이 될 수 있으며, 전파가 위쪽으로 구부러지면 탐지거리가 감소될 수 있다. 이상전파의 영향을 완전히 해결하는 것은 어렵지만 보통 레이더 beacon을 사용하거나, 이동표적지시기(moving target indicator, MTI)라고 하는 방법을 이용하여 정지하여 있거나 서서히 움직이는 표적을 전자적으로 제거함으로써 문제점을 최소화할 수 있다.

(c) 밀도가 높은 물체에 부딪힌 레이더 에너지는 반사되어 운용자의 scope에 시현되며, 이로 인해 동일한 거리에 있는 항공기를 가리거나 더 먼 거리에 있는 표적의 시현(display)이 매우 약화되거나 또는 완전히 없어질 수도 있다. 또한 레이더 beacon과 MTI는 지면 clutter와 기상현상의 대처에 매우 효과적으로 사용되며, 레이더 beam 원형편파(circularly polarizing) 방식은 일부 기상현상에 의한 반사신호(weather return)를 제거한다. MTI의 단점은 MTI의 신호를 제거하는 속도(접선속도 또는 "불감"속도〔tangential or "blind" speed〕)와 일치하는 속도로 비행하는 항공기는 레이더관제사에 시현되지 않을 수도 있다는 것이다.

(d) 상대적으로 낮은 고도의 항공기는 산에 의해 차폐되거나, 또는 레이더 beam 아래에 있으면 지구 굴곡으로 인해 보이지 않을 것이다. 차폐(screening)

의 유일한 해결방법은 이들 지역에 전략적으로 다수의 레이더를 설치하는 것이다.

(e) 레이더관제에 영향을 미치는 그 밖의 몇 가지 요소가 있다. 반사되는 항공기표면의 크기가 레이더 반사신호(radar return)의 크기를 결정한다. 따라서 소형 경비행기나 날렵한 제트전투기는 대형 사업용제트항공기나 군용폭격기보다 레이더로 식별하기가 더 어렵다. 다시 말하면, 항공기가 탑재 트랜스폰더를 갖추고 있으면 레이더 beacon을 사용하는 것이 매우 유용하다. 미국대륙의 모든 ARTCC 레이더와 대부분의 공항감시레이더는 Mode C로 질문하고, 적절히 장비를 갖춘 항공기의 고도정보를 관제사에게 시현할 수 있는 성능을 갖추고 있다. 그러나 Mode C 시현성능이 없는 공항감시레이더도 다수 있으므로 고도정보는 조종사로부터 획득하여야 한다.

(f) ATC 항공로환경 내의 일부 지역에서는 각각 일차와 이차레이더 포착범위를 탐지하는 두 개의 대형 레이더시스템 사이 저고도의 레이더포착에 단독이차레이더(일차레이더 없음) gap filler 레이더 시스템이 사용된다. 이러한 지리적 지역에서는 이차레이더에 의해서만 업무가 이루어지며, 트랜스폰더를 갖추지 않은 항공기에는 레이더업무를 제공할 수 없다. 부가적으로 트랜스폰더를 갖춘 항공기에는 일차표적(primary target)과 기상에 관련된 레이더 조언을 제공할 수 없다.

(g) 계기비행 또는 시계비행상태로 비행하는 조종사에게 다른 항공기와의 근접을 조언할 수 있는 관제사의 능력은 미확인항공기가 레이더에 관측되지 않거나, 비행계획정보를 이용할 수 없거나 또는 교통량과 업무량이 많아서 교통정보를 발부하는데 어려움이 있다면 제한될 수 있다. 관제사업무의 첫 번째 우선순위는 ATC 관제 하에서 IFR로 비행하는 항공기 간에 수직, 횡적 또는 종적분리를 제공하는 것이다.

c. FAA 레이더장치는 미국 차트 보충판(Chart Supplement U.S.)에 명시된 지역에서 계속해서 운용되며 이러한 업무는 민간 및 군의 모든 조종사가 이용할 수 있다. 가장 인접한 레이더업무에 대한 정보는 최초 지시 시 지정된 주파수로 관련된 FAA 관제탑 또는 ARTCC에 문의하거나, 또는 비상상황이라면 FAA 시설에 문의한다.

4-5-2. 항공교통관제 비컨시스템(Air Traffic Control Radar Beacon System; ATCRBS)

a. 때로 이차감시레이더(secondary surveillance radar)라고 하는 ATCRBS는 다음과 같은 세 가지 주요부분으로 이루어진다.

1. 질문기(Interrogator). 일차레이더는 레이더 안테나 site로부터 송신되는 신호와 이 신호가 물체(항공기 같은)에 반사되거나 "반향(bounced back)" 되는 신호에 의존한다. 반사된 신호는 관제사의 레이더스코프 상에 "표적(target)"으로 시현된다. ATCRBS에서 지상기반 radar beacon 송수신기인 질문기(interrogator)는 일차레이더와 동기되어 탐색을 하며, 모든 트랜스폰더에 사용 중인 모드로 응답을 요청하는 불연속적인 무선신호(discrete radio signal)를 반복적으로 송신한다. 수신된 응답은 일차반사신호와 혼합되고 둘 다 동일한 레이더스코프 상에 시현된다.

2. 트랜스폰더(Transponder). 이 항공기탑재 레이더비컨 송수신기는 질문기로부터 신호를 자동으로 수신하며, 설정된 mode로 수신된 질문에 대해서만 특정 pulse group(code)을 사용하여 선택적으로 응답한다. 이 응답은 일차레이더로부터 독립되어 있으며 일차레이더 반사신호보다 더 강하다.

3. 레이더스코프(Radarscope). 관제사가 사용하는 레이더스코프는 일차레이더시스템과 ATCRBS 양쪽의 반사신호(return)를 모두 시현한다. 표적(target)이라고 하는 이 반사신호가 관제사가 항공기 관제와 분리에 참조하는 것이다.

b. 일차레이더표적을 식별하고 식별을 유지하는 임무는 관제사에게는 장시간의 지루한 업무이다. 일차레이더에 비해서 ATCRBS의 몇 가지 이점은 다음과 같다.

1. 레이더표적의 보강(reinforcement of radar target)

2. 신속한 표적식별(rapid target identification)

3. 선택된 코드의 독특한 시현(unique display

of selected code)

c. 해독기(decoder)는 ATCRBS 지상장비의 일부분이다. 이 장비는 관제사가 관제하고 있는 각 항공기에게 개별 트랜스폰더 code를 배정할 수 있도록 한다. 일반적으로 전체 비행동안 하나의 code 만이 배정된다. 배정은 국가 비컨 코드 배정계획에 의거하여 ARTCC 컴퓨터로 이루어진다. 또한 장비는 항공기로부터 Mode C 고도정보를 수신할 수 있도록 설계되어 있다.

주(Note)

NAS Stage A (항공로), ARTS Ⅲ (터미널) 시스템 및 그 밖의 비자동화 광대역(broadband) 레이더시스템의 radar scope에 표시되는 표적부호의 실례에 대한 범례의 설명과 그림을 참조한다. (그림 4-5-2 및 그림 4-5-3 참조)

d. 항공기 트랜스폰더는 레이더시스템의 효율을 크게 증진시킬 것이라는 것을 강조한다.

그림 4-5-2 글자와 숫자 data로 구성된 ARTS Ⅲ 레이더스코프(ARTS Ⅲ Radar Scope With Alphanumeric Data)

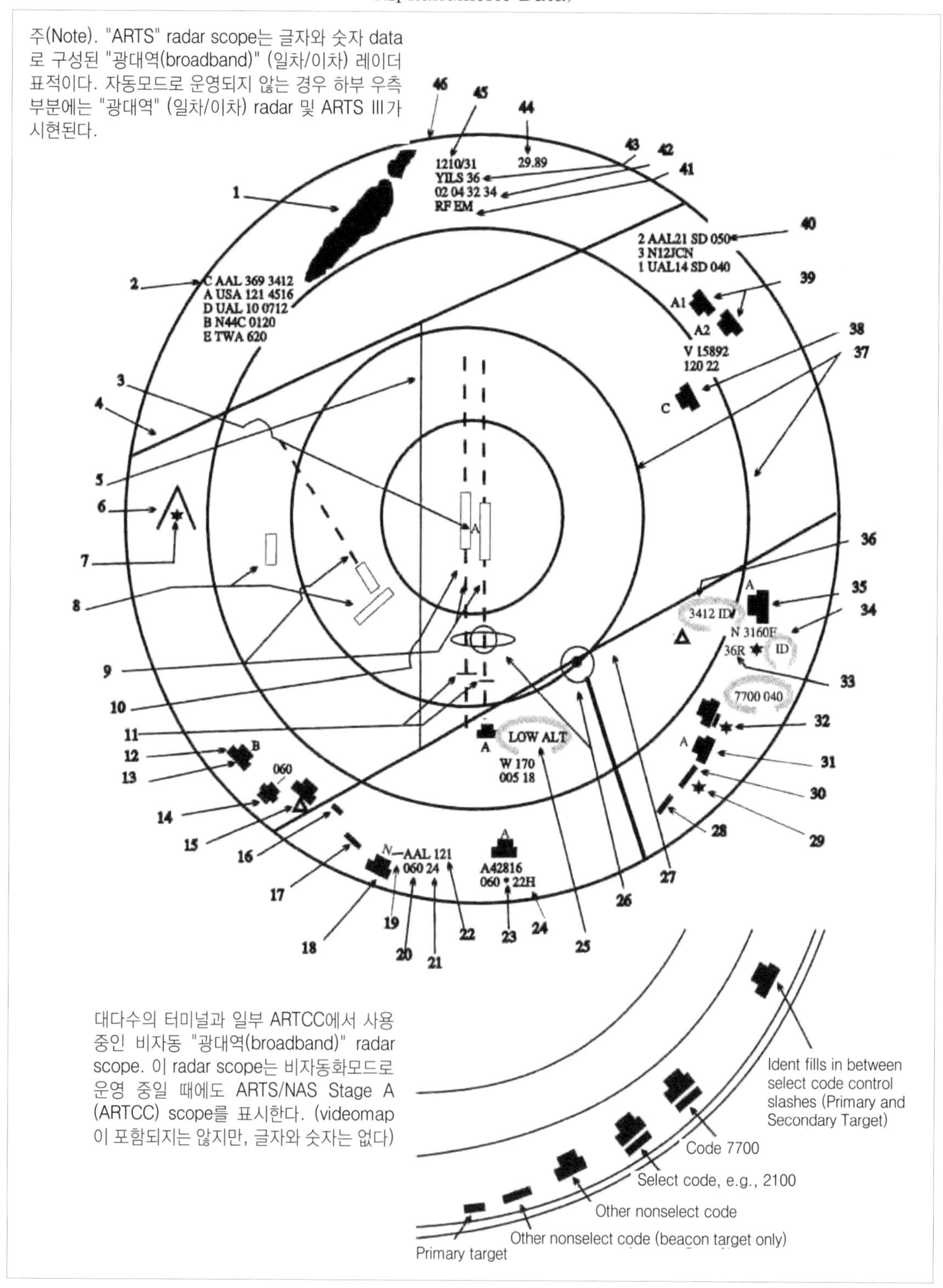

주(Note)

다수의 레이더터미널은 ARTS 장비를 갖추고 있지 않다. 이러한 시설과 미국본토 외부의 일부 ARTCC는 하부 우측부분과 유사한 레이더시현장치를 갖고 있다. ATRS 시설과 NAS stage A ARTCC가 비자동모드로 운영될 때에도 유사한 시현장치를 가지며, 자동모드 기반의 일부 업무는 이용할 수 없을 수도 있다.

예시(Example)

1. 강수지역 (CP에 의해 축소될 수 있다)
2. 도착/출발 목록(표로 나타낸 목록)
3. Trackball (관제) 위치부호 (A)
4. 항공로 (때로 선의 일부분은 지워진다)
5. 관제를 위한 radar 한계선(limit line)
6. 장애물 (video map)
7. 장애물 또는 지형의 일차레이더 반사신호 (MTI에 의해 제거될 수 있음)
8. 인접공항(satellite airports)
9. 활주로중심선(표지와 간격은 마일을 나타낸다)
10. 평행활주로가 있는 주요공항(primary airport)
11. 접근 gates
12. 추적표적 (일차 및 beacon 표적)
13. 관제석(control position) 부호
14. 5,000 ft 고도판독의 Mode C를 장착한 비추적표적 선택 code (감시됨)
15. Mode C를 장착하지 않은 비추적표적
16. 일차표적(primary target)
17. 단독 beacon 표적 (이차레이더) (transponder)
18. 일차표적 및 beacon 표적
19. 지시선(leader line)
20. Mode C 고도판독값(readout)은 6,000 ft 이다. (주: beacon 정보의 미수신, 왜곡된 beacon 신호, 그리고 고도판독과 교대로 시현되는 비행계획자료로 인하여 판독값이 시현되지 않을 수도 있다)
21. 대지속도 판독값은 240 knot 이다. (주: beacon 신호의 상실, 조종사가 transponder를 비상 code로 조정하였다는 관제사 경보, 무선통신 두절 등으로 인하여 판독값이 시현되지 않을 수도 있다)
22. 항공기 ID
23. 별표는 Mode C 란에 관제사 입력을 나타낸다. 이 경우 5,000 ft가 입력되면, "05"가 Mode C 고도판독을 대신할 것이다.
24. Heavy 항공기를 나타낸다.
25. 항공기의 예상강하가 항공기를 지형에 불안전하게 근접시킨다는 것을 나타내기 위하여 "Low ALT"가 점멸된다. (주: 항공기가 Mode C로 설정되어 있지 않다면 이 기능은 작동되지 않는다. 헬리콥터나 항공기가 안전구역 하한선보다 낮게 운항하고 있다는 것을 알았다면, "low ALT"를 "inhibit"로 변경하여 점멸을 중지시킬 수 있다.)
26. NAVAIDs
27. 항공로(airway)
28. 단독 일차표적
29. 감시되지 않음 (별표는 Mode C를 장착하고 있으며 감시되지 않음을 나타낸다)
30. 단독 beacon 표적 (항공기 transponder 기반의 이차레이더)
31. 추적표적 (일차 및 beacon 표적) 관제석 A
32. 항공기는 비상 Code 7700으로 조정되어 있으며 감시되지 않음. 비추적, Mode C
33. 관제사가 배정한 활주로 36 right가 Mode C 고도판독과 교대로 제시된다. (주: 3자리의 식별문자가 특정공항에서의 도착을 나타낼 수도 있다)
34. 식별(ident) 점멸
35. 식별중인 표적
36. 선택 code의 비추적표적 식별
37. 거리 표지선 (10 mile과 15 mile) (변경되거나 중심을 벗어날 수 있음)
38. 교통관제센터에서 관제하는 항공기
39. 일시중지 상태(suspend status)의 표적
40. Coast/일시중지 항공기 목록 (항공기 체공, 일시적인 beacon/표적의 상실 등)
41. 무선통신 두절 (비상 정보)
42. 선택 beacon codes (감시되고 있음)
43. 일반 정보 (ATIS, 활주로, 사용 중인 접근)
44. 고도계수정치(altimeter setting)
45. 시간(time)
46. 시스템 data 구역

그림 4-5-3. NAS Stage A 관제사 View Plan Display(NAS Stage A Controllers View Plan Display)

이 그림은 통상 일일 20시간 완전자동(RDP) mode로 운용될 때의 관제사 radar scope (PVD)를 보여준다. (자동 mode가 아닐 때의 시현장치는 ARTS Ⅲ radar scope 그림에서 볼 수 있는 광대역 mode와 유사하다. 미국본토 외부의 몇몇 ARTCC도 "광대역" mode로 운용된다.)

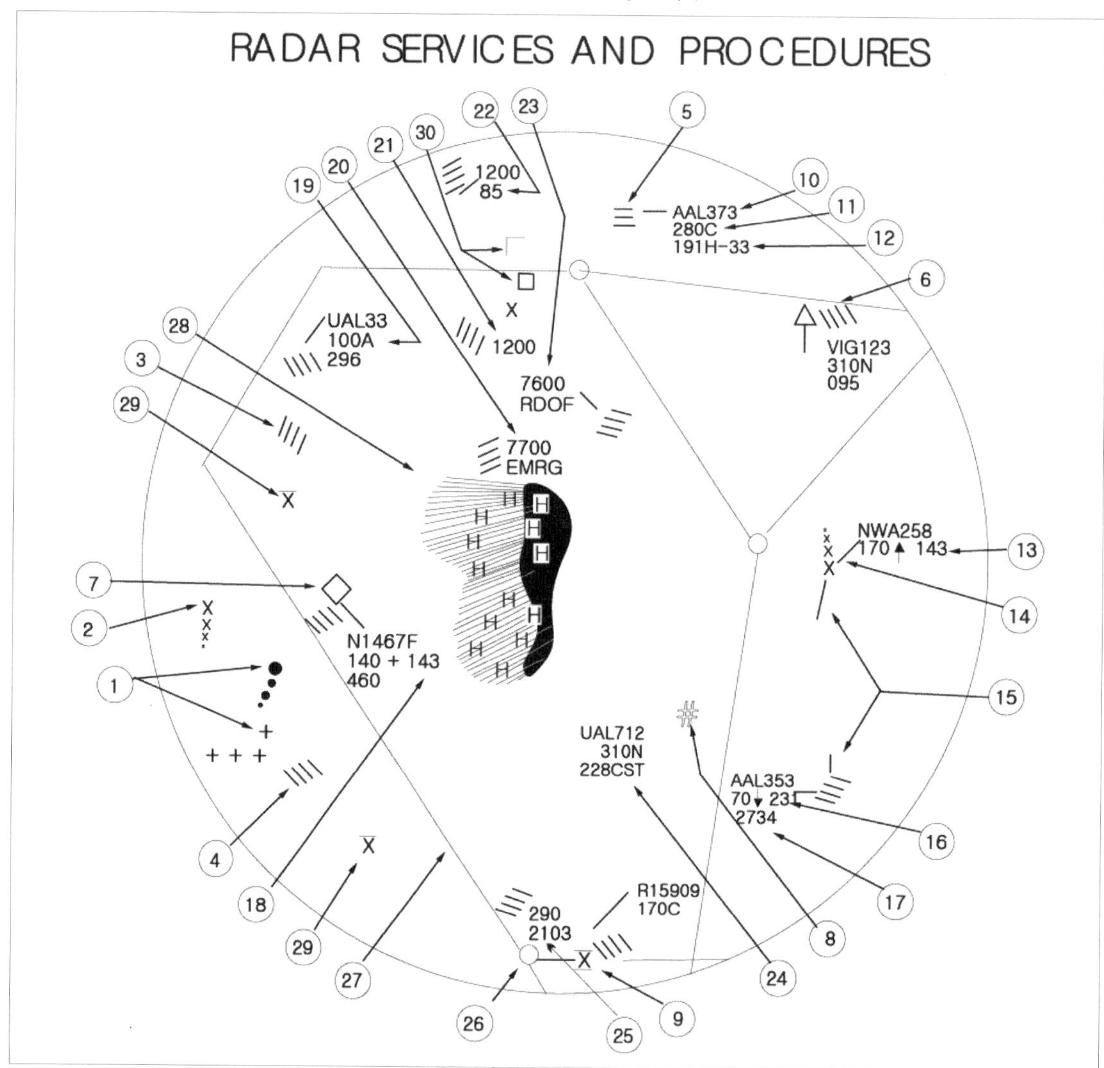

예시(Example)

표적부호(Target symbols)

1. 비상관 일차레이더표적(uncorrelated primary radar target) 〔○〕〔+〕
2. 상관 일차레이더표적(correlated primary radar target) 〔×〕

*아래의 주(Note) 참조

3. 비상관 beacon 표적 〔/〕
4. 상관 beacon 표적 〔\〕
5. 식별중인 beacon 표적 〔≡〕

* 주(Note): 2번에서 상관(correlated)이란 식별 항공기의 컴퓨터 예측항적과 레이더 data의 연관성을 의미한다.

위치부호(Position symbols)

6. Free 항적 (비행계획을 제출하지 않은 항적의 추적) 〔△〕
7. Flat 항적 (비행계획을 제출한 항적의 추적) 〔◇〕

8. Coast (beacon 표적 상실) 〔#〕
9. 현재 위치 대기 〔⊠〕

자료란 정보(Data block information):
10. 항공기 식별부호(aircraft ident)
*아래의 주(Note) 참조
11. 배정고도 FL 280, Mode C 고도와 동일하거나 배정고도의 200 ft 이내임.
*아래의 주(Note) 참조
12. Computer ID #191, sector 33으로 이양(0-33은 이양이 수락되었다는 것을 의미한다)
*아래의 주(Note) 참조
13. 배정고도 17,000 ft, 항공기는 상승중임, 최종 수신한 beacon 질문의 Mode C 고도판독은 14,300 ft 이다.
14. 표적부호와 자료란을 연결하는 지시선(leader line)
15. 항적속도 및 방향 vector line (표적의 앞쪽에 비추어짐)
16. 배정고도 7,000 ft, 항공기는 강하중임, 최종 Mode C 고도판독 (또는 최종 보고받은 고도)는 23,100 ft 이다.
17. Transponder code는 배정 code와 상이할 경우에만 완전한 자료란(full data block)에 제시된다.
18. 항공기는 배정고도의 300 ft 상부에 있다.
19. 보고고도(Mode C 고도판독 없음)와 배정고도가 동일함. ("n"은 보고고도가 없음을 나타낸다.)
20. 비상 Code 7700으로 transponder 설정(주의를 끌기 위하여 EMRG 점멸됨)
21. Mode C를 장착하지 않은 transponder Code 1200 (VFR)
22. Mode C를 장착한 Code 1200 (VFR) 및 최종 고도판독
23. 무선통신 두절 Code 7600으로 transponder 설정 (RDOF 점멸)
24. Computer ID #228, CST는 표적이 coast 상태임을 나타낸다.
25. 배정고도 FL 290, transponder code (이 두 항목은 "제한된 자료란(limited data block)"을 구성한다)

*주(Note): 10, 11 및 12번은 "완전한 자료란(full data block)"을 구성한다.

그 밖의 부호(Other symbols)
26. 항행안전시설(navigational aid)
27. 항공로(Airway) 또는 제트비행로(jet route)
28. 일차레이더 기반 기상현상 반사신호의 윤곽(outline). "H"는 뇌우와 같은 고밀도 강수지역을 나타낸다. 사선(radial lines)은 저밀도 강수지역을 나타낸다.
29. 장애물(obstruction)
30. 공항(airport)
주요공항: □
소형공항: ■

4-5-3. 감시레이더(Surveillance Radar)

a. 감시레이더는 공항감시레이더(ASR)와 항로감시레이더(ARSR) 두 가지의 일반적인 category로 구분할 수 있다.

1. ASR(Airport Surveillance Radar)은 대략적인 공항주변에서 비교적 단거리(short-range)의 포착범위를 제공하고, 레이더스코프 상의 정확한 항공기 위치의 감시를 통해 터미널지역 교통의 신속한 처리를 위한 수단으로 활용하기 위하여 설계되었다. ASR은 계기접근보조시설로도 활용할 수 있다.

2. ARSR(Air Route Surveillance Radar)은 주로 넓은 지역에 대한 항공기 위치의 시현을 제공하기 위하여 설계된 장거리(long-range) 레이더시스템이다.

3. Center Radar Automated Radar Terminal Systems(ARTS) Processing(CENRAP)은 ASR 고장 또는 기능장애 시 터미널시설의 비레이더 관제 상황에 대한 대안을 제공하기 위하여 개발되었다. CENRAP는 ARTS를 갖춘 ASR 터미널시설에 항공기 레이더 beacon 표적정보를 송신한다. 시설이 CENRAP를 사용할 때와 같은 특정상황에서는 레이더표적정보가 정상적인 ASR 레이더보다 더 느린 비율로 갱신되기 때문에 항공기의 분리를 위해 사용되는 절차가 증가할 수 있다. CENRAP 운용 동안 IFR 항공기에게 업무를 제공하기 위하여 추가업무

가 필요하기 때문에 VFR 항공기에 대한 레이더업무 또한 제한된다.

b. 감시레이더는 360° 전방향을 탐지하며, 관제탑이나 교통관제센터에 위치한 레이더시현장치에 표적정보를 나타낸다. 이러한 정보는 독자적으로 또는 항공교통관제기관의 다른 항행안전시설과 함께 사용된다.

4-5-4. 정밀접근레이더(Precision Approach Radar; PAR)

a. PAR은 항공기 이착륙순서 및 간격조정을 위한 보조시설 보다는 착륙보조시설로 사용하기 위하여 설계되었다. PAR 시설은 주요 착륙보조시설(추가정보는 5장, 항공교통절차 참조)로 사용하거나, 다른 유형의 접근을 감시하기 위하여 사용할 수 있다. 이것은 거리(range), 방위(azimuth) 및 경사각(elevation) 정보를 시현하기 위하여 설계되었다.

b. 하나는 수직면을 탐지하고 다른 하나는 수평으로 탐지하기 위하여 두 개의 안테나가 PAR 시설에 사용된다. 거리 10 mile, 방위각 20° 그리고 경사각 7°로 제한되기 때문에 최종접근구역 만을 탐지한다. 각 scope는 두 부분으로 나누어진다. 상부 절반은 고도와 거리정보를 제공하며, 하부 절반은 방위각과 거리를 제공한다.

4-5-5. 공항지상감시레이더(Airport Surface Detection Equipment; ASDE-X)/Airport Surface Surveillance Capability(ASSC)

a. ASDE-X/ASSC는 FAA가 미국의 공항에 채택하고 있는 multi-sensor 지상감시시스템이다. 이 시스템은 모든 기상과 시정상태에서 공항의 활주로와 유도로표면이나 근처에 위치한 이동 및 정지항공기와 차량에 대한 고해상도, 단거리 그리고 clutter가 없는 감시정보를 제공한다. 이 시스템은 다음과 같이 구성되어 있다.

1. 일차레이더시스템(primary radar system). ASDE-X/ASSC 시스템 포착범위는 공항지표면과 지표면 상부 200 ft 까지의 공역을 포함한다. 통상적으로 관제탑 또는 그밖에 공항의 중요한 위치에 설치되며, 일차레이더 안테나는 트랜스폰더를 갖추지 않았거나 또는 트랜스폰더가 작동되지 않는 항공기를 탐지하여 시현할 수 있다.

2. 인터페이스(interface). ASDE-X/ASSC는 모든 자동화 platform을 경유하는 비행 식별부호의 자동 interface, 그리고 터미널 레이더와의 위치정보에 대한 interface를 포함한다.

3. 자동화(automation). Multi-sensor Data Processor(MSDP)는 모든 sensor 보고를 조합하여 항공교통관제사에 시현되는 단일표적(single target)으로 만든다.

4. 항공교통관제탑 시현장치(display). 관제탑관제석의 고해상도, 컬러모니터는 관제사에게 공항지표면의 공항운영에 대한 연속적인 영상을 제공한다.

b. 다수의 감지기(sensor)에서 수집된 data를 조합함으로써 항공기 위치에 대한 가장 정확한 정보를 관제탑에 전달할 수 있고, 이로 인해 지표면의 안전과 효율성을 증가시킬 수 있다.

c. 다음 시설은 ASDE-X로 운용된다.

표 4-5-1

BWI	Baltimore Washington International
BOS	Boston Logan International
BDL	Bradley International
MDW	Chicago Midway
ORD	Chicago O'Hare International
CLT	Charlotte Douglas International
DFW	Dallas/Fort Worth International
DEN	Denver International
DTW	Detroit Metro Wayne County
FLL	Fort Lauderdale/Hollywood Intl
MKE	General Mitchell International
IAH	George Bush International
ATL	Hartsfield-Jackson Atlanta Intl
HNL	Honolulu International
JFK	John F. Kennedy International
SNA	John Wayne-range County
LGA	LaGuardia
STL	Lambert St. Louis International
LAS	Las Vegas McCarran International
LAX	Los Angeles International
SDF	Louisville International
MEM	Memphis International

MIA	Miami International
MSP	Minneapolis St. Paul International
EWR	Newark International
MCO	Orlando International
PHL	Philadelphia International
PHX	Phoenix Sky Harbor International
DCA	Ronald Reagan Washington National
SAN	San Diego International
SLC	Salt Lake City International
SEA	Seattle-Tacoma International
PVD	Theodore Francis Green State
IAD	Washington Dulles International
HOU	William P. Hobby International

d. 다음 시설은 ASSC를 수신할 수 있도록 설계되어 있다.

표 4-5-2

SFO	San Francisco International
CLE	Cleveland-Hopkins International
MCI	Kansas City International
CVG	Cincinnati/Northern Kentucky Intl
PDX	Portland International
MSY	Louis Armstrong New Orleans Intl
PIT	Pittsburgh International
ANC	Ted Stevens Anchorage International
ADW	Joint Base Andrews AFB

4-5-6. 교통정보업무(TIS; Traffic Information Service)

a. 서론(Introduction)

교통정보업무(TIS)는 data link를 통하여 조종실에 정보를 제공하며, 보통 음성 무선교신으로 수신되는 VFR 레이더교통조언과 유사하다. 우선적으로 FAA가 제공하는 data 업무 중의 하나인 TIS는 근처의 교통과 잠재적인 충돌가능성이 있는 상황을 조종사에게 통보하는 자동시현장치(automatic display)를 통해 안전 및 "육안회피" 비행의 효율성을 증진시키기 위한 것이다. 이 교통시현장치는 조종사가 이러한 항공기를 시각적으로 포착하는 것을 돕기 위한 것이다. TIS는 적절하게 장비를 갖춘 항공기(TIS "client"라고 한다)에 이러한 정보를 "uplink"하기 위하여 필요한 data link는 물론, 감시 data를 포함하고 있는 증진된 성능의 terminal Mode S 레이더시스템을 사용한다. TIS는 client 항공기의 수평으로 7 NM, 수직으로 +3,500과 −3,000 ft 이내로 침범한 항공기 8대에 대한 예상위치, 고도, 고도경향과 지상항적정보를 제공한다 (그림 4-5-4, TIS 근접 통달범위 영역 참조). 7 NM을 초과하는 거리로 보고되는 표적(target)의 범위는 이 표적이 34초 내에 위협이 될 것이라는 것 만을 나타내며, 정확한 거리를 시현하지는 않는다. TIS는 고도의 거리와는 관계없이, 조종사에게 34초 이내에 잠재적인 충돌이 있을 수 있다고 판단되는 항공기(Mode S radar의 감시 하에 있는)를 경고할 것이다. TIS 감시 data는 ATC에 의해 사용되는 동일한 레이더로부터 획득되며, 이 data는 각 레이더 scan 상의 client 항공기로 uplink 된다 (보통 2초마다).

그림 4-5-4. TIS 근접 통달범위 영역(TIS Proximity Coverage Volume)

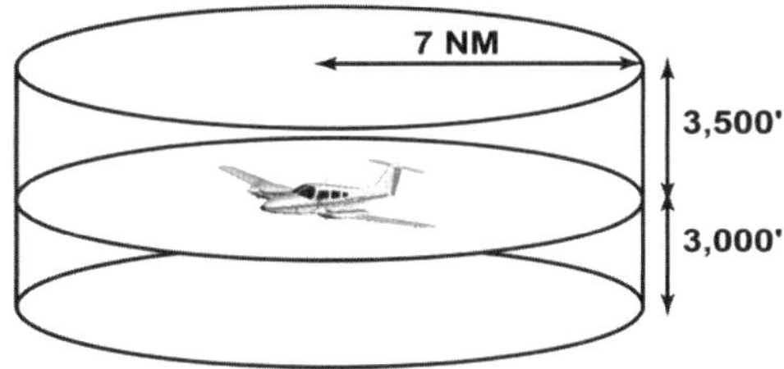

b. 요건(Requirement)

1. TIS를 이용하기 위해서는 client와 침범항공기가 해당하는 조종실장비를 갖추고, TIS 제공 Mode S 레이더 포착범위 이내에서 비행해야 한다. 통상적으로 이것은 그림 4-5-5, Terminal Mode S Radar sites에 표기된 site로부터 55 NM 이내이다. ATC 통신은 TIS를 수신할 것을 요구하지는 않지만, 특별한 공역이나 TIS를 이용하는 운항에서는 필요할 수도 있다.

2. 업무를 수신하기 위하여 TIS client 항공기에 필요한 조종실장비 기능은 다음과 같이 구성된다. (그림 4-5-6 참조)

(a) 고도 encoder가 있는 mode S data link transponder

(b) TIS software가 설치된 data link applications processor

(c) Control-display 장치

(d) 선택장비에는 "crab angle"과 선회기동으로 인하여 발생할 수 있는 시현오차를 수정하기 위한 digital heading source가 포함된다.

주(Note)
위의 기능 중 일부는 (a)와 (b) 같은 하나의 항공전자장비 부분품에 통합될 것이다.

3. TIS client에 식별되기 위해서 침범항공기는 최소한 작동하는 트랜스폰더 (Mode A, C 또는 S)를 갖추고 있어야 한다. 적절하게 장착되어 있다면, 침범항공기에서 TIS에 의해 제공되는 모든 고도정보는 Mode C 보고로부터 획득된다.

4. 처음에 TIS는 ASR-9 digital 일차레이더와 한 조를 이루는 terminal Mode S 시스템에 의해 제공된다. 이러한 시스템은 교통이 매우 밀집한 지역에 위치하며, 따라서 초기에 가장 많은 이득을 제공한다. ASR-7 또는 ASR-8 analog 일차레이더와 한 조를 이루는 나머지 terminal Mode S sensor는 이러한 site가 수정 또는 재배치되는 동안 TIS를 제공한다. Site 위치는 그림 4-5-5, Terminal Mode S Radar Sites 참조. TIS는 비필수적인 보충정보업무이기 때문에 각각의 레이더 site 상에서 NOTAM과 같은 상태 update를 제공하는 적절한 방법이 없다.

또한 FAA는 12초 마다 1번 회전하는 항공로 Mode S 레이더(그림에는 제시되어 있지 않음)를 운영한다. 현 시점에서는 항공로 Mode S radar에서 TIS를 수행하려는 계획은 없다.

그림 4-5-5. Terminal Mode S Radar Sites

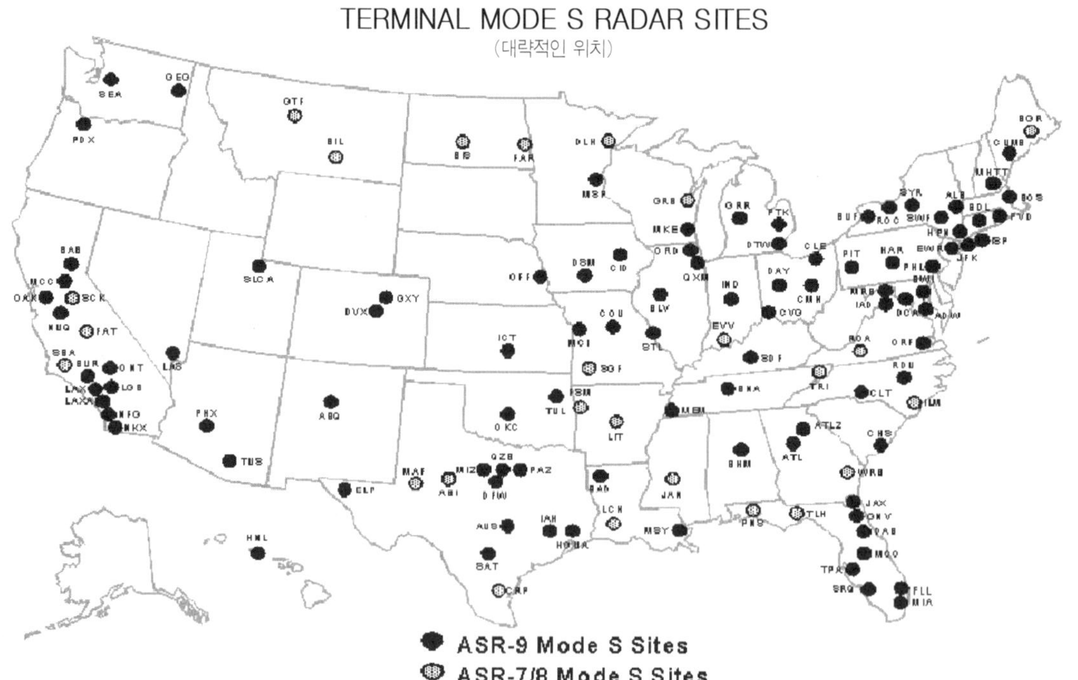

c. 성능(Capability)

1. TIS는 적절한 장비를 갖춘 client 항공기에 근접한 항공교통의 시각적인 포착을 돕기 위하여 Mode S data link를 통해 지상기반 감시정보를 제공한다. 각 설비의 실제적인 항공전자성능은 다양하므로, TIS를 이용하기 전에 보충 handbook을 참조하여야 한다. 최대 8대의 침범항공기가 시현될 수 있으며, 8대를 초과하는 항공기가 침범기 변수(intruder parameter)와 일치되면 "가장 중대한(most significant)" 8대의 침범기가 uplink 된

다. 일반적으로 "가장 중대한" 침범기란 TIS client에 가장 근접해 있거나, 가장 위협이 되는 항공기를 말한다.

2. Mode S 지상 sensor에 의하여 TIS는 다음과 같은 각 침범항공기의 자료를 제공한다.

(a) 6° 간격의 상대방위(relative bearing) 정보

(b) 1/8 NM 간격부터 1 NM 간격까지의 상대거리 정보 (거리에 따라)

(c) 침범항공기가 운항고도 보고기능을 갖추고 있으면, 100 ft 간격(1,000 ft 이내) 또는 500 ft 간격(1,000~3,500 ft)의 상대고도

(d) 45° 간격의 침범기 예상 지상항적(ground track)

(e) 침범항공기가 운항고도 보고기능을 갖추고 있다면, 고도경향 자료 (500 fpm 이하 또는 500 fpm 초과 상승률/강하율 수준)

(f) "교통조언(traffic advisory)" 또는 "근접(proximate)" 침범기와 같은 침범기 우선순위

3. 하나의 Mode S sensor의 감시범위에서 다른 Mode S sensor의 감시범위로 비행할 때, TIS의 전환은 항공전자시스템의 자동기능이며 조종사의 조치를 필요로 하지 않는다.

4. 최우선순위의 침범기와 data link 시스템상태를 조종사에게 경고하기 위하여 항공기탑재시스템 또는 지상장비에 의해 제공되는 상태 메시지(status message)는 다양하다. 이러한 message에는 다음과 같은 항목이 포함된다.

(a) 경고(alert). 34초 이내의 잠재적인 충돌위험을 식별한다. 점멸하는 시현부호(display symbol) 또는 headset tone과 같은 경고를 보거나 들을 수도 있다. 30초 이내의 시간에 수직과 수평좌표에 근접접근할 수 있고, 수직으로 500 ft 횡적으로 0.5 NM 이내의 근접접근이 예상되는 경우 표적은 위협이 된다.

(b) TIS Traffic. TIS 교통자료가 시현된다.

(c) Coasting. TIS 시현정보는 6초 이상 지난 정보이다. 이것은 지상시스템으로부터 uplink를 받지 못했다는 것을 나타낸다. TIS 시현정보가 12초 이상 지난 것이라면, "No Traffic" 상태로 표시된다.

(d) No Traffic. 근접 또는 경고기준과 일치하는 침범기 없음. 이러한 상태는 TIS 시스템이 완전히 제 기능을 할 때 나타나거나, 12초에서 59초 이전 정보인 "coasting" 상태를 표시하는 것일 수 있다. (위의 (c) 참조)

(e) TIS Unavailable. 조종사가 TIS를 요청했지만 지상시스템을 이용할 수 없음. 또한 이러한 상태는 60초 이상 TIS uplink가 되지 않을 때에도 시현된다.

(f) TIS Disabled. 조종사가 TIS를 요청하지 않았거나, TIS와 연결이 끊겼음.

(g) Good-bye. Client 항공기가 비행하여 TIS 통달범위를 벗어났음.

주(Note)

항공전자장비 제작사의 적용여부에 따라 이러한 message의 일부는 조종사에게 바로 제공되지 않을 수 있다.

5. 항공전자시스템 설계에 따라 TIS는 문자와 그림을 포함한 서로 다른 다양한 시현장치로 조종사에게 제공된다. 또한 음성경보가 단독으로 또는 시각적인 시현장치와 조합되어 사용될 수 있다. 그림 4-5-6, 교통정보업무(TIS), 항공전자시스템 Block Diagram은 미국의 대부분 승객운송용/commuter 항공기에 장착된 공중충돌경고장치(TCAS)와 유사한 부호를 사용하는 TIS 시현장치의 한 예를 보여준다. 중앙의 작은 부호는 client 항공기를 나타내며, 시현장치는 항적(track)이 위쪽으로 상부의 12시 위치가 되도록 맞추어진다. 거리를 나타내는 원(range ring)은 2 NM과 5 NM을 나타낸다. 각 침범기는 client 항공기로부터 대략적인 상대방위와 거리에 위치한 부호로 표시된다. 중앙에 인접한 원형부호는 "경고(alert)" 침범기를 나타내며, diamond 부호는 "근접(proximate)" 침범기를 나타낸다.

6. 그림 4-5-6, 교통정보업무(TIS), 항공전자시스템 Block Diagram의 우측 하부에 삽입된 이미지는 가능성이 있는 TIS 자료란(data block)의

시현을 보여준다. 이 자료란에는 다음과 같은 정보가 포함된다.

(a) 대략 4시 방향, 3 mile 거리에 위치한 침범항공기가 "근접" 항공기이며, 현재는 client 항공기에 충돌위협이 되지는 않는다. 이것은 이 예에 사용된 diamond 부호로 표시된다.

(b) 침범기 지상항적(ground track)은 client 항공기의 우측으로 벗어나고 있으며, 이는 작은 화살표로 표시된다.

(c) 침범기의 고도는 client 항공기보다 낮은 고도나 700 ft 미만의 고도에 있으며, 이는 부호 하부에 위치한 "-0.7"로 표시된다.

(d) 침범기는 500 fpm을 초과하는 강하율로 강하 중이며, 이는 상대고도정보 "-07" 다음의 아래 방향 화살표로 표시된다. 고도 tag가 표시될 때, 이 화살표가 없다는 것은 수평비행 또는 상승률/강하율이 500 fpm 미만이라는 것을 나타낸다.

주(Note)

침범기가 작동되는 고도 encoder (Mode C)를 갖추고 있지 않다면, 고도와 고도경향 "tag"는 생략될 것이다.

그림 4-5-6. 교통정보업무(TIS) 항공전자시스템 Block Diagram(Traffic Information Service Avionics Block Diagram)

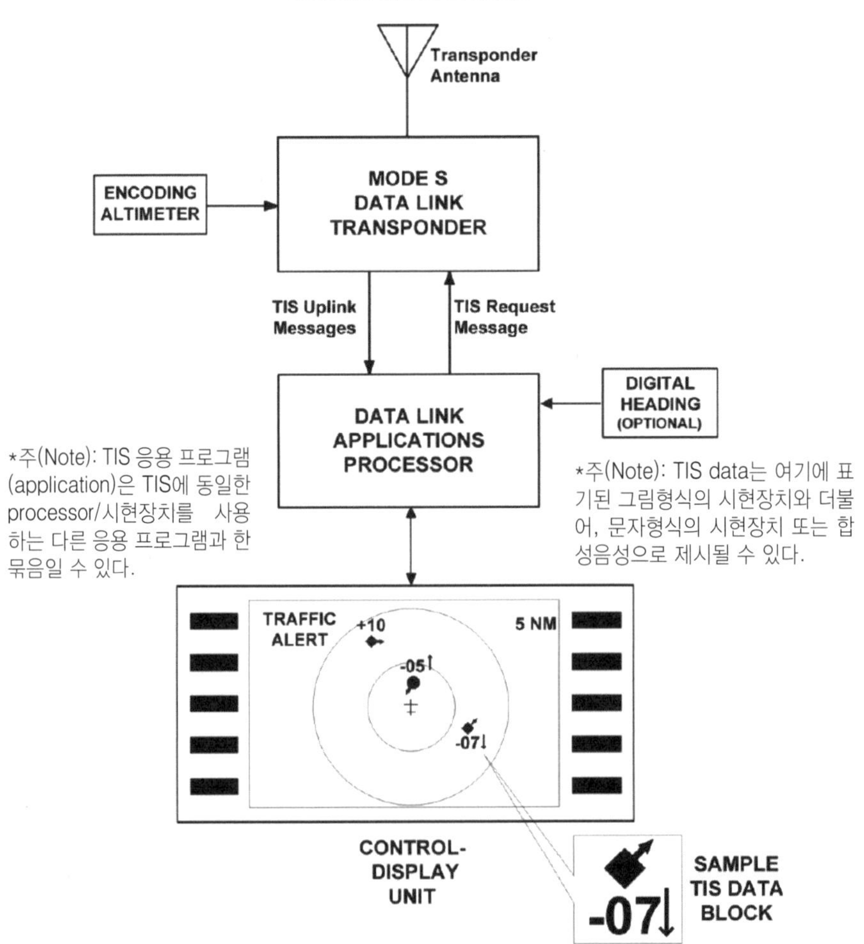

d. 제한(Limitation)

1. TIS는 충돌경고장치로 사용되지 않으며, 다른 항공기에 대한 "육안회피" 책임을 면하여 주지도 않는다 (5-5-8항, 육안회피 참조). IMC 동안이나 그 이외에 침범항공기를 육안확인할 수 없을 때에는 회피기동에 TIS를 사용해서는 안된다. TIS는 VMC에서 다른 항공기의 시각적 포착만을 지원하기 위한 것이다. TIS 침범항공기의 시현 또는 TIS 경고의 직접적인 결과로서 권고되는 회피기동이 제공되거나 허가되지 않는다.

2. TIS가 항공기의 육안회피에 유용한 보조시설이기는 하지만, 적절한 사용을 위해서는 이 시스템의 일부 제한사항을 완전히 이해하여야 한다. 이러한 제한의 대부분은 이차레이더감시 고유의 문제이다. 다른 말로 하면 TIS에 의하여 제공되는 정보는 ATC에 제공되는 정보와 다를 게 없다. 그 밖의 제한과 이상현상(anomaly)은 TIS 예측 알고리즘(predictive algorithm)과 관련되어 있다.

(a) 침범기 시현 제한(Intruder Display Limitation). TIS는 작동하는 트랜스폰더를 탑재한 항공기만을 시현한다. TIS는 4-5-2항에 기술된 ATCRBS와 유사한 "이차감시(secondary surveillance)" 레이더인 Mode S 레이더의 감시에 의존한다.

(b) TIS Client 고도보고 요건. TIS client 항공기가 TIS를 수신하기 위해서는 고도보고가 필요하다. 고도 encoder가 작동하지 않거나 장애가 있다면, 지상시스템은 TIS 요청에 응할 수 없으며 TIS를 이용할 수 없다. 따라서 TIS는 그림 4-5-4에 제시된 근접 통달범위 영역을 결정하기 위해 고도보고를 필요로 한다. TIS는 client 고도보고가 정확한 지의 여부를 판단할 수 있는 방법이 없기 때문에 TIS 사용자는 고도 encoder 고장에 주의를 기울여야 한다. 이러한 성격의 결함은 잘못되거나 혹은 예측할 수 없는 TIS 운영의 원인이 될 수 있다. 이러한 고장이 의심된다면 ATC에 고도보고의 확인을 권고한다.

(c) 침범기 고도보고. 고도보고기능이 없는 침범기는 고도 tag 없이 시현된다. 부가적으로, 고도를 보고하지 않은 침범기는 경고산정을 위하여 TIS client와 동일한 고도에 있다고 가정한다. 이것은 조종사에게 레이더 포착범위의 모든 교통을 경계하도록 하는 데에는 도움을 주지만, 실제 고도차이는 크게 발생할 수 있다. 따라서 이러한 경우에는 시각적인 포착이 어려울 수 있다.

(d) 포착범위(Coverage) 제한. TIS는 지상기반 이차감시레이더에 의해 제공되기 때문에 그 레이더의 모든 제한에 대한 적용을 받는다. 항공기가 레이더에 포착되지 않으면 TIS에 시현될 수 없다. 이러한 제한의 예는 다음과 같다.

(1) 통상적으로 TIS는 그림 4-5-5, Terminal Mode S Radar Site에 표기된 레이더로부터 55 NM 이내에 제공된다. 이 최대범위는 레이더 site에 따라 달라질 수 있으며, 레이더와 data link 신호가 장애물, 지형과 지구의 굴곡에 의해 차단되는 "가시선(line of sight)"의 제한을 항상 받는다.

(2) TIS는 나라 안의 여러 지역, 특히 산악지역의 저고도에서는 이용할 수 없다. 또한 특정지역에서 client 항공기 하부의 침범기가 레이더 포착범위의 "하한고도(floor)" 근처에서 비행할 경우, TIS에 탐지되지 않을 수 있다.

(3) 포착이 이루어지는 레이더 site의 직상공을 비행할 경우, 인접한 site가 업무를 제공하지 않으면 일시적으로 TIS가 중단될 수 있다. VOR 또는 NDB와 같은 지상기반 레이더는 때로는 혼돈범위(cone of confusion) 또는 불청범위(cone of silence)라고 하는 정점원뿔(zenith cone)을 형성한다. 이것은 방위정보를 신뢰할 수 없는 기지국 직상공의 불명확한 범위이다. TIS의 정점원뿔 설정은 34°이며, 따라서 레이더 수평선에 대한 각도 이상의 항공기는 각도가 34° 이하가 될 때까지 이 레이더의 TIS 포착범위를 벗어난다. 인접한 레이더가 TIS를 제공할 수 있기 때문에 항공기는 다수의 레이더 포착범위 지역에서는 실제적으로 업무가 중단되지 않을 수도 있다. 다른 TIS-성능 레이더를 이용할 수 없다면 "Good-bye" 메시지가 수신되고, 다시 포착범위에 들 때까지 TIS는 종료된다.

(e) 일시 운영중단(Intermittent Operation). 선회 또는 그 밖의 기동 시에, 특히 트랜스폰더 시스

템이 diversity 안테나(항공기의 상부 및 하부에 설치된 안테나)를 포함하고 있지 않다면 TIS 운영이 일시적으로 중단될 수 있다. 위의 (d)와 같이 TIS는 항공기와 Mode S radar 간의 양방향, "가시선(line of sight)" 통신에 좌우된다. Client 항공기의 구조물이 트랜스폰더 안테나(일반적으로 항공기의 하부에 위치)와 지상기반 레이더 안테나 사이에 올 때마다 일시적으로 신호가 중단될 수 있다.

(f) TIS 예측 알고리즘(Predictive Algorithm). TIS 정보의 수집은 uplink가 일어나는 scan 이전의 한 번의 레이더 scan으로 이루어진다. 따라서 감시정보는 약 5초 이전의 정보이다. 침범기의 "실시간(real time)" 위치를 나타내기 위해서 TIS는 "예측 알고리즘"을 추적 소프트웨어로 사용한다. 이 알고리즘은 조종실시현장치 시간과 일치하는 침범기의 예상위치를 추정하기 위하여 항적(track) 이력 data를 사용한다. 때때로, 항공기기동은 알고리즘이 TIS 시현의 오차를 유발하는 원인이 된다. 이 오차는 주로 상대방위 정보에 영향을 미치며, 침범기의 거리와 고도는 상대적으로 정확성을 유지하기 때문에 "육안회피"를 돕기 위하여 사용할 수 있다. 이러한 오차의 몇 가지 일반적인 예는 다음과 같다.

(1) Client 또는 침범항공기의 기동이 과도하거나 급격할 경우, 추적 알고리즘은 기동하는 항공기가 안정될 때 까지 부정확한 수평위치를 나타낼 것이다.

(2) 빠르게 근접한 침범기가 완만한 각도로 client를 통과하거나(추월 또는 전방에 끼어듦) 각 항공기가 1/4 NM 이내에서 진로를 갑자기 변경할 경우, TIS는 침범기가 실제 있는 위치보다 client의 반대쪽에 침범기를 시현할 것이다. 이러한 현상은 비교적 드물게 발생하며, 진로가 안정되면 몇 차례의 레이더 scan으로 수정된다.

(g) 방위/진로(Heading/Course) 기준. 모든 TIS 항공기설비가 항공기탑재 방위기준(heading reference) 정보를 가지고 있지는 않다. 이 설비에서 항공기 진로기준은 Mode S 레이더에 의해 TIS 시현장치에 제공된다. 레이더는 지상항적(ground track) 정보만을 알아내며, client 항공기의 방위(heading)를 지시하지는 않는다. 이 설비에서 모든 침범기의 방위정보는 지상항적을 기준으로 하며, 바람수정(wind correction)을 고려하지는 않는다. 더불어 지상기반 레이더는 진로가 변경된 다음의 항공기 진로를 알아내기 위해서는 몇 번의 scan을 필요로 하기 때문에 TIS 방향(침범항공기 방위) 시현에 지연이 발생할 수 있다. 위의 (f)와 같이 침범기의 거리와 고도는 여전히 사용 가능하다.

(h) 근접침범기 오차(Closely-Spaced Intruder Errors). Mode S sensor로부터 30 NM 이상에서 운항할 경우, TIS는 TIS client의 3/8 NM 이내의 침범기를 client 항공기와 동일한 수평위치에 나타나도록 한다. 이러한 기능을 가지고 있지 않는 TIS는 위험한 상황에서 조종사가 혼동할 수 있는 방법으로 침범기를 시현할 수 있다 (예를 들면 실제로는 client의 우측에 있는 근접침범기가 TIS 시현장치에는 좌측에 나타날 수 있다). TIS는 레이더로부터 먼 거리의 client 항공기에 근접한 침범항공기의 상대방위/거리정보를 정확하게 측정할 수 없다. TIS는 감시정보를 얻기 위해 지상기반 회전 레이더(rotating radar)를 사용하기 때문에 TIS 자료의 정확성은 업무를 제공하는 sensor(레이더)로부터의 거리에 좌우된다. 이것은 VOR이나 NDB와 같은 지상기반 항행안전시설에서 경험한 것과 아주 유사한 현상이다. 레이더로부터의 거리가 증가함에 따라 감시의 정확성은 감소한다. TIS는 Mode S 레이더로부터의 거리를 조종사에게 통보하지 않기 때문에 client 항공기와 동일한 위치에 나타나는 침범기가 실제로는 어떤 방향으로 3/8 NM 떨어진 거리에 있을 수도 있다는 것을 알아야 한다. TIS 운영이 의도하는 대로 시현장치의 경고(레이더로부터의 거리에 관계없이)에 따라 외부 육안탐색, 침범기 포착 및 외부참조물을 기준으로 교통회피를 취하여야 한다.

e. TIS 고장의 보고(Report of TIS Malfunction)

1. TIS 사용자는 바람직하지 않은 성능의 관측보고에 의해 기능장애의 조기수정에 대한 유익한 조언을 제공할 수 있다. 보고자는 관측시간, 장소, 항공기

기종 및 식별부호를 표기하고 트랜스폰더 processor type과 또한 유용한 정보가 될 수 있는 사용하는 소프트웨어와 같은 관측조건을 기술하여야 한다. TIS 성능은 ATC보다는 오히려 정비담당자에 의해 검사되기 때문에 기능장애를 가장 인접한 비행정보업무국(FSS) 시설에 무선통신 또는 전화로 보고하여 줄 것을 정비담당자에게 권고한다.

4-5-7. 자동종속감시방송(Automatic Dependent Surveillance-Broadcast; ADS-B)

a. 서론(Introduction)

1. 자동종속감시방송(ADS-B)은 NAS 전역에 배치된 감시기술이다 (그림 4-5-7 참조). ADS-B 시스템은 항공기 항공전자장비 및 지상기반시설로 구성된다. 항공기탑재 항공전자장비는 GNSS를 사용하여 항공기의 위치를 측정하며, ATC 및 그 밖의 ADS-업무에 사용하기 위하여 항공기에 대한 부가적인 정보와 함께 위치를 지상기지국에 송신한다. 이 정보는 대략 초당 1회의 비율로 송신된다. (그림 4-5-8과 4-5-9 참조)

2. 미국에서 ADS-B를 갖춘 항공기의 정보교환은 978 또는 1090 MHz 두 주파수 가운데 하나의 주파수로 이루어진다. 1090 MHz 주파수는 Mode A, C 및 S 트랜스폰더 운용과 관련되어 있다. 통합 ADS-B 기능이 있는 1090 MHz 트랜스폰더는 추가적인 ADS-B 정보를 트랜스폰더 메시지 set에 포함시킨다. 이 추가정보를 "extended squitter" 메시지라고 하며, 1090ES라고 부른다. 978 MHz로 운용되는 ADS-B 장비는 Universal Access Transceiver(UAT)라고 한다.

그림 4-5-7. ADS-B, TIS-B 및 FIS-B: 방송업무 구성(Broadcast Services Architecture)

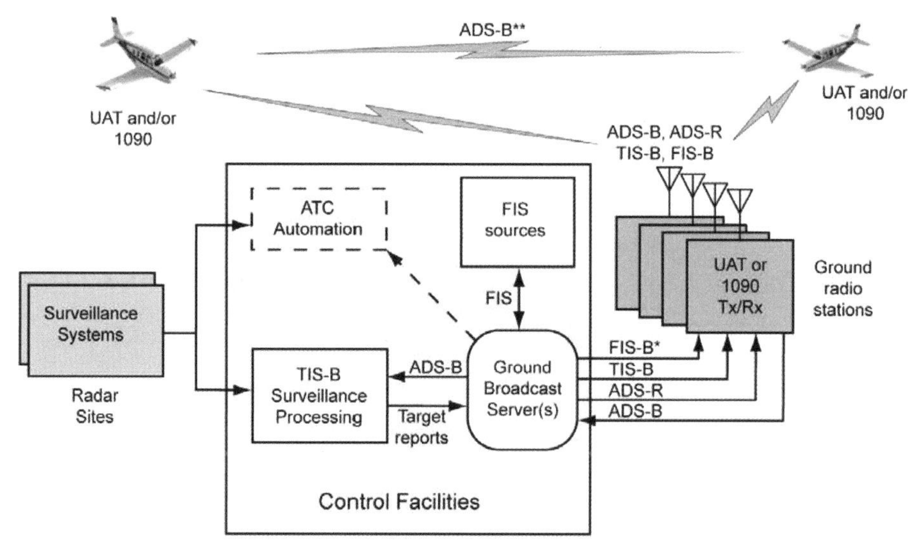

* FIS-B는 1090 link로 제공되지 않는다. ** 양 항공기는 동일한 link 상에 있어야 한다.

3. ADS-B 항공전자장비는 정보를 송신하고 수신할 수 있는 능력을 둘 다 가질 수 있다. 항공기로부터의 ADS-B 정보의 송신은 ADS-B Out 이라고 한다. 항공기에 의한 ADS-B 정보의 수신은 ADS-B In 이라고 한다. 2020년 1월 1일부로 14 CFR Part 91, §91.225에 정의된 공역 내에서 운항하는 모든 항공기는 ADS-B Out 항공전자장비를 사용하여 §91.227에 정의된 정보를 송신해야 할 것이다.

4. 일반적으로 18,000 ft 이상에서 비행하는 운용자는 1090ES를 사용하는 장비가 필요할 것이다. 18,000 ft 이상에서 비행을 하지 않는 운용자는 UAT 또는 1090ES 장비를 사용할 수 있다 (14 CFR 91.225 및 91.227 참조). ADS-B를 갖출

것을 규정으로 요구하고 있지는 않지만, ADS-B를 갖춘 운용자는 ADS-B 방송업무인 항공교통정보제공방송(TIS-B) (4-5-8항) 및 비행정보제공방송(FIS-B) (4-5-9항)을 통해 추가적인 이득을 실감할 수 있을 것이다.

그림 4-5-8. En Route - ADS-B/ADS-R/TIS-B/FIS-B Service Ceilings/Floors

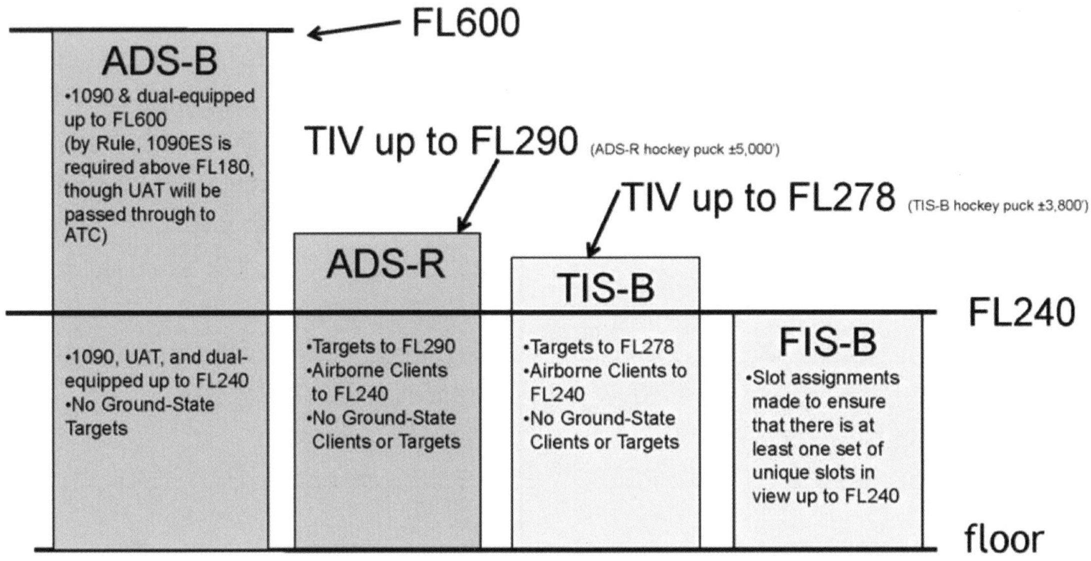

그림 4-5-9. Terminal - ADS-B/ADS-R/TIS-B/FIS-B Service Ceilings/Floors

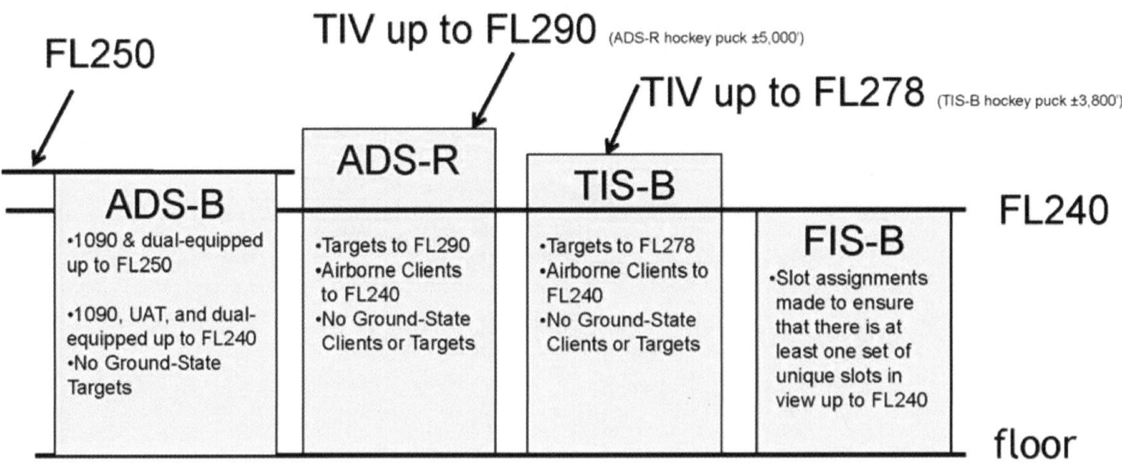

b. ADS-B 인증 및 성능요건(ADS-B Certification and Performance Requirement)

ADS-B 장비는 ADS-B Out을 이용한 항공교통분리업무의 감시제공자로 인증될 수 있다. 또한 ADS-B 장비는 적절하게 갖추어진 항공기가 교통 및 비행정보를 시현할 수 있도록 하는 ADS-B In 조언업무의 사용에도 인증될 수 있다. 특정 항공기설비의 성능에 대해서는 항공기의 비행교범보충판 또는 조종사 운용교범을 참조한다.

c. ADS-B 성능 및 절차(ADS-B Capability and Procedures)

1. 특히 ADS-B는 레이더가 지형 때문에 효과가 없거나, 또는 레이더가 비실용적이고 많은 비용이 드는 지역에서 공대공과 공대지 양쪽의 향상된 감시업무를 가능하게 한다. 공대공 ADS-B의 초기 NAS 적용은 공중이나 공항지표면 상에서 장비를 갖춘 근처 다른 항공기 조종사의 시각적포착 향상에 사용하기 위한 단지 "조언"의 용도였다. 부가적으로 ADS-B는 ATC와 항공회사 운영자가 이용 가능한 지상기지국 포착범위(coverage area) 전역의 항공기를 감시할 수 있도록 한다.

2. ADS-B로 송신되는 자료 항목 중의 하나는 비행 식별부호(FLT ID) 이다. FLT ID는 최대 7자리의 글자와 숫자로 구성되며, 비행계획서에 표기된 항공기 식별부호와 일치하여야 한다. 항공사 및 commuter 항공기의 경우 일반적으로 FLT ID는 회사명 및 항공편명(예를 들면, AAL3342)이며, 통상적으로 비행전 검사 시에 비행승무원이 항공전자장비에 입력한다. 일반항공(GA) 항공기의 경우, 항공기의 전자장비가 FLT ID의 동적 변조를 허용하면 조종사는 비행전에 이를 입력할 수 있다. 그러나 일부 ADS-B 항공전자장비는 FLT ID를 설치자가 항공기 등록번호(registration number)로 설정(예를 들면, N1234Q) 하여야 하며, 조종사가 조종실에서 변경할 수 없다. 둘 다 FLT ID는 비행계획서에 제출된 항공기 식별부호와 일치하여야 한다. ATC 자동시스템은 정해진 공역 내의 각 항공기를 다르게 식별하고, 제출된 비행계획서와 연관시켜 감시 및 분리업무를 제공하기 위하여 송신된 ADS-B FLT ID를 사용한다. FLT ID와 기입한 항공기 식별부호가 일치하지 않으면 Call Sign Mis-Match (CSMM)가 발생하고, ATC 자동시스템은 제출된 비행계획서와 항공기를 연관시킬 수 없게 된다. 이러한 경우, CSMM이 수정될 때까지 항공교통업무가 지연되거나 이를 이용하지 못할 수도 있다. 따라서 운항승무원과 GA 조종사는 비행계획서에 기입된 항공기 식별부호와 FLT ID를 정확하게 일치시켜야 한다.

3. 각 ADS-B 항공기에는 ADS-B 트랜스미터로 방송되는 고유 ICAO 주소(24-bit 주소라고도 한다)가 배정된다. 이 ICAO address는 장착시에 프로그램이 가능하다. 다수의 항공기가 동일한 ADS-B Only Service Volume을 지나는 동안 동일한 ICAO 주소로 방송할 것이므로, ADS-B network로 정확하게 표적(target)을 추적하지 못할 수도 있다. 레이더 강화(radar reinforcement)를 이용할 수 있으면 계속해서 추적할 수 있다. 레이더를 이용할 수 없으면 관제사는 하나 또는 양쪽 표적을 완전히 추적하지 못할 수 있다. 따라서, ICAO 주소를 정확하게 입력하여야 한다. UAT datalink의 ADS-B 항공전자장비를 갖춘 항공기는 익명의 24-bit ICAO 주소를 방송할 수 있는 기능을 가지고 있다. 이러한 모드에서 UAT system은 항공기에 배정된 실제 ICAO 주소와 일치하지 않는 임의 주소(randomized address)를 무작위로 만들어 낸다. 2020년 1월 1일 이후 14 CFR 91.225에서 식별되지 않은 공역에서 UAT 무작위 24-bit 주소 기능은 운영자가 비행계획서를 제출하지 않고, ATC 업무를 요청하지 않은 경우에만 이용할 수 있다. 익명모드(anonymity mode)에서 항공기의 beacon code는 1200으로 설정하여야 하며, 제작사의 적용여부에 따라 항공기의 FLT ID가 송신되지 않을 수도 있다. 운영자는 UAT 무작위 모드에서는 ATC 분리 및 비행추적업무를 받을 수 없으며, 증진된 ADS-B 수색 및 구조기능의 혜택을 거의 받을 수 없다는 것을 인식하여야 한다.

4. 트랜스폰더와 통합된 ADS-B 시스템은 7500, 7600 또는 7700이 트랜스폰더에 입력되면 적용할 수 있는 비상상황을 자동으로 설정한다. 트랜스폰더와 통합되지 않은 ADS-B 시스템이나 비상 code를 선택하는 시스템은 조종사가 해당 비상 code를 입력하는 것이 필요하다. ADS-B는 비행중이나 공항지표면에서 사용하기 위한 것이다. ADS-B 시스템은 공중에서 운항 중이거나 공항지표면에서 이동 중일 때에는 언제든지 "on"으로 전환하고 "on"을 유지하여야 한다. 민간용 및 군용 Mode A/C 트랜스폰더 및 ADS-B 시스템은 ATC 요청에 의하여 사전

에 "standby"로 변경하지 않은 한, 가능한 빨리 "on" 또는 일반적인 운용위치로 조절하여야 한다.

d. ADS-B를 사용한 ATC 감시업무-절차 및 권고 관제용어

이 항에 제시된 것을 제외하고 레이더절차는 AIM 4장과 5장의 레이더에 대해 기술된 절차와 거의 동일하다.

1. 비행전(Preflight). VFR 이나 IFR 비행계획서를 제출할 때 ATC 업무가 예상되면, ADS-B avionics에 FLT ID로 항공기의 식별부호를 기재(비행계획서에 기입할 때)하여야 한다.

2. 비행중(Inflight). 체공하는 동안 감시업무를 요청할 때 익명기능(anonymous feature)을 갖추고 있다면 조종사는 ATC와 교신하기 전에 이 기능을 정지시켜야 한다. 조종사는 송신되는 ADS-B FLT ID가 비행계획서에 기재된 항공기 식별부호와 일치하는 지도 확인하여야 한다.

주(Note)

일부 ADS-B 시스템에 있는 broadcast "VFR" 또는 "Standby" mode에서는 해당 항공기 식별부호 정보가 ATC에 제공되지 않을 수 있다. ATC와 교신하기 전에 먼저 이 기능을 정지시켜야 한다.

3. 항공기 ADS-B 송신기 부작동/기능장애의 경우

(a) ATC는 항공기의 ADS-B 송신기가 작동하지 않거나 기능장애로 보이면 운항승무원에게 통보한다.

관제용어(Phraseology)

Your ADS-B transmitter appears to be inoperative/malfunctioning. Stop ADS-B transmissions.

(b) ATC는 항공기의 ADS-B 송신기의 작동을 중지시킬 필요가 있으면 운항승무원에게 통보할 것이다.

관제용어(Phraseology)

Stop ADS-B transmissions.

(c) 그 밖의 고장 및 고려사항: 자동고도보고기능의 상실(encoder 결함)은 ATC 조언업무의 상실로 이어질 수 있다.

e. ADS-B 제한(ADS-B Limitation)

1. ADS-B 교통정보 조종실시현장치는 충돌경고장치로 사용되지 않으며, 다른 항공기에 대한 "육안회피" 책임을 면하여 주지도 않는다 (5-5-8항, 육안회피 참조). IMC 동안이나 그 이외에 침범항공기를 육안확인할 수 없을 때에는 회피기동에 ADS-B를 사용해서는 안된다. ADS-B는 다른 항공기의 시각적 포착만을 지원하기 위한 것이다. 조종실에 시현되는 ADS-B 표적의 직접적인 결과로서 회피기동이 제공되거나 허가되지 않는다.

2. ADS-B Radar Services의 사용은 GBT 서비스범위로 제한된다.

주(Note)

GBT의 통달범위 영역은 가시선(line-of-sight)으로 제한된다.

f. ADS-B 기능장애의 보고(Report of ADS-B Malfunction)

ADS-B 사용자는 바람직하지 않은 시스템성능의 사례보고에 의해 기능장애의 수정에 대한 유익한 조언을 제공할 수 있다. ADS-B 성능은 ATC보다는 오히려 정비담당자에 의해 감시되기 때문에 가장 인접한 비행정보업무국(FSS) 시설에 무선통신 또는 전화로 기능장애를 보고한다. 보고자는 다음을 기술하여야 한다.

1. 관측조건(condition observed)
2. 관측시간
3. 고도 및 관측장소
4. 항공기 기종 및 식별부호(type and call sign of the aircraft)
5. 항공전자시스템의 유형과 소프트웨어 version

4-5-8. 항공교통정보제공방송(Traffic Information Service-Broadcast; (TIS-B)

a. 서론(Introduction)

TIS-B는 지상통신국에서 ADS-B 탑재(1090ES 또는 UAT) 항공기로 획득된 교통정보를 ATC가 방송하는 것이다. 이 교통정보의 source는 지상기

반 항공교통감시 sensor에서 획득된다. TIS-B 업무는 지상 sensor로부터 적당한 감시범위에 있고, ADS-B 지상통신국으로부터 적당한 방송 통달범위에 있는 NAS 전역에서 이용할 수 있다. TIS-B에 의해 제공되는 교통정보의 품질수준은 TIS-B source로 이용할 수 있는 지상 sensor의 수와 유형, 그리고 적시의 보고자료 등에 좌우된다. (그림 4-5-8과 그림 4-5-9 참조)

b. TIS-B 요건(TIS-B Requirement)

TIS-B 업무를 제공받기 위해서는 다음과 같은 조건이 되어야 한다.

1. 항공기는 ADS-B 송신기/수신기 또는 송수신기, 그리고 교통정보 조종실시현장치(cockpit display of traffic information; CDTI)를 갖추어야 한다.

2. 항공기는 TIS-B uplink를 위해 설정된 지상통신국의 적합한 포착범위 영역 이내에서 비행하여야 한다. (레이더 포착범위가 아니거나 레이더 제공체제를 이용할 수 없는 등의 이유로 모든 지상통신국이 TIS-B를 제공하는 것은 아니다)

3. 항공기는 사용 중인 지상통신국에 업무를 제공하는 ATC 레이더 가운데 최소한 하나의 레이더 포착범위 내에 있어야 하며, 레이더에 탐지되어야 한다.

c. TIS-B 성능(TIS-B Capability)

1. TIS-B는 모든 주변 항공기가 ADS-B를 갖추지는 않은 상황에서, ADS-B Out을 갖춘 항공기에 보다 더 완벽한 교통상황을 제공하기 위한 것이다. 이것은 조종사가 다른 항공기를 시각적으로 포착하는 것을 증진시키기 위한 조언만을 제공하기 위한 것이다.

2. 트랜스폰더를 갖춘 표적(즉, Mode A/C 또는 Mode S 트랜스폰더) 만이 ATC 지상시스템 구조를 통해 송신된다. 최근의 레이더 부지에서는 일부 공항 근처의 저고도에서 레이더감시범위의 제한과 이에 따른 TIS-B 서비스 통달범위의 제한이 발생할 수 있다. 주어진 지역이 레이더 포착범위가 아니라면, 그 지역에 TIS-B 업무는 제공되지 않을 것이다.

d. TIS-B 제한(TIS-B Limitation)

1. TIS-B는 충돌경고장치로 사용되지 않으며, 14 CFR §91.113b에 따라 다른 항공기에 대한 "육안회피" 책임을 면하여 주지도 않는다 (5-5-8항, 육안회피 참조). 침범항공기를 육안확인할 수 없을 때에는 회피기동에 TIS-B를 사용해서는 안된다. TIS-B는 다른 항공기의 시각적 포착만을 지원하기 위한 것이다.

주(Note)

조종실에 시현되는 TIS-B 표적의 직접적인 결과로서 회피기동이 허가되지 않는다.

2. TIS-B가 항공기의 육안회피에 유용한 보조시설이기는 하지만, 적절한 사용을 위해서는 이 시스템의 본질적인 제한사항을 이해하여야 한다.

(a) 조종사는 ADS-B처럼 빨리 추적하지 못하는 레이더로 인하여 통상적으로 기동(예, 상승선회) 시에 자신의 TIS-B 표적을 간헐적으로 수신할 수 있다.

(b) 지상시스템 내의 ADS-B와 레이더 연관 process에서 ADS-B 보고와 이에 상응하는 동일한 항공기의 레이더 반사신호를 상호 연관시키는 것은 때때로 어려울 수 있다. 이러한 경우가 발생하면 조종사는 조종실시현장치 상에서 중복 교통부호(즉, "TIS-B shadows")를 볼 수도 있다.

(c) TIS-B 교통보고의 update는 ADS-B 교통보고 update보다 대체로 더 적게 이루어진다. TIS-B 위치 update는 포착범위 내에서 사용 중인 레이더시스템의 유형에 따라 대략 3~13초에 한번 이루어진다. 이와 비교하여 ADS-B의 update 비율은 보통 초당 한번이다.

(d) TIS-B 시스템은 트랜스폰더를 갖춘 항공기와 관련된 자료만을 uplink 한다. 트랜스폰더를 갖추지 않은 항공기는 TIS-B 교통으로 시현되지 않는다.

(e) 항공기가 TIS-B 서비스범위 내부 또는 외부에서 운항 중일 때, 제공되는 지시가 없으므로 uplink된 TIS-B 교통정보를 받고 있는지의 여부를 아는 것은 어렵다. 모든 항공기가 TIS-B 표적으로 시현되지는 않는다는 것을 알아야 한다.

3. 조종사와 운용자는 TIS-B 표적을 시현하는 항공기 탑재장비가 조종사의 상황인식만을 위한 것이지 충돌회피의 수단으로서 인가되지는 않았다는 것을 상기하여야 한다. 즉각적인 조치가 필요한 긴급한 비상상황에 있지 않는 한, TIS-B 시현장치에 나타난 수렴하는 교통에 대응하기 위한 항공교통관제 허가의 위배는 14 CFR §91.123의 특정상황에서 허용된 경우를 제외하고 기동을 하기 전에 관할 ATC 기관의 허가를 받아야 한다. 부적절한 위배는 항공기를 항공기 탑재장비에 표시되지 않은 ATC 관제하의 다른 항공기에 근접하게 위치시킬 수 있으며, 조종사 규정위반 또는 다른 사고로 이어질 수 있다.

e. TIS-B 고장(TIS-B Malfunction)의 보고

TIS-B 사용자는 바람직하지 않은 시스템성능의 사례보고에 의해 기능장애의 수정에 대한 유익한 조언을 제공할 수 있다. TIS-B 성능은 ATC보다는 오히려 정비담당자에 의해 감시되기 때문에 가장 인접한 비행정보업무국(FSS) 시설에 무선통신 또는 전화로 기능장애를 보고한다. 보고자는 다음을 기술하여야 한다.

1. 관측조건(condition observed)
2. 관측시간
3. 고도 및 관측장소
4. 항공기 기종 및 식별부호(type and call sign of the aircraft)
5. 항공전자시스템의 유형과 소프트웨어 version

4-5-9. 비행정보제공방송(Flight Information Service-Broadcast; FIS-B)

a. 서론(Introduction)

FIS-B는 978 MHz UAT data link의 ADS-B Service network를 통하여 제공되는 지상 방송업무이다. FAA FIS-B 시스템은 적절한 조종실시현장치를 갖춘 항공기의 조종사와 운항승무원에게 특정 항공기상 및 항공정보를 제공한다. FIS-B 수신은 지상기반시설 서비스범위의 가시선(line-of-sight) 내에서 가능하다 (그림 4-5-8과 4-5-9 참조).

표 4-5-2. FIS-B 기본 산출물 갱신 및 전송간격(FIS-B Basic Product Update and Transmission Intervals)

산출물(Product)	FIS-B 서비스 갱신간격 (Update Interval)[1]	FIS-B 서비스 전송간격 (Transmission Interval)[2]
AIRMET	이용할 수 있는 경우	5분
대류성 SIGMET	이용할 수 있는 경우	5분
METAR/SPECI	1시간/이용할 수 있는 경우	5분
NEXRAD 반사율 (미국본토)	5분	15분
NEXRAD 반사율 (지역)	5분	2.5분
NOTAM-D/FDC	이용할 수 있는 경우	10분
PIREP	이용할 수 있는 경우	10분
SIGMET	이용할 수 있는 경우	5분
SUA 상태	이용할 수 있는 경우	10분
TAF/AMEND	8시간/이용할 수 있는 경우	10분
상층기온(Temperature Aloft)	6시간	10분
상층풍(Winds Aloft)	6시간	10분

[1] 갱신간격(Update interval)은 출처(source)로부터 산출물 자료를 이용할 수 있는 간격이다.

[2] 전송간격(Transmission interval)은 새로운 또는 갱신된 산출물의 전송이 완료되어야 하는 시간, 또는 산출물이 재방송되는 비율이나 반복주기이다.

주(Note)

제공되는 다양한 data link 산출물의 내용, 형식 및 부호에 관한 상세한 내용은 특정 항공전자장비 제작사로부터 구할 수 있다.

b. 기상산출물(weather product)

FIS-B가 7-1-2항 FAA 기상업무에 수록된 공급원(source)의 비행전 기상브리핑을 대신하거나, FSS나 ATC의 비행중 update를 대신하지는 않는다. 조종사는 안전한 운항을 위하여 FIS-B 정보를 사용할 수 있지만, 정보가 기상과 항공정보의 공급원 만이어서는 안된다. 조종사는 각 산출물과 관련된 제한사항과 품질보증 문제를 이해하고 특별히 주의를 기울여야 한다. 여기에는 차세대 기상레이더(Next Generation Radar; NEXRAD) 이미지의 그림형식 표현과 항공고시보(NOTAM)/일시적 비행제한(TFR)이 포함된다.

c. FIS-B 고장(FIS-B Malfunction)의 보고

FIS-B 사용자는 바람직하지 않은 시스템성능의 사례보고에 의해 기능장애의 수정에 대한 유익한 조언을 제공할 수 있다. FIS-B 성능은 ATC보다는 오히려 정비담당자에 의해 감시되기 때문에 가장 인접한 비행정보업무국(FSS) 시설에 무선통신 또는 전화로 기능장애를 보고한다. 보고자는 다음을 기술하여야 한다.

1. 관측조건(condition observed)
2. 관측시간
3. 고도 및 관측장소
4. 항공기 기종 및 식별부호(type and call sign of the aircraft)
5. 항공전자시스템의 유형과 소프트웨어 version

4-5-10. 자동종속감시중계방송(ADS-R) 업무(Automatic Dependent Surveillance-Rebroadcast; ADS-R)

a. 서론(Introduction)

ADS-R은 독립된 두 개의 운용주파수(978 MHz 및 1090ES)를 수용하기 위하여 필요한 ADS-B 지상시스템의 datalink 변환기능이다. ADS-B 시스템은 하나의 주파수로 송신된 ADS-B message를 수신하고, ADS-R은 다른 주파수를 사용하여 중계방송하기 위해 정보를 변환하며 reformat 한다. 이것은 ADS-B In을 갖춘 항공기가 다른 항공기의 data link 운용에 관계없이 근처의 ADS-B Out 교통을 확인할 수 있도록 한다. 동일한 ADS-B 주파수로 운항하는 항공기는 직접 정보를 주고받으며, ADS-R 변환기능을 필요로 하지 않는다 (그림 4-5-8과 그림 4-5-9 참조).

b. ADS-R 고장(FIS-B Malfunction)의 보고

ADS-R 사용자는 바람직하지 않은 시스템성능의 사례보고에 의해 기능장애의 수정에 대한 유익한 조언을 제공할 수 있다. ADS-R 성능은 ATC보다는 오히려 정비담당자에 의해 감시되기 때문에 가장 인접한 비행정보업무국(FSS) 시설에 무선통신 또는 전화로 기능장애를 보고한다. 보고자는 다음을 기술하여야 한다.

1. 관측조건(condition observed)
2. 관측시간
3. 고도 및 관측장소
4. 항공기 기종 및 식별부호(type and call sign of the aircraft)
5. 항공전자시스템의 유형과 소프트웨어 version

제6절. 미국 국내, 알래스카, 해양공역과 산후안 FIR의 수직분리축소공역(RVSM) 운항정책/절차

4-6-1. 적용 및 RVSM 훈령 (일시 및 지역)

a. 적용(Applicability). 이 절의 정책, 안내 및 지침은 보통 조종사-관제사간 VHF 또는 UHF 음성 직접교신(direct controller-pilot communication; DCPC)을 할 수 있는 미국본토 48개 주의 공역 상공, 알래스카, 대서양과 멕시코만 공해 공역 및 산후안 FIR 공역에서의 RVSM 운항에 적용한다. VHF 또는 UHF 음성 DCPC를 이용할 수 없는 대양공역과 그 밖의 국가공역에서의 RVSM 운항에 대한 정책, 안내 및 지침은 4-6-3항, 항공기 및 운영자 승인정책/절차, RVSM 감시 및 항공기와 운영자 승인 데이터베이스에 기술된 FAA "RVSM Documentation" 웹페이지에 게시된다.

b. 훈령(Mandate). FAA는 2005년, 1월 20일 0901 UTC에 미국본토 48개 주의 공역 상공, 알래스카, 대서양과 멕시코만 공해 공역 및 산후안 FIR 공역의 비행고도(FL) 290~410(포함) 사이의 고도에서 RVSM을 시행하였다. RVSM은 캐나다와 멕시코 경계를 통과하는 항공기에게 연속적인 환경을 제공하기 위하여 동일한 날짜와 시간에 캐나다와 멕시코의 인접공역에도 도입되었다. 부가적으로, RVSM이 카리브해와 남미 지역에서 동일한 날짜에 시행되었다.

c. RVSM 승인(RVSM Authorization). 운영자와 항공기는 RVSM 공역에서 운항하기 전에 일부 예외사항만을 제외하고 14 CFR 91.180절에 의거하여 책임있는 민간항공담당기관으로부터 RVSM 승인을 받아야 한다 (4-6-10항, RVSM 비승인 항공기의 협조절차 참조). 운영자나 항공기 또는 둘 다 RVSM 운항 승인을 받지 않았다면, 그 항공기를 "RVSM 비승인(non-RVSM)" 항공기라 한다. 국방부, 환자수송기(MEDEVAC) 운영자, 외국정부에 의하여 비행할 항공기 및 인증을 받거나 개발을 위하여 비행을 하는 RVSM 비승인 항공기의 협조에 대한 ATC 정책은 4-6-10항에 언급된다. 4-6-11항, 중간고도에서 수평비행을 하지 않고 RVSM 공역 상부의 비행고도로/에서 상승 또는 강하를 요청하는 RVSM 비승인 항공기는 RVSM 공역 상부의 비행고도로/에서 RVSM 공역을 통과하여 강하하거나 상승하는 RVSM 비승인 항공기에 대한 정책을 포함하고 있다.

d. 이득(Benefits). RVSM은 ATC의 유연성을 증진시키고 번잡한 교차지점을 완화시키며, 구역(sector) 처리량을 증가시키고, 관제사의 업무량을 줄이고 교차 교통(crossing traffic)을 가능하게 한다. 운영자는 연료효율이 더 좋은 비행고도에서의 비행과 더 많은 사용자 들이 선호하는 비행로를 선정하여 연료절약 및 운항효율의 이득을 얻는다.

4-6-2. 비행고도 방향체계(Flight Level Orientation Scheme)

비행방향에 대한 고도배정은 그림 4-6-1에 나타난 것과 같이 FL 410 이상까지의 비행을 위한 자항로(magnetic course) 000°~179°에 대한 홀수고도 배정과 자항로 180°~359°에 대한 짝수고도 배정의 체계에 따른다.

그림 4-6-1. 비행고도 방향체계(Flight Level Orientation Scheme)

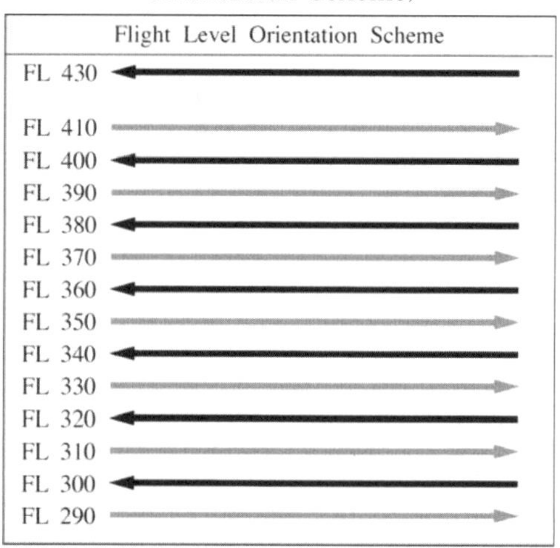

주(Note)

홀수 비행고도: 자항로 000°~179°

짝수 비행고도: 자항로 180°~359°

4-6-3. 항공기 및 운영자 승인정책/절차, RVSM 감시 및 항공기와 운영자 승인 데이터베이스

a. RVSM 승인(Authority). 미국 내의 RVSM 운항에는 14 CFR 91.180절을 적용한다. 미국 외의 RVSM 운항에는 14 CFR 91.706절을 적용한다. 두 절 모두는 운영자가 RVSM 공역에서 운항하기 전에 승인을 얻을 것을 요구하고 있다. 14 CFR 91.180절은 미국 내에서 RVSM 운항을 하기 전에 운영자는 FAA 또는 책임이 있는 해당 담당기관으로부터 승인을 얻을 것을 요구하고 있다. 부가적으로, 운영자와 운영자의 항공기는 14 CFR Part 91 부록 G(Operation in RVSM Airspace)를 준수하여야 한다.

b. 정보의 출처. Advisory Circular (AC) 91-85, Authorization of Aircraft and Operators for Flight in Reduced Vertical Separation Minimum (RVSM) Airspace 및 FAA RVSM 웹사이트

c. TCAS 장비. TCAS 장비요건은 14 CFR 121.356, 125.224, 129.18 및 135.189절에 포함되어 있다. Part 91 부록 G에는 RVSM에 대한 TCAS 장비요건이 포함되어 있지 않지만, 부록 G는 TCAS Ⅱ를 갖추고 RVSM 공역에서 비행할 항공기는 통합 TCAS Ⅱ Version 7.0 또는 그 후의 version으로 변경할 것을 규정하고 있다.

d. 항공기감시(Aircraft Monitoring). 운영자는 RVSM 항공기감시프로그램에 참여할 것을 요구하고 있다. RVSM documentation 웹페이지 "Monitoring Requirements and Procedures" 절은 감시프로그램의 참여에 대한 정책과 절차를 포함하고 있다. 지상시설 기반 시스템 및 GPS 기반 감시시스템을 국내 RVSM 프로그램에 이용할 수 있다. 감시(monitoring)는 FAA와 그 밖의 민간항공담당기관이 항공기와 운영자의 운용 중 고도유지(altitude-keeping) 성능을 판단할 수 있도록 하는 품질관리 프로그램이다.

e. RVSM 승인 데이터베이스의 목적. ATC는 RVSM 공역 진입허가를 발부할 수 있는지의 여부를 판단하기 위하여 RVSM 승인 데이터베이스를 사용하지는 않는다. RVSM 프로그램 관리자는 RVSM 공역에서 비행하는 항공기와 운영자를 식별하고 심사하기 위하여 RVSM 공역에서 운항하는 운영자와 항공기를 정기적으로 확인하지만, RVSM 승인 데이터베이스에 목록화하지는 않는다.

f. 미국 운영자의 등록(Registration of U.S. Operator). 미국 운영자와 항공기가 RVSM 승인을 받으면 FAA 기술센터의 Separation Standards Group은 FAA가 유지하고 있는 미국 운영자/항공기 RVSM 승인 데이터베이스를 갱신하기 위하여 PTRS 운영자와 항공기정보를 획득한다. 기본적인 데이터베이스 운영자 및 항공기정보는 RVSM Document 웹페이지의 "RVSM Approvals" 부분에서 살펴볼 수 있다.

4-6-4. RVSM 공역으로의 비행계획(Flight Planning into RVSM Airspace)

a. FAA 또는 ICAO 비행계획서에 올바른 항공기 탑재장비 접미어를 기록하지 않은 운영자는 RVSM 공역 진입허가가 거부될 수도 있다. FAA 비행계획서에 대한 방침은 아래의 c항에 상세히 기술되어 있다. ICAO 비행계획서에 대한 방침은 d항에 상세히 기술되어 있다.

b. 운영자는 책임이 있는 민간항공담당기관이 운영자와 항공기가 모두 RVSM-승인이 되었다고 판단하여 운영자에게 RVSM 승인을 발부한 이후에만, RVSM 성능을 나타내는 항공기 탑재장비 접미어를 FAA 또는 ICAO 비행계획서의 탑재장비 block에 기입할 수 있다.

c. FAA 비행계획서 탑재장비 접미어(Equipment Suffix)에 대한 일반 방침. 표 5-1-3, 항공기 탑재장비 접미어는 항공기가 RVSM과 진보된 지역항법(RNAV) 성능을 모두 갖고 있는지 또는 RVSM 성능만을 갖고 있는지를 운영자가 나타낼 수 있도록 한다.

1. 운영자는 FAA 비행계획서의 탑재장비 항목에 표 5-1-3의 해당하는 항공기 탑재장비 접미어를

기입한다.

2. 운영자는 FAA 비행계획서의 항목 3에 하나의 탑재장비 접미어만을 기입할 수 있다. 이 탑재장비 접미어만이 관제사에게 바로 제시된다.

3. RNAV 성능을 갖춘 항공기(Aircraft with RNAV Capability). RVSM 공역에서 비행하기 위한 경우 RVSM 성능이 있지만 진보된 RNAV 성능이 없는 항공기는 "/W"라고 기입할 수 있다. "/W" 기입이 이러한 항공기로 하여금 항공로공역의 직선 비행로 제출 및 비행을 못하게 하는 것은 아니다.

d. ICAO 비행계획서 탑재장비 접미어에 대한 방침

1. RVSM-승인을 받았고 ICAO 비행계획서를 제출한 운영자/항공기는 RVSM 승인을 나타내기 위하여 항목 10(탑재장비)에 "/W"를 기입하고, 항법 및 통신성능을 나타내기 위하여 해당하는 ICAO 비행계획서 접미어도 기입한다. 표 5-1-3의 탑재장비 접미어는 FAA 비행계획서(FAA 양식 7233-1)에만 사용된다.

2. 미국 국내 RVSM 공역 내에서의 비행을 포함한 ICAO 비행계획서를 제출한 운영자/항공기는 RVSM 승인을 나타내기 위하여 항목 10에 "/W"를 기입하여야 한다.

e. 비행계획서 탑재장비 접미어(Flight Plan Equipment Suffix)의 중요성. 운영자는 해당하는 FAA 비행계획서(FAA 양식 7233-1) 또는 ICAO 비행계획서의 탑재장비 항목에 탑재장비 접미어를 기재하여야 한다. 탑재장비 접미어는 ATC에 다음을 통보한다.

1. 운영자와 항공기가 RVSM 공역에서의 비행이 승인되었는지의 여부

2. 항공기의 항법 또는 트랜스폰더 성능 (예, 진보된 RNAV, Mode C를 갖춘 트랜스폰더)

f. 비행계획서 탑재장비 접미어 정보의 중요한 ATC 용도는 다음과 같다.

1. RVSM 공역 진입허가 발부 또는 거부

2. RVSM이 승인되지는 않았지만 FAA가 협조에 동의한 한정된 category의 항공기에게 RVSM 공역에서 2,000 ft 수직분리 최저치 제공 (RVSM 공역의 비승인항공기 운항제한에 대한 정책인 4-6-10항, RVSM 비승인 항공기의 협조절차 및 4-6-11항, 중간고도에서 수평비행을 하지 않고 RVSM 공역 상부의 비행고도로/에서 상승 또는 강하를 요청하는 RVSM 비승인 항공기 참조)

3. 항공기가 "진보된 RNAV(Advanced RNAV)" 성능을 가지고 있는지, 그리고 이러한 성능이 필요한 비행절차의 허가여부 판단

g. 항공기 탑재장비 접미어를 부적절하게 변경하거나 항목 10에서 "W"를 제거하지 않고 주석이나 비고란(항목 18)에 "NON-RVSM"을 기입하면, RVSM 비승인 항공기를 탐지하기 위해 필요한 적절한 시각 지시자(visual indicator)가 항공교통관제사에게 제공되지 않는다. RVSM 비승인 항공기라는 정보를 정확하게 처리하기 위해서는 항목 10에서 "W"를 제거하여야 한다. 주석이나 비고란(항목 18)에 정보의 입력은 RVSM 성능의 판단에는 영향을 미치지 않으며, 비행이 RVSM 비승인이라는 것을 나타내기 위하여 사용해서는 안된다.

4-6-5. 조종사 RVSM 운항지침 및 절차(Pilot RVSM Operating Practices and Procedures)

a. RVSM 훈령(Mandate). 운영자나 항공기 또는 둘 다 RVSM 승인을 받지 않았다면(RVSM 비승인 항공기), 조종사는 다음의 경우 외에는 RVSM 공역 진입허가를 요청하거나 수락해서는 안된다.

1. 4-6-10항, RVSM 비승인 항공기의 협조절차에 의거하여 RVSM 비승인 DOD, MEDEVAC, 인증/개발 또는 외국정부의 항공기에 의하여 수행되는 비행

2. 4-6-11항, 중간고도에서 수평비행을 하지 않고 RVSM 공역 상부의 비행고도로/에서 상승 또는 강하를 요청하는 RVSM 비승인 항공기에 의거하여 FL 430 이상에서 강하하거나, 이상으로 상승하려는 조종사

3. 비상상황의 경우

b. 기본 RVSM 운항지침 및 절차(Basic Operating Practices and Procedures). AC 91-85의 부록 B, Authorization of Aircraft and Operators for Flight in Reduced Vertical Separation Minimum Airspace는 RVSM에 대한 조종사지침 및 절차를 포함하고 있다. 운영자는 이 절의 해당 항에 추가된 것처럼 부록 B 지침 및 절차를 운영자훈련이나 조종사지식프로그램(pilot knowledge program), 그리고 RVSM 운항정책을 포함한 운영자문서에 포함하여야 한다.

c. 부록 B는 비행계획수립을 위한 지침 및 절차, 항공기에서의 비행전절차, RVSM 공역 진입전절차, 비행중(en route)절차, 우발절차와 비행후절차를 포함하고 있다.

d. 다음 항은 부록 B 지침 및 절차를 명확하게 설명하거나 보충한다.

4-6-6. 심한 난기류 및 산악파활동(Mountain Wave Activity; MWA) 시의 비행지침

a. 서론/설명(Introduction/Explanation)

1. 이 항의 정보와 비행지침은 항공기의 고도유지에 심각한 영향을 줄 수 있는 충분한 강도의 심한 난기류나 MWA에 처한 경우, RVSM 공역에서 적절한 조치를 취하는 것이 얼마나 중요한지를 조종사와 관제사에게 강조하기 위하여 제공된다.

2. 심한 난기류(Severe Turbulence). 일반적으로 심한 난기류는 지시대기속도의 폭 넓은 변동을 수반한 고도나 자세의 크고 급격한 변화의 원인이 된다. 항공기는 순간적으로 조종력을 상실할 수 있다. 심한 난기류와 조우하였을 경우에는 어떠한 비행단계에서든 즉시 벗어나야 한다. 심한 난기류는 MWA와 결합될 수 있다.

3. 산악파활동(Mountain Wave Activity; MWA)

(a) 심각한 MWA는 RVSM 공역의 하한(floor), FL 290 이하와 이상의 고도 양쪽에서 모두 발생한다. MWA는 서부 주의 산맥주변에서 자주 발생한다. 산악파는 대기의 상하운동이나 파동의 결과 강한 바람이 산맥에 수직으로 불 때 발생할 수 있다. 산악파는 단지 약한 난기류를 수반한 고도 및 대기속도 변화를 일으킬 수 있다. 그러나 진폭이 큰 산악파는 심한 난기류를 수반한 고도 및 대기속도 변화를 유발할 수 있다. MWA는 예측하기가 어렵고, 대단히 특정지역에 국한되며 수명이 짧다.

(b) 산악파활동은 반드시 산맥주변으로만 국한되지는 않는다. 고도유지에 심각한 영향을 주는 산악파활동에 처한 조종사는 아래에 제시하는 지침에 따른다.

(c) 비행중 MWA(난기류 포함) 징후. 항공기가 MWA의 영향을 받고 있다는 징후는 다음과 같다.

(1) 난기류와 관련되거나 관련되지 않은 고도 또는 대기속도 변화

(2) 대기속도 변화와 함께 고도를 유지하기 위하여 pitch와 trim 변경의 필요

(3) MWA의 강도에 따른 약한 강도에서부터 심한 강도까지의 난기류

4. 관제사 중첩항적 처리절차 적용의 우선순위(Priority for Controller Application of Merging Target Procedures)

(a) 중첩항적 처리절차의 설명. 하부의 c3절에 기술된 바와 같이, ATC는 심한 난기류 및 MWA의 영향을 완화시키기 위하여 "중첩항적 처리절차(merging target procedures)"를 사용한다. c3절의 절차는 FAA Order JO 7110.65 항공교통관제, 5-1-8항 Merging Target Procedures에 게재된 현재의 절차를 수정한 것이다. 5-1-8항은 수직분리 최저치로 항공기의 바로 상부나 하부에서 비행할 수 있는 잠재적인 교통을 인지한 항공로 관제사로 하여금 조종사에게 이를 통보할 것을 요구하고 있다. 이에 대하여 조종사에게는 그들의 레이더표적이 다른 항공기의 레이더표적과 중첩되거나 겹치지 않도록 하기 위한 레이더유도 요구의 선택권이 주어진다.

(b) 심한 난기류 또는 MWA의 영향을 완화시키기 위한 "중첩항적 처리절차(merging target procedures)" 조항은 관제사의 선택사항이라기 보다는 우선해야 할 책임이다. 조종사는 MWA와 조우하였거나 또는 "Unable RVSM due turbulence or MWA"의 조종사보고에 따라 항공기 분리 및 순서배정 책임이 첫 번째 우선사항으로 여겨지면, 교통회피를 위한 레이더유도를 요구한다. (FAA Order JO 7110.65, 2-1-2항, Duty Priority, states that the controller's first priority is to separate aircraft and issue safety alerts)

(c) "교통상황이 허용하면(traffic permitting)" 용어의 설명. 4-6-9항, 우발상황에 대한 조치: RVSM 공역에 진입한 후 발생하는 항공기시스템의 고장 및 기상 조우에 상세히 기술되어 있는 MWA 및 심한 난기류의 우발상황에 대한 조치에서 관제사는 "교통상황이 허용하면, 인접 비행고도의 항공기와 중첩항적을 피하기 위하여 항공기를 레이더 유도한다." 라고 언급하고 있다. "교통상황이 허용하면(traffic permitting)" 용어가 중첩항적 처리절차는 우선순위의 업무가 아니라는 것을 말하고자 하는 것은 아니다. 이 용어는 FAA Order JO 7110.65, 2-1-2항, 업무우선순위에 언급된 것처럼 하나 이상의 조치를 취하는 것이 필요한 상황이며, 조치를 결정하기 위하여 "알고 있는 사실과 상황에 의거하여 최선의 판단을 하여야 한다."는 것을 인식하도록 하기 위한 것이다. 나아가 "안전관점에서 가장 위험한 조치를 우선 수행한다."는 것이 주어진 지침이다.

5. TCAS 감도(Sensitivity). RVSM 공역에서 MWA 및 심한 난기류 조우의 경우, 근접하여 운항하는 하나의 항공기 또는 두 항공기가 고도유지성능의 방해에 대한 TCAS 조언을 받았을 때 추가로 고려해야 할 사항은 충돌경고장치의 감도이다.

b. 비행전 수단(Pre-flight tools)

조종사가 MWA 또는 심한 난기류의 가능성을 확인하는데 도움을 줄 수 있는 관측 및 예보정보의 출처는 상층풍 및 상층기온예보(FD), 공역예보(FA), 그림형식의 난기류예보(Graphical Turbulence Guidance; GTG), SIGMET 및 PIREP 이다.

c. 악기상(예, 심한 난기류 또는 MWA) 조우 시 조종사 조치

1. 약 200 ft의 고도이탈을 유발하는 기상 조우. 조종사가 약 200 ft의 고도이탈을 유발하는 기상상황에 처한 경우, 조종사는 ATC와 교신하여 "Unable RVSM Due (이유) (예, 난기류, 산악파)"라고 언급한다. 4-6-9항의 우발상황에 대한 조치를 참조한다.

2. 심한 난기류(MWA와 관련된 것을 포함). 조종사는 심한 난기류와 조우했을 때, ATC와 교신하고 상황을 보고하여야 한다. 조종사가 심한 난기류로부터 벗어났다고 보고할 때 까지, 관제사는 항적이 중첩되는 것을 막기 위하여 통과하는 한 대의 항공기 또는 두 항공기 모두에게 중첩항적 레이더유도(merging target vector)를 적용할 것이다.

예문(Example)

"Yankee 123, FL 310, unable RVSM due severe turbulence."

"Yankee 123, fly heading 290; traffic twelve o'clock, 10 miles, opposite direction; eastbound MD-80 at FL320" (또는 관제사는 Yankee 123을 회피하도록 MD-80 항공기에 레이더유도를 발부한다).

3. MWA. 조종사는 MWA와 조우했을 때, ATC와 교신하여 산악파의 강도 및 위치를 통보하여야 한다. 관제사가 중첩항적 항공기를 통보할 때, 조종사는 그 항공기의 바로 상부나 하부에서의 비행을 피하기 위하여 레이더유도를 요구할 수 있다. 조종사가 200 ft 이상의 고도이탈 상황에 처한 경우, 조종사는 이러한 상황을 벗어나기 위하여 레이더유도를 요구한다. 조종사가 MWA로부터 벗어났다고 보고할 때 까지, 관제사는 항적이 중첩되는 것을 막기 위하여 한 대의 항공기 또는 두 항공기 모두에게 중첩항적 레이더유도(merging target vector)를 적용할 것이다.

예문(Example)

"Yankee 123, FL 310, unable RVSM due mountain wave."

"Yankee 123, fly heading 290; traffic twelve o'clock, 10 miles, opposite direction; eastbound MD-80 at FL320" (또는 관제사는 Yankee 123을 회피하도록 MD-80 항공기에 레이더유도를 발부한다).

4. FL 변경 또는 비행로 재배정(Re-route). MWA 또는 심한 난기류를 조우한 공역을 벗어나기 위하여 조종사는 필요하면 FL 변경이나 비행로 재배정을 요청할 수 있다.

4-6-7. 항적난기류(Wake Turbulence)에 대한 지침

a. 조종사는 RVSM 공역에서 항적난기류와 조우할 수도 있다는 것을 인식하고 있어야 한다. 1997년 이후 얻은 경험에 의하면 RVSM에서 조우한 항적난기류의 강도가 일반적으로 보통(moderate) 이하라는 것을 알 수 있었다.

b. DRVSM 시행 이전에 FAA는 NASA Aviation Safety Reporting System(ASRS)을 사용하여 RVSM 공역에서의 항적난기류 발생을 보고하기 위한 조종사규정을 제정하였다. FAA RVSM Documentation 웹페이지 상에 있는 "Safety Reporting" 절은 연락방법, 양식 및 보고절차를 제공한다.

c. 지금까지는 항적난기류가 DRVSM 운항에서 중요한 요소로 보고되지 않았다. 또한, 유럽담당기관은 RVSM 시행 이후에 항적난기류 조우 보고가 의미심장하게 증가하지는 않았다는 것을 알았다(10개월 동안의 보고 8건 대 7건). 추가하여, 보고된 항적난기류가 일반적으로 보통의 청천난류(clear air turbulence)와 유사하다는 것을 알았다.

d. 항적난기류 조우를 줄이기 위한 조종사 조치(Pilot Action to Mitigate Wake Turbulence Encounters)

1. 조종사는 다음에서 운항할 때에는 항적난기류에 주의를 기울여야 한다.

(a) 운항하는 고도를 통과하여 상승하거나 강하하는 항공기 주변

(b) 반대방향 항공기의 1,000 ft 하부를 통과한 후 약 10~30 mile

(c) 동일방향 항공기의 하부 1,000 ft, 약 10~30 mile 후방

2. DRVSM 공역에서 항적난기류와 조우하였거나 예상되는 조종사는 레이더유도, FL 변경 또는 가능하다면 횡적 offset의 요청을 선택할 수 있다.

주(Note)

1. 항공기를 풍상으로 대략 날개길이(wing span) 만큼 offset 함으로써 다른 항공기의 항적난기류 바로 부근에서 벗어나도록 할 수 있다.

2. 조종사는 미국 국내공역에서 횡적 offset으로 비행하기 위해서는 허가를 요청하여야 한다. 대양공역에서 전략적인 횡적(strategic lateral) offset 비행에는 적용되지 않는다.

4-6-8. 조종사/관제사 관제용어(Phraseology)

표 4-6-1은 조종사와 관제사가 DRVSM 운항 시에 사용하는 표준 관제용어(phraseology)를 나타낸다.

표 4-6-1. 조종사/관제사 관제용어(Pilot/Controller Phraseology)

의미(Message)	관제용어(Phraseology)
관제사가 항공기의 RVSM 승인상태를 확인하기 위하여 사용	(호출부호) confirm RVSM approved
RVSM이 승인된 비행이라는 조종사 표시	Affirm RVSM
RVSM이 승인되지 않았다는 조종사 통보 (RVSM 비승인 상태). 조종사는 다음과 같은 경우, RVSM 비승인 상태를 통보한다. a. RVSM 공역에서 어떤 주파수로나 최초호출 시 b. RVSM 공역 내에서의 비행고도와 관련된 모든 비행고도 변경요구 시 c. RVSM 공역 내에서의 비행고도와 관련된 모든 비행고도 허가에 대한 복창 시 d. RVSM 공역을 통과하는 상승 및 강하를 포함한 비행고도 변경 허가의 복창 시 (FL 290~FL 410)	Negative RVSM, (보충정보, 예, "Certification flight").
RVSM 공역으로 진입한 후 다음 중 하나의 조종사보고: 모든 주 고도계, 자동고도제어시스템 또는 고도경보장치가 고장 남. (4-6-9항, 우발상황에 대한 조치: RVSM 공역에 진입한 후 발생하는 항공기시스템의 고장 및 기상 조우 참조)	Unable RVSM Due Equipment

주(Note) 이 용어는 RVSM 항공기시스템 고장의 초기 징후뿐만 아니라, RVSM 공역에서 문제점이 해결되거나 항공기가 RVSM 공역을 떠날 때 까지 최초교신 시에 모든 주파수로 전달하기 위하여 사용된다.	
ATC의 RVSM 공역 진입허가 거부	Unable issue clearance into RVSM airspace, maintain FL
*기상 조우로 인하여 허가받은 비행고도를 유지할 수 없다는 조종사보고 (4-6-9항, 우발상황에 대한 조치: RVSM 공역에 진입한 후 발생하는 항공기시스템의 고장 및 기상 조우 참조).	*Unable RVSM due (이유) (예, 난기류, 산악파)
ATC는 항공기가 다시 RVSM 승인을 받은 상태인지 또는 조종사가 RVSM으로 복귀할 준비가 되었는지의 확인을 조종사에게 요청함	Confirm able to resume RVSM
조종사는 항공기시스템 또는 기상의 우발상황 이후에 RVSM으로 복귀할 준비가 되었음	Ready to resume RVSM

4-6-9. 우발상황에 대한 조치(Contingency Actions): RVSM 공역에 진입한 후 발생하는 항공기시스템의 고장 및 기상 조우

표 4-6-2. 우발상황에 대한 조치(Contingency Actions): RVSM 공역에 진입한 후 발생하는 항공기시스템의 고장 및 기상 조우

우발상황의 조종사 초기 조치(Initial Pilot Actions in Contingency Situations)
비행고도(FL)를 유지할 수 없거나 항공기고도 유지성능을 확신할 수 없을 경우 조종사의 초기 조치 • ATC에 통보하고 아래에 상세히 설명된 것처럼 지원을 요청한다. • 상황을 파악하는 동안 가능한 한 허가받은 비행고도를 유지한다. • 육안 및 탑재하고 있다면 TCAS를 참조하여 충돌위험이 있는 항공기를 감시한다. • 외부등을 점등하여(항공기의 제한 정도에 상응하는) 주변 항공기에게 경고한다.

약 200 ft의 고도이탈을 유발하는 심한 난기류 또는 산악파활동(MWA)	
조종사 조치: • 약 200 ft 이상의 고도이탈을 유발하는 심한 난기류 또는 MWA에 처한 경우, 조종사는 "Unable RVSM Due (이유) (예, 난기류, 산악파)"라고 언급한다. • 관제사가 발부하지 않는 경우, 인접 FL의 항공기를 벗어날 수 있도록 레이더유도를 요구한다. • 필요하면 FL 변경 또는 비행로 재배정을 요청한다. • ATC에 난기류 또는 MWA의 위치 및 강도를 통보한다. 상세한 지침은 4-6-6항, 심한 난기류 및 산악파활동(MWA) 시의 비행지침을 참조한다.	관제사 조치: • 교통상황이 허용하면, 인접 비행고도의 항공기와 중첩항적을 피하기 위하여 항공기를 레이더 유도한다. • 충돌위험이 있는 항공기를 조종사에게 조언한다. • 교통상황이 허용하면, FL 변경 또는 비행로를 재배정한다. • 다른 항공기에게 PIREP을 발부한다. "교통상황이 허용하면(traffic permitting)"은 4-6-6항에 설명되어 있다.

산악파활동(MWA) 조우 - 일반	
조종사 조치: • ATC와 교신하여 처한 MWA 상황을 보고한다. • 필요하면, 조종사는 FL 변경 또는 비행로 재배정을 요청할 수 있다. • ATC에 MWA의 위치 및 강도를 통보한다.	관제사 조치: • 인접 FL의 충돌위험이 있는 항공기를 조종사에게 조언한다. • 조종사가 요구하는 경우 교통상황이 허용하면, 인접 RVSM 비행고도의 항공기와 중첩항적을 피하기 위하여 항공기를 레이더 유도한다. • 교통상황이 허용하면, FL 변경 또는 비행로를 재배정한다. • 다른 항공기에게 PIREP을 발부한다.

MWA에 대한 지침은 4-6-6항을 참조한다.	"교통상황이 허용하면(traffic permitting)"은 4-6-6항에 설명되어 있다.
주(Note) MWA 조우가 반드시 대략 200 ft의 고도이탈을 초래하지는 않는다. 아래의 지침은 심각하지 않은 MWA 조우를 설명하기 위한 것이다.	

항적난기류 조우(Wake Turbulence Encounters)	
조종사 조치: • ATC와 교신하여 레이더유도, FL 변경 또는 가능하다면 횡적 offset를 요청한다. 항적난기류에 대한 지침은 4-6-7항을 참조한다.	관제사 조치: • 교통상황이 허용하면 레이더유도, FL 변경 또는 횡적 offset 허가를 발부한다. "교통상황이 허용하면(traffic permitting)"은 4-6-6항에 설명되어 있다.

"Unable RVSM Due Equipment" 자동고도제어시스템, 고도경보장치 또는 모든 주 고도계의 고장	
조종사 조치: • ATC와 교신하여 "Unable RVSM Due Equipment"라고 언급한다. • 운항상황이 달리 요구하지 않는 한, RVSM 공역을 벗어날 수 있도록 허가를 요청한다.	관제사 조치: • 2,000 ft 수직분리 또는 적합한 수평분리를 제공한다. • 운항상황이 달리 요구하지 않는 한, 항공기가 RVSM 공역을 벗어나도록 허가한다.

하나의 주 고도계로 계속 운항(One Primary Altimeter Remains Operational)	
조종사 조치: • 예비 고도계와 상호비교한다. • 하나의 주 고도계로 운항하고 있다는 것을 ATC에 통보한다. • 주 고도계의 정확성을 확인할 수 없으면, 모든 주 고도계 고장 시의 조치절차에 따른다.	관제사 조치: • 하나의 주 고도계로 운항하고 있다는 것을 인지했음을 응답한다.

트랜스폰더 고장(Transponder Failure)	
조종사 조치: • ATC와 교신하여 허가받은 비행고도에서 계속 운항하기 위한 허가를 요청한다. • 발부되었다면 수정된 ATC 허가를 준수한다. 주(Note) 14 CFR 91.215절(ATC 트랜스폰더와 고도보고장치 그리고 사용법)은 트랜스폰더 부작동 시의 운항을 규정하고 있다.	관제사 조치: • 허가받은 비행고도에서 계속 운항하기 위한 허가 요청을 검토한다. • 필요하면 수정허가를 발부한다.

표 4-6-2는 RVSM 공역에 진입한 후 발생하는 항공기시스템 고장 및 기상 조우와 같은 특정상황에서 조종사가 취해야 할 조치에 대한 지침을 제공한다. 또한 이러한 상황에서 예상되는 관제사의 조치를 기술한다. 조종사 및 관제사는 주어진 상황에서 가장 적합한 조치를 결정하기 위한 판단에 사용할 수 있다.

4-6-10. RVSM 비승인 항공기의 협조절차(Procedures for Accommodation of Non-RVSM Aircraft)

a. RVSM 비승인 항공기의 협조 일반 방침

1. RVSM 훈령(mandate)은 일부 예외사항을 제외하고 RVSM 승인 항공기/운영자만이 지정된 RVSM 공역에서 비행할 것을 요구하고 있다. 아래의 상세한 정책은 전적으로 FAA가 협조에 동의한 항공기에만 사용된다. 이것이 다른 운영자에게 정상적인 RVSM 승인절차를 회피하기 위한 수단을 마련해주기 위한 것은 아니다.

2. 운영자나 항공기 또는 둘 다 RVSM 운항을

위한 승인을 받지 않았다면, 그 항공기를 "RVSM 비승인(non-RVSM)" 항공기라고 한다. 14 CFR 91.180절 및 Part 91 부록 G에서는 FAA가 RVSM 공역에서 RVSM 비승인 항공기가 운항하도록 하는 위배를 허가할 수 있도록 하고 있다.

3. RVSM 비승인 항공기의 비행은 업무량이 허용하는 한도 내에서 처리될 것이다. RVSM이 승인되지 않은 항공기와 그 밖의 모든 항공기 간에 적용되는 수직분리기준은 2,000 ft 이어야 한다.

4. 조종사 통보 필요(Required Pilot Calls). RVSM 비승인 항공기의 조종사는 4-6-8항 조종사/관제사 관제용어에 제시된 지침에 따라 RVSM 승인을 받지 않았다는 것을 관제사에게 통보하여야 한다.

b. 협조를 받을 수 있는 RVSM 비승인 항공기 Category

작동하는 트랜스폰더를 가지고 있다면, FAA 승인 및 허가를 조건으로 다음 category의 RVSM 비승인 항공기는 미국 국내 RVSM 공역에서 운항할 수 있다.

1. 국방부(DOD) 항공기

2. 항공기인증 및 개발 목적으로 수행하는 비행

3. "MEDEVAC" 호출부호를 사용하는 환자수송비행 활동

4. RVSM 공역 상부의 FL로/에서 RVSM 비행고도를 통과(중간고도에서 수평비행을 하지 않고)하여 상승/강하하는 항공기. 이러한 비행에 대한 방침은 4-6-11항, 중간고도에서 수평비행을 하지 않고 RVSM 공역 상부의 비행고도로/에서 상승 또는 강하를 요청하는 RVSM 비승인 항공기에 상세히 기술되어 있다.

5. 외국정부 항공기

c. RVSM 비승인 항공기운영자의 RVSM 공역 진입 요청방법. 운영자는 다음과 같이 할 수 있다.

1. LOA/MOU. RVSM 시설(RVSM 공역에서 항공교통업무를 제공하는 항공교통시설)과 합의서(LOA)/양해각서(MOU)를 체결한다. 운영자는 LOA/MOU를 준수하여야 한다.

2. 비행계획서 제출 후 비행(File-and-Fly). RVSM 공역에 진입하기 위한 의도를 FAA에 통보하기 위하여 비행계획서를 제출한다.

주(Note)

RVSM 공역에 진입하기 위한 우선권은 RVSM 승인 항공기에 주어지며, 다음에 비행계획서를 제출한 후 비행(File-and-Fly)하는 비행에 주어진다.

4-6-11. 중간고도에서 수평비행을 하지 않고 RVSM 공역 상부의 비행고도로/에서 상승 또는 강하를 요청하는 RVSM 비승인 항공기

a. 비행계획서 제출 후 비행(File-and-Fly). RVSM 비행고도로 상승하거나 RVSM 비행고도에서 강하하는 RVSM 비승인 항공기의 운영자는 반드시 비행계획서를 제출하여야 한다.

b. RVSM 공역 상부의 비행고도로 상승하거나 RVSM 비행고도에서 강하하는 RVSM 비승인 항공기는 업무량이 허용하는 한도 내에서 처리될 것이다. RVSM 비승인 항공기와 그 밖의 모든 항공기 간에 RVSM 공역에서 적용되는 수직분리기준은 2,000 ft 이어야 한다.

c. RVSM 공역으로 상승/에서 강하하는 RVSM 비승인 항공기는 다음의 경우에만 협조를 고려할 수 있다.

1. 항공기는 계속해서 상승/강하할 수 있는 성능이 있으며, 중간고도(intermediate altitude)에서 운항상의 고려사항으로 인한 수평비행(level off)을 필요로 하지 않는다.

2. 항공기는 항공기의 정상 상승률 또는 강하율로 상승/강하할 수 있는 성능이 있다.

d. 조종사 통보 필요(Required Pilot Calls). RVSM 비승인 항공기의 조종사는 4-6-8항 조종사/관제사 관제용어에 제시된 지침에 따라 RVSM 승인을 받지 않았다는 것을 관제사에게 통보하여야 한다.

제7절. 멕시코만 50 NM 횡적분리계획의 운영정책/절차(Operational Policy/Procedures for the Gulf of Mexico 50 NM Lateral Separation Initiative)

4-7-1. 서론과 일반정책

a. 항공교통관제기관은 멕시코만에서 Required Navigation Performance(RNP) 10 또는 RNP 4를 승인받은 비행기 간에 50 NM 횡적분리(예를 들어, 횡적 간격분리)를 적용할 수 있다. 50 NM 횡적분리는 다음의 공역에 적용할 수 있다.

1. 휴스턴 대양관제구역(CTA)/비행정보구역(FIR)
2. 마이애미 대양 CTA/FIR의 멕시코만 부분
3. 몬테레이 CTA
4. 멕시코 FIR/UTA 내의 메리다 고고도 CTA

b. 위에 명시된 멕시코만 공역 내에서 비행계획을 PBN 및 RNP 10이나 RNP 4로 승인받은 비행기 간에는 ATC가 50 NM의 횡적분리를 적용할 수 있다. ATC는 RNP 10 또는 RNP 4 성능을 갖추지 않은 비행기를 분리하여 마이애미 대양 CTA에서는 다른 항공기와 최소한 90 NM의 횡적분리를 유지하고, 휴스턴, 몬테레이 및 메리다 CTA에서는 최소한 100 NM의 횡적분리를 유지한다.

c. 감소된 횡적분리는 더 많은 비행기가 걸프만 상공에서 최적의 비행로/고도로 비행할 수 있도록 한다.

d. 50 NM 횡적분리는 지상 항행안전시설로 지정된 비행로 또는 걸프만 RNAV 비행로 Q100, Q102이나 Q105에는 적용되지 않는다.

e. 멕시코만의 50 NM 횡적분리 정책에 대한 비행계획 및 운항에 대한 유용한 정보는 www.faa.gov/about/office_org/headquarters_offices/avs/offices/afx/afs/afs400/afs470/media/WATRS.pdf의 West Atlantic Route System, Gulf of Mexico, and Caribbean Resource Guide for U.S. Operators에서 살펴볼 수 있다.

f. 조종사는 멕시코만 CTA 내의 정기적인 운항진로에 전략적 횡적 offset 절차(SLOP)를 사용해야 한다.

SLOP 절차 및 제한사항은 미국 항공정보간행물(AIP) ENR 7.1절 General Procedures, 권고회보(AC) 91-70 Oceanic and Remote Continental Airspace Operations 및 ICAO 문서 4444 Procedures for Air Navigation Services - Air Traffic Management에 공고된다.

4-7-2. Non-RNP 10 항공기 수용(Accommodating Non-RNP Aircraft)

a. RNP 10 또는 RNP 4 승인을 받지 않은 운영자도 멕시코만 CTA 내의 비행로 및 고도에 대한 비행계획서를 제출할 수 있다. 그러나 교통상황이 non-RNP 10 항공기와 다른 항공기 간에 90 NM 또는 100 NM 횡적분리가 허용될 경우에 운영자의 우선 비행로 및/또는 고도가 허가된다. 우선순위는 RNP 10 또는 RNP 4 항공기에 주어진다.

b.RNP 10 또는 RNP 4를 승인받지 않은 항공기의 운영자는 ATC 비행계획서의 항목 18에 주석 "RMK/NONRNP10"을 기입하여야 한다.

c. Non-RNP10 항공기의 조종사는 각 걸프만 CTA의 ATC와 최초교신 시, 예를 들어 "negative RNP 10"이라고 통보하여 ATC가 RNP 상태를 상기하도록 하여야 한다.

d. 운영자는 RNP 10 또는 RNP 4 기준을 충족하는 장비를 갖춘 항공기로 비행하면, RNP 10 또는 RNP 4 승인을 받기위해 들인 노력에 대한 혜택을 받을 수 있을 것이다.

4-7-3. RNP 10 또는 RNP 4 운항 승인 획득

a. AC 90-105 Approval Guidance for RNP Operations and Barometric Vertical Navigation in the U.S. National Airspace System and in Oceanic and Remote Continental Airspace는 미국 운영자에 대한 RNP 10 또는 RNP 4 항공기 및 운영자의 승인 기준을 제공한다. 비행표준사무국

(FSDO) 및 인증관리사무소(CMO)의 FAA 근무자는 운영자의 RNP 10 또는 RNP 4 승인 신청에 대한 평가시 AC 90-105에 포함된 지침을 적용한다. 대양 공역(oceanic airspace)의 RNP 운항에 대한 허가는 운항의 성격, 예를 들면, Part 121, Part 91 등에 따라 운영기준(OpSpec), 관리기준(MSpec) 또는 인가서(LOA) B036를 발부하여 모든 미국 운영자에게 제공된다. 운영자는 FAA Order 8900.1, Flight Standards Information Management System, 3권, 18장, 4절에서 OpSpec, MSpec 또는 LOA B036 발부에 대한 특정기준을 살펴볼 수 있다.

b. 운영자의 RNP 10 또는 RNP 4 승인에는 장비 요건, 또는 RNP 운항을 할 때 준수해야 하는 시간 제한(전적으로 관성항법 기반으로 작동하는 항법시스템인 경우)이 포함될 수 있다.

4-7-4. 단일 장거리 항법 시스템 운항 승인 (Authority for Operations with a Single Long-Range Navigation System)

운영자가 단일 장거리 항법 시스템 만을 갖춘 경우 멕시코만 CTA에서 50 NM 횡적분리의 이점을 취할 수 있도록 승인을 받을 수 있다. 단일 장거리 항법 시스템을 갖춘 RNP 10은 OpSpec, MSpec 또는 LOA B054로 승인된다. 운영자가 B504를 받기 위한 특정 요건에 대한 정보를 얻으려면 해당 FSDO 또는 CMO에 연락하여야 한다. FAA Order 8900.1의 3권, 18장, 4절은 FAA 항공안전감독관이 B054를 발부할 때 적용하는 평가 기준을 제공한다.

4-7-5. 비행계획서 요건(Flight Plan Requirements)

a. RNP 10 또는 RNP 4 승인을 받은 운영자가 멕시코만 CTA의 50 NM 횡적분리를 받고, RNP 승인 항공기가 이용할 수 있는 우선 비행로를 배정받기 위해서는 국제비행계획서 양식(FAA 7233-4)에 다음과 같이 기입하여야 한다.

1. 항목 10a(장비)에 문자 "R"을 포함시켜야 한다.
2. 항목 18에 RNP 10 승인의 경우에는 "PBN/A1", RNP 4 승인의 경우에는 PBN/L1을 포함시켜야 한다.

b. RNP 4 승인의 기입은 항공기 및 조종사 또한 RNP 10을 승인받았다는 것을 의미한다.

c. 이 manual의 5장, 1절에는 비행계획서의 보든 부호(code)에 대한 정보가 포함되어 있다. RNP 10은 RNAV 10과 동일한 의미를 가지며 동일하게 적용된다. 또한 동일한 부호를 함께 사용한다.

4-7-6. 우발절차(Contingency Procedures)

감소된 횡적분리로 운항하는 조종사는 ATC 외부감시 및 VHF 직접교신 시의 운항에 대해 구체적으로 기술된 표준우발절차에 특히 익숙하고, 신속히 적용할 수 있도록 준비해야 한다. 악기상 회피에 대한 특정 절차가 개발되었다. 운영자는 이러한 환경유형에서 운항하는 운항승무원이 쉽게 이용할 수 있는 형식으로 표준우발절차가 제공되도록 하여야 한다. 감소된 분리로 운항할 때 오차의 한계는 표준우발절차의 수정과 신속한 적용을 필요로 한다. 국제적으로 적용되는 이 절차는 ICAO 문서 4444, 15장에 기술되어 있다. 이 절차는 U.S. Aeronautical Information Publication(AIP) En Route (ENR) 7.3절 Special Procedures for In-flight Contingencies in Oceanic Airspace 및 AC 91-70에도 수록되어 있다.

4-7-7. 비행계획서 요건

운영자는 이 항 및 해당하는 경우 4-7-4항, Non-RNP 10 항공기(RNP 10 또는 RNP 4를 승인반지 않은 항공기)에 대한 규정에 의거하여 ICAO 비행계획서를 기입하여야 한다.

a. ICAO 비행계획서 요건(ICAO Flight Plan Requirement). 대양항공로 그리고 휴스턴 대양 CTA/FIR, 마이애미 대양 CTA/FIR의 멕시코만 부분, 몬테레이 CTA 및 메리다 고고도 CTA에서 운항하기 위해서는 ICAO 비행계획서를 제출하여야 한다.

b. RNP 10 또는 RNP 4 승인을 받았고, 50 NM 횡적분리에 적격하다는 것을 ATC에 통보하기 위하

여 운영자는 다음과 같이 하여야 한다.

1. ICAO 비행계획서 항목 10(장비)에 문자 "R"을 표기한다.

2. 항목 18(그 밖의 정보)에 "PBN/A1" (RNP 10의 경우) 또는 "PBN/L1" (RNP4의 경우)이라고 적절하게 기입한다.

주(Note)

1. 4-7-8e항을 참조한다. 이 항에서는 미국 국내 RNAV 운항 시의 권고하는 비행계획서 제출 지침 및 EUROCONTROL에 비행계획서를 제출하는 방식을 제공한다.

2. ICAO 비행계획서에서 항목 10의 문자 "R"은 PBN 운항의 승인을 받은 비행이라는 것을 나타낸다. 항목 18 PBN/은 승인을 받은 PBN 성능의 유형이라는 것을 나타낸다.

c. 50 NM 횡적분리는 이 정책에 따라 ICAO 비행계획서에 기입하는 운영자/항공기에만 적용될 것이다 (4-7-7b 참조).

d. RNP 10 또는 RNP 4 승인을 받지 않은 운영자는 ICAO 비행계획서 항목 18(그 밖의 정보)에 "PBN/A1" 또는 "PBN/L1"이라고 기입해서는 안되며, 4-7-4항에 상세히 설명된 지침에 따라야 한다.

4-7-8. 조종사 및 운항관리사 절차: 기본적인 절차 및 비행중 우발절차

a. 기본적인 조종사절차. RNP 10 및 RNP 4 Job Aid에는 조종사절차 및 해당하는 경우 권고회보 90-105와 ICAO PBN Manual, Ⅱ권, B편과 C편, 1장에 포함되어 있는 운항관리사 절차가 언급되어 있다.

b. ICAO Doc 4444, 비행중 우발절차(In-Flight Contingency Procedures). ICAO Doc 4444 (Procedures for Air Navigation Services-Air Traffic Management(PANS-ATM)) 15장은 조종사훈련프로그램에 대한 중요한 지침을 포함하고 있다. 15장은 대양공역에서의 악기상 회피절차는 물론 특별한 비행중 우발절차를 포함하고 있다. 15장은 비행중 우회(diversion) 및 회항(turn-back) 계획, 항법성능의 상실, 그리고 악기상 회피를 위해 따라야 할 절차를 다룬다. 이러한 필수적인 지침들은 미국 항공정보간행물(AIP), 항공고시보 간행물의 International section, 그리고 FAA 권고회보(Advisory Circular) 91-70 Oceanic and Remote Continental Airspace Operations에 그대로 수록되어 있다.

c. 전략적인 횡적 offset 절차(Strategic Lateral Offset Procedures; SLOP). 조종사는 정기적인 대양운항 진로에 SLOP 절차를 사용하여야 한다. 절차수행방법을 포함하여 SLOP에 관한 절차는 미국 AIP의 대양운항(Oceanic Operations) 절에 수록되어 있다.

d. Non-RNP 10 상태의 조종사 통보. 조종사는 다음에 의거하여 RNP 10 또는 RNP 4의 비승인상태를 통보하여야 한다.

1. 운영자/항공기가 RNP 10 또는 RNP 4를 승인받지 않았을 경우. 4-7-4항 참조

2. 관제사가 승인상태를 요구한 경우. 4-7-8e항 참조

e. RNP 10 또는 RNP 4 승인상태를 요구한 경우의 조종사 통보. 관제사가 요구하면 조종사는 다음의 관제용어를 사용하여 승인상태를 통보하여야 한다.

관제사 요구
(호출부호) confirm RNP 10 또는 4 approved
조종사 응답
적절하게 "Affirm RNP 10 approved" 또는 "Affirm RNP 4 approved,"라고 응답, 또는 "Negative RNP 10" (Non RNP10 항공기에 대한 절차는 4-7-4항 참조)

f. 항법시스템 기능장애 시 조종사 조치. 항법시스템 기능장애라고 생각되는 경우, 조종사는 미국 AIP의 대양운항 부분에 수록된 조치와 더불어 다음의 조치를 취하여야 한다.

1. 항법시스템 기능장애 또는 고장을 즉시 ATC에 통보한다.

2. 바람 편류(wind drift)를 고려하여, 항적(track)을 유지하기 위하여 나침로(magnetic compass heading)로 비행한다.

3. 이용할 수 있는 경우, ATC에 레이더유도를 요구한다.

제5장. 항공교통절차(Air Traffic Procedures)

제1절. 비행전(Preflight)

5-1-1. 비행전 준비(Preflight Preparation)

a. 모든 조종사에게 비행전 브리핑을 받고 비행계획서를 제출하도록 권장하고 있다. 이 브리핑은 가장 최근의 기상 및 공항과 항공로 NAVAID 정보로 구성할 수 있다. 브리핑 업무는 FSS에 전화를 하거나, 체공 중에는 무선통신을 이용하여 받을 수 있다. 미국 본토 내의 조종사는 www.1800wxbrief.com을 통하여 Flight Service에 접속하거나, 1-800-WX-Brief에 연락하여 비행전 기상자료를 획득하고 IFR과 VFR 비행계획서를 제출할 수 있다.

주(Note)

보고가 녹음되는 "fast file" 시스템으로 비행계획서를 제출하려는 조종사는 녹음의 말미에 기상브리핑의 출처에 대해 언급하여야 한다.

b. 비행계획을 처리하기 위하여 FAA에 의해 요구되는 정보는 FAA 양식 7233-1, 비행계획서(Flight Plan) 또는 FAA 양식 7233-4, 국제비행계획서에 포함되어 있다. 이 양식은 모든 비행정보업무국(flight service stations)에서 구할 수 있다. 요청하면 양식은 추가로 제공될 것이다.

c. 비행전 기상 브리핑에 대해서는 FSS에 문의하라.

d. 표준브리핑을 요청하면 FSS가 적절한 NOTAM을 조언하여 주겠지만, FSS가 이를 간과하였다면 조종사는 주저하지 말고 NOTAM 정보를 받지 못했다는 것을 담당자에게 알려주어야 한다.

주(Note)

FSS 담당자는 조종사가 전화를 하기 전에 항공고시보 간행물(NTAP)을 확인했는지의 여부를 알 수 없기 때문에 조종사가 별도로 요청하지 않는 한 브리핑 시에 NTAP에 게재되는 NOTAM, 그림형식의 고시보 및 그 밖의 정보를 제공하지는 않는다. 항공로 NOTAM, 절차에 관한 NOTAM 및 사실상 일반적이고 특정 공항/시설과 결부되어 있지 않은 NOTAM(예를 들면, 비행조언 및 비행제한, 공개된 기간의 특별보안통제지시, 그리고 특별비행규칙공역)은 조종사 요청시에만 브리핑이 제공된다. 사전에 NTAP에 게재된 NOTAM과 그림형식의 고시보를 살펴보지 않았거나, 비행계획서에 관련된 모든 NOTAM을 별도로 요청하지 않았다면 이를 요청하는 것을 잊지 마라.

e. 조종사가 비행계획을 수립하고 운항을 할 때에는 가장 최근에 발간된 항공차트만을 사용하도록 권장하고 있다. 항공차트는 표기된 자료가 최근의 자료이며 신뢰성을 보장할 수 있도록 정기적으로 수정되고 재발간된다. 미국대륙에서 구역차트(Sectional chart)는 6개월마다 갱신되고, IFR 항공로차트는 매 56일마다 그리고 민간용 IFR 접근절차차트의 수정은 중간 주기인 28일에 발간되는 변경공고문과 함께 56일 주기로 이루어진다. 더 최근 일자의 차트로 대체된 이전의 차트에는 폐기되었거나 불완전한 비행정보가 포함되어 있을 수 있다.

f. 비행전브리핑을 요청할 때에는 조종사라는 신분을 밝히고 다음의 정보를 제공한다.

1. VFR 또는 IFR과 같은 계획된 비행방식(type of flight)
2. 항공기의 등록번호(aircraft's number) 또는 조종사의 성명
3. 항공기 기종(aircraft type)
4. 출발공항(departure airport)
5. 비행경로(route of flight)
6. 목적지(destination)
7. 비행고도(flight altitude)
8. ETD 및 ETE

g. 예정된 비행에 알맞은 브리핑을 하기 위해서 briefer는 브리핑을 하기 전에 위에 나열된 배경정보를 알고 있을 필요가 있다. 브리핑의 목적은 안전하고 효율적인 비행을 하기 위해 필요한 기상과 항공정보의 전반적인 상황을 전달하는 것이다. Briefer

는 예정된 비행에 적용할 수 있는 자료를 요약하여 설명하기 위하여 이용할 수 있는 모든 기상과 항공정보를 사용한다. Briefer는 조종사가 별도로 요청하지 않는 한 기상보고와 예보를 글자 그대로 읽지는 않는다. FSS briefer는 별도로 요청하지 않는 한 특별계기접근절차에 대한 FDC NOTAM 정보를 제공하지 않는다. 특별계기접근절차의 사용을 FAA로부터 허가받은 조종사는 이 절차에 대한 FDC NOTAM 정보를 별도로 요청하여야 한다. 전자적으로 정보를 수신받는 조종사는 자동으로 특별 IAP에 대한 NOTAM을 수신받을 것이다.

h. 14 CFR Part 93, Subpart K에 의하여 FAA는 고밀도교통공항(High Density Traffic Airports; HDTA)을 지정하고, 이러한 공항에 입출항하는 항공기(헬리콥터 운항 제외)에 대한 항공교통규칙과 운항요건을 규정하고 있다.

i. 1개국 이상의 외국을 횡단하거나 외국에 착륙하려는 비행이라면 비행계획서의 제출과 더불어 직접 관련된 누군가에게 전체 비행일정을 남기고, 비행 진행상황에 대하여 연락을 취할 사람을 두는 것이 특히 중요하다. 비행안전에 대해 심각한 의문이 든다면 먼저 FSS에 연락하여야 한다.

j. FAA 배정 3자리 문자의 지정자(designator)를 갖지 않고 국내 비행시 14 CFR Part 135의 규정에 의하여 운항하는 조종사는 비행계획서를 제출할 때 문자 "T"를 정식 등록번호(N) 앞에 덧붙여야 한다. (예, TN1234B)

5-1-2. VFR 운항 시에도 IFR 절차 이행(Follow IFR Procedures Even When Operating VFR)

a. IFR 숙련도를 유지하기 위하여 VFR 운항 중이더라도 가능하면 언제든지 IFR 절차를 연습할 것을 권장하고 있다. 제안하는 몇 가지 지침은 다음과 같다.

1. 완전한 비행전브리핑 및 기상브리핑을 받는다. NOTAM을 확인한다.

2. 비행계획서를 제출한다. 이것은 훌륭한 저비용의 보험증서이다. 드는 비용은 이를 작성하는 데 소요되는 시간뿐이다. 이 보험에는 당신이 목적지에 도착하는 것이 지연되면 누군가가 당신을 찾을 것이라는 사실이 포함되어 있다.

3. 최신 차트를 사용한다.

4. 항행안전시설을 활용한다. Needle이 계속 중앙에 있도록 하여, 바람직한 진로(course)를 유지하는 연습을 한다.

5. 비행방향에 해당하는 일정한 고도를 유지한다.

6. 항공로 비행시간을 예상한다.

7. 비행경로에 있는 FSS에 정확하게, 그리고 수시로 위치보고를 한다.

b. 모의 IFR 비행(hood 사용)을 권고하지만, 조종사는 모의 IFR 비행전 및 비행중에는 14 CFR 91.109절에 명시된 요건을 유의하여 검토하고 준수하여야 한다.

c. 야간에 VFR 비행을 할 때 조종사는 비행방향에 해당하는 고도와 더불어, 차트에 표시된 최저항공로고도(minimum en route altitude) 이상의 고도를 유지하여야 한다. 이것은 일반적으로 지상참조물이 거의 없는 산악지역에서 특히 그러하다. 높이 솟아 올라와 있는 소등지역, 또는 TV 송신탑과 같이 점등된 장애물이더라도 이를 회피하기 위하여 육안에만 의존해서는 안된다.

5-1-3. 항공고시보(Notice to Airmen; NOTAM) 시스템

a. 일시적인 사항이거나, 항공차트 또는 그 밖의 운용간행물로 발간되었다는 것이 사전에 충분히 알려지지 않은 시급한 항공정보는 국가 NOTAM 시스템을 통해 즉시 배포된다.

주(Note)

1. NOTAM 정보는 비행을 하려는 조종사의 결심에 영향을 줄 수 있는 항공정보이다. 여기에는 공항 또는 비행장 주 활주로의 폐쇄, 유도로, 주기장, 장애물, 통신, 공역과 같은 정보, 항행안전시설, ILS의 상태 변경, 레이더업무의 가용여부, 그리고 항공로, 터미널 또는 착륙운항을 결정하는 데 필수적인 그 밖의 정보가 포함된다.

2. NOTAM 정보는 전송시간을 줄이기 위해 표준 축약어(standard contractions)를 사용하여 전송된다. 가장 자주 사용되는 축약어의 목록은 표 5-1-2에 제시되어 있다. 전체목록은 FAA JO Order 7340.2, Contractions를 참조한다.

b. NOTAM 정보는 다섯 개의 category로 분류된다. 이것은 NOTAM (D) 또는 distant, Flight Data Center(FDC) NOTAM, Pointer NOTAM, Special Activity Airspace(SAA) NOTAM 및 Military NOTAM 이다.

1. NOTAM (D) 정보는 미국 차트 보충판(Chart Supplement U.S.)에 수록된 국가공역시스템(NAS)의 일부분인 모든 항행안전시설, 모든 공공용공항, 수상비행장 및 헬기장에 전파된다. 모든 NOTAM (D) 정보의 최종 파일은 조지아주 애틀랜타에 위치한 기상메시지교환센터(Weather Message Switching Center; WMSC)의 전산자료실에 저장된다. 이 category의 정보는 Service A 통신시스템을 통해 자동으로 배포된다. 주로 FSS와 같이 Service A 성능을 갖추고 있는 항공교통시설은 NOTAM의 전체 WMSC 데이터베이스에 접속할 수 있다. 이러한 NOTAM은 유효기간 동안 또는 발간될 때 까지 Service A를 통해 이용할 수 있다. NOTAM 자료는 간행물로 발간된 후에 시스템에서 삭제된다. NOTAM (D) 정보는 유도로 폐쇄(taxi closure), 활주로 근처나 활주로를 횡단하는 인원과 장비, 그리고 VASI와 같이 계기접근기준에 영향을 미치지 않는 공항등화시설과 같은 정보를 포함한다. 모든 NOTAM D는 지역식별자(location identifier) 다음에 본문(text)의 첫 부분으로 표 5-1-1에 나열된 keyword 중 하나를 가져야 한다.

2. FDC NOTAM. 규제적인 성격의 정보를 전파할 필요가 있는 경우에는 위싱턴 DC에 있는 국가비행정보센터(NFDC)에서 FDC NOTAM을 발행한다. FDC NOTAM은 발간된 IAP의 수정 및 그밖에 현재 사용하는 항공차트의 수정과 같은 것을 포함한다. 또한 자연재해나 대규모의 공식행사와 같은 것으로 인하여 이러한 지역의 상공에 항공교통의 혼잡을 야기할 수 있는 경우에 일시적비행제한(Temporary Flight Restrictions)을 공고하기 위하여 사용된다.

주(Note)

NOTAM 자료는 국가공역시스템 구성요소의 가변성, 정보처리에 따르는 지연, 그리고 가끔은 미국 NOTAM 시스템의 일시적인 운용중지로 인하여 항상 최신화되어 있지는 않다. 항공로 상에서 조종사는 FSS와 교신하여 비행경로와 목적지에 대한 최신정보를 얻어야 한다.

3. Pointer NOTAM. FDC나 NOTAM (D) NOTAM과 같은 다른 NOTAM을 강조하거나 지적하기 위하여 비행정보업무국에서 발행하는 NOTAM. 이러한 유형의 NOTAM은 공항이나 NAVAID 식별문자(identifier)로는 알 수 없는 중요한 정보를 상호 참조할 수 있도록 돕는다. Pointer NOTAM의 keyword는 지적하는 NOTAM의 keyword와 일치하여야 한다. 일시적비행제한(Temporary Flight Restrictions; TFR)과 관련된 pointer NOTAM의 keyword는 AIRSPACE 이어야 한다.

4. SAA NOTAM. 이 NOTAM은 특수활동공역(Special Activity Airspace)이 발간된 예정시간 이외에 사용되거나 발간된 일정에 의해 필요할 때 발행된다. 그럼에도 조종사와 다른 사용자는 그 공역에 대한 NOTAM은 물론 특수활동공역에 대하여 발간된 예정시간을 점검할 책임이 있다.

5. Military NOTAM. NAS의 일부인 미국 공군, 육군, 해병대 및 해군 항행안전시설/공항에 관한 NOTAM

c. 항공고시보 간행물(NTAP; Notices to Airmen Publication). NTAP는 28일 마다 ATC Products and Publications, Mission Support Service에 의해 발행된다. 미국 차트 보충판(Chart Supplement U.S.) 및 항공차트 발간간격 간의 중간단계로서 영구적인 성격의 일자가 NTAP에 기재될 수 있다. NTAP는 다음과 같은 3개의 part로 나누어져 있다.

1. Part 1은 NFDC에 의해 제공되며, Part 95 개정판, 최저 IFR 항공로고도 및 주파수변경지점에 대한 개정을 포함하고 있다.

2. Part 3은 국제 NOTAM으로 다음과 같은 2

개의 section으로 나뉜다.

(a) Section 1, 국제적인 비행금지, 잠재적인 적대상황 및 외국의 고시보

(b) Section 2, 국제 대양공역 고시보

3. Part 3 그림형식의 고시보는 FAA 업무구역 사무소 및 그 밖의 일선업무부서가 제공하는 자료로 ATC Products and Publications에서 편찬하며, 여기에는 군훈련구역, 대규모의 스포츠행사, air show 정보, 특별교통관리프로그램(STMP), 그리고 특정 공항정보와 같이 항공의 거의 모든 면과 관련된 특별한 그림형식의 고시보가 포함된다. 이 part는 일반사항, 특별군용기운항, 공항 및 시설고시보, 대규모 스포츠 및 공연행사, air show, 그리고 특별고시보(Special Notices)의 6개의 section으로 이루어진다.

표 5-1-1. NOTAM Keywords

Keyword	정의(Definition)
RWY	Runway
Example	!BNA BNA RWY 36 CLSD 1309131300-1309132000EST
TWY	Taxiway
Example	!BTV BTV TWY C EDGE LGT OBSC 1310131300-1310141300EST
APRON	Apron/Ramp
Example	!BNA BNA APRON NORTH APRON EAST SIDE CLSD 13111221500-1312220700
AD	Aerodrome
Example	!BET BET AD ELK NEAR MVMT AREAS 1309251300-1309262200EST
OBST	Obstruction
Example	!SJT SJT OBST MOORED BALLOON WITHIN AREA DEFINED AS 1NM RADIUS OF SJT 2430FT (510FT AGL) FLAGGED 1309251400-1309261400EST
NAV	Navigation Aids
Example	!SHV SHV NAV ILS RWY 32 110.3 COMMISSIONED 1311251600-PERM
COM	Communications
Example	!INW INW COM REMOTE COM OUTLET 122.6 OUT OF SERVICE 1307121330-1307151930EST
SVC	Services
Example	!ROA ROA SVC TWR COMMISSIONED 1301050001-PERM
AIRSPACE ...	Airspace
Example	!MIV MIV AIRSPACE AIRSHOW ACFT WITHIN AREA DEFINED AS 5NM RADIUS OF MIV SFC-10000FT AVOIDANCE ADVISED 1308122100-1308122300
OPD	Obstacle Departure Procedure
Example	!FDC 2/9700 DIK ODP DICKINSON - THEODORE ROOSEVELT RGNL, DICKINSON, ND. TAKEOFF MINIMUMS AND (OBSTACLE) DEPARTURE PROCEDURES AMDT 1... DEPARTURE PROCEDURE: RWY 25, CLIMB HEADING 250 TO 3500 BEFORE TURNING LEFT. ALL OTHER DATA REMAINS AS PUBLISHED. THIS IS TAKEOFF MINIMUMS AND (OBSTACLE) DEPARTURE PROCEDURES, AMDT 1A. 1305011200-PERM
SID	Standard Instrument Departure
Example	!FDC x/xxxx DFW SID DALLAS/FORT WORTH INTL, DALLAS, TX. PODDE THREE DEPARTURE... CHANGE NOTES TO READ: RWYS 17C/R, 18L/R: DO NOT EXCEED 240KT UNTIL LARRN. RWYS 35L/C, 36L/R: DONOT EXCEED 240KT UNTIL KMART 1305011200-1312111200EST
STAR	Standard Terminal Arrival
Example	!FDC x/xxxx DCA STAR RONALD REAGAN WASHINGTON NATIONAL, WASHINGTON, DC. WZRRD TWO ARRIVAL...

Keyword	정의(Definition)
	SHAAR TRANSITION: ROUTE FROM DRUZZ INT TO WZRRD INT NOT AUTHORIZED. AFTER DRUZZ INT EXPECT RADAR VECTORS TO AML VORTAC 1305011200-1312111200ES
CHART ……. Example	Chart !FDC 2/9997 DAL IAP DALLAS LOVE FIELD, DALLAS, TX. ILS OR LOC RWY 31R, AMDT 5... CHART NOTE: SIMULTANEOUS APPROACH AUTHORIZED WITH RWY 31L. MISSED APPROACH: CLIMB TO 1000 THEN CLIMBING RIGHT TURN TO 5000 ON HEADING 330 AND CVE R-046 TO FINGR INT/CVE 36.4 DME AND HOLD. CHART LOC RWY 31L. THIS IS ILS OR LOC RWY 31R, AMDT 5A. 1305011200-PERM
DATA ……. Example	!FDC 2/9700 DIK ODP DICKINSON - THEODORE ROOSEVELT RGNL, DICKINSON, ND. TAKEOFF MINIMUMS AND (OBSTACLE) DEPARTURE PROCEDURES AMDT 1... DEPARTURE PROCEDURE: RWY 25, CLIMB HEADING 250 TO 3500 BEFORE TURNING LEFT. ALL OTHER DATA REMAINS AS PUBLISHED. THIS IS TAKEOFF MINIMUMS AND (OBSTACLE) DEPARTURE PROCEDURES, AMDT 1A. 1305011200-PERM
IAP……. Example	Instrument Approach Procedure !FDC 2/9997 DAL IAP DALLAS LOVE FIELD, DALLAS, TX. ILS OR LOC RWY 31R, AMDT 5... CHART NOTE: SIMULTANEOUS APPROACH AUTHORIZED WITH RWY 31L. MISSED APPROACH: CLIMB TO 1000 THEN CLIMBING RIGHT TURN TO 5000 ON HEADING 330 AND CVE R-046 TO FINGR INT/CVE 36.4 DME AND HOLD. CHART LOC RWY 31L. THIS IS ILS OR LOC RWY 31R, AMDT 5A. 1305011200-PERM
VFP ……. Example	Visual Flight Procedures !FDC X/XXXX JFK VFP JOHN F KENNEDY INTL, NEW YORK, NY. PARKWAY VISUAL RWY 13L/R, ORIG...WEATHER MINIMUMS 3000 FOOT CEILING AND 3 MILES VISIBILITY. 1303011200-1308011400EST
ROUTE ……. Example	Route !FDC x/xxxx ZFW OK..ROUTE ZFW ZKC. V140 SAYRE (SYO) VORTAC, OK TO TULSA (TUL) VORTAC, OK MEA 4300. 1305041000-1306302359EST
SPECIAL …. Example	Special !FDC x/xxxx PAJN SPECIAL JUNEAU INTERNATIONAL, JUNEAU, AK. LDA-2 RWY 8 AMDT 9 PROCEDURE TURN NA. 1305011200-1312111200EST
SECURITY … Example	Security !FDC ZZZ SECURITY..SPECIAL NOTICE..THIS NOTICE IS TO EMPHASIZE THAT BEFORE OPERATING IN OR ADJACENT TO IRANIAN AIRSPACE ALL U.S. AIRMEN AND OPERATORS SHOULD BE FAMILIAR WITH CURRENT CONDITIONS IN THE MIDDLE EAST. THE U.S. DEPARTMENT OF STATE HAS ISSUED A TRAVEL WARNING FOR IRAN ADVISING, IN PART, THAT THE U.S. GOVERNMENT DOES NOT CURRENTLY MAINTAIN DIPLOMATIC OR CONSULAR RELATIONS WITH THE ISLAMIC REPUBLIC OF IRAN. ANY U.S. OPERATOR PLANNING A FLIGHT THROUGH IRANIAN AIRSPACE SHOULD PLAN IN ADVANCE AND HAVE ALL CURRENT NOTAMS AND AERONAUTICAL INFORMATION FOR ANY PLANNED FLIGHT 1311011200-1403301800EST
U …….	미확인 항공정보(Unverified Aeronautical Information) (합의서에 지정된 지역에서만 사용)*
O …….	그 밖의 항공정보**

* 미확인 항공정보(Unverified Aeronautical Information) NOTAM에는 이동지역에 관한 상태, 또는 NOTAM 기준에 충족하지만 공항운영자(AMGR)나 그가 지명한 사람의 확인을 받지 않은 그 밖의 수신 정보가 포함된다. 비행정보업무국이 공항운영자와 연락할 수 없으면, 비행정보업무국은 미국 NOTAM 시스템(USNS)에 (U) NOTAM 정보를 전송하여야 한다. (U) NOTAM을 USNS에 전파한 다음에 비행정보업무국은 가능한 빨리 취해야 할 조치를 공항운영자에게 통보한다. 이러한 NOTAM은 지역식별자(location identifier) 다음에 keyword "(U)", 그리고 다음에 해당하는 keyword 축약어로 시작된다.

** 그 밖의 항공정보는 항공기운항에 도움을 줄 수 있지만 정의된 NOTAM 기준을 충족하지 않는 승인된 source로부터 수신한 정보이다. 이러한 NOTAM은 지역식별자(location identifier) 다음에 keyword "(O)"로 시작된다.

표 5-1-2. NOTAM에서 주로 볼 수 있는 축약어
(Contractions Commonly Found in NOTAM)

	A
ABN	Aerodrome Beacon
ABV	Above
ACFT	Aircraft
ACT	Active
ADJ	Adjacent
AGL	Above Ground Level
ALS	Approach Light System
ALT	Altitude
ALTN/ ALTNLY	Alternate/Alternately
AMDT	Amendment
APCH	Approach
ARFF	Aircraft Rescue & Fire Fighting
ASDA	Accelerate Stop Distance Available
ASOS	Automated Surface Observing System
ASPH	Asphalt
ATC	Air Traffic Control
ATIS	Automated Terminal Information Service
AVBL	Available
AWOS	Automatic Weather Observing System
AWSS	Automated Weather Sensor System
AZM	Azimuth
	B
BTN	Between
	C
CAT	Category
CH	Channel
CL	Centerline
CLSD	Closed
COM	Communication
CONC	Concrete
CONT	Continue/Continuously
CTL	Control
	D
DCT	Direct
DEP	Depart/Departure
DH	Decision Height
DLA/DLAD	Delay/Delayed
DME	Distance Measuring Equipment
DWPNT	Dew Point Temperature
	E
E	East
EB	Eastbound
ELEV	Elevate/Elevation
ENG	Engine
EST	Estimated
EXC	Except
	F
FAC	Facility
FAF	Final Approach Fix
FDC	Flight Data Center
FICON	Field Condition
FREQ	Frequency
FSS	Flight Service Station
FT	Feet
	G
GCA	Ground Controlled Approach
GP	Glide Path
GPS	Global Positioning System
GRVL	Gravel
	H
HEL	Helicopter
HIRL	High Intensity Runway Lights
HR	Hour
	I
ID	Identify/Identifier
IFR	Instrument Flight Rules
ILS	Instrument Landing System
IM	Inner Marker

IN	Inch/Inches
INOP	Inoperative
INST	Instrument
INT	Intersection
INTST	Intensity
	L
L	Left
LB	Pound/Pounds
LDA	Landing Distance Available
LDG	Landing
LGT/LGTD	Light/Lighted
LIRL	Low Intensity Runway Edge Lights
LNDG	Landing
LOC	Localizer
	M
MALS	Medium Intensity Approach Lighting System
MALSF	Medium Intensity Approach Lighting System with Sequenced Flashers
MALSR	Medium Intensity Approach Lighting System with Runway Alignment Indicator Lights
MCA	Minimum Crossing Altitude
MDA	Minimum Descent Altitude
MEA	Minimum En Route Altitude
MIRL	Medium Intensity Runway Edge Lights
MKR	Marker
MM	Middle Marker
MNM	Minimum
MOA	Military Operations Area
MOCA	Minimum Obstruction Clearance Altitude
MSG	Message
MSL	Mean Sea Level
MU	Designate a Friction Value Representing Runway Surface Conditions
	N
N	North
NDB	Nondirectional Radio Beacon
NE	Northeast
NM	Nautical Mile/s
NTAP	Notice To Airmen Publication
NW	Northwest
	O
OBSC	Obscured
OM	Outer Marker
OPR	Operate

ORIG	Original
	P
PAPI	Precision Approach Path Indicator
PARL	Parallel
PAX	Passenger/s
PCL	Pilot Controlled Lighting
PERM	Permanent
PJE	Parachute Jumping Activities
PLA	Practice Low Approach
PN	Prior Notice Required
PPR	Prior Permission Required
PT	Procedure Turn
	R
RAI	Runway Alignment Indicator
RCL	Runway Centerline
RCLL	Runway Centerline Light
REC	Receive/Receiver
RLLS	Runway Lead-in Light System
RNAV	Area Navigation
RVR	Runway Visual Range
RVRM	RVR Midpoint
RVRR	RVR Rollout
RVRT	RVR Touchdown
RWY	Runway
	S
S	South
SAA	Special Activity Airspace
SE	Southeast
SFC	Surface
SKED	Scheduled
SN	Snow
SR	Sunrise
SS	Sunset
SSALF	Simplified Short Approach Lighting System with Sequenced Flashers
SSALR	Simplified Short Approach Lighting System with Runway Alignment Indicator Lights
SSALS	Simplified Short Approach Lighting System
STAR	Standard Terminal Arrival
STD	Standard
SW	Southwest
	T
TACAN	Tactical Air Navigational Aid
TDZ	Touchdown Zone
TEMPO	Temporary
TFC	Traffic
TFR	Temporary Flight Restriction

TGL	Touch and Go Landings
THR	Threshold
TKOF	Takeoff
TODA	Take-off Distance Available
TORA	Take-off Run Available
TWR	Aerodrome Control Tower
TWY	Taxiway
	U
UNL	Unlimited
UNREL	Unreliable
	V
VASI	Visual Approach Slope Indicator
VFR	Visual Flight Rules
VHF	Very High Frequency
VIS	Visibility
VMC	Visual Meteorological Conditions
VOLMET	Meteorological Information for Aircraft in Flight
VOR	VHF Omni-Directional Radio Range
VORTAC	VOR and TACAN (collocated)
VOT	VOR Test Facility
	W
W	West
WAAS	Wide Area Augmentation System
WDI	Wind Direction Indicator
WPT	Waypoint
WX	Weather

5-1-4. 비행계획서-VFR 비행(Flight Plan-VFR Flights)

a. ADIZ에서 운항하거나 ADIZ를 통과하는 경우를 제외하고, VFR 비행을 위한 비행계획서를 요구하지는 않는다.

b. FAA FSS에 비행계획서(VFR 비행을 위한)를 제출할 것을 강력히 권고하고 있다. 이것은 당신으로 하여금 VFR 수색 및 구조 보호를 받을 수 있도록 한다.

참조(Reference)

AIM, 6-2-6항 수색 및 구조에서는 적절한 VFR 비행계획서의 제출방법을 제시한다.

c. 비행계획프로그램으로부터 최대한 도움을 받기 위해서는 비행계획서를 가장 인접한 FSS에 직접 제출해야 한다. 당신의 편의를 위하여 FSS는 비행계획서를 접수할 때 항공브리핑 및 기상브리핑을 제공한다. 다른 방법이 없다면 무선통신으로 비행계획서를 제출할 수도 있다.

주(Note)

일부 주에서는 비행계획서를 접수하고 후속처리를 위하여 FSS에 전송하는 항공통신시설을 운영하고 있다.

d. "중간기착(stopover)" 비행이 예상될 때, 중간기착이 1시간 이상 지속될 것으로 예측되는 경우에는 각 "구간(leg)"에 대해 별도의 비행계획서를 제출할 것을 권고한다.

e. 출발공항에 있는 FSS에 직접 출발시간을 통보하거나, 또는 비행계획서를 제출할 때 FSS가 달리 지시한 곳에 출발시간을 통보할 것을 조종사에게 권장하고 있다. 이것은 보다 더 효율적인 비행계획업무를 보장하며 FSS가 항공시설의 중대한 변경이나 기상상태를 당신에게 조언할 수 있도록 한다. VFR 비행계획서가 제출되면, 다음과 같은 경우를 제외하고 출발예정시간으로부터 1시간 후까지 FSS에 보관된다.

1. 실제출발시간이 접수되었을 때
2. 수정된 출발예정시간이 접수되었을 때
3. 비행계획서 제출 시에 FSS는 출발예정시간에 맞추어 출발할 것이라는 것을 통보받았으나, 부적당한 통신으로 인하여 실제시간을 받을 수 없을 때(출발로 간주)

f. 운영되는 관제탑이 있는 지역에서는 조종사 요청 시에 항공기 식별부호는 실제출발시간을 통보하기 위하여 관제탑에 의해 FSS로 보내어 질 것이다. 분주한 공항에서는 이 절차를 피하여야 한다.

g. VFR 비행계획에서는 위치보고(position report)를 요구하지 않지만 비행로에서 주기적으로 FAA FSS에 보고를 하는 것은 바람직한 비행방법이다. 이러한 교신은 통과하는 항공기에게 중요한 정보가 될 수 있으며, 어떠한 이유로 항공기의 위치를 알아내는 것이 필요한 경우 비행의 진행상황을 조사하는 데에도 도움을 준다.

예문(Example)

1. Bonanza 314K, over Kingfisher at (시간), VFR flight plan, Tulsa to Amarillo.

2. Cherokee 5133J, over Oklahoma City at (시간), Shreveport to Denver, no flight plan.

h. IFR 비행계획으로 운항하지 않는 조종사는 수평순항비행을 할 때 주의를 기울여 비행방향에 해당하는 VFR 순항고도 인지를 확인하여야 한다.

i. VFR 비행계획서를 제출할 때, IFR 비행 시 규정된 것과 같은 방법으로 항공기 기종(aircraft type) 다음에 해당 접미어를 덧붙여 항공기 탑재장비 성능을 나타낸다.

j. 어떤 상황에서는 ATC computer tape가 불시착하거나 추락한 항공기의 radar 이력 재연에 유용할 수 있다. 각각의 경우에 이러한 computer tape가 유효할 지 여부의 판단에는 항공기 트랜스폰더 장비에 대한 지식이 필요하다.

그림 5-1-1. FAA 비행계획서 양식 7233-1(8-82)

U.S. DEPARTMENT OF TRANSPORTATION
FEDERAL AVIATION ADMINISTRATION

FLIGHT PLAN

(FAA USE ONLY) ☐ PILOT BRIEFING ☐ VNR ☐ STOPOVER | TIME STARTED | SPECIALIST INITIALS

1. TYPE (VFR / IFR / DVFR)	2. AIRCRAFT IDENTIFICATION	3. AIRCRAFT TYPE/ SPECIAL EQUIPMENT	4. TRUE AIRSPEED (KTS)	5. DEPARTURE POINT	6. DEPARTURE TIME (PROPOSED (Z) / ACTUAL (Z))	7. CRUISING ALTITUDE

8. ROUTE OF FLIGHT

9. DESTINATION (Name of airport and city)	10. EST. TIME ENROUTE (HOURS / MINUTES)	11. REMARKS

12. FUEL ON BOARD (HOURS / MINUTES)	13. ALTERNATE AIRPORT(S)	14. PILOT'S NAME, ADDRESS & TELEPHONE NUMBER & AIRCRAFT HOME BASE / 17. DESTINATION CONTACT/TELEPHONE (OPTIONAL)	15. NUMBER ABOARD

16. COLOR OF AIRCRAFT

CIVIL AIRCRAFT PILOTS, FAR 91 requires you file an IFR flight plan to operate under instrument flight rules in controlled airspace. Failure to file could result in a civil penalty not to exceed $1,000 for each violation (Section 901 of the Federal Aviation Act of 1958, as amended). Filing of a VFR flight plan is recommended as a good operating practice. See also Part 99 for requirements concerning DVFR flight plans.

FAA Form 7233-1(8-82) CLOSE VFR FLIGHT PLAN WITH ______________ FSS ON ARRIVAL

k. 비행계획서 양식(Flight Plan Form) - (참조 그림 5-1-1)

l. 비행계획서 항목 설명(Explanation of VFR Flight Plan Items)

1. 1항. 비행계획의 방식(type)을 표시한다. VFR/IFR 혼합비행이면 VFR과 IFR 항목 양쪽에 모두 표시한다.

2. 2항. 해당되는 경우, 접두어 "N"을 포함한 전체 항공기 식별부호(aircraft identification)를 기재한다.

3. 3항. 항공기지정자(aircraft designator)를 기재하며, 이를 모르면 FSS briefer에게 문의한다.

4. 4항. 진대기속도(TAS)를 기재한다.

5. 5항. 출발공항의 식별부호(identifier code)를 기재하거나, 이를 모르면 공항명칭을 기재한다.

6. 6항. 국제표준시(UTC) (Z)로 출발예정시간을 기재한다. 체공 중이라면 실제출발시간 또는 출발예정시간 중 적절한 시간을 기재한다.

7. 7항. 해당하는 VFR 고도를 기재한다. (briefer가 기상 및 바람정보를 제공하는데 도움을 주기 위하여)

8. 8항. NAVAID 식별부호(identifier code) 및 항공로를 사용하여 비행경로를 명시한다.

9. 9항. 목적지공항의 식별부호(identifier code)를 기재하거나, 이를 모르면 공항명칭을 기재한다.

주(Note)

명확해야 할 필요가 있다면, 도시명(또는 주명까지도)을 포함시킨다.

10. 10항. 예상비행시간(estimated time enroute)을 시와 분 단위로 기재한다.

11. 11항. 항공로 중간기착이나 조종연습생 cross country와 같이 VFR 수색 및 구조에 도움을 줄 수 있는 내용을 기재하거나, 또는 무선전화가 새 것이거나 최근 60일 이내에 변경되었거나 특별히 FAA가 배정한 임시무선전화라면 2항에 기재되는 지정자와 관련되는 무선전화(call sign)와 같이 그 밖의 비행계획정보의 확인에 필요한 내용만을 기재한다. 사적인 성격의 항목은 접수되지 않는다.

12. 12항. 연료탑재량을 시와 분 단위로 기입한다.

13. 13항. 필요시 교체공항을 기입한다.

14. 14항. 성명, 주소 및 전화번호를 기재한다. 모기지(home base), 공항 또는 운영자를 식별하기 위한 충분한 정보를 기재한다.

주(Note)

이 정보는 수색 및 구조업무를 할 경우에 반드시 필요하다.

15. 15항. 승무원을 포함한 총탑승인원수를 기재한다.

16. 16항. 항공기의 주된 색상을 기재한다.

17. 17항. 비행계획을 종료시킬 FSS 명칭을 기록한다. 상이한 FSS 또는 시설에 비행계획이 종료될 경우 정상적으로 비행계획을 종료시킬 FSS 명칭을 언급한다.

주(Note)

1. 선택사항 - 도착예정시간(ETA) 이후 30분 내에 비행계획을 보고하지 못했거나 종료시키지 못했을 경우, 수색 및 구조를 돕기 위한 목적지 전화번호를 기재하라.

2. 목적지 FSS에는 비행계획서 2, 3, 9항과 10항의 정보만 전송된다. 예상비행시간(ETE)은 적절한 도착예정시간(ETA)으로 환산된다.

5-1-5. 운항정보시스템[Operational Information System; OIS]

a. FAA의 항공교통관제시스템 지휘센터(ATCSCC)는 거의 실시간의 국가공역시스템(NAS) 상태정보 웹사이트를 유지하고 있다. 비행계획서를 제출하기 전에 웹사이트 http://www.fly.faa.gov에 접속할 것을 NAS 운영자에게 권장하고 있다.

b. Web site에는 조언정보가 통합되어 있다. 조언은 NAS에 관한 정보를 포함하고 있는 ATCSCC에 의하여 전자적으로 전파되는 message 이다.

1. 보통 다음과 같은 항목의 조언이 발부된다.

(a) 지상정지(ground Stop)

(b) 지상지연프로그램(ground delay program)

(c) 비행로정보(route information)

(d) 운항계획(plan of operation)

(e) 시설운용중지 및 예정된 시설운용중지(facility outages and scheduled facility outages)

(f) 화산재활동회보(volcanic ash activity bulletins)

(g) 특별교통관리프로그램(special traffic management program)

2. 이 목록에 모든 사항이 포함되어 있지는 않다. 조언을 받을 수 있는 많은 사람들에게 도움이 되는 정보가 언제든 있다. 추가적으로, 업무량이나 짧은 활동시간으로 인해 조언을 할 수 없을 때도 있다.

3. 비행로정보는 web site 상의 특정조언에서 이용할 수 있다. 56일 발간주기의 적용을 받는 일부 비행로정보는 "Products", Route Management Tool(RMT) 및 "What's New" Playbook 하의 "OIS"에 위치한다. RMT 및 Playbook에는 비행로 정보가 "실시간(real-time)"으로 종합되며, ATCSCC 조언으로 발간될 때 항공교통과 NAS 운영에 사용할 수 있도록 비행로배정이 포함되어 있다.

4. 비행로조언(route advisory)은 표제(header)의 단어 "Route", 그리고 associated action is required(RQD), recommended(RMD), planned (PLN) 또는 for your information(FYI)로 식별

된다. 운영자는 비행로 RQD 조언과 일치하는 비행계획서를 제출하여야 한다.

5. Electronic System Impact Reports는 http://www.atcscc.faa.gov/ois/under "System Impact Reports"의 intranet 상에 있다. 이 page에는 NAS에 상당한 영향을 주는 예정된 운용중지/행사/사업, 예를 들면 활주로폐쇄, air show 및 건설공사 등이 수록된다. 정보에는 예상되는 지연 및 시행될 교통관리계획서(TMI)가 포함된다.

5-1-6. 비행계획서-방어 VFR(Defense VFR; DVFR) 비행

ADIZ으로의 VFR 비행(DOD 또는 법집행업무비행 제외)은 안전목적상 DVFR 비행계획서를 제출하여야 한다. 상세한 ADIZ 절차는 이 장의 제6절, 국가안보 및 요격절차에 제시되어 있다. (14 CFR Part 99, Security Control of Air Traffic 참조)

5-1-7. 혼합비행계획서(Composite Flight Plan (VFR/IFR Flight))

a. 비행의 일부분은 VFR 운항으로 다른 부분은 IFR로 기입한 비행계획서는 출발지점의 FSS에 접수한다. 비행의 첫 부분이 VFR 비행이라면 조종사는 VFR/IFR 비행계획서를 제출한 FSS에 출발시간을 보고하여야 하며, 이어서 VFR 부분을 종료하고 VFR에서 IFR로 변경할 지점의 가장 인접한 FSS에 ATC 허가를 요청하여야 한다. 교신하고 있는 시설의 종류(FSS, Center 또는 관제탑)에 관계없이 그 시설에 "VFR 비행계획 종료(close VFR flight plan)"를 요청하는 것은 조종사의 책임이다. 조종사는 IFR 허가에 따라 운항할 때 까지는 VFR 기상상태를 유지하여야 한다.

b. 비행계획이 비행의 첫 부분은 IFR이고 다음 부분이 VFR 일 경우, 일반적으로 조종사는 비행방식을 변경할 지점까지 허가를 받게 된다. 허가한계점(clearance limit) 상공에서 보고 후 더 이상 IFR 허가가 필요 없다면 조종사는 비행계획의 IFR 부분을 취소한다는 것을 ATC에 통보하여야 한다. 그 다음에 조종사는 비행계획의 VFR 부분을 시작하기 위하여 가장 인접한 FSS와 교신하여야 한다. 만일 조종사가 허가한계점 이후에도 IFR 비행계획을 지속하기를 원한다면, 조종사는 최소한 허가한계점 5분 전에 ATC와 교신하여 이후의 IFR 허가를 요청하여야 한다. 허가한계점 fix에 도달하기 전에 요청한 허가를 받지 못했다면 허가한계점 fix에 대한 체공장주가 미국정부가 발간하거나 시판용으로 제작한 (FAA 요건을 충족하는) 저고도나 고고도항공로차트 또는 지역차트나 STAR 차트에 표기되어 있지 않는 한, 조종사는 fix까지 radial 이나 진로상의 표준체공장주로 진입하여야 한다. 이 경우 조종사는 표기된 장주에 따라 체공하여야 한다.

5-1-8. 비행계획-비행계획서(FAA 양식 7233-1) - 국내 IFR 비행

주(Note)

1. 이 절에 서술된 절차는 FAA 양식 7233-1(비행계획서)을 제출한 운영자 및 전적으로 미국 국내공역에서 수행할 비행에 적용된다.

2. FAA 양식 7233-1을 이용하여 비행계획서를 제출하는 사람은 RNAV SID 및 STAR의 배정에는 적합하지 않을 수 있다. 이 절차의 배정을 원하는 비행계획서 제출자는 5-1-9항에 기술된 FAA 양식 7233-4(국제비행계획서)를 사용하여 제출할 수 있다.

a. 일반(General)

1. 기상상태가 VFR 최저치 미만이라면, 조종사는 관제공역에서 출발하거나 진입하기 전에 전체 비행계획서를 제출하고 항공교통허가를 받아야 한다. 계기비행계획서는 가장 인접한 FSS 또는 ATCT에 직접 방문하거나 전화로 제출할 수 있다 (다른 방법이 없다면 무선통신으로 제출). 조종사는 ATC로부터 출발허가를 받는데 있어서 발생할 수 있는 지연을 고려하여 최소한 출발예정시간 30분 전에 IFR 비행계획서를 제출하여야 한다. FAA 교통관리소는 전략적으로 비행로운용계획을 수립하기 위하여 FL 230

이상에서 IFR 운항을 하는 비정기운영자에게 출발 예정시간(estimated time of departure; ETD)으로부터 최소한 4시간 이전에 자발적으로 IFR 비행계획서를 제출할 것을 요구하고 있다. 목적지공항의 기상이 현재 IFR 기상상태이거나 또는 IFR 기상상태가 예보되었을 때, 목적지의 B등급, C등급, D등급 및 E등급 공항교통구역에 진입 시 지연을 최소화하기 위하여 IFR 비행계획서는 출발 전에 제출하여야 한다. 그렇게 하지 않으면 비행계획서 자료처리에 시간이 소요되기 때문에 ATC 허가를 받는 데에 30분 정도 지연이 되는 것은 보통이다. 때때로 교통상황은 관제담당자가 무선통신으로 비행계획서를 접수하는 것을 방해한다. 이런 경우 비행계획서를 제출하기 위해 가장 인접한 FSS와 교신할 것을 조종사에게 권고한다.

주(Note)

1. 관제탑이나 FSS가 없는 공항이나 외딴 공항에서 IFR 허가를 받을 수 있는 여러 가지 방법이 있다. 그 절차는 지리적특성, 기상상태 및 ATC 시스템의 복잡성으로 인하여 다양할 수 있다. 조종사는 IFR 허가를 받을 수 있는 가장 효과적인 방법을 결정하기 위하여, 가장 인접한 FSS에 IFR 허가를 받을 수 있는 가장 적절한 방법을 문의하여야 한다.
2. IFR 허가를 요구할 때 ATC에 의도하는 출발공항의 정확한 위치를 분명히 말하기 위하여, 도시명과 주 또는 공항 지역식별자(location identifier)를 언급하여 출발공항을 밝힐 것을 적극 권고한다.

2. IFR 비행계획서를 제출할 때 항공기가 2대 이상일 경우에는 항공기 대수, 또는 해당되는 경우 항공기 기종 앞에 중항공기(heavy aircraft) 지시자(indicator) "H/"를 붙인다.

예시(Example)

H/DC10/A

2/F15/A

3. IFR 비행계획서를 제출할 때 항공기 기종(aircraft type) 다음에 사선(/)을 긋고, 표 5-1-3 항공기 탑재장비 접미어에 제시된 접미어를 덧붙여 탑재장비 성능을 나타낸다.

표 5-1-3. 항공기 탑재장비 접미어(Aircraft Equipment Suffixes)

	항법성능 (Navigation Capability)	트랜스폰더 성능 (Transponder Capability)	접미어 (Suffix)
RVSM	GNSS 없음, RNAV 없음	Mode C를 갖춘 Transponder	/W
	RNAV, GNSS 없음	Mode C를 갖춘 Transponder	/Z
	GNSS	Mode C를 갖춘 Transponder	/L
RVSM 없음	DME 없음	Transponder 없음	/X
		Mode C를 갖추지 않은 Transponder	/T
		Mode C를 갖춘 Transponder	/U
	DME	Transponder 없음	/D
		Mode C를 갖추지 않은 Transponder	/B
		Mode C를 갖춘 Transponder	/A
	TACAN	Transponder 없음	/M
		Mode C를 갖추지 않은 Transponder	/N
		Mode C를 갖춘 Transponder	/P
	RNAV, GNSS 없음	Transponder 없음	/Y
		Mode C를 갖추지 않은 Transponder	/C
		Mode C를 갖춘 Transponder	/I
	GNSS	Transponder 없음	/V
		Mode C를 갖추지 않은 Transponder	/S
		Mode C를 갖춘 Transponder	/G

주(Note)

1. ATC는 제출된 접미어에 의거하여 허가를 발부한다. 조종사는 원하는 서비스나 비행로배정에 의하여 해당하는 접미어를 판단하여야 한다. 예를 들어, 원하는 비행로/절차가 GPS를 필요로 하면 조종사는 항공기에 다른 접미어들도 적합하다 하더라도 /G를 기재하여야 한다.

2. GPS가 필요한 절차의 경우, 항법시스템이 GPS의 상실을 운항승무원에게 자동으로 경고하지 않는다면 운영자는 정확하게 GPS가 작동되는 지를 확인할 수 있는 절차를 개발해야 한다.

3. 접미어를 항공기 식별부호에 덧붙이거나, 항공기 식별부호의 한 부분으로서 무선통신으로 송신해서는 안된다.

4. 탑재장비 접미어에는 항공기의 최대 트랜스폰더 성능이나 항법성능을 기재할 것을 조종사에게 권고하고 있다. 이렇게 함으로써 항법장비와 트랜스폰더 성능의 이용 가능한 모든 면을 활용하기 위하여 필요한 정보를 ATC에 제공할 수 있다.

5. 전화나 무선으로 IFR 비행계획서를 제출할 때는 도시명과 주 또는 공항 지역식별자(location identifier)를 언급하여 출발공항을 밝힐 것을 적극 권고한다. 지역의 넓은 구역을 담당하는 비행정보업무국 담당자에게 휴대전화를 사용하여 출발공항을 명확하게 언급함으로써 다른 주의 동일하거나 유사한 명칭을 가진 공항과 출발공항을 혼동하는 것을 방지할 수 있다.

b. 비행계획서에 항공로 및 제트비행로 표기

1. 비행계획서에 비행경로를 정확하고 완전하게 기술하는 것은 대단히 중요하다. 예정비행로를 간단하게 정의하고 항공교통관제를 용이하게 하기 위하여, 조종사가 계획한 고도 또는 비행고도에서 사용하도록 설정된 항공로 또는 제트비행로를 경유하는 비행계획서를 제출할 것을 요구하고 있다.

2. 비행이 지정된 항공로 또는 제트비행로를 경유하여 이루어진다면 요청하는 항공로 또는 제트비행로의 형태 및 번호 지정자(designator)를 표시하여 비행로를 기술한다. 둘 이상의 항공로 또는 제트비행로를 사용한다면 전이지점(point of transition)을 명확하게 표시한다. 명칭이 부여되지 않은 교차지점에서 전환(transition)이 이루어진다면, 예정된 비행로의 바로 다음에 이어지는 NAVAID 또는 명칭이 부여된 교차지점 및 그 지점으로부터의 전체 비행로를 표시한다. 보고지점은 해당 항공차트에 표기된 인가 명칭/부호를 사용하여 식별할 수 있다. 다음의 두 예문은 두 개의 비행로가 한 개 이상의 전이 fix를 공유할 경우, 전이지점(transition point)을 명시해야 할 필요성을 보여주고 있다.

예시(Example)

1. ALB J37 BUMPY J14 BHM

해설: 뉴욕 올버니로부터 BUMPY 교차지점까지는 제트비행로 37을 경유하며, BUMPY 교차지점에서 제트비행로 14로 전환한 다음 앨라배마 버밍엄까지는 제트비행로 14를 경유

2. ALB J37 ENO J14 BHM

해설: 뉴욕 올버니로부터 Smyma VORTAC(ENO)까지는 제트비행로 37을 경유하며, Smyma VORTAC(ENO)에서 제트비행로 14로 전환한 다음 앨라배마 버밍엄까지는 제트비행로 14를 경유

3. 계획된 고도 또는 비행고도에서 사용할 명칭이 부여된 지점이 설정되어 있다면 비행경로는 보고지점 명칭 또는 비행이 상공을 통과할 NAVAID 명칭으로도 나타낼 수 있다.

예시(Example)

BWI V44 SWANN V433 DQO

해설: 볼티모어-워싱턴 국제공항으로부터 Swann 교차지점까지는 Victor 44를 경유하며, Swann에서 Victor 433으로 전환한 다음 듀폰트까지는 Victor 433을 경유

4. 항공로나 제트비행로가 단일하든 혼합되어 있든지 간에 비행경로를 보고지점 명칭으로 한정할 때와 비행에 이용할 항행안전시설(VOR, VORTAC, TACAN, NDB)이 서로 다른 유형의 보조시설과 조합되어 있을 때에는 충분한 정보를 포함시켜 요청하는 비행로를 명확히 나타내어야 한다.

예시(Example)

LAX J5 LKV J3 GEG YXC FL 330 J500 VLR J515 YWG

해설: 로스엔젤레스 국제공항에서 제트비행로 5를 경유 레이크뷰로, 제트비행로 3을 경유 스포캔으로, 크랜브룩으로 직진, 브리티쉬 콜롬비아 VOR/DME를 거쳐 비행고도 330 제트비행로 500을 경유 랭루쓰로, 매니토바 VORTAC를 거친 다음 매니토바주 위니펙까지는 제트비행로 515를 경유

5. IFR 비행계획서를 제출할 때 우선비행로(preferred route)를 기재하는 것이 조종사에게는 이득이 된다.

참조(Reference)

우선 IFR 비행로(Preferred IFR Route)는 미국 차트 보충판(Chart Supplement U.S.)에 기술되며 목록화되어 있다.

6. ATC는 해당되는 경우, SID 또는 STAR를 발부할 수 있다.

주(Note)

SID 또는 STAR를 원하지 않는 조종사는 비행계획서의 비고란에 "no SID" 또는 "no STAR"라고 기입하여야 한다.

c. 직선비행(Direct Flights)

1. 직선비행로(direct route)의 비행처럼 설정된 항공로나 비행로의 radial 또는 진로로 비행하지 않을 비행의 경우, 비행이 상공을 통과할 무선 fix를 표시하여 비행로의 모든 구간이나 일부 구간을 지정하여야 한다. 비행로를 지정하기 위하여 선정하는 fix는 상공의 항공기 위치를 정확하게 판단할 수 있는 fix 이어야 한다. ATC가 달리 통보하지 않는 한, 이러한 fix 들은 자동으로 비행에서 필수보고지점이 된다. 특정 항공로구조, 즉 저고도 또는 고고도 항공로구조에 사용하기 위하여 설정된 항행안전시설만이 그 고도구조 내에서 항공로의 직선비행단계를 지정하기 위하여 사용될 수 있다.

2. VOR 보조시설의 방위각 기능 및 VORTAC과 TACAN 보조시설의 방위각과 거리(DME)의 기능에 따라 설정된 항공로 및 비행로 용도로 사용하거나, 설정된 항공로나 비행로 외부에서의 비행계획수립에 대한 지침으로 제공하기 위하여 주파수보호공역이 구성된다. 이러한 공역구역은 "class limit" 또는 "category"라고 하는 지정된 크기의 원통형 서비스범위(cylindrical service volume)로 나타낸다.

3. 운용서비스범위는 각각의 등급에 따라 적절한 신호통달범위와 주파수보호가 이루어질 수 있도록 설정되어 있다. 운용서비스범위 한계와 일치하는 VOR, VORTAC 또는 TACAN 보조시설의 사용이 가능하도록 관제공역의 직선비행경로 지정에 이러한 보조시설을 사용하는 조종사는 다음 사항을 어겨서는 안된다.

(a) FL 450을 초과하는 운항 - 200 NM 이상 떨어져 있지 않은 보조시설을 이용한다. 이러한 보조시설은 고고도항공로차트에 표기되어 있다.

(b) 18,000 ft MSL에서 FL 450까지의 설정된 비행로를 벗어난 운항 - 260 NM 이상 떨어져 있지 않은 보조시설을 이용한다. 이러한 보조시설은 고고도항공로차트에 표기되어 있다.

(c) 18,000 ft MSL 미만의 설정된 항공로를 벗어난 운항 - 80 NM 이상 떨어져 있지 않은 보조시설을 이용한다. 이러한 보조시설은 저고도항공로차트에 표기되어 있다.

(d) 미국대륙 내의 14,500 ft MSL과 17,999 ft MSL 사이의 설정된 항공로를 벗어난 운항 - 200 NM 이상 떨어져 있지 않은 (H) 등급의 시설을 이용할 수 있다.

4. VOR/VORTAC/TACAN 시스템에 의존하지 않는 항공기탑재 자립항법시스템의 사용 증가로 인하여 조종사는 NAVAID 서비스범위(service volume)의 한계를 초과하는 직선비행로를 요청하게 되었다. GNSS를 갖춘 항공기를 제외하고, 이러한 직선비행로의 요청은 허가된 직선비행로에서의 항행에 대한 책임은 조종사에게 있다는 기준 하에 레이더 관제상황에서만 인가된다. 레이더비행추적(radar flight following)은 ATC 목적으로 ATC에 의해 제공된다. 그러나 GNSS를 갖춘 항공기의 경우 비레이다 관제상황이고, 비행로 배정이 발간된 지점에서 발간된 지점까지의 항행으로 지정된 지점간 비행방식(point-to-point basis)이어야 하며, 항행지원을 받을 수 없는 경우에만 ATC는 지상기반 NAVAID

서비스범위의 한계를 초과하는 직선비행로를 인가할 수 있다. (아래의 5-1-8d절 참조)

5. 때때로 ATC는 NAVAID 서비스범위의 한계를 초과하는 레이더 관제상황에서 직선비행로 비행을 하도록 한다. 이런 경우 ATC는 필요한 레이더감시와 항행지원을 제공한다. GNSS를 갖춘 항공기의 경우 비행로가 지점간 비행방식(point-to-point)이면 레이더감시 및 항행지원이 필요하지 않다. (아래의 5-1-8d절 참조)

6. 비행할 비행로의 구간을 기술하기 위하여 운항을 할 고도층에 해당하는 항공로 또는 제트비행로의 번호를 포함해야 할 수도 있다.

예시(Example)

MDW V262 BDF V10 BRL STJ SLN GCK

해설: 시카고 미드웨이 공항에서 브래드퍼드까지 Victor 262 경유, 아이오와주 벌링턴까지 Victor 10 경유, 미주리주 세인트 조셉까지 직선비행, 캔자스주 살리나까지 직선비행, 캔자스주 가든시티까지 직선비행

주(Note)

비행경로가 무선 fix로 기술되면, 조종사는 지정된 지점 간의 직선비행로(direct course)로 비행하여야 한다.

7. 조종사는 관제공역 외부에 있는 직선비행로구간에서 장애물회피요건을 준수할 책임은 조종사에게 있다는 것을 생각하고 있어야 한다. 저고도 IFR 항공로차트 상에 표시된 MEA 및 그 밖의 고도는 관제공역 내의 비행로구간과 관련되며, 이 비행로를 벗어나 운항할 경우 이들 고도는 장애물회피기준을 충족하지 못할 수도 있다.

d. 지역항법(Area Navigation; RNAV)/위성항행시스템(Global Navigation Satellite System; GNSS)

1. GNSS를 갖춘 항공기의 경우 임의임시비행로(random impromptu route)는 레이더 관제상황에서만 인가될 수 있다. 임의임시비행로(random impromptu route)는 비행하는 동안 ATC가 제안하거나 조종사가 요청하는 직선비행로(direct course)이다. 항공기는 현재 위치에서 NAVAID, waypoint, fix 또는 공항까지 허가를 받는다. ATC가 임의임시비행로를 인가할 때 고려해야 할 요소로는 레이더감시를 제공할 능력 및 교통량과 교통흐름과의 적합성을 들 수 있다. ATC가 각 비행을 레이더 감시하더라도 임의임시비행로 상의 항행은 조종사의 책임이다. 항공기가 지점간 비행로(point-to-point route)를 경유하는 것을 허가 받았거나, 지점간 비행로에 진입했다고 통보한 경우 GNSS를 갖춘 항공기는 비레이다 관제상황에서 운항하는 것이 인가된다. 지점(point)은 항공기의 데이터베이스에서 불러올 수 있는 발간된 NAVAID, waypoint, fix 또는 공항이어야 한다. 지점 간의 거리는 500 mile을 초과할 수 없으며, 항행지원은 제공되지 않는다.

2. 승인된 지역항법장비를 갖춘 항공기의 조종사는 국가공역시스템 전체의 RNAV 비행로에 대한 비행계획서를 다음 절차에 따라 제출할 수 있다.

(a) 공항에서 다른 공항까지의 비행계획서를 제출한다.

(b) 비행계획서에 해당하는 항공기 장비의 접미어를 기입한다.

(c) 적절한 도착 및 출발 전이(transition) fix, 또는 비행이 이루어질 고도층(altitude stratum)에 부합하는 항행안전시설 상공에서 시작 및 종료될 수 있도록 비행계획서의 임의비행로구간(random route portion)을 정한다. 출발 및 도착비행로가 설정된 곳에서는 정상적인 우선 출발 및 도착비행로(DP/STAR)의 사용을 권고하고 있다.

(d) 비행의 임의비행로구간으로의 진입 및 임의비행로구간에서의 이탈에 대한 비행로구조 전환(route structure transition)을 제출한다.

(e) Waypoint로 임의비행로를 지정한다. 고도층에 부합하는 항행안전시설에 의거한 방위-거리(degree-distance) fix를 이용하여 waypoint로 기술한 비행로를 제출한다.

(f) 비행할 임의비행로 지역의 각 ARTCC에 대하여 waypoint로 기술한 최소한 하나의 비행로를 제출한다.

(g) 비행로의 각 선회지점에 대하여 추가적인

waypoint로 기술한 비행로를 제출한다.

(h) 제출한 비행경로를 경유하는 정확한 항행을 보장하기 위하여 필요한 추가적인 waypoint로 기술한 비행로를 정한다. ATC의 지원을 요청하지 않는 한 항행은 조종사의 책임이다.

(i) 금지구역과 제한구역에서의 운항을 허가받고 적절한 ATC 기관에 통보하지 않는 한, 이 구역을 3 NM 이상 회피하도록 비행경로를 정한다.

주(Note)

RNAV 장비를 국가공역시스템에 사용하기 위한 인가를 받기 위해서는 시스템 가용성, 정확도 및 감항성 기준을 충족해야 한다. RNAV 장비요건에 대한 추가적인 정보 및 지침은 권고회보 (AC) 20-138, Airworthiness Approval of Positioning and Navigation System 및 AC 90-100, U.S. Terminal and En Route Area Navigation (RNAV) Operations를 참조한다.

3. VOR/TACAN과는 무관한 위도/경도좌표를 이용한 항법성능을 갖춘 항공기의 조종사는 미국대륙 내에서 FL 390 이상의 임의 RNAV 비행로에 대한 비행계획서를 다음과 같은 절차에 의하여 제출할 수 있다.

(a) 출발하기 전에 공항에서 다른 공항까지의 비행계획서를 제출한다.

(b) 비행계획서에 해당하는 RNAV 성능 확인 접미어를 기입한다.

(c) 발간된 전이절차(transition procedure)가 없는 공항의 경우, 발간된 출발/도착 전이 fix 상공 또는 적합한 항행안전시설 상공에서 비행이 시작 및 종료될 수 있도록 임의비행로구간을 계획한다. 출발 및 도착비행로가 설정된 곳에서는 DP 및 STAR와 같은 우선 출발 및 도착비행로의 사용을 권고하고 있다.

(d) 금지구역과 제한구역에서의 운항을 허가받고 적절한 ATC 기관에 통보하지 않는 한, 이 구역을 3 NM 이상 회피하도록 비행경로를 정한다.

(e) 분 단위에 가장 가깝게 나타낸 위도/경도좌표의 용어 또는 항법기준시스템(Navigation Reference System; NRS) waypoint 용어로 각 중간픽스(선회지점) 및 목적지공항에 대한 도착 fix를 포함한 출발 fix 이후의 비행경로를 지정한다. 도착 fix를 위도/경도로 제출하는 경우에는 위도/경도좌표 및 fix 식별자(identifier) 둘 다에 의해 식별하여야 한다.

예시(Example)

MIA[1] SRQ[2] 3407/10615[3] 3407/11546 TNP[4] LAX[5]

[1] 출발공항(departure airport)

[2] 출발 fix(departure fix)

[3] 중간 fix (선회지점)

[4] 도착 fix(arrival fix)

[5] 목적지공항(destination airport)

또는,

ORD[1] IOW[2] KP49G[3] KD34U[4] KL16O[5] OAL[6] MOD2[7] SFO[8]

[1] 출발공항(departure airport)

[2] 전이 fix (pitch point)

[3] 미니애폴리스 ARTCC waypoint

[4] 덴버 ARTCC Waypoint

[5] 로스엔젤레스 ARTCC waypoint (catch point)

[6] 전이 fix

[7] 도착 fix

[8] 목적지공항(destination airport)

(f) 도와 분 단위로 위도를 나타내는 4자리 숫자 및 사선 다음의 도와 분 단위로 경도를 나타내는 5자리 숫자로 위도/경도좌표를 기록한다.

(g) FL 380 이상의 임의 RNAV 비행구간에 대하여 제출한다.

(h) 대권 항적(Great Circle track) 또는 GPS 기반 항적(GPS-based track) 상의 모든 비행로/비행로구간으로 비행한다.

(i) 비행중 임의 RNAV 허가 또는 비행로 변경에 대한 요청은 항공로의 ATC 기관에 한다.

e. 비행계획서 양식(Flight Plan Form)

그림 5-1-2 참조

그림 5-1-2. FAA 비행계획서 양식 7233-1(8-82)

U.S. DEPARTMENT OF TRANSPORTATION
FEDERAL AVIATION ADMINISTRATION
FLIGHT PLAN

(FAA USE ONLY) ☐ PILOT BRIEFING ☐ VNR ☐ STOPOVER | TIME STARTED | SPECIALIST INITIALS

1. TYPE: VFR / IFR / DVFR
2. AIRCRAFT IDENTIFICATION
3. AIRCRAFT TYPE/ SPECIAL EQUIPMENT
4. TRUE AIRSPEED KTS
5. DEPARTURE POINT
6. DEPARTURE TIME: PROPOSED (Z) / ACTUAL (Z)
7. CRUISING ALTITUDE
8. ROUTE OF FLIGHT
9. DESTINATION (Name of airport and city)
10. EST. TIME ENROUTE: HOURS / MINUTES
11. REMARKS
12. FUEL ON BOARD: HOURS / MINUTES
13. ALTERNATE AIRPORT(S)
14. PILOT'S NAME, ADDRESS & TELEPHONE NUMBER & AIRCRAFT HOME BASE
15. NUMBER ABOARD
16. COLOR OF AIRCRAFT
17. DESTINATION CONTACT/TELEPHONE (OPTIONAL)

CIVIL AIRCRAFT PILOTS, FAR 91 requires you file an IFR flight plan to operate under instrument flight rules in controlled airspace. Failure to file could result in a civil penalty not to exceed $1,000 for each violation (Section 901 of the Federal Aviation Act of 1958, as amended). Filing of a VFR flight plan is recommended as a good operating practice. See also Part 99 for requirements concerning DVFR flight plans.

FAA Form 7233-1(8-82) CLOSE VFR FLIGHT PLAN WITH ______________ FSS ON ARRIVAL

f. 비행계획서 항목의 설명

1. 1항. 비행계획의 방식(type)을 표시한다. VFR/IFR 혼합비행이면 VFR과 IFR 항목 양쪽에 모두 표시한다.

2. 2항. 해당되는 경우, 접두어 "N"을 포함한 전체 항공기 식별부호(aircraft identification)를 기재한다.

3. 3항. 항공기지정자(aircraft designator) 다음에 사선(/)을 긋고, 트랜스폰더나 DME 장비의 부호문자를 기재한다 (예, C-182/U). 중항공기(heavy aircraft)는 H/DC10/U와 같이 항공기 기종 앞에 "H"를 붙인다. 모르는 부분은 FSS briefer에게 문의한다.

4. 4항. 산출된 진대기속도(TAS)를 기재한다.

주(Note)

±5% 또는 10 knot 가운데 더 큰 수치의 평균 TAS 변화가 있으면 ATC에 통보한다.

5. 5항. 출발공항의 식별부호(identifier code)를 기재한다. (또는 식별부호를 모르면 공항명칭, 도시명 및 주명을 기재)

주(Note)

식별부호(identifier code)를 사용하면 비행계획의 처리가 신속해진다.

6. 6항. 국제표준시(UTC) (Z)로 출발예정시간을 기재한다. 체공 중이라면 실제출발시간이나 출발예정시간 중 적절한 시간을 기입한다.

7. 7항. 요청하는 항공로고도 또는 비행고도를 기재한다.

주(Note)

이 항에는 최초로 요청하는 고도만을 기재한다. 비행경로에 둘 이상의 IFR 고도 또는 비행고도가 필요할 경우에는 이후의 고도를 관제사에게 직접 요청하는 것이 최선이다.

8. 8항. NAVAID 식별부호(또는 부호를 모르면 명칭), 항공로, 제트비행로 및 waypoint(RNAV의 경우)를 사용하여 비행경로를 명시한다.

주(Note)

직선비행로(direct route)는 NAVAID 또는 waypoint

를 이용하여 나타내고, 그 밖의 미발간된 비행로는 radial/bearing을 이용하여 나타낸다.

9. 9항. 목적지공항의 식별부호(identifier code)를 기재한다. (또는 식별부호를 모르면 공항명칭을 기재)

10. 10항. 최신 바람예보에 의거한 예상비행시간(estimated time enroute)을 기재한다.

11. 11항. 무선전화가 새 것이거나 최근 60일 이내에 변경되었다면, 2항에 기재되는 FAA 배정 3자리 문자의 회사지정자(company designator)와 관련되는 해당 무선전화 (call sign)와 같이 그 밖의 비행계획정보의 확인에 필요한 내용만을 기재한다. 배정된 무선전화만 있고 3자리 문자의 지정자가 배정되지 않았거나, 배정된 3자리 문자의 지정자가 응급의료상황의 비행에 사용되는 경우 비고란에 무선전화를 포함시켜야 한다. 사적인 성격의 항목은 접수되지 않는다.

주(Note)

1. 조종사는 FAA 배정 특별무선전화를 사용할 때, 또는 60일 규칙에 따라 언제 비고란에 무선전화를 기재하는 것이 적절한지를 알아야 할 책임이 있다.
2. "DVRNS"는 조종사/항공사가 조종사/관제사용어사전에 정의된 우회(diversion)로 인하여 원래의 목적지까지 ATC의 우선적인 취급이 필요한 경우에만 11항에 기재하여야 한다.
3. 비고사항이 모든 관제사에게 자동으로 송신된다고 생각해서는 안된다. 특정한 ATC 요청이나 항공로 요청은 해당 관제사에게 직접 하여야 한다.

12. 12항. 출발지점에서 산출된 연료탑재량을 기입한다.

13. 13항. 필요하거나 규정되어 있다면 교체공항을 기입해야 하지만, 교체공항까지의 비행로배정(routing)을 포함시킬 필요는 없다.

14. 14항. 기장 또는 편대비행일 경우 편대장의 성명, 주소 및 전화번호를 기재한다. 모기지(home base), 공항 또는 운영자를 식별하기 위한 충분한 정보를 기재한다.

주(Note)

이 정보는 수색 및 구조업무를 할 경우에 반드시 필요하다.

15. 15항. 승무원을 포함한 총탑승인원수를 기재한다.

16. 16항. 항공기의 주된 색상을 기재한다.

주(Note)

관제탑, 접근관제소 또는 ARTCC에 IFR 비행계획을 종료시키거나, 그렇게 할 수 없다면 FSS에 비행계획을 종료시킨다. 관제탑이 운영되는 공항에 착륙하면 IFR 비행계획은 자동으로 취소된다.

g. IFR 비행계획에서 비행계획서 2, 3, 4, 5, 6, 7, 8, 9, 10항과 11항만이 ARTCC에 송신되는 정보이다.

5-1-9. 국제비행계획서(FAA 양식 7233-4) - IFR 비행 (국내 또는 국제비행의 경우)

a. 일반(General)

FAA 양식 7233-4의 사용은 다음과 같다.

1. RNAV SID 및 STAR 또는 그 밖의 PBN 비행로 배정의 경우, 의무적으로 사용

2. 미국 국내 공역을 출발하는 모든 IFR 비행의 경우, 의무적으로 사용

3. 국내 IFR 비행의 경우, 사용을 권고함

주(Note)

1. FAA 양식 7233-4(국제비행계획서)의 간략한 설명은 이 절에서 살펴볼 수 있다. FAA 양식 7233-4의 상세한 설명은 FAA 웹사이트 http://www.faa.gov/about/office_org/headquarters_offices/ato/service_units/enroute/flight_plan_filing/에서 살펴볼 수 있다.
2. FAA 양식 7233-1(비행계획서)을 이용하여 비행계획서를 제출하는 사람은 RNAV SID 및 STAR의 배정에는 적합하지 않을 수 있다. 이 절차의 배정을 원하는 비행계획서 제출자는 이 절에 기술된 FAA 양식 7233-4를 사용하여 제출하여야 한다.
3. FAA 양식 7233-4를 사용하여 IFR 비행계획서를 제출할 때, 제출하는 사람에게 표 5-1-3 및 5-1-4에

제시된 해당 탑재장비 수식어(equipment qualifier)를 덧붙여 모든 사용가능한 항법, 통신 및 감시장비의 성능을 포함할 것을 권고하고 있다. 이러한 탑재장비 수식어는 FAA 양식 7233-4의 항목 10에 기재하여야 한다.

4. ATC는 FAA 양식 7233-4의 항목 10 및 18에 제출되는 항공기성능에 의거하여 허가를 발부한다. 운영자는 승인을 받고, 성능이 있으며 인가를 받은 모든 성능을 제출하여야 한다. PBN/ 성능은 5-1-9 b 8항 항목 18 (c) 및 18 (d)에 따라 기재하여야 한다.

b. FAA 양식 7233-4 제출 항목의 설명

이 절에서 제공되는 절차 및 그 밖의 정보는 전적으로 미국 국내공역 내에서 수행할 비행에 대한 IFR 비행계획서를 제출하기 위하여 FAA 양식 7233-4를 사용하는 운영자를 지원하기 위한 것이다. 미국 국내공역 외부에서의 운항에 대한 요건 및 절차는 국가마다 상당히 다를 수 있다. 따라서 미국 국내공역 외부에서의 비행을 계획하고 있는 운영자에게 항공정보간행물(AIP)과 ICAO 문서 4444, Procedures for Air Navigation Services/Air Traffic Management 부록 2를 포함한 해당 국제문서에 대해 알고 있을 것을 권고한다.

주(Note)

FAA 양식 7233-4은 그림 5-1-3에 제시되어 있다. 제출자는 보통 항목 3부터 19까지의 요구하는 정보를 제공할 책임이 있다.

1. 항목 7. 항공기 식별부호(Identification). 전체 항공기 등록번호(registration number) 또는 인가된 FAA/ICAO 회사나 기관지정자(organization designator) 다음에 항공편명(flight number)을 기입한다.

예시(Example)

N235RA, AAL3342, BONGO33

주(Note)

이 항목에 제출하는 호출부호(callsign)는 문자 다음에 추가적인 1~6자리 글자와 숫자의 문자로 시작하여야 한다.

2. 항목 8. 비행규칙 및 비행방식

(a) 비행규칙(Flight Rule). IFR을 나타내기 위해서 문자 "I"를 기입한다.

(b) 비행방식(Type of Flight). 비행방식을 표시하기 위하여 다음 문자 중의 하나를 기입한다.

(1) 정기항공업무인 경우, S

(2) 부정기항공운송 운항인 경우, N

(3) 일반항공(general aviation)인 경우, G

(4) 군용기인 경우, M

(5) 위에 명시한 category 이외의 경우, X

주(Note)

미국 국내공역 내에서만 수행되는 비행의 경우, 비행방식은 선택사항이다.

3. 항목 9. 항공기 대수, 항공기 기종 및 항적난기류 Category

(a) 항공기 대수(Number of Aircraft). 1대를 초과하면 항공기 대수를 기입한다. (최대 99대)

(b) 항공기 기종(Type of Aircraft)

(1) ICAO Doc 8643, 항공기 기종 지정자(designator)에 명시된 해당 지정자를 기입한다.

(2) 또는, 이러한 지정자가 배정되어 있지 않거나 2대 이상의 기종으로 구성된 편대비행인 경우 ZZZZ를 기입한다.

(3) 항목 18에 TYP/ 다음에 항공기 (대수 및) 기종을 기입한다.

(c) 항적난기류(Wake Turbulence) Category. 사선 다음에 다음 문자 중에 하나를 기입하여 항공기의 항적난기류 category를 나타낸다.

(1) H - Heavy, 최대인가이륙중량 300,000 lbs(136,000 kg) 이상의 항공기 기종

(2) M - Medium, 최대인가이륙중량 300,000 lbs(136,000 kg) 미만, 15,000 lbs(7,000 kg) 초과 항공기 기종

(3) L - Light, 최대인가이륙중량 15,000 lbs(7,000 kg) 이하의 항공기 기종

그림 5-1-3. FAA 국제비행계획서 양식 Form 7233-4 (9-06)

Form Approved OMB No. 2120-0026
09/30/2006

U S Department of Transportation
Federal Aviation Administration

International Flight Plan

PRIORITY ADDRESSEE(S)

<=FF

<=

FILING TIME ORIGINATOR <=

SPECIFIC IDENTIFICATION OF ADDRESSEE(S) AND / OR ORIGINATOR

3 MESSAGE TYPE 7 AIRCRAFT IDENTIFICATION 8 FLIGHT RULES TYPE OF FLIGHT

<=(FPL — — — <=

9 NUMBER TYPE OF AIRCRAFT WAKE TURBULENCE CAT. 10 EQUIPMENT

— / — / <=

13 DEPARTURE AERODROME TIME

— <=

15 CRUISING SPEED LEVEL ROUTE

—

<=

TOTAL EET

16 DESTINATION AERODROME HR MIN ALTN AERODROME 2ND ALTN AERODROME

<=

18 OTHER INFORMATION

—

<=

19 SUPPLEMENTARY INFORMATION (NOT TO BE TRANSMITTED IN FPL MESSAGES)

ENDURANCE EMERGENCY RADIO

HR MIN PERSONS ON BOARD UHF VHF ELBA

—E/ P/ R/

SURVIVAL EQUIPMENT JACKETS

POLAR DESERT MARITIME JUNGLE LIGHT FLUORES UH VHF

/ / F

DINGHIES

NUMBER CAPACITY COVER COLOR

D / <=

AIRCRAFT COLOR AND MARKINGS

A/

REMARKS

N / <=

PILOT-IN-COMMAND

C/)<=

FILED BY ACCEPTED BY ADDITIONAL INFORMATION

FAA Form 7233-4 (7-93)

Pre-Flight Pilot Checklist

Aircraft Identification			Time of Briefing			
Weather (Destination) (Alternate)	☐ Present	Remarks	**Report Weather Conditions Aloft**			
	☐ Forecast		*Report immediately weather conditions encountered---particularly cloud tops, upper cloud layers, thunderstorms, ice, turbulence, winds and temperature*			
			Position	Altitude	Time	Weather Conditions
Weather (En Route)	☐ Present					
	☐ Forecast					
	☐ Pireps					
Winds Aloft	Best Crzg. Alt.					
Nav. Aid & Comm. Status.	☐ Destination					
	☐ En Route					
Airport Conditions	☐ Destination					
	☐ Alternate					
ADIZ	☐ Airspace Restrictions					

Civil Aircraft Pilots

FAR Part 91 states that each person operating a civil aircraft of U S. registry over the high seas shall comply with Annex 2 to the Convention of International Civil Aviation, International Standards - Rules of the Air. Annex 2 requires the submission of a flight plan containing items 1-1 9 prior to operating any flight across international waters. Failure to file could result in a civil penalty not to exceed $1,000 for each violation (Section 901 of the Federal Aviation Act of 1958, as amended).

International briefing information may not be current or complete. Data should be secured, at the first opportunity, from the country in whose airspace the flight will be conducted.

Paperwork Reduction Act Statement: Flight Plan information is collected for the protection and identification of aircraft and property and persons on the ground. Air Traffic uses the information to provide control services and search and rescue services. An individual respondent would require about 2.5 minutes to provide the information. FAR Part 91 requires an Instrument Flight Rules (IFR) flight plan to operate under IFR in controlled airspace. Filing a Visual Flight Rules flight plan is recommended but not mandatory. It is FAA policy to make factual information available to persons properly and directly concerned except information held confidential for good cause, i.e., pilot's address/telephone number. All flight plan data is destroyed when 15 days old except for data retained due to an accident/incident investigation. An agency may not conduct or sponsor, and a person is not required to respond to, a collection of information unless it displays a currently valid OMB control number. The OMB control number associated with this collection is 2120-0026. Comments concerning the accuracy of this burden and suggestions for reducing the burden should be directed to the FAA at: 800 Independence Ave SW, Washington, DC 20591, Attn: Information Collection Clearance Officer, ABA-20

4. 항목 10. 탑재장비(Equipment)

표 5-1-4. 항공기 COM, NAV 및 접근 탑재장비 수식어(Equipment Qualifiers)

다음과 같이 하나의 문자를 기입한다. 비행할 비행로에 대한 COM/NAV/접근보조시설 탑재장비를 갖추고 있지 않거나, 또는 장비의 사용이 불가능한 경우, N (또는)

비행할 비행로에 대한 표준 COM/NAV/접근보조시설 탑재장비를 갖추고 있고 사용할 수 있는 경우, S (주 1 참조) (및/또는)
COM/NAV/접근보조시설 탑재장비를 이용할 수 있고 사용이 가능하다는 것을 나타내기 위하여, 다음 문자 중의 하나 이상을 기입한다.

주(Note)

아래에 기술되는 성능은 다음과 같은 요소로 이루어져 있다.

a. 이용할 수 있는 장비의 항공기탑재 여부
b. 운항승무원 자격에 따른 장비 및 성능
c. 해당하는 경우, 담당기관으로부터의 승인

A	GBAS 착륙시스템	L	ILS
B	LPV (SBAS를 갖춘 APV)	M1	ATC RTF SATCOM (INMARSAT)
C	LORAN C	M2	ATC RTF (MTSAT)
D	DME	M3	ATC RTF (Iridium)
E1	FMC WPR ACARS	O	VOR
E2	D-FIS ACARS	P1	CPDLC RCP 400 - 주(Note) 7 참조
E3	PDC ACARS	P2	CPDLC RCP 240 - 주(Note) 7 참조
F	ADF	P3	SATVOICE RCP 400 - 주(Note) 7 참조
G	GNSS - 주(Note) 2 참조	P4-P9	RCP에 배정됨
H	HF RTF	R	PBN 승인 - 주(Note) 4 참조
I	관성항법(Inertial navigation)	T	TACAN
J1	CPDLC ATN VDL Mode 2 - 주(Note) 3 참조	U	UHF RTF
J2	CPDLC FANS 1/A HFDL	V	VHF RTF
J3	CPDLC FANS 1/A VDL Mode A	W	RVSM 승인
J4	CPDLC FANS 1/A Mode 2	X	MNPS 승인/북대서양(NAT) 고고도공역(HLA) 승인
J5	CPDLC FANS 1/A SATCOM (INMARSAT)	Y	8.33 kHz 채널간격 성능의 VHF
J6	CPDLC FANS 1/A SATCOM (MTSAT)	Z	그 밖의 탑재장비 또는 그 밖의 성능 - 주(Note) 5 참조
J7	CPDLC FANS 1/A SATCOM (Iridium)		

주(Note)

1. 문자 S를 사용했다면, 미국 국내공역 내에서의 표준탑재장비는 VHF RTF, VOR, 및 ILS로 간주한다.
2. 문자 G를 사용했다면, 항목 18에 지시자 NAV/ 및 한 칸의 공백 다음에 외부 GNSS 보강시스템의 유형을 기입한다.
3. 항공교통관제 허가 및 정보/항공교통관제 통신관리/항공교통관제 microphone 점검의 data link service에 대해서는 RTCA/EUROCAE Interoperability Requirements Standard For ATN Baseline 1 (ATN B1 INTEROP Standard-DO-280B/ED-110B)을 참조한다.
4. 문자 R을 사용했다면, 항목 18의 지시자 PBN/ 다음에 승인받은 성능기반항행 수준(performance based navigation level)을 기입하여야 한다. 상세한 내용은 5-1-9 b 8항, 항목 18 (c) 및 (d)를 참조한다.
5. 문자 Z를 사용했다면, 항목 18에 해당하는 COM/, DAT/ 및/또는 NAV/ 다음에 그 밖의 탑재한 장비를 기입한다.
6. 항법성능에 대한 정보는 허가 및 비행로배정의 목적으로 ATC에 제공된다.
7. 특정 지역 항공교통업무의 RCP를 기술한 성능기반통신(performance-based communication)의 지침은 Performance-Based Communication and Surveillance(PBCS) Manual (Doc 9869)에 수록되어 있다.

표 5-1-5. 트랜스폰더, ADS-B, ADS-C, 그리고 성능을 포함한 항공기감시장비 지시자

비행할 비행로에 필요한 감시장비를 탑재하지 않았거나 장비를 사용할 수 없다면 N을 기입한다. 또는, 사용할 수 있는 탑재감시장비(surveillance equipment) 또는 성능을 나타내기 위하여 최대 20자리의 문자로 다음 중 하나 이상의 서술자(descriptor)를 기입한다.	
SSR Mode A 및 C	
A	Transponder - Mode A (4자리 숫자－4096 code)
C	Transponder - Mode A (4자리 숫자－4096 code) 및 Mode C
SSR Mode S	
E	Transponder - 항공기 식별부호, 기압고도 및 extended squitter(ADS-B) 성능을 갖춘 Mode S
H	Transponder - 항공기 식별부호, 기압고도 및 증진된 감시성능을 갖춘 Mode S
I	Transponder - 항공기 식별부호 성능은 갖추었지만, 기압고도 성능은 갖추지 않은 Mode S
L	Transponder - 항공기 식별부호, 기압고도, extended squitter(ADS-B) 및 증진된 감시성능을 갖춘 Mode S
P	Transponder - 기압고도 성능은 갖추었지만, 항공기 식별부호 성능은 갖추지 않은 Mode S
S	Transponder - 항공기 식별부호 및 기압고도 성능을 모두 갖춘 Mode S
X	Transponder - 항공기 식별부호 및 기압고도 성능 모두를 갖추지 않은 Mode S
주(Note) 증진된 감시성능(enhanced surveillance capability)이란 획득된 항공기 data를 Mode S transponder로 down-link 할 수 있는 기능을 말한다.	
항공기가 ADS-B 성능을 갖추고 있다면 다음 code 중의 하나 이상을 기입한다.	
B1	전용 1090 MHz ADS-B "out" 성능을 갖춘 ADS-B
B2	전용 1090 MHz ADS-B "out"과 "in" 성능을 갖춘 ADS-B
U1	UAT를 사용한 ADS-B "out" 성능
U2	UAT를 사용한 ADS-B "out"과 "in" 성능
V1	VDL Mode 4를 사용한 ADS-B "out" 성능
V2	VDL Mode 4를 사용한 ADS-B "out"과 "in" 성능
주(Note) 각 성능 유형에 대하여 하나 이상의 code를 제출해서는 안된다. 예를 들어 B1 또는 B2를 제출해야 하며 둘 다를 제출해서는 안된다.	
항공기가 ADS-C 성능을 갖추고 있다면 다음 code 중의 하나 이상을 기입한다.	
D1	FANS 1/A 성능을 갖춘 ADS-C
G1	ATN 성능을 갖춘 ADS-C

예시(Example)

1. SDGW/SB1U1 {VOR, ILS, VHF, DME, GNSS, RVSM, Mode S transponder, ADS-B 1090 Extended Squitter out, ADS-B UAT out}
2. S/C {VOR, ILS, VHF, Mode C transponder}

주(Note)

탑재장비 수식어(equipment qualifier) Z는 추가 장비 또는 성능정보가 항목 18의 NAV/ 지시자(indicator) 다음에 제시되어 있다는 것을 나타낸다. RNAV SID 또는 STAR의 배정을 요청한 운영자는 항목 10에 Z를, 그리고 항목 18의 NAV/ 지시자(indicator) 다음에 관련 RNAV 성능을 포함하여야 한다.

5. 항목 13. 출발비행장/출발시간(Departure Aerodrome/Time)

(a) 출발비행장의 4자리 문자 ICAO 지역지시자(location indicator)를 기입한다. 또는

주(Note)

ICAO 지역지시자(location indicator)는 4자리의 문자로 이루어져야 한다. 5IA7, 39LL 및 Z40과 같은 공항식별문자(airport identifier)는 ICAO

표준형식이 아니다.

(b) 출발비행장에 대해 지정된 4자리 문자의 지역지시자(location indicator)가 없다면 ZZZZ를 기입하여 ICAO 지역식별자(location identifier)가 지정되지 않았다는 것을 나타내거나, 또는 항목 18의 문자 DEP/ 다음에 비행장명칭을 기입하고 다음에 가까운 NAVAID로부터의 fix/radial/distance를 기입한다.

(c) 다음에 공백 없이 이동예정시간(estimated off-block time)을 기입한다.

예시(Example)

1. KSMF2215
2. ZZZZ0330

6. 항목 15. 순항속도, 순항고도 및 비행경로(Cruise Speed, Level and Route)

(a) 순항속도(최대 5자리 문자). 비행의 처음이나 전체 순항구간에 대한 진대기속도를 N 다음에 4자리 숫자(예, N0485)로 나타내어 knot 단위로 기입하거나, 또는 M 다음에 3자리 숫자(예, M082)로 나타내어 Mach 단위의 100분의 1에 가장 가까운 마하수를 기입한다.

(b) 순항고도(최대 5자리 문자). 비행고도(flight level)의 용어 F 다음에 3자리 숫자(예, F180, F330)로 나타내어 비행경로의 처음이나 전체 구간에 대해 계획한 순항고도를 기입하거나, 또는 A 다음에 3자리 숫자(예, A040, A170)로 나타내는 100 ft 단위의 고도를 기입한다.

(c) 비행경로. 아래의 지침에 따라 요청하는 비행경로를 기입한다.

주(Note)

항공로 속도변경 또는 고도변경은 FAA 컴퓨터시스템에 접수되지만, 처리되거나 관제사에게 전송되지는 않는다. 조종사는 최종적으로 배정받은 고도를 유지하고 ATC로부터 직접 수정고도(revised altitude)의 허가를 요청한다.

(d) 발간된 비행로 또는 fix를 다음과 같은 형식으로 조합하여 원하는 비행경로를 기입한다.

(1) 연이은 fix, NAVAID 및 waypoint는 직진(direct)을 의미하는 문자 "DCT"로 구분하여야 한다.

예시(Example)

FLACK DCT IRW DCT IRW125023

주(Note)

IRW125023은 Will Rogers VORTAC 125 radial 23 DME에 위치한 fix를 나타낸다.

(2) 발간된 비행로 및 fix, NAVAID 또는 waypoint의 조합은 한 칸의 공백(single space)으로 구분하여야 한다.

예시(Example)

WORTH5 MQP V66 ABI V385

(3) 제출할 항공로교차지점(airway junction)은 가능하면 명칭이 부여된 교차지점 fix를 사용하여 나타낼 것을 권고하지만, 명칭이 부여된 fix가 없는 교차지점을 가진 항공로를 제출하는 것이 필요할 경우도 있을 수 있다. 이런 경우에는 공백(space)으로 연이은 항공로를 구분한다.

예시(Example)

V325 V49

주(Note)

이러한 방법으로 항공로교차지점(airway junction)을 제출하는 것은 불명료한 처리결과를 초래할 수 있다. 일부의 경우 이로 인해 비행계획서 허가가 거부될 수도 있다.

7. 항목 16. 목적지비행장(Destination Aerodrome), 총 EET, 교체비행장(Alternate Aerodrome) 및 제2교체비행장

(a) 목적지비행장 및 총소요예상시간(EET)

(1) 목적지비행장의 ICAO 4자리 문자의 지역식별자(location identifier)를 기입한다. (WY66, A08 및 5B1과 같은 공항 지역식별자는 ICAO 표준형식이 아니다)

(2) 지정된 ICAO 지역지시자가 없다면 ZZZZ를 기입하여 ICAO 지역식별자(location identifier)가 지정되지 않았다는 것을 나타내거나, 또는 항목 18의 문자 DEST/ 다음에 비행장명칭을 기입하고 다음에 가까운 NAVAID로부터의 fix/radial/

distance를 기입한다.

(3) 다음에 공백 없이 목적지까지의 총소요예상시간을 기입한다.

예시(Example)

1. KOKC0200
2. ZZZZ0330

(b) 교체비행장 및 제2교체비행장(선택사항)

(1) 의도하는 목적지 다음에 교체비행장(alternate aerodrome)의 ICAO 4자리 문자 지역식별자(location identifier)를 기입한다.

(2) 또는, 지역지시자가 지정되어 있지 않다면 ZZZZ를 기입하고, 항목 18에 문자 ALTN/ 다음에 비행장명칭을 명시한다.

예시(Example)

1. KDFW0234 KPWA
2. KBOS0304 ZZZZ

주(Note)

FPL에 제출되는 교체공항 정보는 항공교통관제 컴퓨터시스템에 접수되지만 관제사에게 전송되지는 않는다. 조종사는 교체공항으로의 우회(diversion)가 필요하면 ATC에 통보하고 수정허가를 요청하여야 한다.

8. 항목 18. 그 밖의 정보(Other Information)

(a) 그 밖의 정보가 없으면 0을 기입하거나, 또는 해당 지시자(indicator) 다음에 사선 및 기록해야 할 정보의 형식으로 아래에 제시되는 순서에 따라 그 밖의 필요한 정보를 기입한다.

주(Note)

1. 운영자는 규정에 있지 않는 지시자(indicator)의 사용은 data의 거부, 부정확한 처리 또는 상실을 초래할 수도 있다는 사실에 유의하여야 한다.
2. Hyphen "-" 또는 사선 "/"은 설명된 대로만 사용하여야 한다.
3. 항목 18의 정보에는 글자 및 숫자만을 사용하고 그 밖의 특별한 문자(character)의 사용은 피하여야 한다.
4. 관련된 정보를 갖고 있지 않는 지시자(indicator)는 비행계획서에서 거부될 수 있다.

(b) STS/ 다음에 다음과 같은 ATS의 특별취급이 필요한 이유를 기입한다.

(1) ALTRV: 고도유보(altitude reservation) 임무에 따라 운항하는 비행

(2) ATFMX: 해당 ATS 담당자로부터 ATFM 기준의 면제를 승인받은 비행

(3) FFR: 진화업무(fire-fighting)

(4) FLTCK: Navaid의 교정을 위한 비행점검(flight check)

(5) HAZMAT: 위험물질(hazardous material)의 운송을 위한 비행

(6) HEAD: 국가 원수(Head of State) 탑승 비행

(7) HOSP: 의료기관이 공고한 의료활동의 비행(medical flight)

(8) HUM: 외교적 임무(humanitarian mission)로 운항하는 비행

(9) MARSA: 군이 군용기의 분리에 대한 책임을 지는 비행

(10) MEDEVAC: 응급의료환자수송(life critical medical emergency evacuation)

(11) NONRVSM: RVSM 비승인 성능의 항공기가 RVSM 공역에서 운항하려는 비행

(12) SAR: 수색 및 구조임무(search and rescue mission)에 관련된 비행

(13) STATE: 군, 세관 또는 경찰업무와 관련된 비행

주(Note)

ATS의 특별취급이 필요한 그 밖의 이유는 지정자(designator) RMK/ 다음에 표기한다.

(c) PBN/ 다음에 RNAV 또는 RNP 성능을 기입한다. 아래의 지정자 가운데에서 비행에 적용되는 지정자를 최대 8항목까지 가능한 한 많이 포함시키되, 전체 16 문자를 초과할 수 없다.

표 5-1-6. PBN/RNAV 항목(PBN/RNAV Specifications)

PBN/	RNAV 항목(RNAV Specifications)
A1	RNAV 10 (RNP 10)

PBN/	RNAV 항목(RNAV Specifications)
B1	RNAV 5 허용되는 모든 감지기(sensor)
B2	RNAV 5 GNSS
B3	RNAV 5 DME/DME
B4	RNAV 5 VOR/DME
B5	RNAV 5 INS 또는 IRS
B6	RNAV 5 LORAN C
C1	RNAV 2 허용되는 모든 감지기(sensor)
C2	RNAV 2 GNSS
C3	RNAV 2 DME/DME
C4	RNAV 2 DME/DME/IRU
D1	RNAV 1 허용되는 모든 감지기(sensor)
D2	RNAV 1 GNSS
D3	RNAV 1 DME/DME
D4	RNAV 1 DME/DME/IRU
L1	RNP 4
O1	Basic RNP 1 허용되는 모든 감지기(sensor)
O2	Basic RNP 1 GNSS
O3	Basic RNP 1 DME/DME
O4	Basic RNP 1 DME/DME/IRU
S1	RNP APCH
S2	BARO-VNAV를 갖춘 RNP APCH
T1	RF를 갖춘 RNP AR APCH (특별인가 필요)
T2	RF를 갖추지 않은 RNP AR APCH (특별인가 필요)

주(Note)

위에서 제시되지 않은 글자와 숫자의 조합은 사용할 수 없다.

(d) NAV/ 다음에 PBN/에 명시된 자료 이외의 항법장비에 관한 중요 자료를 기입한다.

(1) 성능기반항행 성능을 PBN/에 제출하였을 때 비행구간의 일부에서만 PBN 비행로 배정을 원하는 경우, 항목 10의 문자 "Z" 및 항목 18의 "NAV/RNV" 다음에 아래와 같이 해당하는 RNAV 정확도를 기입하여 이러한 정보를 나타낼 수 있다.

〔a〕 RNAV 1 SID 배정을 위하여 문자 "D1"을 기입

〔b〕 RNAV 1 STAR 배정을 위하여 문자 "A1"을 기입

〔c〕 항공로 연장 및/또는 RNAV PTP 배정을 위하여 문자 "E2"를 기입

〔d〕 RNAV 비행로 또는 절차가 배정되지 않도록 하기 위하여 비행구간에 수치 "0"을 기입한다. 아니면 문자열에서 단순히 비행 지시자(flight indicator) 및 수치를 제거할 수도 있다.

예시(Example)

1. NAV/RNVD1 또는 NAV/RNVD1E0A0 (동일한 의미임)
2. NAV/RNVA1 또는 NAV/RNVD0E0A1 (동일한 의미임)
3. NAV/RNVE2 또는 NAV/RNVD0E2A0 (동일한 의미임)
4. NAV/RNVD1A1 또는 NAV/RNVD1E0A1 (동일한 의미임)
5. NAV/RNVD1E2A1

주(Note)

1. 비행로 배정은 ERAS의 PBN/ 자료에 우선하여 NAV/ 자료를 기반으로 한다.
2. 미국 공역 내에서 RNAV 운항을 위한 항공기 승인요건은 AC 20-138, Airworthiness Approval of Positioning and Navigation Systems, and AC 90-100, U.S. Terminal and En Route Area Navigation (RNAV) Operations에 명시되어 있다.

(2) 운영자는 가장 상급절차에 대한 자격을 받을 수 있도록 최대성능을 제출하여야 한다.

(e) 항법서비스제공자가 요청하는 경우, COM/ 다음에 항목 10a에 명시되지 않은 통신성능을 기입한다.

(f) 항법서비스제공자가 요청하는 경우, DAT/ 다음에 항목 10a에 명시되지 않은 data 적용 또는 성능을 기입한다.

(g) 항법서비스제공자가 요청하는 경우, SUR/ 다음에 항목 10a에 명시되지 않은 감시성능을 기입한다.

(1) 항목 10에 기입한 ADS-B 성능이 RTCA DO-260B를 준수하면 SUR/에 항목 "260B"를 기입한다. 항목 10에 기입한 ADS-B 성능이 RTCA DO-282B를 준수하면 SUR/에 항목 "282B"를 기입한다.

예시(Example)

1. SUR/260B
2. SUR/260B 282B

(2) 감시성능기준(RSP) 특성을 SUR/로 기입할 경우, 항목 10에 문자 "z" 및 항목 18의 "SUR/" 다음에 해당하는 RSP 성능을 기입하여 이것을 나타낼 수 있다.

〔a〕 RSP 180의 경우 - 비행계획서 RSP180

〔b〕 RSP 400의 경우 - 비행계획서 RSP400

예시(Example)

1. SUR/ RSP180
2. SUR/ RSP400
3. SUR/ RSP180 RSP400

(h) 항목 13에 ZZZZ를 기입한 경우, DEP/ 다음에 non-ICAO 지역식별자, NAVAID로부터의 fix/radial/distance 또는 위도/경도를 기입한다. 목적지비행장 명칭의 기입은 선택사항이다.

예시(Example)

1. DEP/T23 ALBANY MUNI
2. DEP/T23
3. DEP/UKW197011 TICK HOLLR RANCH
4. DEP/4620N07805W

(i) 항목 16에 ZZZZ를 기입한 경우, DEST/ 다음에 non-ICAO 지역식별자, NAVAID로부터의 fix/radial/distance 또는 위도/경도를 기입한다. 목적지비행장 명칭의 기입은 선택사항이다.

예시(Example)

1. DEST/T23 ALBANY MUNI
2. DEST/PIE335033 LEXI DUNES
3. DEST/4620N07805W

(j) DOF/ 다음에 6자리 숫자 형식(YYMMDD, 여기에서 YY는 년, MM은 월, 그리고 DD는 일을 나타낸다)의 비행출발일자를 기입한다. FAA는 하루보다 이전의 비행일자가 기재된 비행계획서는 접수받지 않는다.

(k) 항공기의 등록부호(registration marking)가 항목 7의 항공기 식별부호와 다른 경우, REG/ 다음에 항공기의 등록부호를 기입한다. FAA는 RVSM 및 ADS-B 성능의 감시에 이러한 정보를 사용한다는 것에 유의하여야 한다.

(l) EET/ 다음에 주요 지점 또는 FIR 경계선 지정자(boundary designator) 및 이러한 지점 또는 FIR 경계선까지의 총소요예상시간을 기입한다.

예시(Example)

EET/KZLA0745 KZAB0830

(m) SEL/ 다음에 SELCAL code를 기입한다.

(n) 항목 9에 ZZZZ를 기입한 경우, TYP/ 다음에 항공기의 기종을 기입한다. 필요하면 편대의 항공기 대수 및 항공기 기종을 기입한다.

예시(Example)

1. TYP/Homebuilt
2. TYP/2 P51 B17 B24

(o) 해당 ATS 담당자가 항공기 주소를 요구하는 경우, CODE/ 다음에 항공기 주소(16진수 문자의 6자리 글자와 숫자의 부호로 나타냄)를 기입한다. ADS-B 성능을 항목 10에 기재할 때 CODE/를 포함시킨다.

예시(Example)

"F00001"은 ICAO가 관리하는 특정범위(block)에 포함된 가장 낮은 항공기 주소(aircraft address)이다.

(p) 항공로지연 또는 체공이 예상되는 경우, DLE/ 다음에 지연이 발생할 것으로 예상되는 비행로 상의 주요 지점에서의 지연시간을 시와 분 단위의 4자리 숫자(hhmm)를 사용하여 기입한다.

예시(Example)

DLE/MDG0030

(q) 항목 7의 항공기 식별부호로 운영자를 알기 어려운 경우, OPR/ 다음에 운영자의 명칭(name of operator)을 기입한다.

(r) 해당 ATC 담당자가 필요한 경우, 비행계획서에서 출발공항을 쉽게 식별할 수 없다면 ORGN/ 다음에 8자리 문자의 출발공항 AFTN 주소 또는 그 밖의 상세한 해당 연락처를 기입한다. FAA는 ORGN/ 정보를 필요로 하지 않는다.

주(Note)

일부 지역에서는 비행계획서 접수 center에서 ORGN/ 식별자 및 출발공항의 AFTN 주소를 자동으로 기입한다.

(s) PER/ 해당 ATC 담당기관에 의해 규정되어 있다면, PER/ 다음에 Procedures for Air Navigation Services - Aircraft Operations (PANS-OPS, Doc 8168), Volume I-Flight Procedures에 명시된 대로 하나의 문자로 나타내는 항공기성능 data를 기입한다. FAA는 PER/ 정보를 필요로 하지 않는다.

(t) ALTN/ 항목 16에 ZZZZ를 기입한 경우, 목적지교체비행장의 명칭

예시(Example)

1. ALTN/F35 POSSUM KINGDOM
2. ALTN/TCC233016 LAZY S RANCH

(u) RALT/ 다음에 Doc 7910, 지역지시자(Location Indicators)에 명시된 항공로교체비행장에 대한 ICAO 4자리 문자지시자, 또는 지시자가 배정되어 있지 않다면 항공로교체비행장의 명칭을 기입한다. 관련 항공정보간행물에 수록되어 있지 않은 비행장의 경우, 위도/경도로 지역을 기입하거나 위의 DEP/에 기술된 대로 가장 가까운 주요 지점으로부터의 방위(bearing)와 거리를 기입한다.

(v) TALT/ 다음에 Doc 7910, 지역지시자(Location Indicators)에 명시된 이륙교체비행장에 대한 ICAO 4자리 문자지시자, 또는 지시자가 배정되어 있지 않다면 이륙교체비행장의 명칭을 기입한다. 관련 항공정보간행물에 수록되어 있지 않은 비행장의 경우, 위도/경도로 지역을 기입하거나 위의 DEP/에 기술된 대로 가장 가까운 주요 지점으로부터의 방위(bearing)와 거리를 기입한다.

(w) RIF/ 다음에 수정된 목적지비행장까지의 상세한 비행로를 기입하고, 이어서 4자리 문자의 ICAO 지역지시자를 기입한다. 수정된 비행로는 비행중 재허가를 받아야 한다.

예시(Example)

1. RIF/DTA HEC KLAX
2. RIF/ESP G94 CLA YPPH

(x) ATC가 요구하거나 필요하다고 생각하는 경우, RMK/ 다음에 평문(plain language)으로 그 밖의 참고사항을 기입한다.

예시(Example)

1. RMK/NRP
2. RMK/DRVSN

(y) RVR/ 다음에 meter 단위로 비행의 최저 RVR 요건을 기입한다. 이 항목은 Eurocontrol에서 규정하고 있으며 ICAO는 이를 규정하고 있지 않다. FAA가 이 항목을 규정하거나 사용하고 있지는 않지만, 비행계획서에 접수시킬 수는 있다.

주(Note)

이 규정은 European Regional Supplementary Procedures(EUR SUPPs, Doc 7030) 2장에 상세하게 수록되어 있다.

(z) RFP/ 다음의 Q 다음에 대체비행계획서가 제출된 순서를 나타내기 위하여 한 자리 숫자로 기입한다. 이 항목은 Eurocontrol에서 규정하고 있으며 FAA는 이를 규정하고 있지 않다. ICAO가 이 항목을 사용하고 있지는 않지만, 비행계획서에 접수시킬 수는 있다.

주(Note)

이 규정은 European Regional Supplementary Procedures(EUR SUPPs, Doc 7030) 2장에 상세하게 수록되어 있다.

9. 항목 19. 보충정보

주(Note)

FAA 양식 7233-4를 작성할 때 항목 19에 data를 포함하여야 한다. 이 정보는 비행계획서를 항공교통관제기관(ATC)에 전송하는 시설/기관이 수색 및 구조목적으로 보관하지만, FPL의 한 부분으로 ATC에 전송되지는 않는다.

(a) E/ 연료탑재량(Endurance). 탑재된 연료로 비행할 수 있는 최대시간을 시와 분단위로 나타내는 4자리 숫자 group을 기입한다.

(b) P/ 탑승인원(Persons on Board). 총탑승인원수(승객 및 승무원)를 기입한다.

(c) 비상장비 및 구명장비

(1) R/ 무선장비(Radio)

〔a〕 주파수 243.0 MHz를 이용할 수 없는

경우, "UHF"에 줄을 긋는다.

〔b〕 주파수 121.5 MHz를 이용할 수 없는 경우, "VHF"에 줄을 긋는다.

〔c〕 비상위치지시용 무선표지설비(ELT)를 이용할 수 없는 경우, "ELBA"에 줄을 긋는다.

(2) S/ 구명장비(Survival Equipment).

〔a〕 극지(polar) 구명장비를 갖추지 않은 경우, "POLAR"에 줄을 긋는다.

〔b〕 사막(desert) 구명장비를 갖추지 않은 경우, "DESERT"에 줄을 긋는다.

〔c〕 해상(maritime) 구명장비를 갖추지 않은 경우, "MARITIME"에 줄을 긋는다.

〔d〕 밀림(jungle) 구명장비를 갖추지 않은 경우, "JUNGLE"에 줄을 긋는다.

(3) J/ 구명동의(Jackets)

〔a〕 조명이 되는 구명동의를 갖추지 않은 경우, "LIGHT"에 줄을 긋는다.

〔b〕 형광구명동의를 갖추지 않은 경우 "FLUORES"에 줄을 긋는다.

〔c〕 구명동의의 무선성능을 나타내기 위하여 위의 R/과 동일하게 "UHF"나 "VHF", 또는 둘다에 줄을 긋는다.

(4) D/ 구명보트(Dinghy)

〔a〕 수량(number). 구명보트를 갖추지 않은 경우 "NUMBER" 및 "CAPACITY" 표시에 줄을 긋고, 구명보트를 갖춘 경우에는 구명보트의 수량을 기입한다.

〔b〕 탑승인원(capacity). 전체 구명보트의 종탑승인원수를 기입한다.

〔c〕 덮개(cover). 구명보트에 덮개가 없으면 "COVER" 표시에 줄을 긋는다.

〔d〕 색상(color). 구명보트를 갖춘 경우 색상을 기입한다.

(5) A/ 항공기 색상 및 표지(Aircraft Color and Markings). 항공기의 색상 및 현저한 표지를 기입한다.

(6) N/ 비고(Remarks). 참고사항이 없는 경우 N 표시에 줄을 긋고, 그밖에 구명장비를 갖춘 경우 구명장비와 관련된 참고사항을 표시한다.

(7) C/ (Pilot). 기장(Pilot-in-command)의 성명을 기입한다.

5-1-10. 고지대 목적지로의 IFR 운항(IFR Operations to High Altitude Destination)

a. 산악지역에 위치한 공항으로 IFR 비행을 하려는 조종사는 예보된 기상상태가 비행계획서를 제출하기 위해 필요한 요건을 기술적으로 충족한다 하더라도 교체공항을 필수적으로 고려해야 한다는 점에 유의하여야 한다.

b. 이러한 고지대의 목적지공항까지 IFR 비행을 할 때 기상이 예보보다 좋지 않고 착륙에 적합한 공항까지 비행하기 위한 충분한 연료가 없는 경우, 교체공항에 대한 계획수립의 실패가 위험한 상황을 초래할 수 있는 다음과 같은 세 가지의 가능한 상황을 FAA는 식별하고 있다.

1. 모든 계기접근에 대한 최저강하고도(MDA) 또는 착륙시정(landing visibility) 최저치가 14 CFR 91.167(b)에 명시된 예보기상 최저치보다 높은 공항으로의 IFR 비행. 이를 테면 미국에는 인가된 계기접근절차를 갖고 있으며, 모든 MDA가 2,000 ft를 초과하고/하거나 착륙시정최저치가 3 mile을 초과하는 고지대공항이 3개 있다 (캘리포니아주 Bishop, 캘리포니아주 South Lake Tahoe 및 콜로라도주 Aspen-Pitkin Co./Sardy Field). 이러한 공항의 경우 운고 또는 시정이 접근을 완료하기 위해 필요한 것보다 실제적으로 낮을 때에는 교체공항까지 갈 수 있는 충분한 연료를 싣지 않았더라도 조종사가 예보를 바탕으로 선정하는 것이 가능하다.

2. 산악지역에 있는 그 밖의 몇몇 공항은 2000 ft AGL보다 약간(100~300 ft) 낮은 MDA를 갖고 있다. 교체공항을 고려해야 할지의 여부를 판단해야 하는 상황에서, 조종사는 예보 이후에 공항의 현재 기상상태는 약간 악화되어 발간된 IFR 착륙최저치 미만일 수도 있다는 점을 염두에 두어야 한다.

3. 가장 낮은 최저치에서 접근하기 위해서 DME, glide slope 등과 같은 특별한 장비가 필요한 공항으로의 IFR 비행. 조종사는 접근차트의 다른 모든

최저치가 14 CFR 91.167(b) 절에 규정된 것 보다 더 양호한 기상상태를 요구할 수도 있다는 것을 인식하고 있어야 한다. 비행중 장비고장은 발간된 접근절차에 따를 수 없도록 하며, 거기에다가 발간된 IFR 착륙최저치 미만인 공항에서는 대체할 수 있는 계기접근절차가 있더라도 이에 따를 수 없게 된다.

5-1-11. 미국 영역 공역 외에서의 비행(Flights Outside U.S. Territorial Airspace)

a. 미국 및 미국 영역 외에서의 비행, 특히 장거리 비행(extended flight)을 할 때는 통과할 공역에서 이용할 수 있는 항행업무의 양과 질에 대하여 충분히 고려하여야 한다. 항행안전시설의 위치 및 범위, 통신 및 기상업무의 가용여부, 경보업무를 포함한 항공교통업무의 제공, 그리고 수색 및 구조업무의 존재여부 등에 대한 정보를 얻기 위해 가능한 모든 노력을 기울여야 한다.

b. 조종사는 다른 VHF 채널로 통신 중인 경우, 장비의 제한사항이나 조종실의 업무상 두 채널을 동시에 청취할 수 없는 경우를 제외하고 장거리 해상비행 중에는 VHF 비상주파수 121.5 MHz를 계속해서 청취할 필요가 있다는 것을 잊지 말아야 한다. 121.5 MHz의 청취는 비행정보구역(FIR) 경계선 근처에서 운항 시, 예를 들면 앵커리지와 도쿄 간의 비행로 R220으로 운항 시에 비행중 비상상황, 통신이나 항법상의 어려운 상황에 처한 항공기에 대해서 통신으로 도움을 주기 때문에 특히 중요하다.

c. 비행계획서의 제출은 언제나 바람직한 행동으로 미국공역 밖으로 장거리비행 시 더 중요하며, 일반적으로 착륙하거나 통과비행할 국가의 법규에 의해 사실상 규정되어 있다. 이러한 비행의 경우, 조종사는 직접 관련된 누군가에게 전체 비행일정과 계획을 남기고 비행 진행상황에 대하여 연락을 취할 사람을 두는 것도 특히 중요하다. 비행안전에 대해 심각한 의문이 든다면 먼저 FSS에 연락하여야 한다. 출발비행장과 목적지비행장이 동일한(Round Robin) 멕시코로의 비행계획서는 접수되지 않는다.

d. 모든 조종사는 비행계획수립 시에 해당 항공정보간행물(AIP)에 수록된 진입제한사항에 대해 살펴보아야 한다. 공식적인 허가없이 외국공역을 침범하는 것은 항공기에 대한 위험과 과중한 과징금의 부과를 초래하고, 승무원과 승객 모두에게 불편을 끼치게 한다. ATC 담당기관에 비행계획서를 제출했다 해서 어떤 다른 담당기관이 요구하는 사전허가를 반드시 받은 것으로 여겨서는 안된다. 세계의 어떤 지역에서든 치명적 결과가 야기될 수 있는 가능성을 무시해서는 안된다.

e. 또한 외국지역의 최신 NOTAM도 살펴보아야 한다. 격주로 발간되는 국내/국제 항공고시보 간행물에는 외국비행에 대한 상당히 많은 양의 정보가 포함되어 있다. 외국지역의 추가 비행정보는 FAA의 Prohibitions, Restrictions, and Notices website, https://www.faa.gov/air_traffic/publications/us_restrictions/.에서 살펴볼 수도 있다.

f. 외국지역에서 세관신고가 필요한 경우, 적절한 시기에 세관신고의 준비를 하는 것은 조종사의 책임이다.

g. 미국 영역 공역 지역에 도착하는 항공기는 AIM 제6절, 국가안보 및 요격절차(National Security and Interception Procedures)에 기술된 진입요건을 충족하여야 한다.

5-1-12. 비행계획의 변경(Change in Flight Plan)

a. 고도(altitude) 또는 비행고도(flight level), 목적지 또는 비행로 변경 외에 항공기속도의 증가 또는 감소도 비행계획을 변경시키는 요소이다. 그렇기 때문에 보고지점(reporting point) 간의 순항고도에서 평균 진대기속도가 비행계획서에 기재한 진대기속도보다 ±5% 또는 ±10 knot 가운데 더 큰 수치로 변경되거나 변경이 예상될 때는 언제든지 ATC에 통보하여야 한다.

b. 현재 비행계획에 대한 모든 변경은 출발예정시간 48분 전에 이루어져야 한다. 변경은 최초 비행계획서 서비스제공자와 하여야 한다. 비행계획서의 최초 서비스제공자와 할 수 없다면, 제출자는 필요한

변경을 하기 위하여 ATC 기관이나 FSS에 문의할 수 있다.

5-1-13. 출발예정시간의 변경(Change in Proposed Departure Time)

a. 항공로환경에서의 컴퓨터 포화상태를 방지하기 위하여 발효되지 않은 출발예정비행계획을 삭제하기 위한 매개변수(parameter)가 설정되어 있다. 대부분 교통관제센터의 이러한 매개변수는 출발예정시간 또는 출발허가 예정시간(EDCT)으로부터 최소 2시간 후에는 비행계획서를 삭제하도록 설정되어 있다. 실제출발시간이 제출한 출발시간보다 2시간 이상 지연될 것으로 예상되는 조종사는 비행계획이 계속 유효하도록 하기 위하여 ATC에 새로운 출발예정시간을 다시 통보해야 한다.

b. 교통량의 포화로 인해 ATC 근무자의 주파수로는 이들 수정을 무선으로 접수하지 못할 수도 있다. 그러므로 비행계획서 서비스제공자 또는 FSS에 수정된 출발예정시간을 통보할 것을 조종사에게 권고한다.

5-1-14. VFR/DVFR 비행계획의 종료(Closing VFR/DVFR Flight Plan)

VFR 또는 DVFR 비행계획이 취소되었는가를 확인하는 것은 조종사의 책임이다. 조종사는 가장 인접한 FSS에 비행계획의 종료를 통보하여야 하며, 만약 통보할 수 없는 상황이라면 비행계획의 종료를 FSS에 중계해 줄 것을 ATC 기관에 요청할 수 있다. 관제탑은 어느 VFR 항공기가 비행계획서에 의하여 비행하고 있는지를 모르기 때문에 VFR 또는 DVFR 비행계획을 자동으로 종료시키지는 않는다. 조종사가 도착예정시간(ETA) 이후 30분 이내에 비행계획을 보고하지 않았거나 종료하지 않았다면 수색 및 구조절차가 시작된다.

5-1-15. IFR 비행계획의 취소(Canceling IFR Flight Plan)

a. 14 CFR 91.153절과 91.169절에는 "기장(pilot-in-command)은 비행계획이 실행된 후 비행계획서 상의 비행이 취소되거나 종료되었을 때는 비행정보업무국 또는 ATC 기관에 통보하여야 한다."라고 기술되어 있다.

b. VFR 기상상태에서 A등급 공역 외부에서 운항중인 비행의 경우에는 언제든지 조종사가 교신중인 관제사 또는 공지기지국에 "cancel my IFR flight plan"이라고 말함으로써 IFR 비행계획을 취소할 수 있다. IFR 비행계획을 취소한 후 조종사는 즉시 적절한 공지주파수, VFR 레이더 beacon code 및 VFR 고도 또는 비행고도를 변경하기 위하여 필요한 조치를 취하여야 한다.

c. IFR 비행계획을 취소하면, 레이더업무(해당되는 경우)를 포함하여 ATC 분리업무 및 정보업무는 종료될 것이다. 따라서 IFR 비행계획을 취소한 항공기가 VFR 레이더조언업무를 원한다면 조종사는 별도로 요청하여야 한다.

주(Note)

조종사는 지정된 TRSA, C등급 공역 또는 B등급 공역과 같은 특별프로그램이 설정된 구역 내에서 IFR 비행계획을 취소한 비행에는 다른 절차가 적용될 수도 있다는 것을 인식하고 있어야 한다.

d. DVFR 비행계획의 요건이 된다면 조종사는 취소한 IFR 비행계획을 대신할 DVFR 비행계획서를 제출할 책임이 있다. 추후 IFR 운항이 필요하면 새로운 IFR 비행계획서를 제출하고 IFR 상태로 운항하기 전에 ATC 허가를 받아야 한다.

e. 관제탑이 운영되는 공항으로의 IFR 비행계획에 의한 운항이라면 비행계획은 착륙과 동시에 자동으로 종료된다.

f. 관제탑이 운영되지 않는 공항으로의 IFR 비행계획에 의한 운항이라면 조종사가 IFR 비행계획을 종료시켜야 한다. 운영중인 FSS가 있거나 ATC와 직접교신할 다른 방법이 있다면 착륙 후에 종료시킬 수 있다. FSS가 없거나 어떤 고도 이하에서 ATC와 공지통신이 불가능한 경우, 조종사는 기상상태가 허용되면 체공중에 ATC와 무선교신이 가능한 동안에 IFR 비행계획을 종료시켜야 한다. 이것은 전화로 비행계획을 종료하는데 소요되는 시간과 비용을

줄일 뿐만 아니라, 다른 항공기가 신속하게 공역을 사용할 수 있도록 한다.

5-1-16. RNAV 및 RNP 운항(RNAV and RNP Operations)

a. 비행전계획 단계에서 예정된 운항기간의 non-RNAV 우발절차를 포함하여 예정된 운항에 필요한 항행기반시설의 가용여부를 확인하여야 한다. 비행할 비행로에서 필요한 탑재항법장비의 가용여부를 확인하여야 한다.

b. 조종사는 지정된 RNP 수준(level)을 수행할 수 없다고 판단되면, 비행로를 수정하거나 RNP 수준이 확보될 때 까지 운항을 연기한다.

c. 탑재 항행데이터베이스는 예정된 운항지역에 대한 최신의 적합한 데이터이어야 하며, 항행안전시설, waypoint, 그리고 출발, 도착 및 교체비행장에 대한 부호화된 터미널공역절차를 포함하고 있어야 한다.

d. 비행관리시스템 또는 그 밖의 승인받은 RNAV 시스템을 갖춘 항공기의 조종사는 시스템이 초기화되는 동안에 항행데이터베이스가 최신인지의 여부를 확인하고, 항공기 위치가 정확하게 입력되었는지를 검사하여야 한다. 운항승무원은 허가된 비행계획을 항법시스템 글자형식의 시현과 항공기 map 시현은 물론 차트 또는 그 밖의 적용 가능한 수단과 상호 비교하여야 한다. 이러한 과정에는 웨이포인트 순서(waypoint sequence), 항적각도와 거리(track angle and distance)의 적합성, 고도 또는 속도제한, 그리고 fly-by 또는 fly-over waypoint의 확인이 포함된다. 항행데이터베이스의 유효성이 의심스러우면 절차를 사용해서는 안된다.

e. 이륙하기 전에 운항승무원은 RNAV 시스템이 정확하게 작동되는지, 그리고 정확한 공항 및 활주로자료가 load 되었는지를 확인하여야 한다.

f. 비행전계획 단계 동안, 전적으로 RNAV 및 RNP 요건을 충족시키기 위하여 TSO-C129() 장비를 사용한다면 RAIM 오류예측(prediction)을 수행하여야 한다. 최근의 GPS 위성정보를 사용하는 의도하는 비행경로(비행로 및 시간)에 대하여 GPS RAIM 가용성을 확인하여야 한다. 의도하는 비행의 일부분에서 5분 이상의 연속적인 RAIM 기능상실이 예측되는 경우, 비행을 지연 또는 취소하거나 RAIM 요건이 충족되는 비행로를 재배정하여야 한다. 운영자는 다음 방법 중의 하나로 예측되는 RAIM 요건을 충족시킬 수 있다.

1. 운영자는 최근의 GPS 위성군 상태(예를 들면, NOTAM 또는 NANU)를 확인하여 plane/slot 위치의 각 위성상태를 감시하고, 특정 RAIM 오류예측(predication) 소프트웨어 model을 이용하여 RAIM 가용성을 산출할 수 있다.

2. 운영자는 FAA 항공로 및 터미널 RAIM 오류예측(prediction) 웹사이트의 Service Availability Prediction Tool(SAPT)를 사용할 수 있다.

3. 운영자는 비정밀접근 RAIM이 필요하면 비행정보업무국에 문의할 수 있다.

4. 운영자는 항공기의 예상비행경로 및 시간에 대한 RAIM 운용중지를 예상하기 위하여 성능값을 변경시키지 않고, FAA/VOLPE RAIM 오류예측 data를 통합하는 제3자 인터페이스(third party interface)를 이용할 수 있다.

5. 운영자는 최근의 GPS 위성군 상태(예를 들면, NOTAM 또는 NANU)를 고려한 비정밀접근 RAIM을 제공하기 위하여 수신기에 설비된 RAIM 오류예측기능을 사용(TSO-C129a/Class A1/B1/C1 장비의 경우)할 수 있다. 수신기 비정밀접근 RAIM은 RNAV 1 절차의 비행항적 동안에 60 NM을 초과하지 않는 간격을 두고 공항에서 점검하여야 한다. ETA에 각 점검 공항상공에서 "터미널" 또는 "접근" RAIM을 이용할 수 있어야 한다.

6. 명시된 소프트웨어 model 또는 FAA/VOLPE RAIM data를 이용하지 않는 운영자는 FAA의 운항승인을 받아야 한다.

주(Note)

RNAV 및 RNP 요건을 충족시키기 위하여 TSO-C145/C146 장비를 사용하는 경우, 전체 비행경로가 WAAS 통달범위라고 확인되면 조종사/운영자는 오류예측을 수행할 필요가 없다. 미국 외부나

WAAS 통달범위가 아닌 지역에서 TSO-C145/C146 수신기를 사용하는 운영자는 GPS RAIM 가용성을 확인하여야 한다.

5-1-17. 저온운항(Cold Temperature Operation)

조종사는 비행전계획 단계에서 저온공항으로 운항하기 위한 계획을 수립하여야 한다. 저온수정을 적용해야 한다면 계기접근차트에는 눈송이 부호(snowflake symbol)와 기온이 포함된다. 저온수정이 필요한 공항으로 운항하는 조종사는 공항에 예보된 출발 및 도착시간의 최저기온을 요청하여야 한다. 예보된 기온이 발간된 저온제한 이하이면 해당 구역의 고도수정치를 산출하고, 필요한 자동저온보정시스템(automatic cold temperature compensating system) 작동을 위한 절차를 검토한다. 조종사는 실제 보고된 기온이 발간된 저온제한 이하일 경우 영향을 받는 구역의 수정치를 산출하고 적용할 책임이 있으며, 또는 자동저온보정시스템을 갖춘 항공기의 조종사는 각 지정된 구역에서 시스템을 작동하고 작동여부를 확인하여야 한다. 중간구역이나 발간된 실패접근의 경우, 저온수정을 적용하려면 최초교신시(또는 가능한 빨리) 영향을 받는 각 구역에 필요한 수정치를 ATC에 통보하여야 한다. 이러한 정보는 ATC가 알려진 교통상황에 따라 항공기에 적절한 수직분리를 제공하기 위하여 필요하다.

제2절. 출발절차(Departure Procedures)

5-2-1. 지상활주전 허가절차(Pre-taxi Clearance Procedure)

a. 어떤 공항에는 계기비행방식(IFR)으로 출발하는 항공기의 조종사가 이륙을 위한 지상활주 전에 IFR 허가를 받을 수 있는 지상활주전 허가 프로그램(pre-taxi clearance program)이 설정되어 있다. 이러한 절차에 포함된 규정은 다음과 같다.

1. 조종사의 참여는 의무사항이 아니다.

2. 참여하는 조종사는 지상활주 예정시간 이전 10분 이내에 허가중계소(clearance delivery) 또는 지상관제소를 호출한다.

3. 최초교신 시 IFR 허가(허가할 수 없는 경우에는 지연정보)가 발부된다.

4. 허가중계주파수로 IFR 허가를 받았다면, 조종사는 지상활주를 위한 준비가 완료되었을 때 지상관제소를 호출한다.

5. 일반적으로 조종사는 허가중계주파수로 IFR 허가를 받았다는 것을 지상관제소에 통보할 필요는 없다. 그러나 어떤 지역에서는 비행구간에 대한 허가 또는 그 구간에 대한 IFR 허가를 받았다는 것을 지상관제소에 통보할 것을 조종사에게 요구하기도 한다.

6. 조종사가 허가중계주파수로 교신할 수 없거나, 지상활주를 하기 전에 IFR 허가를 받지 못했다면 조종사는 지상관제소와 교신하여 이러한 사실을 관제사에게 통보한다.

b. 이러한 절차를 시행하고 있는 지역은 미국 차트 보충판(Chart Supplement U.S.)에 수록되어 있다.

5-2-2. 출발전 자동허가 절차(Automated Pre-departure Clearance Procedures)

a. 국가공역시스템의 많은 공항이 출발전허가(Pre-departure Clearance; PDC) 및 관제사 조종사간 데이터링크통신-출발허가(Controller Pilot Data Link Communication - Departure Clearance; CPDLC-DCL)기능을 포함하고 있는 터미널데이터링크시스템(Terminal Data Link System; TDLS)을 갖추고 있다. PDC 및 CPDLC-DCL 기능은 참여사용자에 대한 ATCT의 허가중계운영을 자동화하는 것이다. 둘 다 PDC는 ARTCC의 IFR 허가를 ATCT에 시현하는 기능을 한다. ATCT의 허가중계관제사는 국지적인 출발정보를 추가할 수 있으며, data link를 경유하여 참여하는 항공사/서비스제공자의 PDC 컴퓨터에 허가를 전송한다. 그 다음에 항공사/서비스제공자는 공중/지상 데이터통신시스템(Aircraft Communications Addressing and Reporting System; ACARS)이나 유사한 data link 시스템을 경유하여, 또는 data link 시스템을 갖추지 못한 항공기의 경우에는 출발 gate에 위치한 프린터를 통하여 허가를 중계한다. CPDLC-DCL의 경우 출발허가는 미래항행시스템(Future Air Navigation System; FANS)을 경유하여 ATCT에서 항공기 항공전자장비로 uplink되며, 운항승무원의 응답을 필요로 한다. PDC와 CPDLC-DCL 둘 다 주파수혼잡과 관제사의 업무량을 감소시키고, 중계/복창(delivery/readback) 시의 실수를 줄이기 위한 것이다.

b. 두 업무는 인가된 서비스제공자를 통한 서비스에 동의한 참여항공기만 사용할 수 있다.

c. 모든 상황에서 자동허가와 관련하여 의문이 있거나 염려가 된다면 허가중계소와 교신할 것을 조종사에게 권장하고 있다. 기술적인 이유로 인하여 두 업무 간에는 다음과 같은 제한/차이점이 있다.

1. PDC

(a) 다수의 비행계획서를 제출한 항공기는 18시간 이내에 출발공항 당 한번의 PDC 허가로 제한된다. 추가 허가는 구두로 중계된다.

(b) 허가가 중계되기 전에 수정되거나 변경되었다면 PDC에 의해 허가는 거부되며, 구두로 중계하여야 한다.

(c) 수신에 대한 응답이나 복창(readback)이 PDC에는 필요하지 않다.

2. CPDLC-DCL

(a) 수신받을 수 있는 허가의 수량에 제한이 없다.

(b) 수정된 출발허가를 포함하여 수정된 비행자료(flight data)의 중계가 허용된다.

(c) 운항승무원의 응답이 필요하다.

(d) ATC FANS application을 활용하여 FAA National Single Data Authority - KUSA - 에 logon을 하여야 한다.

(e) 적격하도록 하기 위하여 운영자는 책임있는 민간항공 담당기관으로부터 CPDLC/FANS 승인을 받아야 한다. 비행계획서 ICAO 양식 항목 10a에 해당하는 장비 정보 및 ICAO 양식 18에 DAT(그 밖의 data 적용)을 제출하여야 한다.

5-2-3. 비관제공항을 벗어난 후 IFR 허가(IFR Clearances Off Uncontrolled Airports)

a. IFR 비행계획으로 출발하는 조종사는 허가중계소(clearance delivery)와 연락하기 위한 주파수나 전화번호를 확인하기 위하여 Chart Supplement U.S.를 참고하여야 한다. 최초교신 시 조종사는 IFR 비행이라는 것을 통보하고, 출발 및 목적지공항을 언급하여야 한다.

b. 전화로 허가중계업무를 제공하는 항공교통시설은 Chart Supplement U.S.의 공항 기입부분에 전화번호가 수록된다. 동일한 부분에 착륙 후 IFR 비행계획 취소에 사용되는 전화번호가 포함되어 있을 수 있다.

c. 알래스카를 제외하고 조종사는 비행정보업무국의 허가중계소 hotline 1-888-766-8267로 연락할 수도 있다.

5-2-4. 지상활주허가(Taxi Clearance)

IFR 비행계획의 조종사는 엔진시동시간, 지상활주 또는 허가정보를 받기 위하여 엔진을 시동하기 전에 해당 지상관제 또는 허가중계주파수로 관제탑과 교신하여야 한다.

5-2-5. 이륙위치에서의 대기(Line Up and Wait; LUAW)

a. 이륙위치에서의 대기(LUAW)는 지체없이 출발하도록 하기 위하여 활주로 상에 항공기를 위치시키기 위한 항공교통관제(ATC) 절차이다. ATC 지시 "Line Up and Wait"는 조종사에게 출발활주로 상의 이륙위치에서의 대기위치로 지상 활주하도록 지시하기 위하여 사용된다.

예문(Example)

관제탑: "N234AR Runway 24L, line up and wait."

b. 이러한 ATC 지시가 이륙을 허가는 것은 아니다. 조종사가 이륙위치에서 대기지시를 받고 이유/상황(항적난기류, 교차활주로 상의 항공기 등)을 통보받았거나, 이유/상황(동일활주로에 착륙하거나 이륙하는 다른 항공기)을 시각적으로 확인하고 이유/상황이 납득된 경우 조종사는 지연을 통보받지 않는 한 곧 이륙허가가 있을 것이라는 것을 예상하여야 한다. ATC 지시나 허가사항이 불명확하면 즉시 ATC에 연락하여야 한다.

c. 이륙위치에서 대기허가 이후 합당한 시간 내에 이륙허가를 받지 못했다면 ATC에 연락하여야 한다.

예문(Example)

항공기: Cessna 234AR holding in position Runway 24L.

항공기: Cessna 234AR holding in position Runway 24L at Bravo.

주(Note)

항공기 이륙위치에서의 대기와 관련된 FAA의 사고 및 준사고의 분석자료는 이륙위치에서의 대기지시가 발부되고 2분 이상의 시간이 경과한 후에 이로 인한 사고(예를 들면, 활주로종단 초과 또는 복행)가 일어났다는 것을 보여주고 있다. 지연이 예상된다는 것을 통보받지 못한 조종사는 언제 관제사에게 질문하는 것이 적절한 가를 판단하기 위해서 이륙위치에서 대기했었던 시간을 고려하여야 한다.

d. 이륙위치에서 대기 운영 시의 상황인식은 ATC가 다른 항공기에게 발부하는 지시/허가를 감시함으로써 증진시킬 수 있다. 조종사는 다른 항공기가 유사한 호출부호를 가진 주파수라면 주의 깊게 청취

하고, ATC와 다른 항공기 간의 통신에 세심한 주의를 기울여야 한다. ATC 지시나 허가사항이 불명확하면 즉시 ATC에 질문하여야 한다. 부주의로 다른 항공기에 대한 허가/지시를 수행하지 않도록 주의를 기울여야 한다.

e. 조종사는 야간이나 시정이 감소한 상태에서 이륙위치에서의 대기 운영을 할 때에는 특히 주의를 기울여야 한다. 조종사가 활주로로 지상활주 할 때에는 활주로의 전체길이를 유심히 살펴보고, 최종 접근하거나 착륙후 지상활주(landing roll out)하는 항공기를 주시하여야 한다. 잠재적인 충돌염려가 있다면 언제든지 ATC에 연락하여야 한다.

f. 둘 이상의 활주로가 운영 중일 때, 항공기는 둘 이상의 활주로 상에 "이륙위치에서 대기(line up and wait)" 할 것을 지시 받을 수 있다. 다수의 활주로가 운영되고 있을 때에는 주의하여 당신의 호출부호와 활주로를 청취하는 것이 중요하다. 유사하게 발음되는 호출부호를 경계하고, 당신의 호출부호로 지시하는 모든 지시사항에 인지응답하라. 이륙위치에서 대기 중에 이륙허가가 발부되었는지의 여부가 확실하지 않을 때에는 이륙활주를 하기 전에 ATC에 문의하여야 한다. ATC는 다른 항공기의 허가를 본인에 대한 허가로 잘못 생각하는 것 보다 이륙허가를 확인할 것을 원하고 있다.

g. ATC는 교차지점 "이륙위치에서의 대기"와 이륙허가를 발부할 때 교차지점 명칭(designator)을 사용한다. ATC가 교차지점 명칭을 생략하면 ATC를 호출하여 설명을 요청한다.

예문(Example)

항공기: "Cherokee 234AR, Runway 24L at November 4, line up and wait."

h. 이륙위치에서의 대기 운영동안 착륙항공기가 하나의 요인이 된다면, ATC는 비행거리 6 mile 이내의 가장 인접한 위치에 있는 항공기에게 동일활주로에 착륙(full-stop), 접지후이륙(touch-and-go), 정지후이륙(stop-and-go) 또는 고도가 제한되지 않은 저고도접근이 요청되었다는 것을 통보할 것이다. 조종사는 착륙항공기의 위치를 주목하여야 한다. 또한 동일한 활주로 상에서 항공기에 "이륙위치에서 대기(line up and wait)"를 허가할 때 ATC는 착륙항공기에게 이를 통보한다.

예문(Example)

관제탑: "Cessna 234AR, Runway 24L, line up and wait. Traffic a Boeing 737, six mile final."

관제탑: "Delta 1011, continue, traffic a Cessna 210 holding in position Runway 24L."

주(Note)

ATC는 다른 항공기가 활주로에서 이륙위치에서의 대기상태일 때에는 일반적으로 도착항공기에 대한 착륙허가를 보류할 것이다.

i. 착륙허가가 발부되었다 하더라도 다른 항공기가 있는 활주로 상에 절대로 착륙해서는 안된다. 활주로 상의 교통에 관하여 관제사에게 주저하지 말고 질문하고, 복행(go-around)할 준비를 하여야 한다.

주(Note)

ATC 지시나 허가에 관하여 이해가 안되거나 잘 모르는 것은 설명을 요청한다. ATC 지시사항에 따를 만한 능력이 있는 지 불확실하면 ATC에 즉시 통보하여야 한다.

5-2-6. IFR 출발허가 절차의 간소화(Abbreviated IFR Departure Clearance (Cleared...as Filed) Procedures)

a. ATC 기관은 제출된 비행로를 약간의 수정이나 또는 전혀 수정 없이 허가할 수 있다면 IFR 비행계획서에 제출된 비행경로에 의거하여 간소화된 IFR 출발허가를 발부한다. 이러한 간소화된 허가절차는 다음과 같은 조건을 기반으로 한다.

1. 항공기가 지상에 있거나, 또는 시계비행방식(VFR)으로 이륙하여 공중에서 조종사가 IFR 허가를 요청한 경우

2. ATC에 제출한 비행계획서의 비행로 또는 목적지가 출발 전에 조종사나 항공사 또는 운항관리사에 의해 변경된 경우, 조종사는 간소화된 허가를 수용하지 않을 수 있다.

3. 제출된 비행계획서를 항공사 또는 운항관리사

가 변경한 경우, 이를 조종사에게 통보하는 것은 항공사 또는 운항관리사의 책임이다.

4. 제출한 비행계획서가 다음과 같은 경우, 최초 교신 시(허가를 받기 위하여) 이를 ATC에 통보하는 것은 조종사의 책임이다.

(a) 수정되었을 때, 또는

(b) 취소되어 새로 제출한 비행계획서로 대체되었을 때

주(Note)

조종사가 허가를 요청할 때, 허가를 발부하는 기관이 수정된 비행로 또는 수정된 비행계획서를 받지 못했을 수도 있다.

b. 관제사는 최초 제출된 비행계획서가 변경되었다는 것을 알고 있거나, 또는 조종사가 전체 비행로(full route) 허가를 요청할 때는 상세한 허가를 발부한다.

c. 발부할 때 허가에는 비행계획서에 기재된 목적지공항을 포함한다.

d. DP 또는 DP 전환(transition) 절차로 비행해야 할 경우, 현재 ATC 절차는 모든 출발허가에 대해 관제사가 용어 "Cleared to (목적지공항) airport" 다음에 바로 DP 명칭, 현행번호 및 DP 전환명칭, 그리고 "then as filed"라는 용어를 언급할 것을 요구하고 있다. 이 조처는 DP가 비행계획서에 기재되었는지의 여부에 관계없이 적용된다.

e. STAR가 비행계획서에 기재된 경우 제출된 비행경로의 일부분으로 간주되며 일반적으로 최초 출발허가에는 언급되지 않을 것이다. ARTCC의 관할공역이 출발공항과 STAR 또는 STAR 전환(transition)이 시작되는 fix 모두를 포함하고 있다면 STAR 명칭, 현행번호 및 STAR 전환명칭이 최초허가 시에 언급될 수도 있다.

f. "Cleared to (목적지공항) airport as filed"에는 비행계획서에 기재된 항공로고도를 포함하지 않는다. 항공로고도는 허가에 언급되거나, 또는 출발 후 특정지점이나 지정된 시간대 내에서 배정된 고도나 요구한 고도의 허가가 예상된다는 것을 조종사에게 통보할 것이다. 이것은 DP에 언급되거나, 출발지시에 구두로 이루어질 수 있다.

g. 레이더와 비레이더 관제상황 모두에서 관제사는 "Cleared to (목적지공항) airport as filed" 용어를 사용할 것이다. 또는,

1. DP 또는 DP 전환(transition) 절차로 비행해야 한다면 DP 명칭, 현행 DP 번호, DP 전환명칭, 배정고도/비행고도 그리고 DP, DP 전환 및 비행계획서에 제출된 비행로를 경유하여 출발하는 항공기를 허가하기 위하여 필요한 추가지시(출발관제 주파수, beacon code 배정 등)를 명시한다.

예문(Example)

National Seven Twenty cleared to Miami Airport Intercontinental one departure, Lake Charles transition then as filed, maintain Flight Level two seven zero.

2. DP가 없거나 조종사가 DP를 수용하지 않는 경우, 관제사는 배정고도 또는 비행고도, 그리고 적절한 출빌 비행로배정 및 비행계획서에 기재된 비행로를 경유하여 출발하는 항공기를 허가하기 위하여 필요한 추가지시를 명시할 것이다.

주(Note)

상세한 출발비행로의 기재 또는 레이더유도(radar vector)가 원하는 출발비행로배정에 사용될 수도 있다.

3. 비행계획서에 기재된 비행로를 약간 변경할 필요가 있다면, 관제사는 배정된 DP 또는 DP 전환(또는 출발비행로), 기재된 비행로에 대한 변경, 배정된 고도 또는 비행고도 및 출발하는 항공기를 허가하기 위하여 필요한 추가지시를 명시할 것이다.

예문(Example)

Jet Star One Four Two Four cleared to Atlanta Airport, South Boston two departure then as filed except change route to read South Boston Victor 20 Greensboro, maintain one seven thousand.

4. 추가적으로 비레이더 관제상황에서 관제사는 초기의 비행경로를 식별하기 위하여 필요한 하나 이상의 fix를 명시하여야 한다.

예문(Example)

Cessna Three One Six Zero Foxtrot cleared to Charlotte Airport as filed via Brooke, maintain seven thousand.

h. 본 프로그램을 성공적으로 수행하기 위하여 조종사는 다음과 같이 하여야 한다.

1. 제출한 비행계획서를 출발 직전에 변경하는 것을 피하라.

2. 제출한 비행계획서의 변경이 없는 경우, 시설의 최초호출 시에 항공기 호출부호, 위치, 비행방식(IFR) 및 허가받고자 하는 공항(또는 fix)의 명칭과 같은 정보를 언급하라.

예문(Example)

"Washington clearance delivery (또는, 해당된다면 지상관제소) American Seventy Six at gate one, IFR Los Angeles."

3. 비행계획이 변경되었다면 변경사항을 통보하고 전체 비행로(full route) 허가를 요청하라.

예문(Example)

"Washington clearance delivery, American Seventy Six at gate one. IFR San Francisco. My flight plan route has been amended (or destination changed). Request full route clearance."

4. 허가의 어떤 부분이 명확하게 이해되지 않았다면 ATC에 확인하거나 설명을 요청하라.

5. VFR/IFR 비행의 IFR 부분의 허가를 요청할 때는 지연을 피하기 위하여 IFR 운항을 시작할 fix 이전에 충분한 시간을 갖고 이러한 허가를 요청하라. 다음의 관제용어를 사용하라.

예문(Example)

"Los Angeles center, Apache Six One Papa, VFR estimating Paso Robles VOR at three two, one thousand five hundred, request IFR to Bakersfield."

5-2-7. 출발제한, 허가취소시간, 출발유보 및 출발유보해제시간(Departure Restriction, Clearance Void Times, Hold For Release, and Release Times)

a. ATC는 다른 항공기와 출발을 분리하거나, 출발흐름을 제한 또는 조절하기 위하여 필요하면 출발제한, 허가취소시간, 출발유보 및 출발유보해제시간을 지정할 수 있다.

1. 허가취소시간(Clearance Void Time)

조종사는 관제탑이 운영되지 않는 공항에서 출발할 때 일정 시간까지 이륙하지 않으면 그 허가는 무효라는 단서가 포함된 허가를 받을 수 있다. 허가취소시간 전에 출발하지 않은 조종사는 가능한 빨리 자신의 의도를 ATC에 통보하여야 한다. 보통 ATC는 항공기가 허가취소시간 전에 출발하지 않았다는 것을 ATC에 통보해야 하는 시간을 지정하여 조종사에게 통보한다. 이 시간은 30분을 초과하지 않아야 한다. 허가취소시간 이후 30분 이내에 ATC와 교신이 이루어지지 않은 항공기는 도착지연(overdue) 항공기로 간주되어 수색 및 구조절차가 개시된다.

주(Note)

1. 허가가 발부된 공항의 그 밖의 IFR 비행은 항공기가 ATC와 교신될 때 까지, 또는 허가취소시간(clearance void time)으로부터 30분 동안이나 허가취소시간이 발부되지 않았다면 허가해제시간(clearance release time)으로부터 30분 동안 중지된다.

2. 허가취소시간 이후에 출발하는 조종사는 IFR 분리를 제공받을 수 없으며, 조종사는 관제공역에서 IFR로 운항하기 전에 해당 ATC 허가를 받아야 한다는 14 CFR 91.173절을 위반하는 것이다.

예문(Example)

Clearance void if not off by (허가취소시간), 그리고 필요한 경우, if not off by (허가취소시간) advise (시설) not later than (시간) of intentions.

2. 출발유보(Hold for Release)

ATC는 교통관리 상의 이유(예를 들면, 기상, 교통량 등)로 항공기의 출발을 지연시키기 위하여 허가에 "출발유보(hold for release)" 지시를 발부할 수 있다. ATC가 허가에 "hold for release"를 언급하면 조종사는 ATC가 출발유보해제시간이나 추가지시를 발부할 때 까지 IFR 허가로 출발해서는 안된다. 추가적으로 ATC는 "hold for release" 지시에 출발지연정보를 포함한다. ATC 지시 "hold for release"는 IFR 허가에만 적용되며, 조종사가 VFR로 출발하지 못하도록 하는 것은 아니다. 그러나 조종사는 이륙하기 전에 IFR 비행계획을 취소하고 적절한 VFR code로 트랜스폰더를 운용하여야 한다. IFR 허가는 출발 후에는 유효하지 않다.

예문(Example)

(항공기 식별부호) cleared to (목적지공항) airport as filed, maintain (고도), 그리고 필요한 경우, (추가지시 또는 정보), hold for release, expect (시와 분 단위의 시간) departure delay.

3. 출발유보해제시간(Release Time)

"출발유보해제시간(release time)"은 항공기가 출발할 수 있는 가장 빠른 시간을 명시할 필요가 있는 경우, ATC가 조종사에게 발부하는 출발제한이다. ATC는 출발항공기를 다른 항공기와 분리하거나, 교통관리절차와 관련하여 "출발유보해제시간"을 사용한다.

예문(Example)

(항공기 식별부호) released for departure at (시와 분 단위의 시간).

4. 출발허가 예정시간(EDCT: Expect Departure Clearance Time)

EDCT는 교통관리프로그램에 포함된 항공기에게 지정되는 활주로 출발유보해제시간(runway release time)이다. 항공기는 EDCT 보다 5분 이상 빨리 출발하거나 5분 이상 늦게 출발하지 않도록 하여야 한다.

b. 비관제공항을 출발하는 조종사는 관할 ATC 기관과 양방향무선교신이 가능하면 가능한 한 이륙하기 전에 허가를 받아야 한다.

5-2-8. 출발관제(Departure Control)

a. 출발관제는 출발항공기 간의 분리를 확보할 책임이 있는 접근관제소의 기능이다. 출발항공기를 신속히 처리하기 위하여 출발관제사는 VFR 항공기 처리 시에 일반적으로 사용된 것과는 다른 이륙방향을 제안할 수 있다. 항상 조종사가 가능한 한 빨리 진로나 선정한 출발비행로로 진입할 수 있도록 이륙 후 최소한의 선회가 필요한 활주로를 조종사에게 제공하여야 한다. 대부분의 지역에서 국지소음감소프로그램에 따른 우선활주로(preferential runway)의 사용 및 혼잡한 지역을 벗어나기 위한 비행로출발에는 각별한 주의를 기울여야 한다.

b. 레이더를 활용하는 출발관제는 보통 항행안전무선시설에 의한 DP를 이용하여 항공기가 터미널 지역을 벗어나도록 허가한다.

1. 이륙 직후 레이더유도되는 출발일 경우, 조종사는 출발 전에 비행할 최초기수방향(initial heading)을 통보받겠지만 기수방향의 목적은 통보받지 못할 수 있다. 최초기수방향이 항공기를 배정된 절차에서 벗어나게 하면(예를 들면, waypoint까지 발간된 횡적경로 및 이륙활주로종단에서 통과제한이 있는 RNAV SID), 관제사는 최초기수방향을 유지할 수 있도록 고도를 배정한다.

2. 활주로에서 시작하는 RNAV SID로 출발하는 일부 공항에서 ATC는 RNAV 비행로의 최초접근 fix/waypoint를 항공기에 통보할 수 있다. 이 통보의 목적은 이륙 이전에 FMS에 정확한 절차가 프로그램 되어 있는지 확인할 것을 조종사에게 상기시키려는 것이다. 상이한 RNAV SID가 항공기의 FMC에 입력되어 있으면 즉시 ATC에 통보하여야 한다. 이러한 통보를 하지 않았다면 조종사는 배정된 SID의 발간된 절차에 따라 계속 비행하여야 한다.

예문(Example)

Delta 345 RNAV to MPASS, Runway26L, cleared for takeoff.

주(Note)

1. SID 전환(transition)은 ATC 허가에 포함되므로 다시 언급되지 않는다.

2. 최초접근 waypoint까지 먼저 레이더 유도되도록 설계된 RNAV SID로 허가된 항공기에게는 출발 이전에 기수방향(heading)이 배정된다.

3. 레이더 관제상황에서 운항하는 조종사는 출발기수방향(departure heading)이나 RNAV 출발 조언이 레이더유도 또는 계획된 비행로나 계획된 비행의 비행경로와 관련되어 있을 것으로 예상한다. 이미 배정된 비레이더비행로를 벗어나도록 항공기를 레이더유도할 때는 조종사에게 레이더유도가 수행될 것이라는 것을 간략하게 통보한다. 그 이후 항공기가 적절한 항행안전시설을 이용하여 "정진로(on-course)"로 재진입한 다음 조종사에게 항공기의 위치를 통보하거나, 또는 더 나은 감시성능을 갖고 있는 다른 레이더관제사에게 이양할 때 레이더업무를 제공한다.

c. 관제사는 이륙 이전에 출발관제주파수 및 해당하면 트랜스폰더 code를 조종사에게 통보한다. 조종사는 가능한 빨리 "on" 또는 일반적인 운용위치로 조절한 다음, ATC가 "standby"로 변경하도록 달리 요청하지 않은 한 모든 운항동안 이를 유지하여야 한다. 조종사는 지시를 받을 때까지 출발관제주파수로 변경해서는 안된다. DP가 배정되었거나 배정될 예정이고 출발관제주파수가 DP에 명시되어 있다면, 관제사는 출발관제주파수를 생략할 수 있다.

5-2-9. 계기출발절차(DP) - 장애물출발절차(ODP), 표준계기출발절차(SID) 및 임의레이더유도구역(DVA)

a. 계기출발절차는 사전에 설정된 계기비행방식(IFR) 절차이며 터미널지역으로부터 해당하는 항공로구조까지의 장애물회피를 제공한다. DP에는 문자 또는 그림형식으로 제작되는 장애물출발절차(ODP)와 항상 그림형식으로 제작되는 표준계기출발절차(SID)의 두 가지 유형이 있다. 문자 또는 그림형식으로 제작되는 모든 DP는 종래의 기준이나 RNAV 기준에 의하여 설계할 수 있다. RNAV 절차에는 표제에 SHEAD TWO DEPARTURE (RNAV)와 같이 (RNAV)가 인쇄된다. ODP는 번거로움이 가장 적은 비행로에 의하여 터미널지역으로부터 해당하는 항공로구조까지 장애물회피를 제공한다. 장애물회피를 위해 ODP를 권고하며, ATC에 의해 특별히 대체출발절차(SID 또는 레이더유도)가 지정되지 않는 한 ATC의 허가없이 비행할 수 있다. 그림형식으로 된 ODP는 절차 표제에 GEYSR THREE DEPARTURE (OBSTACLE) 또는 CROWN ONE DEPARTURE (RNAV) (OBSTACLE)와 같이 (OBSTACLE)이 인쇄된다. 표준계기출발절차는 조종사/관제사에 의해 사용되며, 터미널지역으로부터 해당하는 항공로구조까지의 장애물회피와 전환을 제공하기 위하여 발간되는 그림형식의 항공교통관제(ATC) 절차이다. SID는 우선적으로 시스템능력을 증진시키고, 조종사/관제사의 업무부담을 줄이기 위하여 설계된다. SID로 비행하기 이전에 ATC 허가를 받아야 한다. 모든 DP는 조종사에게 공항을 출발하여 안전하게 항공로구조로 전환할 수 있는 방법을 제공한다.

b. 임의 레이더유도 구역(Diverse Vector Area; DVA)은 ATC가 출발활주로에서 MVA/MIA 상공까지 연속하여 상승하는 동안 임의 레이더유도를 제공할 수 있는 구역으로, TERP의 임의출발(diverse departure)에 대한 기준에 의거하여 설정된다. DVA는 활주로에서의 ODP나 DP를 이용한 IFR 이륙 대신 장애물과 지형회피를 제공한다.

c. 14 CFR Part 91에 의하여 비행하는 조종사는 최저 시계비행기상상태(VMC) 이거나 계기비행기상상태(IMC)인 야간에는 DP를 제출하고 비행할 것을 적극 권장하고 있다. 다음 절에서는 DP 프로그램의 개요, DP의 개발이유, 적용되는 기준, 수록되어 있는 간행물, DP를 이용한 비행방법, 그리고 마지막으로 조종사와 관제사의 책임에 대하여 설명한다.

d. 왜 DP가 필요할까? 첫 번째 이유는 조종사에게 장애물회피 보호정보를 제공하기 위한 것이다. 두 번째 이유는 SID의 사용을 통해 복잡한 공항에서의 효율성을 향상시키고, 무선교신을 줄이며 출발지연을 감소시키기 위한 것이다. 공항의 계기접근이 개발되는 초기에 DP의 필요성에 대한 평가를 한다. 절차수립자는 출발운항을 지원하기 위한 장애물분석을 수행한다. 항공기가 평가지역(5-2-9b3항 참

조) 범위 내의 활주로에서 어느 방향으로나 선회할 수 있고 장애물로부터 회피가 유지된다면, 이러한 활주로에는 소위 임의출발(diverse departure) 평가가 내려지며 ODP는 발간되지 않는다. SID는 항공교통관제 목적을 위하여 필요하면 발간할 수 있다. 그러나 장애물이 소위 40:1 장애물식별표면(obstacle identification surface)을 침범하면 절차수립자는 다음 사항을 결정하여야 한다.

1. 상승률을 표준상승률보다 더 높게 설정한다.
2. 조종사가 장애물의 육안회피를 유지할 수 있도록 이륙최저치를 높이는 방안과 함께 상승률을 표준상승률보다 더 높게 설정한다.
3. 특정 출발비행로를 설계하고 발간한다.
4. 위의 모든 사항을 고려한다.

e. 출발 중 장애물회피를 제공하기 위하여 어떠한 기준이 적용되는가?

1. 달리 지정되지 않은 한 임의출발(diverse departure)을 포함한 모든 출발 시에 필요한 장애물회피는 조종사가 이륙활주로종단을 최소한 이륙활주로종단 표고보다 35 ft 이상의 높이로 통과하고, 최초로 선회하기 전에 이륙활주로종단 표고보다 400 ft 이상의 높이까지 상승하며, 통과제한에 의해 고도이탈(level off)이 필요하지 않는 경우 최저 IFR 고도까지 NM 당 최소 200 ft의 상승률(FPNM)을 유지하는 것을 기반으로 한다. 장애물회피나 ATC 통과제한을 이행하기 위하여 DP에 더 높은 상승률이 지정될 수도 있다. DP에 최초의 선회가 이륙활주로종단 표고 상공 400 ft 보다 더 높게 지정되어 있다면 더 높은 고도에서 선회를 시작하여야 한다. Fix에서 선회하는 것으로 지정되어 있다면 선회는 그 fix에서 이루어져야 한다. Fix에는 최저 또는 최대 통과고도가 지정될 수 있으며 이 fix를 통과하기 전에 통과고도를 준수하여야 한다. 드물게 활주로중심선의 연장선 상에 장애물이 있는 경우에는 직진하기 보다는 "조기선회(early turn)"가 더 바람직 할 수도 있다. 이러한 경우에는 발간되는 출발절차지시사항에 "turn left(right) as soon as practicable."이라는 용어가 포함된다. 또한 이러한 출발에는 적어도 최소한 300 ft의 운고(ceiling) 최저치와 1 mile의 시정최저치가 포함된다. 이러한 DP 중의 하나에 접한 조종사는 고도에 도달하기 위하여 사전에 급상승(climb out)을 계획하고 안전운항지침 및 운용한계 내에서 가능한 빨리 선회하여야 한다. 이러한 유형의 출발절차는 단계적으로 폐지되고 있다.

주(Note)
일부 현용 출발절차 본문에는 "practicable" 대신에 "practical" 또는 "feasible" 이라고 되어 있을 수도 있다.

2. ODP, SID 및 DVA는 항공기성능이 정상이고 모든 엔진은 작동 중이라고 가정한다. 운영자는 부양(liftoff) 이후에 발생할 수 있는 엔진고장 또는 그 밖의 비행중 비상의 경우에 대비하기 위하여 필요한 우발절차를 수립할 책임이 있다. (이에 관한 더 상세한 정보는 권고회보 AC 120-91, Airport Obstacle Analysis 및 Instrument Procedures Handbook, FAA-H-8083-61 2장의 "Departure Procedures" 절에서 살펴볼 수 있다)

3. 40:1 장애물식별표면(OIS)은 이륙활주로종단(departure end of the runway; DER)에서 시작되며, 최저 IFR 고도에 도달하거나 항공로구조로 진입하기 전까지 상방 152 FPNM의 경사도로 경사져 있다. 이 평가지역은 비산악지역에서는 공항으로부터 25 NM 까지, 그리고 지정된 산악지역에서는 46 NM 까지로 제한된다. 이 거리 이상에서 발간된 비행로로 운항하지 않고 발간된 비행로의 MEA나 MOCA 미만이거나 ATC 배정고도 미만이라면 조종사가 장애물회피에 대한 책임이 있다. 그림 5-2-1을 참조한다. (항공로고도에 대한 추가정보는 14 CFR 01.177 참조)

주(Note)
ODP는 보통 이 거리한계 내에서 종료되도록 설계되지만 일부 ODP는 25/46 NM을 초과할 수 있는 비행로를 포함하고 있다. 이 비행로에서는 ODP가 종료될 때 까지 장애물보호가 이루어진다.

그림 5-2-1. 25/46 NM 까지의 임의출발 장애물평가(Diverse Departure Obstacle Assessment)

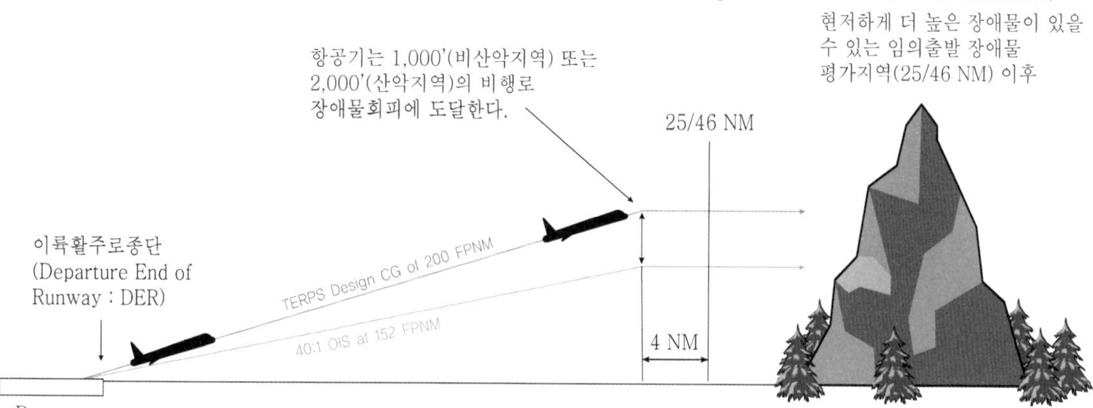

4. DER의 1 NM 이내에 위치하고, 40:1 OCS를 침범하는 장애물을 "낮은 근접장애물(low, close-in obstacle)" 이라고 부른다. 이 장애물을 회피하기 위해서 NM 당 48 ft의 표준장애물회피요건에 따라 항공기가 DER 상부 200 ft에 도달할 때 까지 매우 짧은 거리에서만 NM 당 200 ft 이상의 상승률이 필요하다. 초과하는 상승률은 발간되지 않으며, DER과 관련된 장애물 AGL/MSL 높이 및 위치는 소정의 터미널절차간행물(TPP) 책자 "Take-off Minimums and (OBSTACLE) Departure Procedures"절에 기재되어 있다.

(a) 조종사는 이러한 장애물에 대한 정보는 TPP 책자 또는 그림형식의 ODP를 참조하여야 한다. 이러한 장애물에 대한 정보는 더 이상 SID에는 게재되지 않는다. 출발에 SID가 배정된 조종사는 TPP의 공항 기입부분을 참조하여야 이러한 장애물에 대한 정보를 얻어야 한다.

(b) TPP의 "Take-off Minimums and (OBSTACLE) Departure Procedures" 부분에 있는 장애물 정보의 목적은 장애물을 식별하여 조종사가 회피할 수 있도록 장애물의 높이 및 위치를 조종사에게 경고하기 위한 것이다. 장애물회피는 조종사가 장애물을 육안으로 보고 필요하면 장애물 주위로 기동하는 것과 같은 다양한 방법으로 이루어질 수 있다. 조기 부양/상승성능은 항공기가 장애물 상부를 충분히 통과할 수 있도록 한다. 또는 출발동안 장애물을 시각적으로 포착할 수 없으면, 장애물을 회피하기 위하여 이륙 후에 즉시 선회나 그 밖의 기동이 필요할 수 있다는 것을 비행전 계획수립 시에 감안해야 한다.

예문(Example)

TAKEOFF OBSTACLE NOTES: Rwy 14, trees 2011' from DER, 29' left of centerline, 100' AGL/3829' MSL. Rwy 32, trees 1009' from DER, 697' left of centerline, 100' AGL/3839' MSL. Tower 4448' from DER, 1036' left of centerline, 165' AGL/3886' MSL.

5. 장애물회피 또는 공역제한을 지원하기 위하여 필요한 경우 200 FPNM을 초과하는 상승률이 지정된다. 증가한 이륙최저치가 제공되고 기상상태가 이 최저치의 준수를 허용하지 않는 한, 절차가 ATC 허가의 일부일 경우 이 절차에서 상승률의 준수는 의무이다.

주(Note)

ATC 목적의 상승률은 SID에서 폐지되고 있다.

예문(Example)

"Cross ALPHA intersection at or below 4000; maintain 6000". 조종사는 6,000 ft 까지 최소한 200 FPNM의 상승률로 상승한다. ALPHA에 도착하기 전에 4,000 ft에 도달하면, 조종사는 4,000 ft로 수평비행을 하고 ALPHA를 통과한 다음 즉시 200 FPNM의 상승률로 상승한다.

예문(Example)

"TAKEOFF MINIMUMS: RWY 27, Standard with a minimum climb of 280' per NM to 2500,

출발절차가 ATC 허가에 포함되어 있는 경우 조종사는 의무적으로 2,500 ft 까지 최소한 280 FPNM의 상승률로 상승하여야 한다.

주(Note)

일부 SID는 "ATC"로 표제가 부여된 상승률을 아직 유지하고 있거나, 장애물회피나 절차설계기준에 필요하지 않는 발간된 고도제한을 충족하기 위하여 설정된 상승률이 게재되어 있다.

6. 적용되는 표준상승률 이상의 상승률이 어떤 고도/fix까지만 지정될 수 있다.

Fix에 발간된 ATC 규정 고도제한에는 제한사항과 관련된 상승률이 게재되지 않는다. 조종사는 조종하는 항공기의 성능을 기반으로 통과고도를 준수할 수 있을지의 여부를 판단하여야 한다.

예문(Example)

"Minimum climb 340 FPNM to ALPHA.". 조종사는 ALPHA까지 최소한 340 FPNM의 상승률로 상승한 다음 MIA까지 최소한 200 FPNM의 상승률로 상승한다.

7. Visual Climb Over Airport(VCOA) 절차는 지정된 시정 및 운고(ceiling) 이상의 시계비행 기상상태에서 운항하는 IFR 항공기가 계기접근절차의 출발부분에서 진행하여 발간된 고도까지 상승하기 위해 공항상공에서 시각적으로 상승선회를 수행하기 위한 출발 시의 선택사항이다. VOCA 절차는 NM 당 200 ft의 상승률을 준수하기 위한 대처방안으로서 이륙활주로 종단에서 3 SM을 초과하는 장애물을 회피하기 위하여 개발된다. 조종사는 출발하기 전에 VCOA 선택사항으로 비행하려는 의도를 가능한 한 빨리 ATC에 통보할 책임이 있다. 이러한 문자형식의 절차는 터미널절차간행물의 Take-off Minimums and (OBSTACLE) Departure Procedures 절에 기술되거나, 그림형식의 ODP에 선택사항으로 제시된다.

예문(Example)

"Climb in visual conditions so as to cross the McElory Airport southbound, at or above 6000, then climb via Keemmling radial zero three three to Keemmling VORTAC."

f. 장애물회피에 대한 책임은 누구에게 있는가? DP는 조종사가 절차를 준수하면 장애물보호가 확보될 수 있도록 설계된다. 추가하여,

1. 조종사가 DP로 비행하는 대신 시계비행상태로 상승하거나, 규정된 상승률로 비행하는 대신 증가된 이륙최저치로 출발하는 경우 장애물회피에 대한 책임은 조종사에게 있다. 두 개 이하의 엔진을 장착한 항공기의 표준이륙최저치(standard takeoff minima)는 1 SM이고, 두 개를 초과하는 엔진을 장착한 항공기의 경우에는 1/2 SM이다. 지정된 운고 및 시정최저치(VCAO 또는 증가된 이륙최저치)는 조종사가 표준장애물보호구역(standard obstacle protection area)에 진입할 때까지 장애물을 육안으로 보고 회피할 수 있도록 한다. 조종사가 지정된 고도에 도달하기 전에 명시된 시정최저치보다 공항에서 더 멀리 비행했다면 장애물회피는 보장되지 않는다. DP는 이른바 낮은 근접장애물을 포함할 수도 있다. 이러한 장애물은 이륙활주로종단 표고의 상공 200 ft 미만, 활주로종단의 1 NM 이내이며 이륙최저치의 증가를 필요로 하지 않는다. 이러한 장애물은 SID 차트 및 미국 터미널절차책자의 Take-off Minimums and (Obstacle) Departure Procedures 절에 식별되어 있다. 이러한 장애물은 이륙활주로종단에 근접하기 전까지 이륙하지 못한 항공기 또는 최저상승률로 상승하는 항공기에게 특히 위험하다. 또한, 조종사는 이러한 장애물로부터 충분한 회피를 확보하기 위하여 이륙 다음의 편류(drift)를 고려하여야 한다. 항공기가 지정된 지점을 요구고도로 통과했을 때, 조종사가 장애물을 육안 회피하는 것이 필요한 절차의 구간은 종료된다. 모든 경우에 있어서 달리 지정되지 않는 한 이어지는 장애물회피는 지정된 지점까지 NM 당 최소 200 ft로 상승하고, 출발 동안 최저항공로고도에 도달하기 전까지 NM 당 최소한 200 ft로 계속 상승하는 것을 기반으로 한다.

2. ATC는 최초 또는 이륙허가 다음에 이어서 레이더 유도가 발부된 ATC 배정 기수방향(heading)으로 비행하는 항공기를 필요한 경우 최저레이더유

도고도(minimum vectoring altitude)에 도달하기 전까지 임의 레이더유도 구역(Diverse Vector Area; DVA)을 이용하여 레이더 유도할 수 있다.

3. DVA는 항공교통의 필요 시 레이더관제상황에서 최저레이더유도고도 또는 최저 IFR 고도 미만에 설정될 수 있다. 이러한 유형의 DP는 임의출발(diverse departure), 장애물 및 MVA/MIA 미만의 임의 레이어유도가 출발항공기에게 발부될 수 있는 지형회피에 대한 TERPS 기준을 충족한다. DVA는 지정된 지상항적(ground track)을 따르지 않는 출발에 제공되지만, 특정 구역 내로 제한될 것이다. DVA의 이용은 항공기가 출발활주로에서 MVA/MIA(또는 더 높은)까지 연속하여 상승하는 것이 허용된 항공기만 유효하다. ATC는 DVA 내에 있는 MVA/MIA 미만의 고도를 배정하지는 않는다.

(a) DVA의 존재는 미국 터미널절차간행물(TPP)의 Takeoff Minimums and Obstacle Departure Procedure 절에 표기된다. 이륙출발절차(Takeoff Departure procedure)가 먼저 나열되고, 다음에 해당하는 DVA가 나열된다.

예시(Example)

DIVERSE VECTOR AREA (RADAR VECTORS)
AMDT 1 14289 (FAA)

Rwy 6R, headings as assigned by ATC; requires minimum climb of 290' per NM to 400.

Rwys 6L, 7L, 7R, 24R, 25R, headings as assigned by ATC.

(b) 조종사는 DVD 내에 표준 200 FPNM보다 더 높은 발간된 상승률이 있을 수도 있다는 것을 알아야 한다. 조종사는 지정된 지상항적(ground track)을 따르지 않는 출발에 DVA가 제공된다는 것을 유의하여야 한다.

(c) ATC는 이전에 배정된 DP를 벗어나도록 항공기를 레이더 유도할 수도 있다. 항공기가 체공중에 SID나 ODP에 진입하였고, 이어서 이를 벗어나도록 레이더유도 되었다면 지형 및 장애물 회피에 대한 책임은 ATC에 있다. 모든 경우에 최소 200 FPNM의 상승률이 적용된다.

주(Note)

어떤 경우에도, 출발중에 관제사가 "레이더포착(radar contact)"이라는 용어를 사용하는 것을 장애물 DP 비행을 포함하여 적절한 지형 및 장애물회피를 유지해야 하는 조종사의 책임을 면하여 주는 것으로 판단해서는 안된다.

4. 조종사는 항공기가 출발절차에 규정된 상승률(NM 당 ft 단위로 나타내는)을 충족시킬 수 있을지의 여부를 사전에 판단하고, 예상대지속도보다 더 빠른 속도로의 비행이 ft/min 단위의 상승률요건을 증가시킨다는 것을 인식하고 있어야 한다. 표준상승률보다 더 높은 상승률은 그림형식 DP의 경우 출발절차 차트의 주석(note), 또는 문자형식 ODP의 경우 미국 터미널절차책자의 Take-Off Minimums and (Obstacle) Departure Procedures 절에 명시된다. 지정된 고도나 fix까지는 규정된 상승률이나 더 높은 상승률을 유지하여야 하며, 그 다음에는 200 ft/NM의 표준상승률을 유지한다. 주어진 대지속도에서 feet per nautical mile 단위의 상승률을 feet per minute 단위의 상승률로 환산하기 위한 표는 미국 터미널절차책자의 뒷표지 안쪽에 수록되어 있다.

g. DP는 어디에 수록되어 있는가? DP는 터미널절차간행물(TPP) L절의 IFR Takeoff Minimums and (Obstacle) Departure Procedures 절에 공항별로 목록화되어 있다. DP가 문자형식으로 되어 있다면 TPP L절에 기술되어 있다. SID와 복합 ODP는 그림형식으로 발간되며 명칭이 부여된다. 명칭은 L절에 공항명칭과 활주로 별로 목록화 된다. 또한 그림형식의 ODP는 차트화된 절차 표제에 용어 "(OBSTACLE)"가 인쇄되어 있어서 SID와 구분할 수 있다.

1. 전적으로 장애물회피만을 위해서 개발된 ODP는 해당 계기접근절차(IAP) 및 해당 공항의 DP 차트에 부호 "T"가 표시된다. 부호 "T"가 표시되어 있으면 사용자는 이어서 TPP C절을 참조하여야 한다. 그림형식의 ODP인 경우 TPP C절에는 ODP의 명칭만 수록된다. 그렇더라도 문자 및 그림형식 양쪽의 DP가 있을 수 있기 때문에 추가적인 정보를

위하여 C절을 확인하여 보아야 한다. TPP C절에 수록되어 있는 비표준이륙최저치 및 최저상승률은 발간된 DP에 최저치가 달리 지정되어 있지 않은 한 발간된 DP와 레이더유도출발에도 적용된다. 이륙최저치 및 출발절차는 달리 지정되지 않는 한 모든 활주로에 적용된다. 새로운 그림형식의 DP는 모든 정보가 그림형식으로 표기된다. 일반적으로 ATC는 항공기와 항공기 간의 분리를 위해 ODP의 준수가 필요한 경우에만 관제탑을 운영하지 않는 공항으로부터의 ODP를 배정한다. 조종사는 지형과 장애물로부터 분리를 유지하기 위하여 ODP를 사용할 수 있다.

h. 책임(Responsibility)

1. 각 조종사는 IFR 비행으로 공항을 출발하기 전에,

(a) 출발공항과 공항주변의 지형 유형 및 그 밖의 장애물을 고려하여야 한다.

(b) ODP를 이용할 수 있는지의 여부를 판단한다.

(c) 육안으로 장애물회피를 유지할 수 있는지, 또는 ODP로 비행을 해야 하는지의 여부를 판단한다. 그리고,

(d) 감소된 상승성능의 영향, 그리고 출발 중 엔진고장 발생 시에 취해야 할 조치사항을 검토한다. 조종사는 이러한 상황에서 감소된 상승성능을 가능한 빨리 ATC에 통보하여야 한다.

(e) DVA가 발간되어 있고, 항공기가 발간된 상승률을 충족하는 성능이 있는지의 여부를 판단한다. DVA 상승률을 충족할 수 없으면 IFR 허가를 요청할 때, 또는 가능한 한 빨리 ATC에 통보한다.

(f) 이륙활주로의 TPP에 게재된 Takeoff Obstacle Notes를 점검한다.

주(Note)

대형 또는 터빈동력 수송류(transport category) 비행기의 이륙시 V_1 속도 이후의 엔진고장에 대처하기 위한 우발절차에 관련된 지침은 AC 120-91, Airport Obstacle Analysis에서 살펴볼 수 있다.

2. 조종사는 SID waypoint를 통과하기 전까지는 그 waypoint와 관련하여 발간된 속도제한을 초과하지 않아야 한다.

3. 항공기가 SID에 진입하고 이어서 레이더유도된 후 또는 SID나 SID 전환(transition)의 이탈이 허가된 후에 조종사는 관제사가 "expect to resume SID"라고 지시하지 않는 한 SID는 취소된 것으로 간주하여야 하며, 그 후에 조종사는 다음 fix 또는 절차 leg에서 SID에 재진입할 준비를 하여야 한다. SID에 발간된 고도제한이 포함되어 있다면, 조종사는 관제사가 유지해야 할 고도를 발부할 것이라는 것을 예측하여야 한다. ATC는 발간된 횡적경로에 진입하여 머무르는 동안에는 SID의 수직항행을 중단시키고 대체고도지시를 제공할 수 있다. 항공기는 ODP가 취소된 경우 ODP에서 벗어나도록 레이더 유도되거나 ODP의 발간된 고도보다 더 낮은 고도를 발부받을 수 있으며, ATC는 지형과 장애물회피에 대한 책임이 있다. 모든 경우에 최소 200 FPNM의 상승률이 적용된다.

4. 속도나 고도제한을 포함하고 있는 DP나 SID와 같은 SID 절차로 복귀할 것을 지시할 항공기에게는 다음과 같이 하여야 한다.

(a) 적용 가능한 모든 제한사항 발부/재발부, 또는

(b) "Climb via SID" 하거나, 또는 발간된 속도로 복귀할 것을 지시

예문(Example)

"Resume the Solar One departure, comply with restrictions."

"Proceed direct CIROS, resume the Solar One departure, comply with restrictions."

5. 발간된 통과제한을 포함하고 있지 않는 SID, 또는 Radar Vector 구간이 있는 SID나 Radar Vector SID에 대한 허가는 관제용어 "Maintain (altitude)"를 사용하여 발부한다.

6. 발간된 고도제한을 포함하고 있는 SID에 대한 허가는 관제용어 "climb via"를 사용하여 발부할 수 있다. Climb via는 허가를 받은 비행로나 절차에서 절차 횡적경로, 관련된 속도나 고도제한의 준수를 요구하는 간소화된 허가이다. "Climb via" 허가는 조종사에게 다음을 허가한다.

(a) PDC, DCL에서 IFR 출발허가에 사용하거나 SID에 표기된 waypoint까지 허가되었을 경우, 출발 이후의 절차 진입 또는 절차 복귀

(b) 수직항행이 중단되고 발간된 절차에 포함되어 있지 않은 고도를 유지하도록 지시받은 경우, 조종사 임의의 이전에 배정된 고도로부터 다음 waypoint 표기 고도까지의 상승

(c) 표기된 출발비행로에 진입한 후 발간되거나 배정된 모든 고도제한 및 속도제한을 이행하기 위한 횡적항행 및 상승

주(Note)

1. 비행로나 발간된 속도제한이 포함되어 있는 절차에서 달리 허가되는 경우, 조종사는 climb via 허가와는 관계없이 이러한 속도제한을 준수하여야 한다.
2. ATC는 조종사가 발간된 속도로 waypoint/fix를 통과할 수 있도록 발간된 속도제한 이전에 필요한 최저거리에서 속도조절을 시작할 것이라고 예상한다. 발간된 속도에 도달하면 ATC는 14 CFR 91.117절을 준수하기 위하여 필요하거나, 또는 추가로 발간되거나 ATC가 지시한 속도제한에 따르기 위하여 조종사가 추가적인 조절이 필요할 때 까지 발간된 속도를 유지할 것이라고 예상한다.
3. 항공기가 SID로 비행하는 동안 ATC가 횡적/수직항행을 중단시키면 ATC는 장애물회피를 보장하여야 한다. 절차에 진입하거나 복귀할 수 있도록 "climb via" 허가를 발부할 경우, ATC는 항공기가 SID의 횡적 및 수직경로에 진입할 때 까지 장애물회피를 보장하여야 한다.
4. 고도가 waypoint/fix에 표기되어 있지 않거나, 또는 SID로 진입하거나 복귀하는 waypoint/fix까지 직선비행로의 항공기에게 달리 필요한 경우 ATC는 통과할 고도를 배정한다.
5. SID에는 "정상고도(top altitude)"가 포함되며, "정상고도"란 절차설명문(procedure description)에 포함되거나 ATC가 배정한 "유지(maintain)하여야 할" 고도이다.

예문(Example)

1. 횡적/비행로 허가:

"Cleared Loop Six departure."

주(Note)

항공기는 SID 횡적경로 및 발간된 속도제한을 준수하여야 한다.

2. 고도와 비행로배정:

"Cleared Loop Six departure, climb and maintain four thousand."

주(Note)

항공기는 4,000 ft 까지 제한을 받지 않고 상승할 수 있지만, SID 횡적경로 및 발간된 속도제한을 준수하여야 한다.

3. (Scott One 출발절차 이용, Jonez에서 Q-145로 전환한 다음 Q-145로 Johnston 공항까지 비행계획서를 제출한 조종사. 조종사는 FL350으로 제출하였다. Scott One 출발절차에는 고도제한, 정상고도(top altitude) 및 출발 10분 후에 제출한 고도에 도달하도록 하는 지시가 포함된다) 출발하기 전에 ATC는 허가를 발부하기 위하여 PDC, DCL 또는 허가중계를 사용한다.

"Cleared to Johnston Airport, Scott One departure, Jonez transition, Q-One Forty-five. Climb via SID."

주(Note)

예문 3의 경우, 항공기는 SID 정상고도(top altitude)까지 상승하는 동안 Scott One 출발절차 횡적경로 및 발간된 속도와 고도제한을 준수하여야 한다.

4. (예문 3 비행계획서를 사용하는 경우, ATC는 정상고도(top altitude)를 FL180으로 변경해야 한다고 판단한다) 허가는 다음과 같이 발부된다.

"Cleared to Johnston Airport, Scott One departure, Jonez transition, Q-One Forty-five, Climb via SID except maintain flight level one eight zero."

주(Note)

예문 4의 경우, 항공기는 FL180까지 상승하는 동안 Scott One 출발절차 횡적경로 및 발간된 속도와 고도제한을 준수하여야 한다. 항공기는 ATC가 추후허가를 발부할 때 까지 FL180에서 상승을 멈추어야 한다.

5. (항공기는 IFR 출발허가에서 Suzan Two 출발절차, "climb via SID"를 발부받았다. 출발 후 ATC는 waypoint 통과제한을 변경하여야 한다) 허가는 다음과 같이 발부된다.

"Climb via SID except cross Mkala at or above seven thousand."

주(Note)

예문 5의 경우, 항공기는 Scott Two 출발절차 횡적경로 및 발간된 속도와 고도제한을 준수하여야 하며, 7,000 ft 이상의 고도로 Mkala를 통과하기 위하여 상승하여야 한다. 출발절차의 그 밖의 사항은 발간된 절차에 따라 비행하여야 한다.

6. (항공기는 IFR 출발허가에서 Teddd One 출발절차, "climb via SID"를 발부받았다. 발간된 FL 230의 정상고도(top altitude) 대신에 10,000 ft의 임시고도(interim altitude)를 발부받았다) 출발 후 ATC는 발간된 정상고도(top altitude)를 발부할 수 있다. 허가는 다음과 같이 발부된다.

"Climb via SID."

주(Note)

예문 6의 경우, 항공기는 횡적 및 수직적으로 Teddd One 출발절차에 따라 비행하여 초기에 10,000 ft까지 상승한다. "Climb via" 허가가 재발부되면 임시고도(interim altitude)는 취소되고, 항공기는 발간된 제한사항을 준수하면서 FL230까지 계속 상승한다.

7. (항공기는 IFR 출발허가에서 Bbear Two 출발절차, "climb via SID"를 발부받았다. 발간된 FL 190의 정상고도(top altitude) 대신에 16,000 ft의 임시고도(interim altitude)를 발부받았다) 출발 후 ATC는 FL300의 정상고도를 발부할 수 있으며, 여전히 발간된 SID 제한사항의 준수를 요구한다. 허가는 다음과 같이 발부된다.

"Climb via SID except maintain flight level three zero zero."

주(Note)

예문 7의 경우, 항공기는 횡적 및 수직적으로 Bbear Two 출발절차에 따라 비행하여 초기에 16,000 ft까지 상승한다. "Climb via" 허가가 재발부되면 임시고도(interim altitude)는 취소되고, 항공기는 발간된 제한사항을 준수하면서 FL300까지 계속 상승한다.

8. (항공기는 Bizee Two 출발절차, "climb via SID"를 발부받았다. 출발 후 ATC는 SID를 벗어나도록 항공기를 레이더유도한 다음 발간된 고도제한을 포함하고 있지 않은 Rockr waypoint에서 SID에 재진입하기 위한 직선비행로를 발부한다. ATC는 항공기가 10,000 ft 이상의 고도로 통과하기를 바란다) 허가는 다음과 같이 발부된다.

"Proceed direct Rockr, cross Rockr at or above one-zero thousand, climb via the Bizee Two departure."

주(Note)

예문 8의 경우, 항공기는 10,000 ft 이상의 고도로 Rockr에서 Bizee Two SID로 진입한 다음 발간된 횡적경로 및 SID 정상고도(top altitude)까지 상승하는 동안 발간된 속도나 고도제한을 준수할 것이다.

9. (항공기는 IFR 출발허가에서 Suzan Two 출발절차, "climb via SID"를 발부받았다. 출발 후 ATC는 SID를 벗어나도록 항공기를 레이더유도한 다음 항공기가 발간된 통과제한을 포함하고 있지 않은 Dvine waypoint에서 SID에 재진입할 수 있도록 허가한다) 허가는 다음과 같이 발부된다.

"Proceed direct Dvine, Climb via the Suzan Two departure."

주(Note)

예문 9의 경우, 항공기는 발간된 고도로 Dvine에서 Suzan Two 출발절차에 진입한 다음 발간된 횡적경로 및 발간된 속도나 고도제한을 준수할 것이다.

7. 관제용어 "climb via"를 사용하여 수직항행(vertical navigation)을 허가받은 조종사는 최초 교신 시 고도이탈 및 절차에 발간되지 않은 지시받은 제한사항을 ATC에 통보하여야 한다.

예문(Example)

1. (Cactus 711은 Laura Two 출발절차에 따라

상승할 수 있는 허가를 받았다. Laura Two는 FL 190의 정상고도(top altitude)를 포함하고 있다).
"Cactus Seven Eleven leaving two thousand, climbing via the Laura Two departure."
2. (Cactus 711은 Laura Two 출발절차에 따라 상승할 수 있는 허가를 받았지만, ATC는 16,000 ft로 정상고도(top altitude)를 변경하였다).
"Cactus Seven Eleven leaving two thousand for one-six thousand, climbing via the Laura Two departure."

8. 이륙 전이나 이륙 후에 ATC에 의해 고도제한이 발부되면 이전에 발부된 모든 "ATC" 고도제한은 SID에 발간된 것을 포함하여 취소된다. 조종사는 ATC에 의해 취소되지 않는 한 SID에 발간된 모든 속도제한 및 횡적경로요건을 준수하여야 한다.

예문(Example)

이륙 전이나 출발 후 ATC는 SID에 따라 상승할 수 있도록 허가를 받은 항공기에게 고도변경 허가를 발부하지만, ATC는 더 이상 발간된 고도제한의 준수를 요구하지는 않는다.
"Climb and maintain flight level two four zero."

주(Note)

발간된 SID 고도제한은 취소된다. 항공기는 SID 횡적경로를 준수하여야 하며 제한을 받지 않고 FL 240까지 상승할 수 있다. ATC가 달리 무효화하지 않는 한 여전히 발간된 속도제한의 준수가 필요하다.

9. ODP 상에 발간되는 고도제한은 장애물회피 또는 설계제약의 경우에 필요하다. ODP 상의 통과고도 및 속도제한은 ATC가 취소하거나 수정할 수 없다.

i. PBN 출발절차(PBN Departure Procedure)

1. 모든 공공용 PBN SID 및 그림형식의 ODP는 일반적으로 RNAV 1, RNP 1 또는 A-RNP NavSpecs을 사용하여 설계된다. 이러한 절차는 일반적으로 이륙활주로종단(DER) 근처의 최초 항적(track) 또는 heading leg에서 시작된다. 추가하여 이러한 절차는 현재 시스템성능이 최신 AC 90-100, U.S. Terminal and En Route Area Navigation (RNAV) Operations에 언급된 기준을 충족하는 GPS 또는 DME/DME/IRU PBN 시스템과 일치할 것을 요구하고 있다. RNAV 1과 RNP 1 절차는 전체 시스템오차가 전체 비행시간의 95% 동안에 1 NM 미만을 유지하여야 한다. A-RNP 절차의 최소수치는 PBN box에 게재된다 (예를 들면, 1.00 또는 0.30).

2. 미국에서 특정 절차의 PBN 요건은 별도의 표준화된 주석 박스(note box)에 눈에 잘 띄게 표시된다. PBN 요소가 있는 절차의 경우 "PBN box"에는 절차의 NavSpec, 그리고 필요 시 항법계산에 필요한 특정 sensor나 기반시설, 추가 또는 고급 기능 요건, 최저 RNP 수치, 그리고 부연 설명 등이 포함된다. 이러한 PBN box에 수록되는 항목은 절차의 PBN 요소에 필수이다.

제3절. 항공로 절차(En Route Procedure)

5-3-1. ARTCC 통신(ARTCC Communications)

a. 관제사와 조종사 간의 직접교신

1. ARTCC는 특정 주파수로 IFR 항공기와 직접 교신을 할 수 있다. 최대 통신범위는 VHF와 UHF 송신기 및 수신기로 이루어진 원격통신공지시설(Remote Center Air/Ground; RCAG)을 사용하여 얻을 수 있다. 이러한 시설은 미국 전역에 설치되어 있다. 이들 시설은 ARTCC로부터 수백 마일 떨어져 있더라도 유선통신망이나 마이크로웨이브 중계회선(microwave link)에 의해 여러 ARTCC와 원격통신이 이루어진다. IFR 운항은 직접교신을 사용함으로써 신속히 처리되기 때문에 전적으로 IFR 항공기의 관제와 관련된 통신에만 이 주파수를 사용할 것을 조종사에게 요청하고 있다. 비행계획의 제출, 항공로 기상, 기상예보 및 유사자료는 FSS, 회사무선통신 또는 이들 업무를 수행할 수 있는 적절한 군 시설을 통하여 요청하여야 한다.

2. ARTCC는 구역(sector)으로 나뉘어 있다. 각 구역은 한 명 또는 한 팀의 관제사에 의해 관리되며 자체구역의 불연속 주파수(discrete frequency)를 갖고 있다. 비행이 한 구역에서 다른 구역으로 진행될 때 조종사는 해당 구역의 특정 주파수로 변경하여야 한다.

3. 관제사-조종사간 데이터링크통신(Controller Pilot Data Link Communication; CPDLC)은 공지음성통신을 보충하는 시스템이다. CPDLC의 주요 운용기준은 다음과 같다.

(a) 음성(voice) 통신이 계속하여 주(primary) 통신수단이며 공지통신을 제어하는 수단이 된다.

(b) 참여항공기는 uplink 메시지를 수신하거나, downlink 메시지를 송신하기 위하여 해당하는 CPDLC 항공전자장비를 갖추어야 한다.

(c) 항공로 CPDLC 초기 업무에서는 고도계수정치(altimeter setting; AS), 통신전환(transfer of communications; TOC), 최초교신(initial contact; IC), 체공중 비행로 재배정(airborne reroute; ABRR)과 고도 배정을 포함한 제한된 비행로 배정, 그리고 비상 message와 같은 업무를 제공한다.

(1) 고도계수정치는 필요시 TOC를 감시한 후에 자동으로 uplink 된다. 또한 항공기가 FL 180 미만의 uplink된 고도 배정을 수신하면, 고도계수정치가 자동으로 uplink 된다. 관제사는 수동으로 고도계수정치 message를 송신할 수도 있다.

주(Note)

계기접근절차를 수행할 때 조종사는 14 CFR 97.20절에 의거하여 해당하는 고도계수정치를 획득하여 이용할 책임이 있다. CPDLC 발부 고도계수정치는 이러한 목적으로 사용할 수 없다.

(2) 최초교신(initial contact)은 항공기의 ATC host 컴퓨터에 저장된 고도와 초기화된 조종사의 고도 downlink message를 비교하는 안전 검증(safety validation) 과정이다. IC 불일치 또는 배정고도 확인(Confirm Assigned Altitude; CAA) downlink time-out indicator가 Full Data Block(FDB)과 Aircraft List(ACL)에 시현되면, 항공기의 항적을 통제하는 관제사는 음성통신을 사용하여 항공기의 배정고도를 확인하고 IC 불일치/time-out indicator에 응답하여야 한다.

(3) 통신전환(transfer of communication)은 data link와 다음 구역(sector)과의 교신이 자동으로 이루어지도록 한다.

(4) 메뉴 문자(menu text) 전송은 비궤도 변환(nontrajectory altering) uplink message를 script 한다.

(5) 공개된 CPDLC Message의 초도성능요소는 아래의 표 5-3-1~5-3-19 CPDLC Message Elements에 수록되어 있다.

주(Note)

표의 ATN B1 열은 정보를 제공하기 위한 목적으로만 사용하며, FAA는 ATN B1를 채택하고 있지 않다.

표 5-3-1. Route Uplink Message 요소 (RTEU)

CPDLC Message Sets			PANS-ATM(Doc 4444)의 운항 정의		
FANS 1/A	ATN B1	Response	Message 요소 식별자	Message 요소 사용목적	Message 요소 Display 형식
UM74 PROCEED DIRECT TO (위치)	UM74 PROCEED DIRECT TO (위치)	W/U	RTEU-2	지정된 위치까지 직진하도록 지시	PROCEED DIRECT TO (위치)
UM79 CLEARED TO (위치) via (비행로 허가)	UM79 CLEARED (위치) via (비행로 허가)	W/U	RTEU-6	지정된 비행로를 경유하여 지정된 위치까지 직진하도록 지시	CLEARED TO (위치) VIA (출발자료 [O]) (항공로 자료)
UM80 CLEARED (비행로 허가)	UM79 CLEARED (비행로 허가)	W/U	RTEU-7	지정된 비행로를 경유하여 직진하도록 지시	CLEARED (출발자료 [O]) (항공로 자료) (도착접근 자료)
UM83 AT (위치) CLEARED (비행로 허가)	N/A	W/U	RTEU-9	지정된 위치에서부터 지정된 비행로를 경유하여 비행하도록 지시	AT (위치) CLEARED (비행로 자료) (도착접근 자료)

표 5-3-2. Route Downlink Message 요소 (RTED)

CPDLC Message Sets			PANS-ATM(Doc 4444)의 운항 정의		
FANS 1/A	ATN B1	Response	Message 요소 식별자	Message 요소 사용목적	Message 요소 Display 형식
DM22 REQUEST DIRECT TO (위치)	DM22 REQUEST DIRECT TO (위치)	Y	RTED-1	지정된 위치까지 직진 허가 요청	REQUEST DIRECT TO (위치)

표 5-3-3. Lateral Downlink Message 요소 (LATD)

CPDLC Message Sets			PANS-ATM(Doc 4444)의 운항 정의		
FANS 1/A	ATN B1	Response	Message 요소 식별자	Message 요소 사용목적	Message 요소 Display 형식
DM59 DIVERTING TO (위치) VIA (비행로 허가) 주 1. - H 경계 속성 주 2. - N 응답 속성	N/A	N[1]	LATD-5	ATC와 사전 협의없이 발부될 수 있는, 지정된 비행로를 경유하여 지정된 위치까지 회항 의도를 통보	DIVERTING TO (위치) VIA (항공로 자료) (도착접근 자료 [o])
DM60 OFFSETTING (offset 거리) (방향) OF ROUTE 주 1. - H 경계 속성 주 2. - N 응답 속성	N/A	N[1]	LATD-6	허가된 비행로를 벗어나, 지정된 방향으로 지정된 거리에서 평행 track까지 offset 의도를 통보	OFFSETTING (지정된 거리) (방향) OF ROUTE
DM80 DEVIATING (offset 위배) (방향) OF ROUTE 주 1. - H 경계 속성 주 2. - N 응답 속성	N/A	N[1]	LATD-7	허가된 비행로에서 지정된 방향으로 지정된 거리나 각도로 위배 의도를 통보	DEVIATION (지정된 위배) (방향) OF ROUTE

[1] ICAO 문서 10037, GLOBAL Operational Data Link(GOLD) 매뉴얼에는 표에는 Response가 Y로 설정되어 있다.

표 5-3-4. Level Uplink Message 요소 (LVLU)

CPDLC Message Sets			PANS-ATM(Doc 4444)의 운항 정의		
FANS 1/A	ATN B1	Response	Message 요소 식별자	Message 요소 사용목적	Message 요소 Display 형식
UM19 MAINTAIN (고도) 주 - 단일 고도(single level)에 사용	UM19 MAINTAIN (비행 고도)	W/U	LVLU-5	지정 고도 또는 수직 범위를 유지하도록 지시	MAINTAIN (비행 고도)
UM20 CLIMB TO AND MAINTAIN (고도) 주 - 단일 고도에 사용	UM20 CLIMB TO (비행 고도)	W/U	LVLU-6	지정 고도 또는 수직 범위까지 상승하여 도달하면 해당 고도를 유지하도록 지시	CLIMB TO (비행 고도)
UM23 DESCEND TO AND MAINTAIN (고도) 주 - 단일 고도에 사용	UM23 DESCEND TO (비행 고도)	W/U	LVLU-9	지정 고도 또는 수직 범위까지 강하하여 도달하면 해당 고도를 유지하도록 지시	DESCEND TO (비행 고도)
UM36 EXPEDITE CLIMB TO (고도) 주 - Doc 4444에서 SUPU-3과 LVLU-6의 이 message 요소는 동일하다.	N/A	W/U	LVLU-6	지정 고도 또는 수직 범위까지 상승하여 도달하면 해당 고도를 유지하도록 지시	CLIMB TO (비행 고도)
UM37 EXPEDITE DESCEND TO (고도)	N/A	W/U	LVLU-9	지정 고도 또는 수직 범위까지 강하하여 도달하면 해당 고도를 유지하도록 지시	DESCEND TO (비행 고도)
UM38 IMMEDIATE-LY CLIMB TO (고도) 주 - Doc 4444에서 EMGU-2와 LVLU-6의 이 message 요소는 동일하다.	N/A	W/U	LVLU-6	지정 고도 또는 수직 범위까지 상승하여 도달하면 해당 고도를 유지하도록 지시	CLIMB TO (비행 고도)
UM38 IMMEDIATE-LY DESCEND TO (고도) 주 - Doc 4444에서 EMGU-2와 LVLU-9의 이 message 요소는 동일하다.	N/A	Y	LVLU-27	배정 고도를 확인하도록 요구	CONFIRM ASSIGN-ED LEVEL
UM177 AT PILOTS DISCRETION	N/A	NE	주(Note) 참고	배정 고도를 확인하도록 요구	

주(Note)

ICAO 문서 10037, GLOBAL Operational Data Link(GOLD) 매뉴얼에는 해당 표에 이러한 내용이 수록되어 있지 않다.

표 5-3-5. Level Downlink Message 요소 (LVLD)

CPDLC Message Sets			PANS-ATM(Doc 4444)의 운항 정의		
FANS 1/A	ATN B1	Response	Message 요소 식별자	Message 요소 사용목적	Message 요소 Display 형식
DM6 REQUEST (고도) 주 - 단일 고도에 사용	DM6 REQUEST (비행 고도)	Y	LVLU-1	지정 고도 또는 수직 범위까지 비행하도록 요구	REQUEST (비행 고도)
DM9 REQUEST CLIMB TO (고도)	DM9 REQUEST CLIMB TO (비행 고도)	Y	LVLU-2	지정 고도 또는 수직 범위까지 상승하도록 요구	REQUEST CLIMB TO (비행 고도)
DM10 REQUEST CLIMB TO (고도)	DM10 REQUEST CLIMB TO (비행 고도)	Y	LVLU-3	지정 고도 또는 수직 범위까지 강하하도록 요구	REQUEST DESCENT TO (비행 고도)
DM38 ASSIGNED (고도) 주 - 단일 고도에 사용	DM38 ASSIGNED LEVEL (비행 고도)	N	LVLU-11	배정 고도 또는 수직 범위가 지정 고도 또는 수직 범위인지 확인을 요구	ASSIGNED LEVEL (비행 고도)
DM61 DESCENDING TO (고도) 주 - 긴급 경계 속성	NA	N	LVLU-14	지정 고도까지 강하지시를 통보	DESCENDING TO (단일 비행 고도)

표 5-3-6. Cross Constraint Message 요소 (CSTU)

CPDLC Message Sets			PANS-ATM(Doc 4444)의 운항 정의		
FANS 1/A	ATN B1	Response	Message 요소 식별자	Message 요소 사용목적	Message 요소 Display 형식
UM49 CROSS (위치) AT AND MAINTAIN (고도) 주 1 - 수직범위는 제공되지 않음 주 2 - Doc 4444에서 CSTU-1과 LVLU-5의 이 message 요소는 동일하다.	N/A	W/U	CSTU-1	지정 고도 또는 지정 수직범위 내에서 지정된 위치를 통과하도록 지시	CROSS (위치) AT (비행 고도)
UM61 CROSS (위치) AT AND MAINTAIN (고도) AT (속도) 주 1 - 수직범위는 제공되지 않음 주 2 - Doc 4444에서 CSTU-1과 LVLU-5의 이 message 요소는 동일하다.	UM61 CROSS (위치) AT AND MAINTAIN (비행 고도) AT (속도)	W/U	CSTU-14	지정 고도 또는 지정 수직범위 내에서 지정된 대로, 그리고 지정 속도로 지정된 위치를 통과하도록 지시	CROSS (위치) AT (비행 고도) AT (속도)

표 5-3-7. 항공교통 조언(Air Traffic Advisory) Uplink Message 요소

CPDLC Message Sets			PANS-ATM(Doc 4444)의 운항 정의		
FANS 1/A	ATN B1	Response	Message 요소 식별자	Message 요소 사용목적	Message 요소 Display 형식
UM153 ALTIMETER (고도계 수정치) 주 - 시설 지정자와 측정시간은 제공되지 않음	UM123 (시설 지정자) ALTIMETER (고도계 수정치) 주 - 시설 시정자는 항상 제공되며, 측정 시간은 제공되지 않음	ADVU-1	ADVU-1	특정 시설에 지정 고도계 수정치를 제공하도록 조언	(시설 지정자) ALTI-METER (고도계 수정치)

표 5-3-8. 음성통신 Uplink Message 요소(COMU)

CPDLC Message Sets			PANS-ATM(Doc 4444)의 운항 정의		
FANS 1/A	ATN B1	Response	Message 요소 식별자	Message 요소 사용목적	Message 요소 Display 형식
UM117 CONTACT (ICAO 시설 명칭) (주파수)	UM117 CONTACT (시설 명칭) (주파수)	W/U	COMU-1	지정된 주파수로 지정된 ATS 시설과 음성 교신을 유지하도록 지시	CONTACT (시설 명칭) (주파수)
UM120 MONITOR (ICAO 시설 명칭) (주파수)	UM120 MONITOR (시설 명칭) (주파수)	W/U	COMU-5	지정된 주파수로 지정된 ATS를 경청하도록 지시. 운항승무원은 주파수로 음성 교신을 유지할 필요가 없다.	MONITOR (시설 명칭) (주파수)

표 5-3-9. 음성통신 Downlink Message 요소(COMU)

CPDLC Message Sets			PANS-ATM(Doc 4444)의 운항 정의		
FANS 1/A	ATN B1	Response	Message 요소 식별자	Message 요소 사용목적	Message 요소 Display 형식
DM20 REQUEST VOICE CONTACT 주 - 주파수가 필요하지 않을 때 사용	N/A	Y	COMD-1	지정된 주파수로 음성 교신을 요청	REQUEST VOICE CONTACT (주파수)

표 5-3-10. 비상/긴급 Uplink Message 요소(EMGU)

CPDLC Message Sets			PANS-ATM(Doc 4444)의 운항 정의		
FANS 1/A	ATN B1	Response	Message 요소 식별자	Message 요소 사용목적	Message 요소 Display 형식
다음과 같이 FANS 1/A에 채택된 LVLU-6과 LVLU-9의 조합에 사용	N/A	N	EMGU-2	임박한 상황을 회피하기 위한 관련 지시를 즉시 수행하도록 지시	Immediately

UM38 IMMEDIATELY CLIMB TO (고도) UM39 IMMEDIATELY CLIMB TO (고도)					

표 5-3-11. 비상/긴급 Downlink Message 요소(EMGD)

CPDLC Message Sets			PANS-ATM(Doc 4444)의 운항 정의		
FANS 1/A	ATN B1	Response	Message 요소 식별자	Message 요소 사용목적	Message 요소 Display 형식
DM55 PAN PAN PAN 주 - 응답 속성	N/A	Y	EMGD-1	긴급상황의 표시	PAN PAN PAN
DM56 MAYDAY MAYDAY MAYDAY 주 - 응답 속성	N/A	Y	EMGD-2	비상상황의 표시	MAYDAY MAYDAY MAYDAY
DM57 (잔여 연료) OF FUEL REMAINING AND (탑승 인원수) 주 - 응답 속성	N/A	Y	EMGD-3	연료 탑재량(시간) 및 탑승 인원수 통보	(잔여 연료) ENDURANCE AND (탑승 인원수) PERSONS ON BOARD
DM58 CANCEL EMERGENCY 주 - 응답 속성	N/A	Y	EMGD-4	비상상황의 취소를 표시	CANCEL EMERGENCY

표 5-3-12. 표준 응답 Uplink Message 요소(RSPU)

CPDLC Message Sets			PANS-ATM(Doc 4444)의 운항 정의		
FANS 1/A	ATN B1	Response	Message 요소 식별자	Message 요소 사용목적	Message 요소 Display 형식
UM0 UNABLE	UM0 UNABLE	N	ESPU-1	Message를 준수할 수 없다는 표시	UNABLE
UM1 STANDBY	UM1 STANDBY	N	ESPU-2	Message에 즉시 응답할 수 없다는 표시	STANDBY
UM3 ROGER	UM3 ROGER	N	ESPU-4	Message를 수신하였다는 표시	ROGER

표 5-3-13. 표준 응답 Downlink Message 요소(RSPD)

CPDLC Message Sets			PANS-ATM(Doc 4444)의 운항 정의		
FANS 1/A	ATN B1	Response	Message 요소 식별자	Message 요소 사용목적	Message 요소 Display 형식
DM0 WILCO	DM0 WILCO	N	RSPD-1	지시를 이해하였고 따르겠다는 표시	WILCO

DM1 UNABLE	DM1 UNABLE	N	RSPD-2	Message를 따를 수 없다는 표시	UNABLE
DM2 STANDBY	DM2 STANDBY	N	RSPD-3	Message에 특시 응답하겠다는 표시	STANDBY
DM3 ROGER 주 - ROGER 만이 uplink 자유 문장 message에 대한 올바른 응답이다.	RM3 ROGER	N	RSPD-4	Message를 수신하였다는 표시	ROGER

표 5-3-14. 추가 Uplink Message 요소(SUPU)

CPDLC Message Sets			PANS-ATM(Doc 4444)의 운항 정의		
FANS 1/A	ATN B1	Response	Message 요소 식별자	Message 요소 사용목적	Message 요소 Display 형식
UM166 DUE TO TRAFFIC	N/A	N	SUPU-2	특정 사유로 인해 관련 message가 발부된다는 표시	DUE TO (특정 uplink 사유)
UM166 DUE TO AIRSPACE RESTRICTION					

표 5-3-15. 추가 Downlink Message 요소(SUPD)

CPDLC Message Sets			PANS-ATM(Doc 4444)의 운항 정의		
FANS 1/A	ATN B1	Response	Message 요소 식별자	Message 요소 사용목적	Message 요소 Display 형식
UM65 DUE TO WEATHER	UM65 DUE TO WEATHER	N	SUPD-1	특정 사유로 인해 관련 message가 발부된다는 표시	DUE TO (특정 downlink 사유)
UM166 DUE TO AIRCRAFT PERFORMANCE	UM166 DUE TO AIRCRAFT PERFORMANCE				

표 5-3-16. 자유 문장(Free Text) Uplink Message 요소(TXTU)

CPDLC Message Sets			PANS-ATM(Doc 4444)의 운항 정의		
FANS 1/A	ATN B1	Response	Message 요소 식별자	Message 요소 사용목적	Message 요소 Display 형식
UM169 (자유 문장)	UM203 (자유 문장)	R	TXTU-1	Message를 준수할 수 없다는 표시	(자유 문장) 주 - M 경계 속성
UM169 (자유 문장) CPDLC NOT IN USE UNTIL FURTHER NOTIFICATION	N/A	R	주(Note) 참고	Message를 준수할 수 없다는 표시	(자유 문장)
UM169 (자유 문장) "[시설 지정자]	N/A	R	주(Note) 참고		(자유 문장)

ALTIMETER MORE THAN ONE HOUR" OLD					
UM169 (자유 문장) DUE TO WEATHER	N/A	R	주(Note) 참고		(자유 문장)
UM169 (자유 문장) REST OF ROUTE UNCHANGED	N/A	R	주(Note) 참고		(자유 문장)
UM169 (자유 문장) TRAFFIC FLOW MANAGEMENT REROUTE	N/A	R	주(Note) 참고		(자유 문장)

주(Note)

이것은 GOLD와 동일하지 않으며 FAA가 작성하는 자유 문장(free text) message 이다.

표 5-3-17. 자유 문장(free text) Downlink Message 요소(TXTD)

CPDLC Message Sets			PANS-ATM(Doc 4444)의 운항 정의		
FANS 1/A	ATN B1	Response	Message 요소 식별자	Message 요소 사용목적	Message 요소 Display 형식
DM68 (자유 문장) 주 1. - 긴급 또는 조난 경계 (M) 주 2. - 비상 message 요소를 선정하면 비행 승무원이 재량에 따라 비상 message에 포함시킬 수 있도록 이 message 요소가 활성화된다.	N/A	Y	TXTD-1		(자유 문장) 주 - M 경계 특성

표 5-3-18. 시스템 관리(system management) Uplink Message 요소(SYSUD)

CPDLC Message Sets			PANS-ATM(Doc 4444)의 운항 정의		
FANS 1/A	ATN B1	Response	Message 요소 식별자	Message 요소 사용목적	Message 요소 Display 형식
UM159 ERROR (error 정보)	UM159 ERROR (error 정보)	N	SYSU-1	시스템 생성 error의 통고	ERROR (error 정보)
UM160 NEXT DATA AUTHORITY (ICAO 시설 지정자) 주 - 시설 지정자 필요	UM160 NEXT DATA AUTHORITY (ICAO 시설) 주 - 시설 변수는 시설 지정자 또는 시설 없음으로 명기할 수 있다.	N	SYSU-2	시스템 생성 추후 자료 담당기관 또는 취소 사유 통고	NEXT DATA AUTHORITY (시설 지정자 〔O〕)

표 5-3-19. 시스템 관리(system management) Downlink Message 요소(SYSUD)

CPDLC Message Sets			PANS-ATM(Doc 4444)의 운항 정의		
FANS 1/A	ATN B1	Response	Message 요소 식별자	Message 요소 사용목적	Message 요소 Display 형식
DM62 ERROR (error 정보)	DM62 ERROR (error 정보)	N	SYSD-1	시스템 생성 error의 통고	SYSD-1
DM63 NOT CURRENT DATA AUTHORITY	DM63 NOT CURRENT DATA AUTHORITY	N	SYSD-3	현재 자료 담당기관이 아닌 지상시설에서 보낸 CPDLC message의 시스템 생성 거부	SYSD-3
DM64 (ICAO 시설 지정자) 주 - B1 환경의 FANS 1/A 항공기 사용	DM107 NOT AUTHORIZED NEXT DATA AUTHORITY 주 - CDA와 NDA는 제공되지 않음	N	SYSD-5	지상시설이 다음 자료 담당기관(NDA)으로 지정되지 않았으며, 현재 자료 담당기관(CDA)를 식별한다는 시스템 생성 통고	SYSD-5

b. ATC 주파수변경 절차

1. 관제사는 주파수변경을 지시하기 위하여 다음과 같은 관제용어를 사용한다.

예문(Example)

(항공기 식별부호) contact (시설명칭 또는 지역명칭과 터미널 기능) (주파수) at (시간, fix 또는 고도).

주(Note)

지정된 시간, fix 또는 고도에 도달할 때까지 조종사는 인계관제사의 주파수를 지속적으로 경청하여야 한다. 조종사가 주파수 변경지시를 받은 후 즉시 따라야 할 경우, ATC는 주파수변경 제한사항을 생략할 수 있다.

2. 조종사는 지정된 시설과 교신하기 위해 다음의 관제용어를 사용하여야 한다.

(a) 레이더 관제상황에서 운항 중일 때, 조종사는 최초교신 시 적절한 용어 ″level″, ″climbing to″ 또는 ″descending to″ 다음에 배정받은 고도를, 그리고 해당하는 경우 현재 항공기가 떠나는 고도를 관제사에게 통보하여야 한다.

예문(Example)

(명칭) center, (항공기 식별부호), level (고도 또는 비행고도).

(명칭) center, (항공기 식별부호), leaving (정확한 고도 또는 비행고도), climbing to 또는 descending to (고도 또는 비행고도).

주(Note)

정확한 고도 또는 비행고도란 100 ft 단위에 가장 가까운 것을 의미한다. 최초교신 시 정확한 고도 또는 비행고도 보고는 분리목적으로 Mode C 고도정보를 사용하기 이전에 필요한 정보를 ATC에 제공하는 것이다.

(b) 비레이더 관제상황에서 운항 중일 때,

(1) 최초교신 시 조종사는 관제사에게 항공기의 현재 위치, 고도 및 다음 보고지점의 도착예정시간을 통보하여야 한다.

예문(Example)

(명칭) center, (항공기 식별부호), (위치), (고도), estimating (보고지점) at (시간).

(2) 최초교신 후에 위치보고를 할 때 조종사는 관제사에게 완전한 위치보고를 하여야 한다.

예문(Example)

(명칭) center, (항공기 식별부호), (위치), (시간), (고도), (비행계획의 방식), (다음 보고지점의 ETA 및 명칭), (이어지는 다음 보고지점의 명칭), and (비고).

3. 때때로 관제사는 조종사에게 항공기가 특정 고

도에 있는지 확인을 요구한다. 관제용어는 "Verify at (고도)"를 사용한다. 상승이나 강하하는 상황에서 관제사는 조종사에게 "Verify assigned altitude as (고도)"라고 요구할 수도 있다. 조종사는 관제사가 언급한 고도에 항공기가 있는지, 또는 배정고도가 관제사가 언급한 고도와 일치하는 지를 확인하여야 한다. 언급한 고도와 다르다면 조종사는 항공기가 실제 유지하고 있는 고도 또는 상이한 배정고도를 관제사에게 통보하여야 한다.

주의(Caution)

관제사가 특별히 변경을 허가하지 않는 한, 조종사는 항공기의 실제고도나 상이한 배정고도를 관제사가 확인을 요구할 때 언급한 고도로 변경하려고 해서는 안된다.

c. ARTCC 무선주파수 운용중지(ARTCC Radio Frequency Outage)

ARTCC는 일반적으로 ATC 업무중단의 최소화나 중단없이 신속히 업무를 대처할 수 있는 보통 최소한 한 개의 예비 무선송수신기시스템을 각 주파수마다 갖추고 있다. 때때로 기술적인 문제로 지연될 때도 있지만 시스템을 전환하는데 거의 60초 이상은 걸리지 않는다. 고장이 신속히 수리되지 않을 것 같으면 일반적으로 ARTCC는 통신으로 지시사항을 방송하기 위하여 해당하는 주파수로 변경할 것을 주변 항공기에게 지시한다. 그렇기 때문에, 조종사는 ARTCC가 실제로 무선주파수가 운용중지 되었다고 결정하기 전에 최소 1분 정도는 기다리는 것이 중요하다. 이러한 운용중지가 발생한 경우, 조종사는 업무부담 및 장비성능이 허용한다면 다음의 권고하는 통신절차에 따르면서 영향을 미치는 주파수를 지속적으로 경청하여야 한다.

1. 주파수를 변경한 후에 ARTCC와 양방향무선교신이 이루어지지 않으면 조종사는 예비주파수(alternative frequency)를 배정받거나, 또는 다른 지시사항을 받기 위하여 인계관제사와 재교신을 시도하여야 한다.

2. 양방향무선교신이 이루어진 이후에 ARTCC 무선주파수의 고장이 발생했다면 조종사는 알고 있는 다른 주파수, 가능하다면 되도록 다음 구역(sector)의 주파수로 교통관제센터와 재교신을 시도하여 지시를 요구하여야 한다. 그러나 비행로의 정상적인 다음 주파수로의 변경이 다른 ATC 기관과 관련되어 있다는 것을 알고 있을 경우, 조종사는 지시를 받기 위하여 가능한 한 그 시설과 교신하여야 한다. 위의 두 가지 방법으로도 무선교신이 다시 이루어지지 않으면 조종사는 비행경로의 적절한 FSS에 통신 지시를 요청하여야 한다.

주(Note)

FSS는 책임을 맡고 있는 ARTCC 구역(sector)과 직통 인터폰 line이 개설되어 있기 때문에 FSS를 통하여 항공기와 ARTCC 간에 정보를 교환하는 것이 회사무선망을 경유하여 중계하는 것보다 더 빠르다. 따라서 ARTCC 주파수가 운용중지된 동안 둘 중에 하나를 선택하는 것이 필요한 상황이라면, FSS 무선을 경유하여 중계할 것을 권고한다.

d. 오클랜드 대양 FIR

오클랜드 대양 FIR(KZAK)에서 CPDLC와 ADS-C의 사용은 Inmarsat, Iridium과 MTSAT 고객에게만 허용된다. 다른 형태의 모든 data link 연결은 허용되지 않는다. 사용자는 항공기가 위성 수단을 갖추었다는 것을 나타내기 위하여 ICAO FPL의 항목 10a에 적합한 data link 부호를 기입하여야 한다. Inmarsat의 식별부호는 J5, MTSAT의 식별부호는 J6, 그리고 Iridium의 식별부호는 J7 이다. J5, J6 또는 J7이 ICAO FPL에 포함되어 있지 않으면, KZAK는 LOGON을 거부하고 항공기는 연결되지 않는다.

e. 뉴욕 대양 FIR

뉴욕 대양 FIR(KZWY)에서 CPDLC와 ADS-C의 사용은 Inmarsat와 Iridium 고객에게만 허용된다. 다른 형태의 모든 data link 연결은 허용되지 않는다. 사용자는 항공기가 위성 수단을 갖추었다는 것을 나타내기 위하여 ICAO FPL의 항목 10a에 적합한 data link 부호를 기입하여야 한다. Inmarsat의 식별부호는 J5, 그리고 Iridium의 식별부호는 J7 이다. J5 또는 J7이 ICAO FPL에 포함되어 있지 않으면, KZWY는 LOGON을 거부하고 항공기는 연결되지 않는다.

5-3-2. 위치보고(Position Reporting)

항공관제의 안전과 효율성은 정확한 위치보고에 따라 상당히 크게 좌우된다. 적절한 분리와 항공기의 신속한 이동을 제공하기 위하여 ATC는 IFR 비행계획으로 운항중인 모든 항공기의 진행상황을 정확하게 예측할 수 있어야 한다.

a. 위치식별(Position Identification)

1. VOR 무선시설을 통과할 때의 위치보고시간은 "to/from" 지시계가 처음으로 완전히 바뀌었을 때의 시간이어야 한다.

2. 항공기탑재 ADF를 갖추고 시설을 통과할 때의 위치보고시간은 indicator가 완전히 거꾸로 되었을 때의 시간이어야 한다.

3. Fan marker, Z marker, 불청범위(cone of silence) 또는 진로통달범위(range)의 교차지점과 같은 보고지점을 통과하는 시간을 측정하기 위하여 가청음(aural) 또는 light panel indication을 사용할 경우에는 신호를 처음 수신했을 때와 그 신호가 멈추었을 때의 시간을 기록해둔다. 이 두 시간의 평균을 fix 상공의 실제시간으로 한다.

4. 위치가 보고지점으로부터의 거리와 방향으로 주어진다면, 이 거리와 방향은 가능한 한 정확하게 산출되어야 한다.

5. 터미널지역 전환목적인 경우를 제외하고, ATC는 항로용으로 설정되지 않은 보조시설과 관련된 위치보고나 항행을 요구하지 않는다.

b. 위치보고지점(Position Reporting Point)

조종사는 주의를 기울여 해당하는 주파수를 항상 경청하고, c절의 규정에 의거 운항하지 않는 한 보고지점을 통과할 때는 위치보고를 하도록 CFR은 규정하고 있다. 보고지점은 항공로차트에 부호(symbol)로 표기된다. 지정된 필수보고지점(compulsory reporting point)의 부호는 속이 찬 삼각형 ▲ 이고, "요청에 의한(on request)" 보고지점의 부호는 속이 빈 삼각형 △ 이다. "요청에 의한" 보고지점을 통과할 때의 보고는 ATC가 요청할 때만 필요하다.

c. 위치보고 요건

1. 항공로 또는 비행로의 비행. ATC 허가에 의한 "VFR-on-top" 운항을 포함하여 모든 비행에서 고도에 관계없이 비행하고 있는 비행로의 지정된 각 필수보고지점 상공에서 위치보고를 하여야 한다.

2. 직선비행로(direct route)의 비행. 조종사는 ATC 허가에 의한 "VFR-on-top" 운항을 포함하여 비행하고 있는 고도 또는 비행고도에 관계없이 비행경로를 명시하기 위하여 비행계획에 사용된 각 보고지점 상공에서 위치보고를 하여야 한다.

3. 레이더 관제상황에서의 비행. 조종사는 ATC로부터 항공기가 "Radar Contact" 되었다는 통보를 받은 경우에는 지정된 보고지점 상공에서 위치보고를 하지 않아도 된다. ATC가 "radar contact lost" 또는 "radar service terminated"라고 통보한 경우에는 다시 정상적인 위치보고를 하여야 한다.

4. 대양(비레이더)환경에서의 비행〔Flights in an Oceanic (Non-radar) Environment〕

조종사는 지점이 "요청에 의한(on request)" (비필수) 보고지점으로 항공차트에 표기되었다 하더라도 비행경로를 한정하기 위하여 비행계획서에 사용되는 각 지점 상공에서 보고를 하여야 한다. 자동종속감시계약(Automatic Dependent Surveillance-Contract; ADS-C) logon을 통하여 자동위치보고를 제공하는 항공기의 경우, 조종사는 음성위치보고를 하지 않아도 된다.

주(Note)

ATC는 다음과 같은 경우에 "레이더포착(radar contact)" 사실을 조종사에게 통보한다.

(a) ATC 시스템에 처음으로 항공기가 식별되었을 때, 그리고

(b) 레이더업무가 종료되었거나 레이더포착이 상실된 이후에 레이더식별이 다시 이루어졌을 때. 관제사가 레이더포착이 이루어졌다고 통보한 후에 다른 관제사에게 이양되었을 때 조종사에게 레이더포착 사실을 다시 통보하지는 않는다. 때때로 인계관제사가 항공기식별을 확인할 수 있으나 이것을 레이더포착이 상실되었다는 의미로 해석해서는 안된다. 트랜스폰더를 장착한 항공기의 식별은 조종사에게 "ident", "squawk standby" 또는 code 변경을 요청하여 확인할 수 있다. 트랜스폰더를 장착하

지 않은 항공기에는 식별을 확인하기 위하여 항공기의 위치를 통보한다. 이 경우 통보받은 위치와 현재 위치가 다르다면 조종사는 관제사에게 통보하여야 한다. 관제사가 참조한 NAVAID와 동조되어 있지 않기 때문에 통보받은 위치의 정확성을 확인할 수 없는 조종사는 동조되어 있는 NAVAID에 대한 다른 레이더위치를 요구하여야 한다.

d. 위치보고 항목(Position Report Item)

1. 위치보고에는 다음 항목을 포함하여야 한다.

(a) 항공기의 식별부호(identification)

(b) 위치(position)

(c) 시간(time)

(d) 고도 또는 비행고도(VFR-on-top 허가를 받고 운항중이라면, 실제 고도 또는 비행고도 포함)

(e) 비행계획의 방식 (ARTCC 또는 접근관제소에 직접 위치보고를 하는 경우에는 필요 없다)

(f) 다음 보고지점의 ETA 및 명칭(ETA and name of next reporting point)

(g) 비행경로에서 이어지는 다음 보고지점의 명칭

(h) 관련사항

5-3-3. 추가 보고(Additional Report)

a. ATC의 특별한 요청이 없어도 ATC 또는 FSS 시설에 다음과 같이 보고하여야 한다.

1. 항상 보고해야 하는 경우

(a) 새로 배정받은 고도 또는 비행고도로 비행하기 위하여 이전에 배정된 고도 또는 비행고도를 떠날 때

(b) VFR-on-top 허가를 받고 운항중이라면, 고도변경을 할 때

(c) 최소한 분당 500 ft의 비율로 상승/강하할 수 없을 때

(d) 접근에 실패하였을 때 (특정한 조치, 즉, 교체공항으로 비행하거나 다른 접근의 수행 등을 위한 허가를 요청한다)

(e) 비행계획서에 제출한 진대기속도보다 순항고도에서의 평균 진대기속도가 5% 또는 10 knot의 변화(어느 것이든 큰 것)가 있을 때

(f) 허가받은 체공 fix 또는 체공지점에 도착한 경우, 시간 및 고도 또는 비행고도

(g) 지정받은 체공 fix 또는 체공지점을 떠날 때

주(Note)

레이더업무가 제공되는 군용 터미널지역시설에서 계기훈련을 하는 항공기의 조종사는 (f)와 (g) 항목의 보고를 생략할 수 있다.

(h) 관제공역에서의 VOR, TACAN, ADF, 저주파수 항법수신기의 기능상실, 장착된 IFR-인가 GPS/GNSS 수신기를 사용하는 동안 GPS의 이상현상(anomaly), ILS 수신기 전체 또는 부분적인 기능상실이나 공지통신 기능의 장애. 보고에는 항공기 식별부호, 영향을 받는 장비, ATC 시스템이 손상되었을 때 IFR로 운항할 수 있는 성능의 정도, 그리고 ATC로부터 원하는 지원의 종류와 범위를 포함하여야 한다.

주(Note)

1. 항공기에 장착된 그 밖의 장비도 안전 또는 IFR 운항성능에 실질적인 영향을 미칠 수 있다. 조종사는 이러한 장비(예, 항공기탑재 기상레이더)에 결함이 발생하여 안전이나 IFR 성능에 영향을 미칠 것으로 판단되면 위에서 기술한 것과 같이 보고하여야 한다.

2. GPS의 이상현상을 보고할 때에는 이상이 발생한 위치와 고도를 포함한다. 위치를 보고할 때에는 상세하게 기술하고, 필요하면 이상현상의 지속시간을 포함시킨다.

(i) 비행안전과 관련된 모든 정보

2. 레이더에 포착되지 않았을 때, 보고해야 하는 경우

(a) 최종접근진로 상의 inbound 최종접근픽스(비정밀접근)를 떠날 때, 또는 최종접근진로 상에서 외측마커나 inbound 외측마커 대신 사용되는 픽스(정밀접근)를 떠날 때

(b) 이전에 통보한 예정시간과 2분 이상 차이가 날 것이 확실할 때는 언제라도 수정된 예정시간을 통보하여야 한다. 북대서양(NAT) 비행의 경우,

3분 이상 차이가 나면 수정된 예정시간이 필요하다.

b. 예보되지 않은 기상상태나 예보된 위험한 기상상태와 조우한 조종사는 ATC에 이러한 기상상태를 통보하여야 한다.

5-3-4. 항공로 및 비행로시스템(Airways and Route System)

a. 항행 목적으로 3개의 고정비행로시스템(fixed route system)이 설정되어 있다. 이것은 연방항공로시스템(VOR 및 L/MF 비행로로 구성), 제트비행로시스템 및 RNAV 비행로시스템이다. 가능한 범위에서 이러한 비행로시스템은 각 시스템 간의 전환을 용이하게 하기 위하여 중첩방식(overlying manner)으로 정렬된다.

1. VOR 및 L/MF(무지향표지시설) 항공로시스템은 지표면 상공 1,200 ft(또는, 어떤 경우에는 더 높다)부터 18,000 ft MSL 미만까지의 지정된 항공로로 구성된다. 이 항공로는 IFR 저고도항공로 차트에 표기된다.

주(Note)

비행로구조(route structure) 간 또는 비행로구조 내에서 효과적인 전환(transition)을 위한 경우를 제외하고 victor 항공로의 고도한계를 초과해서는 안된다.

(a) 알래스카를 제외하고 VOR 항공로는 전적으로 VOR 또는 VORTAC 항행안전시설을 기반으로 하며, 항공차트에는 흑색으로 표시되고 "V"(Victor) 다음의 항공로번호에 의해 식별된다. (예, V12)

주(Note)

알래스카의 VOR 항공로구간은 L/MF 항행안전시설을 기반으로 하며, 항공차트에는 흑색 대신에 갈색으로 표시된다.

(1) 두 개 이상의 비행로가 공유하는 항공로 구간은 그 구간과 일치하는 모든 항공로번호를 갖는다. 이런 경우 비행계획서를 제출하는 조종사는 제출한 비행로에 해당하는 항공로번호만을 표시하여야 한다.

주(Note)

VOR 시설을 이용하여 항공로비행을 하려는 조종사는 비행계획서에 단지 해당 "victor" 항공로만을 명시한다. 예를 들어, VOR 만을 사용하여 시카고에서 뉴올리언스까지 고도 8,000 ft로 비행하려고 하면, 비행로는 "departing from Chicago-Midway, cruising 8,000 ft via Victor 9 to Moisant International."로 나타낼 수 있다. 비행의 일부분은 L/MF 항행안전시설에 의하여 그리고 다른 부분은 VOR로 수행된다면, 비행계획서에 해당 항공로를 명시할 때에는 어떤 종류의 시설이 기술된 비행로에서 IFR 비행에 사용될 것인지를 표시하여 ATC가 여기에 맞는 교통허가를 발부할 수 있도록 한다. 비행이 상공을 통과할 기지국(station)을 지정하여 비행로를 나타낼 수도 있지만, 이러한 경우 동일한 명칭을 사용하는 VOR 및 L/MF 보조시설이 많으므로 조종사는 특정지역에서 사용할 보조시설을 표시할 때에는 주의를 기울여야 한다. 이것은 Newark L/MF, Allentown VOR과 같은 방식으로 지역명칭(location name) 다음에 사용할 시설의 종류를 명시하여 비행계획서의 비행경로 부분에 나타낸다.

(2) VOR 항공로시스템에는 위치보고를 해야 할 보고지점이 지정되어 있다. ATC에 의해 달리 지시되지 않는 한 Victor 항공로를 이용하는 비행은 이들 지점 상공에서 위치보고를 하여야 한다.

(b) L/MF 항공로(채색항공로)는 전적으로 L/MF 항행안전시설을 기반으로 하며, 항공차트에는 갈색으로 표시되고 색상명과 번호(예, Amber one)로 식별된다. 동쪽과 서쪽 항공로는 녹색과 황색으로 표시된다. 북쪽과 남쪽 항공로는 호박색과 갈색으로 표시된다.

주(Note)

노스캐롤라이나주에 있는 G13을 제외하고 채색항공로시스템(colored airway system)은 알래스카주에만 남아 있다. 미국대륙에 공식적으로 지정되었던 그 밖의 이러한 모든 항공로는 폐지되었다.

(c) TSO-C145(개정판) 또는 TSO-C146(개정판) GPS/WAAS 항법시스템은 Victor, T-Route

와 낮은 고도에 청색으로 표기된 최저항공로고도(MEA) 다음의 문자 G로 지정되는 채색항공로구간을 포함하여, 발간된 항공교통업무 비행로의 항법수단으로서 알래스카에서만 사용이 허용된다. 이렇게 표기되는 고도는 비행로구간을 지정하는 지상기반 항행안전시설의 최저수신고도(minimum reception altitude; MRA)보다 낮으며, 표준비행로 장애물 회피와 양방향무선교신을 보장한다. 운영기준을 필요로 하는 운송용항공기 운영자는 FAA 운영기준에 따라 이러한 비행로를 운항하기 위한 승인을 받아야 한다.

2. 제트비행로(jet route) 시스템은 18,000 ft MSL부터 FL 450까지의 고도에 설정된 제트비행로로 구성된다.

(a) 이러한 비행로는 고고도항공로차트에 표기된다. 제트비행로는 항공차트에 흑색으로 표시되고, "J" (Jet) 다음의 항공로번호에 의해 식별된다(예, J12). 제트비행로는 VOR 항공로와 마찬가지로 전적으로 VOR 또는 VORTAC 항행안전시설을 기반으로 한다 (알래스카는 제외).

주(Note)

알래스카의 제트비행로구간은 L/MF 항행안전시설을 기반으로 하며, 항공로차트에는 흑색 대신에 갈색으로 표시된다.

(b) 제트비행로시스템에는 위치보고를 해야 할 보고지점이 지정되어 있다. ATC에 의해 달리 지시되지 않는 한 제트비행로를 이용하는 비행은 이들 지점 상공에서 위치보고를 하여야 한다.

3. 지역항법(RNAV) 비행로

(a) 해당 권고회보 또는 NOTAM의 RNAV 성능을 갖춘 항공기는 Q-Route와 T-Route를 포함하여 발간된 RNAV 비행로에서 항공로차트에 표기된 제한사항이나 요구사항을 조건으로 비행할 수 있다. 지역항법(RNAV) 비행로는 항공차트에 청색으로 표시되고, 문자 "Q" 또는 "T" 다음의 항공로번호에 의해 식별된다 (예를 들면, Q-13, T-205). 특별히 RNAV-1으로 차트화되는 경우를 제외하고 발간되는 RNAV 비행로는 RNAV-2이다. 현재 이러한 비행로는 시스템성능이 AC 90-100A, U.S. Terminal and En Route Area Navigation (RNAV) Operations에 언급된 기준을 충족하는 GPS, GPS/WAAS 또는 DME/DME/IRU RNAV 시스템과 일치할 것을 요구하고 있다.

(1) Q-route는 18,000 ft MSL과 FL 450 이하의 고도에서 비행하는 RNAV 장착 항공기가 이용할 수 있다. Q-route는 고고도항공로차트에 표기된다.

주(Note)

항공기가 항공교통관제(ATC) 레이더감시를 받고 있거나, ATC 레이더감시가 필요없는 GPS/WAAS와 더불어 GPS(TSO-C129(개정판) 또는 TSO-C196(개정판)) 장비를 갖춘 항공기만 알래스카의 GNSS Q-route에서 운항할 수 있다.

(2) T-route는 지표면 상부 1,200 ft(또는, 어떤 경우에는 더 높다)부터 18,000 ft MSL 미만의 고도에서 비행하는 GPS 또는 GPS/WAAS 장착 항공기가 이용할 수 있다. T-route는 저고도항공로차트에 표기된다.

주(Note)

GPS/WAAS(TSO-C145(개정판) 또는 TSO-C146(개정판)) 장비를 갖춘 항공기만 알래스카의 GNSS T-route에서 운항할 수 있다.

(b) 미발간된 RNAV 비행로는 위도/경도좌표, 방위-거리(degree-distance) fix, 또는 지정된 거리와 방향에 설정된 비행로/항공로로부터의 offset 등의 용어로 정의된 waypoint 간의 지역항법성능에 의거한 직선비행로(direct route)이다. 항공기 항행데이터베이스에서 불러올 수 있는 제출한 발간 waypoint를 경유하도록 허가를 받은 GNSS를 갖춘 항공기를 제외하고, 미발간된 모든 RNAV 비행로 상에서는 ATC의 레이더감시가 필요하다.

(c) Magnetic Reference Bearing(MRB)은 RNAV/GPS/GNSS 비행로 상의 두 waypoint 간에 발간된 방위(bearing)이다. MRB는 두 waypoint 간에 산출된 진항로(true course)에 waypoint의 자기편차를 적용하여 계산된다. 항공로의 한 waypoint

이전이나 상공에서 다른 waypoint로 선회할 때, MRB는 compass/HIS/RMI 등에 조종사가 볼 수 있는 참조 방위(무풍 기수방향)〔reference bearing (no-wind heading)〕를 나타내어 상황인식을 증진시킨다. RNAV/GPS/GNSS 항법시스템은 waypoint 간의 진항로(true course)로 비행하기 때문에 조종사는 이 방위(bearing)를 참조만 하여야 한다.

b. FL 450 이상에서의 운항은 지점간 비행방식(point-to-point basis)으로 수행할 수 있다. 항행유도는 고고도항공로차트에 표기된 시설들을 활용하여 구역기준으로 제공된다.

c. 레이더유도(Radar Vector). 관제사는 분리목적, 소음감소 고려, 조종사 또는 관제사가 운영상 이득이 있다는 것을 인식했을 때, 또는 조종사 요구 시 관제공역 내에서 비행하는 항공기를 레이더유도할 수 있다. 관제공역 외부에서의 레이더유도는 조종사의 요구 시에만 제공된다. 관제사가 먼저 레이더유도를 제안하고 이전에 배정된 비레이더비행로를 벗어나도록 항공기를 레이더유도할 경우, 조종사에게 레이더유도를 하는 목적을 통보한다. RNAV 비행로를 운항하는 항공기에게는 가능한 한 자체항법을 유지하는 것을 허용한다.

d. 조종사가 캐나다 공역에서 비행중일 때에는 캐나다 항공법규를 주의 깊게 살펴보아야 한다.

1. 미국 CFR과 다른 부분에 특히 주의를 기울여야 한다.

(a) 캐나다 항공로의 B등급 공역제한이 하나의 예이다. B등급 공역이란 IFR 및 관제 VFR 비행만이 허용되는 12,000 ft MSL 또는 MEA 중에 더 높은 것 상부의 모든 저고도관제공역을 말한다. (저고도공역이란 지정된 공역 handbook에 저고도공역으로 지정 및 정의된 공역을 의미한다)

(b) ATC가 VFR 비행허가를 발부하지 않은 한 기상상태 또는 지형의 높이에 관계없이 누구도 B등급 공역 내에서 VMC 상태로 항공기를 운항해서는 안된다.

(c) B등급 공역으로 진입하기 위한 요건은 조종연습생 허가서이다. (비행교관의 지도 또는 통제하에 비행)

(d) VFR 비행시에는 지면 또는 수면을 항상 시야에 두어야 한다.

2. 캐나다에서 VOR 항공로와 고고도비행로구간은 L/MF 항행안전시설을 기반으로 하며, 항공로 차트에는 청색 대신 갈색으로 표시되어 있다.

5-3-5. 항공로 또는 비행로 진로변경(Airway or Route Course Change)

a. 항공기의 조종사는 비행중인 항공로 또는 비행로를 준수하여야 한다. 진로변경 중에는 항공로 또는 비행로 준수에 특히 주의를 기울여야 한다. 각 진로변경 시의 변수들은 각각의 경우에 적용할 수 있는 기법을 조종사만이 결정할 수 있는 상황이 되도록 한다. 고려해야 할 변수는 선회반경, 바람의 영향, 대기속도, 선회각도 및 조종실계기 등이다. 아래 그림과 같이 조기선회(early turn)는 항공로 또는 비행로를 준수하기 위한 하나의 방법이다. 조종사는 진로변경을 할 때, 미리 선회하기 위하여 거리측정시설(DME)과 같은 조종실계기를 활용할 수 있다. 이것은 조종사가 항공로의 중심선 및 항행안전시설이나 픽스 간의 직선비행로(direct course)를 따라 운항할 것을 규정하고 있는 14 CFR 91.181절의 취지와도 부합한다.

b. Fix에서 또는 fix를 통과한 이후에 시작하는 선회는 항공로 또는 비행로의 경계선을 벗어나게 할 수도 있다. 그림 5-3-1은 이러한 비행항적(flight track)을 나타낸 예와 함께 조기선회의 예를 보여준다.

c. 조기선회와 같은 조치를 취하지 않고 진대기속도(TAS) 290 knot를 초과하여 운항하는 항공기는 필요한 진로변경의 정도, 바람방향 및 속도, 선회 fix(DME, 항행안전시설 상공 또는 교차지점)의 특성 그리고 진로변경을 하는 조종사의 기량에 따라 정상적인 항공로 또는 비행로경계선을 벗어날 수 있다. 예를 들어 17,000 ft MSL에서 TAS 400 knot, 경사각 25°로 운항하는 항공기가 40°를 초과하여 진로를 변경하는 경우, 항공기는 항공로 또는 비행로의 폭, 즉 중심선의 양 측면으로부터 4 NM을 벗

어날 수 있다. 그러나 18,000 ft MSL 미만의 공역에서 TAS 290 knot를 초과하는 속도로 운항하는 경우는 드물며, 가끔씩 290 knot TAS를 초과하여 선회하는 항공기를 위하여 모든 진로변경 상황에 추가적인 IFR 분리를 제공하는 것은 쓸데없이 많은 공역의 낭비를 초래하며 저속으로 운항하는 다수의 항공기에게 불이익을 주게 된다. 따라서 FAA는 조종사가 조기선회하고 진로변경을 하는 동안, 가능한 한 비행할 항공로 또는 비행로에 근접하기 위하여 필요한 그 밖의 행동을 취하도록 하고 있다.

그림 5-3-1. 항공로 또는 비행로 준수(Adhering to Airways or Routes)

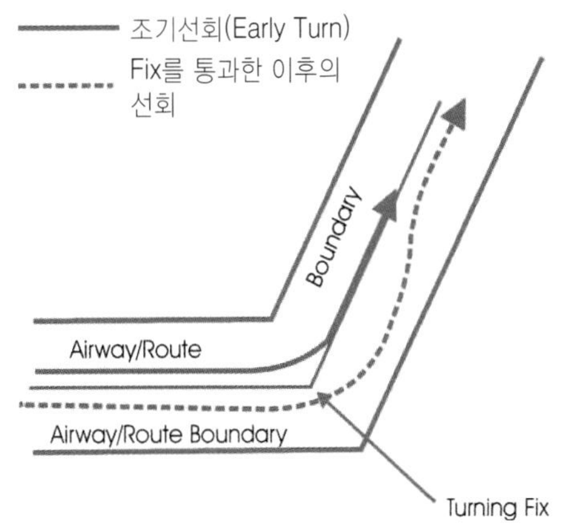

5-3-6. 주파수변경지점(Changeover Point; COP)

a. COP는 14 CFR Part 95에 의하여 MEA가 지정된 연방항공로, 제트비행로, 지역항법비행로 또는 그 밖의 직선비행로에 설정된다. COP는 비행로 또는 항공로구간에서 두 개의 인접한 항행시설 간에 항행유도의 변경이 일어나는 지점이다. 조종사는 이 지점에서 항공기 후방의 기지국(station)으로부터 전방의 기지국으로 항법수신기의 주파수를 변경하여야 한다.

b. COP는 직선비행로구간의 경우에는 보통 항행시설 사이의 중간지점에 위치하며, dogleg 비행로구간의 경우에는 dogleg를 형성하는 radial 또는 진로(course)의 교차지점에 위치한다. COP가 중간지점에 위치하지 않는 경우에는 항공차트에 COP 위치가 표기되고 무선시설까지의 거리가 주어진다.

c. COP는 항행유도의 상실을 방지하고 다른 시설과의 주파수간섭을 방지하며, 동일한 공역에서 서로 다른 항공기가 서로 상이한 시설을 이용하는 것을 방지하기 위하여 설정된다. 최대한 COP를 준수할 것을 조종사에게 권고하고 있다.

5-3-7. 최저선회고도(MTA; Minimum Turning Altitude)

10,000 ft MSL 이상에서 증가된 대기속도로 인하여 fix, NAVAID 또는 waypoint 상공에서 선회가 필요할 때 발간된 최저항공로고도(MEA)로는 장애물회피가 충분하지 않을 수 있다. 이런 경우에 발간된 MEA가 장애물회피에 충분한지의 여부를 판단하기 위하여 선회지점(turn point) 주변의 확장된 지역을 살펴보아야 한다. 일부 지역(일반적으로 산악지역)에서는 확장된 탐색지역의 지형/장애물로 인하여 선회기동을 하는 동안 더 높은 최저고도를 필요로 할 수 있다. 더 높은 최저선회고도(MTA)를 필요로 하는 선회 fix는 최저통과고도(MCA) icon ("x" 깃발부호) 및 MTA 제한을 기술한 첨부 주석(note)으로 미국정부차트에 표시된다. MTA 제한은 일반적으로 선회지점으로 이어지는 항공교통업무(ATS) 비행로, 선회지점으로부터 이어지는 ATS 비행로 및 요구고도로 이루어진다; 예, MTA V330 E TO V520 W 16000. 의도하는 비행경로에 MTA가 적용되는 경우, 조종사는 선회지점 이전에 차트화된 MTA 이상의 고도에 있어야 하며, 선회지점 다음의 ATS 비행로 중심선에 합류하기 전까지 MTA 이상의 고도를 유지하여야 한다. 선회 fix 다음에 중심선에 진입하면 MEA/MOCA 배정에 이용할 수 있는 최저고도를 결정한다. 또한 MTA는 선회하는 동안 일정고도 범위 또는 특정 고도를 사용하지 못하게 할 수도 있다. 예를 들면 MTA는 10,000 ft 부터 11,000 ft MSL까지의 사용을 제한할 수 있다. 이 경우 MEA/MOCA 요건이 충족되면 10,000 ft MSL 미만의 고도와 마찬가지로 11,000 ft MSL을 초과하는 고도는 제한되지 않는다.

5-3-8. 체공(Holding)

a. 항공기가 목적지공항이 아닌 다른 fix까지 허가가 되고 지연이 예상될 때, 완전한 체공지시(장주가 차트화되어 있지 않은 경우), EFC 시간 및 어떤 추가적인 항공로/터미널 지연의 정확한 예상정보를 발부하는 것은 ATC의 책임이다.

주(Note)
미국정부가 발간하거나 시판용으로 제작(FAA 요건을 충족)한 저고도/고고도항공로차트 및 지역차트나 STAR 차트에 표기된 체공장주(holding pattern)만을 이용할 수 있다.

b. 체공장주가 차트화되어 있고 관제사가 완전한 체공지시를 발부하지 않았다면, 조종사는 해당 차트에 표기되어 있는 대로 체공하여야 한다. 장주가 지정된 절차 또는 비행할 비행로에 차트화되어 있을 때에 관제사는 "hold east as published"와 같이 차트화된 체공방향과 as published 라는 용어를 제외한 모든 체공지시를 생략할 수 있다. 관제사는 조종사의 요구가 있을 때에는 언제든지 완전한 체공지시를 발부하여야 한다.

c. 체공장주가 차트화되어 있지 않고 체공지시를 발부받지 않은 경우, 조종사는 fix에 도착하기 전에 ATC에 체공지시를 요구하여야 한다. 이러한 조치는 ATC가 바라는 것과는 다른 체공장주로 항공기가 진입할 가능성을 제거할 수 있다. Fix에 도착하기 전에 체공지시를 받을 수 없는 경우(주파수혼잡, 마이크로폰 고착 등으로 인하여), 조종사는 fix에 접근하는 진로상의 표준장주에서 체공하면서 가능한 빨리 추후허가를 요구한다. 이러한 경우, 필요시 분리는 제공되기 때문에 허가한계점에서의 항공기의 고도/비행고도는 보호된다.

d. 항공기가 허가한계점으로부터 3분 이내의 거리에 있고 fix 다음 구간에 대한 비행허가를 받지 못했을 경우, 조종사는 항공기가 처음부터 최대체공속도 이하로 fix를 통과하도록 속도를 줄이기 시작하여야 한다.

e. 지연이 예상되지 않는 경우, 관제사는 가능한 빨리 그리고 가능하다면 항공기가 허가한계점에 도착하기 최소한 5분 전에 fix 이후에 대한 허가를 발부하여야 한다.

f. 조종사는 항공기가 허가한계점에 도착한 시간과 고도/비행고도를 ATC에 보고하여야 하며, 또한 허가한계점을 떠난다는 것을 보고하여야 한다.

주(Note)
양방향무선통신이 두절된 경우, 조종사는 14 CFR 91.185절에 따라야 한다.

g. VOR 기지국에서 체공할 때, 조종사는 to/from 지시계가 처음으로 완전히 바뀌었을 때에 outbound leg로 선회를 하여야 한다.

h. 가장 일반적으로 사용되는 체공 fix의 장주는 미국정부가 발간하거나 시판용으로 제작(FAA 요구조건을 충족)한 저고도/고고도항공로차트, 지역차트, 출발절차 및 STAR 차트에 표기(차트화)된다. 조종사는 ATC에 의해 별도로 달리 지시되지 않는 한, 표기된 장주에서 체공하여야 한다.

주(Note)
표준이 아닌 다른 최대체공속도로 보호되는 체공장주는 달리 표기되지 않는 한 icon으로 표기할 수 있다. 이 icon은 중앙에 속도제한이 표시된 표준체공장주부호(racetrack)이다. 다른 경우에는 속도제한이 표준체공장주부호 옆에 표기된다.

i. 장주가 차트화되어 있지 않은 fix에 체공을 요구한 항공기의 ATC 허가에는 다음 정보가 포함된다. (그림 5-3-2 참조)

1. 나침반의 주요 8방위 지점의 용어로 나타낸 fix로부터의 체공방향 (예, N, NE, E, SE 등)

2. 체공 fix (최초교신시 허가한계점에 포함되어 있었다면 fix는 생략할 수 있다.)

3. 항공기가 체공할 radial, 진로(course), 방위(bearing), 항공로 또는 비행로

4. DME 또는 지역항법(RNAV)이 이용되는 경우, mile 단위의 장주길이(leg length) (조종사 요구 또는 관제사가 필요하다고 판단하면 장주길이를 분 단위로 명시한다)

5. 좌선회(left turn)를 하여야 하거나, 조종사 요구 또는 관제사가 필요하다고 판단할 때 선회방향

6. 허가예상시간 및 관련 추가 지연정보

그림 5-3-2. 체공장주(Holding Pattern)

체공 예시(EXAMPLE OF HOLDING)

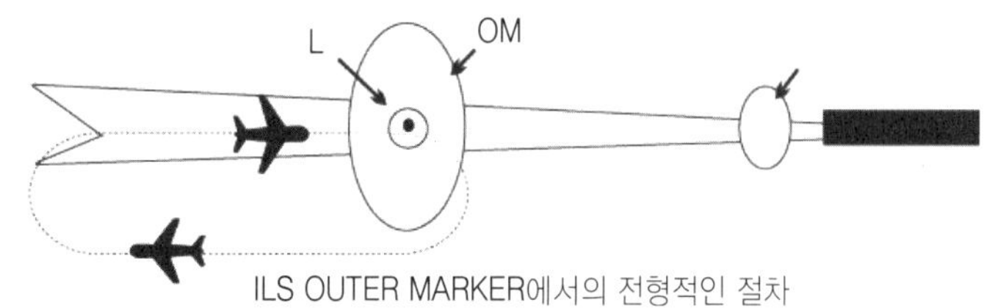

ILS OUTER MARKER에서의 전형적인 절차

VOR RADIAL 교차지점에서의 전형적인 절차

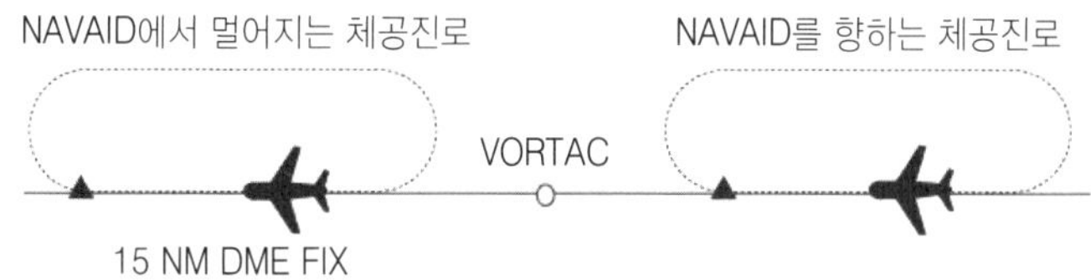

DME FIX에서의 전형적인 절차

그림 5-3-3. 체공장주 서술 용어(Holding Pattern Descriptive Terms)

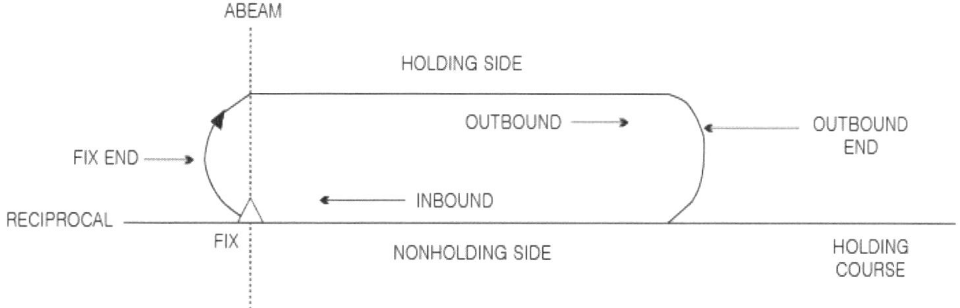

j. 체공장주공역보호(holding pattern airspace protection)은 다음과 같은 절차를 기반으로 한다.

1. 서술 용어(descriptive term)

(a) 표준장주(Standard Pattern). 우선회 (그림 5-3-3 참조)

(b) 비표준장주(Nonstandard Pattern). 좌선회

2. 대기속도(airspeed)

(a) 모든 항공기는 다음과 같은 고도 및 최대체공속도(maximum holding airspeed)로 체공하여야 한다.

표 5-3-1

고도(MSL)	대기속도(KIAS)
MHA~6,000 ft	200
6,001 ft~14,000 ft	230
14,001 ft 이상	265

주(Note)

이 대기속도는 모든 체공에 적용할 수 있는 최대지시대기속도이다.

(b) 다음은 최대체공속도에 대한 예외사항이다.

(1) 6,001 ft~14,000 ft 체공장주에서의 최대속도는 210 KIAS로 제한될 수 있다. 이러한 비표준장주는 icon으로 표기된다.

(2) 체공장주는 최대속도에 의해 제한될 수 있다. 속도제한은 차트 상의 체공장주 내부에 괄호로 표기된다. 예, (175). 항공기는 보호공역을 벗어나는 것을 피하기 위하여 처음으로 체공 fix를 통과하기 전에 최대속도 이하이어야 한다. 최대제한속도에 따를 수 없는 조종사는 ATC에 통보하여야 한다.

(3) 미국 공군비행장의 체공장주 - 달리 표기되어 있지 않는 한, 최대 310 KIAS

(4) 미국 해군비행장의 체공장주 - 달리 표기되어 있지 않는 한, 최대 230 KIAS

(5) "COPTER" 계기절차로 체공하는 모든 헬리콥터/동력 항공기(power lift aircraft)는 달리 차트화되어 있는 않는 한, 최소 90 KIAS의 대기속도를 기반으로 한다.

(6) 발간된 절차에 체공장주로의 상승이 지정되어 있을 경우(예를 들면, "Climb-in holding pattern to depart XYZ VORTAC at or above 10,000." 또는 "All aircraft climb-in TRUCK holding pattern to cross TRUCK Int at or above 11,500 before proceeding on course."), 상승시의 더 빠른 대기속도를 감안하여 상승이 필요한 항공기에게 부가적인 장애물보호구역이 제공된다. 최대체공속도가 발간되지 않는 한, 최대속도를 적용할 수 있는 Climb-in-holding의 경우에 310 KIAS의 최대속도가 허용된다. 14 CFR 91.117절 항공기속도의 속도제한은 계속 적용된다.

(c) 다음의 관제용어는 조종사에게 체공장주공역구역의 최대체공속도를 조언하기 위하여 ATCS에 의해 사용된다.

관제용어(Phraseology)

(항공기 식별부호) (체공지시, 필요할 경우) maximum holding airspeed is (knot 단위의 속도).

3. 진입절차(Entry Procedure). 체공보호공역(holding protected airspace)은 부분적으로 아래에 언급한 권장하는 3개의 체공장주 진입절차를 조종사가 준수하는 것을 기반으로 하여 설계되었다. 체공 fix를 통과하는 과도한 대기속도와 더불어 이러한 권장사항에 대한 위배는 일부의 경우에 항공기가 체공보호공역을 초과하는 결과를 낳을 수 있다. (그림 5-3-4 참조)

그림 5-3-4. 체공장주 진입절차(Holding Pattern Entry Procedure)

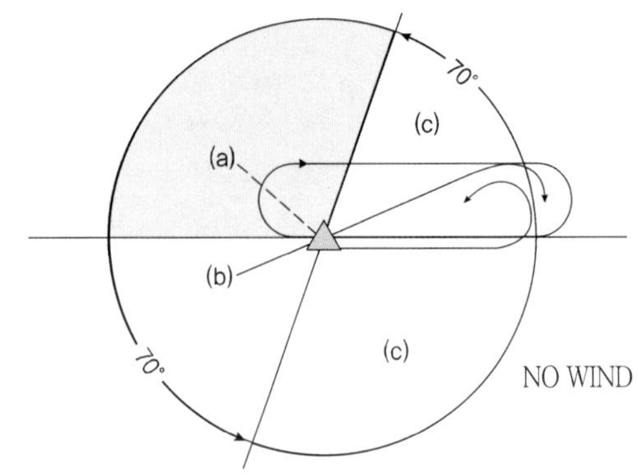

(a) 평행절차(Parallel Procedure)
평행진입절차는 구역 (a)의 어느 곳에서 체공 fix로 접근할 때, 기수방향을 비체공면(nonholding side)의 outbound 체공진로와 평행하게 하여 1분 동안 비행한 후 180° 이상 체공장주방향으로 선회한 다음 체공 fix로 되돌아가거나 inbound 체공진로로 진입하는 것이다.

(b) Teardrop 절차(Teardrop Procedure)
Teardrop 진입절차는 구역 (b)의 어느 곳에서 체공 fix로 접근할 때, 체공 fix로 비행한 후 30° teardrop 진입을 하기 위하여 장주(체공면 부분) 내에서 기수방향을 outbound 체공진로로 하여 1분 동안 비행한 다음 체공장주방향으로 선회하여 inbound 체공진로로 진입하는 것이다.

(c) 직진입절차(Direct Entry Procedure)
직진입절차는 구역 (c)의 어느 곳에서 체공 fix로 접근할 때, 체공 fix로 직진하여 선회한 다음 체공장주에 따라 비행하는 것이다.

(d) 다른 진입절차로 항공기를 체공장주로 진입하게 하여 보호공역 내에 머무르게 할 수 있지만 FAA가 권장하는 진입체공절차는 평행, teardrop 그리고 직진입절차이며, 체공을 위한 장애물보호구

역의 크기 및 형태 개발의 한 부분으로 얻어진다.

(e) 비표준체공장주(Nonstandard Holding Pattern). Fix 끝단 및 outbound 끝단에서의 선회는 좌측으로 이루어진다. 비표준장주로의 진입절차는 표준장주와 마찬가지로 체공면(holding side)의 70° 선과 관련된 방향으로 맞추어진다.

4. 시간조절(Timing)

(a) Inbound Leg

(1) 14,000 ft MSL 이하: 1분

(2) 14,000 ft MSL 초과: 1분 30초

주(Note)

최초 outbound leg는 1분 또는 1분 30초(고도에 따라) 동안에 비행하여야 한다. 차후 outbound leg에서의 시간은 적절한 inbound leg 시간을 고려하여 필요에 따라 조절한다. 조종사는 해당 inbound leg 시간을 지키기 위하여 DME, RNAV 등과 같이 이용할 수 있는 항법수단을 사용할 수 있다.

(b) Outbound leg 시간측정은 fix 상공 또는 abeam 위치 가운데 나중에 나타나는 곳에서부터 시작한다. Abeam 위치를 판단할 수 없다면 outbound로 선회를 완료했을 때부터 시간을 측정한다.

5. 거리측정시설(DME)/GPS Along-Track Distance(ATD). 시간 대신 거리(nautical mile)를 이용하는 것을 제외하고, DME/GPS 체공에는 동일한 진입과 체공절차가 적용된다. DME/GPS 체공장주의 outbound 진로(course)를 장주의 outbound leg라고 한다. Outbound leg의 길이는 관제사가 지정하거나 계기접근절차차트에 지정된다. Outbound leg의 끝단은 DME 또는 ATD 판독(readout)으로 결정된다. 기존 절차의 체공 fix, 또는 DME와 더불어 기존 항행안전시설에 의거하여 관제사가 지정하는 체공은 체공장주의 inbound와 outbound 양쪽 끝단에 대한 DME station으로부터 지정된 진로 또는 radial과 거리로 나타낸다. 발간된 GPS 중첩접근 또는 지정된 거리를 가진 단일절차(stand alone procedure)로 비행할 때, 체공 fix는 데이터베이스의 waypoint가 되고 outbound leg의 끝단은 ATD에 의해 결정된다. 일부 GPS 중첩접근과 초기의 단일절차는 지정된 시간을 가질 수도 있다(그림 5-3-5, 5-3-6 및 5-3-7 참조). GPS 사용시 IFR 운항요건과 제한사항은 1-1-19항, 위성위치식별시스템(GPS)을 참조한다.

그림 5-3-5. NAVAID를 향하는 Inbound(Inbound Toward NAVAID)

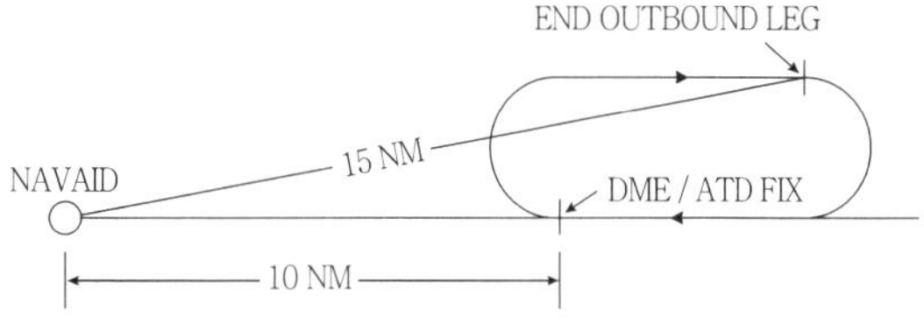

주(Note)

Inbound 진로가 NAVAID를 향하고 있고 fix 거리가 10 NM, leg 길이가 5 NM일 경우, DME가 15 NM을 지시할 때 outbound leg의 끝단에 도달한 것이다.

그림 5-3-6. NAVAID에서 멀어지는 Inbound Leg (Inbound Leg Away from NAVAID)

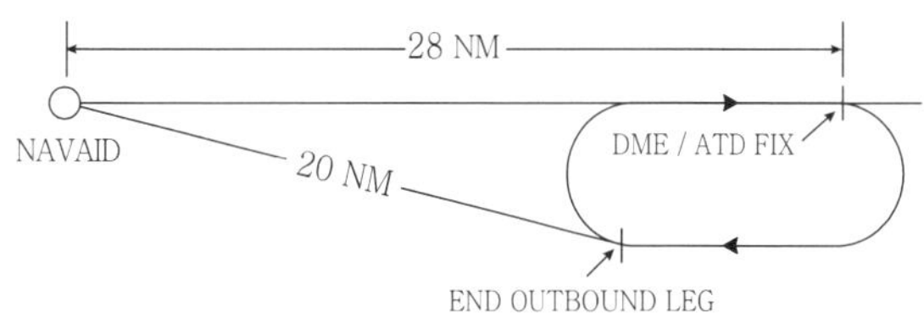

주(Note)

Inbound 진로가 NAVAID에서 멀어지고 있고 fix 거리가 28 NM, leg 길이가 8 NM일 경우, DME가 20 NM을 지시할 때 outbound leg의 끝단에 도달한 것이다.

6. DME 거리 대신 RNAV 거리의 이용(Use of RNAV Distance in lieu of DME Distance). 체공시 DME 거리 대신에 NAVAID로/부터 산정된 RNAV 거리로 대체하는 것이 허용된다. 그러나 실제 비행할 체공지역 및 체공장주는 위치계산에서 경사거리(slant range)를 고려하지 않음에 따라 NAVAID로부터 계획한 것 보다 더 앞에 있게 된다(그림 5-3-7 참조). 이것은 특히 고고도에서 NAVAID에 대한 RNAV 거리 판독값(readout)과 DME 판독값 간에 약간의 차이를 낳을 수 있다. DME 대체만을 위해 사용하는 경우 fix로/부터의 거리 및 DME 경사거리 간의 차이는 무시해도 되며, 조종사의 별다른 조치는 필요하지 않다.

그림 5-3-7. NAVAID로부터 DME 거리와 NAVAID로부터 산정된 RNAV 거리 간의 차이

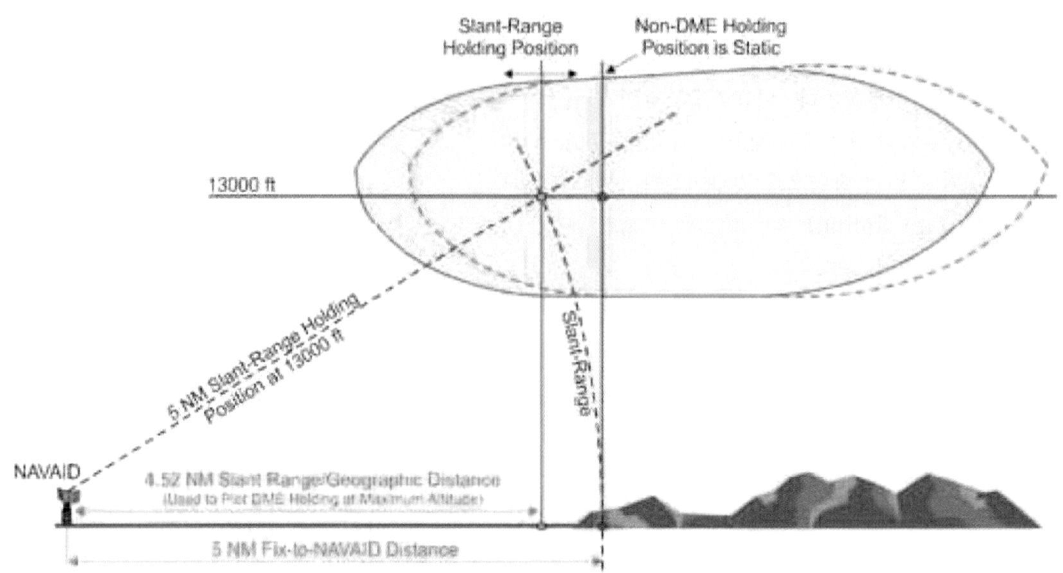

7. RNAV 유도 및 체공의 사용(Use of RNAV Guidance and Holding). 체공을 할 때 횡적유도를 제공하기 위하여 multi-sensor 비행관리시스템(FMS)과 stand-alone GPS 수신기를 포함한 RNAV 시스템을 사용할 수 있다. RNAV 시스템에서 체공에 이용할 수 있는 방법은 항공기 및 RNAV 시스템 제작사 간에 매우 다양하다. 발간된 체공에 대한 체공장주 자료는 RNAV 데이터베이스로부터 추출할 수 있으며, 임시 ATC 지정 체공의 경우 수동으로 입력할 수 있다. 조종사는 체공에 사용하는 특정 RNAV 시스템의 특성 및 제한사항에 익숙해야 한다.

(a) RNAV 또는 RNP 절차에 명시된 체공을 포함한 모든 체공은 기존 NAVAID 체공보호공역 구조를 포함한 체공 설계기준을 기반으로 하다. 체공을 하기 위해 RNAV 유도가 사용되는 경우, 기존 체공장주 설계 및 진입절차와 비행항적으로 가정한 체공장주 진입절차와 비행항적(flight track) 간에는 차이가 있다. 개별적으로 이러한 차이가 체공장주보호공역 내에 머무르려는 항공기의 성능에 영향을 주지는 않을 것이다. 그러나 누적되면 이것은 체공장주보호공역의 한계까지, 그리고 어떤 경우에는 보호공역을 넘어서 일탈하기에 충분한 위배의 결과를 초래할 수 있다. 다음의 차이점 및 고려사항은 RNAV 시스템이 체공장주를 비행할 때 사용되는 횡적유도를 제공할 때 적용된다.

(1) 대부분의 시스템이 진입방법을 선택하기 위해 기수방향(heading) 대신에 지상항적각도(ground track angle)을 사용한다. 체공장주설계가 5°의 오차를 허용하는 경우 바람이 큰 편류각(drift angle)을 야기하면 이것은 예기치 않은 진입을 초래할 수 있다.

(2) 체공보호공역은 항공기가 최초 진입시에 체공 fix를 fly-over 한다는 가정을 기반으로 한다. RNAV 시스템은 진입하기 전에 체공 fix에 접근할 때 fly-by 선회를 수행한다. 체공진로의 체공장주 부분에서 직진입하는 동안, 특히 교차각(intercept angle)과 대지속도가 증가하면 "fly-by"는 보호공역을 넘어서 일탈하는 결과를 낳을 수 있다.

(3) 체공하는 동안 RNAV 시스템은 일정한 경사 또는 일정한 반경을 사용하여 수평조향유도(lateral steering guidance)를 제공함으로서 원하는 inbound 및 outbound 선회를 할 수 있도록 한다. 항공기의 비행유도장치(flight guidance system)는 특히 고고도에서 체공보호공역을 초과할 수 있는 체공시의 선회를 포함한 모든 선회시에 감소된 경사각을 사용할 수 있다. 완만한 경사각의 사용은 특히 풍속이 증가할 때 항공기 항적(track)

의 폭과 길이 모두를 증가시킨다. 비행유도장치의 경사각 제한 기능을 조종사가 선택할 수 있다면 항공기 운용한계에 달리 명시되지 않는 한, 고도에 관계없이 최소 25° 경사각을 선정하고, 조종사는 ATC에 통보하여야 한다.

그림 5-3-8. RNAV 횡적유도 및 체공 - 무풍(No Wind)

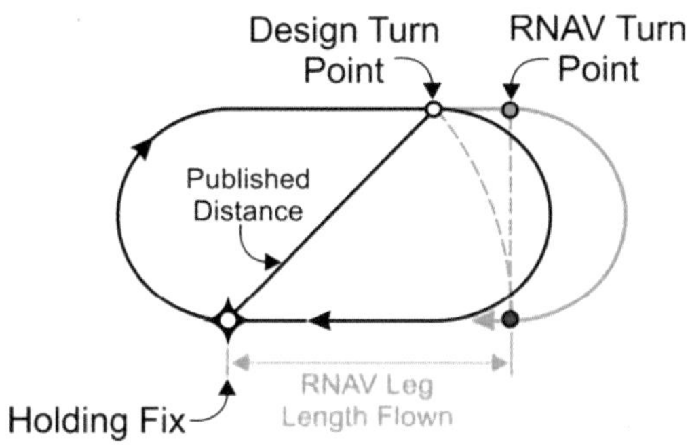

그림 5-3-9. RNAV 횡적유도 및 체공 - 바람의 영향(Effect of Wind)

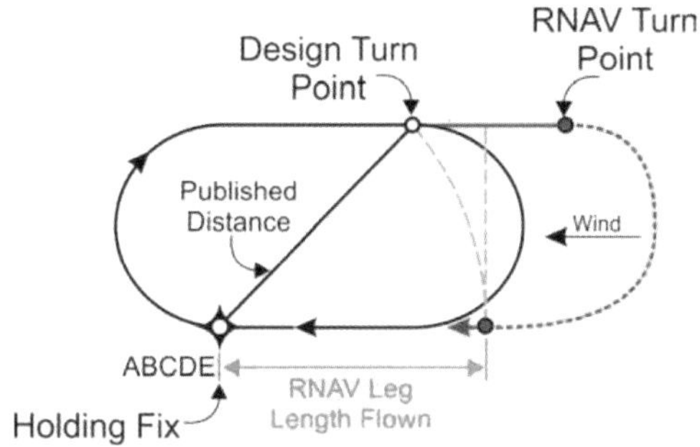

(4) 체공거리가 발간된 경우, outbound leg에서의 선회는 체공 fix에서부터 발간된 거리에서 시작되므로 보호공역 내에 머무르도록 설계선회지점을 설정하는 것이 필요하다. RNAV 시스템은 leg 거리를 체공 fix까지 inbound leg의 최대 길이로서 부호화하거나 조종사가 입력한 데이터베이스를 적용한다. 이어서 RNAV 시스템은 이러한 inbound leg 길이를 수행하기 위해 필요한 outbound leg에서 선회지점을 산정한다. 종종 이것은 설계선회지점을 지나 outbound leg에 RNAV-산정된 선회지점의 결과를 낳는다. Outbound leg와 반대로 강한 정풍(headwind)이 있으면 RNAV 시스템은 inbound로 선회를 하기 전에 보호공역의 한계까지, 혹은 보호공역의 한계를 넘어서 비행할 수 있다 (그림 5-3-9 참조). 이것은 풍속이 빠르고 대지속도가 폭 넓은 체공장주를 야기하는 고고도에서 특히 그러하다.

(5) 일부 RNAV 시스템은 체공에 진입하기 전의 지점에서 항공기의 고도 및 속도를 기반으로 한 체공장주를 산출한다. 최대체공속도를 준수하기 위하여 이 지점 이전에서 지시대기속도를 감소하지 않았다면 산출된 장주는 보호공역을 초과할 수 있다. 체공장주를 load하거나 실행하는 것은 RNAV 횡적유도에서 체공장주를 정의하기 위하여 사용되는 항공기의 현재고도에 적용할 수 있는 속도 및 시간 제한의 결과를 가져올 수 있다. 이것은 RNAV 시스템에 의해 비행할 체공이 부정확한 결과를 초래할 수 있다. 예를 들면, 14,000 ft 이하에서 체공하려고 할 때 14,000 ft를 초과하는 체공장주에 진입하거나 수행하려고 하는 것은 14,000 ft 이하에서 1 1/2분 시간조절(timing)을 적용하는 결과를 가져올 수 있다.

주(Note)
일부 시스템은 조종사가 항행 데이터베이스에 정의된 체공장주, 예를 들면 절차선회 대신 체공장주(hold-in-lieu of procedure turn)의 leg time을 수정할 수 있도록 한다. 대부분의 RNAV 시스템은 체공장주 시간에 조종사가 수정한 시간을 유지하며, 항공기가 짧은 시간 간격이 적용되는 저고도로 강하하면 부호화한 시간(coded time)으로 되돌아가지 않는다.

(b) RNAV 시스템은 체공장주보호공역의 범위가 항행 데이터베이스에 포함되어 있지 않기 때문에 이 공역의 외곽을 조종사가 벗어나는 경우 조종사에게 경고해 줄 수 없다. 더불어 체공장주보호공역의 범위는 차트화된 체공장주의 경우 장주가 동일한 적용을 받는 경우에도 고도에 따라 변한다. RNAV 횡적유도를 체공 수행시에 사용할 때, 이 절에 기술된 조종사 조치사항을 엄격하게 준수함으로서 체공장주보호공역의 경계를 초과할 가능성을 줄일 수 있다.

(c) 체공장주는 RNAV 시스템의 항행 데이터베이스에 저장할 수 있으며, RNAV 시스템이 체공을 수행할 방법을 정의한 변수가 있는 coding을 포

함한다. 예를 들면, coding은 체공이 수동종료(HM), 항공기가 명시된 고도에 도달할 때 까지 계속 체공(HA), 또는 진입 후 첫 번째 체공 fix를 통과하기 전까지 체공을 수행(HF)할 지의 여부를 결정한다. 일부 시스템은 모든 체공장주를 저장하지 않으면 실패접근 및 선회절차 대신에 체공장주(HILPT)와 관련된 장주 만을 저장할 수 있다. 일부는 표준장주와 같은 모든 체공을 저장하며, 비표준장주(좌선회)를 수행하기 위해서는 조종사의 조치를 필요로 한다.

(1) 조종사는 다수의 체공장주가 동일한 fix에 설정될 수 있다는 점에 유의하여야 한다. 이러한 체공장주는 항공로 체공장주, SID나 STAR에 차트화된 체공장주로서의 적용, 또는 계기접근절차에 사용할 경우에 따라, 선회방향 및 leg 길이와 관련하여 다를 수 있다. 대부분의 RNAV 시스템은 단일 체공장주 정의까지 특정한 fix로 데이터베이스 coding을 제한한다. 항행 데이터베이스에서 체공장주를 추출하는 조종사는 체공장주가 선회방향, 속도제한, 시간조절(timing) 및 거리에 관하여 차트화된 지정 체공장주와 일치하는 지를 확인할 책임이 있다.

(2) ATC가 차트화되어 있지 않은 체공을 지정하면 조종사는 RNAV 시스템에 지정된 체공진로, 선회방향, 속도제한, 구간길이(leg length) 또는 구간시간(leg time)을 programming 해야 할 책임이 있다.

(3) 항공기가 체공 fix에 근접해 있다면 체공장주의 다음 순회시까지 최초 수행 이후에 이루어지는 변경을 적용하지 않을 수 있다.

8. 조종사 조치(Pilot Action). 기존 NAVAID 유도 또는 RNAV 횡적유도를 사용하여 체공을 수행하는 경우, 항공기가 체공보호공역 내에 머무를 수 있도록 하기 위하여 다음의 조치를 권장한다.

(a) 속도(Speed). ATC가 체공을 사전에 통보한 경우, 체공 fix를 통과하기 최소한 3분 전에 최대체공속도 이하가 되도록 감속하기 시작한다. ATC로부터 사전에 통보를 받지 못했다면 가능한 한 신속하게 감속을 시작한다. RNAV 시스템이 체공 fix 이전에 적절한 감속지점을 결정하거나, RNAV 산정 체공속도까지 감속할 수 있도록 할 수 있다. 조종사가 RNAV 시스템이 산정지점으로부터 감속을 처리할 수 있도록 허용하지 않으면, 체공장주 진입 시 실제 체공장주 크기는 RNAV 시스템이 산정한 체공장주 크기와 다를 수 있다.

(1) 항공기는 5-3-8j2(a) 항에 설정된 최대 체공속도 또는 차트화된 최대체공속도 이하로 체공장주에 진입하여야 한다.

〔a〕 체공을 하는 모든 고정익항공기는 바람편류(wind drift)의 영향을 최소화하기 위하여 90 KIAS 이상의 속도로 비행하여야 한다.

〔b〕 RNAV 횡적유도가 고정익비행기에 사용되는 경우, RNAV 체공과 관련된 누적오차를 처리하여 보호공역 내에 머무를 가능성을 증가시키려면 비행기의 권장체공속도와 일치하는 유용한 최저대기속도로 진입하고 체공을 하는 것이 바람직할 수 있다. RNAV 시스템이 최대체공속도 이하인 권장체공속도를 결정하도록 하도록 할 수 있다.

〔c〕 헬리콥터 체공은 90 KIAS의 최저대기속도를 기반으로 한다.

(2) 최대체공속도를 준수할 수 없어서 대체허가를 요청하려면 즉시 ATC에 통보한다.

주(Note)

난기류 또는 착빙 등으로 인하여 최대 또는 발간된 체공속도 이상의 속도가 필요할 수 있다. 최대체공속도를 초과하는 속도는 항공기가 체공장주보호공역을 넘어서 일탈하는 결과를 낳을 수 있다. 비레이더 관제상황에서 조종사는 지정된 체공을 수용할 수 없다는 것을 ATC에 통보하여야 한다.

(3) RNAV 시스템은 체공장주에 적절한 시간 및 속도제한을 적용할 수 있도록 한다. 이것은 시간 및 속도제한이 현재 항공기고도와 다른 체공장주 고도로 상승 또는 강하시 특히 중요하다.

(b) 경사각(Bank Angle). RNAV 횡적유도의 사용을 포함하지 않는 체공의 경우, 진입 및 체공하는 동안 모든 선회는 다음 각도로 선회한다.

(1) 초당 3°, 또는

(2) 30°의 경사각(bank angle), 또는

(3) 비행지시장치(flight director system)를 이용할 경우, 25°의 경사각

주(Note)
가장 작은 경사각(bank angle)이 요구되는 것을 사용한다.

(4) 체공을 하기 위하여 RNAV 횡적유도를 사용하는 경우, RNAV 시스템이 outbound와 inbound 선회에 사용되는 적절한 경사각을 산출하도록 할 수 있다. 비행유도장치 경사각 제한 기능을 조종사가 선택할 수 없으며, 항공기 제한에 의하여 규정되어 있거나 기능의 사용이 항공기의 최소기동속도 한계를 준수하기 위하여 필요하지 않는 한 25° 미만의 경사각 제한 기능을 사용하지 마라. 경사각을 25° 미만으로 제한해야 하는 경우, 체공을 위해 추가구역이 필요하다는 것을 ATC에 통보한다.

(c) 우선적으로 inbound와 outbound leg의 편류수정(drift correction)을 하여 바람의 영향을 보정한다. Outbound 시에는 큰 폭의 선회조절을 피하기 위하여 inbound 편류수정의 3배를 적용한다. 예를 들어 inbound 시 8° 좌측으로 수정하였다면, outbound 시에는 24° 우측으로 수정한다.

(d) 체공 fix에 도달하면 항공기 기수를 돌려 진입여부를 결정하여야 하며, 진입결정시 허용되는 양호한 운용한계는 기수방향(heading)의 ±5° 이내라는 것을 고려하여야 한다. 체공시 RNAV 횡적유도를 사용하는 경우, 시스템이 체공진입을 산출하는 것이 허용된다.

(e) RNAV 횡적유도는 체공 fix에서 과도하게 먼 거리에서 시작하는 fly-by 선회를 수행할 수 있다. 체공 fix에 도달하기 최소한 3분 전에 최대체공속도로 감속하고, 권장하는 25° 경사를 사용하여 보호공역을 넘어서는 잠재적 일탈을 감소시킨다.

(f) 체공에 RNAV 유도를 사용하는 경우, 특히 체공이 course reversal HILPT로 사용될 때 outbound leg에서 inbound leg로의 선회가 차트화된 장주길이(leg length)의 합당한 거리 내에서 시작하지 않으면 조종사는 개입할 수 있도록 사전에 준비하여야 한다. 차트화되지 않은 ATC 지정 체공장주에서 체공할 때에는 조종사가 개입할 필요가 없다. 그러나 RNAV 유도가 체공에 사용되는 경우, outbound 장주길이가 과도하게 되면 ATC에 통보하여야 한다.

주(Note)
Inbound 진로는 항상 waypoint를 향하고 ATD는 waypoint에서 0 이다. ATD가 지정된 거리를 지시할 때 체공장주 outbound leg의 끝단에 도달한 것이다.

6. 조종사 조치(Pilot Action)

(a) 체공 fix로부터 3분 이내의 거리에 있을 때 감속하기 시작한다. 처음부터 최대체공속도 이하로 체공 fix를 통과한다.

(b) 진입 및 체공하는 동안 다음 각도로 선회한다.

(1) 초당 3°, 또는

(2) 30°의 경사각(bank angle), 또는

(3) 비행지시장치(flight director system)를 이용할 경우, 25°의 경사각

주(Note)
세 가지 가운데 가장 적은 경사각(bank angle)이 요구되는 것을 사용한다.

(c) 우선적으로 inbound와 outbound leg의 편류수정(drift correction)을 하여 바람의 영향을 보정한다. Outbound 시에는 큰 폭의 선회조절을 피하기 위하여 inbound 편류수정의 3배를 적용한다. 예를 들어 inbound 시 8° 좌측으로 수정하였다면, outbound 시에는 24° 우측으로 수정한다.

(d) 체공 fix에 도달하면 항공기 기수를 돌려 진입여부를 결정하여야 하며, 진입결정시 허용되는 양호한 운용한계는 기수방향(heading)의 ±5° 이내라는 것을 고려하여야 한다.

(e) 난기류, 착빙 등으로 인해 대기속도를 증가시키는 것이 필요하거나, 체공절차의 일부분을 수행할 수 없다면 즉시 ATC에 통보한다. 이 같은 속도의 증가가 더 이상 필요하지 않을 때에는 발간된 해당 체공속도에 따라 운항하고 ATC에 통보한다.

7. 비표준체공장주(Nonstandard Holding Pattern). Fix 끝단 및 outbound 끝단에서의 선회는 좌측으로 이루어진다. 비표준장주로의 진입절차는 표준장주와 마찬가지로 체공면(holding side)의 70° 선과

관련된 방향으로 맞추어진다.

k. Fix에서 체공 중에 fix 출발시간을 지정받은 경우, 조종사는 지정된 시간에 정확히 fix를 떠나기 위하여 설정된 체공장주의 범위 내에서 항공기의 비행경로를 조절하여야 한다. 체공 fix를 출발한 후에는 터미널지역 속도제한, ATC의 특정 지시 등과 같은 그 밖의 제한속도요건에 따라 정상속도로 복귀한다. Fix가 계기접근과 관련되어 있고 시차접근(timed approach)이 실시되는 곳에 접근허가가 발부되었을 경우, 체공항공기는 체공장주에서 직접 최종접근진로의 inbound로 진입하기 때문에 조종사는 ATC에 통보하지 않은 한 절차선회를 해서는 안된다.

l. 체공장주공역구역의 레이더감시(Radar surveillance of holding pattern airspace areas)

1. 항공기가 체공할 때 ATC는 일반적으로 관제사의 레이더시현장치에 체공공역의 레이더감시를 제공한다.

2. 관제사는 공역구역 밖으로 이탈하는 체공항공기를 탐지하고, 탐지된 항공기에게 지정된 공역구역으로 복귀하도록 조언한다.

주(Note)

업무량, 표적(target)의 수, 강수, 지면 clutter 및 레이더시스템성능과 같은 여러 가지 요소들이 ATC가 이러한 부가적인 업무를 제공하는 것을 방해할 수 있다. 이러한 환경들은 체공장주를 이탈하는 항공기를 탐지하기 위한 항공기의 레이더식별을 유지할 수 없도록 할 수도 있다. 이러한 업무의 제공은 전적으로 관제사가 이것을 제공할 수 있는 위치에 있다고 생각하는 지의 여부에 좌우되며, ATC로부터 받은 허가를 준수해야 할 조종사의 책임을 면하여 주는 것은 아니다.

3. ATC가 발간된(차트화된) 체공장주와 관련되지 않은 체공을 지정한 경우, 교통 및 장애물 분리에 대한 책임은 ATC에 있다. 배정고도는 최저레이더유도고도 또는 최저 IFR 고도 이상일 것이다.

4. 항공기가 설정된 최저체공고도 상부 배정고도의 발간된 체공장주로 진입하였고 이어서 접근이 허가되었다면, 조종사는 설정된 최저체공고도까지 강하할 수 있다. 체공장주가 계기절차차트에 발간되어 있고 절차선회 대신에 사용될 경우에만 체공장주는 IAP의 한 구간이 된다.

m. 설정된 최저체공고도가 없는 체공장주에서 접근허가를 받은 조종사는 체공장주를 떠나 inbound 진로에 들어설 때 까지는 최종적으로 배정받은 고도를 유지하여야 한다. 그 후에는 비행할 비행로의 발간된 최저고도를 적용한다. 조종사는 inbound 진로로 정상 강하하도록 체공고도가 배정될 것이라는 것을 예상하여야 한다.

제4절. 도착절차(Arrival Procedures)

5-4-1. 표준터미널도착절차(Standard Terminal Arrival (STAR) Procedure)

a. STAR는 어떤 공항에 도착하는 IFR 항공기에 적용하기 위하여 ATC가 설정한 문자 및 그림형식의 IFR 도착비행로(coded IFR arrival route)이다. STAR는 허가중계절차(clearance delivery procedure)를 간단히 하며, 또한 항공로와 계기접근절차 간의 전환을 용이하게 한다.

1. STAR 절차에는 필수속도 또는 통과고도가 명시되어 있을 수 있다. 다른 STAR에는 어떠한 허가 또는 제한이 "예상(expect)" 된다는 것을 조종사에게 통보하기 위하여 표기된 계획정보가 있을 수 있다. "예상(expect)"고도/속도는 ATC가 구두로 발부하기 전까지는 STAR 절차 통과제한사항으로 간주해서는 안된다. 발간된 속도제한은 고도제한과는 관계가 없으며 ATC가 수정하지 않는 한 의무적이다. 조종사는 발간된 속도제한, 발간된 속도로 waypoint를 통과하도록 계획하여야 하며, ATC로부터 허가를 받거나 게시된 주석(note)에 명시되어 있지 않는 한 관련된 waypoint를 통과하기 전에는 이 속도를 초과하지 않아야 한다.

주(Note)

"예상(expect)"고도/속도는 비행계획 목적에 필요한 정보를 조종사에게 제공하기 위하여 발간된다. 이 고도/속도는 ATC가 추후허가의 일부분으로 이 고도/속도가 예상된다는 것을 조종사에게 별도로 통보하지 않은 한, 통신두절 상황에서 이용해서는 안된다.

2. STAR 절차로 운항하거나, STAR 절차까지 발간된 inbound 비행로로 운항중인 조종사는 발간되거나 발부된 모든 제한사항을 준수하여 강하허가를 받기 전까지는 최종적으로 배정받은 고도를 유지하여야 한다. 이러한 허가에는 관제용어 "descend via"가 포함될 것이다. 레이더유도된 후 또는 STAR의 이탈이 허가된 경우 조종사는 관제사가 "expect to resume STAR"라고 지시하지 않는 한 STAR는 취소된 것으로 간주하여야 하며, 그 후에 조종사는 다음 fix 또는 절차 leg에서 STAR에 재진입할 준비를 하여야 한다. 통과제한이 포함된 강하허가를 받았다면, 조종사는 관제사가 유지해야 할 고도를 발부할 것이라는 것을 예측하여야 한다.

(a) "Descend via" 허가는 조종사에게 다음을 허가한다.

(1) 발간된 제한사항과 STAR에 의한 횡적항행을 이행하기 위한 조종사 임의의 강하

(2) STAR에 표기된 waypoint까지 허가되었을 경우, 조종사 임의의 이전에 배정된 고도로부터 그 waypoint에 표기된 고도까지의 강하

(3) 표기된 도착비행로에 진입한 후 강하 및 발간되거나 배정된 모든 고도와 속도제한을 이행하기 위한 항행

주(Note)

1. 발간된 속도제한을 포함하고 있는 비행로 또는 절차에서 달리 허가된 경우, 조종사는 descend via 허가에 따른 강하와 관계없이 이러한 속도제한을 준수하여야 한다.

2. ATC는 조종사가 발간된 속도로 waypoint/fix를 통과할 수 있도록 발간된 속도제한 이전에 필요한 최저거리에서 속도조절을 시작할 것이라고 예상한다. 발간된 속도에 도달하면 ATC는 14 CFR 91.117절을 준수하기 위하여 필요하거나, 또는 추가로 발간되거나 ATC가 지시한 속도제한에 따르기 위하여 조종사가 추가적인 조절이 필요할 때 까지 발간된 속도를 유지할 것이라고 예상한다.

3. "Descend via"는 관제사가 조종사에게 허가한 다음 waypoint/fix의 고도를 불필요하게 다시 언급하지 않도록 함으로써 관제용어를 줄이기 위하여 STAR와 함께 사용된다.

4. 항공교통관제사는 waypoint/fix에 고도가 표기되어 있지 않으면 STAR로 진입할 때 까지 직선비행로 상의 항공기에 대하여 waypoint/fix 통과고도를 배정한다. 항공교통관제사가 조종사에게 "descend via" 지시를 발부할 때는 장애물회피를 보장하여야 한다.

5. 최저항공로고도(MEA)는 제한사항으로 간주되지는 않지만, 조종사는 MEA 미만으로 강하하라는 ATC 지시를 받지 않는 한 항상 MEA 이상을 유지하여야 한다.

예문(Example)

1. 횡적/비행로설정(Lateral/routing) 만을 허가

"Cleared Tyler One arrival."

주(Note)

예문 1의 경우, 조종사는 절차의 횡적경로로 비행하는 것이 허가된다. 발간된 속도제한의 준수가 필요하다. 강하는 허가되지 않는다.

2. 고도배정을 포함한 비행로설정(Routing with assigned altitude) 허가

"Cleared Tyler One arrival, descend and maintain flight level two four zero."

"Cleared Tyler One arrival, descend at pilot's discretion, maintain flight level two four zero."

주(Note)

예문 2의 경우, 첫 번째 허가는 조종사가 발간된 속도제한을 준수하면서 지시받은 대로 FL240까지 강하하여 추후 새로 배정된 고도나 "descend via" 허가와 함께 수직항행(vertical navigation)이 허가될 때 까지 FL240을 유지하는 것을 요구한다.

두 번째 허가는 발간된 속도제한을 준수하며 조종사가 본인의 판단에 따라 FL240까지 강하하는 것을 허가하며, 다음에는 추후 지시가 발부될 때 까지 FL240을 유지한다.

3. 횡적/비행로설정 및 수직항행(Lateral/routing and vertical navigation) 허가

"Descend via the Eagul Five arrival."

"Descend via the Eagul Five arrival, except, cross Vnnom at or above one two thousand."

주(Note)

예문 3의 경우, 첫 번째 허가는 항공기가 Eagul Five 도착절차에 의거하여 조종사의 판단에 따라 강하하는 것을 허가한다. 조종사는 발간된 모든 고도 및 속도 제한사항을 준수하여 강하하여야 한다.

두 번째 허가는 동일하게 허가하지만, 조종사가 12,000 ft 이상으로 Vnnom을 통과하여 강하하는 것이 필요하다.

4. 배정고도가 절차에 게재되지 않은 경우, 횡적/비행로설정 및 수직항행 허가

"Descend via the Eagul Five arrival, except after Geeno, maintain one zero thousand."

"Descend via the Eagul Five arrival, except cross Geeno at one one thousand then maintain seven thousand."

주(Note)

예문 4의 경우, 첫 번째 허가는 항공기가 Eagul Five 도착절차에 따라 횡적으로 비행하고, Geeno에 도달하여 10,000 ft를 유지할 때 까지 모든 고도 및 속도제한을 준수하여 조종사 임의로 강하하는 것을 허가한다. 10,000 ft에 도달한 다음 ATC가 계속 강하를 허가할 때 까지 항공기는 10,000 ft를 유지하여야 한다.

두 번째 허가는 항공기가 11,000 ft로 Geeno를 통과하여야 하는 것을 제외하고 동일한 것을 요구하며, 다음에 7,000 ft 까지 계속 강하하여 7,000 ft를 유지할 것을 허가한다.

5. STAR 진입을 위한 직선비행로설정(Direct routing) 및 수직항행 허가

"Proceed direct Leoni, descend via the Leoni One arrival."

"Proceed direct Denis, cross Denis at or above flight level two zero zero, then descend via the Mmell One arrival."

주(Note)

예문 5의 경우, 첫 번째 허가는 Leoni까지 발간된다. 항공기는 Leoni까지 비행하여 발간된 고도로 Leoni를 통과해야 하며, Leoni를 통과한 다음 도착절차에 따라 강하한다. 속도제한이 Leoni에 발간되어 있다면 항공기는 발간된 속도를 준수하기 위하여 감속한다.

두 번째 허가의 경우, Denis까지 발간된 고도는 없다. 항공기는 FL200 이상으로 Denis를 통과해야 하며, Denis를 통과한 다음 도착절차에 따라 강하

한다.

(b) 관제용어 "descend via"를 사용하여 수직항행(vertical navigation)을 허가받은 조종사는 새로운 주파수로 최초교신 시 "descending via (절차명)"와 같이 고도이탈, 지시받은 경우 활주로 전환이나 착륙방향, 그리고 절차에 발간되지 않은 지시받은 제한사항을 ATC에 통보하여야 한다.

1. Delta 121은 다음과 같이 Eagul Five 도착절차에 따라 강하하고 활주로 26으로 전환할 수 있는 허가를 받았다. "Delta One Twenty One leaving flight level one niner zero, descending via the Eagul Five arrival runway two-six transition."

2. Delta 121은 다음과 같이 Eagul Five 도착절차에 따라 강하할 수 있는 허가를 받았지만, ATC는 정상고도(bottom altitude)를 12,000 ft로 변경하였다. "Delta One Twenty One leaving flight level one niner zero for one two thousand, descending via the Eagul Five arrival, runway two-six transition."

3. JetBlue 602는 다음과 같이 Ivane Two 도착절차에 따라 강하하고 남쪽 활주로로 착륙할 수 있는 허가를 받았다. "JetBlue six zero two leaving flight level two one zero descending via the Ivane Two arrival landing south."

b. STAR가 발간된 지역까지 비행하려는 IFR 항공기의 조종사는 ATC가 적합하다고 판단하면 언제든지 STAR가 포함된 허가를 받을 수 있다.

c. 조종사가 STAR를 이용하기 위해서는 최소한 인가된 차트를 소지하여야 한다. RNAV STAR는 항공기 데이터베이스에서 절차명으로 검색할 수 있어야 하며, 차트화된 절차를 준수하여야 한다. ATC 허가 또는 허가의 일부분과 마찬가지로 발부된 STAR를 수용하거나 거부하는 것은 각 조종사의 책임이다. 조종사는 STAR의 사용을 원하지 않으면 비행계획서의 비고란에 "NO STAR"라고 기입하거나, 바람직한 방법은 아니지만 ATC에 구두로 이를 통보하여야 한다.

d. STAR 차트는 터미널절차간행물(TPP)에 게재되며, National Aeronautical Charting Office로부터 구독할 수 있다.

e. PBN STAR

1. 공공용 PBN STAR는 일반적으로 RNAV 1, RNP 1 또는 A-RNP NavSpecs을 사용하여 설계된다. 이러한 절차는 현재 시스템성능이 최신 AC 90-100A, U.S. Terminal and En Route Area Navigation(RNAV) Operations에 언급된 기준을 충족하는 GPS 또는 DME/DME/IRU PBN 시스템과 일치할 것을 요구하고 있다. RNAV 1과 RNP 1 NavSpecs를 사용하는 이러한 절차는 전체 시스템오차가 전체 비행시간의 95% 동안에 1 NM 미만을 유지하여야 한다. A-RNP 절차의 최소 수치는 PBN box에 게재된다 (예를 들면, 1.00 또는 0.30).

2. 미국에서 특정 절차의 PBN 요건은 별도의 표준화된 주석 박스(note box)에 눈에 잘 띄게 표시된다. PBN 요소가 있는 절차의 경우 "PBN box"에는 절차의 NavSpec, 그리고 필요 시 항법계산에 필요한 특정 sensor나 기반시설, 추가 또는 고급 기능 요건, 최저 RNP 수치, 그리고 부연 설명 등이 포함된다. 이러한 PBN box에 수록되는 항목은 절차의 PBN 요소로 비행하기 위해서는 필수이다.

5-4-2. 국지교통흐름관리프로그램(Local Flow Traffic Management Program)

a. FAA는 비행안전 증진, 항공기소음 영향의 최소화 및 항공유의 절약을 위하여 이 프로그램에 끊임없는 노력을 기울이고 있다. 비행안전의 증진과 소음의 감소는 도착하는 무게 12,500 lbs 초과 터보제트 및 터보프롭항공기의 저고도기동을 최소화하고 출발항공기를 더 높은 고도까지 신속하게 상승하도록 하며, 도착항공기를 비행경로가 통과하는 지점보다 더 높은 고도로 운항하게 하는 프로그램에 의해 이루어진다. 또한 이러한 절차의 적용은 터미널지역 및 주변의 저고도에서 관제항공기와 비관제항공기 간에 서로 접할 수 있는 시간을 감소시킨다. 연료절약은 연료효율이 더 좋고 보다 높은 고도에서 운항하는 이러한 프로그램에 참여하는 항공기에 대

하여 불가피한 도착지연을 감소시킴으로써 이루어진다.

b. 근본적으로 연료절약강하(fuel efficient descent)란, 최종접근시 순항고도에서부터 조종사가 항공기를 안정시키기 위하여 수평비행이 필요한 지점까지 연속하여 강하하는 것을 말한다 (속도를 조절하기 위하여 수평비행이 필요한 경우 제외). 연료절약강하절차는 이를 수행하는 대부분의 항공기에 가장 효율적인 고도강하를 기준으로 한다. 이것은 일반적으로 250~350 ft/NM의 강하율이 된다.

c. 통과고도제한 및 속도제한이 구두로 발부되거나 차트에 표기되어 있을 경우, ATC는 조종사가 먼저 통과고도까지 강하한 다음 감속하도록 요구하고 있다. 구두에 의한 강하허가는 일반적으로 위의 b항에 기술된 절차에 따라 연속하여 강하할 수 있도록 한다. 차트화된 연료절약강하(Runway Profile Descent) 허가를 받았을 때, ATC에 의해 달리 지시되지 않는 한 조종사는 차트에 표기된 고도, 속도 및 기수방향(heading)을 준수하여야 한다. 연료절약강하 허가를 받은 조종사는 그 공항에 대하여 발간된 runway profile descent 차트를 소지하고 있지 않거나, 허가를 준수할 수 없다면 ACT에 통보하여야 한다.

5-4-3. 접근관제(Approach Control)

a. 접근관제소는 책임구역 내에서 운항하는 모든 계기비행항공기를 관제할 책임이 있다. 접근관제소는 하나 이상의 비행장에 업무를 지원할 수도 있으며, 관제는 주로 조종사와 관제사 간의 직접교신에 의하여 이루어진다. 목적지 무선시설에 도달하기 전에 지정된 주파수로 접근관제소와 교신하도록 ARTCC로부터 지시를 받을 것이다.

b. 레이더접근관제(Radar Approach Control)

1. 레이더를 접근관제업무에 사용할 수 있도록 인가된 곳에서 레이더는 레이더접근(공항감시레이더〔ASR〕 및 정밀접근레이더〔PAR〕) 뿐 아니라, 무선 NAVAID(ILS, VOR, NDB, TACAN) 기반의 발간된 비레이더접근과 관련된 레이더유도 제공에도 사용된다. 레이더유도(radar vector)는 발간된 IAP의 최종접근진로 또는 시각접근을 위한 교통장주까지의 진로유도를 제공하며, 신속하게 교통을 처리할 수 있도록 한다. 이러한 레이더업무를 제공하는 접근관제시설은 다음과 같은 방법으로 운영될 것이다.

(a) 도착항공기에게는 수직분리와 함께 비행중인 비행로에 가장 적합한 외측 fix까지 허가되고 필요 시 체공정보가 제공되며, 또는 ARTCC와 접근관제시설 간이나 두 접근관제시설 간에 레이더관제이양(radar handoff)이 이루어졌을 경우 항공기는 그 공항이나 항공기가 fix에 도달하기 전에 이양을 완료할 수 있는 지점에 위치한 fix까지 허가된다. 레이더 관제이양이 이용될 경우, 연이어 도착하는 항공기는 수직분리 대신 레이더분리되어 접근관제소에 이양될 수도 있다.

(b) 접근관제소로 이양된 후에 항공기는 최종접근진로(ILS, RNAV, GLS, VOR, ADF 등)로 레이더유도 된다. 항공기의 간격유지 및 간격분리가 필요한 경우, 레이더유도 및 고도나 비행고도가 발부된다. 따라서 조종사는 접근관제소가 발부한 기수방향(heading)을 위배해서는 안된다. 간격분리 또는 다른 이유로 최종접근진로를 교차하도록 레이더유도를 하여야 하는 경우 일반적으로 항공기에 이를 통보한다. 조종사가 접근진로 교차가 임박했는데도 항공기가 최종접근진로를 교차하도록 레이더유도될 것이라는 통보를 받지 못하였다면, 조종사는 관제사에게 확인하여야 한다.

(c) 조종사는 접근허가를 발부받지 않은 한 최종접근진로의 inbound로 선회해서는 안된다. 보통 이러한 허가는 최종접근진로의 진입을 위한 최종 레이더유도와 함께 발부되며, 항공기가 최종접근픽스에 도달하기 전에 최종접근진로로 진입할 수 있도록 조종사에게 레이더유도를 제공한다.

(d) 항공기가 이미 최종접근진로로 진입한 경우, 항공기가 최종접근픽스에 도달하기 전에 접근허가가 발부될 것이다. 최종접근진로에 진입하였을 때 레이더분리는 유지되며, 조종사는 허가에 주요 항법수단으로 지정된 접근보조시설(ILS, RNAV, GLS,

VOR, radio beacon 등)을 이용하여 접근을 완료하여야 한다. 따라서 조종사는 일단 최종접근진로로 진입했다면 ATC로부터 달리 허가를 받지 않는 한 이를 벗어나서는 안된다.

(e) 최종접근진로의 최종접근픽스를 통과한 후, 항공기는 최종접근진로로 계속 진입하여 접근을 완료하거나 그 공항의 발간된 실패접근절차에 따라야 한다.

2. ARTCC는 특정공항에 대한 접근관제업무를 인가하고 제공할 수 있다. 이러한 center에서 사용하는 레이더시스템은 접근관제시설에 사용되는 ASR/PAR 및 관제탑과 동일한 정밀도를 제공하지는 않으며 갱신율(update rate)도 빠르지 않다. 따라서 조종사는 최종접근진로의 진입여부를 보고하도록 요구받을 수도 있다.

3. 항공기가 해당 최종접근진로로 레이더유도 되는지 또는 발간된 비행로 상에서 자체항법을 제공하는 지의 여부에 관계없이, 착륙하였거나 또는 비관제공항에서 조언주파수로 변경할 것을 지시받은 경우 레이더업무는 자동으로 종료된다.

5-4-4. 계기접근에 대한 사전 정보(Advance Information on Instrument Approach)

a. 접근관제업무를 제공하며 둘 이상의 계기접근절차가 수립되어 있는 공항에 착륙하려는 경우, 조종사는 예상되는 접근의 종류 또는 시각접근을 위하여 레이더유도 될 수도 있다는 것을 도착 사전에 제공받을 것이다. 이 정보는 관제사나 ATIS에 의해 방송될 것이다. 정보는 시정이 3 mile 이상이고, 운고(ceiling)가 그 공항의 저고도 IAP에 설정된 가장 높은 최초접근고도(initial approach altitude) 이상일 때에는 제공되지 않는다.

b. 이러한 정보의 목적은 조종사가 도착시의 계획을 수립하는데 도움을 주기 위한 것이지만, 이것은 ATC 허가나 의무는 아니며 변경될 수 있다. 조종사는 사전에 발부받은 접근정보의 변경을 야기할 수 있는 기상변화, 바람방향의 변경, 활주로 차단 등과 같은 조건을 염두에 두어야 한다. 조종사가 ATC로부터 발부받은 접근을 수행할 수 없거나, 다른 종류의 접근을 원한다면 즉시 ATC에 통보하는 것이 중요하다.

c. 자동기상정보 방송성능이 있는 비관제공항으로 비행하는 항공기는 그 공항의 현재 기상을 확인하기 위하여 AOAS/AWSS/AWOS 주파수를 경청하여야 한다. 조종사는 기상방송을 청취하였을 때에는 ATC에 통보하고, 의도를 언급하여야 한다.

주(Note)

1. ASOS/AWSS/AWOS는 기상관측자에 의한 기상방송능력이 없는 비관제공항에서 1분 기상방송이 갱신되어 제공되도록 설정되어야 한다.
2. 관제사는 비관제공항의 자동기상시스템으로부터 장거리통신망을 통해 전파된 기상을 기상경향과 계획수립 정보로서만 고려하며, 공항의 현재 기상정보는 조종사에게 의존한다. 조종사가 최근의 기상방송을 받을 수 없다면 장거리통신망을 통해 최종적으로 전파된 기상이 조종사에게 발부될 것이다. IFR 업무를 받고 있을 때 조종사/운영자는 기상/시정이 접근/착륙에 적합한지의 여부를 판단할 책임이 있다.

d. 운영되는 관제탑 또는 FSS가 없는 공항에 IFR 접근을 할 때, ATC가 "change to advisory frequency approved"를 통보한 후 조종사는 수행할 접근의 종류, 위치를 포함한 의도를 방송하여야 하며, 그리고 inbound 최종접근픽스(비정밀접근) 상공 또는 외측마커나 inbound 외측마커 대신에 사용되는 픽스(정밀접근) 상공에서 의도를 방송하여야 한다. 다른 조종사의 보고를 청취하기 위하여 조종사는 해당 주파수(UNICOM 등)를 계속 경청하여야 한다.

5-4-5. 계기접근절차차트(Instrument Approach Procedure〔IAP〕 Chart)

a. 14 CFR 91.175(a)절 민간공항의 계기접근에서는 FAA 기관(ATC 포함)에 의해 달리 허가되지 않는 한, 14 CFR Part 97의 공항에 대하여 지정된 SIAP를 사용할 것을 규정하고 있다. 민간공항에 군 절차가 발간되어 있다면, 14 CFR Part 91

에 의거하여 운항하는 항공기는 민간절차(civil procedure)를 사용해야 한다. 민간절차는 절차차트 상단 중간의 괄호 안에 "FAA"를 기입하여, 즉 (FAA)로 나타낸다. DOD 절차는 괄호 안에 적용할 수 있는 군 업무의 약어를 사용하여, 즉 (USAF), (USN), (USA)로 나타낸다. 14 CFR 91.175(g)절 군 공항에서는 군 공항을 입출항하는 민간조종사는 IAP와 함께 공항을 관할하는 담당기관에 의해 규정된 이착륙최저치를 준수할 것을 요구하고 있다. 비상상황이 아닌 한, 일반적으로 군 공항으로 운항하려는 민간항공기는 통상 "사전허가요구(Prior Permission Required)" 또는 "PPR" 이라고 하는 사전허가를 받아야 한다. 특정 군 공항의 PPR 획득에 대한 정보는 미국 차트 보충판(Chart Supplement U.S.)에 수록되어 있다.

주(Note)

민간항공기는 항공교통관제사의 허가를 받은 경우 DOD 계기접근절차를 이용한 연습 VFR 접근을 할 수 있다.

1. IAP(표준과 특수, 민간과 군)는 TERP의 미국표준에 포함되어 있는 민군공용기준(joint civil and military criteria)을 근거로 한다. TERP에 포함된 기준에 의거한 IAP의 설계는 공항, 시설 및 주변환경, 지형, 장애물, 소음 민감도들 간의 상호관계를 고려한 것이다. 적절한 고도, 진로(course), 기수방향(heading), 거리 및 그 밖의 제한사항이 지정되고 승인되면 절차는 정부 및 상업용 지도제작업자에 의해 계기접근차트로 발간되고 배포된다.

2. 모든 IAP가 차트형태로 발간되지는 않는다. Radar IAP는 요건과 시설을 갖춘 공항에 설정되지만 해당 미국정부 비행정보 간행물에 표(tabular form)로 발간된다.

3. 계기접근절차에 따라 비행하기 위하여 필요한 항법장비는 차트의 절차 표제(title) 및 주석(note)에 표시된다.

(a) 직진입 IAP는 최종접근유도를 제공하는 항법시스템 및 접근이 정렬되는 활주로에 의해 식별된다 (예, VOR RWY 13). 선회접근은 최종접근유도를 제공하는 항법시스템과 문자(letter)에 의해 식별된다 (예, VOR A). 사선에 의하여 구분된 둘 이상의 항법시스템은 최종접근을 하기 위하여 두 종류 이상의 장비를 사용해야 한다는 것을 나타낸다 (예, VOR/DME RWY 31). 단어 "or"에 의해 구분된 둘 이상의 항법시스템은 최종접근을 하기 위하여 이 장비 중 어느 종류의 장비나 사용할 수 있다는 것을 나타낸다 (예, VOR or GPS RWY 15).

(b) 어떤 경우에는 다른 접근부분을 수행하거나 IAF까지 항행하기 위하여 레이더를 포함한 다른 종류의 항법시스템이 필요할 수도 있다 (예, ILS까지 NDB 절차선회, 실패접근에서의 NDB 또는 절차에 진입하거나 fix를 식별하기 위하여 필요한 레이더). 항공로환경에서 절차에 진입하기 위하여 레이더 또는 그 밖의 장비가 필요할 경우, 접근절차차트의 평면도에 주석(note)이 표기된다 (예, RADAR REQUIRED 또는 ADF REQUIRED). 실패접근을 포함하여 최종접근구역 외부의 절차구간에 레이더 또는 그 밖의 장비가 필요할 경우, 접근차트 조종사브리핑 부분의 note box에 주석(note)이 표기된다 (예, RADAR REQUIRED 또는 DME REQUIRED). 최종접근구역 외부에서 VOR이 필요할 경우 주석(note)이 표기되지 않는다. 조종사는 실패접근을 포함한 접근을 수행하기 위하여 필요한 항행안전시설을 항공기에 갖추어야 한다.

주(Note)

일부 군용(즉, 미공군 및 미해군) IAP에는 접근절차의 평면도에만 이러한 "추가 필요장비(additional equipment required)" 주석(note)이 표기되며, FAA가 사용하는 동일한 적용 표준을 따르지는 않는다.

(c) FAA는 최종접근진로로 비행하기 위하여 그 밖의 항행안전시설을 필요로 하는 ILS 접근차트에 LOC 접근을 표기할 때, LOC 접근에 대해 새로운 표기법(notation)을 적용하기 위한 프로그램을 착수하였다. LOC 최저치는 NAVAID required로 표기된다 (예, "DME Required" 또는 "RADAR Required"). 하지만 전환되는 동안에는 주석이 표

기되지 않는다.

(d) RVR에 의한 최저치가 적용되는 대부분의 ILS 접근에는 RVR 1800의 착륙최저치가 적합하다. 이러한 접근 중의 일부는 접지구역등과 중심선등을 갖춘 활주로에서 이루어진다. 접지구역등과 중심선등을 갖추지 않은 대부분의 활주로에서는 여전히 RVR 1800의 착륙최저치를 적용할 수 있다. 이러한 활주로의 경우, RVR 2400의 표준 ILS 최저치는 한 개나 두 개의 별표 또는 단검 부호(dagger symbol) "†"로 표기할 수 있다. 예를 들면 "** 696/24 200 (200/1/2)". 주석(note)은 "** RVR 1800 authorized with use of FD or AP or HUD to DA"가 언급한 차트 상에 제시된다. 조종사는 비행지시기(flight director), 인가된 자동경로추적능력(approach coupler)이 있는 자동조종장치, 또는 결심고도나 실패접근을 시작할 때 까지 전방표시장치(head up display)를 사용하여야 한다. 자동경로추적능력이 있는 자동조종장치를 사용하지 않는 한, 비행지시기(flight director) 만을 사용하는 단좌항공기 조종사는 안전을 도모하기 위하여 1800 RVR 최저치에서 접지구역등과 중심선등을 갖추지 않은 활주로에 접근해서는 안된다.

(e) 동일한 활주로에서 동일한 종류의 다수 접근절차에 대한 명칭 부여방법도 변경되고 있다. 동일한 유도에 의한 다수의 접근은 알파벳의 끝에서부터 시작하여 그 다음 절차에 대해 거꾸로 부여되는 알파벳 접미어로 표기된다 (예, ILS Z RWY 28, ILS Y RWY 28 등). ILS 2 RWY 28 또는 Silver ILS RWY 28와 같은 현재의 주석(annotation)은 단계적으로 폐지되고, 새로운 명칭으로 대체될 것이다. CAT Ⅱ와 CAT Ⅲ 명칭은 동일한 종류가 여러 개 있는 경우를 제외하고, 동일한 활주로의 다수 ILS를 구별하기 위하여 사용된다.

(f) WAAS를 이용한 LNAV, LP, LNAV/VNAV 및 LPV minima line으로의 RNAV (GPS) 접근, 그리고 GPS를 이용한 LNAV와 LNAV/VNAV minima line으로의 RNAV (GPS) 접근은 RNAV (GPS) RWY (숫자)로 표기된다 (예, RNAV (GPS) RWY 21). VOR/DME RNAV 접근은 계속 VOR/DME RNAV RWY (숫자)로 식별될 것이다 (예, VOR/DME RNAV RWY 21). GPS로 비행할 수 있는 VOR/DME RNAV 절차는 "or GPS"로 표기된다 (예, VOR/DME RNAV or GPS RWY 31).

(g) 성능기반항행(PBN; Performance-Based Navigation) Box. 챠트가 update되면 절차의 PBN 요건과 기존의 장비요건은 표준화된 주석 박스(note box)에 눈에 잘 띄게 표시된다. PBN 요소가 있는 절차의 경우 "PBN box"에는 절차의 NavSpec, 그리고 필요 시 항법계산에 필요한 특정 sensor나 기반시설, 추가 또는 고급 기능 요건, 최저 항행성능기준(RNP) 수치, 그리고 부연 설명 등이 포함된다. 이러한 PBN box에 수록되는 항목은 절차의 PBN 요소로 비행하기 위해서는 필수이다. 예를 들어 RNAV 실패접근이 있는 ILS는 절차의 실패접근구간을 비행하기 위해서는 특정한 성능이 요구된다. 요구 성능은 PBN box에 수록된다. 별도의 장비요건 box에는 지상기반장비 요건이 수록된다. PBN 요소와 지상기반 장비요건이 있는 절차에는 PBN 요건 box가 먼저 수록된다. 이러한 note의 게재는 모든 차트가 새로운 표준에 맞도록 수정될 때까지 꾸준히 증가할 것이다.

4. "Oklahoma City/Will Rogers World approaches are based on having a Will Rogers World altimeter setting"과 같이 달리 표기되지 않는 한, 접근최저치는 그 공항의 국지고도계수정치를 기준으로 한다. 다른 고도계 source가 필요하거나 둘 이상의 source가 허가된 경우에는, "use Sidney altimeter setting, if not received, use Scottsbluff altimeter setting"과 같이 접근차트 상에 표기된다. 비국지(nonlocal) 고도계 source가 허가된 경우에는 접근최저치가 높아질 수 있다. 둘 이상의 고도계 source가 허가되거나 최저치가 다른 경우, "use Manhattan altimeter setting; when not available use Salina altimeter setting and increase all MDAs 40 ft"와 같이 접근최저치 box 또는 주석(note)에 줄을 달리하여

표시된다. 항공교통관제기관 이외의 source로부터 고도계수정치를 받아야만 하는 경우에는 "Obtain local altimeter setting on CTAF"와 같이 source를 나타낸다. 접근의 기준이 되는 고도계수정치를 이용할 수 없는 경우, 접근은 허가되지 않는다. Baro-VNAV는 국지고도계수정치만을 이용하여 비행하여야 한다. 국지고도계수정치를 이용할 수 없는 곳에서 LNAV/VNAV line은 Baro-VNAV가 인가되지 않는다는 주석(note)을 가진 WAAS 수신기에 사용하기 위하여 발간될 것이다. 최소한 하나의 다른 고도계수정치 source가 인가된 국지지역에서 국지고도계수정치를 이용할 수 없을 경우, Baro-VNAV는 인가되지 않지만 LNAV/ VNAV 최저치는 대체고도계수정치 source를 사용하는 WAAS 수신기에 의해 여전히 사용될 수 있다.

주(Note)

Barometric 수직항법(baro-VNAV). 항공기고도계의 기압고도(barometric altitude) 정보를 사용하여 수직유도경로를 산출한 후 조종사에게 제공하는 RNAV 시스템 기능. 지정되는 수직경로는 전형적으로 두 waypoint 간의 기하학적 경로 또는 한 waypoint에서 계산된 각도로 산출된다. 추가지침은 권고회보 AC 90-105에서 살펴볼 수 있다.

5. 조종사가 IAP 차트에 표기된 고도, 비행경로와 기상최저치 및 레이더관제사가 발부한 레이더유도와 고도를 준수하면, 착륙접근시 지형과 장애물회피가 보장되고 활주로나 공항에 대한 정렬이 이루어진다.

6. IAP는 항공로환경으로부터 안전하게 착륙이 이루어질 수 있는 지점까지 IFR 강하를 제공하기 위하여 설정되었다. IAP는 계기비행상태에서 특정 공항의 안전한 강하를 보장하기 위하여 해당하는 민간 또는 군 담당기관에 의해 규정되고 인가된다. 조종사는 계기접근을 시도하기 전에 이러한 절차와 적용방법을 이해하여야 한다.

7. TERP 기준은 다음과 같은 종류의 계기접근절차에 적용된다.

(a) 정밀접근(Precision Approach; PA). ICAO 부속서 10의 정밀접근표준을 충족하는 진로 및 활공로 편차(course and glidepath deviation) 정보를 제공하는 항법시스템을 기반으로 하는 계기접근. 예를 들면, PAR, ILS 및 GLS는 정밀접근이다.

(b) 수직유도정보가 제공되는 접근절차(Approach with Vertical Guidance; APV). ICAO 부속서 10의 정밀접근표준을 충족할 필요는 없지만, 진로 및 활공로 편차정보를 제공하는 항법시스템을 기반으로 하는 계기접근. 예를 들면, Baro-VNAV, glidepath를 포함하고 있는 LDA, LNAV/VNAV 및 LPV는 APV 접근이다.

(c) 비정밀접근(Nonprecision Approach; NPA). 진로 편차정보는 제공하지만 활공로 편차정보는 제공하지 않는 항법시스템을 기반으로 하는 계기접근. 예를 들면, VOR, NDB 및 LNAV. i절, Vertical Descent Angle(VDA) on Nonprecision Approaches에 기재된 것처럼, 절차의 비행에 수직강하각(VDA)의 사용을 규정하고 있지 않더라도 일부 접근절차에서 안정된 접근비행의 보조도구로서 수직강하각(VDA)을 제공할 수 있다. 그렇더라도 여전히 MDA까지 비행하여야 하며 glidepath로 평가하지는 않기 때문에 이러한 접근이 APV 절차가 되는 것은 아니다.

b. 규정된 고도를 계기접근차트 상에 표기하는 방식은 차트 발간업체의 사용하는 방법에 따라 서로 다르다. 규정된 고도는 최저, 최대, 의무 및 권고고도의 네 가지 다른 형태로 표기될 수 있다. 미국정부는 국립지리정보국(NGA) 및 FAA에서 제작한 차트를 배포한다. 고도는 최저, 최대, 의무 또는 권고고도를 식별하기 위하여 밑줄, 윗줄, 둘 다 또는 아무 표시도 없이 차트 상의 측면도에 표기된다.

1. 최저고도(minimum altitude)는 고도치(altitude value)에 밑줄을 그어 표기한다. 항공기는 표기된 값 이상의 고도를 유지하여야 한다. 예, $\underline{3000}$

2. 최대고도(maximum altitude)는 고도치에 윗줄을 그어 표기한다. 항공기는 표기된 값 이하의 고도를 유지하여야 한다. 예, $\overline{4000}$

3. 의무고도(mandatory altitude)는 고도치

에 밑줄 및 윗줄 모두를 그어 표기한다. 항공기는 표기된 값의 고도를 유지하여야 한다. 예, 5000

4. 권고고도(recommended altitude)는 밑줄이나 윗줄이 없는 채로 표기한다. 이 고도는 강하 계획수립에 사용하기 위해 표기된다. 예, 6000

주(Note)

1. 어떤 경우에는 규정된 고도가 ATC에 의해 항공기 수직분리의 기준으로 사용될 수도 있기 때문에 조종사는 규정된 고도를 유지하기 위하여 주의를 기울어야 한다. ATC 허가에 표기된 고도가 명시되어 있을 경우, 그 고도는 위에서 정의한 의무고도(mandatory altitude)가 된다.

2. ILS glide slope는 발간된 활공로회류고도(glide slope intercept altitude)로 진입하기 위한 것이다. 이 지점은 PFAF를 나타내며 미국정부차트에 "번개 모양(lightning bolt)" 부호로 표기된다. 이 고도에서 glide slope로 진입하는 위치가 최종접근구역의 시작지점이 되며, 접근하기 위하여 활공로회류고도로부터 가장 낮은 발간된 결심고도로 강하하는 동안 필요한 장애물회피를 보장한다. 발간된 활공로회류고도 이전에 glide slope의 진입 및 추적(tracking)이 강하하는 동안 이전의 fix에 대하여 발간된 최저, 최대, 의무 또는 권고고도의 준수를 반드시 보장하는 것은 아니다. 조종사가 활공로회류고도 이전에 glide slope에 진입하기로 하였다면 이어지는 강하에서 이전의 단계강하(stepdown) fix에 대하여 발간된 고도를 준수할 책임을 갖는다.

3. 동시(평행)독립 및 동시근접평행 운항에 사용되는 접근은 접근허가가 발부된 고도에서 절차에 따라 glideslop로 강하하는 것을 필요로 한다 (그림 5-4-14 및 5-4-15 참조). 동시근접평행(PRM) 접근의 경우, 사용자주의사항 페이지(Attention All Users Page)에 glideslope/glidepath에서의 강하가 모든 통과제한을 충족한다는 것을 나타내는 주석(note)이 표기될 수 있다. 그러나 이러한 주석이 표기되어 있지 않고 AAUP가 발간되지 않은 동시독립접근(활주로 분리 4,300 ft 초과)의 경우, 조종사는 동시운항동안 발간된 통과제한을 준수할 수 있도록 PFAF의 외부에서 주의를 기울여 glideslope/path의 강하를 감시하여야 한다.

4. 평행접근진로의 간격이 2,500 ft 미만이고 감소된 일렬간격이 동시독립운항에 허가된 경우, 동시운항에 수직유도의 사용이 필요하고 조종사는 glide slope에 진입할 때 까지 최종적으로 배정받은 고도를 유지하여야 한다는 내용이 차트 주석(note)에 표기된다. 이러한 접근은 항적난기류 경감을 위해 절차에 따라 ILS glide slope의 이용을 필요로 한다. 조종사는 이러한 동시독립운항을 PRM이 접근표제에 제시된 (SOIA) 동시근접평행 PRM 접근과 혼동해서는 안된다.

5. 최종접근구역 내의 단계강하(stepdown) fix에 표기된 고도제한은 MDA로 삭별된 직진입 또는 선회접근 minima line으로 비정밀접근절차 비행할 때 적용할 수 있다. 최종접근구역 내에서 단계강하 고도제한은 DA(H)로 식별된 정밀접근 (ILS) 또는 수직유도정보가 제공되는 접근절차 (LPV, LNAV/VNAV)를 사용하는 조종사에게는 이러한 접근에 의한 장애물회피는 해당 수직유도를 따르는 항공기를 기반으로 하기 때문에 적용하지 않는다. 최종접근구역 외부(즉, 최초 또는 중간구역)에서 조종사는 비행하고 있는 절차의 유형에 관계없이 단계강하 fix 고도를 준수할 책임이 있다. (그림 5-4-1 참조)

c. 최저안전고도(MSA; Minimum Safe/Sector Altitudes)는 긴급한 경우에 사용하기 위하여 IAP 차트에 게재된다. MSA는 모든 장애물로부터 상공 1,000 ft의 회피를 제공하지만 허용 항법신호통달범위(navigation signal coverage)를 반드시 보장하지는 않는다. 접근차트의 평면도(plan view)에서 MSA 표기에는 MSA 중심점(center point)의 식별부호, MSA의 적용반경, 구역(sector)의 표기, 그리고 해발고도로 나타낸 장애물회피를 제공하는 최저고도가 포함된다. 기존 항법시스템에서 MSA는 일반적으로 IAP에 입각한 일차전방향성시설(primary omnidirectional facility)을 기반으로 하지만, 이용할 수 있는 적합한 시설이 없다면 공항표점(airport reference point)을 기반으로 할 수 있다. RNAV 접근에서 MSA는 RNAV waypoint를 기반으로 한다. MSA는 보통 반경 25 NM 이지

만 기존 항법시스템의 경우, 공항의 착륙구역을 포함하기 위하여 필요하면 30 NM 까지 반경을 확장할 수 있다. 일반적으로 하나의 안전고도가 설정되지만, MSA가 시설을 기반으로 하고 장애물회피를 위하여 필요한 경우 4개 구역까지 MSA를 설정할 수 있다.

그림 5-4-1. 계기접근절차 단계강하 Fix(Instrument Approach Procedure Stepdown Fixes)

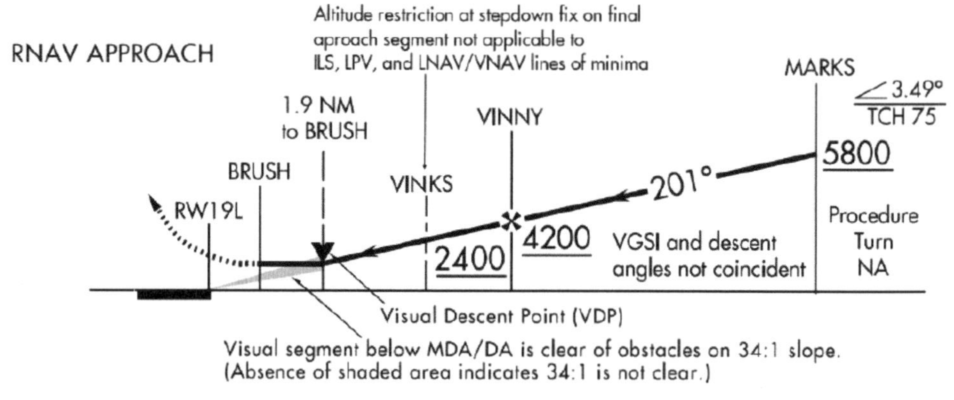

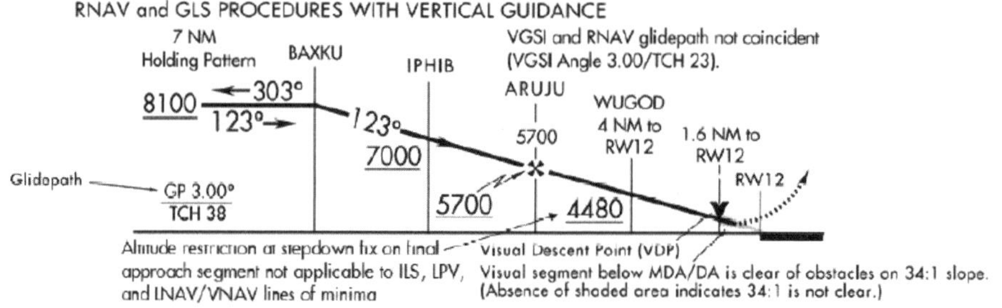

d. 터미널도착구역(Terminal Arrival Area; TAA)

1. TAA는 지역항법(RNAV) 시스템을 갖춘 항공기에게 항공로구조로부터 조종사/관제사 상호작용이 거의 필요없는 터미널환경으로 연속적인 전환을 제공한다. TAA는 TAA 경계선 내에서 운항할 때 표준장애물회피를 포함한 최저고도를 제공한다. RNAV가 IF까지의 항행에 유일한 수단인 경우 TAA는 주로 RNAV 접근에 사용하지만 ILS 접근에 사용할 수도 있다. 그렇지만 항공교통이 매우 집중된 구역에서는 일반적으로 TAA를 사용하지 않는다.

2. TAA의 기저가 되는 RNAV 절차의 기본적인 설계는 일반적으로 "T" 설계("기본 T"라고도 한다)이다. "T" 설계는 중간픽스(intermediate fix)와 최초접근픽스 둘 다의 기능을 하는 이중 목적의 IF/IAF 외에 두 개의 IAF를 포함하고 있다. T 형태는 IF/IAF로부터 최종접근픽스(FAF)까지, 그리고 다음에 실패접근지점(MAP)까지 이어진다. 2개의 베이스경로(base leg) IAF는 통상적으로 IF/IAF와 연결되는 중간진로(intermediate course)에 직각인 직선으로 정렬된다. Hold-in-Lieu-of Procedure Turn(HILPT)은 IF/IAF에서 이루어지며 "hold-in-lieu-of-PT" 체공장주부호를 이용하는 미국정부간행물에 표기된다. 진로정렬 또는 강하에 HILPT가 필요한 경우, 이중 목적의 IF/IAF는 장주로 진입하는 동안 IAF로서의 역할을 한다. HILPT 장주로 진입한 다음 비행로 또는 "NoPT"라고 표기된 구역으로 비행할 경우, 이중 목적의 fix는 IF로서의 역할을 하며 중간구역의 시작지점이 된다. 기본적인 "T" TAA 형태에 대해서는 그림 5-4-2 및 5-4-3을 참조한다.

그림 5-4-2. 기본 "T" 설계(Basic "T" Design)

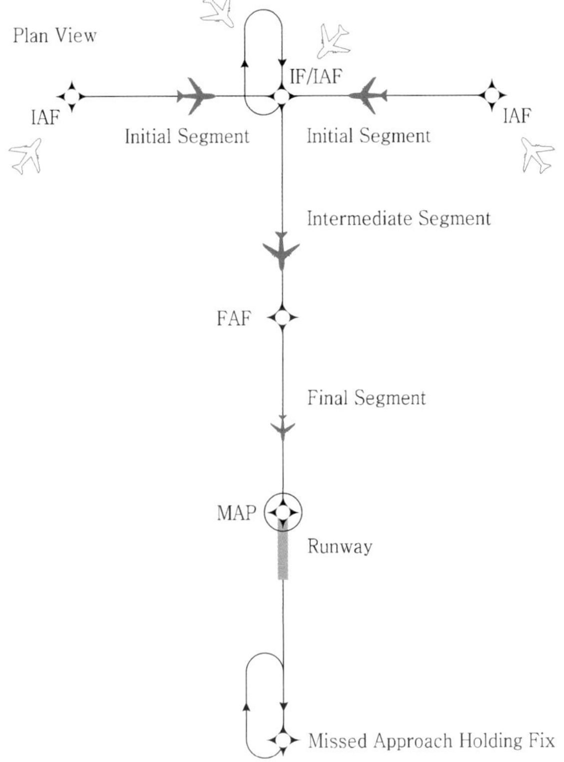

그림 5-4-3. 기본 "T" 설계(Basic "T" Design)

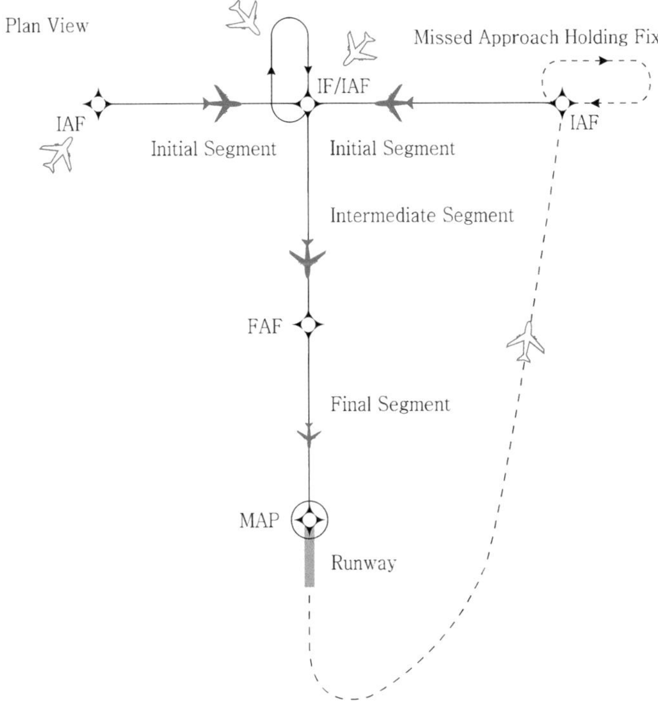

그림 5-4-4. TAA 구역(TAA area)

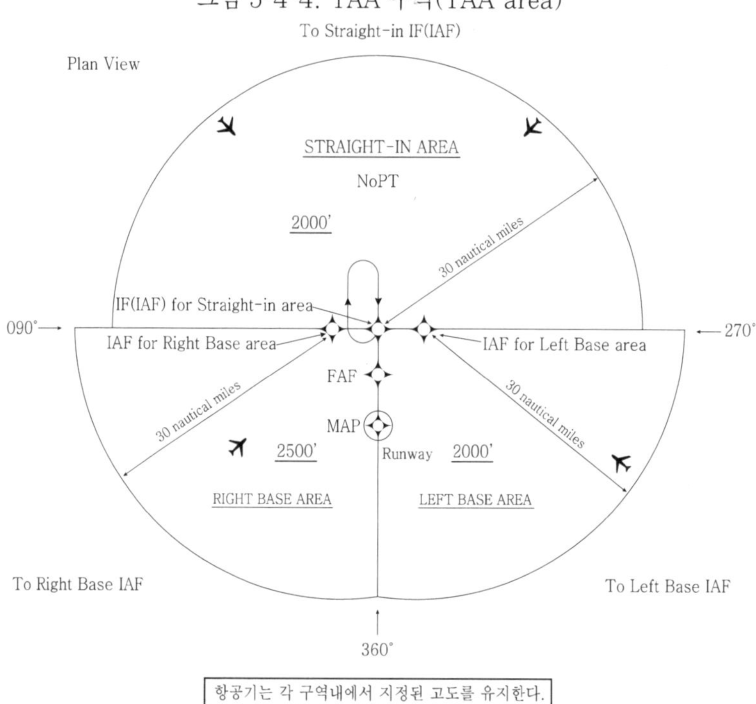

3. "T" 설계를 기반으로 하는 표준 TAA는 최초접근픽스(IAF) leg 및 IF/IAF에서 시작되는 중간구역진로(intermediate segment course)에 의해 정해지는 3개의 구역으로 이루어진다. 이 구역을 직진입, 좌측-base 그리고 우측-base 구역이라고 한다 (그림 5-4-4 참조). TAA 구역 횡적경계선은 IF/IAF에 대한 자항로(magnetic course)에 의해 식별된다. 직진입(Straight-in) 구역은 (IF/IAF)에 대한 자항로로 식별된 경계선에 의해 pie 형태의 구역으로 더 분할될 수 있으며, IF/IAF로부터의 RNAV 거리를 기준으로 하는 원호로 지정된 단계강하 부분(stepdown section)을 포함할 수 있다 (그림 5-4-5 참조). 우측/좌측-base 구역만 이 구역의 IAF부터의 RNAV 거리를 기준으로 하는 원호를 사용하여 다시 분할될 수 있다.

4. 절차에 따른 터미널지역으로부터 진입은 일반적으로 배정된 no procedure turn(NoPT) 비행로 또는 course reversal 기동을 통하여 이루어진다. 특정한 TAA 구역 내에서 비행할 때 진로를 역으로 전환(course reversal)하는 것이 허가되지 않은 경우, 이를 나타내기 위하여 발간되는 절차에는 "No PT"라고 표기된다. 그렇지 않다면 14 CFR 91.175절의 규정에 의하여 진로를 역으로 전환한다. 조종사는 진로를 역으로 전환하는 장주(course reversal pattern)가 절차에 규정되어 있지 않는 경우에도 이를 사용할 수 있지만 절차를 시작하기 전에 항공교통관제기관으로부터 허가를 받아야 한다.

(a) ATC는 항공기가 TAA 내에서 90°를 초과하는 교차각(intercept angle)으로 좌측 베이스경로(base leg) 또는 우측 베이스경로 IAF로 진입하는 것을 허가해서는 안된다. 조종사는 구역 또는 절차 구역이 "NoPT"라고 표기된 경우 HILPT course reversal을 해서는 안된다.

(b) ATC는 IF/IAF 까지의 진로가 "NoPT"라고 표기된 직진입구역 이내에 있고, 교차각이 90°를 초과하지 않으면 항공기에게 IF/IAF라고 표기된 fix까지 직선비행을 허가할 수도 있다. 조종사는 IF/IAF로 직진비행하여 직진입접근을 한다. HILPT course reversal을 해서는 안된다. 또한 조종사는 ATC가 레이더유도와 IF/IAF까지의 감시를 제공하고 "직진입"접근 허가를 발부한 경우에는 직진입접근을 한다. 그렇지 않다면 조종사는 HILPT course reversal을 한다.

(c) 드문 일이지만, ATC는 명칭 또는 특정한

IAF를 명시하지 않은 특정절차에 의해 접근절차를 명시하지 않고 공항에서 항공기에게 접근을 허가할 수 있다 (예를 들면, "cleared RNAV Runway 34 approach"). 둘 중 어느 하나의 경우에 조종사는 항공기가 TAA로 진입하여 그 지점에서 접근진로로 진입할 구역과 관련된 IAF 또는 IF/IAF로 직진비행하고, 그 구역에서 필요하다면(즉, 구역이 "NoPT"라고 표기되어 있지 않다면) HILPT course reversal을 하여야 한다.

주(Note)
구역 경계선 상의 방위(bearing)로 접근한다면 조종사는 ATC에 의해 달리 지시되지 않는 한 설정된 "NoPT" 비행로에 따라 비행하여야 한다.

그림 5-4-5. 분할된 TAA 구역(Sectored TAA Areas)

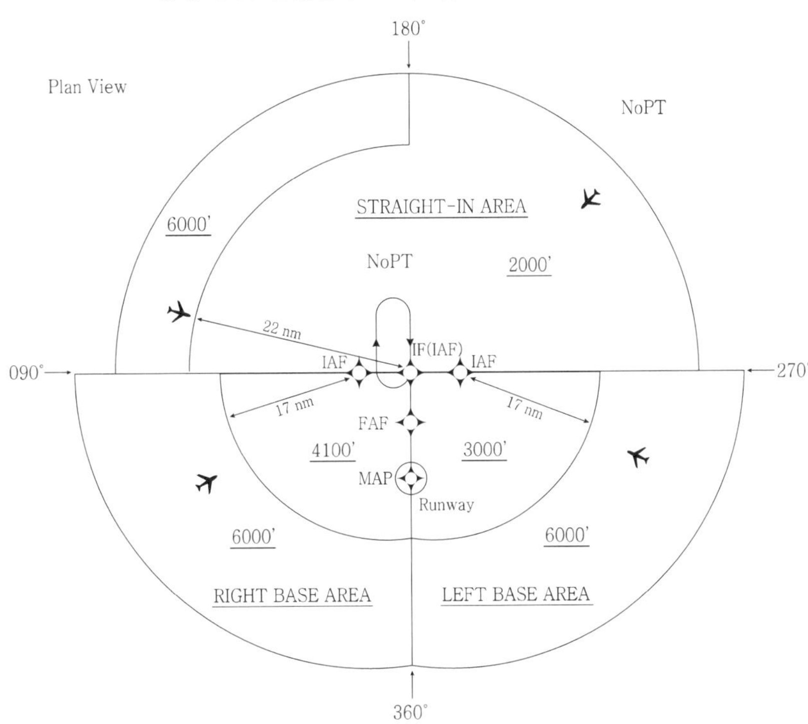

5. TAA 내의 발간된 고도는 MSA 고도를 대신한다. 하지만 MSA 고도와 달리 TAA 고도는 운항상 고도로 사용할 수 있다. 이 고도는 최소한 1,000 ft, 그리고 산악지역에서는 더 높은 고도의 장애물 회피를 제공한다. 조종사는 최저고도 요건을 준수하기 위하여 항공기가 TAA의 어느 구역으로 진입해야 할지를 아는 것이 중요하다. 조종사는 IF/IAF라고 표기된 fix에 대한 항공기의 자방위(magnetic bearing)를 판단함으로서 항공기가 TAA의 어느 구역으로 진입해야 할지를 결정할 수 있다. 다음에 방위를 TAA 구역을 지정하는 발간된 횡적 경계선 방위와 비교하여야 한다. 위치를 판단하기 위하여 우측-base 또는 좌측-base IAF에 대한 자방위를 사용해서는 안된다.

(a) 접근허가가 포함되지 않은 IAF 또는 IF/IAF까지의 ATC 직진허가는 조종사가 더 낮은 TAA 고도로 강하하는 것을 허가하는 것이 아니다. 조종사가 접근허가를 받지 않고 더 낮은 고도로 강하하기를 원한다면 ATC로부터 더 낮은 TAA 고도를 요청하여야 한다. 허가여부를 확신할 수 없는 조종사는 ATC에 허가여부를 확인하거나 특정 허가를 요청하여야 한다. 양방향무선통신이 두절(14 CFR 91.185절, IFR Operations: Two-way Radio Communications Failure)된 경우, TAA로 진입하는 조종사는 해당 IAF에 도달하기 전까지 91.185 (c)(2)절에 기술된 가장 높은 고도를 유지하여야 한다.

그림 5-4-6. RNAV (GPS) 접근차트(RNAV (GPS) Approach Chart)

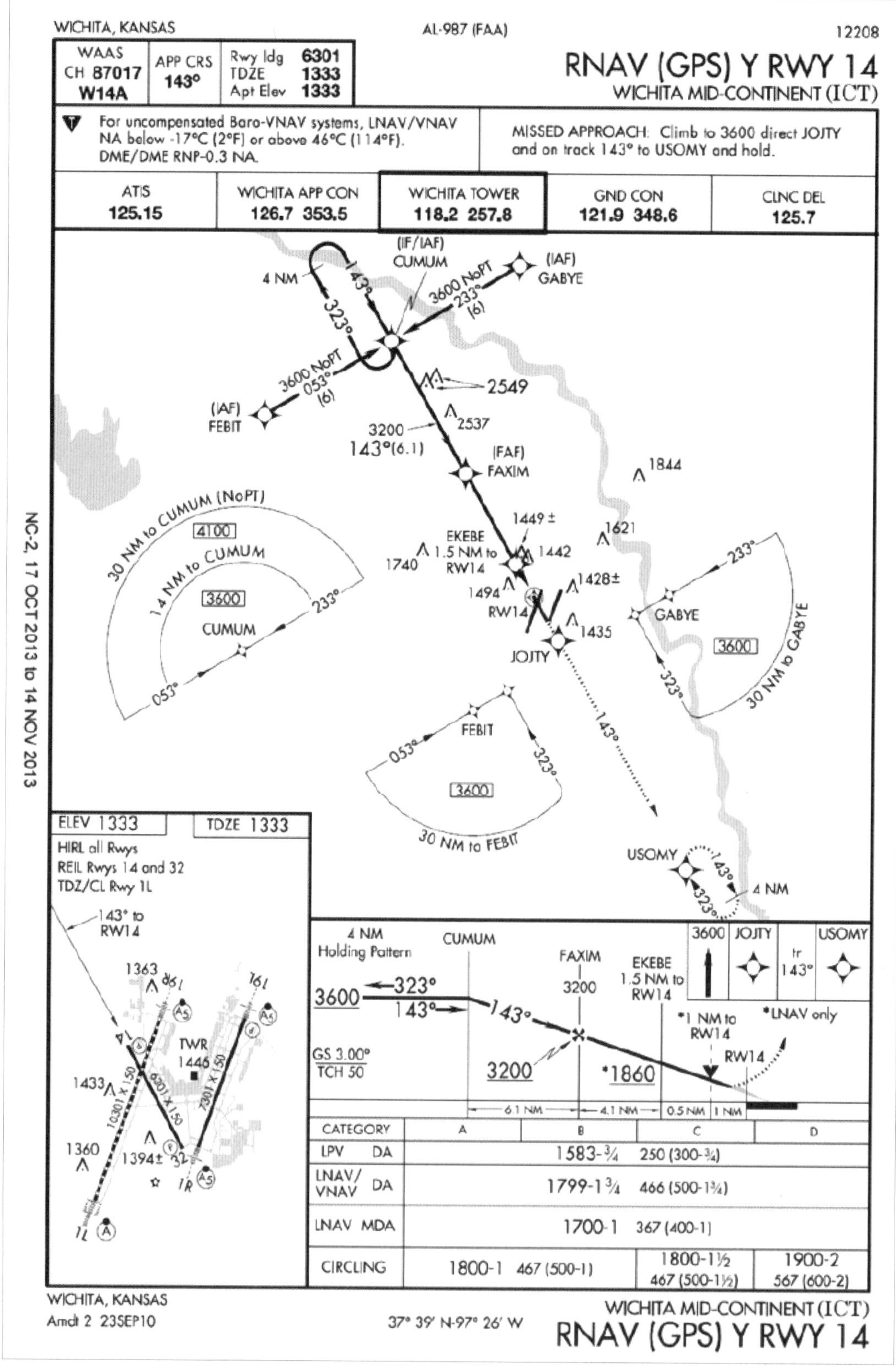

WICHITA, KANSAS
AL-987 (FAA)
12208

WAAS CH 87017 W14A	APP CRS 143°	Rwy ldg 6301 TDZE 1333 Apt Elev 1333

RNAV (GPS) Y RWY 14
WICHITA MID-CONTINENT (ICT)

For uncompensated Baro-VNAV systems, LNAV/VNAV NA below -17°C (2°F) or above 46°C (114°F). DME/DME RNP-0.3 NA.

MISSED APPROACH: Climb to 3600 direct JOJTY and on track 143° to USOMY and hold.

ATIS	WICHITA APP CON	WICHITA TOWER	GND CON	CLNC DEL
125.15	126.7 353.5	118.2 257.8	121.9 348.6	125.7

(IF/IAF)
CUMUM
4 NM
143°
323°
3600 NoPT
233°
(6)
(IAF)
GABYE
3600 NoPT
053°
(6)
(IAF)
FEBIT
2549
2537
3200
143°(6.1)
(FAF)
FAXIM
1844
30 NM to CUMUM (NoPT)
4100
14 NM to CUMUM
3600
CUMUM
233°
053°
1449 ±
1621
EKEBE
1.5 NM to RW14
1740
1442
1494
1428±
RW14
1435
JOJTY
233°
GABYE
3600
30 NM to GABYE
323°
FEBIT
053°
323°
3600
30 NM to FEBIT
143°
USOMY
143°
323°
4 NM

ELEV 1333
TDZE 1333
HIRL all Rwys
REIL Rwys 14 and 32
TDZ/CL Rwy 1L
143° to RW14
1363
TWR 1446
1433
1360
1394±
10301 X 150
6301 X 150
7301 X 150
1L
1R
19L
19R
14
32

4 NM Holding Pattern
CUMUM
FAXIM
3200
EKEBE
1.5 NM to RW14
3600
JOJTY
tr 143°
USOMY
3600
323°
143°
143°
GS 3.00°
TCH 50
3200
*1860
*1 NM to RW14
*LNAV only
RW14
6.1 NM
4.1 NM
0.5 NM
1 NM

CATEGORY	A	B	C	D
LPV DA	1583-¾ 250 (300-¾)			
LNAV/VNAV DA	1799-1¾ 466 (500-1¾)			
LNAV MDA	1700-1 367 (400-1)			
CIRCLING	1800-1 467 (500-1)		1800-1½ 467 (500-1½)	1900-2 567 (600-2)

WICHITA, KANSAS
Amdt 2 23SEP10
37° 39′ N-97° 26′ W
WICHITA MID-CONTINENT (ICT)
RNAV (GPS) Y RWY 14

NC-2, 17 OCT 2013 to 14 NOV 2013

(b) 접근허가를 받으면 조종사는 항공교통관제기관에 의해 달리 지시되지 않는 한, TAA 구역에서 한정된 구역/하위구역 내의 표기된 최저고도까지 강하할 수 있다. 조종사는 TAA 내에서 IF/IAF부터 FAF까지 정상강하가 이루어질 수 있도록 계획을 수립하여야 한다. 그림 5-4-5에서 좌측-base 또는 우측-base 구역 내부의 조종사는 관련 IAF의 17 NM 이내에 들어오기 전까지는 6,000 ft의 최저고도를 유지하여야 한다. 17 NM 원호를 통과한 후에는 차트화된 더 낮은 고도까지의 강하가 허가된다. 북서쪽에서 접근하는 조종사는 6,000 ft의 최저고도를 유지하고, IF(IAF)의 22 NM 내에서는 IF(IAF)를 통과할 때 까지 2,000 ft MSL의 최저고도로 강하한다.

6. 미국정부차트는 평면도의 실제 접근절차표기 외부에 위치하는 icon을 사용하여 TAA를 표기한다 (그림 5-4-6 참조). "T" 절차의 어느 부분(고도, 진로, 최저고도 등)이 가려지지 않도록 하기 위하여 icon의 사용이 필요하다. 각 TAA 구역에 대한 icon은 평면도에 위치하고 접근절차에서 도착방향과 관련된 방향을 나타내며, 모든 TAA 최저고도와 구역/반경(sector/radius) 하위구역을 표시한다. TAA의 각 구역에 대한 IAF는 조종사가 접근절차에서 icon으로 향하는 것을 돕기 위하여 접근 시에 나타나는 icon에 포함된다. IAF 명칭 및 IAF에서부터 TAA 구역 경계선까지의 거리는 TAA 구역 icon의 바깥쪽 원호(outside arc)에 포함되어 있다.

7. TAA는 운항요건 및 ATC 요건을 충족시키기 위하여 표준 크기 및 형태가 변형될 수 있다. 일부 구역이 확장되는 반면 다른 구역은 제거될 수 있다. "T" 설계는 지형 또는 ATC 사정을 고려하여 필요한 경우 절차설계자에 의해 변형될 수 있다. 예를 들어, "T" 설계는 규칙적이거나 불규칙적인 "Y" 형태에 가깝게 보이거나, 뒤집힌 "L" 또는 "I" 형태를 가질 수도 있다.

(a) 그림 5-4-6은 좌측 base leg 및 우측 base leg가 없는 TAA를 나타낸다. 여기의 일반적인 예에서, 271°에서 시계방향으로 089°까지의 IF/IAF 방위(bearing)로 접근하는 조종사는 IF/IAF에서 필요로 하는 90° 초과 선회량으로 인하여 진로를 역으로 전환하여야 한다. 용어 "NoPT"는 TAA 다른 부분의 TAA icon 경계선 상에 표기된다.

(b) 그림 5-4-8은 조종사가 마주칠 수 있는 또 다른 TAA의 변형을 나타낸다. 여기의 일반적인 예에서는 좌측 base 구역 및 직진입구역이 제거되었다. TAA 내에서 210°에서 시계방향으로 360°까지의 IF/IAF 방위(bearing)로 접근하는 조종사는 IF/IAF로 직진비행한 다음 중간구역으로 진입하기 위하여 항공기를 정확하게 정렬시키거나 과도한 강하율을 피하기 위해 진로를 역으로 전환하여야 한다. 001°에서 시계방향으로 090°까지의 IF/IAF 방위 구역에서 운항하는 조종사는 좌측 base IAF로 직진비행하여야 하며, course reversal 기동을 해서는 안된다. ATC로부터 IF/IAF로 직진을 허가받은 이 구역의 항공기는 HILTP를 하여야 한다. 091°에서 시계방향으로 209°까지의 IF/IAF 방위로 운항하는 항공기는 IF/IAF로 직진비행하여야 하며 진로를 역으로 전환해서는 안된다. 이러한 두 구역이 접근차트의 평면도 상에 제시될 때는 이 구역에 있는 TAA icon의 경계선 상에 "NoPT"가 표기된다.

(c) 그림 5-4-9는 우측 base leg 및 직진입구역의 일부분이 없는 TAA를 나타낸다.

8. 항공로가 TAA 횡적경계선을 통과하지 않을 경우, 항공로구조에서 해당 IAF로의 전환을 제공하기 위하여 항공로 fix나 NAVAID에서 TAA 경계선까지 전이로(feeder route)가 설정된다. 각 전이로는 TAA 경계선에서 제거되고, 관련된 IAF로 향하는 경로를 따라 일직선이 된다. 조종사는 TAA 경계선을 통과한 후 ATC로부터 접근허가를 받고 TAA 고도로 강하하여야 한다. (그림 5-4-10 참조)

9. 실패접근 waypoint를 제외한 "T"의 각 waypoint에는 발음이 가능한 5자리 명칭이 배정된다. 이 명칭은 ATC 통신, RNAV 데이터베이스 및 항법산출물에 사용된다. 실패접근 waypoint가 활주로시단에 위치하지 않을 경우에는 발음이 가능한 명칭이 배정된다.

그림 5-4-7. 좌측과 우측 base 구역이 없는 TAA
(TAA with Left and Right Base Areas Eliminated)

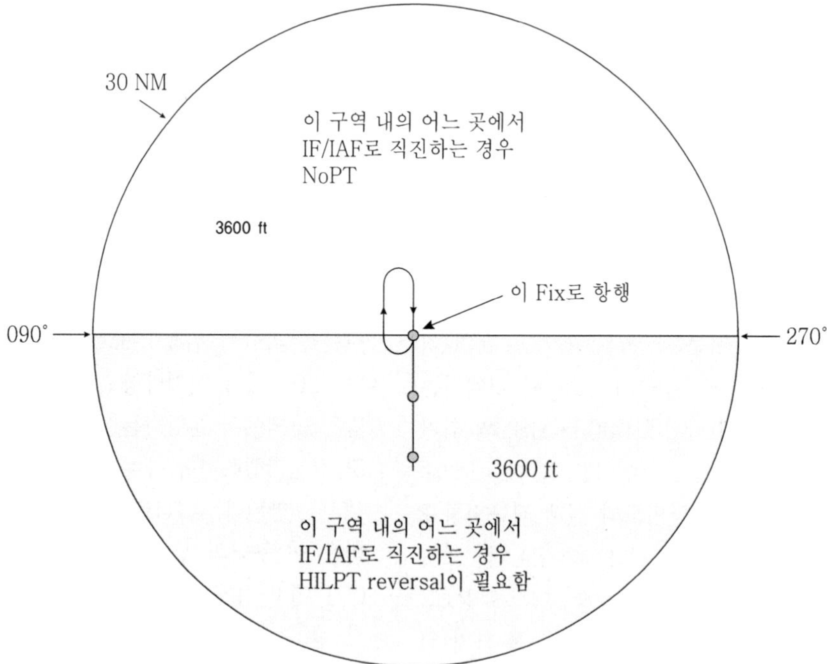

그림 5-4-8. 좌측 base 구역 및 직진입구역의 일부분이 없는 TAA(TAA with Left Base and Part of Straight-In Area Eliminated)

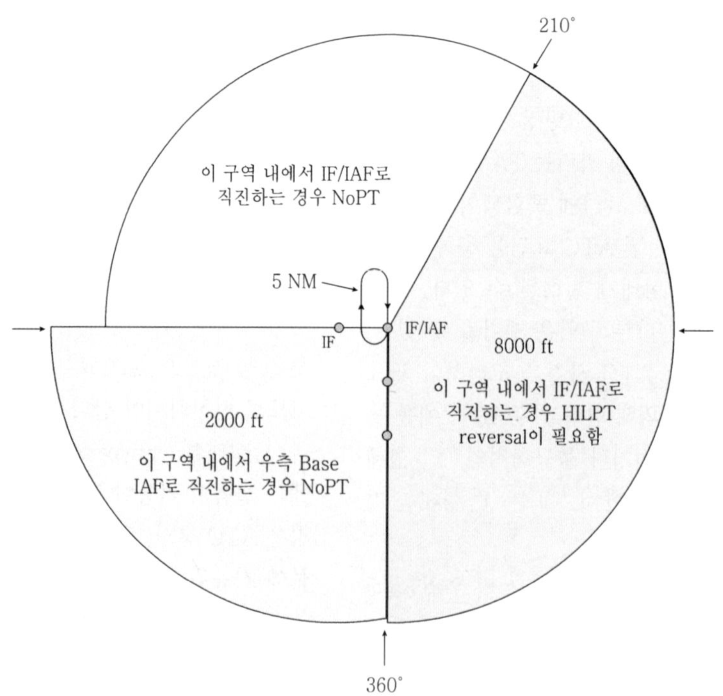

그림 5-4-9. 우측 base가 없는 TAA(TAA with Right Base Eliminated)

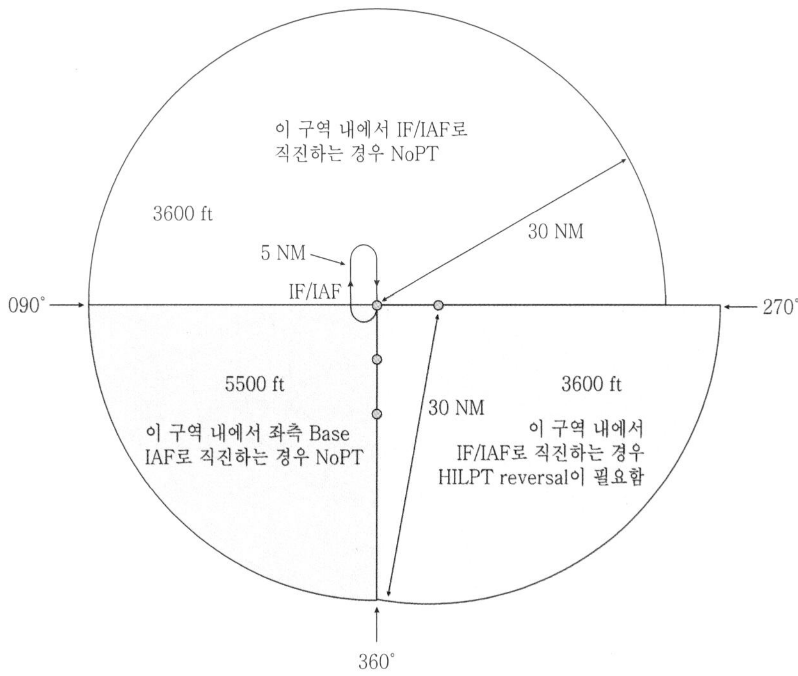

그림 5-4-10. 항공로로부터의 전이로가 있는 TAA의 예(Examples of a TAA with Feeders from an Airway)

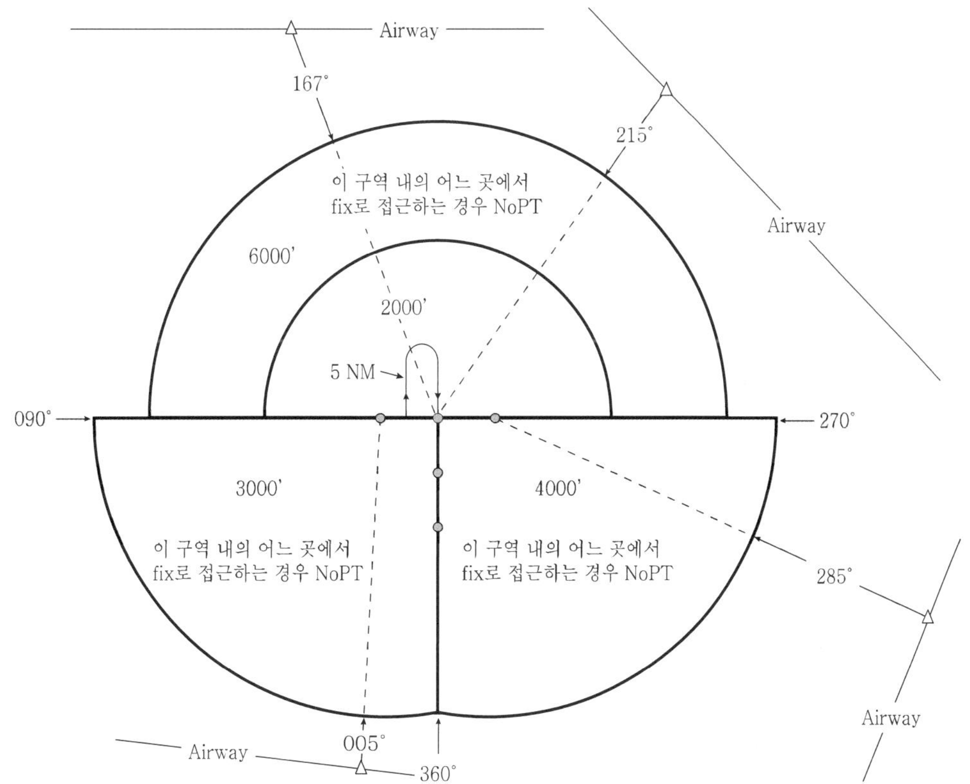

그림 5-4-11. 최저레이더유도고도 차트(Minimum Vectoring Altitude Charts)

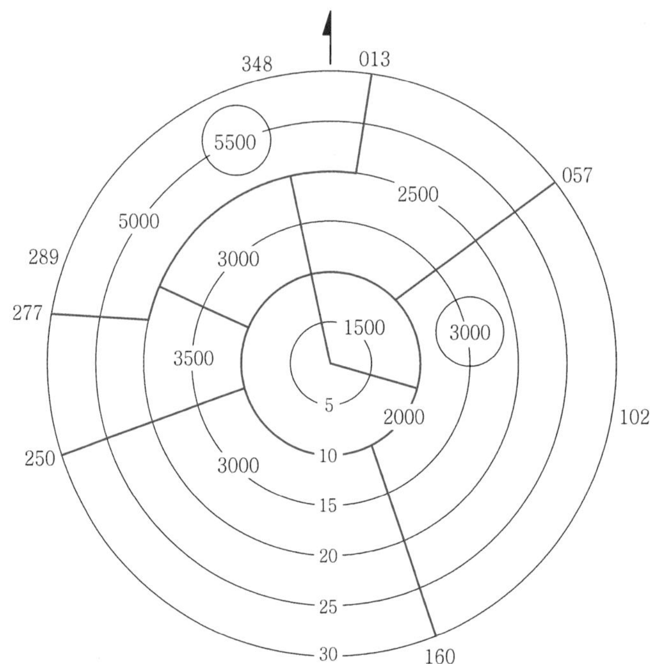

e. 최저레이더유도고도(MVA; Minimum Vectoring Altitudes)는 레이더항공교통관제가 행해질 때 ATC가 사용할 수 있도록 설정된다. MVA 차트는 다수의 서로 다른 최저 IFR 고도가 있는 지역을 대상으로 항공교통시설에 의해 작성된다. 각 MVA 차트는 구역(sector) 내에서 MVA로 항공기를 레이더유도할 수 있는 충분한 크기의 구역으로 구성된다. 각 구역의 경계선은 MVA를 결정하는 장애물로부터 최소한 3 mile의 거리에 있다. 따로 떨어진 돌출 장애물로 인하여 지나치게 높은 MVA를 가진 대형구역이 되지 않도록 장애물은 경계선이 장애물로부터 최소 3 mile 인 완충구역(buffer area)으로 둘러 싸여있다. 이것은 장애물 주변의 레이더유도를 촉진하기 위하여 만들어진 것이다. (그림 5-4-11 참조)

1. 각 구역의 최저레이더유도고도는 비산악지역에서는 가장 높은 장애물로부터 상공 1,000 ft로 되어 있으며, 지정된 산악지역에서는 가장 높은 장애물로부터 상공 2,000 ft로 되어 있다. 지정된 산악지역에서 터미널비행로에 적합하도록 하거나 IAP까지 레이더유도 할 수 있도록 하기 위하여 더 낮은 MVA가 필요한 경우, 공항감시레이더(ASR)의 사용과 함께 1,000 ft의 장애물회피가 허가될 수 있다. 최저레이더유도고도는 관제공역의 하한고도(floor)로부터 최소한 상공 300 ft로 되어 있다.

주(Note)

OROCA는 미국 내의 비산악지역에서 1,000 ft 완충구역 및 지정된 산악지역에서는 2,000 ft 완충구역의 장애물회피를 제공하는 항공로이탈(off-route) 고도이다. 이 고도는 지상기반 항행안전시설, 항공교통관제 레이더의 신호통달범위 또는 통신범위가 아닐 수도 있다.

2. MVA를 고려해야 할 구역의 다양성, 이러한 구역에 적용되는 서로 다른 최저고도, 그리고 특정 장애물을 격리할 수 있는 기능으로 인하여 일부 MVA는 비레이더 최저항공로고도(MEA), 최저장애물회피고도(Minimum Obstruction Clearance Altitudes; MOCA) 또는 주어진 장소의 차트에 표기된 다른 최저고도보다 낮을 수도 있다. 레이더유도되는 동안 ATC는 MVA 이상의 IFR 고도를 배정한다.

3. MVA/MIA는 TAA 최저고도보다 낮을 수 있다. ATC가 항공기에 TAA 최저고도보다 낮은 고도

를 배정했다면, 항공기에게는 발간된 비행로 또는 계기접근절차 구간에 진입하거나, 또는 TAA 고도로 상승할 때 까지 유지하여야 할 고도를 배정한다.

f. 선회(Circling). RNAV (GPS) 접근차트에 표기되는 선회최저치(circling minimums)는 LNAV/VNAV minima line보다 낮을 수 있지만 LNAV minima line(직진입접근)보다 낮지는 않다. 접근 및 선회기동이 항공기 category 및 운용한계에 따라 적절하게 이루어진다면 조종사는 공고된 선회 minima line으로 안전하게 선회기동을 할 수 있다.

그림 5-4-1. LNAV/VNAV DA보다 낮은 LNAV 및 선회최저치의 예. Harrisburgh International RNAV (GPS) RWY 13

CATEGORY	A	B	C	D
LPV DA	588/24 250 (300−½)			
LNAV/VNAV DA	1572−5 1264 (1300−5)			
LNAV MDA	1180/24 872 (900−½)	1180/40 872 (900−¾)	1180/2 872 (900−2)	1180/2 ¼ 872 (900−2 ¼)
CIRCLING	1180−1 870 (900−1)	1180−1 ¼ 870 (900−1 ¼)	1180−2 ½ 870 (900−2 ½)	1180−2 ¾ 870 (900−2 ¾)

그림 5-4-13. LNAV/VNAV DA 보다 낮은 LNAV 및/또는 선회최저치의 예

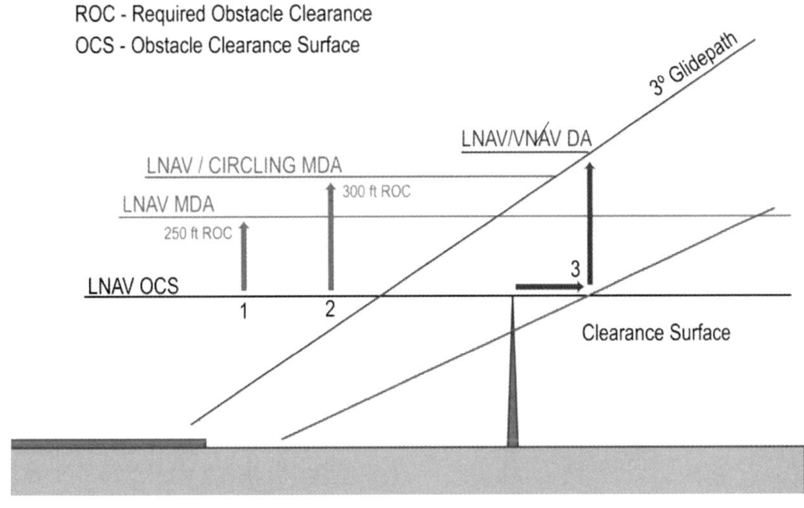

g. 그림 5-4-13은 장애물평가 및 LNAV MDA, 선회 MDA, LNAV/VNAV DA 계산의 시각적인 표현을 제공한다.

1. 수직유도 없음 (LNAV). 선은 장애물 높이에 장애물회피요건(Required Obstacle Clearance; ROC) 250 ft를 더하여 수평으로 표시된다. LNAV MDA를 결정하기 위해 사용되는 통제장애물(controlling obstacle)은 선회 MDA의 ROC를 판단하기 위하여 사용되는 통제장애물과 다를 수 있다. 다른 요소로 인해 LNAV OCS에 250 ft를 더한 수치보다 더 큰 수치가 될 수도 있다. 수치는 그 다음 높은 20 ft 단위의 고도로 반올림된다.

2. 선회 MDA. 선회 MDA는 장애물회피 고려구역 내에서 300 ft의 장애물회피를 제공하며 LNAV/VNAV DA 보다 낮을 수 있지만 직진 LNAV MDA보다 낮지는 않다. 이것은 서로 다른 통제장애물이 사용되거나, 다른 통제요소로 인해 LNAV MDA가 LNAV OCS 상부 250 ft 보다 더 높아질 때 발생할

수 있다. 그림 5-4-12에서 LNAV 및 선회 모두에 대한 장애물회피요건은 MDA가 동일하지만, 그림 5-4-12 는 LNAV/VNAV DA 보다 MDA가 낮은 상황의 유형을 보여준다.

3. 수직유도 (LNAV/VNAV). 선은 장애물회피표면(OCS)에 도달할 때 까지 장애물 높이에 수평으로 표시된다. 이것이 접근 시의 DA 이다. 이러한 방법은 LNAV/VNAV DA의 전방에 문제가 되는 장애물이 있도록 함으로써 이를 육안으로 보고 회피할 수 있도록 한다. 어떤 상황에서는 이것이 LNAV 또는 선회 MDA 보다 더 높은 LNAV/VNAV DA를 야기할 수도 있다.

h. 부호 V로 식별되는 시각강하지점(Visual Descent Point; VDP)은 MDA로부터 활주로접지점까지 안정된 시각강하를 시작할 수 있는 비정밀접근절차의 최종접근진로 상에 정해진 지점이다. 조종사는 VDP에 도달하기 전에 MDA 아래로 강하해서는 안된다. VDP는 MAP까지 DME 또는 RNAV along-track distance에 의해 식별된다. VDP 거리는 IAP에 발간된 최저 MDA를 기반으로 하며, 시각활공각지시등(Visual Glide Slope Indicator; VGSI) (설치된 경우) 또는 절차 VDA(VGSI가 설치되지 않은 경우)와 일치한다. VDP는 MDA와 활주로접지점 간에 불안정한 강하를 가져올 수 있는 특정 상황에서는 발간되지 않을 수 있다. 이러한 상황에는 MDA와 활주로시단 간의 시계표면(visual surface)을 침범하는 장애물, 성능을 측정하는 along-track distance의 부재, 또는 절차설계가 VDP 식별 방해 등이 포함된다.

1. 조종사는 VGSI 시스템을 항공기가 MDA로부터 안정된 강하를 할 수 있는 위치에 있는지의 여부를 판단하기 위한 시각보조시설(visual aid)로 사용할 수 있다. 시정이 최저치에 가까워지면 VGSI는 MAP를 지나서 위치하기 때문에 VGSI가 VDP에서 보이지 않을 수 있다.

2. VDP를 수신할 수 있는 장비를 갖추지 않은 조종사는 VDP가 제공되지 않는 접근절차와 동일하게 접근하여야 한다.

3. 직진입 비정밀 IAP에서 VDP와 MAP 간의 MDA 아래로의 강하는 바람직하지 않으며 불가능할 수도 있다. 항공기속도, 활주로 상부 높이, 강하율, 선회량 및 활주로길이는 조종사가 안전한 강하와 착륙을 할 수 있는지의 여부를 판단하기 위하여 고려해야 할 요소 중의 일부이다.

i. 모든 IAP에서 절차를 설계하는 동안 시계구간(visual segment) 장애물평가를 수행한다. 장애물(등화시설이 있거나 없는 것 모두)은 시계구간 장애물식별표면(obstacle identification surface)을 침범하는 것이 허용된다. 식별된 장애물침범은 증가된 접근시정요건, VDP 미발간 및/또는 활주로로의 야간계기비행 금지 등을 포함한 계기접근운항 제한의 원인이 될 수 있다. MDA/DA부터 접지지점까지 장애물보호는 없다. 따라서 착륙으로 전환하는 동안, MDA/DA 하부의 장애물을 육안으로 확인하고 회피하는 것은 조종사의 책임이다.

1. 등화시설이 없는 장애물침범은 활주로로의 야간비행금지를 초래할 수 있다. 조종사 브리핑 부분(pilot briefing strip)에 "Procedure NA at Night"라고 차트 주석(note)이 게재된다.

2. 항공장애등 대신에 VGSI를 사용하여 야간계기비행을 하는 것이 허가될 수 있다. 조종사 브리핑 부분(pilot briefing strip)에 "Straight-in Rwy XX at Night, operational VGSI required, remain on or above VGSI glidepath until threshold." 라고 차트 주석(note)이 게재된다.

j. 가장 높은 장애물(인공물, 지형 또는 초목)은 IAP의 평면도에 표기된다. 그 밖의 장애물은 평면도 또는 활주로부터의 거리와 이용할 수 있는 차트 공간에 따라 공항 sketch에 표기된다. 표기되는 장애물의 표고는 해발고도(mean sea level)의 높이를 반올림하여 ft 단위로 표시한다. 정확하게 확인되지 않은 장애물은 ± 부호 다음에 표고값을 나타낸다.

k. 수직강하각(Vertical Descent Angle; VDA). FAA 방침은 수직유도 최저치와 함께 발간된 경우를 제외한 모든 비정밀접근(즉, ILS 또는 LOC RWY XX) 또는 단계강하 fix가 없는 no-FAF 절차(즉, on-airport VOR 또는 NDB)에 VDA/TCH를 발간하는 것이다. VDA가 시계구간(visual segment)

의 MDA 미만에서 장애물보호를 보장하지는 않는다. VDA가 있다고 해서 비정밀접근 요건이 변경되지는 않는다.

1. 발간된 VDA/TCH가 있는 IAP 시계구간의 MDA 미만에서 장애물이 장애애물식별표면(obstacle identification surface)을 침범할 수 있다. 조종사가 MDA와 접지지점 간의 VDA를 위배하는 것이 필요한 장애물침범으로 인하여 VDA/TCH가 인가되지 않으면, VDA/TCH는 IAP 평면도의 주석(note) "Visual Segment- Obstacles"로 대체될 것이다(그림 5-4-14 참조). 따라서 착륙하기 위하여 최적의 안정된 강하를 시작할 수 있는 위치를 식별하기 위해 접근절차를 신중히 검토할 것을 조종사에게 권한다. 이러한 주석(note)이 있는 절차의 MDA 미만에서 RNAV 시스템이 제공하는 이전에 발간된 강하각으로 비행하는 조종사는 시계구간에서 장애물과 마주칠 수 있다. 조종사는 MDA 미만에서 육안으로 장애물을 회피하여야 한다.

(a) VDA/TCH 자료는 앞에서 언급한 것처럼 주석(note) "Visual Segment- Obstacles"로 대체되지 않는 한, IAP 차트 발간과 항행 데이터베이스 coding을 위해 공식적인 자료문서로 FAA가 제공한다.

(b) 상업용 차트 공급업자 및 항법 시스템은 FAA가 이러한 자료를 제공하지 않더라도 VDA/TCH를 산출하고 발간할 수 있다. 조종사는 VDA/TCH 및 관련된 항법 시스템의 수직유도 조언 유무에 관계없이 시계구간에서 장애물회피에 대한 책임이 있다는 것에 주의하여야 한다.

2. 강하각 산출에 사용되는 활주로시단 통과높이(Threshold Crossing Height; TCH)는 VDA와 함께 발간된다. VDA와 TCH 정보는 IAP 평면도의 VDA를 산출하기 위하여 사용되는 fix(FAF/stepdown) 다음에 표기된다. 동일한 활주로에 PA/APV IAP가 설정되지 않은 경우, 계기절차 기준 범위 이내이면 VDA는 동일한 활주로에 설치된 VGSI의 glide path 각도와 동일하거나 더 크다. VGSI가 VDA와 다르면 차트 주석(note)에 나타낸다. 조종사는 발간된 VDA가 단지 조언정보이고, 수직유도에 의한 계기절차가 고려되지 않았다는 것을 인식하여야 한다. VDA는 최종접근 동안 조종사가 계속해서 안정된 강하를 유지할 수 있도록 보조수단을 제공할 뿐이다.

그림 5-4-14. 차트 주석의 예문(Example of a Chart Note)

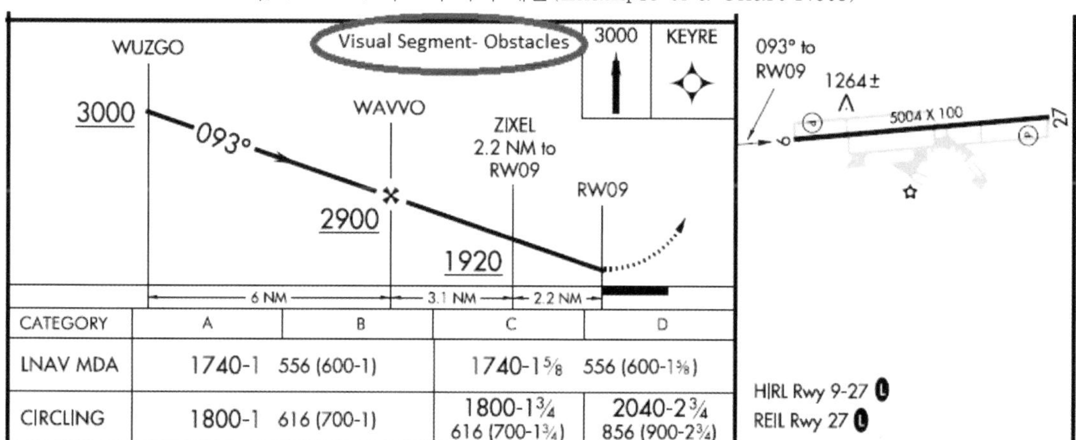

CATEGORY	A	B	C	D
LNAV MDA	1740-1 556 (600-1)		1740-1⅝ 556 (600-1⅝)	
CIRCLING	1800-1 616 (700-1)		1800-1¾ 616 (700-1¾)	2040-2¾ 856 (900-2¾)

3. 조종사는 미국 터미널절차간행물의 뒷면에 게재된 강하율 표에서 발간된 각도 및 추정/실제 대지속도를 이용하여 찾고자 하는 강하율을 살펴볼 수 있다. 안정된 강하를 하기 위한 보조수단으로 VDA

를 사용하기 위하여 수직속도계로 이러한 강하율로 비행할 수 있다. 특별한 장비는 필요하지 않다.

4. 직진입 정렬 절차는 과도한 강하율이 필요할 때 선회최저치로만 제한될 수 있다. FAF/단계강하 fix와 선회 MDA 간의 강하각은 TERPS 기준에서 허용하는 최대강하각을 초과해서는 안된다. 이러한 절차에서 발간된 VDA가 직진입착륙이 가능하다 하더라도 이를 권고한다는 것을 의미하지는 않는다. VDA를 기반으로 하는 강하율은 항공기의 성능을 초과할 수 있으며, 조종사는 안전하게 착륙하기 위하여 선회접근구역 내에서 항공기를 기동시키는 최선의 방법을 결정하여야 한다.

l. 아주 특별한 경우, IAP에 공고된 시계비행경로(visual flight path)가 포함될 수 있다. 이 절차는 "Fly Visual to Airport" 또는 "Fly Visual" 이라고 표기된다. 시계비행경로를 나타내는 점선 화살표가 대략적인 기수방향(heading) 및 활주로 종단까지의 거리와 함께 측면도(profile view) 및 평면도에 포함된다.

1. "Fly Visual to Airport" 구간과 관련하여 표기된 지상항적(ground track)은 추측항법 진로(Dead Reckoning course)로 비행하여야 한다. "Fly Visual to Airport"을 비행할 때 비행시정은 IAP에 기술된 것보다 작아서는 안되며, 조종사는 구름으로부터 벗어난 상태를 유지하고 지면을 시야에 두면서 공항까지 비행하여야 한다. 시계비행경로의 고도는 조종사의 재량이며, "Fly Visual to Airport" 구간에서 육안으로 장애물을 확인하고 회피하는 것은 조종사의 책임이다.

2. 발간된 MAP에서 실패접근을 할 경우에만 실패접근 장애물회피가 보장된다. "Fly Visual to Airport" 구간을 포함한 IAP를 시행하기 전에 조종사는 항공기성능 및 지형지물에 의거하여 급상승(climb out) 선택여부를 사전에 계획하여야 한다. MAP를 지나서 접근을 계속할 때 장애물회피는 조종사의 책임이다.

주(Note)

FAA 기관은 조종사가 CFR 14, § 91.175 및 관련 규정에 명시된 시각참조물 중의 하나를 반드시 가져야 할 필요가 없는 곳에서 계기접근절차를 인가할 권한을 갖는다. § 91.175를 준수하는 것이 절차 설계의 임무는 아니다. "Fly Visual to Airport" 주석(annotation)은 조종사가 MDA/DA 미만으로 강하하기 전에 명확하게 육안으로 보고 식별할 수 있는 시각참조물을 가져야 하는 § 91.175 요건을 완화시킨다.

m. 지역항법(RNAV) 계기접근차트

GPS 및 광역보강시스템(WAAS)과 같은 보강된 GPS 등의 새로운 시스템으로 인해 계기운항에서 RNAV 시스템의 의존은 더욱 더 보편화되어 가고 있다. RNAV 절차의 국가공역시스템(NAS)으로의 완전한 통합을 지원하기 위하여 FAA는 IAP에 대한 새로운 차트형식을 개발하였다 (그림 5-4-6 참조). 이 형식은 계기접근차트의 불필요한 중복과 증대를 피한다. 단순히 "GPS" 표제가 부여된 기존의 단일(stand alone) GPS 차트는 절차가 개정되어 새로운 형식으로 전환 중이다. 개정이 필요한 한 가지 이유는 접근차트에 WAAS 기반 최저치의 추가이다. 새로운 형식의 접근차트는 "RNAV (GPS) RWY XX"로 표제가 부여된다. 이 차트에는 네 줄까지의 최저치(minima)가 포함된다. 지상기반보강시스템(GBAS) 착륙시설(GLS)은 추후의 WAAS 최저치 및 LAAS 최저치를 대신하여 기재해 놓은 것이며, 최저치는 항상 N/A로 수록된다. GLS minima line은 현재 대부분의 RNAV (GPS) 차트에서 WAAS LPV(Localizer Performance with Vertical Guidance) 최저치로 대체되었다. LNAV/VNAV(lateral navigation/vertical navigation)가 WAAS 전자식 수직유도와 barometric VNAV 둘 다를 지원하기 위하여 추가되었다. LPV 및 LNAV/VNAV는 5-4-5a7항에 기술된 것처럼 둘 다 APV 절차이다. 직진입(straight in) 활주로 XX에 대해 "S-XX"로 표제가 부여된 기존의 GPS 최저치는 LNAV(lateral navigation)로 표제가 재부여된다. 선회접근 최저치(circling minima)도 발간될 수 있다. 또한 새로운 유형의 비정밀 WAAS 최저치도 이러한 차트에 발간되고, LP(localizer performance)로 표제가 부여된다. LP

는 지형과 장애물로 인하여 수직유도 최저치를 제공할 수 없는 지역에 발간되기 때문에 no LPV 최저치 또는 LNAV/VNAV 최저치가 발간될 것이다. GBAS 절차는 분리된 차트에 수록되며 GLS minima line이 GBAS에만 사용될 예정이다. RNAV 절차에 대한 ATC 허가는 적절한 승인을 받은 조종사에게 항공기가 승인받은 최저치를 활용할 수 있도록 인가하는 것이다 (예를 들면, WAAS를 갖춘 항공기는 LPV 또는 LP 최저치를 활용할 수 있지만 GPS 만을 갖춘 항공기는 활용하지 못할 수도 있다). RNAV 차트에는 조종사 또는 운항승무원이 쉽게 참조할 수 있도록 차트의 상단에 일정한 형식을 갖춘 정보가 포함되어 있다. 이 부분은 교통부, Volpe 국가교통연구소의 검토에 의해 만들어 졌으며, 일반적으로 조종사브리핑(pilot briefing)이라고 한다.

1. 최저치(minima) line은 다음으로 구성된다.

(a) GLS. "GLS"는 GBAS Landing System의 약어이다. GBAS를 미국에서는 통상적으로 LAAS라고 한다. 전 세계적으로 관련업계에서는 이러한 유형의 항법시스템에 대한 공식적인 용어로 GBAS를 채택하였다. FAA도 국제적인 관련업계와 일치할 수 있도록 국제적인 전문용어에 맞추어 용어 GBAS를 채택하고 있다. 이 line은 원래 WAAS 최저치 및 LAAS 최저치 대신 기재해 놓기 위하여 발간되었으며, 최저치는 발간되지 않기 때문에 N/A라고 표시된다. GBAS 및 WAAS 절차 발간에 대한 개념이 변함에 따라 현재 GLS는 GBAS 최저치의 경우에만 사용되며, 이는 분리된 접근차트에 수록된다. GLS 최저치가 기재되어 있었던 대부분의 RNAV (GPS) 접근차트는 WAAS LPV minima line으로 대체되었다.

(b) LPV. "LPV"는 localizer performance with vertical guidance의 약어이다. LPV minima line으로의 RNAV (GPS) 접근은 Category I 계기착륙시설(ILS)과 매우 유사한 접근을 제공하는 WAAS 횡적 및 수직유도의 향상된 정확성의 이점을 이용한다. LPV minima line으로의 접근은 항공기가 활주로에 접근할 때 민감도의 증가와 더불어 각도유도(angular guidance)를 할 수 있도록 설계된다. 민감도는 동일한 거리에서 ILS의 민감도와 거의 동일하다. 이것은 즉시 LPV minima line의 RNAV (GPS) 접근으로 전환하여 능숙하게 ILS 접근을 하는데 필요한 기량을 의도적으로 가질 수 있도록 한다. ILS와 마찬가지로 LPV는 수직유도를 가지며 DA로 비행한다. 설치된 장비가 PV 접근을 지원한다고 항공기 비행교범에 기술되어 있는 항공기는 minima line으로 비행할 수 있다. 여기에는 Class 3와 4 TSO-C146 GPS WAAS 장비가 포함된다.

(c) LNAV/VNAV. LNAV/VNAV는 일반적으로 접근이 승인된 Baro-VNAV에 의해 제공되는 수직유도와 더불어 RNAV IAP에 적용하기 위하여 개발된 APV minimum으로 식별되지만, 횡적 및 수직 무결성범위는 정밀접근이나 LPV보다 더 넓다. LNAV는 Lateral Navigation을 의미하며, VNAV은 Vertical Navigation을 의미한다. 장착된 장비가 GPS 접근을 지원하며 접근이 승인된 barometric VNAV를 갖추고 있다고 항공기 비행교범에 기술된 항공기, 또는 LNAV/VNAV 접근을 지원한다고 입증된 항공기는 이러한 minima line으로 비행할 수 있다. 여기에는 Class 2, 3와 4 TSO-C146 GPS/WAAS 장비가 포함된다. LNAV/VNAN 최저치를 사용하는 항공기는 위성 또는 그 밖의 접근이 인가된 VNAV 시스템에 의거하여 내부적으로 생성된 강하경로를 경유하여 착륙하기 위하여 강하할 것이다. 전자식 수직유도가 제공되는 이후에는 최저치가 DA로 발간될 것이다. 그 밖의 항법시스템에는 미국 터미널절차책자의 A절, Terms/Landing Minima Data에 있는 minima line의 사용을 특별히 인가할 수 있다.

(d) LP. "LP"는 localizer performance의 약어이다. LP minima line으로의 접근은 횡적유도와 각도유도를 포함한 접근을 제공하기 위하여 WAAS의 향상된 정확성의 이점을 이용한다. 각도유도(angular guidance)는 glideslope 각도와는 관련이 없지만, 로컬라이저 접근과 유사하게 항공기가 활주로에 접근할 때는 증가된 횡적감도와 관련된

다. 그러나 LP minima line은 DA(H)라기 보다는 오히려 최저강하고도(MDA) 이다. LP minima line을 가진 절차는 승인된 수직유도(LNAV/VNAV 또는 LPV)를 포함하고 있는 다른 절차와 같이 발간되지 않는다. 발간된 LP 및 LNAV가 동일한 접근차트에 포함될 수 있지만, LP는 LNAV minima line 보다 낮은 최저치가 제공될 경우에만 발간된다. LP는 LPV의 낮은 수준의 mode가 아니다. 지형, 장애물 또는 일부 그 밖의 이유로 수직유도되는 절차를 발간할 수 없으면 LP 만이 발간된다. WAAS 항공전자장비는 LP minima line으로 접근하는 동안 GNSS 기반의 수직유도조언을 제공할 수 있다. 기압고도계 정보는 어떤 고도제한사항을 준수하기 위한 일차적인 고도 기준이 된다. WAAS 장비는 LPV를 지원하지만, TSO-C145b 및 TSO-C146b 이전에 인가된 장비라면 LP를 지원하지 못할 수도 있다. 이전의 TSO 하에서 인가된 수신기는 LP minima로의 비행에 사용하기 위해서는 제작사의 upgrade가 필요할 수 있다. LP가 인가된 수신기는 승인된 비행교범 또는 보충비행교범에 인가된 접근유형의 하나로 기술되어야 한다.

(e) LNAV. 이 최저치는 횡적항행만을 위한 것이며 접근최저고도는 최저강하고도(MDA)로 발간될 것이다. LNAV는 현재 GPS 단일 접근과 동일한 수준의 service를 제공한다. LNAV 최저치는 항법 solution이 수직항행을 지원하지 않을 때는 WAAS 항법시스템을 지원하며, 그리고 현재 GPS 접근이 인가되지 않은 GPS 항법시스템을 지원한다.

주(Note)

AC 20-138, Airworthiness Approval of Positioning and Navigation System에 의하여 접근이 인가된 GPS 수신기는 이 최저치에 적합하다. WAAS 항법장비는 TSO-C145() 또는 TSO-C146()에 명시된 요건에 의하여 인가를 받아야 하고, 권고회보 AC 20-138에 의하여 설치하여야 한다.

2. 다른 시스템도 이러한 접근에 활용하기 위하여 인가를 받을 수 있다. 상세한 내용은 미국 터미널 절차책자 A절에 기술된 내용을 참조한다. 또한 LNAV/VNAV 최저치로 운항하기 위해서는 Baro-VNAV 시스템에 대하여 운항승인을 받아야 한다. 국지고도계 source를 이용할 수 없는 등의 그 밖의 요인으로 인하여 일부 접근에서는 Baro-VNAV가 승인되지 않을 수도 있다. Baro-VNAV는 LPV 절차에는 승인되지 않는다. 조종사는 추가적인 정보에 대해서는 지역의 비행표준사무국(FSDO)에 문의한다.

주(Note)

RNAV와 Baro-VNAV 시스템은 제작사가 공급한 전자식 데이터베이스를 갖추고 있어야 하며, 여기에는 비행할 절차에 대한 waypoint, 고도 및 수직 data가 포함되어야 한다. 시스템은 일련의 waypoint를 수동으로 입력하는 것이 아니라, 항공기 항행데이터베이스에서 명칭으로 절차를 검색할 수 있어야 한다.

3. ILS 또는 RNAV (GPS) 차트

(a) 또한 일부 RNAV (GPS) 차트에는 최종접근구역 이전 절차의 구간 및 실패접근에 대한 RNAV GPS 성능과 함께 ILS 정밀 최종접근구역에 이용할 ILS minima line이 포함될 수도 있다. 최종접근구역 이외 절차의 구간에 대한 장애물회피는 여전히 GPS 기준에 의거한다.

주(Note)

일부 GPS 수신기설비는 수신기가 어떤 ILS 주파수와 동조되면 GPS 항법의 방해를 받는다. 이러한 방식으로 설비된 수신기를 가진 항공기로 비행하는 조종사는 ILS 주파수에 동조하는 것을 PFAF 이전 절차의 중간구역에 도달할 때 까지 기다려야 하며, GPS 기반 실패접근을 하기 위해서는 ILS 후방에서 VOR 주파수에 동조하여야 한다.

(b) 차트화(Charting). ILS, RNAV (GPS) 및 GLS 접근의 차트화 간에는 차이가 있다.

(1) LAAS 절차는 접근차트에 "GPS RWY XX"로 표제가 부여된다.

(2) VDB는 유도를 종합하는 항공기탑재 수신기에 정보를 제공한다.

(3) LAAS 절차는 RPI 또는 접근 ID라고 하

는 4자리 글자와 숫자의 문자구역란(character field)으로 식별되며, 이는 ILS의 IDENT 기능과 유사하다.

(4) RPI는 차트화 된다.

(5) 대부분의 RNAV (GPS) 접근차트는 LPV minima line으로 대체되는 GLS (NA) minima line을 가지고 있다.

(6) LAAS 및 WAAS 절차 발간에 대한 개념이 변함에 따라 현재 GLS는 LAAS minima의 경우에만 사용되며, 이는 분리된 접근차트에 수록된다.

4. 항행성능기준(RNP; Required Navigation Performance)

(a) 지정된 RNP 수준(level) 요건에 따른 항공기 접근 적합성 요건에 대해서는 미국정부 터미널절차책자의 "Terms/Landing Minimus Data"(A절)를 참조할 것을 조종사에게 권고한다.

(b) 일부 항공기는 GPS sensor가 없어도 AFM에서 RNP 승인을 하고 있다. FAA가 RNP service에 대하여 지원하는 가장 높은 수준의 sensor는 DME/DME 이다. 그러나 운항예정공항에서 필요한 DME 신호를 이용할 수 없을 수도 있다. 발간된 RNAV 차트에 LNAV/VNAV 최저치를 포함하고 있는 이러한 지역에 대해서는 "DME/DME RNP-0.3 NA"와 같은 절차 주석(procedure note)이 제공될 수 있다. 이 주석(note)은 RNP-0.3을 수행하기 위하여 DME/DME에 의존하는 RNP 항공기는 이러한 지역의 접근이 승인되지 않는다는 것을 의미한다. DME 시설의 가용여부가 하나의 요소인 곳에서 주석은 "DME/DME RNP-0.3 Authorized; ABC and XYZ Required"로 표기될 수 있다. 이것은 ABC 및 XYZ 시설이 RNP-0.3을 확보하기 위한 항법 solution에서 요구하는 비행검사에서 결정되었다는 것을 의미한다. 접근절차에서 VOR/DME 위치 updating을 해서는 안된다.

5. 차트 용어(Chart Terminology)

(a) 익숙한 용어인 Decision Height(DH)는 Decision Altitude(DA)로 대체되었다. DA는 고도(altitude)가 MSL과 관련된 곳에서 국제적인 관례와 일치하고, 높이(height)는 AGL과 관련된다. 또한 DA는 최종적으로 수직유도정보가 제공되는 다른 유형의 계기접근절차에 대해서도 발간된다. DA는 착륙을 위한 시각참조물을 확인하지 못하면 실패접근을 해야 하는 곳을 나타내며, 발간된 강하측면도(Descent Profile)는 조종사에게 DA(MSL)까지 비행하는 것을 보여준다. 최종접근으로부터 실패접근으로 전환하는 동안 DA 하부로 즉시 강하할 수 있도록 장애물회피가 제공된다. 항공기는 선회를 하기 전에 발간된 최종접근진로를 따라 계속 비행하는 동안에는 적어도 발간된 활주로시단 waypoint 또는 MAP(시단에 있지 않다면)까지는 실패접근지시에 따라야 한다.

(b) 오랫동안 사용되어온 최저강하고도(MDA; Minimum Descent Altitude)는 단지 LNAV와 선회절차에만 계속 사용된다.

(c) 활주로시단통과높이(TCH; Threshold Crossing Height)는 활주로시단 상부 glide slope의 높이로서 통상적으로 "정밀" 접근에 사용되고 있다. 그림형식으로 표기되는 강하 측면도(descent profile)를 포함하여 LNAV/VNAV 최저치 및 RNAV 강하각의 발간 시에 TCH는 시단에서의 "강하각(descent angle)" 또는 glidepath의 높이에도 적용한다. IAP를 사용할 수도 있는 대형항공기 기종을 위해 달리 요구되지 않는 한 전형적인 TCH는 30~50 ft 이다.

6. Minima 형식(format)도 약간 변경된다.

(a) RNAV IAP 상의 각 minima line에는 GLS, LPV, LNAV/VNAV, LP 및 LNAV와 같이 이용할 수 있는 service의 수준(level)을 나타내기 위한 표제가 부여된다. 또한 선회접근 최저치(circling minima)가 주어질 수도 있다.

(b) Minima title box는 IAP에서 최저고도의 특성을 나타낸다. 예를 들면,

(1) DA는 GLS, LPV 또는 LNAV/VNAV 같이 수직유도를 지원하는 최저치의 minima line 표제(title) 옆에 표시된다.

(2) MDA는 LNAV 또는 LP, 횡적유도만을 포함한 접근 시 minima line으로 표시된다. MDA 하부로의 강하는 14 CFR 91.175절에 언급된 조

건을 충족하여야 한다.

(3) LPV와 LNAV/VNV와 같은 두 개 이상의 시스템이 동일한 최저치를 공유하는 경우, minima line은 따로따로 표시된다.

7. 일부 변경된 차트 부호(Chart Symbology)

(a) 강하 측면도(Descent Profile). 발간된 강하 측면도 및 그림형식으로 표기되는 활주로까지의 수직경로(vertical path)가 표시된다. RNAV 수직유도의 그림형식 표기는 결심고도에서 시작되는 짧은 수직 항적(vertical track)에서 사용하는 기존의 ILS glide slope 표기〔깃털 부호(feather)〕와는 다르다.

(1) 각 절차 구역 내에서 최적의 안정된(일정한 비율) 강하를 위하여 fix/waypoint에 최저고도가 설정되도록 IAP를 설계하는 것이 FAA 정책이다. 이러한 설계는 운항안전을 향상시키고 정상적인 조종이 가능한 상태에서 지상충돌(controlled flight into terrain; CFIT) 사고 발생의 가능성을 감소시키는데 기여한다. 게다가 최근에 연방교통안전위원회(NTSB)는 최종 접근시에 안정된 강하를 위해 적절한 IAP 강하각을 발간함으로써 조종사에게 도움을 줄 수 있을 것이라고 강조하였다. RNAV IAP 형식은 100분의 1°, 예를 들어 3.00°도까지의 강하각을 포함하고 있다. 이 각도는 그림형식으로 표기되는 강하 측면도(Descent Profile)에 제공된다.

(2) 안정된 접근은 WAAS나 LNAV/VNAV 시스템이 제공하는 수직항법정보를 참고하거나, 또는 단지 LNAV 만을 갖춘 시스템에서는 발간된 각도에 가장 근접한 일정한 강하율에 도달하기 위하여 조종사가 적절한 항공기고도/대지속도 조합을 판단함으로써 수행할 수 있다. 조종사에게 도움을 주기 위하여 미국정부 터미널절차간행물 차트에는 알고 있거나 대략적인 대지속도 상황에서 정밀한 강하나 계획수립에 사용할 수 있는 상세한 강하율 표가 뒷장의 두꺼운 표지 안쪽에 게재되어 있다.

(b) 시각강하지점(VDP). VDP는 대부분의 RNAV IAP에 발간된다. VDP는 LP나 LNAV 최저치를 활용하는 항공기에만 적용되며, LPV나 LNAV/VNAV 최저치를 활용하는 항공기에는 적용되지 않는다.

(c) 실패접근 부호(Symbology). 실패접근유도를 더 즉시 알 수 있도록 하기 위해 측면도에 쉽게 참조할 수 있는 icon을 사용하여 실패접근유도를 나타낼 수 있는 방법이 개발되었다. 측면도 구역(profile area)의 한정된 공간으로 인하여 네 개 이하의 icon 만을 볼 수 있다. 그러나 이 icon이 전체 실패접근 절차를 나타내지는 않는다. 일련의 전체적인 문자형식의 실패접근지시는 접근차트 상부의 조종사브리핑 부분에 제공된다 (그림 5-4-6 참조).

(d) Waypoint. 일부 TSO-C129 수신기 데이터베이스에 단계강하 waypoint가 포함되어 있지 않을 수 있는 경우를 제외하고, 모든 RNAV 또는 GPS 단일 IAP는 접근과 실패접근에 사용되는 모든 WP의 순서를 포함하여 탑재 데이터베이스에서 획득한 특정 IAP와 관련된 data를 사용하여 비행한다. 대부분 수신기의 데이터베이스에는 어느 WP가 fly-over(FO) 또는 fly-by(FB) 인지 항법시스템에 알려주는 coding이 포함되어 있다. 항법시스템은 fly-by WP 이전에 선회할 수 있도록 하고, fly-over WP 상공을 통과할 수 있도록 하는 것을 포함한 적절한 유도를 제공할 수도 있다. 항법시스템이 이러한 유도를 제공하지 않는 경우, 조종사는 수동으로 선회를 하거나 waypoint 상공을 통과하여야 한다. FB WP에 대한 차트 부호는 조종사에게 예상되는 조치사항을 인식할 수 있도록 한다. 미국 터미널절차책자의 범례(legend)를 참조한다.

(e) TAA는 5-4-5d항, 터미널도착구역(TAA; Terminal Arrival Area)에 기술되어 있다. RNAV 차트에는 RNAV 절차와 관련된 각 TAA 구역을 나타내는 "icon"을 사용하여 TAA 구역을 표기한다 (그림 5-4-6 참조). 이러한 icon 들은 접근차트의 평면도에 표기되며, 일반적으로 항공로구조로부터 항공기도착과 관련된 위치에 따라 차트에 배열된다. 각 특정 TAA 구역 내에서 어느 항법이 적합하고 예상되는 지에 따라 WP에는 명칭이 부여되고 관련된 TAA icon에 표기된다. 명칭이 부여되어 표기된 각 WP는 그 구역 내부에서 도착에 대한 IAF가 된다. 공역의 혼잡 또는 그 밖의 이유로 모든 RNAV 절차

에 TAA를 사용할 수는 없다.

(f) 고온 및 저온제한(Limitations). 최대 및 최저온도제한은 Baro-VNAV 운항을 승인하는 절차 상에 게재된다. 이 기온은 LNAV/VNAV 최저치에서 Baro-VNAV가 승인되지 않는 공항기온을 초과 또는 미만으로 나타낸다. 예를 들어 제한은 "Uncompensated Baro-VNAV NA below −8℃ (+18°F) or above 47℃ (117°F)"로 나타난다. 이러한 정보는 조종사브리핑 부분의 상부 좌측 box에 제시된다. 기온이 고온한도를 초과하거나 저온한도 미만일 경우, LNAV MDA까지 안정된 강하를 제공하기 위하여 Baro-VNAV를 사용할 수 있지만 수직보정(vertical correction)이 필요하지 않도록 시계구간(visual segment)에서는 각별한 주의를 기울여야 한다, VGSI가 발간된 활공로와 정렬되고 항공기계기가 적정 활공로(on glidepath)를 지시하면, VGSI의 낮거나 높은 활공로지시는 온도오차가 활공로에 편차(deviation)를 초래한다는 것을 나타낸다. MDA 미만으로 계속 접근한다면 이러한 편차를 고려하여야 한다.

주(Note)

Baro-VNAV 온도보정을 적용하는 대부분의 시스템은 저온만을 보정한다. 이 경우에도 고온제한은 여전히 적용된다. 시스템에 온도보정기능이 있더라도 가동되도록 하기 위해서 설치하는 동안 정비담당자가 작동시키는 것이 필요할 수 있다. 일부 시스템만이 온도보정기능을 갖추고 있지만 최종접근 시 뿐만 아니라 항상 기압고도계를 보정하므로 기능이 활성화되면 다른 항공기와 충돌을 일으킬 수 있다. 조종사는 온도제한을 경시하기 전에 시스템의 보정기능을 이해하여야 한다.

주(Note)

LPV 또는 LNAV/VNAV를 이용할 수 있다고 통보된 경우, 접근이 인가된 WAAS 수신기를 이용한 LNAV/VNAV minima line으로의 비행에는 온도제한이 적용되지 않는다.

(g) WAAS 채널번호(Channel Number)/접근 ID(Approach ID). WAAS 채널번호는 menu 방법을 사용하지 않고 5자리 숫자의 번호를 사용하여 지정된 최종접근구역을 선택할 수 있도록 하는 장비의 부가적인 기능이다. 접근 ID는 항공기 데이터베이스에서 정확한 최종접근구역 정보가 선택되고 추출되었는지를 확인하기 위한 공항의 고유한 4자리 문자의 조합이다. 이것은 ILS ident와 유사하지만 청각적이 아니라 시각적으로 시현된다. 접근 ID는 W35A와 같이 WAAS를 나타내는 문자 W, 활주로번호, 그리고 Left, Center 및 Right와 혼동할 수 있는 L, C 또는 R 이외의 문자로 구성된다, 접근 ID는 공항의 활주로번호에 WAAS 접근이 수립된 순으로 배정된다. WAAS 채널번호와 접근 ID는 접근절차의 조종사브리핑 상부 좌측 모서리 부분에 표시된다.

(h) RNAV (GPS) 접근차트에서 초기 시스템 제한으로 인하여 WAAS 수직유도의 운용중지가 발생할 수 있는 지역에는 중지를 나타내는 W 부호(W)가 위치한다. 이러한 운용중지의 대부분은 매우 짧은 시간이지만 접근의 수직부분에 방해를 일으킬 수 있다. 부호 W는 WAAS LNAV/VNAV 또는 LPV 수직 service에서 발생한 운용중지로 인하여 NOTAM 또는 항공교통조언이 제공되지 않는다는 것을 나타낸다. 목적지공항으로든 교체공항으로든 이러한 지역의 비행계획에는 LNAV 또는 선회접근 최저치를 사용한다. 이러한 지역에서 운항하는 경우, WAAS 항공전자장비가 LNAV/VNAV나 LPV service를 이용할 수 있다고 지시하면 그 때는 시현되는 수준의 service를 이용한 접근을 완료하기 위하여 수직유도를 사용할 수 있다. 절차 중에 운용중지가 발생하면 LNAV 최저치로의 복귀가 필요할 수도 있다. WAAS 통달범위가 확장되면 W는 제거된다.

주(Note)

적절한 훈련을 받고 필요한 인가를 받은 TSO-C145() 또는 TSO-C146() 장비를 갖추고, 더불어 인가받은 baro-VNAV 장비를 사용하는 사용자(WAAS 사용자)는 교체공항의 LNAV/VNAV DA에 대한 계획을 수립할 수 있다. 인가된 baro-VNAV 장비를 사용하며 더불어 특별하게 승인을 받은 WAAS 사용자도 조종사가 인가된 예측프로그램을 통해 RNP

가용성을 확인하였다면 교체공항의 RNP 0.3 DA에 대한 계획을 수립할 수 있다.

5-4-6. 접근허가(Approach Clearance)

a. 항공기가 체공 fix까지 허가를 받았으나 "cleared ... approach"와 같이 그 후의 새로운 비행경로를 통보받지 못한 경우, 항공기가 체공 fix에 도달하기 전에 접근허가를 받았다 하더라도 ATC는 조종사가 체공 fix(최종 배정된 비행로), 그리고 최초접근픽스(IAF)까지 이 fix와 관련된 전이로(전이로가 접근차트에 발간된 경우)를 경유하여 접근할 것이라고 예상할 것이다. 접근을 허가할 때 항공로구조로부터 IAF까지 유도하는 발간된 항공로이탈 비행로(전이로)는 접근허가의 일부이다.

b. 체공 fix에 도달하기 전에 접근허가가 발부되었으며 IAF까지의 전이로(feeder route)가 체공 fix에 도달하기 전의 비행경로에 위치해 있는 fix에서 시작되는 경우, 조종사는 발간된 전이로를 경유하여 접근을 시작한다. 즉 항공기는 전이로를 지나쳐 비행할 수 없으며 전이로로 되돌아가야 한다. 절차에 대한 IAF가 체공 fix까지의 비행경로에 위치한다면 조종사는 유사한 방법으로 IAF에서 접근을 시작해야 한다.

c. 최초접근픽스까지 직선비행경로가 요구된다면, 관제사는 단어 "direct …", "proceed direct" 또는 조종사가 아무 의문없이 이해할 수 있는 유사한 용어를 포함한 관제용어로 언급하여야 한다. 허가가 불분명할 때는 어떤 비행경로를 원하는 지 즉시 ATC에 확인하여야 한다.

d. 계기착륙시설의 glide slope와 같은 접근보조시설의 구성요소가 작동하지 않거나 신뢰할 수 없는 경우에도 접근을 식별하기 위하여 발간된 계기접근의 명칭을 사용한다. 관제사는 항공기에 접근허가를 발부할 때 발간된 접근의 명칭을 사용할 수 있지만, 발간된 접근절차의 표제(title)에서 ILS Rwy 05 또는 LOC Rwy 05와 같이 달리 허용하고 있는 경우를 제외하고, 작동하지 않거나 신뢰할 수 없는 접근보조시설 구성요소를 이용할 수 없다는 것을 항공기에 통보하여야 한다.

e. 다음은 레이더유도를 받는 항공기 또는 접근허가와 함께 "direct to" 허가를 받은 항공기에 적용한다.

1. 항공기가 발간된 전환로구역(segment of transition route)이나 접근절차구역 또는 차트 상에 발간된 더 낮은 고도인 발간된 다른 비행로구역에 진입할 때 까지 ATC로부터 최종적으로 배정받은 고도를 유지하여야 한다. 비행로 또는 접근구역이나 도착구역에 이미 진입했다면, 그 비행로 또는 구역에 대하여 수록된 모든 최저고도까지 강하할 수 있다.

2. 접근허가에 해당하는 이후의 발간된 지상항적(ground track)에 진입할 때 까지 레이더유도 기수방향(vector heading)으로 계속 비행한다.

3. 발간된 구역(segment)을 경유하여 최종접근픽스에 도달하면 조종사는 착륙하기 위하여 계속 접근할 수 있다.

4. ATC가 직진입접근을 허가한 경우를 제외하고 발간된 course reversal(절차선회 또는 hold-in-lieu of PT 장주)을 가진 IAF로 비행중이라면, 조종사는 절차선회/hold-in-lieu of PT 절차를 수행하여 접근을 완료하여야 한다.

5. NoPT 비행로를 경유하여 IAF/IF까지 허가되거나, 비절차선회/hold-in-lieu of PT가 발간된 경우 발간된 접근을 계속한다.

6. 위의 사항에 더하여 RNAV 항공기에게는 기존 계기접근절차 및 RNAV 계기접근절차 모두에 대해 90°를 초과하지 않는 교차각(intercept angle)으로 IAF/IF까지 직선비행 허가가 발부될 수 있다. 관제사는 기존 및 RNAV 계기접근절차 모두에 대해 30°를 초과하지 않는 교차각으로 IF와 FAF 간의 fix까지 직선진로나 기수방향을 발부할 수 있다. 모든 경우에 있어 관제사는 배정된 고도에서 장애물 회피를 보장하고 FAF까지 정상적인 강하가 가능하도록 한다. 항공기가 IF까지 직선비행을 허가받은 경우, ATC는 IF 이전까지 항공기를 레이더감시하고 Fix로부터 최소한 5 mile 전에 IF까지 직선비행 허가가 예상된다는 것을 조종사에게 통보한다. 항공기에게 절차선회 또는 hold-in-lieu-of a procedure

turn과 더불어 IAF/IF까지 직선비행을 허가하고 항공기가 진로를 역으로 전환(course reversal)하는 것을 원하지 않는 경우, ATC는 직진입접근 허가를 발부하여야 한다.

주(Note)

14 CFR 91.175 (i)를 참조한다.

7. RNAV 항공기에게 IAF로도 차트화된 FAF까지 직선비행이 허가된 경우, 조종사는 표기된 절차선회 또는 hold-in-lieu of procedure turn 수행을 예상하여야 한다. ATC는 직진입접근 허가를 발부하지 않는다. 조종사가 직진입접근을 하고자 한다면 FAF 외부의 최종접근진로까지 레이더유도를 요청하거나 발간된 "NoPT" 비행로로의 비행을 요청하여야 한다. 시각접근(visual approach)이 실시되고 있을 때 ATC는 FAF까지 직선비행을 허가할 수 있다.

주(Note)

1. 계기접근절차 상에 발간된 fix까지 ATC 허가가 예상되는 경우, 계기접근절차를 RNAV 시스템에 load 할 때에는 적절한 IAF 또는 전이로를 선택할 것을 RNAV 항공기의 조종사에게 권고한다.
2. 계기접근절차의 경우, "Vectors-to-Final" 또는 "Vectors" option을 선택하면 RNAV 시스템에서 FAF의 외부에 위치한 접근 fix를 load 하지 못하도록 할 수 있다. 따라서 조종사가 항법시스템을 재프로그래밍 해야 하는 업무부담을 증가시키므로 이러한 option을 선택하는 것은 금물이다.

f. RF leg는 fix에서 시작하고 종료되는 지정된 선회중심 주위의 일정한 반지름의 원형경로(circular path)라고 정의할 수 있다. RF leg는 절차의 일부분으로서 발간될 수 있다. 모든 항공기가 이러한 유형의 leg를 비행할 수 있는 성능을 갖추고 있지는 않기 때문에 조종사는 RF leg가 있는 RNAV 접근을 수행할 수 있는지의 여부를 알고 있어야 할 책임이 있다. RF leg에 대한 요건은 접근차트의 주석부분(note section) 또는 해당 최초접근픽스에 기술된다. 관제사는 RNAV를 갖춘 항공기에게 다음과 같이 RF leg를 포함한 계기접근절차를 허가할 수 있다.

1. 발간된 전환로를 경유하여, 또는
2. 위의 e6 항에 의거하여
3. ATC는 항공기에 RF leg가 시작되는 waypoint 또는 RF leg 내부의 waypoint까지 직선비행을 허가하지 않으며, 발간된 속도제한을 초과하는 fix/waypoint 통과속도를 지정하지 않는다.

예(Example)

RF leg가 waypoint에서 시작되며 항공기를 레이더유도할 수 없거나, 또는 이러한 RF leg로 인해 TURNN까지 허가하거나 THIRD와 FORTH 간의 지점에 있는 접근구역에 진입하도록 레이더유도할 수 없기 때문에 관제사는 항공기에게 THIRD까지 직선비행을 허가할 수 없다. (그림 5-4-15 참조)

g. 이전에 발부한 허가를 취소하는 것이 필요할 때, 관제사는 "Cancel Approach Clearance" 다음에 해당할 경우 추가지시를 조종사에게 통보한다.

5-4-7. 계기접근절차(Instrument Approach Procedures)

a. 항공기 접근범주(approach category)란 V_{REF} 속도가 명시되어 있는 경우 V_{REF} 속도를 기준으로, V_{REF}가 명시되어 있지 않는 경우 최대인가착륙중량에서 V_{SO}의 1.3배 속도를 기준으로 항공기를 분류한 것을 의미한다. V_{REF}, V_{SO} 및 최대인가착륙중량은 등록국가의 인가기관이 항공기에 대하여 설정한 값(value) 이다. 조종사는 인가시에 결정된 범주에 해당하는 최저치나 그보다 높은 최저치를 사용하여야 한다. 헬리콥터는 범주 A 최저치를 사용할 수 있다. 항공기 범주의 속도 범위 상한선을 초과한 속도로 운항할 필요가 있을 경우에는 상위 범주의 최저치를 사용하여야 한다. 예를 들어 범주 B에 속하는 비행기라도 착륙하기 위하여 145 knot의 속도로 선회 시에는 접근범주 D 최저치를 사용하여야 한다. 예를 하나 더 들면, 130 knot의 속도로 직진입접근하는 범주 A 비행기(또는 헬리콥터)는 접근범주 C 최저치를 사용하여야 한다. 범주의 범위(category limit)는 다음과 같다.

1. 범주 A(category A) : 91 knot 미만의 속도

2. 범주 B(category B) : 91 knot 이상, 121 knot 미만의 속도

3. 범주 C(category C) : 121 knot 이상, 141 knot 미만의 속도

4. 범주 D(category D) : 141 knot 이상, 166 knot 미만의 속도

5. 범주 E(category E) : 166 knot 이상의 속도

주(Note)

위의 정의에서 V_{REF}란 특정 비행기에 적합한 속도가 1.3 V_{SO}, 1.23 V_{SR} 인지, 또는 비행기 조종성을 고려하여 더 높은 속도가 필요한지의 여부에 관계없이 항공기 형식증명 인증기준이 되는 감항증명규정에서 인가착륙거리 결정시에 사용하는 속도를 말한다. 최대인가착륙중량에서의 이 속도로 실제착륙중량에 관계없이 모든 접근에 적용할 수 있는 가장 낮은 접근범주(approach category)를 결정한다.

b. 미발간된 비행로를 운항하거나 레이더유도되는 동안 접근허가를 받았을 경우 조종사는 IFR 운항시의 최저고도를 준수(14 CFR 91.177절)하고, ATC가 다른 고도를 배정하지 않는 한 또는 항공기가 발간된 비행로 또는 IAP 구간에 진입할 때 까지는 최종적으로 배정받은 고도를 유지하여야 한다. 항공기가 진입한 후 ATC에 의해 다른 고도가 배정되지 않는 한 각각의 이어지는 비행로 또는 접근구역 내에서의 강하에는 발간된 고도를 적용한다. 이러한 조종사 책임에도 불구하고 ATC는 레이더접근을 하는 동안은 제외하고, 미발간된 비행로로 운항하거나 레이더유도되는 항공기가 발간된 비행로나 IAP 구간에 진입한 후에만 IFR 접근허가를 발부하며, 또는 항공기가 계기접근절차의 발간된 비행로구간에 진입할 때까지 유지해야 할 고도를 배정할 것이다. 이러한 이유로 항공기가 최초접근 fix 또는 절차선회의 기준이 되는 항행시설에 도달할 때 까지 해당 IAP 구간에서 발간된 IAP의 절차선회를 고려해서는 안된다.

예문(Example)

Cross Redding VOR at or above five thousand, cleared VOR runway three four approach. or Five miles from outer marker, turn right heading three three zero, maintain two thousand until established on the localizer, cleared ILS runway three six approach.

주(Note)

1. 배정된 고도는 접근허가가 발부된 지점에서부터 발간된 비행로나 IAP 구간에 진입할 때까지 IFR 장애물회피를 보장한다. 허가의 의미가 불명확하면 즉시 ATC에 설명을 요청하여야 한다.

2. 항공기가 발간된 접근고도 미만에서 접근진로에 진입하지 않았다. MVA/MIA가 허용되고 ATC가 IF 또는 IAF 고도 미만의 고도를 배정한 경우, 조종사에게는 항공기가 접근진로에 진입하는 지점을 지날 때까지 유지해야 할 고도가 발부된다.

c. 다양한 항행안전시설과 접근보조시설을 이용하는 몇 개의 IAP가 한 공항에 인가될 수 있다. 신속한 교통처리를 위하여 ATC가 우선적으로 특정 접근절차를 사용하고 있다는 것을 통보할 수도 있다. 특정 접근절차가 지정된 허가를 발부받은 경우, 다른 접근절차를 원하면 즉시 ATC에 통보하여야 한다. 이런 경우 ATC는 교통상황이 허용될 때 까지 다른 접근에 대한 허가의 보류가 필요할 수도 있다. 그러나 비상상황에 처한 조종사에게는 우선권이 부여된다. 지정된 접근절차에 익숙하지 않는 조종사는 ATC에 통보하여야 하며, ATC는 절차수행에 대한 상세정보를 제공한다.

d. 계기착륙시설의 glide slope와 같은 접근보조시설의 구성요소가 작동하지 않거나 신뢰할 수 없는 경우에도 접근을 식별하기 위하여 발간된 계기접근의 명칭을 사용한다. 관제사는 항공기에 접근허가를 발부할 때 발간된 접근의 명칭을 사용할 수 있지만, 발간된 접근절차의 표제(title)에서 ILS 또는 LOC와 같은 다른 접근보조시설을 허용하는 경우를 제외하고, 작동하지 않거나 신뢰할 수 없는 접근보조시설 구성요소를 이용할 수 없다는 것을 항공기에 통보하여야 한다.

e. 최종접근진로로 레이더유도되는 경우를 제외하고, "cleared ILS runway one niner approach"와 같이 특정하게 명시된 IAP에 대하여 허가를 받았거나 "cleared approach"와 같이 공항에 대하여

명시된 어떤 절차의 수행을 허가받았을 경우, ATC의 적절한 새로운 허가나 수정된 허가를 받거나 또는 IFR 비행계획이 취소되지 않는 한 조종사는 IAP 차트에 기술된 대로 IAF나 관련된 전이로(feeder route)에서 시작되는 전체 접근절차를 수행하여야 한다.

f. 사설 비행장이 있는 지역 또는 사설 항행안전시설 기반의 계기접근절차를 가진 지역으로의 비행을 계획 중인 조종사는 소유자의 허가를 받아야 한다. 더불어 조종사는 사설 항행안전시설과 관련된 특별 계기접근절차로 비행하기 위하여 FAA의 허가를 받아야 한다 (5-4-8항 참조). 공공용이 아닌 항행안전시설의 소유자는 정비, 에너지 절약 등과 같은 어떤 사유로 인해 신호를 끌 수도 있다. 항공교통관제사는 조종사가 사설 비행장의 착륙이나 사설 항행안전시설 기반의 절차 사용을 허가 받았는지의 여부를 알기 위하여 조종사에게 질문할 필요는 없으며, 조종사가 항행안전시설의 상태를 알 수는 없다. 관제사는 조종사가 소유자의 허가 및 FAA로부터 특별 계기접근절차의 사용을 허가 받았으며 IFR 비행계획이 그 공항에 제출되었다면 상세한 절차를 알고 있다고 가정한다.

g. 조종사는 fix가 IAP에 "RADAR"로 표시되어 있지 않는 한, fix를 식별하기 위하여 레이더에 의존해서는 안된다. 조종사는 OM의 레이더식별을 요청할 수 있지만, 관제사가 업무량이나 video map 상에 fix가 나타나지 않은 경우 업무를 제공하지 못할 수도 있다.

h. 실패접근이 필요하다면 이유를 포함하여 ATC에 통보하여야 한다 (ATC가 실패접근을 지시하지 않는 한). ATC에 의해 달리 지시되지 않는 한 수행하여야 할 계기접근절차에 대한 실패접근지시에 따라야 한다.

5-4-8. 특별계기접근절차(Special Instrument Approach Procedures)

계기접근절차(IAP) 차트는 개발중인 IAP에 사용하기 위한 표준화된 방법을 규정한 미국 국지계기〔접근〕절차(TERPs)의 표준과 관련된 기준을 반영한다. 표준 IAP는 연방규정집의 Title 14, Part 97에 따라 연방관보(FR)에 공고되며, FAA가 수락할 수 있는 운항규칙 및 절차에 따라 적합한 장비를 장착하고 감항성이 있는 항공기를 운항하는 적절한 자격을 갖춘 조종사가 사용할 수 있다. 특별 IAP도 TERP를 사용하여 개발되지만 FR에 공고되지는 않는다. FAA는 특정 조종사 개인별 또는 각 기관별로 조종사에게만 특별 IAP 사용을 허가하며, 추가적인 승무원 훈련, 항공기장비 또는 성능을 요구하거나 또한 착륙보조시설, 통신이나 일반적으로 이용할 수 없는 기상업무의 사용을 요구할 수도 있다. 그리고 사유공항이나 헬기장에 제공되는 IAP는 일반적으로 특별 IAP 이다. 또한 특별 FDC NOTAM, FDC T-NOTAM은 지역이 유효한 착륙구역 식별자를 가지고 있고 미국 NOTAM 시스템의 업무가 제공된다면 특별과 관련된 비행안전 정보를 전파하기 위하여 사용할 수도 있다. 조종사는 online 이나 FAA 비행정보업무국(FSS)을 통하여 NOTAM에 접속할 수 있다. FSS 담당자는 전화로 비행전 브리핑을 하는 동안에는 조종사에게 특별 IAP에 대한 NOTAM 정보를 조종사에게 제공하지는 않는다. FAA로부터 특별 IAP의 사용을 승인받은 조종사는 사용하고자 하는 특정한 특별 IAP에 대한 FDC NOTAM 정보를 별도로 요청하여야 한다.

5-4-9. 절차선회 및 Hold-in-lieu of Procedure Turn

a. 절차선회(procedure turn)는 항공기가 중간 또는 최종접근진로의 inbound로 진입하기 위하여 방향을 역으로 해야 할 필요가 있을 경우 규정된 기동이다. 절차선회 또는 hold-in-lieu-of-PT가 접근차트에 표기되어 있는 경우, ATC에 의해 직진입 접근이 허가되지 않는 한 기동이 필요하다. 추가하여 사용할 최초구역(initial segment)에 "NO PT" 부호가 표기되어 있는 경우, 최종접근진로까지 레이더유도가 제공되거나 또는 체공픽스(holding fix)로부터 시차접근을 수행할 경우에는 절차선회 또는 hold-in-lieu-of-PT가 허용되지 않는다. 항공기가

inbound 진로로 진입할 때 까지 절차선회에 적용되는 고도는 최저고도이다. 기동은 측면도에 설정된 거리 이내에서 완료하여야 한다. Hold-in-lieu-of-PT의 경우, 표기된 체공장주방향으로 비행하여야 하며 명시된 구간 길이/시간(leg length/time)을 초과해서는 안된다.

주(Note)

절차에 요구되어 있지 않은 경우에 절차선회 또는 hold-in-lieu-of-MT를 사용하는 것은 조종사의 재량이지만 먼저 ATC의 수정허가를 받아야 한다. 조종사는 절차선회를 수행하라는 의도인지 또는 직진입접근을 허가하는 것인지의 여부가 불명확할 경우에는 즉시 ATC에 설명을 요청하여야 한다. (14 CFR 91.123절)

1. 미국정부차트에서 미늘 화살표(barbed arrow)는 절차선회가 이루어지는 outbound 진로의 기동면(maneuvering side)을 나타낸다. 45° 유형의 절차선회를 사용하는 course reversal의 경우 기수방향(heading)이 주어진다. 그러나 선회시작지점, 선회유형 및 선회율은 조종사의 재량에 의한다 (선회를 완료해야 할 거리범위는 차트에 제한된다). 선택할 수 있는 일부 유형에는 45° 절차선회, racetrack 장주, teardrop 절차선회 또는 80° ↔ 260° course reversal이 있다. Racetrack 진입은 다수의 보호공역이 있는 기동면(maneuvering side) 상에서 이루어져야 한다. 조종사는 진입시 PT의 비기동면(non-maneuvering side)에 위치하면, outbound 진로로 진입할 수 있도록 수정함으로써 보호공역 내에 머무를 수 있다. 일부 절차선회는 절차상의 항적(procedural track)으로 명시된다. 이러한 절차선회는 표기된 대로 정확히 이루어져야 한다.

2. PT fix 상공 또는 abeam을 통과하여 outbound로 비행하기 전까지는 PT fix 고도(ATC가 발간하거나 배정한 경우)로부터 절차선회(PT) 완료고도로 강하해서는 안된다. 일부 절차에는 차트 측면도에 "Maintain (고도) or above until established outbound for procedure turn"이라고 기술된 주석이 포함되어 있다 (그림 5-4-16 참조). 최근의 절차에는 차트 주석없이 단순히 PT fix에 "이상의(at or above)" 고도를 표기한다 (그림 5-4-17 참조). 둘 다 절차선회 진입구역에 제공되는 필요한 장애물 회피가 보장되도록 하기 위한 것이다 (그림 5-4-18 참조). 차트 주석 또는 PT fix 부근에 명시된 최저고도가 없다는 것은 비행방향에 관계없이 PT fix 상공을 통과하는 즉시 절차선회고도까지 강하할 수 있다는 것을 나타낸다. 이것은 PT 진입구역의 최저고도와 PT 기동구역(maneuvering zone)이 동일하기 때문이다.

그림 5-4-15. RF Leg를 가진 RNAV 접근의 예(Example of an RNAV Approach with RF Leg)

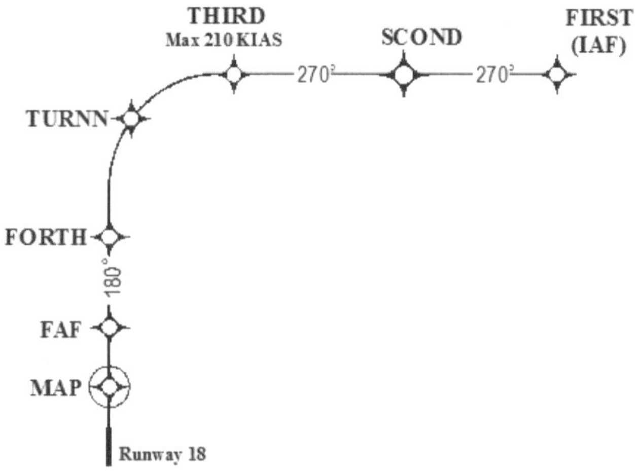

그림 5-4-16

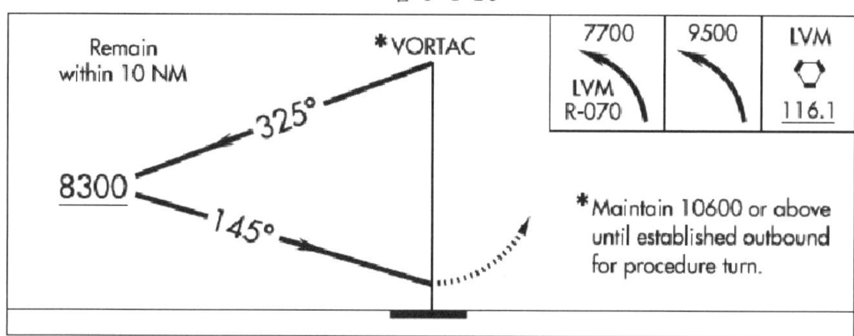

그림 5-4-17

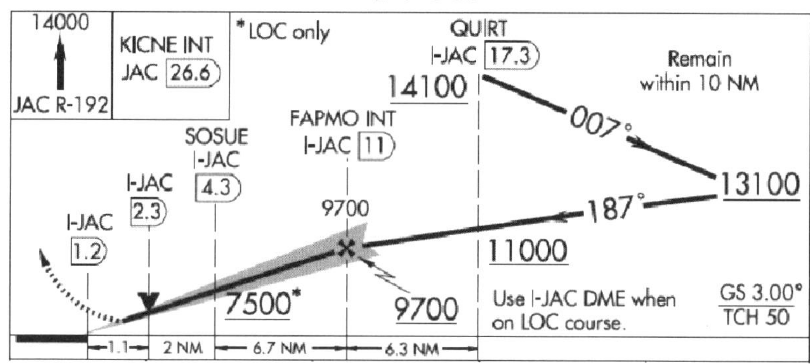

그림 5-4-18

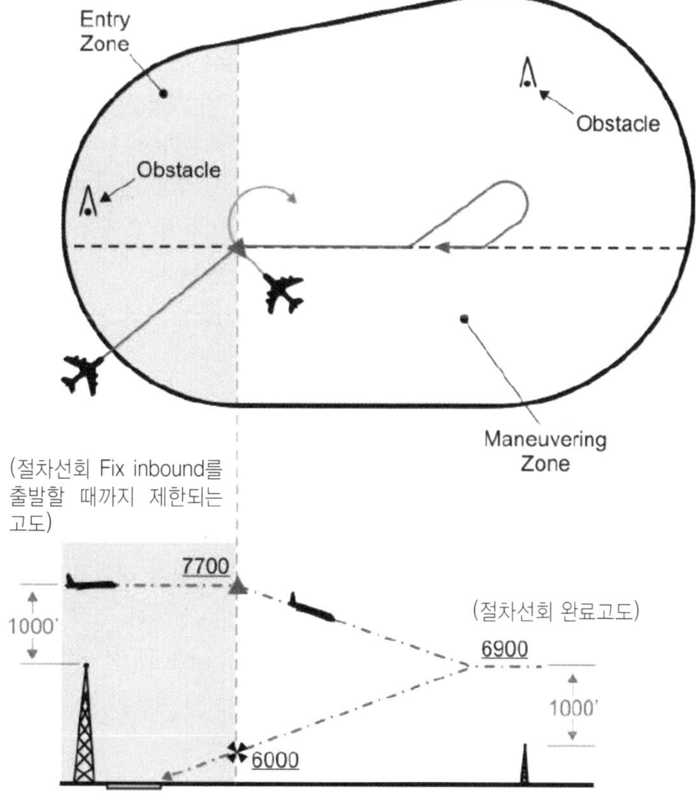

3. 접근절차에 절차선회가 포함될 때, 절차선회 기동 시에 장애물회피구역 내에 있도록 하기 위하여 첫 번째 course reversal IAF 상공에서부터 200 knot(IAS) 미만의 최대속도를 준수하여야 한다. 조종사는 절차선회 fix를 통과한 후에 바로 outbound 선회를 시작하여야 한다. 절차선회기동은 측면도에 명시된 거리 내에서 이루어져야 한다. 보통 절차선회의 거리는 10 mile 이다. 이 거리는 category A 또는 헬리콥터만을 운영하는 곳에서 최소 5 mile 까지 감소되거나, 고성능항공기를 위해서는 15 mile 까지 증가될 수 있다.

4. 일부 절차에는 필요한 course reversal을 위해 teardrop 절차 또는 침투선회(penetration turn)가 지정된다. Teardrop 절차는 outbound 진로의 최초접근픽스에서 출발한 다음 inbound 진로 쪽으로 선회하여, 중간픽스나 중간지점 또는 그 이전에 inbound 진로에 진입하는 것으로 이루어진다. 이 절차의 목적은 항공기가 방향을 역으로 하고 제한된 적정 공역 내에서 상당한 고도를 감소할 수 있도록 하는 것이다. 중간구역의 시작지점을 나타내기 위하여 fix를 이용할 수 없는 곳에서는 최종접근픽스 10 mile 이전 지점에서 teardrop 절차를 시작하는 것으로 가정하여야 한다. 항행안전시설이 공항에 위치한 경우, 침투선회(penetration turn) 완료 후 항공기는 최종접근 선상에 있는 것으로 간주한다. 그러나 최종접근구역은 항행안전시설에서 10 mile 떨어진 최종접근진로 상에서 시작된다.

5. 어떤 절차에서는 절차선회 대신에 체공장주가 course reversal에 지정되기도 한다. 이러한 경우 체공장주는 중간픽스 또는 최종접근픽스 상공에 설정된다. 측면도에 지정된 체공장주 거리나 시간을 준수하여야 한다. Hold-in-lieu-of-PT의 경우, 표기된 체공장주방향으로 비행하여야 하며 명시된 구간 길이/시간(leg length/time)을 초과해서는 안된다. 발표된 최대체공속도 제한은 모든 체공장주에 적용된다. 체공장주기동은 항공기가 해당 진입을 실행한 이후에 inbound 진로에 진입하였을 때 완료된다. 체공 fix로 되돌아가기 전에 접근이 허가되고 항공기가 규정된 고도에 있다면, 추가로 체공장주를 선회할 필요는 없으며 ATC도 바라지 않는다. 조종사가 상당한 고도를 낮추기 위하여, 또는 더 양호한 진로로 진입하기 위하여 추가 선회하기로 하였다면 조종사는 접근허가를 받은 후에 이를 ATC에 통보할 책임이 있다.

주(Note)

일부 접근차트에는 "가는 선(thin line)" 체공부호를 사용하여 IAF에 표기되는 도착체공장주(arrival holding pattern)가 포함되어 있다. 이것은 상세한 체공지시가 필요하지 않도록 접근절차를 시작하기 전에 체공이 빈번히 필요한 곳에 표기된다. 도착체공장주는 항공교통관제기관에 의하여 지정되지 않는 한 허가되지 않는다. 동일한 fix에서의 체공이 항공로차트에 표기될 수도 있다. Hold-in-lieu of procedure turn은 "굵은 선(thick line)" 부호로 표기되며, 5-4-9항에 기술된 것처럼 계기접근절차의 일부이다 (두 예제에 대해서는 미국 터미널절차 책자의 E1 페이지를 참조한다).

6. 지정된 중간픽스에서 최종접근픽스까지 바로 접근이 이루어질 수 있을 경우 절차선회가 필요 없다. 이런 경우 절차선회가 필요 없다는 것을 나타내기 위하여 해당 진로(course)와 고도와 함께 용어 "NoPT"가 사용된다. 절차선회가 필요하고 ATC가 이를 허가했다면, 일부 NoPT 고도는 절차선회고도보다 낮을 수도 있기 때문에 항공기가 inbound 진로에 진입하기 전까지 절차선회고도 미만으로 강하해서는 안된다.

b. 절차선회 제한사항(Limitations on Procedure Turn)

1. 최종접근픽스나 최종접근지점까지 레이더유도를 받거나 체공 fix로부터 시차접근 일 경우 또는 절차에 NoPT라고 명시되어 있는 경우, 조종사는 최종접근허가를 받을 때 ATC에 통보하고 절차선회를 해도 좋다는 허가를 발부받지 않는 한 절차선회를 해서는 안된다.

2. Teardrop 절차선회가 표기되어 있고 course reversal이 필요한 경우에는 teardrop 절차선회를 하여야 한다.

3. 레이더유도가 제공되거나 접근진로에 NoPT

라고 명시되어 있는 경우를 제외하고, 체공장주가 절차선회를 대신하는 경우 체공장주에 따라야 한다. 권고하는 진입절차는 항공기가 체공장주의 보호공역 내에 머무를 수 있도록 한다. 절차선회와 마찬가지로 항공기가 inbound 진로에 진입하기 전까지는 최저 체공장주고도에서 최종접근픽스 고도로 강하(더 낮을 때)해서는 안된다. 절차선회 대신 체공장주가 설정된 곳에서는 최대 체공장주속도를 적용한다.

4. 평면도에 절차선회 화살표가 없다는 것은 이 절차에 절차선회가 허가되지 않았다는 것을 나타낸다.

5-4-10. 체공픽스(Holding Fix)로부터 시차접근(Timed Approaches)

그림 5-4-19. 체공픽스로부터 시차접근(Timed Approaches from a Holding Fix)

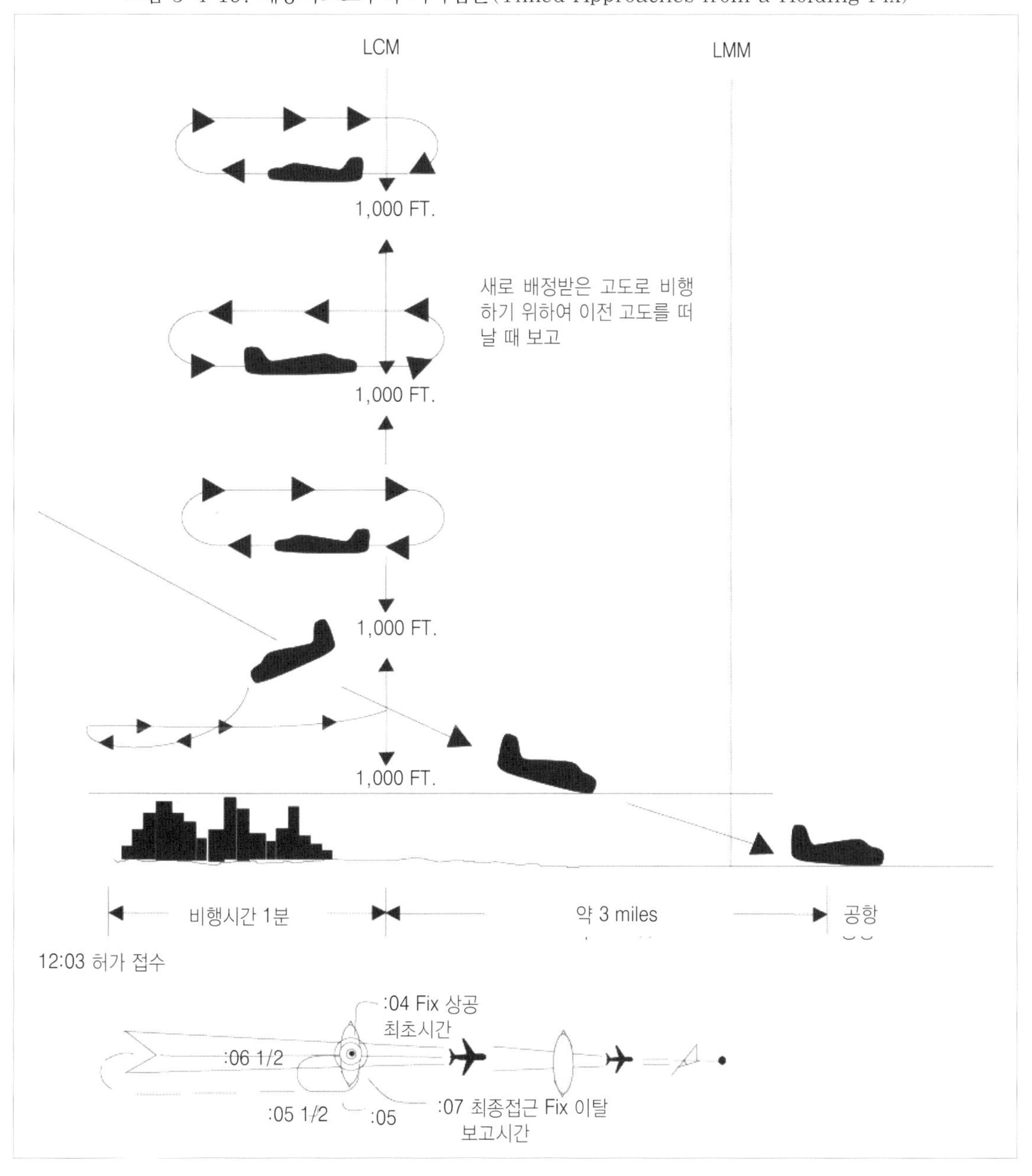

예제(Example)
현지 시각 12:03분, 예제의 그림과 같이 체공하고 있던 조종사는 12:07에 inbound fix를 떠날 것을 지시받았다. 조종사는 체공장주의 outbound 끝단에서 선회를 완료하자마자 이러한 지시를 받았으며 fix를 향해 inbound 중이다. Fix 상공으로 되돌아왔을 때, 조종사는 시간이 12:04이고 지정된 시간에 fix를 떠나기 위해서는 3분이 지나야 한다는 것을 알았다. 조종사는 남은 시간이 2분을 초과하기 때문에 2분이 소요되는 360° 선회보다는 race track 장주로 비행할 계획이다. Race track 장주의 선회에는 약 2분이 소요된다. 남아 있는 3분에서 선회에 필요한 2분을 빼면 수평비행을 해야 할 1분이 남게 된다. Inbound fix로 되돌아오기 위해서는 두 부분의 수평비행구간이 필요하기 때문에, 조종사는 나머지 1분을 반으로 나누어 최종접근진로의 fix로 되돌아가기 위하여 선회하기 전에 outbound로 30초 동안 수평비행하도록 계획하여야 한다. 비행고도에서의 바람을 무시할 수 있는 정도라면 이 절차로 조종사는 12:07의 지정된 시간에 정확하게 fix를 통과하여 inbound 하게 될 것이다. 그러나 최종접근진로 상에 정풍이 예상된다면, 조종사는 outbound 동안 바람은 fix에서 항공기를 더 빨리 멀리 떨어지도록 하고 fix로 재선회하는 동안 대지속도가 감소할 것을 알기 때문에 outbound 진로를 30초보다 약간 빠르게 비행하여야 한다. 반면에 최종접근진로 상의 배풍을 보상하기 위해서 조종사는 outbound 동안 바람은 항공기를 fix에 더 가깝게 있도록 하려는 경향이 있으며 fix로 재선회하는 동안 대지속도가 증가할 것을 알기 때문에 outbound heading으로 계산된 30초보다 약간 느리게 비행하여야 한다.

a. 시차접근(timed approach)은 다음과 같은 조건이 충족되었을 때 수행할 수 있다.

1. 접근이 이루어지는 공항에 관제탑이 운영되고 있다.

2. 조종사가 관제탑과 교신하도록 지시를 받을 때 까지 조종사와 관제센터 또는 접근관제소와 직접 교신이 유지된다.

3. 둘 이상의 실패접근절차를 이용할 수 있는 경우, 어느 절차도 진로(course)를 역으로 전환할 필요가 없다.

4. 하나의 실패접근절차만을 이용할 수 있다면, 다음과 같은 조건을 충족하여야 한다.

(a) 진로(course)를 역으로 전환할 필요가 없어야 하며,

(b) 보고된 운고(ceiling) 및 시정이 IAP에 명시된 가장 큰 선회최저치(circling minimum)와 같거나 더 커야 한다.

5. 접근이 허가된 경우, 조종사는 절차선회를 해서는 안된다. (14 CFR 91.175절)

b. 관제사가 "timed approaches are in use"라고 특별히 언급하지 않더라도 inbound 최종접근픽스(비정밀접근) 또는 외측마커나 inbound 외측마커 대신에 사용되는 픽스(정밀접근) 출발시간을 배정한다는 것은 시차접근절차가 실시되고 있거나, 또는 관제사가 최종접근픽스/외측마커나 외측마커 대신에 사용되는 픽스와 공항 간의 적절한 시차순서(time sequence)를 보장할 항공기 간의 거리간격(mileage interval)을 설정하기 위하여 체공 대신에 최종접근진로까지 레이더유도 할 수도 있다는 것을 나타낸다.

c. 접근순서에 따라 각 조종사는 공항으로 접근 시에 체공지점을 떠나야 할 시간을 사전에 통보받는다. 체공지점(holding point)을 떠나야 할 시간을 통보받았을 경우, 조종사는 가능한 한 지정된 시간에 맞추어 fix를 떠나기 위하여 비행경로를 조정하여야 한다. (그림 5-4-19 참조)

5-4-11. 레이더접근(Radar Approaches)

a. 레이더접근을 위해 필요한 항공기탑재 무선설비는 정상적으로 작동하는 무선송신기와 수신기뿐이다. 레이더관제사는 항공기가 활주로중심선에 정대되도록 레이더 유도한다. 관제사는 조종사가 지표면의 시각참조물에 의해 접근 및 착륙을 완료할 수 있을 때까지 항공기가 정진로(on course)를 유지할 수 있도록 레이더유도를 계속한다. 레이더접근

에는 정밀(PAR) 및 감시(ASR)의 두 가지 종류가 있다.

b. 레이더접근은 조종사의 요구 시 어떤 항공기에나 제공되며 신속한 교통처리를 위해서나 조난에 처한 항공기의 조종사에게 제공될 수 있지만, ASR은 ATC 운항요건(operational requirement)에 있지 않는 한 또는 비정상적이거나 비상상황에 처하지 않는 한 허가되지 않을 수도 있다. 조종사의 PAR 또는 ASR의 수용이 당해 공항 또는 관련된 특정 항공기운영자가 규정한 기상최저치의 위배를 허용하는 것은 아니다. 보고된 기상이 설정된 최저치 미만일 때, 레이더접근을 할 것인지의 결정은 조종사에게 달려 있다.

c. PAR 및 ASR 최저치는 FAA 터미널절차간행물(TPP)의 별지에 게재된다.

1. 정밀접근(Precision Approach; PAR). PAR은 관제사가 방위 및 고도에 대해 매우 정확한 항행유도를 조종사에게 제공하는 것이다. 항공기가 착륙활주로중심선의 연장선과 정대되어 연장선을 향하여 비행할 수 있도록 조종사에게 기수방향(heading)이 주어진다. 활공로(glidepath)에 진입하여 강하하기 약 10~30초 전에 활공로진입이 예상된다는 것을 조종사에게 통보한다. 발간된 결심고도(Decision Height)는 조종사가 요청할 경우에만 제공된다. 항공기가 활공로 위나 아래로 벗어나는 것이 관측되면 관제사는 "slightly" 또는 "well" 용어를 사용하여 상대적인 이탈의 정도를 통보하며, 조종사는 활공로로 복귀하기 위하여 항공기의 강하율/상승률을 조절하여야 한다. 또한 "well above glidepath, coming down rapidly."와 같이 용어 "빠르게(rapidly)"와 "천천히(slowly)"를 사용하여 항공기고도에 관한 경향정보를 발부한다. 접지지점으로부터의 거리를 매 마일 당 최소한 한번 항공기에 통보한다. 항공기가 명시된 방위나 고도의 안전구역한계선(safety zone limit) 밖으로 계속해서 벗어나거나 이러한 규정 한계선 외부에서 운항하는 것을 관제사가 관측한 경우, 조종사가 활주로환경(활주로, 진입등 등)을 육안으로 확인하지 않는 한 실패접근을 하거나 지정된 진로로 비행할 것을 조종사에게 지시하여야 한다. 항공기가 발간된 결심고도(DH)에 도달할 때까지 조종사에게 방위 및 고도에 관한 항행유도가 제공된다. 활주로중심선으로부터의 이탈을 조종사에게 통보하는 지점인 착륙활주로시단 상공을 항공기가 통과할 때 까지 관제사는 진로 및 활공로 조언정보를 제공한다. 접근이 완료된 경우 레이더업무는 자동으로 종료된다.

2. 감시접근(Surveillance Approach; ASR). ASR은 관제사가 방위에 관한 항행유도만을 제공하는 것이다. 착륙활주로중심선의 연장선과 정대되어 비행할 수 있도록 조종사에게 기수방향(heading)이 주어진다. 감시접근에 사용되는 레이더정보는 정밀접근에 사용되는 정보보다 상당히 정밀하지 않기 때문에 접근의 정확성은 그리 높지 않으며, 따라서 더 높은 최저치가 적용된다. 고도유도는 제공되지 않지만 최저강하고도(MDA)로 강하해야 할 시기, 또는 해당되는 경우 중간 단계강하 fix 최저통과고도 및 이어서 설정된 MDA로 강하해야 할 시기를 조종사에게 통보한다. 추가하여 조종사는 절차에 규정된 실패접근지점(MAP)의 위치 및 해당 활주로, 공항이나 헬기장 또는 MAP로부터의 항공기 위치를 최종접근진로의 매 마일마다 통보받을 것이다. 조종사가 권고고도를 요청하면 절차에 설정된 강하율에 의거하여 MDA 이상의 권고고도가 마지막 마일까지 매 마일마다 발부된다. 일반적으로 항공기가 MAP에 도달할 때 까지 항행유도가 제공된다. 조종사가 MAP에서 활주로, 공항 또는 헬기장을 육안확인하지 못하거나, 헬리콥터 공간점(point-in-space) 접근의 경우 지표면의 명시된 시각참조물을 확인할 수 없다면 관제사는 유도를 종료하고 조종사에게 실패접근을 하도록 지시한다. 또한 접근하는 동안 언제라도 관제사가 잔여접근에 대해 안전한 유도를 제공할 수 없다고 판단하면, 관제사는 유도를 종료하고 조종사에게 실패접근을 하도록 지시할 것이다. 마찬가지로 조종사 요구 시 유도는 종료되고 실패접근을 하게 되며, 민간항공기에 한해 조종사가 활주로, 공항/헬기장 또는 visual surface route(공간점 접근)를 육안 확인하였다고 보고하거나 계속적인 유도가 필요 없다는 것을 다른 방법으로 표시하는 경우 관제사는 유도를 종료할 수 있다. 레이더접근을 완료한 경우 레이더업무는 자동으로 종료된다.

주(Note)

1. 직진입접근의 경우 강하를 시작하기 전에 조종사에게 발간된 MDA를 발부한다. 선회착륙기동(circle-to-land maneuver) 시 감시접근이 종료될 경우, 조종사는 항공기 접근범주(approach category)를 관제사에게 통보하여야 한다. 그러면 관제사는 해당하는 MDA를 조종사에게 제공한다.

2. ATC 기관이 CENRAP를 사용하고 있을 때에는 ASR 접근을 이용할 수 없다.

3. 자이로 고장시의 접근(No-Gyro Approach). 이 접근은 레이더관제 하에서 방향자이로(directional gyro) 또는 그 밖의 안정화된 나침반(stabilized compass)이 작동하지 않거나 부정확한 상황에 처한 조종사에게 제공된다. 이러한 상황이 발생한 경우, 조종사는 ATC에 이를 통보하고 자이로 고장시(No-Gyro)의 레이더유도 또는 접근을 요청하여야 한다. 레이더관제를 원하는 경우, 방향자이로 또는 그 밖의 안정화된 나침반을 갖추지 않은 항공기의 조종사도 자이로 고장시의 레이더유도 또는 접근을 요청할 수 있다. 조종사는 모든 선회를 표준율(standard rate)로 하여야 하고, 지시를 받자마자 즉시 선회를 하여야 한다. 예를 들면, "Turn right", "Stop turn" 등이다. 감시접근 또는 정밀접근을 하는 경우, 조종사는 항공기가 최종접근진로 상으로 선회를 완료한 후 반표준율(half standard rate)로 선회할 것을 지시받을 것이다.

5-4-12. 계기접근의 레이더감시(Radar Monitoring of Instrument Approaches)

a. FAA 및 일부 민·군 공동사용시설과 군용시설의 군 업무에 의해 운영되는 PAR 시설은 계기접근 시 항공기를 감시하며, 야간이나 기상이 VFR 최저치(운고 1,000 ft, 지상시정 3 mile) 미만일 때 또는 조종사 요구 시 조종사에게 레이더조언을 발부한다. 이 업무는 PAR 최종접근진로가 항행안전시설의 최종접근진로와 일치할 때만, 그리고 PAR 운영시간에만 제공된다. 조종사가 접근에 대한 일차보조시설로 항행안전시설을 선택한 경우, 레이더조언은 이차보조시설로서의 업무만을 한다.

b. 최종접근을 시작하기 전에 조종사에게 조언을 송신할 주파수를 통보한다. 어떠한 이유로 인해 레이더조언을 할 수 없다면 조종사에게 이를 알려주어야 한다.

c. 레이더감시에 의한 조언정보에는 다음과 같은 정보를 포함한다.

1. Inbound 최종접근픽스(비정밀접근) 또는 외측마커나 inbound 외측마커 대신 사용되는 픽스(정밀접근) 상공을 통과 시, 픽스를 통과하고 있다는 것

주(Note)

이 지점에서 조종사는 진입등이나 활주로의 육안확인 여부를 보고하도록 요구받을 수도 있다.

2. 고도나 방위(azimuth) 레이더위치 및 이동에 관한 경향정보를 제공한다.

주(Note)

항공기가 PAR 안전구역한계선(safety limit)에 근접한 경우, 항공기가 활공로(glidepath)의 위나 아래로 과도하게 벗어나거나 진로의 좌측이나 우측으로 과도하게 벗어났다는 것을 조종사에게 조언한다. 활공로 정보는 ILS 접근과 같은 정밀접근을 수행하는 항공기에만 제공된다. 정밀접근 이외 접근의 강하부분은 표기된 PAR 활공로와 일반적으로 일치하지 않기 때문에 정밀접근 이외의 접근을 하는 항공기에는 고도정보가 송신되지 않는다.

3. 반복된 조언에도 불구하고 항공기가 계속해서 PAR 안전구역한계선 밖으로 벗어나거나 또는 과도하게 이탈하는 것을 관측한 경우, 지표면의 명시된 시각참조물을 확인하지 못하는 한 실패접근을 할 것을 조종사에게 지시한다.

d. 접근이 완료된 경우 레이더업무는 자동으로 종료된다.

5-4-13. 평행활주로 동시접근(Simultaneous Approaches to Parallel Runways)

a. ATC 절차는 이중 또는 삼중 평행활주로 배치에서 ILS/RNAV/GLS 계기접근운항을 허용하고 있다. 평행활주로 ILS/RNAV/GLS 접근은 동시의

존접근, 동시독립접근 및 동시근접평행 PRM 접근의 세 가지 등급으로 분류된다 (그림 5-4-20 참조). 동시운항이 승인된 RNAV 접근절차는 위치 updating을 위한 sensor로서 GPS를 필요로 한다. VOR/DME, DME/DME 및 IRU RNAV updating은 승인되지 않는다. 평행활주로 접근절차는 인접한 활주로중심선 간격, ATC 절차 그리고 공항 ATC 레이더감시(radar monitoring)와 통신성능에 의하여 분류된다. 일부 공항에서는 1개 이상의 접근진로가 3°까지 offset 될 수 있다. Offset 로컬라이저 배치의 ILS 접근은 category Ⅱ/Ⅲ 능력의 상실과 결심고도의 증가(50 ft)를 가져온다.

b. 기상상태, 교통량 및 도착운항에 활용하는 활주로의 특정한 조합에 따라, 하나의 활주로가 근접 간격의 의존과 독립접근을 포함한 상이한 유형의 동시운항에 사용될 수 있다. 조종사는 수행할 운항의 유형을 이해하여야 하며, 필요하면 ATC에 설명을 요청하여야 한다.

그림 5-4-20. 동시접근(Simultaneous Approaches)
(평행활주로 접근진로와 2.5~3° Offset 접근진로)

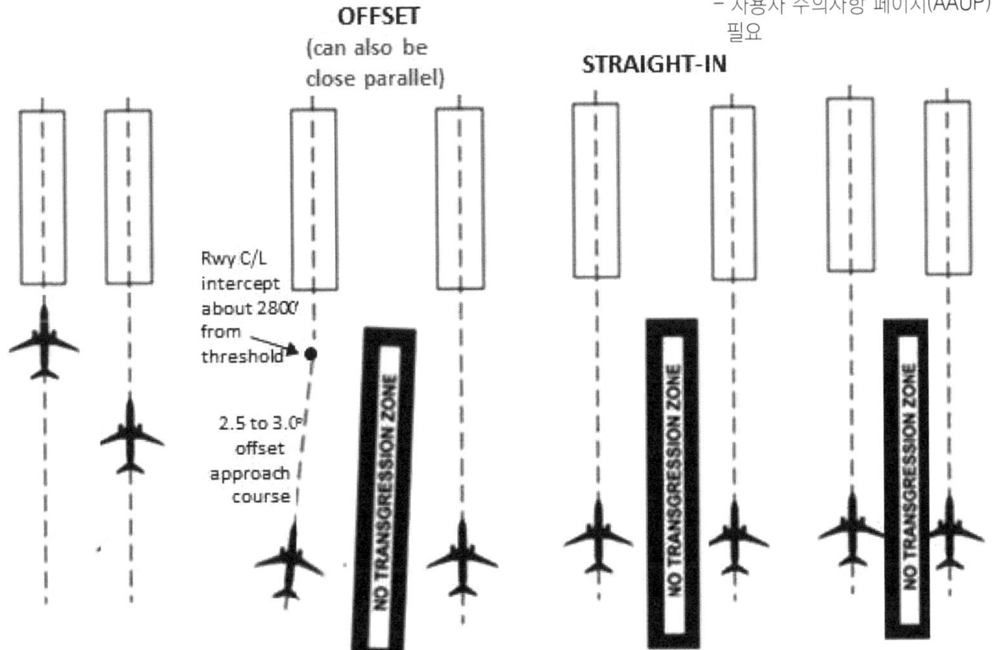

c. 평행접근운항은 더 높아진 조종사의 상황인식을 요구한다. 접근절차차트에서는 최소한 접근차트의 접근명칭 및 번호, 로컬라이저 주파수, inbound 로컬라이저/방위각 진로(localizer/azimuth course),

활공로회류고도(glideslope/glidepath intercept altitude), 최종접근픽스에서의 활공로통과고도, 결심고도, 실패접근지시, 특기할 만한 사항/절차 그리고 배정활주로 위치/인접활주로와의 근접정도와 같은 정보에 비중을 두고 검토를 하여야 한다. 조종사는 동시접근이 실시되고 있다는 것을 ATC로부터 또는 ATIS를 통해 통보받는다.

d. 동시평행독립접근과 특히 동시근접평행 PRM 접근을 수행하는 인접 항공기 간의 근접은 조종사가 모든 ATC 허가를 엄격히 준수하는 것을 필요로 한다. 적절한 시기에 ATC가 배정한 대기속도, 고도 및 기수방향(heading)에 따라야 한다. 자동조종장치(autopilot coupled) 접근은 조종사가 ATC 지시사항에 따르기 위하여 필요한 절차의 지식을 필요로 한다. 동시독립접근과 동시근접평행 PRM 접근은 최종감시관제사(final monitor controller)의 개입 및 원하지 않는 진입금지구역(No Transgression Zone; NTZ)의 침범을 최소화하기 위하여 정밀한 접근진로 추적(tracking)을 필요로 한다. 만약에 회피기동(breakout)을 지시하더라도 ATC는 최저레이더유도고도보다 더 낮은 고도를 배정하지는 않는다. 항공기 또는 항법시스템에 장애가 있다면 조종사는 즉시 ATC에 통보하여야 한다.

e. 동시독립 및 동시근접평행 PRM 접근운항 동안 엄격한 무선규율을 지켜야 한다. 여기에는 경고방송의 경청 및 장황하거나 불필요한 무선송신을 피하는 것이 포함된다. 실수로 다른 항공기에 대한 허가를 수행하는 것을 방지하기 위하여 적절한 호출부호의 사용에 주의를 기울여야 한다. 유사하게 발음되는 호출부호를 가진 항공기의 혼동을 방지하기 위하여 간소화된 호출부호의 사용은 피하여야 한다. 조종사는 무선수신기가 여느 때와 달리 오랜 동안 조용하거나, 배경소음(background sound)이 평소와 다른 경우 주의를 기울여야 한다. 마이크로폰 고착(stuck microphone)은 동시독립 및 동시근접평행 PRM 접근을 수행하는 동안 최종감시관제사의 관제탑주파수에 의한 ATC 지시의 발부를 방해할 수 있다. PRM 접근의 경우 감시관제사의 2차 주파수의 사용은 "마이크 고착(stuck mike)" 또는 이외의 관제탑주파수 방해를 줄여 준다.

f. 공중충돌경고장치(TCAS)의 사용은 평행접근운항에 부가적인 안전요소를 제공한다. 조종사는 승인된 비행교범, 장비 원제작사(original manufacturer)의 권장사항, 전문회보 및 FAA 간행물에 나와 있는 TCAS 운용 권고절차에 따라야 한다.

5-4-14. 동시의존접근 (Simultaneous Dependent Approaches)

a. 동시의존접근은 활주로중심선 간의 간격이 최소 2,500 ft에서 9,000 ft까지 분리된 평행활주로를 가진 공항에 대해 접근을 허가하는 ATC 절차이다. 전체 시스템의 필수적인 부분은 ILS, 접근항행을 제공하는 그 밖의 시스템, 레이더, 통신시설, ATC 절차 및 필요한 항공기 탑재장비 등이다. 항공기의 RNAV 장비 또는 지상과 항공기의 GLS 장비는 필요한 항공기 탑재 및 지상기반 ILS 장비를 대체할 수 있다. 비정밀 최저치가 발간되어 있다 하더라도, 조종사는 차트 주석(note)에 특별히 인가된 절차만을 사용하여야 한다. 예를 들어 차트 주석(note) "LNAV NA during simultaneous operations,"는 수직유도를 필요로 한다. 선택할 수 있다면 조종사는 가능한 한 언제든지 정밀접근으로 비행하여야 한다.

b. 동시의존접근은 평행활주로중심선 간의 최소거리가 감소될 수 있고, 레이더감시(radar monitoring)나 조언이 필요하지 않으며 인접 로컬라이저/방위각 진로(localizer/azimuth course) 상의 항공기와 엇갈린 분리(staggered separation)가 필요하다는 점이 동시독립접근과 다르다.

c. 활주로중심선 간의 간격이 최소 2,500 ft 이상 3,600 ft 미만일 경우, 인접 최종접근진로로 접근하는 항공기 간에는 대각선으로 최소 1.0 NM의 레이더분리가 필요하다. 활주로중심선 간의 간격이 3,600 ft 이상 8,300 ft 미만일 경우, 인접 최종접근진로로 접근하는 항공기 간에는 대각선으로 최소 1.5 NM의 레이더분리가 필요하다. 활주로중심선 간의 간격이 8,300 ft 이상 9,000 ft 미만일 경우, 대각선으로 최소 2 NM의 레이더분리가 제공된다.

활주로종단(runway end) 10 mile 이내의 동일한 최종접근진로 상의 항공기 간에는 최소 3 NM의 레이더분리, 경우에 따라서는 2.5 NM 까지 감소된 레이더분리가 제공된다. 그밖에 평행최종접근진로(parallel final approach course)로 선회 중인 항공기 간에는 최소 1,000 ft의 수직분리 또는 최소 3 mile의 레이더분리가 제공된다.

그림 5-4-21. 동시접근〔Simultaneous Approaches〕 (평행활주로 및 접근진로)

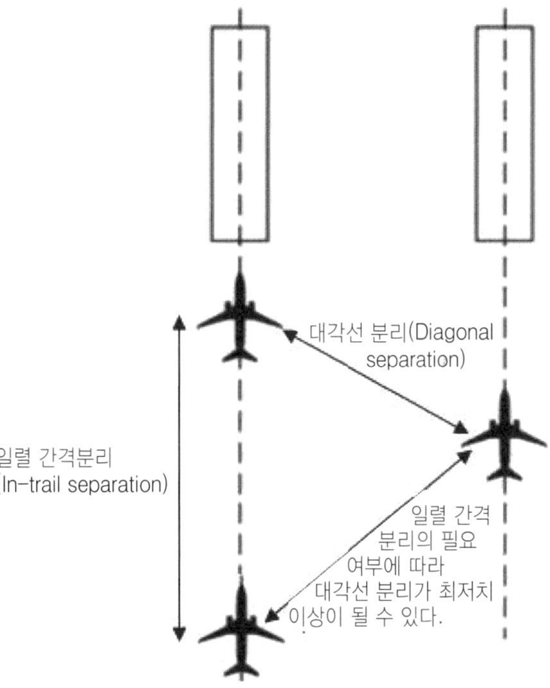

d. 평행접근이 실시되고 있을 경우, 조종사는 ATIS 또는 ATC로부터 양 활주로로 접근이 실시되고 있다는 것을 통보받게 된다. 또한 차트화된 IAP에는 어느 활주로를 동시에 사용할 수 있는지가 기재된다. 추가적으로, 레이더관제사는 분리책임이 관제탑에 위임되지 않은 관제탑의 관제사와 직접 통화가 가능한 인터폰장치를 갖추고 있다.

주(Note)

ATIS를 이용하여 통보할 경우, ATC는 이러한 운항을 특별히 의존적(dependent)으로 식별하지는 않는다.

예문(Example)

Simultaneous ILS runway 19 right and 19 left in use.

e. 어떤 공항에서는 활주로 간의 간격이 2,500 ft 미만인 활주로에 동시의존접근이 허용된다. 이런 경우 ATC는 동일 활주로에 도착하는 선행항공기와 최소한 허용되는 대각선 분리 최저치를 항상 제공한다. 뒤따르는 항공기에게는 일반적으로 활주로 간의 간격이 2,500 ft 미만인 활주로에서 활용되는 단일 활주로 분리 대신에 축소된 대각선 분리가 허용된다. 항적난기류 경감 목적의 경우,

1. 축소된 대각선 간격분리는 특정한 항공기 항적난기류 category일 경우, 통상적으로 선행항공기가 large 또는 small 항적난기류 category 인 경우에만 허용된다.

2. 모든 항공기는 이러한 운항에서 접근을 허가받은 고도에서부터 glideslope 상으로 강하하여야 한다.

축소된 분리가 허용된 경우, 동시운항에는 수직유도의 사용이 필요하며 조종사는 glideslope로 진입하기 전까지는 최종적으로 배정받은 고도를 유지하여야 한다는 내용이 IAP briefing strip에 제시된다. 이러한 운항에 참여하기 위하여 특별한 조종사 훈련이 필요하지는 않다.

주(Note)

기상상태 및 교통량에 따라 축소된 분리가 적용되는 동시의존 ILS 접근 또는 SOIA PRM 접근이 750 ft 간격의 KSFO 활주로 28R과 28L의 활주로에서 수행될 수 있다. 조종사는 이러한 운항을 혼동하지 않도록 주의를 기울여야 한다. ATC가 RPM 접근을 배정하거나, RPM 접근이 실시되고 있다는 것을 ATIS로 통보받은 경우에만 SOIA 절차에 대한 계획을 수립한다. KSFO는 현재 두 절차가 수행되는 유일한 공항이다.

5-4-15. 동시독립 ILS/RNAV/GLS 접근 〔Simultaneous Independent ILS/RNAV/GLS Approaches〕

a. 시스템(System)

중심선 간의 간격이 최소 4,300 ft인 평행활주로에 대해 동시접근을 허가하는 접근 시스템이다. 4,300~9,000 ft(5,000 ft 초과 공항의 경우 9,200 ft) 간의 분리는 NTZ 최종감시관제사를 활용한다. 동시독립접근에서는 인접한 평행접근진로(approach course)에 있는 항공기 간의 확실한 분리를 위해 NTZ 레이더감시를 필요로 한다. 최종감시관제사는 항공기 위치를 추적하며, 지정된 최종접근진로에서 벗어나는 것이 관측된 항공기에게 지시를 발부한다. 엇갈린 레이더분리(staggered radar separation) 절차는 사용되지 않는다. 전체 시스템의 필수적인 부분은 레이더, 통신시설, ATC 절차, 그리고 ILS 또는 그밖에 필요한 항공기 탑재장비이다. 차트 주석(note)에는 동시 사용이 허가된 접근이라는 것이 식별된다.

동시운항이 진행되고 있을 경우, ATIS로 통보받게 된다. 동시접근이 실시되고 있다는 것을 통보받았을 때, 조종사는 수신기의 기능장애나 부작동 또는 동시접근을 원하지 않으면 즉시 접근관제소에 통보하여야 한다. 비정밀 최저치가 발간되어 있다 하더라도 조종사는 차트 주석(note)에 특별히 허가된 절차만을 사용해야 한다. 예를 들어, 차트 주석 "LNAV NA during simultaneous operations,"는 수직유도를 필요로 한다. 선택할 수 있다면 조종사는 가능하면 언제든지 정밀접근을 하여야 한다.

주(Note)

ATIS를 이용하여 이러한 운항을 통보하는 경우, ATC는 독립적(independent) 또는 평행(parallel)이라는 단어를 사용하지 않는다.

예문(Example)

Simultaneous ILS Runway 24 left and ILS Runway 24 right approaches in use.

b. 레이더업무(Radar Service). 이 업무는 각각의 동시의존접근에 제공된다.

1. 평행최종접근진로로 선회 중인 항공기에게는 3 mile의 레이더분리 또는 최소 1,000 ft의 수직분리가 제공된다. ATC에 의해 달리 허가되지 않는 한 활공로(glide path)로 진입하기 전까지는 배정된 고도를 유지하여야 한다. 항공기가 30°를 초과하는 각도로 최종접근진로로 진입하도록 레이더 유도되지는 않는다.

주(Note)

일부 동시운항은 항공기가 배풍(downwind) 경로에서 시작하여 최종접근진로로 진입하기 위해 계속 선회하여 RNAV 진로로 비행하는 것을 허용한다. 이러한 경우 NTZ과 관련된 감시관제사가 인접 최종접근진로로 접근하는 항공기와의 분리를 제공한다.

2. 최종감시관제사는 관제탑관제사의 관제탑주파수에 대한 송신차단기능(override capability)

을 갖추고 있다.

3. 조종사는 NTZ 감시가 시작되는 지점 이전에 관제탑주파수로 교신할 것을 지시받을 것이다.

4. 초과 선회하거나 NTZ를 침범하는 항적(track)으로 계속 진행하는 것이 관측된 항공기에게는 올바른 최종접근진로로 즉시 복귀할 것을 지시하여야 한다. 최종감시관제사는 이탈항공기에게 접근허가를 취소하고 실패접근 또는 그 밖의 지시를 발부할 수 있다.

관제용어(Phraseology)

"(항공기 호출부호) You have crossed the final approach course. Turn (좌측/우측) immediately and return to the final approach course."

또는,

"(항공기 호출부호) turn (좌측/우측) and return to the final approach course."

5. 이탈항공기가 이러한 지시에 응답하지 않거나 NTZ를 침범하는 것이 관측되는 경우, 인접 최종접근진로의 항공기(위협을 받는다면)에게 회피기동(breakout) 지시를 발부한다.

관제용어(Phraseology)

"Traffic alert (항공기 호출부호) turn (좌측/우측) immediately heading (각도), (상승/강하) and maintain (고도)."

6. 레이더감시는 시계분리가 적용되거나, 항공기가 진입등이나 활주로를 육안으로 보았다고 보고할 때 또는 활주로시단(runway threshold)으로부터 1 NM 이하일 경우 자동으로 종료된다. 레이더감시를 종료하였을 때 최종감시관제사는 그 사실을 조종사에게 통보할 필요는 없다.

주(Note)

활주로 간의 간격이 9,000 ft(또는, 5,000 ft 초과 공항의 경우 9,200 ft)를 초과하는 활주로에서 이루어지는 동시의존접근에는 NTZ가 필요하지 않다. 그러나 조종사의 관점에서 보면 NTZ가 감시될 때 제공되는 것과 동일한 이탈항공기와 관련된 경보가 ATC에 의해 제공된다. 조종사는 NTZ가 감시되고 있는 지 또는 감시되고 있지 않는 지의 여부를 인식하지 못할 수 있다.

그림 5-4-22. 동시독립〔Simultaneous Independent〕 ILS/RNAV/GLS 접근

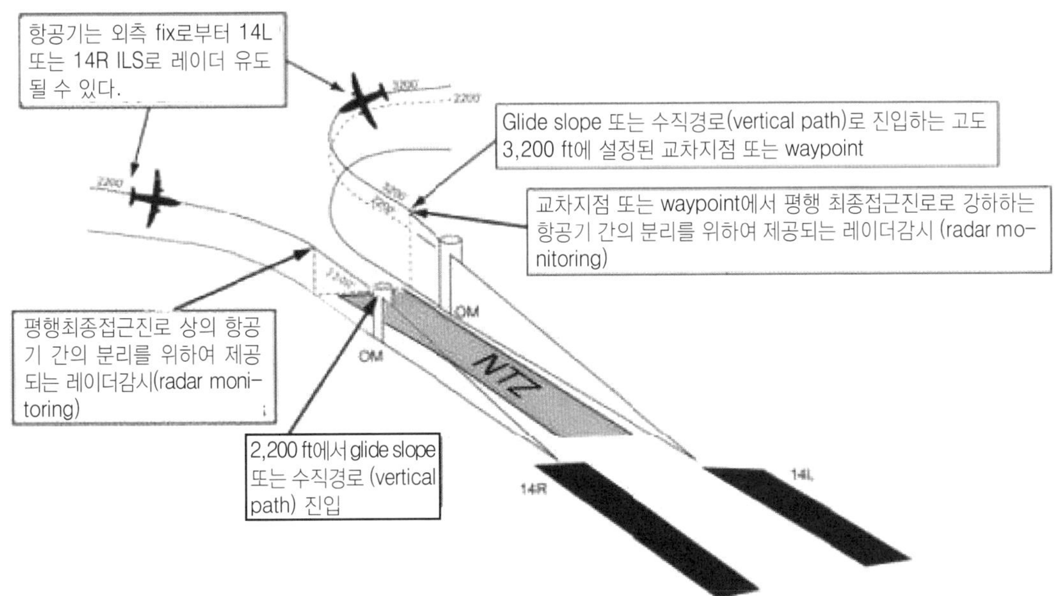

5-4-16. 동시근접평행 PRM 접근 및 동시 오프셋(Offset) 계기접근(SOIA)

a. 시스템(System)

1. PRM은 동시근접평행접근 수행에 사용되는 특정 평행활주로 분리를 위하여 진입금지구역(No Transgression Zone; NTZ) 감시에 필요한 높은 자료갱신율(high update rate)의 Precision Runway Monitor 감시시스템의 약어이다. 또한 PRM은 동시근접평행접근 수행에 사용되는 IAP 접근명칭의 일부분으로서 표제(title)에 게재된다. "PRM"은 특정 항공기 탑재장비, 훈련 및 절차가 적용된다는 점을 조종사에게 알리는 것이다.

동시근접평행 PRM 접근은 독립되어 있기 때문에 최종접근진로 간의 NTZ와 정상운항구역(normal operating zone; NOZ) 공역은 각 접근진로 당 1명씩 2명의 감시관제사에 의해 감시가 이루어진다. NTZ 감시시스템(최종감시장비)은 시각 및 청각적인 NTZ 침범경보뿐만 아니라 항공기 식별부호, 위치, 속도 및 10초 후의 예측위치(ten-second projected position)를 감시관제사에게 제공하는 자동추적 소프트웨어(Automated tracking software)의 고해상도 ATC 레이더시현장치로 구성된다. 이 시스템의 구성요소인 PRM 높은 자료갱신율(high update rate)의 감시 sensor는 특정한 간격의 활주로에만 필요하다. 동시독립접근에 대한 부가적인 절차는 5-4-15. 동시독립 ILS/RNAV/GLS 접근 항에 기술되어 있다.

그림 5-4-23. 동시근접평행(Simultaneous Close Parallel) PRM 접근

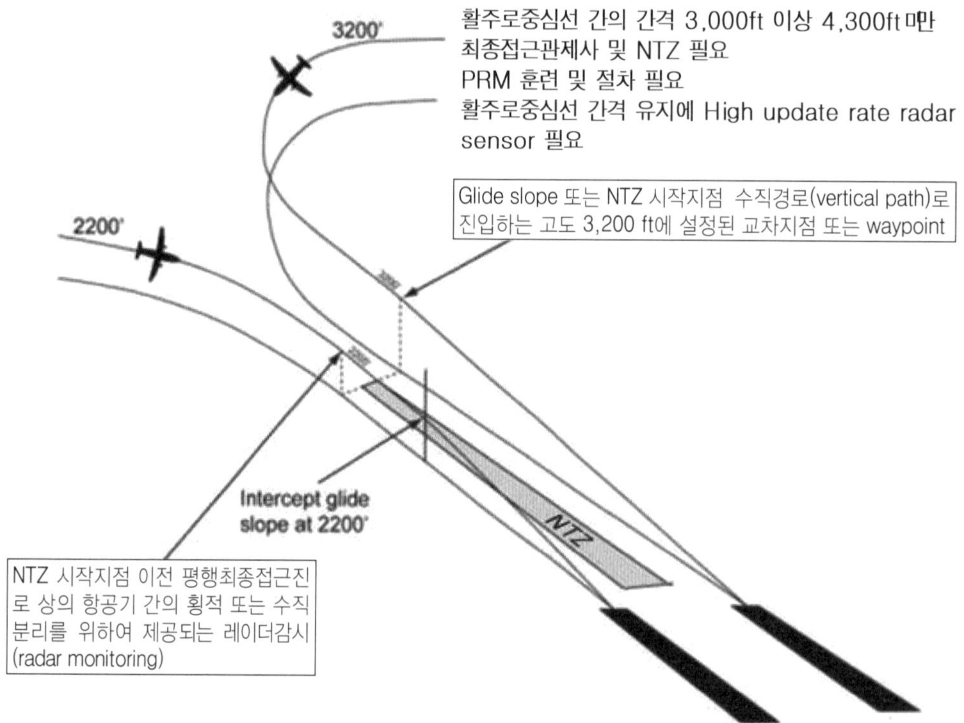

2. 높은 자료갱신율의 RPM 감시 sensor를 활용하는 지의 여부에 관계없이 동시근접평행 PRM 접근은 조종사훈련, 접근 표제(title)의 PRM, 최종감시장비(final monitor aid)를 활용한 NTZ 감시, 레이더 display, AAUP에 발간 및 2차 PRM 통신주파수 사용의 모든 요건을 충족하여야 한다. PRM 접근은 각 IAP에 (절차 유형) PRM Rwy XXX (Simultaneous Close Parallel 또는 Close Parallel)라고 표제가 부여된다.

주(Note)

ATIS를 이용하여 이러한 운항을 통보하는 경우 ATC는 "독립적(independent)" 이라는 단어를 사용하지 않는다.

예문(Example)

Simultaneous ILS PRM Runway 33 left and ILS PRM Runway 33 right approaches in use.

(a) 조종사는 동일한 활주로에서 현재 사용되는 접근 이외에 다른 유형의 PRM 접근을 요청할 수 있다. 그러나 조종사는 다른 유형의 접근을 하기 위해서는 반드시 ATC 허가를 받아야 한다. 또한 지상기반 NAVAID가 상실된 경우, 영향을 받는 활주로나 다른 활주로로 다른 유형의 PRM 접근을 할 것을 ATIS로 알릴 수 있다.

(b) 사용자 주의사항 페이지(Attention All Users Page; AAUP)에서는 RPM 접근 수행절차를 다룬다.

b. 요건 및 절차(Requirements and Procedures) 모든 조종사는 위의 a1절에 식별된 시스템 요건 및 조종사 절차 외에, PRM 접근을 수행하기 위한 허가를 받아들이기 전에 특별훈련을 마쳐야 한다.

1. 조종사훈련 요건. 조종사는 동시근접평행 PRM 접근에 대한 허가를 받아들이기 전에 아래에 나열된 특별조종사훈련을 마쳐야 한다.

(a) 14 CFR Part 121, 129 및 135에 의하여 운항하는 경우에는 운영기준에 식별된 FAA 인가 회사훈련을 받아야 한다. 훈련에는 조종사가 FAA 훈련 slide 자료 "Precision Runway Monitor (PRM) Pilot Procedures."를 시청하도록 규정하고 있다. 추가적인 정보 또는 slide 자료를 보거나 다운로드 하려면 http://www.faa.gov/training_testing/training/prm/을 참조하거나 검색어 FAA PRM으로 검색한다.

(b) Part 91에 의하여 운항하는 경우

(1) 수송류(Transport category) 항공기를 운항하는 조종사는 AIM의 이 절에 포함된 PRM 운항에 익숙해야 한다. 추가하여, 수송류 항공기를 운항하는 조종사는 slide 자료 "Precision Runway Monitor (PRM) Pilot Procedures."를 시정하여야 한다. 추가적인 정보 또는 slide 자료를 시청하거나 다운로드 하려면 http://www.faa.gov/training_testing/training/prm/을 참조하거나 검색어 "FAA PRM"으로 검색한다.

(2) 수송류 항공기 이외의 항공기를 운항하는 조종사는 AIM의 이 절에 포함된 PRM 및 SOIA 운항에 익숙해야 한다. FAA는 수송류 항공기 운항에 관련되지 않은 조종사에게는 FAA 훈련 slide 자료, "Precision Runway Monitor (PRM) Pilot Procedures."를 시청할 것을 적극 권장하고 있다. 추가적인 정보 또는 slide 자료를 보거나 다운로드 하려면 http://www.faa.gov/training_testing/training/prm/을 참조하거나 검색어 "FAA PRM"으로 검색한다.

주(Note)

기상상태, 및 교통량 및 도착 비행에 활용되는 활주로의 특정한 조합에 따라 활주로는 근접 종속 또는 독립접근을 포함한 서로 다른 유형의 동시운항에 사용될 수 있다. RPM 접근이 실시되고 있다는 것을 ATIS로 통보받은 경우에만 PRM 절차를 사용할 수 있다. 다른 유형의 동시접근에 대해서는 5-4-14와 5-4-15항을 참조한다.

c. ATC 지시 회피기동(Breakout). ATC 지시 "회피기동(breakout)"은 NTZ를 침범하는 다른 항공기에 대응하여 위협을 받은 항공기를 최종접근진로에서 벗어나도록 레이더 유도하는 것이라고 정의할 수 있다.

d. 복수통신(Dual Communications). PRM 접근을 수행하는 항공기는 조종사가 두 개의 통신주파수를 동시에 청취할 수 있는 성능을 갖추어야 한다. 송신이 단절되는 것을 피하기 위하여 각 활주로에는 주 주파수(primary frequency)와 PRM 감시주파수의 두 주파수를 운용한다. 관제탑관제사는 양 주파수로 송신한다. 필요하면 감시관제사의 송신이 양 주파수의 송신을 차단(override)한다. 조종사는 관제탑의 관제사주파수로만 송신할 수 있지만, 청취는 양 주파수로 할 수 있다. ATC가 관제탑과 교신할 것

을 지시하면, PRM 감시주파수 audio를 설정한다. 조종사는 관제탑과 단절되면 PRM 주파수로 송신을 청취할 수 있도록 양 주파수에 대략 동일한 음량으로 설정하여야 한다. 지역의 특정 절차가 이 장에 제시된 일반정보보다 우선한다. 특정 공항의 적용절차는 AAUP를 참조한다.

d. 레이더업무(Radar Service)

1. 평행 최종접근진로로 선회하는 동안 항공기에는 3 mile의 레이더분리, 또는 최저치나 1,000 ft의 수직분리가 제공된다. ATC에 의해 달리 허가되지 않는 한 glide path로 진입하기 전까지는 배정된 고도를 유지하여야 한다. 항공기가 30°를 초과하는 각도로 최종접근진로로 진입하도록 레이더 유도되지는 않는다.

2. 최종감시관제사는 관제탑관제사의 관제탑주파수에 대한 송신차단 기능(override capability)을 갖추고 있다.

3. 조종사는 NTZ 감시가 시작되는 지점 이전에 관제탑주파수로 교신할 것을 지시받을 것이다. 조종사는 이 때 2차 PRM 주파수로 감시를 시작한다. (아래의 복수 VHF 통신요건 참조)

4. 조종사는 PRM 접근 동안 분리를 유지하고 긴급한 상황을 피하기 위하여 PRM 감시관제사의 지시사항에 즉시 따라야 한다.

5. 초과 선회하거나 NTZ를 침범하는 항적(track)으로 계속 진행하는 것이 관측된 항공기에게는 올바른 최종접근진로로 즉시 복귀할 것을 지시한다. 최종감시관제사는 이탈 항공기에게 접근허가를 취소하고 실패접근 또는 그 밖의 지시를 발부할 수도 있다.

관제용어(Phraseology)

"(항공기 호출부호) you have crossed the final approach course. Turn (좌측/우측) immediately and return to the final approach course."

또는

"(항공기 호출부호) turn (left/right) and return to the final approach course."

6. 이탈 항공기가 이러한 지시에 응답하지 않거나 NTZ를 침범하는 것이 관측되는 경우, 인접 최종접근진로의 항공기(위협을 받는다면)에게 회피기동(breakout) 지시를 발부한다.

관제용어(Phraseology)

"Traffic alert (항공기 호출부호) turn (좌측/우측) immediately heading (각도), (상승/강하) and maintain (고도)."

7. 레이더감시는 시계분리가 적용되거나, 항공기가 진입등이나 활주로를 육안으로 보았다고 보고할 때 자동으로 종료된다. 그렇지 않으면 감시는 DER을 지나 최소한 0.5 NM 까지 계속된다. 레이더감시를 종료할 때 최종감시관제사는 그 사실을 조종사에게 통보하지는 않는다.

f. 사용자 주의사항 페이지(Attention All Users Page; AAUP). PRM을 운용하는 공항의 경우 AAUP의 "General" 절에서 조종사에게 특정 공항의 발간된 모든 PRM 접근과 관련된 정보를 제공하며, 이 절 전체를 조종사에게 알려주어야 한다. "Runway Specific" 절에서는 착륙에 사용되는 활주로와 관련된 항목 만을 알려주어야 한다. (그림 5-4-24 참조). Single AAUP는 AAUP에 수록된 동일한 공항에서 다수의 PRM 접근차트에 활용된다. 조종사가 PRM 허가를 수용할 수 없을 경우 ATC에 통보해야 할 요건도 제공된다. AAUP "General"절에서 다루는 내용은 다음과 같다.

1. 상승 또는 강하 회피기동(breakout) 수행 절차의 소개

2. 단어 "Traffic Alert"으로 시작되는 회피기동(breakout) 관제용어

3. 모든 통과제한을 충족하는 glideslope/glidepath에서의 강하

4. PRM 접근을 충족하는 동일한 활주로에 동일한 유형의 non-PRM 접근 설명

5. 복수통신(dual communications) 절차의 설명.

AAUP의 "Runway Specific" 절에서는 RPM 접근을 활용하는 활주로 종단에만 적용되는 사안을 다룬다. 단일 또는 다수 활주로 종단의 경우, 하나의 활주로 종단에만 적용되는 단일 또는 다수 항목의 Runway Specific 절차가 없을 수 있다. SOIA runway specific 절차의 예는 다음과 같다.

그림 5-4-24. PRM 사용자 주의사항 페이지〔PRM Attention All Users page; AAUP〕

15288
PRM APPROACH AAUP AL-166 (FAA) USA INTL (USA)
USA CITY

ATTENTION ALL USERS PAGE (AAUP)
(PRM CLOSE PARALLEL)

Pilots who are unable to participate will be afforded appropriate arrival services as operational conditions permit and must notify the controlling ATC facility as soon as practical, but at least 120 miles from destination.

ILS PRM or LOC PRM Rwys 10R, 10C, 28L, 28C
RNAV (GPS) PRM RWYS 10R, 10C, 28L, 28C

General

- Review procedure for executing a climbing and descending PRM breakout.
- Breakout phraseology: "TRAFFIC ALERT (call sign) TURN (left/right) IMMEDIATELY HEADING (degrees) CLIMB/DESCEND AND MAINTAIN (altitude)."
- All breakouts: Hand flown, initiate immediately.
- Descending on the glideslope/glidepath ensures compliance with any charted crossing restrictions.
- Dual VHF COMM: When assigned or planning a specific PRM approach, tune a second receiver to the PRM monitor frequency or, if silent, other active frequency (i.e., ATIS), set the volume, retune the PRM frequency if necessary, then deselect the audio. When directed by ATC, immediately switch to the tower frequency and select the secondary radio audio to ON.
- If later assigned the same runway, non-PRM approach, consider it briefed provided the same minimums are utilized. PRM related chart notes and frequency no longer apply.
- TCAS during breakout: Follow TCAS climb/descend if it differs from ATC, while executing the breakout turn.

Runway Specific

- Runway 10R: Exit at taxiway Tango whenever practical.

PRM APPROACH AAUP 41°59'N-87°54'W USA INTL (USA)
USA CITY

g. 동시 오프셋 계기접근(Simultaneous Offset Instrument Approach; SOIA)

1. SOIA는 활주로 간격이 3,000 ft 미만 750 ft 이상인 활주로에 동시 접근하기 위하여 사용되는 절차이다. SOIA 절차는 하나의 활주로로는 직진입 PRM 접근을, 그리고 인접활주로로는 glideslope/glidepath와 함께 PRM offset 접근을 활용한다. SOIA 운항 시에 항공기는 항상 offset RPM 접근을 하는 항공기의 약간 전방에 위치하여 직진입 PRM 접근을 하는 항공기와 한 조를 이룬다.

2. SOIA 운항에 사용되는 직진입 PRM 접근 plate는 동시 SOIA 접근에 사용되는 두 활주로 간의 분리를 제공하는 추가 주석(note)을 가진 다른 직진입 PRM 접근 plate와 거의 동일하다. Offset PRM 접근 plate에는 접근의 시계구간(visual segment) 표기 뿐만 아니라, 근접접근에 필요한

표기가 표시된다.

3. 관제사는 다른 PRM 접근에 사용하는 것과 완전히 동일한 방법으로 SOIA PRM 접근을 감시한다. SOIA PRM 접근의 절차 및 시스템 요건은 offset RPM 접근을 하는 항공기가 직진입 항공기를 시각적으로 확인할 수 있는 offset PRM 접근 실패접근지점(MAP) 근처까지는 동시근접평행 PRM 접근에 사용되는 절차 및 시스템 요건과 거의 동일하다. SOIA PRM 접근과 다른 PRM 접근(offset 접근의 시계구간은 제외)은 아주 동일하기 때문에, SOIA PRM 운항 전에 PRM 접근의 수행절차를 이해할 필요가 있다.

4. SOIA에서 접근진로 분리(활주로 분리 대신에)는 설정된 근접평행접근 기준을 충족한다 (일반적인 SOIA 접근형태는 그림 5-4-22 참조). Offset PRM 접근의 시계구간은 LDA MAP와 활주로시단 사이에 설정된다. 항공기는 활주로에 정대하기 위하여 offset MAP에서 시작되는 offset 진로에서 시계비행상태로 전환하여 활주로중심선 연장선 상의 지표면 500 feet 상공에 진입할 수 있다. 접근에서 운고(cloud ceiling)는 offset 접근을 하는 항공기가 offset MAP에 도달하기 전에 선행 직진입 항공기를 육안 확인하는 데 명목상 최소한 30초 이상이 걸리도록 설정된다. Offset MAP를 통과하기 전에 육안확인이 이루어지지 않으면 실패접근을 하여야 한다.

5. SOIA 운항에서 오프셋 RNAV PRM 및 GLS RPM 접근의 비행관리시스템(FMC) coding은 차트화된 IAP에 발간된 최초 실패접근절차와 일치하지 않는다는 점에서 다른 RNAV 및 GLS 접근 coding과 다르다. 오프셋 접근의 SOIA 설계 시 횡적 진로유도는 가상시단지점(fictitious threshold point; FTP)에서 종료되며, offset MAP를 지나 활주로시단 근처 지점을 향하는 최종접근진로의 연장선이다. Offset LDA glideslope가 수직유도를 제공하는 것과 마찬가지로 FTP는 조종사가 활주로시단까지 수직유도를 이용할 수 있도록 접근 coding 시에 MAP로 지정된다. 어떤 유형의 offset 접근이 이루어지든 횡적유도의 의존은 차트화된 MAP에서 중단되며, 활주로 정렬을 하기 위하여 시계비행으로 대체된다.

(a) 이러한 접근 coding으로 인해, 발간된 offset MAP를 지난 이후에 실패접근을 할 경우 LNAV로 진입하기 전에 초기 기수방향(heading)은 수동 또는 자동조종장치 "heading mode"로 비행하여야 한다. 조종사가 바로 LNAV로 진입한다면, 항공기는 실패접근 체공 fix로 선회하는 대신에 FTP로 계속 비행한다. 발간된 IAP의 주석(note) 및 사용자 주의사항 페이지(AAUP)에 이러한 절차가 구체적으로 언급된다.

(b) 일부 FMS는 접근의 일부분으로 FAF 내부의 waypoint를 code 하지 않는다. 따라서 차트화된 IAP 상에 표기된 MAP가 오프셋 접근 coding에 포함되지 않을 수 있다. 이러한 FMS를 활용하는 조종사는 차트화된 IAP에 게재된 FTP로부터의 거리에 주목하여 waypoint의 위치를 식별할 수 있다. 이와 동일한 FMS에서 직진입 SOIA 접근은 PFAF 내부의 waypoint를 시현하지 않는다. Code 되지 않은 waypoint 식별에 동일한 절차를 사용할 수 있다. 이러한 경우 차트화된 IAP에 게재된 활주로 waypoint로부터의 거리에 주목하거나, 인가된 거리를 사용하여 위치를 판단할 수 있다.

(c) FTP는 MAP로 code되기 때문에 FMS map display는 최초 실패접근진로가 FTP에서 시작되는 것으로 표기한다. 이러한 표기는 IAP의 최초 실패접근절차 표기와 일치하지 않는다. 조종사는 map display가 아니라 발간된 IAP 유도에 따라야 한다는 것을 생각하고 있어야 한다. 항공기가 실패접근을 할 때 최초 선회를 하면 절차 coding이 남는 것은 일반적이며 다른 IAP로 활용할 수 있다.

6. SOIA PRM 접근은 다른 PRM 접근과 동일한 복수통신 절차를 활용한다.

주(Note)

KSFO에서 SOIA 운항을 하는 조종사는 관제탑관제사가 아닌 최종 레이더관제사와 교신을 할 때 일반적으로 감시주파수 audio로 설정한다. 특별한 경우에 필요하면 감시관제사의 송신이 최종 관제사의 송신을 차단(override)한다. 이러한 절차는 AAUP

에서 다룬다.

(a) SOIA는 다른 PRM 접근과 동일한 AAUP 형식을 활용한다. 최저기상상태 요건이 수록된다. SOIA 접근 수행에 대한 지시사항의 복잡한 특성 때문에 "Runway Specific" 항목은 더 많아지고 길어진다.

(b) SOIA offset runway specific note의 예는 다음과 같다.

(1) 항공기는 offset 접근활주로의 중심선과 정대하기 위하여 기동하기 전에 offset MAP를 통과할 때 까지는 offset 진로에 머물러야 한다.

(2) 조종사는 다음과 같은 경우 활주로중심선에 정대하기 위하여 offset MAP를 지나 계속 비행하는 것이 허가된다.

〔a〕 직진입접근 항공기를 육안으로 확인하였고, 계속 시야에 둘 수 있다고 예상되는 경우

〔b〕 "항공기를 육안으로 확인하였다(traffic is in sight)"는 것을 ATC에 통보하였다. (ATC는 이러한 송신에 인지응답할 필요는 없다)

〔c〕 활주로 환경을 육안으로 확인한 경우. 그렇지 않으면 실패접근을 하여야 한다. Offset MAP와 활주로시단 사이에서 offset PRM 접근을 하는 조종사는 직진입 항공기를 가로질러서는 안되고, 인접활주로에 직진입 PRM 접근을 하는 항공기와 시각적으로 분리를 유지할 책임이 있으며 이는 착륙할 때 까지 이 항공기를 회피하기 위하여 필요하면 항공기를 기동시키고 해당하는 경우 항적난기류를 회피해야 한다는 것을 의미한다. 시계분리를 유지하는 조종사가 직진입 접근을 하는 항공기를 시야에서 놓쳤다면 가능한 빨리 ATC에 통보하고, ATC가 달리 지시하지 않은 한 실패접근을 하여야 한다.

(c) SOIA 직진입 runway specific note의 예는 다음과 같다.

(1) Offset 항공기의 항적난기류 경감을 도와주기 위하여 조종사는 glideslope/glidepath 위로 강하하지 말고 glideslope/glidepath로 강하하여야 한다.

(2) 직진입접근을 하는 경우 조종사는 offset 접근을 하는 조종사가 우측/좌측 후방에서 접근하여 직진입항공기에 근접 운항할 것이라는 것을 인식하여야 한다.

7. 개요(recap). 다음은 조종사에게 중요한 간격이 넓은(활주로중심선간 최소 4,300 ft) 동시접근과 동시 PRM 근접평행접근간의 차이점이다.

(a) 활주로 간격(runway spacing). PRM 동시근접평행접근 이전에 대부분의 ATC 회피기동(breakout) 지시는 동일한 최종접근진로 상의 두 대의 항공기가 일렬로 서로 너무 근접해 있기 때문이다. 동일한 방향으로 가는 두 항공기에게 신속한 반응을 요구하지는 않는다. PRM 근접접근시 4,300 ft 미만으로 분리된 진로에서 두 대의 항공기가 서로 나란히 비행할 수 있다. 만일 항공기가 진로를 벗어나거나 또는 초당 135 feet의 속도로 가까워지면서 인접 최종접근진로로 30°의 각도로 선회하는 최악의 상황이 발생한 경우에는 신속한 반응을 필요로 한다. 감시관제사(monitor controller)는 진로를 벗어난 항공기를 인지하면 위험에 처한 항공기에게 회피기동 지시를 발부한다. 진로를 벗어난 항공기는 다른 주파수를 유지하고 있기 때문에 조종사는 회피기동(breakout) 상황에 처해 있다는 경고를 받지 못한다. 조종사가 회피기동 지시를 받았을 경우, 진로를 벗어난 항공기가 NTZ를 침범하려고 하는지 또는 침범했는지, 그리고 접근진로로 향하고 있는지를 추정할 필요가 있다. 조종사는 안전이 허용되면 바로 회피기동을 하여야 한다. PRM 접근을 수행하는 동안 조종사는 ATC 지시(breakout)에 즉시 따를 수 있도록 최상의 지각을 유지하고, ATC 지시에 따라 진로를 벗어난 항공기로부터 멀어지도록 기동하여야 한다.

(b) 통신(communication). 복수 VHF 통신절차를 준수해야 한다. 안전하게 PRM 접근을 할 수 있도록 하는 가정 중의 하나는 통신이 단절되지 않는 것이다.

(c) 수동조종 회피기동(Hand-flown Breakout). PRM 접근을 수행하는 동안에는 자동조종장치의 사용을 권장하지만 회피기동이 발부된 드문 경우에는 자동조종장치를 해제하여야 한다. 회피기동(breakout)의 simulation 연구결과는 수동조종

회피기동이 자동조종장치를 사용하여 수행되는 회피기동보다 항상 더 빠르게 시작될 수 있다는 것을 보여준다.

(d) TCAS. ATC의 회피기동(breakout) 지시는 충돌위험 해소의 1차적인 수단이다. 분리기준을 지키지 못한 경우, TCAS가 설치되어 있다면 다른 형태의 충돌위험 해소를 제공한다. TCAS는 근접접근의 수행에는 필요하지 않다.

ATC 회피기동(breakout) 지시가 충돌위험 해소를 위한 수직과 수평유도 모두를 제공하는 반면, TCAS는 항공기 충돌위험의 수직 해소만을 제공한다. 조종사는 TCAS 회피조언(RA)을 수신했을 때에는 언제나 즉시 이에 따라야 한다. ATC 회피기동 지시가 발부되는 동안이나 또는 전후에 TCAS RA를 수신하였다면, 지시가 회피기동 기동의 상승/강하구간과 상충한다 하더라도 조종사는 RA에 따라야 한다. RA에 따르기 위하여 ATC 허가의 위배가 필요한 경우, 조종사는 가능한 빨리 ATC에 통보하여야 한다. RA를 따르는 동안 조종사가 안전을 고려하여 달리 결정하지 않은 한, 조종사가 ATC 회피기동 지시의 선회부분을 준수하는 것도 대단히 중요하다. 이러한 절차를 준수함으로써 정상적인 절차의 실패나 시스템 고장이 발생한 경우에도 항상 조종사가 수용할 수 있는 "회피기동(breakout)" 분리 여유(margin)를 제공할 수 있게 된다.

그림 5-4-25. SOIA 접근형태(SOIA Approach Geometry)

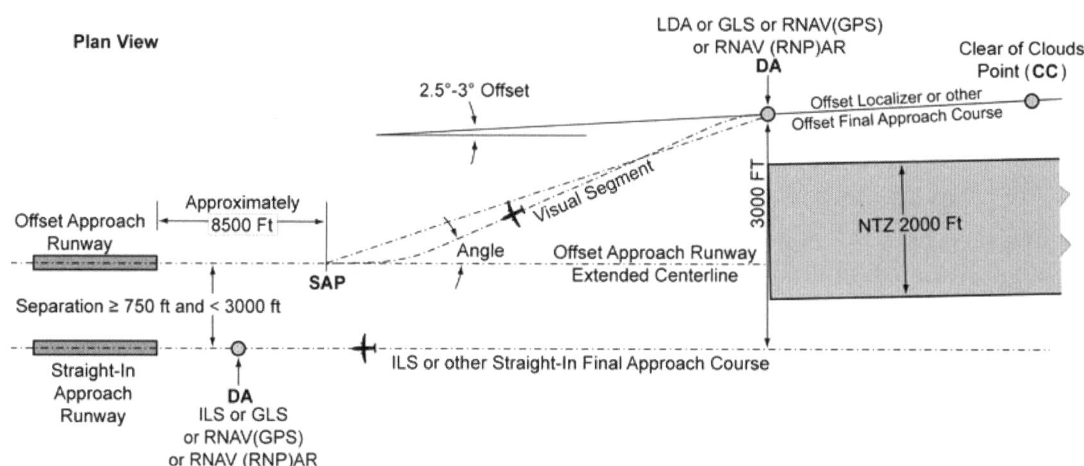

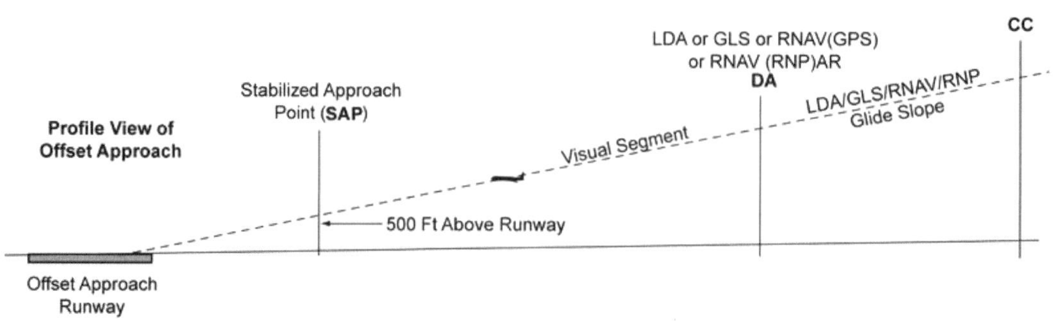

주(Note)

SAP	안정접근지점(stabilized approach point)은 착륙예정 활주로중심선의 연장선을 따라 활주로 시단표고 상공 500 ft의 glide slope/glide path 상에 있는 설계지점(design point)이다. SAP는 조종사가 offset 진로 접근 DA를 지난 후 승인되고 안정된 접근기준에 따를 수 있도록 시각기동에 충분한 거리가 제공되는 지를 확인하기 위해서 사용된다. SAP는 IAP 상에 게재되지 않는다.

MAP Offset Course DA	인접 ILS 또는 그 밖의 직진입진로와 진로분리가 근접접근 수행이 허용된 최저거리에 도달하는 LDA 또는 그 밖의 offset 진로 상의 지점. 높은 자료갱신율(high update) 레이더를 사용하지 않는 경우 통상적으로 최저거리는 3,000 ft 이며, 안전성 연구로 입증되고 높은 자료갱신율 레이더를 사용하는 경우 3,000 ft 미만의 진로분리를 사용할 수 있다. 이 지점의 glide slope/glide path 고도가 offset 진로 접근 결심고도를 결정하며, NTIZ가 종료되는 지점이다. DA 내부의 기동은 시계비행상태에서 이루어진다.
Visual Segment Angle	산정된 비행항적(flight track) 직선구간(offset 진로 MAP/DA 및 SAP 간)의 연장선과 연장된 활주로 중심선이 이루는 각도이며, SOIA 설계 tool에 의해 결정된다. 각도의 크기는 offset 진로 접근의 사용과 활주로 간의 간격분리가 승인된 항공기 접근범주(범주 D 또는 선정된 범주/속도만)에 좌우된다.
Visibility	Statute mile 단위의 offset 진로 접근 DA부터 활주로시단까지의 거리
Procedure	Offset 진로 접근중의 항공기는 활주로 착륙환경을 육안으로 확인하여야 하며, ATC로부터 직진입접근 중인 항공기를 고려해야 한다는 통보를 받았다면, offset 진로 접근 항공기는 직진입접근 항공기를 육안으로 포착하여야 하며 offset 진로 접근의 DA에 도달하기 전에 ATC에 육안 확인하였다는 보고를 하여야 한다.
CC	구름으로부터 벗어난 지점(Clear of Clouds point)은 SOIA 운항에서 실제 기상상태가 최저운고이거나 최저운고(minimum ceiling)에 가까운 경우, 항공기가 운고 미만의 시계기상조건에서 처음으로 운항하는 offset 최종접근진로 상의 위치이다. 운고(ceiling)는 항공정보매뉴얼(AIM)에 정의되어 있다.

5-4-17. 동시수렴계기접근(Simultaneous Converging Instrument Approaches)

a. ATC는 수렴활주로(converging runway), 즉 15°에서 100°의 사잇각(included angle)을 갖는 활주로에 대하여 동시에 계기접근을 할 수 있는 프로그램이 특별히 인가된 공항에서는 동시계기접근을 허가할 수 있다.

b. 기본개념은 각 수렴활주로에 대하여 전용의 분리된 표준계기접근절차의 개발을 필요로 한다. 이러한 접근은 표제(title)의 문자 "V", 예를 들어 "ILS V Rwy 17 (CONVERGING)"으로 식별할 수 있다. 실패접근지점은 최소 3 mile 이상 떨어져야 하며, 실패접근절차는 실패접근보호공역(protected airspace)이 겹치지 않도록 하여야 한다.

c. 그 밖의 요건은 레이더 가용성, 교차하지 않는 최종접근진로, 각 활주로의 정밀접근 성능이며, 활주로가 교차하면 관제사는 시계분리뿐만 아니라 교차활주로 분리기준도 적용하여야 한다. 또한 교차활주로는 최소한 운고 700 ft와 시정 2 mile의 최저치를 필요로 한다. 직진입접근과 착륙이 이루어질 수 있어야 한다.

d. 동시수렴접근이 실시되고 있을 경우, 관제사는 최초교신을 한 뒤에 또는 ATIS를 통하여 가능한 한 빨리 다른 항공기에 이러한 사실을 통보한다. 추가적으로 레이더관제사는 분리책임이 관제탑에 위임되지 않은 경우, 관제탑관제사와 직접 교신할 수 있는 기능을 갖추고 있다.

5-4-18. RNP AR 계기접근절차(Instrument Approach Procedures)

이러한 절차는 Category II 또는 III ILS 절차에 필요한 특별한 인가와 유사한 인가를 필요로 한다. 승인요청(Authorization required; AR) 절차는 명시된 성능 및 기능적인 요건을 갖춘 항공기로 특별 교육훈련 요건을 충족하는 운항승무원에 의해 수행되어야 한다.

a. RNP AR 접근의 고유 특성

1. RNP 수치(value). 각각의 발간된 minima line에는 관련된 RNP 수치가 포함되어 있다. 지시된 수치는 횡적성능과 수직성능 요건을 한정한다. 최저 RNP type은 각 운항에 대한 RNP AR 승인의 일부로서 문서에 기재되며, 항공기형상 또는 운항절차(예, GPS 부작동, 자동조종장치 대신 비행지시기의 사용)에 따라 달라질 수 있다.

2. 곡선경로 절차(Curved path procedures). 일부 RNP 접근에는 Radius-to-a-fix(RF) leg

라고도 하는 곡선경로가 있다. 모든 항공기가 이러한 원호구간(arc)을 비행할 수 있는 성능을 가지고 있지는 않기 때문에 조종사는 원호가 있거나 있지 않은 RNP 접근을 수행할 수 있는지의 여부를 파악해야 할 책임이 있다. 절차의 개발 시에는 항공기속도, 바람 및 경사각(bank angle) 등을 고려하여야 한다.

3. 실패접근에 필요한 RNP. 필요한 경우 실패접근절차에 RNP-1보다 낮은 RNP 수치를 사용할 수 있다. 항법시스템의 신뢰성은 이러한 접근을 수행할 수 있도록 매우 높게 되어 있다. 단일고장점(single point of failure)으로 인해 접근과 실패접근운항 모두의 상실을 초래하지 않도록 이러한 절차의 운항에는 일반적으로 예비장비를 필요로 한다.

4. 비표준속도 또는 상승률(Non-standard speeds or climb gradients). RNP AR 접근은 표준접근속도 및 실패접근 시의 200 ft/NM 상승률에 의거하여 개발된다. 이러한 절차에 대한 예외사항은 접근절차 상에 표시되며, 운영자는 운영을 시작하기 전에 발간된 제한사항을 준수할 수 있도록 하여야 한다.

5. 온도제한(Temperature Limit). 접근을 수행하기 위하여 barometric 수직항법(온도보정기능이 없는 경우)을 사용하는 항공기에 대해서는 저온과 고온제한사항이 절차상에 식별된다. 고온은 glidepath 각도를 증가시키는 반면에 저온은 glidepath 각도를 감소시킨다. 온도보정기능이 있는 baro VNAV를 사용하는 항공기 또는 수직유도에 대한 대체수단(예, SBAS)을 사용하는 항공기는 온도제한을 무시할 수 있다. 표기된 온도제한은 최종접근구역에만 적용된다. 표기된 온도제한 또는 FMS에 의한 온도보정에도 불구하고, 조종사는 최저고도와 결심고도 상에서의 저온에 대해서는 수동으로 보정할 필요가 있다.

6. 항공기 크기(Aircraft size). 얻어지는 최저치는 항공기의 크기에 좌우될 수 있다. 대형항공기는 착륙장치의 높이나 날개의 길이(wingspan)로 인해 더 높은 최저치가 필요할 수 있다. 접근절차차트에는 해당하는 항공기 크기 제한사항이 표기된다.

b. RNP AR 접근운항의 유형(Types of RNP AR Approach Operations)

1. RNP 단독접근(Stand-alone Approach) 운항. RNP AR 절차는 지상기반 NAVAID의 기반시설에 관계없이 활주로로의 접근을 제공할 수 있으며 환경제약을 극복하고 장애물, 지형, 공역을 회피할 수 있도록 수립할 수 있다.

2. RNP 평행접근(RNP Parallel Approach; RPA) 운항. RNP AR 절차는 활주로 분리가 충분한 장소에서 평행접근에 사용할 수 있다 (그림 5-4-25 참조). 평행접근절차는 동시접근 또는 단독접근에 사용할 수 있다. 이것은 레이더감시를 제공하는 ATC 능력에 따라 독립접근 또는 의존접근의 일부로서 사용할 수 있다.

3. RNP 평행접근활주로 전환(RNP Parallel Approach Runway Transition; RPAT) 운항. RPAT 접근은 동시독립 또는 의존절차를 사용하는 IFR 접근운항처럼 시작된다 (그림 5-4-26 참조). RPAT 항공기가 활주로중심선과 일치하도록 사전에 지정된 횡적 및 수직경로를 따라 시계비행상태로 전환할 수 있도록 최종접근픽스 이후에 최종접근구역에서 시계분리기준이 사용된다.

그림 5-4-26

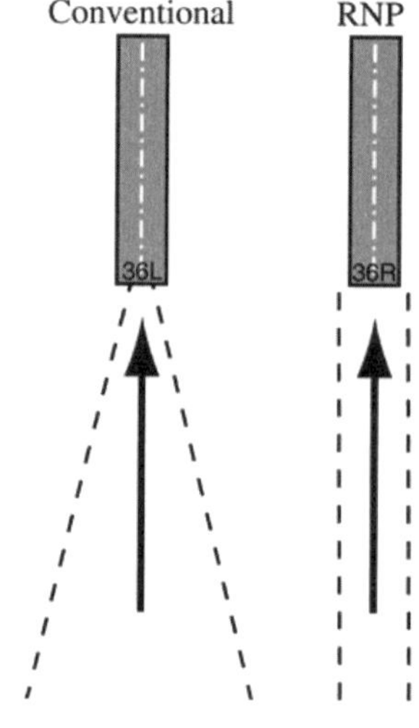

그림 5-4-27

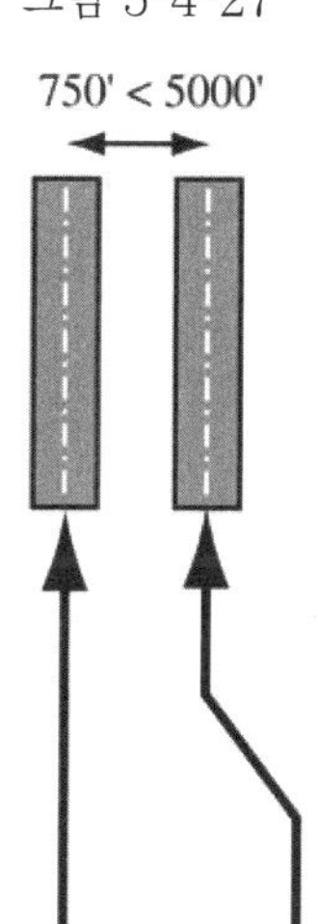

4. RNP 수렴활주로(RNP Converging Runway) 운항. 활주로가 수렴하지만 교차하거나 교차하지 않는 공항에서 동시운항하는 경우, RNP AR 접근은 항공기 분리 최저치에 적합한 곡선의 정밀실패접근 경로를 제공할 수 있다 (그림 5-4-28 참조). RNP에 의해 제공되는 높은 정밀도와 엄격한 격리가 이루어지는 이러한 곡선의 실패접근경로로 비행함으로써 현재 이용할 수 있는 것 보다 낮은 운고와 시정값에서도 계속 복수활주로 운항을 할 수 있다. 이러한 유형의 운항은 이를 적용할 수 있는 공항의 수용능력을 향상시킬 수 있도록 한다.

그림 5-4-28

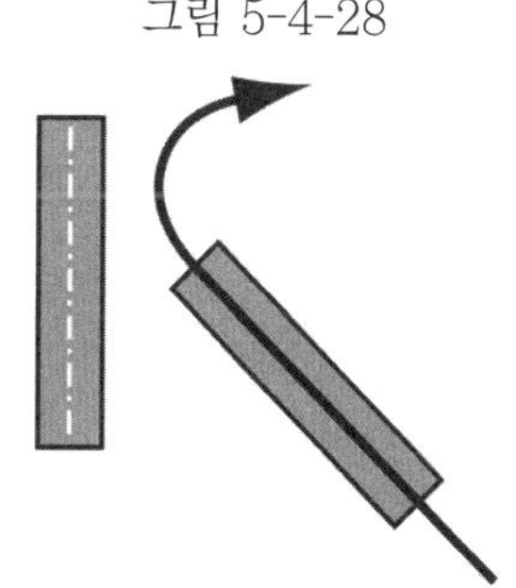

5-4-19. 측면이동접근(Side-step Maneuver)

a. ATC는 간격이 1,200 ft 이하인 평행활주로 중 하나의 활주로에 접근한 다음 인접활주로에 직진입 착륙(straight-in landing)을 하는 표준계기접근 절차를 허가할 수 있다.

b. 측면이동접근을 할 항공기는 지정된 접근절차와 인접 평행활주로에 착륙을 허가받게 된다. 예문, "Cleared ILS runway 7 left approach, side-step to runway 7 right.". 조종사는 활주로 또는 활주로환경(runway environment)을 육안으로 확인한 후 가능한 빨리 측면이동접근을 시작하여야 한다. 측면이동을 시작한 후에도 단계강하(stepdown) fix와 관련된 최저고도를 준수하여야 한다.

주(Note)

측면이동접근 최저치로 허가된 접근에 관계없이 최저강하고도(MDA)까지 비행할 수 있다.

c. 인접활주로에 대한 착륙최저치는 비정밀접근의 기준을 기반으로 하며, 따라서 주 활주로의 정밀최저치보다 높지만 발간된 선회최저치(circling minimum)보다는 보통 낮다.

5-4-20. 접근과 착륙최저치(Approach and Landing Minimums)

a. 착륙최저치(Landing Minimum)

착륙최저치에 해당되는 규정은 14 CFR 91.175절에 수록되어 있다. RVR을 지상시정 또는 비행시정으로 환산하기 위하여 표 5-4-1을 사용할 수 있다. 표에 없는 수치의 RVR 값을 환산할 때에는 그 다음 높은 RVR 값을 사용해야 하며 중간의 값을 사용해서는 안된다. 예를 들어 1800 RVR을 환산할 경우에는 2400 RVR을 사용하며, 이에 따라 시정은 1/2 mile이 된다.

표 5-4-1. RVR 값 환산(RVR Value Conversion)

RVR	시정(statute miles)
1600	1/4
2400	1/2
3200	5/8
4000	3/4
4500	7/8
5000	1
6000	1 1/4

그림 5-4-29. 최종접근 장애물회피(Final Approach Obstacle Clearance)

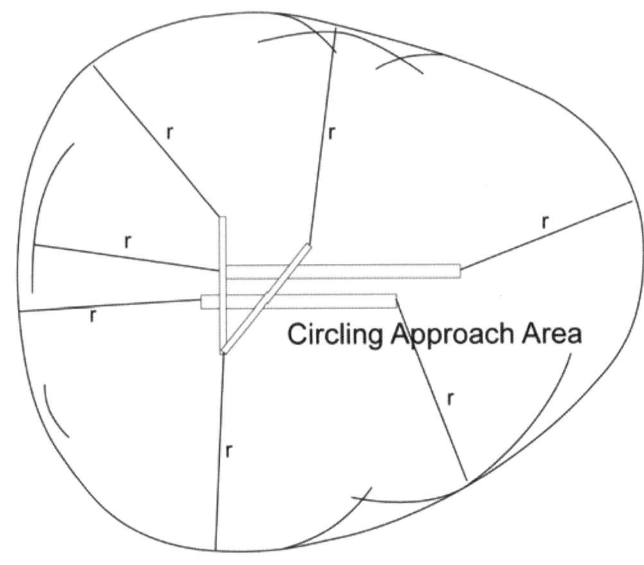

주(Note)
선회접근구역 반경은 접근범주(category)에 따라 다르며, 선회접근 최저강하고도는 TAS에 따라 변한다. 그림 5-4-29 참조

b. 장애물회피(Obstacle Clearance)

최종접근 장애물회피는 최종구역의 시작지점부터 활주로 또는 실패접근지점 중 나중에 도달되는 곳까지 제공된다. 측면이동(side-step) 장애물보호는 최종접근 장애물회피구역의 폭을 증가시켜 제공된다.

1. 선회접근보호구역(protected area)은 각 활주로 끝에서 그은 원호(arc)의 접선을 연결한 것이라고 정의할 수 있다 (그림 5-4-29 참조). 2012년 말 이전에 만들어진 선회접근보호구역은 U.S. TPP의 B2 페이지 표에 제시된 항공기 접근범주에 따른 고정반경거리(fixed radius distance)를 사용한다. 표준 선회접근구역을 사용하는 접근은 선회접근 minima line에 "negative C" 부호가 없는 것을 보고 알 수 있다. 2012년 말 이후에 만들어진 선회접근보호구역은 U.S. TPP의 B2 페이지 표에 제시된 항공기 접근범주에 따른 반경방향 거리(radius distance)를 사용하며, 선회접근 MDA는 고도가 증가함에 따라 증가하는 진대기속도를 고려한다. 확장 선회접근구역을 사용하는 접근은 선회접근 minima line에 "negative C" 부호가 있는 것을 보고 알 수 있다 (그림 5-4-30 참조). 공항주변의 장애물로 인하여 선회접근구역(circling area)은 "Circling NA E of RWY 17-35"과 같이 절차상의 주석(note)에 의해 제한될 수 있다. 장애물회피는 직진입접근, 측면이동 또는 선회를 하는 조종사에게 발간된 최저치(MDA)로 제공된다. MDA 미만에서 조종사는 장애물을 육안으로 확인하고 회피하여야 한다. 선회를 시작한 후에 실패접근을 하는 것은 보통 항공기가 MAP를 지나치도록 한다. 항공기가 MDA 이상의 고도에 있고 선회접근구역 내부에 있는 동안에는 장애물로부터 벗어날 수 있지만, 항공기가 선회접근구역을 벗어나면 선회접근기동(circling maneuver)에서 단순히 실패접근 지상항적(ground track)에 진입했다고 해서 수직 장애물회피가 제공되는 것은 아니다. 실패접근 항적에 진입하기 전에 선회접근구역 내부에서 추가적인 상승이 필요할 수 있다. MAP 외에서 실패접근을 할 때 추가로 고려해야 할 사항은 5-4-21항, 실패접근을 참조한다.

그림 5-4-30. U.S. TPP의 표준 및 확장 선회접근 반경(Standard and Expanded Circling Approach Radii in the U.S. TPP)

STANDARD CIRCLING APPROACH MANEUVERING RADIUS

Circling approach protected areas developed prior to late 2012 used the radius distances shown in the following table, expressed in nautical miles (NM), dependent on aircraft approach category. The approaches using standard circling approach areas can be identified by the absence of the C symbol on the circling line of minima.

Circling MDA in feet MSL	Approach Category and Circling Radius (NM)				
	CAT A	CAT B	CAT C	CAT D	CAT E
All Altitudes	1.3	1.5	1.7	2.3	4.5

C EXPANDED CIRCLING APPROACH MANEUVERING AIRSPACE RADIUS

Circling approach protected areas developed after late 2012 use the radius distance shown in the following table, expressed in nautical miles (NM), dependent on aircraft approach category, and the altitude of the circling MDA, which accounts for true airspeed increase with altitude. The approaches using expanded circling approach areas can be identified by the presence of the C symbol on the circling line of minima.

Circling MDA in feet MSL	Approach Category and Circling Radius (NM)				
	CAT A	CAT B	CAT C	CAT D	CAT E
1000 or less	1.3	1.7	2.7	3.6	4.5
1001-3000	1.3	1.8	2.8	3.7	4.6
3001-5000	1.3	1.8	2.9	3.8	4.8
5001-7000	1.3	1.9	3.0	4.0	5.0
7001-9000	1.4	2.0	3.2	4.2	5.3
9001 and above	1.4	2.1	3.3	4.4	5.5

2. 정밀접근 활주로무장애구역(Precision Obstacle Free Zone; POFZ). 활주로시단의 시단 표고(threshold elevation)에서 시작되며, 활주로중심선의 연장선에 중심을 두는 구역 상부 공역의 범위. POFZ의 길이는 200 ft(60 m), 폭은 800 ft (240 m)이다. 수직으로 유도되는 최종접근 중인 항공기가 활주로시단의 2 NM 이내에 있고, 공식기상 관측 결과 운고가 250 ft 미만 또는 시정이 3/4 SM 미만일 경우(또는 활주로가시거리가 4,000 ft 미만) POFZ에는 장애물이 없어야 한다. POFZ에 장애물이 있다면 허가되는 최저 접지구역상공(HAT)은 250 ft이며, 시정은 3/4 SM 이다. POFZ는 활주로진입 허가를 받기 위하여 유도로에 대기중인 항공기의 날개가 POFZ를 침범했더라도 POFZ를 벗어난 것으로 간주하지만, 동체나 tail 부분이 POFZ를 침범한 경우에는 그렇지 않다. POFZ는 이설시단을 포함한 모든 활주로종단(end)에 적용할 수 있다.

c. 직진입최저치는 최종접근진로가 30° 이내(GPS IAP의 경우 15°)에서 활주로와 정렬되고, IAP에 표기된 IFR 고도에서부터 활주로표면까지 정상강하를 할 수 있을 때 IAP 상에 표시된다. 정상강하율이나 30°의 활주로 정렬요소가 초과되면 직진입최저치는 발간되지 않고 선회최저치가 적용된다. 직진입최저치가 발간되어 있지 않다고 해서 조종사가 사용활주로를 육안으로 확인하였고 착륙을 위한 정상접근을 할 수 있는 충분한 시간이 있는데도 직진입착륙을 못하게 하는 것은 아니다. 이러한 상황에서 ATC가 해당 활주로에 착륙을 허가했을 때, 단지 선회최저치만이 발간되어 있다 하더라도 조종사는 선회접근을 해서는 안된다. 선회접근을 하려면 ATC에 통보하여야 한다.

d. 측면이동접근 최저치(Side-step Maneuver Minimum)

인접한 활주로에 측면이동접근을 하기 위한 착륙최저치는 주 활주로에 대한 최저치보다 일반적으로 더 높다.

e. 접근최저치(Approach Minimum) 발간

접근최저치는 항공기 범주(category) 별로 발간되며, 최저고도(DA, DH, MDA) 및 시정요건으로 이루어진다. 이 최저치는 해당하는 TERPS 기준을 적용하여 결정된다. Fix가 비정밀 최종접근구역에 포함되어 있는 경우, 하나는 fix를 식별할 수 있는 조종사를 위하여 다른 하나는 fix를 식별할 수 없는 조종사를 위하여 두 set의 최저치가 발간될 수 있다. 절차에 이차고도계 source가 사용되는 경우에도 두 set의 최저치가 발간될 수 있다. 최종구역의 단계강하 fix와 이차고도계 source 모두를 포함하고 있는 비정밀접근절차의 경우 단계강하 fix를 고려하여 두 set의 최저치가 발간되고, 주석에서는 이차고도계 source를 다룬다.

그림 5-4-31. 정밀접근 활주로무장애구역(Precision Obstacle Free Zone; POFZ)

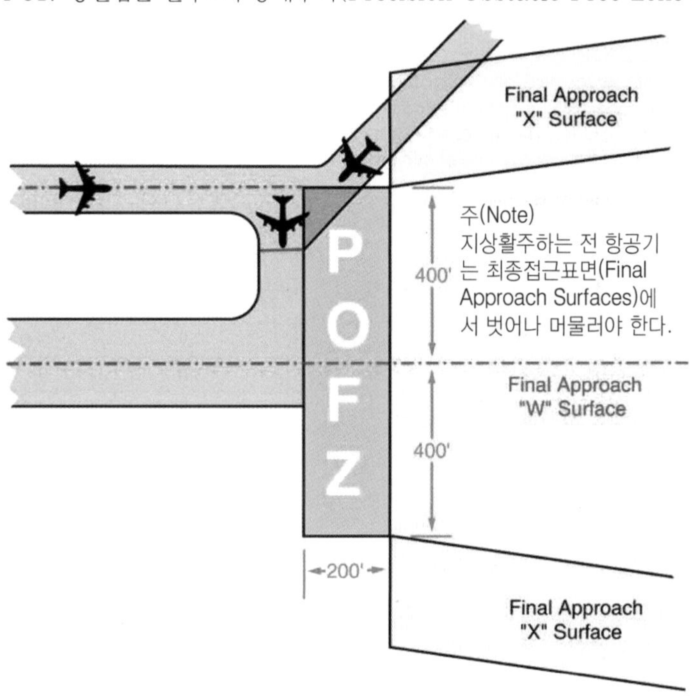

f. 선회최저치(Circling Minimum)

일부 혼잡한 터미널지역의 경우, ATC는 선회접근을 허가하지 않고 선회최저치를 발간하지도 않는다. 발간된 선회최저치는 조종사가 해당하는 보호구역 내에 있는 동안 장애물회피를 제공한다. 조종사는 항공기가 일반적인 기동에 사용되는 정상강하율로 의도하는 활주로에 착륙하기 위하여 강하할 수 있는 지점에 위치할 때까지 선회접근 최저강하고도(circling altitude) 이상을 유지하여야 한다. 선회접근은 저고도, 저속도 그리고 최저기상상태에서의 기동이 필요할 수도 있다. 정확한 선회접근기동(circling maneuver)을 결정하기 위해서는 기상, 공항설계의 특성 그리고 항공기의 위치, 고도 및 대기속도 등을 모두 고려해야 하기 때문에, 조종사는 항공기성능을 완전히 이해하고 기능에 대한 상세한 지식에 의거하여 현명하게 판단하여야 한다. 다음과 같은 기본적인 규칙을 적용한다.

1. 현재 기상상태를 고려하여 가능한 한 베이스경로(base leg) 또는 배풍경로(downwind leg)까지 가장 짧은 경로로 비행한다. 공항상공이나 다른 활주로상공을 통과하는 데는 제한이 없다.

2. VFR 또는 다른 비행이 공항에서 이루어지고 있는 동안 선회접근기동이 실시될 수 있다는 것을 인식하고 있어야 한다. 착륙하기 위하여 선회접근을 할 때에는 표준 좌선회 또는 기동에 대한 관제사의 특정 지시사항을 고려하여야 한다.

3. 관제탑이 없는 공항에서는 풍향 및 선회지시기(wind and turn indicator) 및 활주로 상에 있거나 공항주변에서 비행하고 있을 수 있는 다른 항공기를 살펴보기 위하여 공항상공을 비행하는 것이

바람직할 수 있다.

4. 실패접근지점(MAP)은 접근의 유형에 따라 변한다. 수직으로 유도되는 접근의 경우 MAP는 결심고도/결심높이(decision altitude/decision height)에 있다. 수직유도되지 않는 절차 및 선회절차에서는 동일한 MAP를 공유하며, 조종사는 최종접근픽스로부터의 시간 또는 fix, NAVAID나 waypoint로 이 MAP를 판단한다. Localizer minima line이 없는 GLS, ILS 선회접근 또는 LNAV minima line이 없는 RNAV (GPS) 접근은 금지된다.

g. 군공항의 계기접근. 민간항공기가 군공항에 계기접근을 할 때에는 공항을 관할하는 군 기관에 의해 인가된 절차 및 최저치에 따라 실시하여야 한다.

5-4-21. 실패접근(Missed Approach)

a. 착륙하지 못한 경우, 조종사는 접근절차차트에 명시된 실패접근지점(missed approach point)에 도달하면 ATC에 통보하고 사용하고 있는 접근절차의 실패접근지시나 ATC가 지시하는 대체실패접근절차에 따라야 한다.

b. 실패접근 시의 장애물보호는 실패접근이 결심고도/결심높이(DA/DH) 또는 실패접근지점, 그리고 최저강하고도(MDA)보다는 낮지 않은 고도에서 시작된다는 가정을 기반으로 한다. 접근절차차트의 주석부분(note section)에 더 높은 상승률이 공고되지 않는 한, NM 당 최소 200 ft의 상승률(헬리콥터 접근의 경우, NM 당 최소 400 ft의 상승이 필요한 지역 제외)이 필요하다. 표준상승률보다 더 높게 지정되어 있을 경우, 비표준상승의 종료지점(end point)은 고도 또는 fix로 명시된다. 조종사는 실패접근의 경우에 항공기가 절차에서 요구하는 상승률(NM 당 ft의 단위로 나타냄)을 충족할 수 있도록 사전에 계획하여야 하며, 예상한 대지속도보다 더 빠른 비행은 상승률(분당 ft) 요건을 증가시킨다는 것을 인식하고 있어야 한다. 상승률(feet per nautical)을 대지속도에 의거한 상승률(feet per minute)로 환산하기 위한 표는 미국 터미널절차책자의 D1 페이지에 수록되어 있다. 정상적인 기동의 경우에는 적절한 완충구역(buffer area)이 주어진다. 그러나 비정상적인 조기선회에 대해서는 고려되지 않는다. 따라서 조기 실패접근을 할 경우, ATC에 의해 달리 허가되지 않은 한 조종사는 선회조작을 하기 전에 MAP 또는 DH 이상으로 실패접근지점까지 접근 plate의 지정된 IAP에 따라 비행하여야 한다.

c. 계기접근을 하여 선회착륙(circling-to-land)을 하는 동안 시각참조물을 잃어 버렸다면, 해당 특정절차의 지정된 실패접근절차에 따라야 한다 (ATC에 의해 대체실패접근절차가 지정되지 않은 한). 설정된 실패접근진로(missed approach course)로 진입하기 위하여 조종사는 착륙활주로 쪽으로 먼저 상승선회를 한 다음, 실패접근진로로 진입할 때 까지 계속 선회하여야 한다. 선회접근기동은 두 방향 이상으로 수행될 수 있으므로 설정된 실패접근진로로 진입하기 위해서는 시각참조물을 잃어 버렸을 당시의 항공기 위치에 따라 서로 다른 장주(pattern)가 필요하게 된다. 절차를 준수하는 것은 항공기가 선회접근구역 및 실패접근 장애물회피구역의 횡적범위 내에 머무를 수 있도록 도움을 준다. MAP 외에서 실패접근을 할 때 수직 장애물회피에 대해서는 h항을 참조한다. (그림 5-4-32 참조)

d. ATC 레이더업무가 제공되는 지역에서 발간된 실패접근절차 대신 레이더유도가 제공될 때 조종사는 이에 따라야 한다. (그림 5-4-33 참조)

그림 5-4-32. 선회접근 및 실패접근 장애물회피구역(Obstruction Clearance Areas)

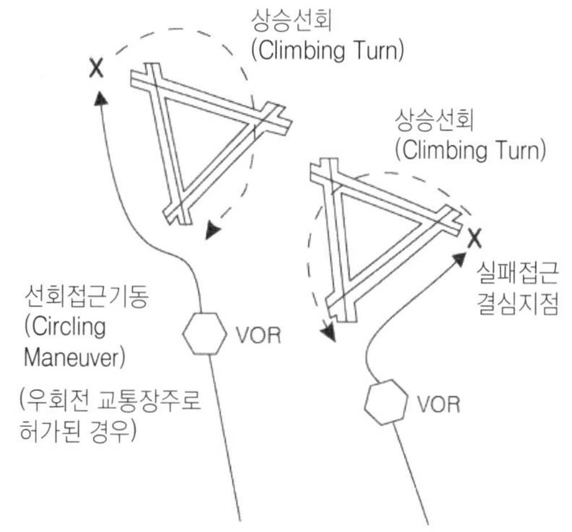

그림 5-4-33. 실패접근(Missed Approach)

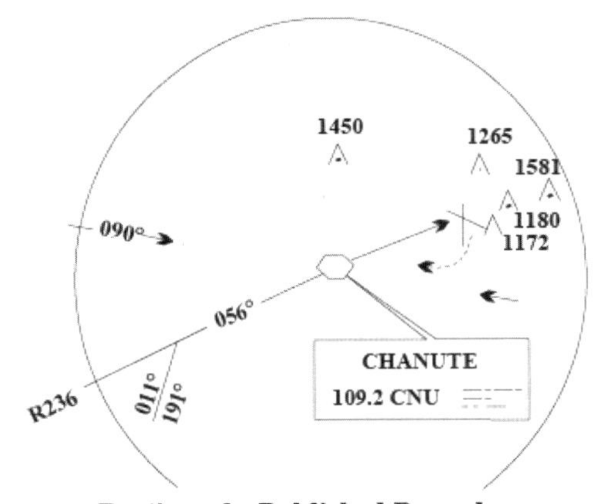

e. 일부 지역에는 실패접근절차에 사용되는 주 NAVAID를 이용할 수 없는 경우에 사용하기 위한 대체실패접근절차가 사전에 설정되어 있다. 혼동을 피하기 위하여 대체실패접근절차 지시는 차트로 발간되지는 않는다. 그러나 조종사의 상황인식 및 상세한 체공지시를 발부할 필요가 없도록 함으로써 ATC를 돕기 위하여 대체실패접근 체공장주는 계기접근차트에 표기된다. 대체실패접근은 접근절차 또는 주 실패접근절차에 사용되지 않는 NAVAID를 기반으로 할 수 있다. 대체실패접근절차가 NOTAM에 의해 시행될 때, 이것은 절차에 필수적인 일부가 된다. NOTAM에는 절차를 수행하기 위하여 필요한 문자형식의 지시사항과 추가적인 장비요건이 지정된다. 또한, 항공교통관제기관은 접근하는 동안 주 실패접근 NAVAID가 고장이 난 경우 등과 같이 필요한 경우 대체실패접근을 위한 지시를 발부한다. 접근을 시작한 이후에 대체실패접근이 발부된 경우, 조종사는 발간된 접근절차에 필요하지 않는 장비를 요구하는 대체실패접근에 대한 ATC 허가를 거부할 수 있다. 그러나 접근을 시작하기 전에 대체실패접근이 발부된 경우, 조종사는 요구한 다른 전체 접근절차(대체실패접근 포함)를 받아들이거나 교체공항으로의 비행 등과 같이 취해야 할 대체조치에 대하여 ATC와 협의하여야 한다.

f. 접근에 실패하였을 경우에는 교체공항으로의 비행, 다른 접근의 실시 등과 같은 특정조치의 허가를 요청하여야 한다.

g. 조종사는 특히 비레이더 관제상황에서 발간된 실패접근을 벗어나 비행하기 전에 확실하게 안전고도까지 상승하여야 한다. 발간된 고도에 도달하기 전에 실패접근을 포기하는 경우 적절한 지형회피가 제공되지 않을 수 있다. IAF 또는 교체공항으로 되돌아가기 전에 체공장주에 도달한 이후 추가적인 상승이 필요할 수 있다.

h. ATC에 의하여 달리 지시되지 않는 한, 계기접근절차의 허가에는 발간된 실패접근절차에 대한 비행허가가 포함된다. 발간된 실패접근절차는 실패접근지점 상공의 실패접근구간에서 실패접근을 하고 발간된 200 ft/NM 이상의 상승률을 준수할 때만 장애물회피를 제공한다. 항공기가 실패접근지점 이외의 지점(5-4-5b항 참조), MDA나 DA(H) 미만 또는 선회접근 시에 실패접근을 하면 발간된 실패접근절차에 따른다고 반드시 장애물회피가 제공되는 것은 아니며, 주변의 다른 항공교통과의 분리도 보장되지 않는다.

발간된 실패접근지점 이외의 위치에서 착륙복행(포기)이 발생한 경우, 조종사는 가능한 빨리 ATC와 교신하여 수정허가를 받아야 한다. 어떠한 이유로 ATC와 교신할 수 없을 경우, 조종사는 발간된 실패접근 구간에 재진입(re-intercept)을 시도하고 비행로와 고도 지시사항을 준수하여야 한다. ATC와 교신이 불가능하고 조종사가 발간된 실패접근절차로 비행하는 것이 더 이상 적절하지 않다고 판단한 경우, 실행할 수 있다면 시계비행상태를 유지하고 착륙을 재시도하거나 또는 공항상공에서 선회상승(circle-climb)을 고려한다. 운영되는 관제탑이 없는 공항에서 운항할 때 실패접근이 필요하게 되더라도 항공교통시설과의 계속적인 교신이 불가능할 수 있다. 이 경우 조종사는 지체없이 적절한 복행/실패접근절차를 수행하고 교신할 수 있을 때 ATC와 교신한다.

계기접근절차를 수행하기 전에 조종사는 예상되는 기상상태 및 이용할 수 있는 항공기성능을 고려하여 실패접근지점을 지나서 또는 MDA나 DA(H) 미만에서 착륙복행(포기)의 경우에 취해야 할 조치사항을 파악하여야 한다. 14 CFR 91.175(e)에서는 장애물회피가 보장되는 적절한 실패접근절차로 비행하는 것을 조종사에게 허가하고 있지만, 반드시 다른 항공교통과의 분리를 고려하지는 않는다. 조종사는 규정된 실패접근지점에 대한 항공기의 지리적위치, 비행방향 또는 규정된 실패접근절차의 최저선회고도와 같은 그 밖의 요소들을 고려하여야 한다. 또한 조종사는 항공기성능, 시각상승(visual climb) 제한사항, 발간된 장애물, 발간된 장애물출발절차, 비표준이륙최저치로 나타낸 이륙시각상승(takeoff visual climb) 요건, 주변에 있을 것으로 예상되는 다른 항공기, 또는 접근절차에 특별하게 제시되지 않은 그 밖의 요소들을 고려하여야 한다.

5-4-22. 계기접근 시 비행시각강화장비(Enhanced Flight Vision Systems; EFVS)의 사용

a. 서론(Introduction). EFVS는 비행정보, 비행부호, 항행유도 및 외부장면의 실시간 영상을 통합하여 하나의 시현장치로 조종사에게 제공하기 위하여 전방시현장치(head-up presentation)인 전방표시장치(head-up display; HUD) 또는 동등한 시현장치를 사용한다. 전방감시 적외선(FLIR), 밀리미터파 복사계(millimeter wave radiometry), 밀리미터파 레이더, 저조도 증가장치 또는 그 밖의 실시간 영상기술을 기반으로 하는 영상감지기(imaging sensor)는 외부 장면의 실시간 영상을 만든다. 계기접근을 하는 동안 FEAS는 조종사가 natural vision 만으로 보지 못할 수도 있는 활주로 환경과 그 밖의 물체 또는 외관과 관련된 접근등, 시각참조물을 볼 수 있도록 한다. 비행정보, 항행유도 및 감지기 영상을 HUD에 통합하면 조종사는 접근, 착륙 및 지상활주 전체에 걸쳐 비행경로에서 전방을 볼 수 있다.

EFVS 운항이란 시정상태가 착륙 또는 접근 수행, 높아진 비행시정 결정, 필요한 시각참조물 식별 또는 지상활주 수행에 natural vision 대신에 EFAS를 사용하는 것이 필요한 운항을 말한다. 두 가지 유형의 EFVS 운항이 있다.

1. 접지 및 지상활주시까지 EFVS 운항
2. 접지구역표고(TDZE) 상공 100ft 까지 EFVS 운항

b. 접지 및 지상활주까지 EFVS 운항(EFVS Operations to Touchdown and Rollout). 접지 및 지상활주시까지 EFVS 운항이란 조종사가 DA 또는 DH 미만에서 접지 또는 지상활주시까지 강하에 natural vision 대신에 EFVS가 제공하는 향상된 시각 영상(vision imagery)을 사용하는 운항을 말한다 (그림 5-4-34 참조). 이러한 운항은 DA 또는 DH가 있는 표준계기접근절차(SIAP) 또는 특별 IAP (예를 들면, 정밀 또는 APV 접근)로 만 수행할 수 있다. 선회최저치(circling minimum)가 있는 접근에는 접지 및 지상활주시까지 EFVS 운항을 수행하지 못할 수도 있다. 접지 및 지상활주시까지 EFVS 운항에 대한 규정은 14 CFR § 91.176(a)에서 살펴볼 수 있다.

c. TDZE 상공 100 ft까지 EFVS 운항. TDZE 상공 100 ft까지 EFVS 운항이란 조종사가 DA/DH 또는 MDA 미만에서 TDZE 상공 100 ft까지 강하에 natural vision 대신에 EFVS가 제공하는 향상된 시각 영상(vision imagery)을 사용하는 운항을 말한다 (그림 5-4-35 참조). TDZE 상공 100 ft 미만에서 접지시까지는 natural vision을 사용하여야 한다. 이러한 운항은 DA/DH 또는 MDA가 있는 IAP로 수행할 수 있다. 선회최저치(circling minimum)가 있는 TDZE 상공 100 ft까지 EFVS 운항을 수행하지 못할 수도 있다. TDZE 상공 100 ft까지 EFVS 운항 대한 규정은 14 CFR § 91.176(b)에서 살펴볼 수 있다.

그림 5-4-34. 접지 및 지상활주 시 까지 EFVS 운항 [Photo provided by Google Earth]

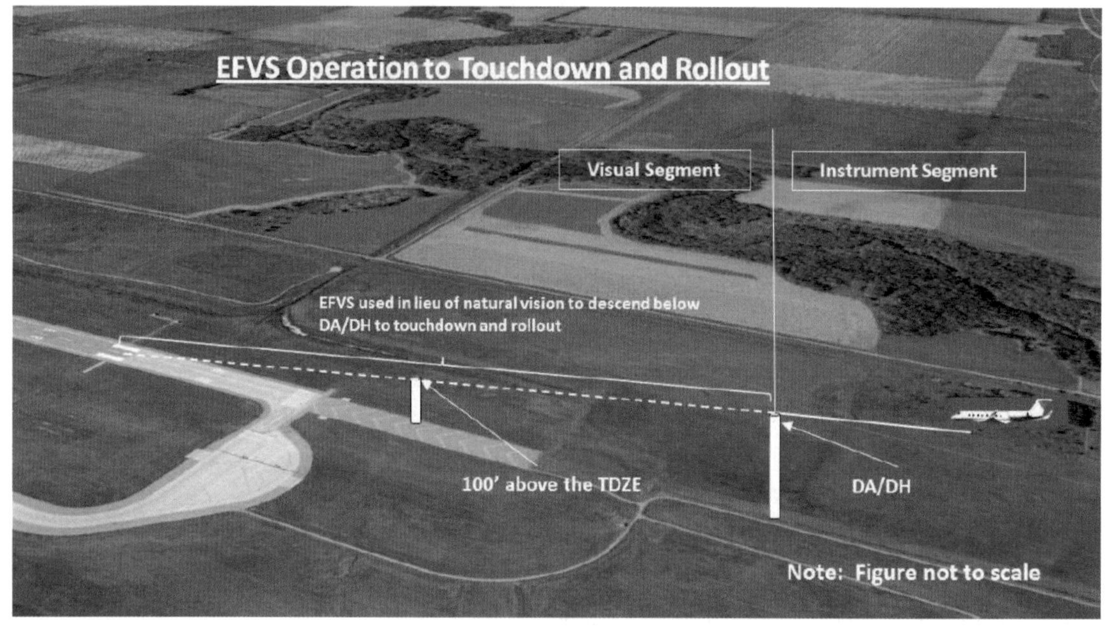

그림 5-4-35. TDZE 상공 100 ft까지 EFVS 운항 [Photo provided by Google Earth]

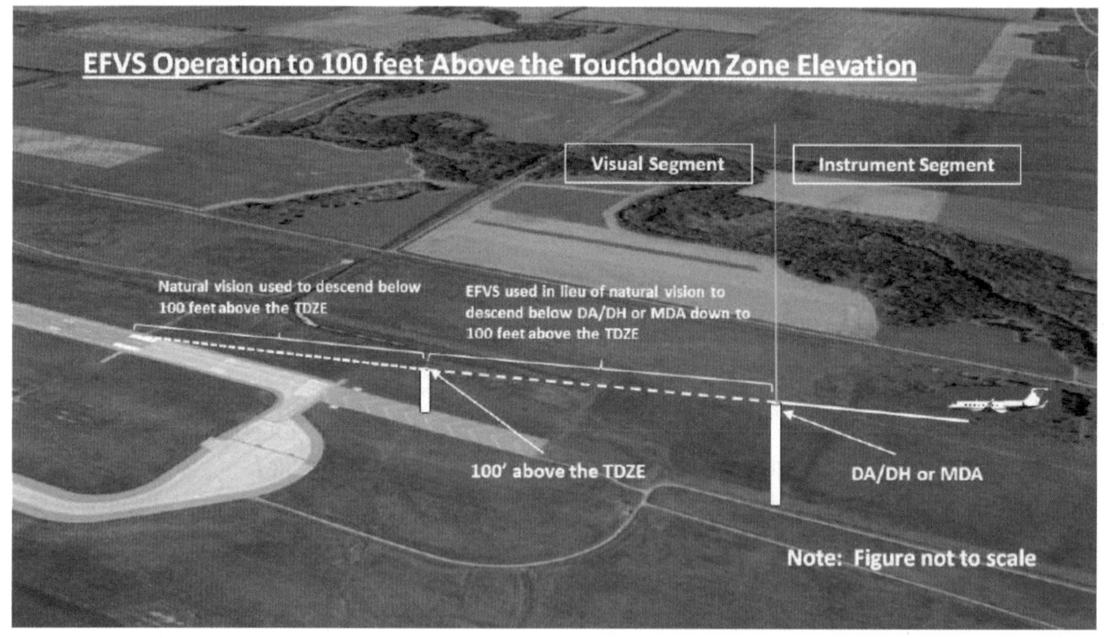

d. EFVS 장비 요건(EFVS Equipment Requirements). 미국등록 항공기에 장착되고 EFVS 운항에 사용되는 EFVS는 FAA-형식설계승인(즉, 형식증명(TC), 형식증명 개정(amended TC), 부가형식증명(STC))에 적합하여야 한다. FAA-형식설계승인을 받지 않은 EFVS 운항을 하려는 외국등록 항공기는 ICAO Annex 6의 요건을 충족사기 위하여 운항국 또는 등록국의 승인을 받은 EFVS를 갖추어야 한다. 접지 또는 지상활주시까지 EFVS 운항에 대한 장비요건은 14 CFR § 91.176(a)(1)에

서 살펴볼 수 있으며, TDZE 상공 100 ft까지 EFVS 운항에 대한 장비요건은 14 CFR § 91. 176(b)(1)에서 살펴볼 수 있다. 운영자는 해당 비행교범, 비행교범 보충판, 회전날개항공기 비행교범, 회전날개항공기 비행교범 보충판을 참조하여 항공기가 EFVS 운항에 적격한지를 판단할 수 있다.

e. 운항요건(Operating Requirements). 접지 또는 지상활주시까지 EFVS 운항을 하는 운영자는 특별히 이러한 운항을 허가하는 OpSpec, MSpec 또는 LOA를 받아야 한다.

접지 또는 지상활주시까지 EFVS 운항을 하는 운영자의 허가에는 운항 시의 시정최저치를 명시한다. TDZE 상공 100 ft까지 EFVS 운항을 하는 Parts 91K, 121, 125, 129 및 135 운영자는 OpSpec, MSpec 또는 특별히 운항을 허가하는 LOA를 받아야 한다. Part 91 운영자는 미국에서 100 ft까지 EFVS 운항을 하기 위하여 LOA를 받을 필요가 없다. 허가받은 Category Ⅱ 또는 Ⅲ 운항을 하는 동안 EFVS 운항을 하는 운영자는 OpSpec, MSpec, 또는 Category Ⅱ 또는 Category Ⅲ 운항을 하는 동안 EFVS 운항을 허가하는 LOA를 받아야 한다.

f. 현재 회전날개항공기(rotorcraft)의 EFVS 운항은 활주로로 비행하는 IAP로만 수행할 수 있다. IFR 하에서 DA/DH 또는 MDA 미만의 헬기장(heliport) 또는 해양구조물(platform)로 직진입 착륙 운항하는 계기접근의 기준, 절차 및 해당 시각참조물은 아직 개발되지 않았다. 공간점(point in space; PinS) 다음에 "proceed visual flight rules (VFR)" 시계구간까지 헬리콥터 접근시, 또는 "proceed visually" 시계구간을 사용하는 명시된 착륙장소까지 지정된 접근시에 발간된 최저치 미만으로 강하하기 위하여 natural vision 대신 EFVS를 사용할 수 없다.

g. EFVS 운항을 하는 조종사는 수행할 EFVS 운항과 관련된 지상 및 비행훈련을 받아야 한다. FAA가 인가한 훈련 프로그램에 따라 허가를 받은 훈련 제공기관에서 훈련을 받아야 한다. 더불어 최근의 비행경험, 숙달 또는 자격점검 요건이 EFVS 운항에 적용된다. 이러한 요건은 14 CFR §§ 61.66, 91. 1065, 121.441, Appendix F Part 121, 125. 287 및 135.293에 수록된다.

h. 강화된 비행시정 및 시각참조물 요건(Enhanced Flight Visibility and Visual Reference Requirements). EFVS 운항동안 14 CFR § 91.176(a) 또는 (b)에 의거하여 DA/DH 또는 MDA 미만으로 강하하고자 하는 조종사는 EFVS를 사용하여 관측한 강화된 비행시정이 비행할 IAP에 기술된 시정보다 높은지를 판단하여야 한다. 더불어 14 CFR § 91.176(a) 또는 (b)에서 요구하는 시각참조물을 EFVS를 사용하는 조종사가 확실히 보고 식별할 수 있어야 한다. 강화된 비행시정의 결정은 필요한 시각참조물을 식별하는 것과는 별도의 조치이며, 지상에서 보고되는 시정과는 다르다. EFVS가 요구되는 강화된 비행시정을 제공하고 조종사가 그 밖의 모든 요건을 충족하는 한, 보고된 시정 또는 natural vision으로 관측한 시정이 낮더라도 조종사는 EFVS를 사용하여 DA/DH 또는 MDA 미만으로 계속하여 강하할 수 있다. 항공기가 계속해서 접근 및 착륙할 수 있는 위치에 있도록 하기 위해서는 적절한 강화된 비행시정이 필요하다. EFVS를 사용한다고 해서 IAP에 명시된 시정 또는 DA/DH나 MDA와 관련하여 더 낮은 최저치가 얻어지는 것은 아니라는 것을 아는 것이 중요하다. 단순히 EFVS는 IAP의 시계구간에서 다른 운항수단을 제공한다. 비행할 IAP에 명시되는 DA/DH나 MDA 및 시정값은 변경되지 않는다.

i. IFR로 접근 비행계획 및 시작 또는 계속(Flight Planning and Beginning or Continuing an Approach Under IFR). 기상상태가 허가된 최저치 미만일 경우, 14 CFR Parts 121, 125 및 135는 IFR에서의 비행계획 및 접근의 시작 또는 계속에서는 비행처리, 비행허가, IFR에서의 이륙 또는 접근의 시작 또는 계속을 금지하고 있다. EFVS 운항에 대한 A Part 121, 125 또는 135 운영자 OpSpec 또는 LOA에서는 비행처리 또는 허가 및 접근을 시작하고 계속할 수 있는 시정을 허가하고 있다. 이러한 운항최저치는 입증된 EFVS의 성능을

기반으로 한다. DA/DH 또는 MDA에 도달하면, 조종사는 14 CFR § 91.176(a)나 (b) 및 EFVS 운항 허가에 의거하여 EFVS 운항을 한다.

j. 실패접근 고려사항(Missed Approach Considerations). DA/DH를 통과한 후 또는 실패접근지점(MAP)을 지난 후의 실패접근은 발간된 실패접근구간에 진입할 때 까지 추가적인 위험을 수반한다. 발간된 MAP를 통과한 후에 복행(go-around)을 하는 것은 장애물회피의 실패를 초래할 수도 있다. 다른 접근과 마찬가지로 조종사계획에는 장애물회피, 항공기성능 및 대체회피계획과 관련하여 발간된 MAP와 접지구역 간의 우발상황을 포함하여야 한다.

k. EFVS 운항에 영향을 주는 발광다이오드(Light Emitting Diode; LED) 공항등화. 일부 공항에서 활주로시단등, 유도로등, 유도로중심선등, 저광도 활주로등, 풍향등, beacon 및 일부 항공장애등의 백열전구를 LED로 교체하였다. 더불어 진입등시스템의 백열전구를 LED로 교체할 계획이다. 조종사는 LED 등화가 적외선 기반의 EFVS에 감지되지 않을 수 있다는 것을 인식하고 있어야 한다. 게다가 FAA는 현재 LED 등화가 설치된 지역에 대한 정보를 수집하거나 전파하지는 않고 있다.

l. 그 밖의 시각장비(Other Vision Systems). 시각강화장비(Enhanced Vision System; EVS)는 EFVS의 요건을 충족하지 못한다. EVS는 전방하향시현장치(head-down display) 감지기 영상을 나타낼 수 있지만, 영상 및 비행부호를 외부 시야와 동일한 축척 및 정렬로 나타낼 수는 없다. 아직 완전히 EFVS에 대한 규정요건을 충족하지는 않지만 EVS는 시현장치로서 HUD를 사용할 수도 있다. 전방하향시현장치 또는 HUD를 사용하는 EVS가 조종사에게 상황인식을 제공하는 동안, 이러한 EVS는 EFVS에 대한 운항요건을 충족하지 않는다. 따라서 조종사는 DA/DH 또는 MDA 미만으로의 강하에 natural vision 대신에 EVS를 사용할 수 없다. EFVS와 달리 합성영상장치(Synthetic Vision System; SVS) 또는 합성영상유도장치(Synthetic Vision Guidance System; SVGS)는 외부장면의 실시간 감지기 영상을 제공하지 않으며, EFVS 운항에 대한 장비요건을 충족하지도 않는다. 조종사는 DA/DH 또는 MDA 미만으로의 강하에 natural vision 대신에 전방상향(head-up) 또는 전방시현장치(head-down display)의 합성영상을 사용할 수 없다. 그러나 EFVS는 SVS와 통합할 수 있으며, 이를 통합영상장치(Combined Vision System; CVS)라고도 한다. EFVS에 대한 모든 요건을 충족하고 SVS 영상이 외부장면 확인, 필요한 시각참조물 식별 또는 감지기 영상을 보기 위한 조종사의 능력을 방해하지 않으면 CVS는 EFVS 운항에 사용할 수 있다.

m. 추가정보(Additional Information). EFVS에 대한의 운항기준은 권고회보(AC) 90-106, Enhanced Flight Vision Systems에서 살펴볼 수 있으며, EFVS에 대한 감항성기준은 AC 20-167, Airworthiness Approval of Enhanced Vision System, Synthetic Vision System, Combined Vision System, and Enhanced Flight Vision System Equipment에서 살펴볼 수 있다.

5-4-23. 시각접근(Visual Approach)

a. 시각접근은 IFR 비행계획에 의해 수행되며, 조종사가 구름으로부터 벗어난 상태에서 공항까지 육안으로 비행하는 것을 허가한다. 조종사는 공항 또는 식별된 선행항공기를 시야에 두어야 한다. 이 접근은 적절한 항공교통관제기관에 의해 허가되고 관제가 이루어져야 한다. 공항의 보고된 기상은 1,000 ft 이상의 운고(ceiling) 및 3 mile 이상의 시정을 가져야 한다. ATC는 운영상 이득이 있을 때 이러한 종류의 접근을 허가한다. 시각접근은 시계비행기상 상태에서 IFR에 의하여 수행되는 IFR 절차이다. 운영기준에 달리 규정되어 있지 않는 한, 14 CFR 91.155 절의 구름회피기준은 적용되지 않는다.

b. 기상보고업무가 제공되지 않는 공항으로의 운항(Operating to an Airport Without Weather Reporting Service)

ATC는 목적지공항의 기상정보를 이용할 수 없는 경우에는 조종사에게 통보한다. ATC는 공항의 기상이 운고가 1,000 ft 이상이고, 시정이 3 mile 이상이라는 합당한 확신(예를 들면, 지역기상보고, PIREP 등)이 있으면 시각접근을 허가할 수 있다.

c. 관제탑이 운영되는 공항으로의 운항

항공기가 하나의 평행, 교차 또는 수렴(converging) 활주로에 IFR 또는 VFR 접근을 하고 있는 동안에 도 다른 항공기에게 또 다른 활주로에 시각접근을 수행하도록 허가할 수 있다. 평행활주로 간격이 2,500 ft 미만인 공항으로 운항할 때, ATC에 의해 표준분리가 제공되지 않는 한 뒤따르는 항공기는 선행항공기의 육안확인 여부를 보고하여야 한다. 중심선 간의 간격이 2,500 ft 이상 4,300 ft 미만인 평행활주로로 운항할 때, 선회 중에 레이더, 수직 또는 시계분리가 제공되지 않으면 관제사는 항공기를 30° 이하의 각도로 최종접근진로로 허가/유도한다. 30° 교차각(intercept angle)의 목적은 최종접근진로를 지나칠 수 있는 가능성을 줄이고, 선회 중에 하나 또는 두 항공기가 가까이 근접(belly-up)한 상태에서 나란히 비행하는 것을 방지하기 위한 것이다. 항공기가 최종접근진로의 30° 이내 또는 최종접근진로에 진입하면 동시에 이러한 운항을 수행할 수 있다. 평행활주로 간격이 4,300 ft 이상이거나 교차/수렴활주로가 사용 중일 경우, ATC는 다른 항공기가 다른 활주로에서 운행하고 있다는 것을 관련된 모든 항공기에 통보한 다음 시각접근을 허가할 수 있다. 이것은 ATIS를 이용하여 수행할 수 있다.

d. 분리책임(Separation Responsibility)

조종사가 공항은 육안으로 확인하였으나 선행항공기를 육안으로 확인할 수 없는 경우에도 ATC는 항공기에게 시각접근을 허가할 수 있지만, 항공기 간의 분리 및 항적난기류(wake vortex) 분리에 대한 책임은 ATC에 있다. 시각접근허가를 받고 선행항공기를 육안으로 보면서 뒤따를 경우, 안전한 접근간격 및 적절한 항적난기류 분리를 유지하여야 할 책임은 조종사에게 있다.

e. 시각접근은 계기접근절차(IAP)가 아니며, 따라서 실패접근구간(missed approach segment)이 없다. 관제공항에서 운항하는 항공기가 어떠한 이유로 인해 복행(go around)이 필요하면 관제탑은 적절한 조언/허가/지시를 발부한다. 비관제공항에서 항공기는 구름으로부터 벗어난 상태를 유지하고 가능한 빨리 착륙하여야 한다. 착륙할 수 없다면, 항공기는 구름으로부터 벗어난 상태를 유지하고 추후허가를 받기 위하여 가능한 한 빨리 ATC와 교신하여야 한다. 이러한 경우에도 다른 IFR 항공기와의 분리는 유지되어야 한다.

f. 시각접근은 조종사/관제사의 업무량을 줄이고, 공항까지의 비행경로를 단축시킴으로써 신속하게 교통을 처리할 수 있도록 한다. 시각접근을 원하지 않는 경우 가능한 빨리 ATC에 통보하는 것은 조종사의 책임이다.

g. 시각접근허가는 IFR 허가이며, IFR 비행계획 취소 책임이 변경되는 것은 아니다.

h. 항공기가 조언주파수로 변경할 것을 지시받은 경우, 레이더업무는 조종사에게 통보없이 자동으로 종료된다.

5-4-24. 발간된 시계비행 절차(Charted Visual Flight Procedure; CVFP)

a. CVFP는 환경과 소음을 고려하고, 안전하고 효율적인 항공교통 운항을 위하여 필요한 경우 설정하는 발간된 시각접근절차이다. 접근차트에는 눈에 잘 띄는 랜드마크, 진로(course), 특정 활주로의 권고고도 등이 표기된다. CVFP는 원래 터보제트항공기에 사용하기 위하여 설계되었다.

b. 이 절차는 관제탑이 운영되는 공항에서만 사용된다.

c. 대부분의 접근차트에는 추가적인 항행유도를 위한 일부 NAVAID 정보만이 표기된다.

d. B등급 공역 하한고도(floor)를 나타내는 경우 외에, 표기된 모든 고도는 소음감소목적이며 단지 권고고도이다. 운항요건으로 지시되는 경우, 조종사가 권고고도 이외의 고도에서 비행하는 것이 금지되지는 않는다.

e. 항행에 사용되는 랜드마크가 야간에 보이지 않을 경우, 접근차트에는"Procedure not authorized night"라고 표기된다.

f. CVFP는 일반적으로 공항으로부터 비행거리 20 mile 이내에서 시작된다.

g. 발간되는 CVFP 기상최저치는 차트에 표기되는 권고고도보다 오히려 최저레이더유도고도를 근거로 한다.

h. CVFP는 계기접근이 아니며 실패접근구간이 없다.

i. ATC는 기상이 공고된 최저치 미만일 때는 CVFP 허가를 발부하지 않는다.

j. ATC는 조종사가 차트화된 랜드마크나 선행항공기를 보았다고 보고한 이후에 항공기에 CVFP를 허가한다. 선행항공기를 뒤따를 것을 지시 받았다면, 조종사는 안전한 접근간격 및 항적난기류 분리를 유지할 책임이 있다.

k. 조종사는 어떤 지점에서 접근을 계속할 수 없거나, 선행항공기를 시야에서 놓친 경우 ATC에 통보하여야 한다. 실패접근은 복행(go-around)으로 취급된다.

5-4-25. Contact 접근(Contact Approach)

a. IFR 비행계획에 의하여 운항을 하는 조종사는 구름으로부터 벗어나서 비행시정 최소 1 mile의 기상상태에서 목적지공항까지 계속 비행할 수 있을 것이라고 합리적으로 예상할 수 있는 경우, contact 접근을 위한 ATC 허가를 요구할 수 있다.

b. 관제사는 다음과 같은 경우 contact 접근을 허가할 수 있다.

1. Contact 접근이 분명히 조종사에 의해 요구되었다. ATC는 이 접근을 제안할 수 없다.

예문(Example)

Request contact approach.

2. 목적지공항의 보고된 지상시정이 최소 1 SM이다.

3. Contact 접근은 표준계기접근절차 또는 특별계기접근절차가 수립되어 있는 공항에서 이루어질 수 있다.

4. 허가를 받은 항공기 간에, 그리고 이들 항공기와 다른 IFR 항공기 또는 특별 VFR 항공기 간에 인가된 분리(approved separation)가 적용된다.

예문(Example)

Cleared contact approach (그리고, 필요한 경우) at or below (고도) (비행로) if not possible (대체비행절차) and advise.

c. Contact 접근은 조종사가 공항까지 표준 또는 특별 IAP로 비행하는 대신에 사용(ATC의 사전허가를 받아)할 수 있는 접근절차이다. 이것은 IFR 비행허가를 받은 조종사가 발간되어 운영되는 IAP가 없는 공항으로의 운항에 사용하기 위한 것은 아니다. 또한 항공기가 어떤 공항으로 계기접근을 하다가 "위험한 상황에서 벗어난(in the clear)" 경우, 그 접근을 중단하고 다른 공항으로 비행하기 위한 것도 아니다. Contact 접근을 할 때 장애물회피에 대한 책임은 조종사에게 있다. 레이더업무를 받고 있을 때 조종사가 조언주파수로 변경할 것을 지시받은 경우, 레이더업무는 자동으로 종료된다.

5-4-26. 착륙우선권(Landing Priority)

IFR 비행계획으로 운항하는 항공기에 대한 특정한 종류의 접근(ILS, RNAV, GLS, VOR 또는 시각접근) 허가가 다른 교통에 비해 착륙우선권을 부여한다는 의미는 아니다. ATCT는 비행계획의 방식에 관계없이 모든 항공기를 "선착순(first-come, first-served)"에 따라 처리한다. 그러므로 관제사는 안전의 관점에서 국지적인 교통 또는 사용 중인 활주로에 따라 서로 다른 착륙순서를 부여하는 것이 필요할 수 있다. 어떠한 경우에도 조종사가 항공기의 비행경로를 올바르게 수정할 수 있도록, 가능한 빨리 각 항공기에 착륙순서를 배정한다.

5-4-27. 원형접근(Overhead Approach Maneuver)

a. 시계비행기상상태(VMC)에서 IFR 비행계획에 의하여 운항하는 조종사는 ATC에 원형접근(overhead maneuver) 허가를 요청할 수 있다. 원

형접근은 계기접근절차는 아니다. 원형접근장주는 항공기가 운영상 이러한 접근을 수행할 필요성이 있는 공항에 수립된다. 원형접근을 수행하는 항공기는 VFR로 간주되며, 항공기가 접근 시 최초접근부분(initial approach portion)의 시작지점에 도달했을 때 IFR 비행계획은 취소된다 (그림 5-4-35 참조). 표준원형접근장주가 수립되어 있더라도 원형접근을 허가할 수 없다면 항공기에게 통상적인 장방형장주(rectangular pattern)로 진입하도록 허가할 수 있다. 관제탑이 운영되지 않는 공항으로 운항하는 항공기는 원형접근을 시작하기 전에 IFR 비행계획의 취소를 시도하여야 한다. 최초접근부분의 착륙활주로시단(landing threshold)을 지난 후, 또는 착륙 후에는 IFR 비행계획의 취소가 이루어져야 한다. 관제사는 원형접근을 허가하고, 도착하는 항공기에게 다음 사항을 발부한다.

1. 장주고도 및 선회방향(pattern altitude and direction of traffic). 표준장주라면 이 정보는 둘 다 생략할 수 있다.

관제용어(Phraseology)

pattern altitude (고도). Right turns.

2. 최초접근부분에서의 보고 요구

관제용어(Phraseology)

report initial.

3. "Break" 정보 및 조종사보고 요구. 비표준장주이면 "Break 지점"을 명시한다. 교통상황 또는 그 밖의 이유로 필요하면 조종사에게 "Break" 보고를 요구할 수 있다.

관제용어(Phraseology)

break at (명시된 지점).
report break.

그림 5-4-36. 원형접근(Overhead Maneuver)

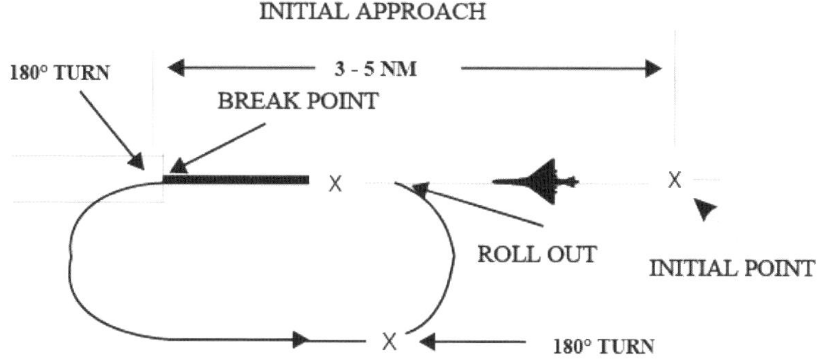

제5절. 조종사/관제사의 역할과 책임

5-5-1. 일반(General)

a. ATC 시스템의 실질적인 참여를 위한 조종사 및 관제사의 역할 및 책임은 여러 문서에 수록되어 있다. 조종사의 책임은 CFR에 수록되어 있으며, 항공교통관제사의 책임은 FAA Order JO 7110.65, Air Traffic Control과 FAA 부가지시서에 수록되어 있다. 조종사를 위한 추가정보 및 보충정보는 최신 항공정보매뉴얼(AIM), 항공고시보, 권고회보(Advisory Circular) 및 항공차트에서 찾아볼 수 있다. 정부기관 뿐 아니라 민간단체에 의해서도 많은 간행물이 발행되고 있으며, 갱신주기가 다양하기 때문에 어느 것이 최근 자료인지 또는 가장 현행 자료인지에 대한 의문은 위에서 언급된 문서들을 상호 비교하여 봄으로써 알 수 있다.

b. 항공기의 기장(pilot-in-command)은 당해 항공기운항에 대한 직접적인 책임 및 최종적인 권한이 있다. 즉각적인 조치가 필요한 비상상황의 경우, 기장은 14 CFR 91.3절에 의거하여 Subpart A General 및 Subpart B Flight Rules의 규정을 위배할 수 있다.

c. 항공교통관제사는 첫 번째 우선순위인 항공기의 분리 및 레이더 안전경보(safety alert)의 발부, 두 번째 우선순위인 항공기의 분리를 제외한 그 밖의 필요한 업무의 제공, 그리고 세 번째 우선순위인 가능한 범위 내에서 최대한 부가적인 업무를 제공해야 할 책임이 있다.

d. 안전하고 효율적인 항공교통시스템을 유지하기 위하여 각 담당자는 최대한 그들의 책임을 완수하는 것이 필요하다.

e. 조종사와 관제사의 책임은 많은 부문에서 의도적으로 중복되어 있다. 조종사나 관제사는 어떠한 방식으로든 실수를 할 수 있으며, 이러한 책임의 중복이 안전에 영향을 줄 수 있는 실수를 여러 가지로 보완할 수 있을 것이다.

f. 다음은 비행절차와 단계에서 일반적으로 사용되는 조종사 및 관제사 책임의 일부분을 간략하게 나열한 목록이며, 조종사와 관제사의 책임을 모두 포함하고 있는 것은 아니다. 더 상세한 설명은 본 간행물의 다른 부분, 해당하는 CFR, AC 및 유사한 간행물에 수록되어 있다. 수록된 정보는 관련 원칙의 개요이며, 규칙을 설명하려거나 책임을 확대하려거나 축소하려는 것은 아니다.

5-5-2. 항공교통허가(Air Traffic Clearance)

a. 조종사(Pilot)

1. ATC 허가를 받았고, 이해하였다는 응답(acknowledge)을 한다.

2. ATC가 발부하는 활주로진입전대기(hold short of runway) 지시에 복창(read back)한다.

3. 허가가 완전히 이해되지 않았거나, 비행안전의 관점에서 수용할 수 없는 경우에는 적절한 설명을 요청하거나 수정허가를 요청한다.

4. 비상상황에 대처하기 위하여 필요한 경우를 제외하고 항공교통허가를 받은 경우 이를 즉시 이행한다. 허가의 위배가 필요한 경우, 가능한 빨리 ATC에 통보하고 수정허가를 받는다.

주(Note)
착륙허가는 착륙활주로 상에서 적절한 분리가 이루어질 것이란 걸 의미한다. 착륙허가가 조종사에게 이전에 발부된 통과고도제한의 준수를 면하여 주는 것은 아니다.

b. 관제사(Controller)

1. 설정된 기준에 의거하여 수행되거나 수행할 예정인 운항에 대하여 적절한 허가를 발부한다.

2. 관제공역에서 IFR 허가 시에는 최저 IFR 고도 이상의 고도를 배정한다.

3. 발부한 정보, 허가 또는 지시에 대한 조종사의 인지응답(acknowledgement)을 확인한다.

4. 고도, 기수방향(heading) 또는 그 밖의 항목에 대한 조종사의 복창이 정확한지 확인한다. 만약 부정확하거나, 왜곡되었거나 또는 불완전하면 적절하게 수정해 준다.

5-5-3. Contact 접근(Contact Approach)

a. 조종사(Pilot)

1. Contact 접근을 요구하여 표준 또는 특별계기접근 대신에 사용한다.

2. Contact 접근 요구는 비행이 구름으로부터 벗어나서 운항 중이고, 최소한 1 mile의 비행시정을 가지며, 그리고 이러한 상태에서 목적지공항까지 계속 비행할 수 있을 것이라고 합리적으로 예상된다는 것을 나타낸다.

3. Contact 접근을 할 때 장애물회피에 대한 책임을 져야 한다.

4. Contact 접근을 계속할 수 없거나, 1 mile 이하의 비행시정과 조우한 경우 즉시 ATC에 통보한다.

5. 레이더업무를 받고 있다면, 관제탑과 교신하도록 지시를 받았을 때 자동으로 종료될 수 있다는 것을 인식하여야 한다.

b. 관제사(Controller)

1. 조종사의 요구가 있을 때에만 contact 접근허가를 발부한다. 이 절차의 사용을 권고해서는 안된다.

2. 허가를 발부하기 전에 목적지공항의 지상시정이 최소한 1 mile 이상인가를 확인한다.

3. Contact 접근을 허가한 항공기와 다른 IFR 항공기 또는 특별 VFR 항공기 간에 인가된 분리를 제공한다. 수직분리를 적용할 때 고정된 고도(fixed altitude)를 배정해서는 안되며, 다른 계기비행항공기의 비행고도보다 최소한 1,000 ft 낮은 고도로 비행을 허가하여야 하지만 14 CFR 91.119절에 규정된 최저안전고도보다 낮아서는 안된다.

4. 기상상태가 contact 접근을 하기에 적합하지 않다고 판단되면 대체허가를 발부한다.

5-5-4. 계기접근(Instrument Approach)

a. 조종사(Pilot)

1. 관제사는 알려진 교통상황에 의해서만 접근허가를 발부한다는 것을 인식하고 있어야 한다.

2. 다음과 같은 모든 제한사항을 포함하여, IAP에 제시된 절차를 준수한다.

(a) 야간에 허용되지 않는 절차

(b) 국지지역 고도계(local area altimeter)를 이용할 수 없을 때 허용되지 않는 접근

(c) 관제탑이 운영되지 않을 때 허용되지 않는 절차

(d) Glide slope를 사용하지 않을 때 허용되지 않는 절차

(e) 야간에 허용되지 않는 직진입최저치

(f) 레이더 필요(radar required), 또는

(g) 계기접근차트에 발간된 선회최저치는 적절한 장애물회피를 제공하며, 조종사는 항공기가 착륙하기 위하여 최종강하를 할 수 있는 지점에 위치할 때 까지 선회접근 최저강하고도(circling altitude) 이하로 강하해서는 안된다. 공항설계 및 항공기 위치, 고도와 속도 등을 모두 고려하여야 하기 때문에 조종사의 올바른 판단과 지식, 그리고 항공기의 성능은 각각의 경우에 정확한 기동을 결정하는 기준이 된다.

3. 발간되지 않은 비행로에서, 또는 레이더유도되는 동안 접근허가를 받은 경우에는,

(a) IFR 최저고도를 준수하여야 한다. 그리고,

(b) 발간된 비행로 또는 IAP 구간에 진입할 때까지는 최종적으로 배정받은 고도를 유지하여야 하며, 그 후부터는 발간된 고도를 적용한다.

4. 적용할 수 있는 경우, 계기접근구역에 저온수정을 적용한다. 저온수정을 적용하려면 최초교신 시(또는 가능한 빨리) 영향을 받는 각 구역에 필요한 수정치를 ATC에 통보하여야 한다. 이러한 정보는 ATC가 알려진 교통상황에 따라 항공기에 적절한 수직분리를 제공하기 위하여 필요하다.

b. 관제사(Controller)

1. 알려진 교통상황에 의거하여 접근허가를 발부한다.

2. 항공기가 발간된 비행로나 IAP의 구간에 진입한 후에만 IFR 접근허가를 발부하거나, 진입할 때 까지 항공기가 유지해야 할 적절한 고도를 배정한다.

5-5-5. 실패접근(Missed Approach)

a. 조종사(Pilot)

1. 다음 조건 중 하나에 해당하면 실패접근을 한다.

(a) 실패접근지점(MAP) 또는 결심고도(DH)에 도달한 후 활주로환경에 대한 시각참조물이 착륙을 완료하기에 충분하지 않은 경우

(b) 안전한 접근 또는 착륙이 불가능하다고 판단한 경우 (5-4-21h절 참조)

(c) ATC에 의해 실패접근을 지시받은 경우

2. 실패접근을 한다는 것을 ATC에 통보한다. ATC의 지시에 의하여 실패접근을 하지 않는 한, 통보에는 실패접근을 하는 이유를 포함한다.

3. ATC가 달리 실패접근지시를 명시하지 않는 한, MAP에서부터 이루어지는 IAP에 대한 실패접근지시에 따른다.

4. MAP에 도달하기 전에 실패접근을 해야 한다면 MAP까지 계기절차의 횡적항행경로(lateral navigation path)로 비행한다. 최종접근픽스(FAF)와 MAP 사이에 최대고도가 명시된 경우를 제외하고 실패접근절차에 지정된 고도까지 상승한다. 이와 같은 경우에는 최대고도제한사항을 준수한다. 이로 인해 최종접근 시에 계속적인 강하가 필요할 수 있다는 사실에 유의한다.

5. 적용할 수 있는 경우, 발간된 계기접근구역에 저온수정을 적용한다. 저온수정을 적용하려면 최초 교신 시(또는 가능한 빨리) 필요한 수정치를 ATC에 통보하여야 한다. 이러한 정보는 ATC가 알려진 교통상황에 따라 항공기에 적절한 수직분리를 제공하기 위하여 필요하다. 조종사는 발간된 실패접근절차 대신에 비행할 최초 기수방향(initial heading)이나 레이더유도(radar vector)가 제공된다면, ATC에 의해 허가되지 않는 한 배정된 고도에 고도수정을 적용해서는 안된다.

6. 실패접근에 이어 다른 접근, 상황이 호전될 때까지의 체공, 교체공항으로의 비행 등과 같은 특정조치에 대한 허가를 요청한다.

b. 관제사(Controller)

1. 조종사가 계기접근차트에 표기된 것과는 다른 절차를 수행하기를 바란다면 인가된 대체실패접근절차를 발부한다.

2. 조종사나 관제사에게 운영상 이점이 있을 때에는 레이더에 식별된 실패접근을 하는 항공기를 레이더유도할 수 있다.

3. 교통상황이 허용되는 경우, 조종사가 언급한 의도에 따라 교체공항이나 체공 fix로의 허가를 발부하거나 또는 접근순서 재배정에 대한 허가를 발부한다.

5-5-6. 레이더유도(Radar Vectors)

a. 조종사(Pilot)

1. 관제사가 배정한 기수방향(heading) 및 고도로 신속히 변경한다.

2. 부정확하다고 생각되는 배정 기수방향 또는 고도를 문의한다.

3. VFR로 운항하는 조종사의 레이더유도 또는 고도의 준수가 CFR 위배를 야기한다면, ATC에 통보하고 수정된 허가나 지시를 받는다.

b. 관제사(Controller)

1. A등급, B등급, C등급, D등급 및 E등급 공역에서 다음의 경우에 항공기를 레이더유도(vector)한다.

(a) 항공기 간의 분리를 위하여

(b) 소음감소를 위하여

(c) 조종사 또는 관제사에 대한 운영상 이득을 얻기 위하여

2. 조종사 요구가 있을 때 A등급, B등급, C등급, D등급, E등급 및 G등급 공역의 항공기를 레이더유도(vector) 한다.

3. 최저레이더유도고도(minimum vectoring altitude) 이상에서 IFR 항공기를 레이더유도(vector)한다.

4. ATC가 고도배정을 하지 않은 VFR 항공기는 어떤 고도에서든지 레이더유도할 수 있다. 이 경우 지형회피는 조종사의 책임이다.

5-5-7. 안전경보(Safety Alert)

a. 조종사(Pilot)

1. ATC로부터 안전경보를 받은 경우에는 적절한 조치를 취한다.

2. 항상 이 업무가 제공되는 것은 아니며, 많은 요소가 지형, 장애물 또는 다른 항공기에 근접하여 불안전한 상황으로 진전될 수 있다고 판단하는 관제사의 능력에 영향을 미친다는 사실을 인식하고 있어야 한다.

b. 관제사(Controller)

1. 관제사의 판단에 관제하의 항공기가 지형, 장애물 또는 다른 항공기에 불안전하게 근접한 위치의 고도에 있다고 인식되면 안전경보를 발부한다. 안전경보의 종류는 다음과 같다.

(a) 지형(terrain) 또는 장애물경고. 항공기가 지형 또는 장애물에 불안전하게 근접한 위치에 있다고 여길만한 고도에 있다고 인식되면, 즉시 관제하의 항공기에게 지형 또는 장애물경고를 발부한다.

(b) 항공기 충돌경고(conflict alert). 관제 하에 있는 항공기와 비관제 하에 있는 항공기가 서로 불안전하게 근접한 위치에 있다고 여길만한 고도에 있다고 인식되면, 즉시 관제하의 항공기에게 항공기 충돌경고를 발부한다. 경고와 더불어 가능하면 조종사에게 대처방안을 제공한다.

2. 조종사가 상황을 해소하기 위한 조치를 취하고 있음을 통보하거나, 다른 항공기를 육안으로 확인하였다는 것을 통보하면 추가 경고를 중단한다.

5-5-8. 육안회피(See and Avoid)

a. 조종사(Pilot)

조종사는 비행계획의 방식이나 레이더시설의 관제하에 있는지의 여부에 관계없이 기상상태가 허용되면 다른 항공기, 지형 또는 장애물을 육안으로 보고 회피(see and avoid)해야 할 책임이 있다.

b. 관제사(Controller)

1. 업무량이 허용하는 한도 내에서, 적극관제공역(positive control airspace)의 외부에서 운항하는 레이더식별 항공기에게 레이더교통정보를 제공한다.

2. 항공기가 지형, 장애물 또는 다른 항공기에 불안전하게 근접한 위치에 있다고 여길만한 고도에 있다고 인식되면 관제하의 항공기에게 안전경보를 발부한다.

5-5-9. 속도조절(Speed Adjustments)

a. 조종사(Pilot)

1. 비행계획서에 기재한 순항속도보다 ±5% 또는 10 knot 가운데 더 큰 수치로 변경되면 언제라도 ATC에 통보한다.

2. 다음의 경우 외에는 ATC의 속도조절 지시에 따른다.

(a) 특정한 운항에 대한 최대 또는 최저안전속도가 지시받은 속도보다 더 크거나 작은 경우에는 ATC에 통보하여야 한다.

주(Note)

항공기의 운영기준(operating specification)에 적합하지 않거나, 과도하다고 판단되는 속도조절을 거부하는 것은 조종사의 책임이며 특권이다.

(b) 10,000 ft MSL 이상의 운항시에 ATC로부터 250 knot IAS 이상의 속도조절을 지시받고 그 다음 10,000 ft MSL 미만으로 강하하기 위한 허가를 받은 경우, 조종사는 14 CFR 91.117(a)절을 준수하여야 한다.

3. 속도조절 지시에 따를 때에는 지시받은 속도에서 ±10 knot 또는 마하수(Mach number) ±0.02 이내의 지시대기속도를 유지한다.

b. 관제사(Controller)

1. 필요한 경우에만 항공기에게 속도조절을 지시하여야 하며, 효과적인 레이더유도 기법의 대용으로 속도조절을 사용해서는 안된다.

2. 언제 속도조절절차를 적용할 것인가에 대해서는 FAAO JO 7110.65 항공교통관제에 수록된 제한사항을 준수한다.

3. 감속과 증속이 번갈아 필요한 속도조절 지시는 피한다.

4. 특정 IAS(knot)/마하수(Mach number) 또는 5 knot나 이의 배수 간격으로 증속하거나 감속하도록 속도조절을 지시한다.

5. 다음과 같이 조종사에게 추가지시를 발부할 필요가 없는 경우, ATC가 지시한 속도조절을 종료한다.

(a) 항공기가 발간된 속도제한을 포함하고 있

지 않는 기수방향(heading), 임의비행로, 발간된 절차 또는 비행로에 있는 경우, 조종사에게 "정상속도로 복귀(resume normal speed)"하도록 지시한다.

(b) 항공기가 발간된 속도제한을 포함하고 있는 발간된 절차 또는 비행로에 진입하거나 복귀하는 경우, 조종사에게 "속도제한을 준수(comply with speed restriction)"하도록 지시한다.

주의(Caution)

관제용어 "Climb via SID)"는 절차에 표기된 모두 고도 및 속도제한의 준수를 요구한다.

(c) 항공기가 발간된 속도제한을 포함하고 있는 발간된 계기비행절차로 허가된 경우, 조종사에게 "발간된 속도로 복귀(resume published speed)" 하도록 지시한다.

(d) ATC가 지시하거나, 또는 발간된 차트 상의 발간된 속도제한이 더 이상 필요하지 않는 경우, 조종사에게 "속도제한을 무효화(delete speed restriction)"하도록 지시한다.

(e) 조종사에게 이전에 발부된 속도제한을 다시 언급하지 않고 접근을 허가한다.

6. 강하하는 동안 감속할 수 있도록 항공기성능에 대하여 충분히 고려한다.

7. 조종사의 동의없이 FL 390 이상의 고도에 있는 항공기에게 속도조절을 지시하여서는 안된다.

5-5-10. 교통조언 (교통정보) [Traffic Advisory (Traffic Information)]

a. 조종사(Pilot)

1. 교통조언을 수신하였다는 응답(acknowledge)을 한다.

2. 항공기를 육안 확인하였다면 관제사에게 통보한다.

3. 항공기를 회피하기 위하여 레이더유도가 필요한 경우 ATC에 통보한다.

4. 모든 항공기에 대한 레이더교통조언을 받을 수 있을 것이라고 기대해서는 안된다. 어떤 항공기는 레이더시현장치에 나타나지 않을 수도 있다. 관제사가 우선순위가 더 높은 업무에 종사하고 있거나, 여러 가지 이유로 인하여 교통정보를 발부하지 못할 수도 있다는 것을 인식하고 있어야 한다.

5. 조언업무가 필요하지 않으면 관제사에게 통보한다.

b. 관제사(Controller)

1. A등급 공역을 제외하고, 높은 우선순위의 업무에 부합하는 최대범위까지 레이더교통조언을 발부한다.

2. 조종사 요구 시, 관측된 교통으로부터 항공기 회피를 돕기 위하여 레이더유도를 제공한다.

3. 순서배정(sequencing)의 목적을 위해 B등급, C등급 및 D등급 공항교통구역의 항공기에게 교통정보를 발부한다.

4. 관제사는 비행경로가 통과할 것으로 예상되는 교차 또는 비교차 수렴활주로에서 운행하는 각 항공기에게 교통조언을 발부할 필요가 있다.

5-5-11. 시각접근(Visual Approach)

a. 조종사(Pilot)

1. 시각접근을 원하지 않으면 ATC에 통보한다.

2. 착륙예정공항으로 또는 선행항공기를 육안으로 볼 수 있는 지점까지 레이더유도하기 위한 관제사의 지시에 따른다.

3. 조종사는 공항 또는 선행항공기를 항상 시야에 두고 있어야 한다. 시각접근을 허가받은 후에는 정상적인 방법으로 공항까지 비행하거나 선행항공기를 뒤따른다. 시각접근을 수행하는 동안 구름으로부터 벗어난 상태를 유지한다.

4. 조종사가 선행항공기를 육안으로 보면서 뒤따르도록 하는 시각접근허가를 수용하였다면, 뒤따르도록 지시받은 항공기와 안전한 착륙간격을 유지할 필요가 있다. 조종사는 항적난기류 분리에 대한 책임이 있다.

5. 조종사가 선행항공기를 계속 뒤따를 수 없는 경우, 구름으로부터 벗어난 상태를 유지할 수 없는 경우, 상승이 필요한 경우 또는 공항을 시야에서 놓친 경우에는 즉시 ATC에 통보한다.

6. 조종사가 조언주파수로 변경할 것을 지시받은

경우, 레이더업무는 ATC의 통보없이 자동으로 종료된다는 것을 인식하고 있어야 한다.

7. 교통장주에 다른 항공기가 있을 수도 있으며, 접근관제소 또는 ARTCC가 배정한 착륙순서와 다를 수도 있다는 것을 인식하고 있어야 한다.

b. 관제사(Controller)

1. 공항의 보고된 기상이 1,000 ft 이상의 운고(ceiling) 및 3 mile 이상의 시정이 되지 않으면 시각접근을 허가해서는 안된다. 목적지공항의 기상정보를 이용할 수 없는 경우 조종사에게 통보하고, 시계비행으로 공항까지 비행하고 강하하는 것이 가능하다는 합당한 확신이 없는 한 그 공항까지의 시각접근을 제안해서는 안된다.

2. 조종사가 공항이나 뒤따라가야 할 선행항공기를 육안 확인하였다고 보고한 경우 시각접근허가를 발부한다.

3. 조종사에 의해 시계분리(visual separation)가 이루어지는 경우를 제외하고 분리를 제공한다.

4. 항공기가 착륙하거나 조언주파수로 변경하도록 지시할 때까지는 계속해서 비행추적(flight following) 및 교통정보를 제공한다.

5. 선행항공기가 대형항공기(heavy aircraft)일 경우 모든 항공기의 조종사에게 통보한다. 선행항공기가 B747이면 소형항공기의 조종사에게 통보한다. 초대형항공기 뒤에서는 시계분리(visual separation)가 금지된다.

6. 목적지공항의 기상정보를 이용할 수 없는 경우, 공항의 보고된 운고(ceiling)가 MVA 상공 500 ft를 초과하고 시정이 3 mile 이상 되지 않는 한 시각접근을 위한 레이더유도를 시작해서는 안된다. 레이더유도 기상최저치 정보를 이용할 수 없더라도 공항의 기상이 운고가 1,000 ft 이상이고, 시정이 3 mile 이상인 경우 시각접근을 할 수 있다.

5-5-12. 시계분리(Visual Separation)

a. 조종사(Pilot)

1. 다른 항공기 뒤를 따르라거나 시계분리를 적용하라는 지시의 수용은 조종사가 다른 항공기를 회피하거나, 일렬종대(in-trail)의 분리를 유지하기 위하여 필요하면 항공기를 기동시킬 것이라는 응답(acknowledgment)이다. 조종사는 비행경로(고도 및/또는 진로)가 분기되기 전까지는 시계분리를 유지할 책임이 있다.

2. 다른 항공기를 뒤따르라거나 또는 그 항공기로부터 시계분리를 유지하라는 ATC의 지시를 받았다면 그 항공기를 시야에서 놓쳤거나, 계속해서 시야에 둘 수 없거나, 또는 어떠한 이유로 분리책임을 수용할 수 없을 경우에는 관제사에게 즉시 통보한다.

3. 이러한 상황에서도 항적난기류 분리에 대한 책임은 조종사에게 있다.

b. 관제사(Controller). 다음과 같은 경우에만 시계분리를 적용한다.

1. 터미널지역 내에서 관제사가 두 항공기를 모두 육안으로 확인한 경우, 또는 조종사가 다른 항공기를 육안으로 확인한 경우 그 항공기와 시계분리를 유지하도록 지시한다.

2. 조종사는 비행경로(고도 및/또는 진로)가 분기되기 전까지는 시계분리를 유지할 책임이 있다.

3. 항공로공역에서 두 항공기가 반대 진로(opposite course) 상에 있을 때, 한 항공기 조종사가 다른 항공기를 육안 확인하였다고 통보하고 그 항공기와 서로 지나친 경우

5-5-13. 운상시계비행(VFR-on-top)

a. 조종사(Pilot)

1. 이 허가는 IFR 비행계획의 조종사가 요청하여야 하며, 허가를 받은 경우 배정된 고도 대신에 다른 고도 또는 비행고도를 조종사가 선택(ATC의 제한을 받음)할 수 있도록 허용된다.

주(Note)

운상시계비행(VFR-on-top)은 A등급 공역과 같은 특정 공역구역, 특정 제한구역 등에서는 허가되지 않는다. 따라서 운상시계비행으로 운항하는 IFR 비행은 이러한 공역을 피하여야 한다.

2. 운상시계비행(VFR-on-top) 허가를 요청할 경우, 다른 항공기를 육안 회피할 수 있도록 경계해

야 할 책임은 전적으로 조종사에게 있다. 그리고

(a) 14 CFR 91.159절에 규정된 해당 VFR 고도로 비행한다.

(b) 14 CFR 91.155절, 기본 VFR 기상최저치의 VFR 시정 및 구름으로부터의 거리 기준에 따른다.

(c) 이 비행에 적용할 수 있는 계기비행방식, 즉 최저 IFR 고도, 위치보고, 무선교신, 비행경로, ATC 허가의 준수 등을 따른다.

3. 정확한 교통정보의 교환을 위하여 고도를 변경하기 전에 ATC에 통보하여야 한다.

b. 관제사(Controller)

1. 계기비행계획 항공기의 조종사가 허가를 요청하면, 운상시계비행(VFR-on-top)을 유지하도록 허가할 수 있다.

2. 운상시계비행(VFR-on-top)으로 상승이 허가된 항공기의 조종사에게 보고된 정상(top)의 높이나 보고된 정상의 높이가 없다는 것을 통보할 때 필요시 대체허가를 발부하며, 항공기가 운상시계비행에 도달하였다는 것을 보고하면 운상시계비행을 유지하도록 항공기에게 다시 허가를 발부한다.

3. 허가를 발부하기 전에, 항공기가 A등급 공역에 있지 않는지 또는 A등급 공역으로 진입할 가능성은 없는지를 확인한다.

5-5-14. 계기출발(Instrument Departures)

a. 조종사(Pilot)

1. 출발하기 전에 출발공항과 공항주변 지형의 유형 또는 그 밖의 장애물을 고려한다.

2. 시각적으로 장애물회피를 유지할 수 있는지, 또는 출발절차에 따라야 하는지의 여부를 판단한다.

3. 장애물회피를 위하여 출발절차 또는 DP를 이용할 수 있는지의 여부를 판단한다. 한 가지 선택사항은 Visual Climb Over Airport(VCOA) 일 수 있다. 조종사는 출발하기 전에 VCAO로 비행하려는 의도를 가능한 한 빨리 ATC에 통보하여야 한다.

4. IAP가 발간되지 않은 공항에서는 출발절차가 발간되어 있지 않기 때문에, 어떠한 조치가 필요한지 그리고 이러한 조치를 취하는 것이 안전한 출발을 보장해 줄 수 있는지의 여부를 판단한다.

b. 관제사(Controller)

1. 공항교통관제업무를 제공하는 지역에서 필요시 해당하는 발간된 출발절차(DP) 및 임의 레이더 유도 구역(DVA)과 일치하는 이륙방향, 선회방향 또는 이륙 후 비행할 최초기수방향(initial heading)을 명시한다.

2. 공항교통관제업무를 제공하지 않는 지역이지만 E등급 공항교통구역 내에서 이륙방향, 선회방향 또는 비행할 최초기수방향을 명시하는 것이 필요한 경우에는, 절차가 그 지역의 교통장주, 지형 및 장애물회피에 적합하다는 조종사의 동의를 받아야 한다.

3. 최초 기수방향(initial heading)이 항공기를 배정한 절차에서 벗어나도록 할 경우(예를 들면, waypoint까지 발간된 횡적경로 및 이륙활주로종단에서 통과제한이 있는 RNAV SID), 관제사는 최초 기수방향으로 고도를 유지할 수 있도록 배정한다.

4. 분리를 위하여 조종사가 절차를 준수하여야 하는 경우, ATC 허가의 한 부분으로서 수립된 출발절차를 포함시킨다.

5-5-15. 최소연료 통보(Minimum Fuel Advisory)

a. 조종사(Pilot)

1. 목적지에 도착할 때의 연료공급량이 어떤 과도한 지연도 받아들일 수 없는 상태에 도달한 경우, 최소연료(minimum fuel) 상태를 ATC에 통보한다.

2. 이것은 비상상황은 아니며, 단지 어떤 과도한 지연이 발생하면 비상상황이 될 수 있다는 것을 나타내는 조언이라는 점을 인식하여야 한다.

3. 최초교신 시 호출부호(call sign)를 말한 이후에 "minimum fuel"이라는 용어를 사용해야 한다.

예문(Example)

Salt Lake Approach, United 621, "minimum fuel."

4. 최소연료 통보가 교통상의 우선권을 요구한다는 의미는 아니라는 것을 인식하여야 한다.

5. 사용할 수 있는 잔여 연료공급량으로 안전하

게 착륙하기 위하여 교통상의 우선권이 필요하다고 판단한 경우, 조종사는 저연료로 인한 비상을 선언하고 분단위로 잔여 연료량을 보고하여야 한다.

b. 관제사(Controller)

1. 항공기가 최소연료상태를 선언한 경우, 관제권을 이양받을 시설에 이러한 정보를 중계하여야 한다.

2. 항공기를 지연시킬 수 있는 모든 요인에 주의를 기울여야 한다.

5-5-16. RNAV 및 RNP 운항(RNAV and RNP Operations)

a. 조종사(Pilot)

1. RNAV 또는 RNP 절차의 요건을 준수할 수 없는 경우, 조종사는 가능한 빨리 항공교통관제기관에 통보하여야 한다. 예를 들면, "N1234, failure of GPS system, unable RNAV, request amended clearance".

2. RNAV 또는 RNP 절차가 최신 항공기 항행데이터베이스에서 절차명으로 검색되고 차트화된 절차를 준수하지 않는 한, 조종사는 발간된 RNAV 또는 RNP 절차(계기접근, 출발 또는 도착절차)로 비행하는 것이 허가되지 않는다. 시스템은 일련의 waypoint를 수동으로 입력하는 것이 아니라 항공기 항행데이터베이스에서 명칭으로 절차를 검색할 수 있어야 한다.

3. RNAV 비행로 waypoint를 데이터베이스에서 개별적으로 비행계획서로 load 하는 것보다 가능하면 언제나 한꺼번에 데이터베이스로부터 RNAV 비행로(Q-route 또는 T-route)를 추출해야 한다. 그러나 비행할 발간된 비행로의 모든 fix가 입력되어 있다면, 데이터베이스에서 명칭이 부여된 fix를 개별적으로 선택하고 입력하는 것이 허용된다.

4. 조종사는 fly-by에서 fly-over로 또는 반대로 데이터베이스 waypoint 유형을 변경해서는 안된다. 다음의 경우를 제외하고 발간된 RNAV나 RNP 절차에서 데이터베이스 waypoint의 변경 또는 사용자지정 waypoint의 생성 등은 허용되지 않는다.

(a) ATC 허가/지시를 준수하기 위한 고도 또는 대기속도 waypoint 제약의 변경

(b) 예를 들어, "Descend via the WILMS arrival except cross 30 north of BRUCE at/or below FL 210."와 같은 ATC 지시사항을 준수할 수 있도록 발간된 비행로의 waypoint 입력. 이것은 along track waypoint의 구성이 허용되는 시스템으로만 제한된다.

5. FMS를 갖춘 항공기의 조종사가 RNAV DP 또는 STAR 절차를 배정받고 이어서 활주로, 전환(transition)이나 절차의 변경을 통보받은 경우, 해당하는 변경이 load 되었는지 그리고 항행에 이용할 수 있는지를 확인하여야 한다.

6. RNAV 1 DP와 STAR의 경우, 조종사는 횡적항행 mode에 CDI, 비행지시기(flight director) 및 자동조종장치를 사용하여야 한다. 동등한 수준의 성능을 제공하는 그 밖의 방법도 허용될 수 있다.

7. RNAV 1 DP와 STAR의 경우, GPS를 갖추지 않고 DME/DME/IRU를 사용하는 항공기의 조종사는 항공기 항법시스템 위치가 이륙활주의 시작위치에서 1,000 ft 이내 인지를 확인하여야 한다. 자동 또는 수동 활주로 update의 사용은 이러한 요건의 준수를 가능하게 하는 수단이다. 동등한 수준의 성능을 제공하는 그 밖의 방법도 허용될 수 있다.

8. GPS의 사용이 필요한 절차나 비행로의 경우, 항법시스템이 GPS의 상실을 운항승무원에 자동으로 경고하지 않는다면 운영자는 정확하게 GPS가 작동되는 지를 확인하기 위한 절차를 개발하여야 한다.

9. RNAV 터미널절차(DP 및 STAR)는 ATC가 waypoint까지 레이더유도하거나 직선비행 허가를 발부함으로써 수정될 수 있다. 조종사는 절차에 재진입하기 위하여 사용 중인 "legs" page에서 waypoint를 조기에 수동 삭제해서는 안된다.

10. RAIM 오류예측(Prediction): 전적으로 RNAV 및 RNP 요건을 충족시키기 위하여 TSO-C129 장비를 사용한다면 의도하는 비행경로(비행로 및 시간)에 대하여 GPS RAIM 가용성을 확인하여야 한다. RAIM을 이용할 수 없으면 조종사는 승

인된 대체항법수단을 필요로 한다.

11. RNAV 및 RNP 운항에서 "진입(established)"의 정의. 항공기가 RNAV 및 RNP 운항동안 비행할 구간에 필요한 정확도의 1배 이내에 있을 때는 정진로(on-course)에 진입했다고 간주한다. 예를 들어, Q-Route(RNAV 2)에서 운항하는 동안 항공기가 진로중심선의 2 NM 이내에 있을 때에는 정진로에 진입했다고 간주한다.

주(Note)

1. 조종사는 AFM 제한사항과 함께 항법시스템의 작동방법을 알고, 항공기의 횡적이탈시현장치(허용되는 대체수단으로 map 시현장치를 사용하면 map 시현장치)가 비행할 구간의 정확도에 적합한가를 확인하여야 한다. 일부 운항의 경우에는 횡적범위 및 경보범위의 자동조정이 적합하다. 예를 들면, TSO-C129 시스템은 접근운항을 지원하기 위하여 목적지의 30 mile 이내 및 FAT의 2 mile 이내에서 변한다. 일부 항법시스템 및 운항의 경우에는 범위조정의 수동선택이 필요할 수 있다.

2. Barometric 수직항법(Baro-VNAV)과 FMS를 갖춘 항공기로 비행하는 조종사는 항공기가 이후의 구간으로 FMS leg 전환(transition)한 다음 이어서 정진로에 진입한 경우 강하할 수 있다. Leg 전환은 보통 fly-by waypoint 선회각도의 이등분선에서 일어난다 (waypoint에 대한 추가 설명은 1-2-1항 참조). 완전자동기능을 사용할 때, 조종사는 항공기가 적절한 선행시간(lead time)에 선회하고 정진로에 진입하면 강하하는 지를 감시하여야 한다.

3. 완전자동기능이 없는 TSO-C129 항법시스템을 갖춘 항공기로 비행하는 조종사는 선회를 하기 위하여 표준 선도점(lead point)을 이용하여야 한다. 조종사는 이후 접근구간의 정진로에 진입한 경우 강하할 수 있다.

제6절. 국가안보 및 요격절차(National Security and Interception Procedures)

5-6-1. 국가안보(National Security)

항공교통관제에서의 국가안보는 14 CFR Part 99, Security Control of Air Traffic에 규정되어 있다.

5-6-2. 국가안보 요건(National Security Requirement)

a. 14 CFR 99.7, 특별보안통제지시(Special Security Instructions)에 의거하여, ADIZ 또는 방공지역(defense area)에서 항공기를 운항하는 각 조종사는 Part 99의 해당 규정과 더불어 FAA와 국방부 간 또는 FAA와 미연방보안기관이나 정보기관 간의 협약에 의하여 국가안보를 위해 FAA 기관이 발부한 특별보안통제지시를 준수하여야 한다.

b. 이 절에 규정된 요구조건과 더불어 미국 영공으로/부터 또는 영공을 통과하거나 영공 내에서의 항공기 운항에 대한 국가안보 요건은 14 CFR 99.7; 49 United States Code (USC) 40103, Sovereignty and Use of Airspace and 49 USC 41703, Navigation of Foreign Civil Aircraft에 의하여 시행된다. 미국 영공으로/부터 또는 영공을 통과하거나 영공 내에서 운항하는 항공기는 14 CFR에 발간된 다른 모든 해당 규정도 준수하여야 한다.

c. 많은 지역의 보안조치가 강화되고 14 CFR 91.103, Preflight Action에 따라, 조종사는 출발하기 전에 해당 비행에 관련되어 이용할 수 있는 모든 정보를 숙지하여야 한다. 조종사는 일시적 비행제한구역이 유효한 구역에서 비행을 할 때는 14 CFR 91.137 (Temporary flight restrictions in the vicinity of disaster/hazard areas), 91.138 (Temporary flight restrictions in national disaster areas in the State of Hawaii), 91.141 (Flight restrictions in the proximity of the Presidential and other parties) 및 91.143 (Flight limitation in the proximity of space flight operations)을 준수할 책임이 있으며, 비행계획 시에 해당 NOTAM을 확인하여야 한다. 더불어 14 CFR 99.7의 규정에 의하여 국가보안구역(National Security Areas (NSA)에 대한 비행운항을 일시적으로 금지하는 NOTAM을 발부할 수 있다.

d. 이 절에 포함된 항공기 운항에 대한 국가보안요건의 비준수는 미국영공으로 진입 비행의 거부 또는 미국 공항에서 비행의 지상정지(ground stop)를 초래할 수 있다.

e. 이 절에 포함된 항공기 운항에 대한 국가보안요건의 절차를 준수하지 않는 항공기의 조종사는 연방, 주 또는 지역 법집행기관 또는 그 밖의 기관 담당자에 요격되거나, 억류되거나 심문을 받을 수 있다.

5-6-3. 정의(Definition)

a. 방공식별구역(Air Defense Identification Zone; ADIZ)이란 국가안보를 위해 모든 항공기(국방부 및 법집행기관 항공기 제외)의 조기 식별, 위치 판단 및 통제가 필요한 육지 또는 수면 상공의 공역구역을 의미한다.

b. 방공지역(Defense Area)이란 국가안보 상 항공기의 통제가 필요한 ADIZ이 아닌 미국대륙의 공역을 의미한다.

c. 이 절의 목적 상 미국영공(U.S. territorial airspace)이란 미국, 미국 영역과 속령 상공의 공역 및 국제법에 의하여 결정된 미국의 기선(baseline)으로부터 12 nautical mile 연장된 영해 상공의 공역을 의미한다.

d. 미국 공역구역으로(To U.S. territorial airspace)란 미국, 미국 영역 또는 속령 외부 지역에서 출발한 이후에 미국, 미국 영역 또는 속령의 목적지에 착륙하기 위하여 미국 공역구역으로 진입하는 비행을 의미한다.

e. 미국 공역구역으로부터(To U.S. territorial airspace)란 미국, 미국 영역 또는 속령 지역에서 출발한 이후에 미국 공역구역을 이탈하여 미국, 미국 영역 또는 속령 외부의 목적지에 착륙하는 비행을 의미한다.

f. 미국 공역구역 내(Within U.S. territorial airspace)란 미국, 미국 영역 또는 속령 지역 내의 지역에서 출발하여 미국, 미국 영역 또는 속령 지역 내의 지역까지 항공로로 운항하는 비행을 의미한다.

g. 미국 공역구역 통과(Transit or transiting U.S. territorial airspace)란 미국, 미국 영역 또는 속령 지역 외부의 지역에서 출발하여 미국, 미국 영역 또는 속령 지역의 목적지에 착륙하지 않고, 미국, 미국 영역 또는 속령 지역까지 미국 공역구역 항공로에서 운항하는 비행을 의미한다.

h. 이 절의 목적상 항공시설(Aeronautical facility)이란 비행 운항동안 비행계획 또는 위치보고가 일반적으로 제출되는 통신시설을 의미한다.

5-6-4. ADIZ 요건(ADIZ Requirement)

a. 미국 공역 경계 근처에서 모든 항공기의 조기 식별을 용이하게 하기 위하여 방공식별구역(ADIZ)이 설정되었다. 14 CFR 99에 명시된 ADIZ로 비행하거나 진입하여 내에서 비행하거나, 또는 통과 운항을 하는 모든 항공기는 조기 식별을 용이하게 하기 위하여 특정 요건을 준수하여야 한다.

b. 항공기 운항요건은 다음과 같다.

1. 트랜스폰더(Transponder) 요건. ATC에 의해 달리 허가되지 않는 한, 미국본토의 ADIZ로 비행하거나 진입하여 내에서 비행하거나, 또는 통과하는 각 항공기는 고도보고기능이 있는 사용가능한 레이더비컨 트랜스폰더를 갖추어야 하며, 트랜스폰더를 작동시키고 해당 code 또는 ATC가 지정한 code에 응답할 수 있도록 설정하여야 한다. (14 CFR 99.13, Transponder-On Requirements, for additional information 참조)

2. 송수신무선통신기(Two-way Radio). 14 CFR 99.9, Radio Requirements에 의거하여 ADIZ에서 운항하는 조종사는 해당 항공시설과 양방향무선교신을 유지하여야 한다. 양방향무선교신이 두절된 경우 14 CFR 99.9에 수록된 지시사항을 따라야 한다.

3. 비행계획서(Flight Plan). 5-6-4e 절에 명시된 경우를 제외하고 다음과 같이 적절한 항공시설에 비행계획서를 제출하고, 발효되고 종료하지 않는 한, 또는 항공교통관제기관에 의하여 다음과 같이 달리 허가를 받지 않는 한 조종사는 14 CFR 99.11, Flight Plan Requirements 및 14 CFR 99.9에 의거하여 ADIZ로 비행하거나 진입하여 내에서 비행하거나, 또는 ADIZ 내의 출발지점으로부터 운항할 수 없다.

(a) 조종사는 계기비행방식(IFR) 비행계획서를 제출하거나, ADIZ 진입시간 및 진입지점을 포함한 방어시계비행방식(DVFR) 비행계획서를 제출하여야 한다.

(b) 조종사는 미국 비행정보업무국에 DVFR 비행계획서를 발효시키고, ADIZ에 진입하기 전에 항공기 트랜스폰더에 배정된 discrete beacon code를 설정한다.

(c) IFR 또는 DVFR 항공기는 아래의 (d)의 경우를 제외하고, 비행계획서에 포함된 출발예정시간 5분 이내에 출발하여야 한다.

(d) 비행계획서를 제출한 시설이 없는 알래스카 ADIZ 내의 공항에서 출발하는 경우, 이륙 후 또는 적절한 항공시설의 통달범위 이내일 경우 즉시 비행계획서를 제출하여야 한다.

(e) ADIZ를 통과하여 운항하고자 하는 국가항공기(미국 또는 외국)는 항공기를 국가항공기(state aircraft)로 식별하는 것을 돕기 위해 비행계획서의 항목 8에 ICAO Code M을 기입하여야 한다.

c. ADIZ 진입 전 위치보고(Position Reporting Before Penetration of ADIZ). 14 CFR 99.15, Position Reports에 의거하여 ADIZ에 진입하기 전에 조종사는 다음과 같이 적절한 항공시설에 보고하여야 한다.

1. 관제공역에서 IFR 비행(IFR flights in controlled airspace). 조종사는 해당 주파수를 지속적으로 감시하고, 항공기가 레이더관제 하에 있는 동안을 제외하고 ATC가 보고가 필요하다고 특별히 요청한 보고지점을 통과한 경우에만 각 지정된 보고지점 또는 ATC가 명시하거나 요청한 보고지점을 통과한 시간 및 고도를 보고하여야 한다. (14 CFR 91.183(a), IFR Communications 참조)

2. 비관제공역의 DVFR 비행 및 IFR 비행(DVFR flights and IFR flights in uncontrolled airspace)

(a) 진입하기 전에 해당 항공시설에 최종보고지점을 통과하는 시간, 항공기의 위치와 고도 및 비행경로의 다음 해당 보고지점의 도착예정시간

(b) 비행경로에 해당 보고지점이 없다면, 조종사는 최소한 진입 15분 전에 조종사가 진입할 예정시간, 위치 및 고도를 통보한다. 또는

(c) 출발공항이 ADIZ 내에 있거나 ADIZ 경계선에 너무 근접하여 조종사가 위의 (a)나 (b)를 준수할 수 없다면, 조종사는 출발 직후 출발시간, 고도 및 비행경로의 최초보고지점 도착예정시간을 통보한다.

3. 외국 민간항공기(Foreign civil aircraft). ADIZ을 통과하여 미국에 진입하려는 외국 민간항공기의 조종사가 위의 c1 또는 c2 절의 보고요건을 준수할 수 없다면, 해당하는 경우 조종사는 미국으로부터 평균 직선순항거리 1시간 이상 2시간 미만인 적절한 항공시설에 항공기의 위치를 보고하여야 한다.

d. 육상(Land-Based) ADIZ. 육상 ADIZ는 NOTAM으로 전파되는 범위, 발효일자(activation date) 및 그 밖의 관련 정보와 함께 필요에 따라 미국 대도시구역 상부에 설정되거나 해제된다. 모든 NOTAM 요건을 준수할 수 없는 조종사는 육상 ADIZ의 외부에 머물러야 한다. 허가를 받지 않고 육상 ADIZ에 진입하거나 모든 요건을 따르지 못한 조종사는 군전투기의 요격을 받을 위험이 있다.

e. ADIZ 요건에 대한 예외사항

1. Except for the 5-6-2항의 국가안보 요건, 5-6-4b1절의 트랜스폰더 요건 및 5-6-4c절의 보고지점을 제외하고, 이 절에 기술된 14 CFR Part 99는 99.1(b)절, 적용(Applicability)에 의하여 운항하는 다음의 항공기에는 적용하지 않는다.

(a) 본토 48개 주 또는 알래스카 주 내에서, 그리고 출발지점으로부터 10 NM 이내에서 운항하는 경우

(b) 하와이 ADIZ에서 180 knot 미만의 대기속도로 운항하는 경우, 또는 하와이 ADIZ에서 섬의 상공 또는 섬의 해안선으로부터 12 NM 이내에서 운항하는 경우, 또는

(c) 조종사가 해당 주파수를 지속적으로 경청하면서 알래스카 ADIZ에서 180 knot 미만의 대기속도로 운항하는 경우

(d) 괌 ADIZ에서 180 knot 미만의 진대기속도로 운항하는 경우

2. FAA 항공로교통관제센터(ARTCC)는 DOD와 협력하여 지역적으로 운항하거나 또는 미연방보안기관이나 정보기관 간의 협약에 의하여 운항하는 특정 항공기의 운항요건을 면제할 수 있다. (추가정보는 14 CFR 99.1 참조)

f. 비행중 VFR 비행계획서를 제출하는 경우, ADIZ 진입시 확실한 식별을 위하여 항공기가 요격을 받을 수 있다. 그러므로 출발 전에 직접 방문하거나 또는 전화로 필요한 DVFR 비행계획서를 제출할 것을 조종사에게 권고한다.

5-6-5. 미국영공으로/으로부터 민간항공기 운항(Civil Aircraft Operations To or From U.S. Territorial Airspace)

a. 5-6-5b절 후단에 기술된 경우를 제외하고, 민간항공기는 다음의 모든 조건을 준수하면 미국영공으로/으로부터 운항하는 것이 허가된다.

1. 비행계획서(IFR, VFR 또는 DVFR)를 제출하였고 유효하다.

2. 고도보고기능을 갖춘 작동하는 트랜스폰더를 탑재하였고, ATC 배정 트랜스폰더 코드를 지속적으로 송신한다.

3. ATC와 양방향무선교신을 유지한다.

4. 5-6-4항에 기술된 모든 그밖에 해당하는 ADIZ 요건 및 5-6-2항의 그 밖의 국가보안 요건을 준수한다.

5. 19 CFR Part 122, Air Commerce Regulations에 의거하여, Advance Passenger Information System(APIS) 요건(CBP APIS 정보는 5-6-5c절 후단 참조)을 포함한 모든 해당 미국 Customs and Border Protection(CBP) 요건을 준수한다.

6. 항공기가 미국 국무부 지정 특별관심국가에

등록되었거나 미국 국무부 지정 특별관심국가로 수록된 국가의 3자리 문자의 ICAO 회사지정자(company designator)로 운항하는 경우, 운영자가 유효한 FAA Part 129 operations specifications을 보유하지 않는 한 FAA 비행로 배정 허가를 수신하고 허가에 따라 운항하여야 한다. FAA 비행로 배정 허가가 필요한 모든 항공기에 대한 VFR 및 DVFR 비행 운항은 금지된다. (FAA 비행로배정 허가에 대한 정보는 5-6-11항 참조)

b. 작동하는 트랜스폰더를 갖추지 않거나 ATC와 양방향 무선교신을 할 수 있는 기능이 없이 운항하는 미국, 캐나다, 또는 멕시코에 등록된 최대인가이륙중량이 100,309 pound(45,500kg) 이하인 민간항공기는 다음의 모든 조건을 준수하면 알래스카 상부의 미국영공으로/으로부터 운항하는 것이 허가된다.

1. 미국 또는 캐나다 내에 있는 공항에서 출발 및 착륙한다.

2. 위선 54°의 북쪽 알래스카 상공의 미국영공을 진입 또는 이탈한다.

3. 비행계획서를 제출하였고 유효하다.

4. 5-6-4항에 기술된 모든 그밖에 해당하는 ADIZ 요건 및 5-6-2항의 그 밖의 국가보안 요건을 준수한다.

5. VFR이고 트랜스폰더를 탑재하였다면, 트랜스폰더 코드1200을 송신한다.

6. 19 CFR Part 122, Air Commerce Regulations에 의거하여, Advance Passenger Information System(APIS) 요건(CBP APIS 정보는 5-6-5c절 후단 참조)을 포함한 모든 해당 미국 CBP 요건을 준수한다.

c. CBP APIS 정보. 미국 CBP APIS 요건에 대한 정보는 http://www.cbp.gov.에서 확인할 수 있다.

5-6-6. 미국영공 내에서 민간항공기 운항(Civil Aircraft Operations Within U.S. Territorial Airspace)

a. 최대인가이륙중량이 100,309 pound(45,500kg) 이하인 민간항공기는 5-6-6b 후단에 기술된 경우를 제외하고, 미국 국경 근처 미국 공항의 공항교통장주구역의 모든 해당 규정 및 VRF로 미국영공 내에서 운항하는 것이 허가된다.

b. 최대인가이륙중량이 100,309 pound(45,500kg) 이하이고 미국 국무부 지정 특별관심국가에 등록되었거나, 또는 미국 국무부 지정 특별관심국가로 수록된 국가의 3자리 문자의 ICAO 회사지정자(company designator)로 운항하는 민간항공기는 운영자가 유효한 FAA Part 129 operations specifications을 보유하지 않는 한 미국영공 내에서 5-6-6c 후단에 기술된 최대인가이륙중량이 100,309 pound(45,500kg)를 초과하는 민간항공기와 동일한 요건에 의하여 운항하여야 한다.

c. 최대인가이륙중량이 100,309 pound(45,500kg)를 초과하는 민간항공기는 다음의 모든 조건을 준수하는 경우, 미국영공 내에서 운항하는 것이 허가된다.

1. 비행계획서(IFR 또는 VFR)를 제출하였고 유효하다.

2. 고도보고기능을 갖춘 작동하는 트랜스폰더를 탑재하였고, ATC 배정 트랜스폰더 코드를 지속적으로 송신한다.

3. ATC와 양방향무선교신을 유지한다.

4. 미국에 등록되지 않은 항공기는 5-6-6c6 후단에 허가된 경우를 제외하고 승인된 교통보안청(Transportation Security Administration; TSA) 항공보안프로그램(TSA 항공보안프로그램의 경우 5-6-9항 참조) 또는 FAA/TSA 공역 면제(FAA/TSA airspace waiver 정보에 대해서는 5-6-9항 참조)에 의하여 운항하여야 한다.

5. 항공기가 미국 국무부 지정 특별관심국가에 등록되었거나 미국 국무부 지정 특별관심국가로 수록된 국가의 3자리 문자의 ICAO 회사지정자(company designator)로 운항하는 경우, 운영자가 유효한 FAA Part 129 operations specifications을 보유하지 않는 한 FAA 비행로 배정 허가 및 FAA/TSA 공역 면제를 수신하고 허가에 따라 운항하여야 한다. FAA 비행로 배정 허가가 필요한 모든 항공기에 대한 VFR 및 DVFR 비행 운항은 금지된

다. (FAA 비행로 배정 허가에 대해서는 5-6-11항 참조)

6. 미국에 등록되지 않은 항공기가 정비, 제작, 생산 후에 또는 승인받은 시험비행을 하는 경우, 다음의 모든 요건을 충족하면 5-6-6c4의 후단의 요건은 면제한다.

(a) 미국 회사가 항공기의 운용 통제권을 가지고 있어야 한다.

(b) FAA 허가 조종사가 기장으로서 참여하여야 한다.

(c) 승무원만 항공기에 탑승이 허용된다.

(d) "정비비행(Maintenance Flight)"은 비행계획서의 비고란에 기입한다.

5-6-7. 미국영공을 통과하는 민간항공기 운항 (Civil Aircraft Operations Transiting U.S. Territorial Airspace)

a. 민간항공기(5-6-7b, 5-6-7c, 5-6-7d 및 5-6-7e 항에 의하여 운항하는 경우 제외)는 다음의 모든 조건을 준수하면 미국영공 내에서 운항하는 것이 허가된다.

1. 비행계획서(IFR, VFR 또는 DVFR)를 제출하였고 유효하다.

2. 고도보고기능을 갖춘 작동하는 트랜스폰더를 탑재하였고, ATC 배정 트랜스폰더 코드를 지속적으로 송신한다.

3. ATC와 양방향무선교신을 유지한다.

4. 5-6-4항에 기술된 모든 그밖에 해당하는 ADIZ 요건 및 5-6-2항의 그 밖의 국가보안 요건을 준수한다.

5. 다음의 경우 승인된 TSA 항공보안프로그램(TSA 항공보안프로그램 정보에 대해서는 5-6-10항 참조) 또는 FAA/TSA 공역 면제(FAA/TSA airspace waiver 정보에 대해서는 5-6-9항 참조)에 의하여 운항한다.

(a) 항공기는 미국에 등록되었다. 또는

(b) 항공기는 미국에 등록되었고, 최대인가이륙중량이 100,309 pound(45,500kg)를 초과한다.

6. 항공기가 미국 국무부 지정 특별관심국가에 등록되었거나 미국 국무부 지정 특별관심국가로 수록된 국가의 3자리 문자의 ICAO 회사지정자(company designator)로 운항하는 경우, 운영자가 유효한 FAA Part 129 operations specifications을 보유하지 않는 한 FAA 비행로 배정 허가를 수신하고 허가에 따라 운항하여야 한다. FAA 비행로 배정 허가가 필요한 모든 항공기에 대한 VFR 및 DVFR 비행 운항은 금지된다. (FAA 비행로 배정 허가에 대해서는 5-6-11항 참조)

b. 캐나다, 또는 멕시코에 등록되고 환자수송, 화재진압, 법집행, 수색 및 구조 또는 긴급후송 운항에 참여하는 민간항공기는 ATC가 배정한 트랜스폰더 코드를 수신하고 지속적으로 송신한다면 유효한 비행계획서가 있거나 없더라도 미국 각 국경에서 50 NM 이내의 미국영공을 통과하는 것이 허가된다.

c. 캐나다, 멕시코, 바하마, 버뮤다, 케이맨제도 또는 영국령 버진제도에 등록된 최대인가이륙중량이 100,309 pound(45,500kg) 이하인 민간항공기는 다음의 모든 조건을 준수하면 미국영공을 통과하는 것이 허가된다.

1. 5-6-7c절에 수록된 국가에서 바로 미국영공으로 진입하는 비행계획서(IFR, VFR 또는 DVFR)를 제출하였고 유효하다. 미국영공에 진입하기 전에 수록되지 않은 국가에서 멈추는 것을 포함하는 비행은 승인된 TSA 항공보안프로그램(TSA 항공보안프로그램 정보에 대해서는 5-6-10항 참조) 또는 FAA/TSA 공역 면제(FAA/TSA airspace waiver 정보에 대해서는 5-6-9항 참조)에 의하여 운항하는 것을 포함하여 5-6-7a 앞부분에 기술된 요건을 준수하여야 한다.

2. 고도보고기능을 갖춘 작동하는 트랜스폰더를 탑재하였고, ATC 배정 트랜스폰더 코드를 지속적으로 송신한다.

3. ATC와 양방향무선교신을 유지한다.

4. 5-6-4항에 기술된 모든 그밖에 해당하는 ADIZ 요건 및 5-6-2항의 그 밖의 국가보안 요건을 준수한다.

d. 캐나다, 멕시코, 바하마, 버뮤다, 케이맨제도 또는 영국령 버진제도에 등록된 최대인가이륙중량

이 100,309 pound(45,500kg)를 초과하는 민간 항공기는 승인된 TSA 항공보안프로그램(TSA 항공보안프로그램 정보에 대해서는 5-6-10항 참조) 또는 FAA/TSA 공역 면제(FAA/TSA airspace waiver 정보에 대해서는 5-6-9항 참조)에 의하여 운항하는 것을 포함하여 5-6-7a절의 요건을 준수하여야 한다.

e. 작동하는 트랜스폰더를 갖추지 않거나 ATC와 양방향 무선교신을 할 수 있는 기능이 없이 운항하는 미국, 캐나다, 또는 멕시코에 등록된 최대인가이륙중량이 100,309 pound(45,500kg) 이하인 민간항공기는 다음의 모든 조건을 준수하면 알래스카 상부의 미국영공을 통과하는 것이 것이 허가된다.

1. 위선 54°의 북쪽 알래스카 상공의 미국영공을 진입 또는 이탈한다.

2. 비행계획서를 제출하였고 유효하다.

3. VFR이고 트랜스폰더를 탑재하였다면, 트랜스폰더 코드1200을 송신한다.

4. 5-6-4항에 기술된 모든 그밖에 해당하는 ADIZ 요건 및 5-6-2항의 그 밖의 국가보안 요건을 준수한다.

5-6-8. 외국 국가항공기 운항(Foreign State Aircraft Operations)

a. 외국 국가항공기는 다음의 모든 조건을 준수하면 미국영공에서 운항하는 것이 허가된다.

1. IFR 비행계획서를 제출하였고 유효하다.

2. 고도보고기능을 갖춘 작동하는 트랜스폰더를 탑재하였고, ATC 배정 트랜스폰더 코드를 지속적으로 송신한다.

3. ATC와 양방향무선교신을 유지한다.

4. 5-6-4항에 기술된 모든 그밖에 해당하는 ADIZ 요건 및 5-6-2항의 그 밖의 국가보안 요건을 준수한다.

b. 외교허가(Diplomatic Clearances). 외국 국가항공기는 5-6-8h절 후단에 기술된 경우를 제외하고, 외교허가에 의하여 미국 국무부의 허가를 받은 경우에만 미국영공으로/부터 또는 영공을 통과하거나 영공 내에서의 항공기를 운항할 수 있다.

1. 외교허가(diplomatic clearances)에 대한 정보는 미국 국무부 웹사이트 http://www.state.gov/t/pm/iso/c56895.htm에서 살펴볼 수 있다(아래의 경우에만).

2. 외교허가(diplomatic clearance)는 미국 국무부 메일 DCAS@state.gov 또는 전화 (202) 663-3390로 연락하여 문의할 수 있다.

주(Note)

미국 관제 해양공역을 통과하지만 미국 공역에 진입하지 않는 운항에는 외교허가(diplomatic clearance)를 받을 필요가 없다. (비행계획서 정보의 경우 5-6-8d절 참조)

c. 미국 국부부가 5-6-11b절에 수록된 특별관심국가 정부의 항공기 운항에 대한 외교허가를 발부하기 전에 이러한 운항에 대한 FAA 비행로 배정 허가가 필요하다. (FAA 비행로배정 허가 정보에 대해서는 5-6-11항 참조)

d. 외교허가가 있는 외국 국가항공기는 미국 국무부가 외교허가시 특별히 VFR 비행운항으로 승인하지 않은 한 유효한 IFR 비행계획으로 미국영역을 항행하여야 한다.

주(Note)

미국영공으로/으로부터 비행하거나, 진입하여 내에서 비행하거나 또는 통과하거나, 또는 미국 관제해양공역을 통과하는 외국 국가항공기 운항은 국가항공기(state aircraft)로 식별하는 것을 돕기 위해 비행계획서의 항목 8에 ICAO Code M을 기입하여야 한다.

e. 미국 공역으로/으로부터 비행하거나, 진입하여 내에서 비행하거나 또는 통과하는 외국 항공기는, 국가항공기 운항을 수행하는 동안 승인을 받고 공식적으로 허가된 비행일정의 어떤 구간에서 국가항공기의 상태를 변경하는 것은 허가되지 않는다.

f. 5-6-8e 후단에 기술된 외국 항공기는 항공기 운영자가 다음과 같은 경우, 승인을 받고 공식적으로 비행일정이 허가되면 민간 항공기로서 미국 공역으로 또는 공역 내에서 운항할 수 있다.

1. 유효한 FAA Part 129 운영기준(operations

specification)을 보유한 외국 운송용항공기

2. 미국 공역으로부터 또는 내에서 운항하는 외국 민간항공기에 적용되는 모든 그 밖의 요건을 준수 (5-6-5 및 5-6-6항 참조)

g. 외국 국가항공기는 로널드레이건 워싱턴 국립공항(KDCA)으로/으로부터의 운항이 허가되지 않는다.

h. 외교허가 예외사항(Diplomatic Clearance Exceptions). 환자수송, 화재진압, 법집행, 수색 및 구조 또는 긴급후송의 목적을 수행하는 캐나다 및 멕시코 정부의 국가항공기는 ATC가 배정한 트랜스폰더 코드를 수신하고 지속적으로 송신한다면 유효한 비행계획서가 있거나 없더라도 미국 각 국경에서 50 NM 이내의 미국영공을 통과하는 것이 허가된다. 5-6-8h항에 의하여 수행되는 캐나다 및 멕시코의 정부를 대신하는 국가항공기 운항은 미국 정부로부터 외교허가를 받을 필요가 없다.

5-6-9. FAA/TSA 공역 면제(FAA/TSA Airspace Waivers)

a. 운영자는 https://waivers.faa.gov에서 면제 유형으로 "international"을 선택하여 FAA/TSA 공역 면제 요청을 제출할 수 있다.

b. FAA/TSA 공역 면제에 관한 정보는 http://www.tsa.gov/for-industry/general-aviation에서 살펴보거나, TSA 전화번호 (571) 227-2071에 연락하여 구할 수 있다.

c. 이전의 FDC NOTAMS으로 발부된 모든 현재 FAA/TSA 면제는 바로 폐지되거나 취소되지 않는 한 면제에 명시된 만료일자까지 유효하다.

5-6-10. TSA 항공보안프로그램(TSA Aviation Security Programs)

a. 미국 교통국은 미국 운항증명 신청자에게 승인 과정에서 TSA 항공보안프로그램의 연락처 정보를 제공한다.

b. 적용할 수 있는 TSA 보안프로그램에 대한 정보 문의

1. 미국 항공운송사업 및 항공기사용사업 운영자는 담당 TSA Principal Security Specialist (PSS)에 연락하여야 한다.

2. 외국 항공운송사업 운영자는 해당 International Industry Representative(IIR)에 연락하여야 한다.

5-6-11. FAA 비행로배정 허가(FAA Flight Routing Authorizations)

a. 미국 국무부 지정 특별관심국가의 미국공역으로/으로부터 비행하거나 진입하여 내에서 비행하거나 통과하는 비행의 FAA 비행로배정 허가에 대한 정보는 국가별로 다음에서 이용할 수 있다.

1. FAA 웹사이트 http://www.faa.gov/air_traffic/publications/us_restrictions/

2. FAA System Operations Support Center (SOSC), 전화번호 (202) 267-8115로 문의.

b. 특별관심국가(Special Interest Country). 미국 국무부 지정 특별관심국가는 쿠바, 이란, 북한, 중국, 러시아 연방, 수단 및 시리아이다.

주(Note)
홍콩, 타이완 또는 마카오에 등록된 항공기는 FAA 비행로배정 허가를 받을 필요가 없다.

c. 미국 국무부 지정 특별관심국가로 수록된 국가의 3자리 문자의 ICAO 회사 또는 법인지정자로 운항하고, 유효한 FAA Part 129 operations specifications을 보유하고 있으면 FAA 비행로배정 허가를 받을 필요가 없다.

d. FAA 비행로 배정 허가는 IFR 운항의 경우에만 승인을 받을 수 있다. FAA 비행로배정 허가가 필요한 항공기에 대해서는 VFR과 DVFR 비행운항이 금지된다.

5-6-12. 항공교통 및 항행안전시설 보안통제(Emergency Security Control of Air Traffic ; ESCAT)

a. 방어비상(defense emergency) 또는 방공비

상(air defense emergency) 상황에서는 항공교통 및 항행안전시설 보안통제(ESCAT)에 대한 32 CFR 245 계획에 따라 추가적인 특별보안통제지시가 발령될 수 있다.

b. 32 CFR Part 245 규정에 의거하여 군은 비상상황 동안 미국을 방위하기 위해 항공기의 착륙, 비행금지, 우회(diversion), 분산배치와 관련하여 취해야 할 조치사항을 지시한다.

c. ESCAT의 일부 또는 전체가 시행되는 동안 ATC 기관은 항공교통관제시스템 지휘센터(ATCSCC)로부터 수신받은 해당 지시사항을 이용 가능한 ATC 주파수로 방송한다. ATCSCC로부터 받은 지시사항에 따라 VFR 비행은 이용할 수 있는 가장 인접한 공항에 착륙하도록 지시받을 수도 있으며, IFR 비행은 ATC의 지시에 따라 비행하여야 한다.

d. 지상의 조종사는 운항 전에 비행계획서를 제출하고 허가를 받아야(FAA를 통하여) 할 수도 있다.

5-6-13. 요격절차(Interception Procedure)

a. 일반(General)

1. FAA와 함께 방공구역(Air Defense Sector) 통제소는 항공교통을 감시하며, 국가안보 및 국가방위를 위해 요격을 지시할 수 있다. 평시에 운영되는 요격과 강화된 대비태세 하에서 수행되는 요격과는 크게 다르다. 요격기는 전투기 또는 회전익항공기(rotary wing aircraft) 일 수 있다. 항공기를 요격하는 이유에는 다음과 같은 내용이 포함되며, 다음으로 국한하는 것은 아니다.

(a) 항공기 식별(identify an aircraft)
(b) 항공기 추적(track an aircraft)
(c) 항공기 확인(inspect an aircraft)
(d) 항공기 회항(divert an aircraft)
(e) 항공기와 교신 시도

2. 특정정보(즉, 등록부호, 일련번호 등)를 요청받았을 경우, 요격기조종사는 안전한 방법으로 요청을 수행할 수 있다고 판단할 때에만 이에 응할 것이다. 요격절차는 아래의 장에 상당히 상세하게 기술되어 있다. 모든 상황에서 요격기조종사는 요격절차 전반에 걸쳐 관련된 모든 비행안전을 고려하여야 한다. 요격기조종사는 피요격기의 승무원이나 승객이 놀라지 않도록 신중을 기하여야 하며, 보통이라고 생각하는 요격기의 기동이 다른 항공기에게는 위험으로 여겨질 수도 있다는 점을 알아야 한다.

3. 미국 국가공역을 항행하는 모든 항공기에게 VHF/UHF guard 주파수(121.5 또는 243.0 MHz)를 지속적으로 경청할 것을 강력히 권장하고 있다. 군용기의 요격을 받는 경우, 그들의 책무를 이해하고 요격하는 항공기에서 전달되는 ICAO 표준신호에 따르는 것은 민간항공기 조종사의 의무이다. 특히, 항공기 조종사는 local 운용주파수 또는 VHF/UHF guard 주파수로 지체없이(가능한 경우) 항공교통관제기관과 교신하여야 한다. 응하지 않는 경우 무력사용을 초래할 수도 있다.

b. 전투기 요격단계(Fighter intercept phases) (그림 5-6-1 참조)

1. 접근단계(Approach Phase)
표준절차에서 요격기는 피요격기의 후미로 접근한다. 통상적으로 요격기는 두 대가 투입되지만 한 대의 항공기가 요격임무를 수행하는 것이 드문 일은 아니다. 요격기와 피요격기 간의 안전한 분리는 요격하는 항공기의 책임이며, 항상 안전한 분리가 유지되어야 한다.

2. 식별단계(Identification Phase)
요격기는 피요격기에 서서히 접근을 시도하여, 명확하게 식별하고 필요한 정보를 얻기 위하여 필요하다고 판단한 것보다 더 근접하지 않은 거리에 체공한다. 요격기는 항공기성능 특성에 의거하여 안전하다고 여겨지는 거리에서 자료를 수집하는 사이에 피요격기를 지나칠 수도 있다.

3. 요격후단계(Post Intercept Phase)
요격기는 표준 ICAO 신호로 교신을 시도할 수 있다. 요격기가 피요격기의 즉각적인 응답을 바라는 시급한 상황이거나, 피요격기가 지시에 계속하여 응하지 않는 경우 요격기조종사는 급방향전환기동(divert maneuver)을 할 수 있다. 이러한 기동에서 요격기는 피요격기가 선회할 것으로 예상되는 일반적인 방향으로 피요격기의 비행경로를 가로질러(최소 500 ft의 분리를 유지하고 피요격기보다 약간 낮은 고도에서 시작한다) 비행한다. 요격기는 피요격기의 비행경로를 지나는 동안 날개를 흔들거나(주간), 외부등을 점멸/afterburner를 선택(야간) 한다. 요격기는 피요격기가 따르는 지를 확인하기 위하여 되돌아가기 전에 피요격기가 선회할 것이 예상되는 방향으로 항공기를 기울인다. 피요격기는 즉시 요격하는 항공기의 방향으로 선회하여야 한다. 피요격기가 이에 따르지 않으면, 요격기는 지시하는 방향으로 선회하여 구역 이탈에 즉시 따르도록 피요격기에게 경고신호로서 조명탄을 사용하면서, 피요격기의 비행경로를 가로질러(최소 500 ft의 분리를 유지하고 피요격기보다 약간 낮은 고도에서 시작한다) 두 번째로 상승선회를 한다. 요격기는 이러한 절차 및 모든 요격 기동동안 안전한 분리를 유지할 책임이 있다. 비행안전이 우선이다.

그림 5-6-1. 요격절차(Intercept Procedures)

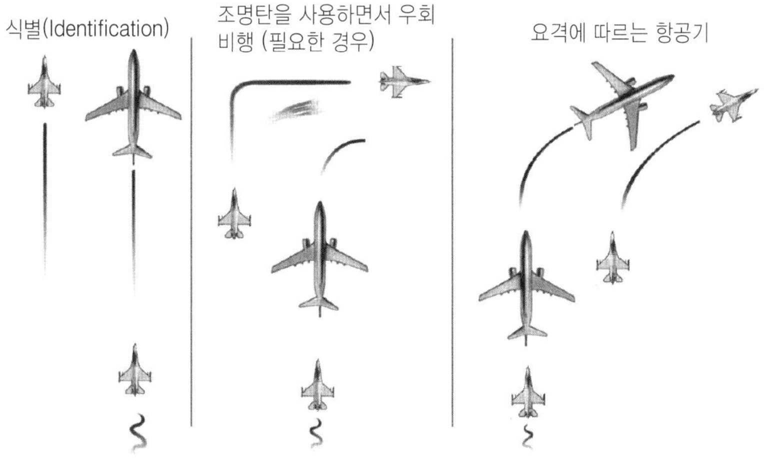

주(Note)

1. NORAD 요격기는 피요격기가 제트후류(jet wash)/ 항적난기류에 처할 수 있는 가능성을 차단하기 위하여 모든 예방책을 강구하겠지만, 이러한 상태에 처할 잠재적인 가능성은 있다.

2. 야간/IMC 동안에 요격기는 비행경로의 아래에 있을 것이다.

c. 헬리콥터 요격단계 (그림 5-6-2 참조)

1. 접근단계(Approach Phase)

헬리콥터는 요격하는 항공기의 어느 방향으로나 접근할 수 있지만 식별과 신호를 하기 위해 후미에서 다가가야 한다. 일반적으로 헬리콥터는 피요격기의 좌측편으로 접근한다. 항상 헬리콥터와 피요격기 간에 안전한 분리를 유지하여야 한다.

2. 식별단계(Identification Phase)

헬리콥터는 피요격기에 서서히 접근을 시도하여, 명확하게 식별하고 필요한 정보를 얻기 위하여 필요하다고 판단한 것보다 더 근접하지 않은 거리에 체공한다. 피요격기의 조종사는 요격 헬리콥터가 정좌현(abeam) 약간 전방의 좌측날개에서 떨어진 지점에 위치할 것으로 생각하여야 한다.

3. 요격후단계(Post Intercept Phase)

피요격기와의 대화를 시도하기 위하여 시각신호장비(visual signaling device)를 사용할 수 있다. 시각신호장비로는 LED scrolling signboard 또는 청색점멸등(blue flashing light)을 들 수 있으며, 이것으로만 국한하는 것은 아니다. 무선장비 또는 신호장비를 사용하여 따르도록 할 수 없다면, 표준 ICAO 요격신호(표 5-6-1)를 사용할 수 있다. 헬리콥터를 따르도록 지시를 받았다면 안전한 항공기 분리를 유지하기 위하여 뒷전위치(헬리콥터 바로 뒤)에 들어서지 않도록 하는 것은 피요격기조종사의 의무이다. 이것은 헬리콥터조종사가 피요격기를 시야에서 놓칠 수 있기 때문이다.

주(Note)
헬리콥터조종사가 피요격기를 시야에 두고 안전한 분리를 유지할 수 있도록 피요격기는 헬리콥터의 바로 뒤를 따라가서는 안된다.

그림 5-6-2. 헬리콥터 요격절차(Helicopter Intercept Procedures)

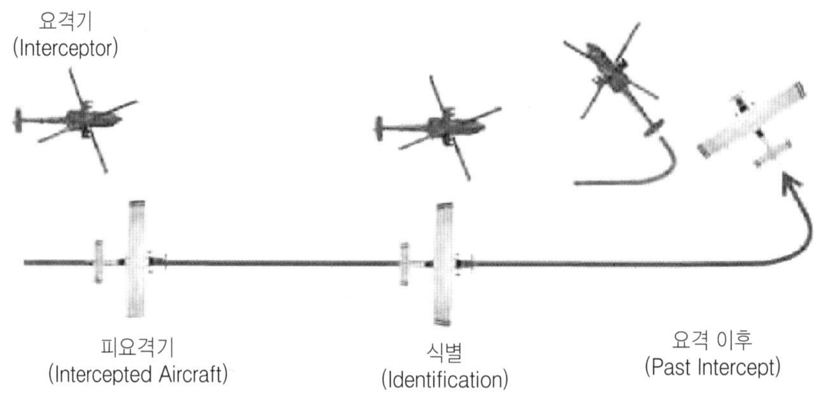

d. 피요격기 조치사항의 요약. 피요격기는 지체없이 다음과 같이 조치하여야 한다.

1. 시각신호장비, 시각신호 및 무선통신을 사용하여 요격기로부터 전달되는 지시사항을 준수한다.

2. 요격기 또는 해당 항공교통관제기관과 guard 주파수(121.5 또는 243.0 MHz)로 일반적인 호출을 하여 무선교신을 시도하고 식별부호, 위치 및 비행방식을 통보한다.

3. 트랜스폰더를 갖추고 있으면 항공교통관제기관에 의해 달리 지시되지 않는 한 Mode 3/A Code 7700으로 맞춘다.

주(Note)
관할기관으로부터 수신한 지시사항이 요격기의 시각신호 또는 무선교신에 의한 지시사항과 다를 경우, 피요격기는 조속한 확인을 요구하여야 한다.

4. 피요격기의 승무원은 요격이 확실히 종료될 때 까지는 계속해서 요격기의 신호와 지시사항에 따라야 한다.

5-6-15. 요격신호(Interception Signals)

표 5-6-1 및 5-6-2.

5-6-14. 민간과 군 기관에 의한 법집행업무(Law Enforcement Operations by Civil and Military Organizations)

a. 특별법집행업무(Special law enforcement operation)

1. 특별법집행업무에는 민간 또는 군의 공식적인 책무에 따라 수행되는 비행중 식별, 감시, 차단 및 추적활동 등이 포함된다.

2. 이러한 특별한 임무의 수행을 원활하게 하기 위하여 지정된 부서와 기관에 대해 CFR에 명시된 규정의 면제가 보장되고 있다. 그러나 실제 업무를 수행하기 전에 부여받은 면제권한에 따른 시행의도를 ATC에 통보하는 것은 각 기관의 책임이다.

3. 추가하여 일부 특별한 임무를 수행하는 부서와 기관에는 진행 중인 임무활동을 ATC에 통보하고 특별한 항공교통의 지원을 요청할 수 있도록 하기 위하여 식별부호가 배정된다.

표 5-6-1. 요격신호(Intercepting Signal)

요격신호(INTERCEPTING SIGNAL) 요격기의 신호 및 피요격기의 응신 (ICAO 부속서 2 - 부록 1, 2.1에 제시되어 있음)				
순번	요격기 신호	의미	피요격기 응신	의미
1	주간 - 피요격기의 약간 위쪽 전방 좌측에서 날개를 흔들고 나서(rocking wing) 응답을 확인 후, 통상 좌측으로 완만한 선회를 하여 원하는 방향으로 향한다. 야간 - 주간의 신호방법에 추가하여, 항행등을 불규칙적으로 점멸시킨다. 주 1 - 기상조건 또는 지형에 따라 피요격기의 약간 위쪽 전방 우측에 위치하며, 우측으로 선회할 수도 있음. 주 2 - 피요격기가 요격기의 속도를 따르지 못할 경우, 요격기는 racetrack 형태로 비행을 반복하며 피요격기의 옆을 통과할 때마다 날개를 흔들어야 함.	당신은 요격을 당하고 있으니 나를 따라 오라.	비행기: 주간 - 날개를 흔들고 난 후 뒤를 따라 간다. 야간 - 주간의 응신방법에 추가하여, 항행등을 불규칙적으로 점멸시킨다. 헬리콥터: 주간 또는 야간 - 항공기 동체를 흔들고 항행등을 불규칙적으로 점멸시킨 후 뒤를 따라간다.	알았다. 지시를 따르겠다.
2	주간 또는 야간 - 피요격기의 진로를 가로지르지 않고 90° 이상의 상승선회를 하며 피요격기로부터 급속히 이탈한다.	그냥 가도 좋다.	비행기: 주간 또는 야간 - 날개를 흔든다. 헬리콥터: 주간 또는 야간 - 항공기 동체를 흔든다.	알았다. 지시를 따르겠다.
3	주간 - 착륙장치를 내리고 착륙방향으로 활주로상공(피요격기가 헬리콥터일 경우 헬리콥터 착륙구역상공)을 통과하여 비행장을 선회한다. 야간 - 주간의 신호방법에 추가하여 착륙등을 켠다.	이 비행장에 착륙하라.	비행기: 주간 - 착륙장치를 내리고 요격기를 따라서 활주로상공을 통과한 후 안전하게 착륙할 수 있다고 판단되면 착륙한다. 야간 - 주간의 응신방법에 추가하여 착륙등(장착했을 경우에 한함)을 켠다. 헬리콥터: 주간 또는 야간 - 착륙등(장착했을 경우에 한함)을 켜고 요격기를 따라서 착륙한다.	알았다. 지시를 따르겠다.

표 5-6-2. 요격신호(Intercepting Signal)

요격신호(INTERCEPTING SIGNAL) 항공기를 요격하는 동안 신호 및 응신 요격기의 신호 및 피요격기의 응신 (ICAO 부속서 2 - 부록 1, 2.2에 제시되어 있음)				
4	주간 또는 야간 - 비행장상공 300m(1,000 ft) 이상 600m(2,000 ft) 이하 [(헬리콥터의 경우 50m(170 ft) 이상 100m(330 ft) 이하]의 고도로 착륙활주로나 헬리콥터 착륙구역상공을 통과하면서 착륙장치를 올리고(설비되어 있는 경우) 섬광착륙등을 점멸하면서 착륙활주로나 헬리콥터 착륙구역을 계속 선회한다. 착륙등을 점멸할 수 없는 경우에는 사용가능한 다른 등화를 점멸한다.	지정한 비행장이 적절하지 못하다.	주간 또는 야간 - 요격기가 피요격기를 교체비행장으로 유도하려는 경우, 착륙장치를 올린 후(설비되어 있는 경우) 번호 1의 요격기 신호방법을 사용한다. 피요격기를 방면하고자 할 경우 요격기는 번호 2의 요격기 신호방법을 사용한다.	알았다. 나를 따라오라. 알았다. 그냥가도 좋다.

5	주간 또는 야간 - 점멸하는 등화와는 명확히 구분할 수 있는 방법으로 사용가능한 모든 등화의 스위치를 규칙적으로 on, off 한다.	지시를 따를 수 없다.	주간 또는 야간 - 번호 2의 요격기 신호방법을 사용한다.	알았다.
6	주간 또는 야간 - 사용가능한 모든 등화를 불규칙적으로 점멸한다.	조난상태에 있다.	주간 또는 야간 - 번호 2의 요격기 신호방법을 사용한다.	알았다.

5-6-16. ADIZ 경계 및 지정 산악지역 (그림 5-6-3 참조)

그림 5-6-3. 방공식별구역 지정 산악지역(Air Defense Identification Zone Boundaries Designated Mountainous Areas)

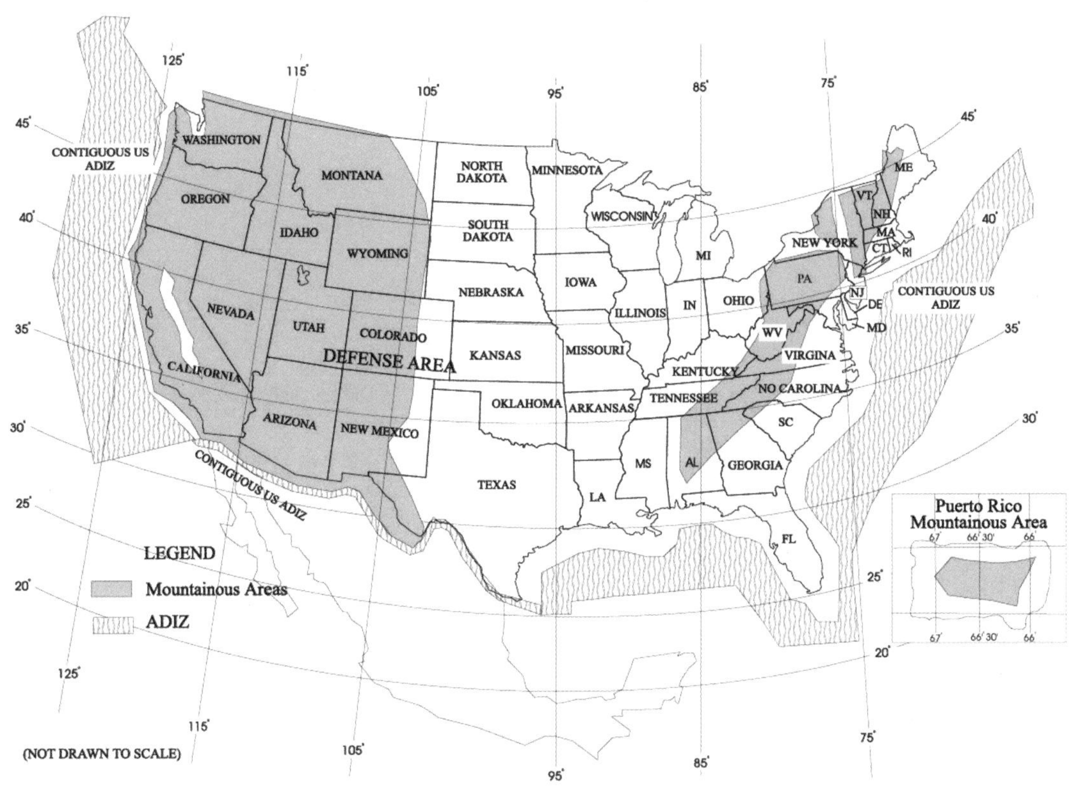

5-6-17. 시각경고시스템(Visual Warning System; VWS)

VWS 신호는 적색 및 녹색신호가 교차하는 방식으로 비추도록 설계된 적색 및 녹색색상의 고집속(highly-focused) 레이저광선으로 되어 있다. 이러한 레이저는 위협이 되거나, 또는 워싱턴 DC 특별비행규칙구역(DC SFRA)의 운항규칙에 반하는 운항으로 판단할 수 있는 기수방향이나 비행경로에 의하여 허가를 받지 않고 DC SFRA로 진입할 것으로 예상되는 특정 항공기를 향할 수 있다. 이 광선은 고도 또는 광원(source)으로부터의 거리에 관계없이 조종사/운항승무원 또는 승객의 눈에 위험하지 않으며, 항공기시스템에도 영향을 미치지 않는다.

a. 당신이 ATC와 교신중이고 이 신호가 당신의 항공기를 향하고 있다면, 당신은 ATC에 연락하여 당신이 시각경고시스템(visual warning system)에 의해 비추어지고 있다는 것을 통보할 필요가 있다.

b. 이 신호가 당신을 향하고 있고 ATC와 교신중이 아니라면 가능한 빨리 DC SFRA의 중심을 가장 직선으로 벗어나는 기수방향으로 선회할 것을 당신

에게 권한다. 해당 주파수 VHF Guard 121.5 또는 UHF Guard 243.0로 즉시 ATC와 교신하여 항공기 식별부호, 위치 및 비행방식을 통보한다. 이러한 절차를 따르지 않으면 군용기의 요격을 받을 수도 있다. 나아가 요격기 또는 ATC에 응하지 않는 경우 무력사용을 초래할 수도 있다.

c. DC SFRA 내부 또는 DC SFRA 근처에서 항공기를 운항하고자 하는 조종사는 항공기 요격절차에 익숙해야 한다. 이러한 정보는 DOD, 법집행 및 항공의료활동에 관련된 항공기를 포함하여 DC SFRA 내에서 운항하는 모든 항공기에 적용되며, FAA 권고회보 및 고시보(Notice)에 발간된 승인되지 않은 레이저광선을 보고하기 위하여 설정된 절차를 변경하는 것은 아니다.

d. VWS의 video 시연을 포함한 더 상세한 설명은 다음 FAA web site에서 이용할 수 있다. www.faasafety.gov/VisualWarningSystem/VisualWarning.htm.

제6장. 비상절차(Emergency Procedures)

제1절. 일반(General)

6-1-1. 조종사의 책임과 권한(Pilot Responsibility and Authority)

a. 항공기의 기장(pilot-in-command)은 당해 항공기의 운항에 대한 직접적인 책임 및 최종적인 권한이 있다. 즉각적인 조치가 필요한 비상상황의 경우, 기장은 비상조치를 취하기 위하여 필요한 범위 내에서 14 CFR Part 91, Subpart A General 및 Subpart B Flight Rules를 위배할 수 있다.

b. 14 CFR 91.3(b)절 비상상황 시의 권한을 행사하여 ATC 허가의 규정을 위배하였다면, 기장은 가능한 빨리 ATC에 통보하고 수정된 허가를 받아야 한다.

c. 14 CFR 91.3절 비상상황 시의 권한에 의하여 위배가 필요하지 않는 한, 양방향무선통신이 두절된 IFR 조종사는 "IFR 운항, 양방향무선통신 두절(IFR operations, two-way radio communications failure)"에 명시된 절차를 준수해야 한다.

6-1-2. 비상상황 - 즉시 도움 요청(Emergency Condition-Request Assistance Immediately)

a. 비상(emergency)상황이란 조종사/관제사용어 사전에 정의된 것처럼 조난상황(distress condition) 또는 긴급상황(urgency condition)을 말한다. 조종사는 화재, 기계적 결함 또는 구조적인 손상 등과 같은 조난상황에 직면했을 경우, 비상을 선언하는 것을 주저해서는 안된다. 그러나 어떤 조종사는 즉시 위험하지는 않지만 큰 사고로 이어질 가능성이 있는 상황에 처한 경우, 긴급상황 임을 선언하는 것을 꺼린다. 조종사가 현재 위치, 연료탑재량(fuel endurance)이나 기상이 의심스러울 때, 또는 그 밖의 상황이 비행안전에 좋지 않은 영향을 줄 수 있다는 의심이 드는 순간이 바로 항공기는 긴급한 상황에 있는 것이다. 지금이 도움을 요청할 시기이지 상황이 조난상황으로 발전하고 난 후가 아니다.

b. 어떤 이유에서든 안전이 염려되는 조종사는 즉시 도움을 요청해야 한다. 무선, 레이더, 방향탐지국(direction finding station) 및 다른 항공기로부터 신속하고 자발적인 도움을 받을 수 있다. 지연은 사고와 생명을 잃게 하는 원인이 된다. 안전은 사치가 아니다! 행동을 취해라!

제2절. 조종사에게 제공되는 비상지원업무(Emergency Services Available to Pilot)

6-2-1. 곤경에 처해있는 VFR 항공기에 대한 레이더업무(Radar Service for VFR Aircraft in Difficulty)

a. 조종사가 관제사와 교신할 수 있고 항공기가 레이더 포착범위 내에 있는 경우, 레이더를 갖춘 FAA ATC 기관은 VFR 항공기에게 레이더업무지원 및 항행업무(레이더유도)를 제공할 수 있다. 이러한 레이더업무항행지원에 따라 비행하도록 하는 허가가 조종사에게 CFR 위배를 허용하는 것은 아니라는 것을 조종사는 확실하게 이해해야 한다. 항행유도정보에 기초하여 제공되는 지원은 사실상 조언에 불과하며, 항공기의 안전한 비행에 대한 책임은 조종사에게 있다.

b. 계기비행 자격을 갖추지 못한 조종사 중 다수가 구름이나 그 밖의 저시정상태와 조우한 경우, 항공기의 비행상태를 유지할 수 없었음을 그 동안의 경험에서 보여주고 있다. 대부분의 경우, 관제사는 계기비행상태로의 비행이 본인의 지시로 인한 것인지의 여부를 판단할 수 없을 것이다. IFR 상태로 레이더 유도됨으로써 일어날 수 있는 위험가능성을 피하기 위하여, 곤경에 처한 조종사는 조우한 현재의 기상상태와 진로전방의 기상을 계속해서 관제사에게 통보하고 다음 사항을 준수하여야 한다.

1. VFR 기상상태로 비행하여 안전하게 착륙할 수 있는 대처방안이 있다면, 계기비행증명이 없는 조종사는 IFR 기상상태가 되게 하는 레이더유도나 접근을 요청하기 보다는 VFR 상태를 선택하여야 한다.

2. VFR 상태로 계속 비행할 수 없다면, 계기비행증명이 없는 조종사는 관제사에게 이러한 사실과 계기비행증명이 없음을 통보하고 조난상황 임을 선언하여야 한다. 또는,

3. 조종사가 현재 유효한 계기비행증명이 있고 항공기가 계기비행을 할 수 있는 장비를 갖추었다면, 조종사는 이러한 사실을 밝히고 IFR 비행허가를 요청하여야 한다. 그러면 항공기가 IFR 기상상태로 안전하게 운항할 수 있도록 레이더업무지원이 제공될 것이다.

6-2-2. 트랜스폰더 비상 운용(Transponder Emergency Operation)

a. 부호화된 레이더비컨 트랜스폰더(coded radar beacon transponder)를 탑재한 항공기가 조난이나 긴급상황에 처한 경우, 지상 레이더시설에 비상을 선언하려는 조종사는 트랜스폰더를 Mode 3/A, Code 7700/Emergency 및 Mode C 고도보고로 조정한 다음 즉시 ATC 기관과 교신을 하여야 한다.

b. 일반적으로 레이더시설에는 Code 7700이 모든 관제석의 경보음을 울리게 하거나 특별한 경보장치를 작동시키도록 하는 설비가 되어 있다. 조종사는 항공기가 레이더 포착범위(radar coverage) 내에 있지 않을 수도 있다는 것을 알아야 한다. 따라서 조종사는 트랜스폰더를 계속해서 Code 7700에 맞추어 놓고, 가능한 빨리 무선교신을 하여야 한다.

6-2-3. 요격 및 호위(Intercept and Escort)

a. 공중요격 및 호위의 개념은 수색 및 구조(SAR) 항공기가 곤경에 처한 항공기와 시각적이나 전자적으로 교신하여 비행중조언을 제공하고, 안전하게 착륙할 수 있도록 호위하는 것을 기반으로 한다. 불가피하게 낙하산 탈출, 육상 불시착 또는 해상 비상착수를 해야 한다면, 지체없이 SAR 활동이 시작된다. 대부분의 사고, 특히 야간이나 계기비행상태에서 발생한 사고의 경우, 요격 및 호위업무의 유용성은 즉시 출동할 수 있는 적합한 비상대기상태의 항공기를 보유하고 있는 SAR 부서의 근접여부에 좌우된다. 한정된 상황에서는 곤경에 처한 항공기 주변에서 비행중인 다른 항공기가 이러한 업무를 제공할 수도 있다.

b. 곤경에 처한 조종사가 특별히 요청하거나, 조난상황을 선언하면 SAR 책임자는 항공기를 요격 및 호위하기 위한 절차를 취한다. 긴급상황이 선언되고

특수한 상황에서 이러한 조치가 바람직하다면 요격 및 호위를 위한 절차가 개시될 수 있다.

c. 요격 및 호위업무를 거절하는 것은 조종사의 특권이다. 일반적으로 호위업무는 가장 인접한 적합한 공항까지 제공된다. 호위업무를 받는 조종사가 안전한 공항에 도달한 후 다른 지역으로 계속 비행하기로 하였거나 가장 인접한 안전한 공항으로 회항하지 않기로 결정하였다면, 호위항공기는 호위를 계속할 의무가 없으며 추후의 호위는 조종사의 판단에 달려 있다. 결정은 각각의 사고상황에 따라 달라진다.

6-2-4. 비상위치지시용 무선표지설비(Emergency Locator Transmitter; ELT)

a. 일반(General)

1. 대부분의 일반항공 비행기에는 ELT를 장착하여야 한다.

2. 다양한 종류의 ELT가 불시착한 항공기의 위치를 찾기 위한 수단으로 개발되었다. Battery로 작동되는 이 전자식송신기(electronic transmitter)는 3개 주파수 중에 하나의 주파수로 운용된다. 작동주파수는 121.5 MHz, 243.0 MHz 및 최근의 406 MHz이다. 121.5 MHz와 243.0 MHz로 운용되는 ELT는 아날로그장치(analog device)이다. 최근의 406 MHz ELT는 소유자의 연락처 정보 또는 항공기 data를 암호화(encode) 할 수 있는 디지털송신기이다. 가장 최근의 406 MHz ELT model은 추락 후 SAR 구조대가 더 신속하게 항공기의 위치를 찾을 수 있도록 도움을 줄 수 있는 항공기의 위치 data도 암호화 할 수 있다. 또한, 406 MHz ELT는 작동되면 구형의 121.5 MHz ELT보다 더 강한 신호를 발신한다.

(a) 연방통신위원회(FCC)는 ELT 문서(ELT documentation)에 기술된 것처럼 406 MHz ELT를 미국해양대기관리청(NOAA)에 등록하도록 규정하고 있다. 또한 FAA의 406 MHz ELT 기술표준지시(TSO) TSO-C126에서도 각각의 406 MHz ELT를 NOAA에 등록하도록 규정하고 있다. 그 이유는 NOAA가 ELT를 포함하여 미국 등록 406 MHz 경보장치에 대한 소유자 등록 데이터베이스를 관리하기 때문이다. 또한, NOAA는 작동된 ELT 및 그 밖의 조난경보장치를 탐지하기 위하여 설계된 Cospas-Sarsat 위성 조난경보시스템의 미국부분을 담당하고 있기 때문이다.

(b) 정식으로 등록된 406 MHz ELT가 작동된 경우, Cospas-Sarsat 위성시스템은 소유자의 정보를 해독(decode)할 수 있으며 해당 수색 및 구조(SAR) 센터에 이 data를 제공한다. 미국에서 NOAA는 해당 미공군 구조조정센터(RCC) 또는 미국해안경비대 구조조정센터에 경보 data를 제공한다. 그러면 RCC는 소유자에게 전화를 하거나 연락을 취하여 항공기의 상태를 확인할 수 있다. 항공기가 격납고(hanger)에 안전하게 있다면, 많은 비용이 소요되는 지상 및 공중수색은 피할 수 있게 된다. 부주의로 406 MHz ELT를 작동시킨 경우 소유자는 406 MHz ELT 작동을 중지시킬 수 있다. 406 MHz ELT를 탑재한 항공기가 비행중이라면 RCC는 신속하게 수색을 개시할 수 있다. 406 MHz ELT는 121.5 MHz 또는 243.0 MHz ELT와 비교하여 Cospas-Sarsat 위성시스템이 더 한정된 구역까지 수색구역을 좁힐 수 있도록 해준다. 또한 406 MHz ELT에는 터미널 수색단계에서 수색요원이 항공기를 발견하는 데에 도움을 주기 위한 저출력 121.5 MHz homing transmitter가 포함되어 있다.

(c) 각 아날로그 ELT는 121.5 MHz 및 243.0 MHz의 독특한 하향연속 신호음(downward swept audio tone)을 발신한다.

(d) ELT를 "장전(armed)"한 상태에서 추락으로 인한 충격을 받으면 ELT는 자동으로 작동되어 독특한 아날로그 또는 디지털신호를 지속적으로 발신할 수 있도록 설계되어 있다. 이 송신기(transmitter)는 폭 넓은 온도범위에서 최소 48시간 동안 계속 작동한다. 올바르게 장착되고 유지되어 제 기능을 하는 ELT가 추락 시 손상되지 않고 작동한다면 수색 및 구조활동이 신속히 이루어져 생명을 구할 수 있도록 한다.

(e) 조종사와 승객은 수동작동이 필요한 경우, 항공기의 ELT를 작동시키는 방법을 알아야 한다. 또한 추락 또는 수동작동 이후에 항공기의 ELT가

정상적으로 작동하여 경보를 발신하는 지를 확인할 수 있어야 한다.

(f) 121.5 MHz ELT의 빈번한 허위경보 및 소유자 등록 데이터베이스로는 작동된 121.5 MHz나 243.0 MHz 아날로그 ELT의 실제상태를 신속하게 확인할 수 있는 방법이 없기 때문에, 미국 SAR 구조대는 최초의 121.5/243.0 MHz ELT 경보에는 406 MHz ELT 경보처럼 바로 대처하지는 않는다. 406 MHz ELT는 거의 순간적으로 파악할 수 있는데 반하여, 121.5/243.0 MHz 경보는 추가의 위성통과 또는 도착지연항공기의 확인이나 유사한 통보에 의해 확인될 때 까지 기다리는 것이 SAR 구조대의 일반적인 관행이다. 어떤 경우 이러한 확인 절차에 수 시간이 걸릴 수도 있다. SAR 구조대는 121.5/243.0 MHz ELT의 경우 수 시간이 지연될 수 있는 가능성이 있는데 반하여 406 MHz 경보에는 몇 분 이내에 수색활동을 개시할 수 있다.

3. 2009년에 Cospas-Sarsat 시스템은 121.5 MHz 및 243.0 MHz 주파수의 수신과 위성감시를 종료한다고 밝혔다. Cospas-Sarsat 시스템은 계속해서 406 MHz 주파수를 감시할 것이다. 조종사에게 이것은 종료일 이후에 121.5 MHz나 243.0 MHz ELT 만을 탑재한 항공기는 경보신호를 수신하는 가까운 항공교통관제기관 또는 경보를 탐지하는 121.5 MHz나 243.0 MHz 주파수를 청취하는 상공통과 항공기에 의존해야 한다는 것을 의미한다. 2009년 이후에 이러한 주파수의 적절한 청취와 적시의 경보를 위해서는 모든 체공 조종사가 작동되는 121.5/243.0 MHz ELT를 탐지하기 위하여 주기적으로 이러한 주파수를 경청하여야 한다.

b. 시험운영(Testing)

1. ELT는 허위경보(false alert)를 유발할 수 있는 신호가 발신되는 것을 방지하기 위하여 되도록 차폐되거나 차단된 장소, 또는 특별히 설계된 시험실(test container)에서 제작사의 지시사항에 따라 시험 운영해야 한다.

2. 이와 같이 할 수 없는 경우, 다음과 같이 항공기 작동시험을 허가한다.

(a) 아날로그 121.5/243 MHz ELT는 매시 처음 5분 동안에만 시험 운영해야 한다. 이 시간 이외에 작동시험을 해야 한다면 가장 인접한 FAA 관제탑과 협의하여야 한다. 시험운영은 3회의 가청음(audible sweep) 이내로 하여야 한다. 안테나를 제거할 수 있다면 제거하고, 시험절차 동안에는 의사부하(dummy load)를 대신 사용해야 한다.

(b) 디지털 406 MHz ELT는 장비제작사의 지시사항에 의거해서만 시험 운영해야 한다.

(c) 공중시험(airborne test)은 승인되지 않는다.

c. 허위경보(False Alarm)

1. 공중이나 지상에서 취급하는 동안, ELT의 부주의한 작동을 방지하기 위하여 주의를 기울여야 한다. 과실 또는 승인을 받지 않은 작동은 실제와 분간할 수 없는 비상신호를 유발하여 비용이 드는 헛된 수색활동을 하도록 한다. 또한 허위 ELT 신호는 실제 비상송신을 방해하여 적시에 추락지점의 위치를 찾지 못하게 하거나 지체시킬 수 있다. 빈번한 허위경보는 이를 안일하게 받아들이게 하고, 모든 ELT 신호에 적극적으로 대처하는 것을 위축시키는 결과를 가져올 수도 있다.

2. 부주의로 인한 작동의 다수는 곡예비행, 거친 착륙(hard landing), 지상조업요원의 항공기이동 및 항공기정비 시에 발생하였다. 다음과 같은 경우, 121.5 MHz와 243.0 MHz를 경청함으로써 이러한 허위경보를 최소화 할 수 있다.

(a) 비행중 수신기를 이용할 수 있을 때

(b) 매 비행 종료시 엔진을 정지시키기 전

(c) ELT를 장착하거나 정비하는 동안 ELT를 취급할 때

(d) ELT 근처에서 정비를 수행 중일 때

(e) 지상조업요원(ground crew)이 항공기를 이동시킬 때

(f) ELT 신호를 청취하였다면, 본인의 ELT가 송신 중인가를 알아보기 위하여 항공기의 ELT를 끈다. 작동하고 있다면 장비를 "장전(armed)" 위치에 놓기 전에 정비가 필요할 수도 있다. 가장 인접한 항공교통시설에 연락하여 부주의로 인한 작동여부를 통보하여야 한다.

d. 비행중 청취 및 보고(Inflight Monitoring and Reporting)

1. 비행중 있을 수 있는 비상 ELT 송신의 식별에 도움을 주기 위하여 121.5 MHz 및 243.0 MHz를 경청할 것을 조종사에게 권고하고 있다. 신호를 청취하였다면 즉시 가장 인접한 항공교통시설에 다음 사항을 통보하여야 한다.

(a) 최초로 신호를 청취했을 때의 항공기 위치

(b) 마지막으로 신호를 청취했을 때의 항공기 위치

(c) 최대강도 신호(maximum signal strength)에서의 항공기 위치

(d) 비행고도 및 비상신호를 수신한 주파수(121.5 MHz 또는 243.0 MHz). 가능하면 항행안전시설과 관련된 위치를 제공하여야 한다. 항공기가 homing 장비를 갖추고 있다면, 각 보고위치와 함께 비상신호의 방위(bearing)를 제공한다.

6-2-5. FAA K-9 폭발물탐지조 프로그램(FAA K-9 Explosives Detection Team Program)

a. FAA의 민간항공보안통제국(Office of Civil Aviation Security Operations)은 1972년에 설립된 FAA K-9 폭발물탐지조 프로그램을 운영하고 있다. 법집행기관과 공항담당기관의 특별합의를 거쳐, FAA는 전국의 전략상 중요한 공항에 FAA 승인 K-9 team(하나의 team은 한 명의 탐지요원과 한 마리의 탐지견으로 이루어진다)을 배치하였다. 비행중에 폭파위협을 받았다면, 항공기는 이러한 능력이 있는 공항으로 직행할 수 있다. FAA는 모든 탐지요원에 대한 초도교육과 보수교육을 담당하고 폭발물전용 탐지견을 제공하며, 각 team은 년 1회 항공기(wide body 및 narrow body), 차량, 터미널, 화물 및 수화물의 5개 분야에 대한 평가를 하여 FAA의 승인을 받도록 하고 있다. 이러한 업무를 원하면 소속회사나 FAA 항공교통관제기관에 통보한다.

b. 현재 FAA K-9 team의 위치는 다음 목록과 같다.

표 6-2-1. FAA 주관 폭발물 탐지견/탐지요원 위치

공항 부호 (Airport Symbol)	위치(Location)
ATL	Atlanta, Georgia
BHM	Birmingham, Alabama
BOS	Boston, Massachusetts
BUF	Buffalo, New York
CLT	Charlotte, North Carolina
ORD	Chicago, Illinois
CVG	Cincinnati, Ohio
DFW	Dallas, Texas
DEN	Denver, Colorado
DTW	Detroit, Michigan
IAH	Houston, Texas
JAX	Jacksonville, Florida
MCI	Kansas City, Missouri
LAX	Los Angeles, California
MEM	Memphis, Tennessee
MIA	Miami, Florida
MKE	Milwaukee, Wisconsin
MSY	New Orleans, Louisiana
MCO	Orlando, Florida
PHX	Phoenix, Arizona
PIT	Pittsburgh, Pennsylvania
PDX	Portland, Oregon
SLC	Salt Lake City, Utah
SFO	San Francisco, California
SJU	San Juan, Puerto Rico
SEA	Seattle, Washington
STL	St. Louis, Missouri
TUS	Tucson, Arizona
TUL	Tulsa, Oklahoma

c. 폭발물이 숨겨져 있는 것으로 의심되는 항공기가 기상이나 그 밖의 사정으로 인하여 위의 b에 수록된 공항 이외의 다른 공항에 착륙했거나 착륙할 예정이라면, FAA의 워싱턴 통제센터(전화 202-267-3333, 해당되는 경우)에 전화를 하거나 또는 지원을 요청할 위의 센터에 연락할 수 있는 항공교통시설과 교신할 것을 권고한다.

6-2-6. 수색 및 구조(Search and Rescue)

a. 일반(General)

수색 및 구조(SAR)는 국가 SAR 계획에 서명한 연방기구 및 각 주의 SAR에 대한 책임이 있는 기관

의 합동노력에 의하여 이루어지는 인명구조업무이다. 운영재원은 미국해안경비대, 국방부 각 기관, 민간항공순찰대, 해안경비보조대, 각 주와 지역 법집행기관, 그 밖의 공공 안전 및 재난대응기관, 그리고 사설 봉사기구 등에 의하여 마련된다. 업무에는 실종항공기의 수색, 생환원조, 구조, 그리고 사고현장에 도착한 후 탑승객을 위한 응급의료지원 등이 포함된다.

b. 국가 수색 및 구조계획. 국가 수색 및 구조계획은 모든 유형의 SAR 임무 수행시 모든 가용시설을 효율적으로 활용하기 위해 연방기관 간의 협약에 의해 마련되었다. 이러한 시설에는 항공기, 선박, 낙하산강하구조대와 지상구조대 그리고 비상무선설비 등이 포함된다. 이 계획에 의거 미국해안경비대는 해상구역의 SAR에 대한 조정책임이 있고, 미공군은 내륙구역의 SAR에 대한 책임이 있다. 이러한 책임을 수행하기 위하여 해안경비대 및 공군은 각 구역 내의 SAR 활동을 지휘하기 위한 구조조정센터(Rescue Coordination Center; RCC)를 설치하였다. 조난 및 긴급과 같은 항공기 비상상황에 대한 정보는 보통 ARTCC 또는 FSS를 통하여 해당 RCC에 전달된다.

c. 해안경비대 구조조정센터 (표 6-2-2 참조)

표 6-2-2. 해안경비대 구조조정센터(Coast Guard Rescue Coordination Centers)

Location Coast Guard Rescue Coordination Centers	
Alameda, CA 510-437-3701	Miami, FL 305-415-6800
Boston, MA 617-223-8555	New Orleans, LA 504-589-6225
Cleveland, OH 216-902-6117	Portsmouth, VA 757-398-6390
Honolulu, HI 808-541-2500	Seattle, WA 206-220-7001
Juneau, AK 907-463-2000	San Juan, PR 787-289-2042

d. 공군 구조조정센터
(표 6-2-3 및 6-2-4 참조)

표 6-2-3. 본토 48개 주 공군 구조조정센터(Air Force Rescue Coordination Center 48 Contiguous States)

Air Force Rescue Coordination Center	
Tyndall AFB, Florida	전화번호
일반전화	850-283-5955
WATS	800-851-3051
DSN	523-5955

표 6-2-4. 알래스카 공군 사령부 구조조정센터(Air Command Rescue Coordination Center Alaska)

Alaskan Air Command Rescue Coordination Center	
Elmendorf AFB, Alaska	전화번호
일반전화	907-428-7230 800-420-7230 (앵커리지 외부)
DSN	317-551-7230

e. 합동 구조조정센터 (표 6-2-5 참조)

표 6-2-5. 합동 구조조정센터(Joint Rescue Coordination Center Hawaii)

Honolulu Joint Rescue Coordination Center	
HQ 14th CG District Honolulu	전화번호
일반전화	808-541-2500
DSN	448-0301

f. 비상 및 도착지연항공기(Emergency and Overdue Aircraft)

1. ARTCC와 FSS는 항공기가 곤란에 처하거나, 도착지연 또는 실종되었다는 정보를 접수하였을 때에는 SAR 시스템에 경보를 발령한다.

(a) 레이더비행추적 또는 레이더조언을 제공하는 레이더시설은 레이더업무의 종료가 통보되지 않은 상황에서 레이더포착이 되지 않고 무선통신이 두절된 경우 비상상황의 가능성이 있다고 간주한다. 레이더시설에서 VFR 업무를 제공받는 조종사는 이러한 상황이 발생되면 SAR이 개시될 것이라는 것을 인식하고 있어야 한다.

(b) 제출된 비행계획서는 항공기가 도착지연(overdue) 되었다는 것을 가장 적시에 유효 적절하게 알려준다. 비행계획서의 정보는 SAR 구조대가

수색계획을 수립하고 수색활동을 하는 데 있어서 대단히 중요하다.

2. 국지비행 또는 그 밖의 모든 비행의 출발 이전에 목적지 및 직선비행이 아닌 경우 비행경로를 출발지의 누군가에게 알려주어야 한다. 어디로 비행하는 지를 누군가에게 알리지 않고 자기 마음대로 이륙하는 조종사 때문에 수색활동은 가끔 헛수고가 되고, 종종 구조가 지연된다. 자신의 안전을 위하여 비행계획서를 제출하라.

3. 국가 수색 및 구조계획에 의하면, "부상자의 생존가능성은 처음 24시간 동안에 80% 정도로 감소하는 반면 부상당하지 않은 생존자의 생환가능성은 처음 3일 이후에 급격히 감소한다." 라고 되어 있다.

4. 23개월 동안 수행된 325회의 SAR 임무에 대해 Air Force Review는 "가족을 염려하여 경보를 발령하기 까지는 보통 36시간이 지나기 때문에 비행계획서를 제출하지 않고 조난에 처한 사람에게는 시간이 부족하다." 라고 밝히고 있다.

g. VFR 수색 및 구조 보호(Search and Rescue Protection)

1. 이러한 값진 보호를 받기 위해서는 FAA FSS에 VFR 또는 DVFR 비행계획서를 제출하여야 한다. 최대한으로 보호를 받기 위해서는 첫 착륙 예정지점까지만 비행계획서를 제출하고, 최종목적지까지의 각 경로(leg)에 대한 비행계획서는 별도로 제출한다. 사고는 어느 경로에서나 발생할 수 있으며, 몇 번의 항공로 중간기착 및 최종목적지까지의 ETE를 기재한 장거리비행계획서를 제출한 경우 다른 정보를 받지 않는 한 최종목적지의 ETA로부터 30분이 지날 때까지는 아무도 당신을 찾지 않을 수도 있다.

2. 계획한 목적지와는 다른 곳에 착륙했다면, 가장 인접한 FAA FSS에 착륙을 통보하고 원래의 목적지를 알려주어야 한다.

3. 항행 도중에 착륙하여 30분 이상 지연된다면 가장 인접한 FAA FSS에 이러한 사실을 통보하고 원래의 목적지를 알려주어야 한다.

4. ETE가 30분 이상 차이가 나는 경우에는 가장 인접한 FSS에 수정된 ETA를 통보하고 원래의 목적지를 알려주어야 한다. 최종목적지 ETA 이후 30분 이내에 응답이 없으면 당신을 찾기 위한 수색이 개시될 것이라는 것을 기억하라.

5. 최종목적지에 도착한 이후, 비행계획서를 제출할 때 지정한 FSS에 즉시 비행계획을 종료시키는 것이 중요하다. VFR 또는 DVFR 비행계획을 종료시킬 책임은 조종사에게 있으며 자동으로 종료되지 않는다. 이것은 필요없는 수색활동을 하지 않도록 할 것이다.

6. 육상이나 수상에서의 신속한 구조는 위치를 얼마나 정확하게 알아내느냐에 달려 있다. 비행계획서 대로 비행하였고 위치가 예정된 진로 상이라면, 구조는 신속하게 이루어질 것이다.

h. 구명장비(Survival Equipment)

1. 인적이 드문 육지상공을 비행하는 경우, 기후와 지형의 유형에 적합한 구명장비를 갖추고 사용법을 알고 있는 것은 현명한 일이다.

2. 해상에 불시착하였다면 생존가능성은 승무원의 비상절차에 대한 숙련도 및 수상구명장비의 가용성과 유효성에 좌우된다.

i. 몸짓신호 예시(Body Signal Illustrations)

1. 불시착한 조종사가 구조항공기 조종사의 시선을 끌 수 있다면, 불시착장소 상공을 선회하는 조종사에게 메시지(message)를 전달하기 위하여 이 페이지에 설명된 몸짓신호를 사용할 수 있다.

2. 신호를 할 때에는 훤히 트인 곳에 선다.

3. 공중에서 보았을 때, 배경(background)과 혼동되지 않도록 한다.

4. 천천히 동작을 완전히 마치고, 조종사가 이해했다고 확신할 때 까지 각 신호를 반복한다.

j. 불시착 항공기의 관찰(Observance of Downed Aircraft)

1. 추락현장에 황색 십자(yellow cross) 표시가 되어 있는지의 여부를 확인한다. 만약 있다면 이미 추락은 보고되었으며 위치가 식별된 것이다.

2. 가능하면 항공기 기종과 대수, 그리고 생존자의 흔적이 있는지의 여부를 확인한다.

3. 가능한 한 정확하게 항행안전시설과 관련된 추락위치를 확인한다. 가능하면 지상구조대를 돕기 위하여 지역의 지리적 또는 물리적인 특징을 제공한다.

4. 가장 인접한 FAA 또는 그 밖의 적절한 무선시설에 이러한 정보를 송신한다.

5. 상황이 허용된다면 다른 지원부서를 사고현장으로 안내하기 위하여 다른 지원부서가 사고현장에 도착할 때까지, 또는 다른 항공기와 교대할 때까지 사고현장 상공을 선회한다.

6. 착륙 후 즉시 가장 인접한 FAA 시설 또는 공군이나 해안경비대 구조조정센터에 상세히 보고한다. 보고는 수신자 부담 장거리전화로 할 수 있다.

그림 6-2-1. 생존자가 사용하는 지대공 시각기호(Ground-Air Visual Code for Use by Survivor)

번호	의미(Message)	기호(Code Symbol)
1	도움이 필요함(Require assistance)	V
2	의료도움이 필요함(Require medical assistance)	X
3	아니오 또는 부정(No or Negative)	N
4	예 또는 긍정(Yes or Affirmative)	Y
5	화살표 방향으로 진행(Proceeding in this direction)	↑

확실히 모르겠으면, 국제적인 기호 SO S를 사용하라.

설명(Instructions)

1. 천이나 낙하산 조각, 나뭇가지, 돌 또는 그 밖의 이용할 수 있는 재료를 사용하여 기호(symbol)를 표시한다.
2. 기호를 표시하는 배경(background)과 부호에 사용하는 재료의 색상 간에 가능한 한 대조를 이루도록 한다.
3. 기호의 높이는 최소한 10 ft 이상이어야 한다. 부호를 위의 그림과 같이 정확하게 표시하기 위하여 주의를 기울여야 한다.
4. 기호의 사용과 더불어 무선, 조명탄 및 연기에 의한 방법 또는 그밖에 이용할 수 있는 방법을 사용하여 주의를 끌기 위해 모든 노력을 기울여야 한다.
5. 눈이 덮인 지면에서는 눈 위로 무거운 것을 질질 끌며 가거나, 눈을 치우거나 또는 발로 다지거나 하여 신호를 보낼 수 있다. 움푹 들어간 지역(depressed area)으로 형성된 기호는 공중에서는 검게 보인다.
6. 조종사는 좌우로 날개를 흔들어 메시지(message)에 응답하여야 한다.

그림 6-2-2. 지상구조대가 사용하는 지대공 시각기호(Ground-Air Visual Code)

번호	의미(Message)	기호(Code Symbol)
1	활동 완료(Operation completed)	LLL
2	사람을 모두 발견하였음(We have found all personnel)	LL
3	일부 사람만 발견하였음(We have found only some personnel)	++
4	우리는 더 계속 진행할 수 없음(We are not able to continue). 기지로 귀환하고 있음(Returning to base)	XX
5	두 그룹으로 나누었음(Have divide into two groups). 각각 표시된 방향으로 진행하고 있음(Each proceeding in direction indicated)	⇄
6	항공기가 화살표 방향에 있다는 정보를 입수하였음(Information received that aircraft is in this direction)	→→
7	발견사항 없음. 수색을 계속할 것임(Nothing found. Will continue search)	NN

주(Note) : 이러한 시각신호(visual signals)는 국제적으로 통용되며 국제민간항공조약 부석서 12에 수록되어 있다.

그림 6-2-3. 긴급 의료도움(Urgent Medical Assistance)

긴급 의료도움 필요
(목숨이 위태로울 경우에만 사용)

그림 6-2-4. 전원 무사하다(All OK)

모두 무사함 - 기다리지 마라
한 팔을 머리 위에서 흔든다.

그림 6-2-5. 잠시 지체됨(Short Delay)

곧 이동할 수 있음
가능하면 기다려라
한쪽 팔을 수평으로 든다.

그림 6-2-6. 장시간 지체됨(Long Delay)

기계장치의 도움 또는 기계장치
부품 필요 - 장시간 지체
양 팔을 수평으로 든다.

그림 6-2-7. 메시지를 떨어뜨려라(Drop Message)

던지는 동작을 취한다.

그림 6-2-8. 수신기가 작동되고 있다(Receiver Operates)

수신기는 작동 중이다
귀에 양 손을 갖다 댄다.

그림 6-2-9. 여기에 착륙하지 마라(Do Not Land Here)

여기에 착륙을 시도하지 마라
양 팔을 얼굴을 가로질러 흔든다.

그림 6-2-10. 여기에 착륙하라(Land Here)

여기에 착륙하라
양 팔을 수평으로 착륙방향을 향해
앞으로 뻗고, 쪼그려 앉는다.

그림 6-2-11. 부정(지상)〔Negative(Ground)〕

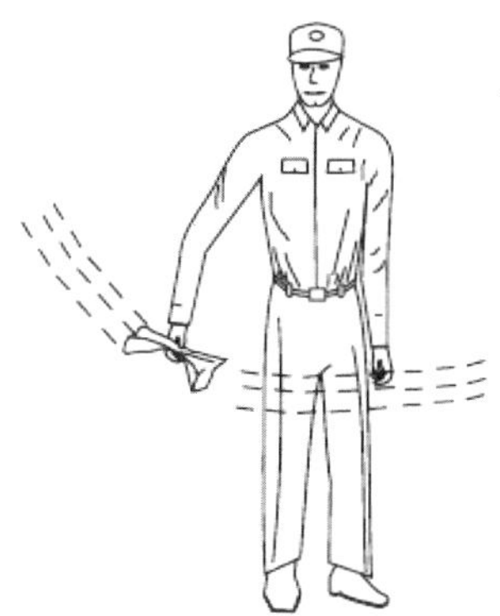

부정 (아니오)
흰 천을 좌우로 흔든다.

그림 6-2-12. 긍정(지상)〔Affirmative(Ground)〕

긍정 (예)
흰 천을 위아래로 흔든다.

그림 6-2-13. 우리를 태워주라(Pick Us Up)

우리를 태워주라- 비행기 포기
양 팔을 수직으로 든다.

그림 6-2-14

알았다는 항공기의 응답

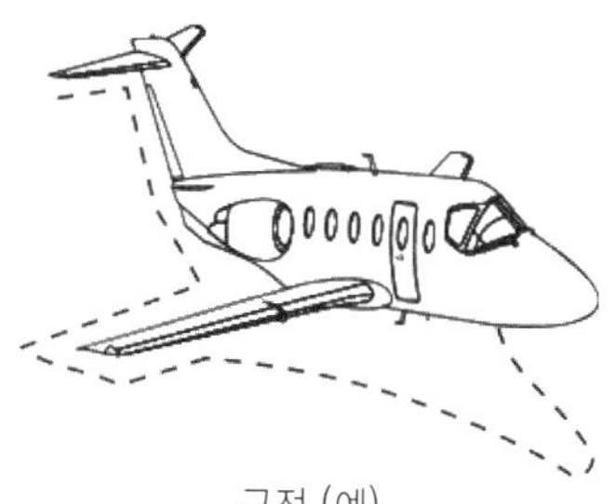

긍정 (예)
항공기의 기수를 몇 번 내렸다 올린다.

그림 6-2-15

따를 수 없다는 항공기의 응답

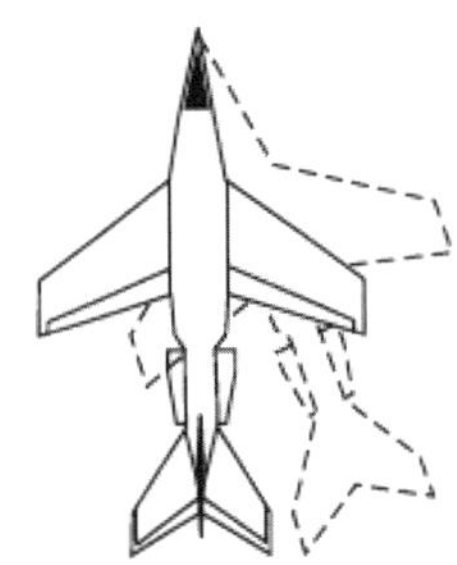

부정 (아니오)
항공기의 미부를 흔든다.

그림 6-2-16

메시지를 수신하였고 이해하였다.
주간이나 달빛 - 날개를 흔든다.
야간 - 녹색 신호등 점멸

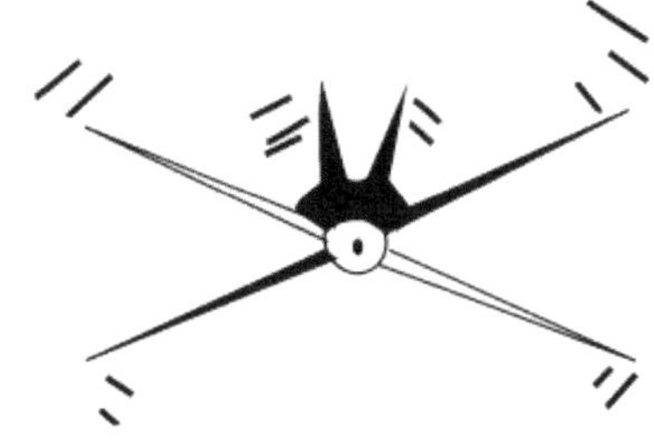

그림 6-2-17

메시지를 수신하였으나 이해되지 않는다.

주간이나 달빛 - 우측방향으로 원을 그리면 한 바퀴 돈다.
야간 - 적색 신호등 점멸

제3절. 조난 및 긴급절차(Distress and Urgency Procedures)

6-3-1. 조난 및 긴급통신(Distress and Urgency Communications)

a. 조난(distress) 또는 긴급(urgency)상황에 처한 조종사는 해당 지역의 항공기운항을 책임지고 있는 항공교통시설 또는 그 밖의 기관과 교신하여 곤란한 상태의 내용, 조종사의 의도 및 원하는 도움을 언급함으로써 손쉽게 도움을 받을 수 있다. 국제민간항공기구(ICAO)는 조난 및 긴급통신절차를 규정하고 있으며, 위에서 설명한 비공식절차보다는 단연 유리하다.

b. 다음 항에서 언급되는 조난 및 긴급통신 절차는 공지음성통신(air ground voice communication)의 사용법과 관련되어 있다.

c. 조난(distress)에 처한 항공기의 조종사는 충분히 고려하여 필요하다면 최초교신과 이후의 송신을 신호 MAYDAY로 시작하여야 하며, 되도록이면 3회 반복한다. 신호 PAN-PAN은 같은 방법으로 긴급한 상황(urgency condition)에서 사용한다.

d. 조난통신은 다른 모든 통신보다 절대적인 우선권을 가지며, 용어 MAYDAY는 사용 중인 주파수로의 무선통신을 중단하고 침묵을 유지(radio silence)하라고 명령하는 것이다. 긴급통신은 조난을 제외한 다른 모든 통신보다 우선권을 가지며, 용어 PAN-PAN은 긴급송신에 간섭하지 말 것을 다른 기지국(station)에 경고하는 것이다.

e. 일반적으로 호출하는 기지국은 항공교통업무를 제공하는 항공교통시설 또는 그 밖의 기관이 되며, 그 당시 사용 중인 주파수로 호출한다. 조종사가 교신을 하지 않고 업무를 제공받고 있지 않다면 호출하는 기지국은 그 지역의 항공기운항에 대한 책임이 있는 항공교통시설 또는 그 밖의 기관이 되며, 해당하는 지정주파수로 호출한다. 호출한 기지국으로부터 응답이 없거나 또는 시간이나 상황이 허용되면, 조난이나 긴급 메시지를 방송하거나 또는 "Any Station (관제탑) (Radio) (Radar)"를 호출하는 collect call을 사용할 수도 있다.

f. 호출된 기지국은 조난이나 긴급 메시지에 즉시 응답하고 지원을 제공하며 지원시설의 활동을 조정하고 지시하여야 하며, 조난이나 긴급상황이 타당하다면 해당 수색 및 구조조정본부에 경보를 발령한다. 보다 더 나은 처리결과를 가져다 줄 수 있는 경우에만, 책임은 다른 기지국으로 이전된다.

g. 다른 모든 기지국, 항공기 및 지상시설은 지원이 제공되고 있다는 것이 확실해질 때까지 계속 청취하여야 한다. 호출받은 기지국이 조난이나 긴급 메시지를 수신하지 못하였거나 곤경에 처한 항공기와 교신할 수 없다는 것을 다른 기지국이 알았다면, 그 항공기와 교신을 시도하고 도움을 주어야 한다.

h. 현재 사용 중인 주파수나 ATC에 의해 배정된 다른 주파수가 바람직하지만, 필요하거나 원한다면 다음의 비상주파수를 조난 또는 긴급통신에 사용할 수 있다.

121.5 MHz 및 243.0 MHz. 이 두 주파수의 범위는 일반적으로 가시선(line of sight)의 제한을 받는다. 121.5 MHz는 방향탐지국(direction finding station) 및 일부 군과 민간항공기에 의해 감시된다. 243.0 MHz는 군항공기에 의해 감시된다. 121.5 MHz 및 243.0 MHz 둘 다 군 관제탑, 대부분의 민간 관제탑, 그리고 레이더시설에 의해 감시된다. 보통 ARTCC 비상주파수 성능은 레이더 포착범위 한계까지 미치지는 못한다. 121.5 MHz 또는 243.0 MHz로 호출할 때 ARTCC가 응답하지 않으면 가장 인접한 관제탑을 호출한다.

6-3-2. 비상시 도움을 얻는 방법(Obtaining Emergency Assistance)

a. 조난이나 긴급상황에 처한 조종사는 도움을 받기 위하여 즉시 다음과 같은 조치를 취하여야 하며, 기술된 순서대로 할 필요는 없다.

1. 통신 수신감도를 향상시키고 더 나은 레이더 및 방향탐지기(direct finding detection)의 포착을 위해 가능하면 상승한다. 그러나 14 CFR 91.3(b)절에 의거 허가된 경우를 제외하고, 관제공역 내에서 IFR 상태로 허가를 받지 않고 상승 또는 강하

를 하는 것은 금지되어 있다는 것을 알아야 한다.

2. 레이더비컨 트랜스폰더(민간용) 또는 IFF/SIF(군용)를 장착하였다면,

(a) 달리 지시되지 않는 한, 항공교통업무를 제공하는 항공교통시설 또는 다른 기관과 무선교신 중일 때는 계속하여 지정된 Mode A/3 discrete code/VFR code 및 Mode C 고도 encoding으로 조정한다.

(b) 항공교통시설/기관과 즉시 교신을 할 수 없으면, Mode A/3, Code 7700/Emergency 및 Mode C로 조정한다.

3. 다음 중 필요한 사항을 포함한 조난 또는 긴급 메시지를 되도록이면 나열된 순서에 따라 송신한다.

(a) 조난(distress)일 경우에는 MAYDAY, MAYDAY, MAYDAY, 긴급(urgency)일 경우에는 PAN-PAN, PAN-PAN, PAN-PAN

(b) 호출 기지국 명칭(Name of station addressed)

(c) 항공기 식별부호 및 기종(Aircraft identification and type)

(d) 조난 또는 긴급상황의 내용(Nature of distress or urgency)

(e) 기상상태

(f) 조종사의 의도 및 요구사항(Pilot intention and request)

(g) 현재 위치 및 기수방향(Present position, and heading); 또는 현재 위치를 모른다면, 알고 있는 최종위치, 시간, 그리고 그 위치로부터의 기수방향(last known position, time, and heading since that position)

(h) 고도 또는 비행고도(Altitude or flight level)

(i) 분 단위의 잔여 연료량(Fuel remaining in minutes)

(j) 탑승인원수(Number of people on board)

(k) 그 밖의 유용한 정보

b. 무선교신이 이루어진 후에는 수신한 조언과 지시사항에 따른다. 서로 협력하라. 지시사항이 이해되지 않거나 허가에 따를 수 없다면 의문이나 지시사항을 명확히 하기 위하여 주저하지 말고 질문하여야 한다. 지상기지국의 현재 사용 중인 주파수의 교신통제에 따른다. 통신국에 방해가 되지 않도록 교신을 중단한다. 반드시 필요한 경우가 아니라면 주파수를 변경하거나 다른 지상기지국으로 변경해서는 안된다. 변경할 거라면 변경을 하기 전에 새로운 주파수 및 기지국 명칭을 지상기지국에 통보하고, 필요시 맹목방송을 한다. 새로운 주파수로 양방향무선교신이 이루어지지 않으면 바로 전에 양방향무선교신을 했던 주파수나 기지국으로 즉시 되돌아가야 한다.

c. 낙하산 탈출, 육상 불시착, 해상 비상착수와 같은 조난상황의 경우에는 수색구조대에 도움이 될 수 있도록 추가적으로 다음과 같은 조치를 취한다.

1. 시간 및 상황이 허용된다면, 위 a3절 메시지의 필요한 사항과 다음 중에 도움이 될 것이라고 생각되는 사항을 송신한다.

(a) ELT 상태(ELT status)

(b) 볼 수 있는 랜드마크(Visible landmark)

(c) 항공기 색상(Aircraft color)

(d) 탑승인원수(Number of persons on board)

(e) 탑재 비상장비(Emergency equipment on board)

2. 장착되어 있다면 ELT를 작동한다.

3. 낙하산 탈출, 육상 불시착, 해상 비상착수의 경우, 화재의 위험이 없다고 판단되면 무선통신기가 계속 송신되도록 설정한다.

4. 해상에 비상착수가 필요하면 해상의 선박 근처에 착수되도록 모든 노력을 기울여야 한다. 시간이 허용되면 FAA 시설은 해안경비대 구조조정센터로부터 가장 인접한 상선 또는 해안경비함의 위치를 알아낼 수 있을 것이다.

5. 육상에 불시착한 후 수색항공기나 지상구조대가 위치를 찾지 못할 것이라고 판단할 만한 충분한 이유가 없는 한, 항공기 안에 머무르면서 수색항공기에게 신호를 보낼 수단을 강구하는 것이 최선의 방법이다.

6-3-3. 해상 비상착수 절차(Ditching Procedure)

a. 항공기의 성공적인 해상 비상착수는 3가지 주요요소에 좌우된다. 3가지 주요요소의 중요도 순서는 다음과 같다.

1. 해상상태 및 바람(sea conditions and wind)
2. 항공기의 기종(type of aircraft)
3. 조종사의 숙련도와 기술(skill and technique of pilot)

b. 일반 해양 용어(Common oceanographic terminology)

1. 해상(Sea). 파도(wave)와 너울(swell)로 인한 해면상태

2. 파도(Wave) (또는 Chop). 국지풍(local wind)으로 인한 해면상태

3. 너울(Swell). 원거리의 동요(distance disturbance)로 인한 해면상태

4. 너울전면(Swell Face). 관측자를 향하고 있는 너울(swell)의 면. 후면(backside)은 관측자로부터 떨어져 있는 면이다. 이러한 정의는 너울의 이동방향에 관계없이 적용된다.

5. 일차너울(Primary Swell). 골(through)에서부터 마루(crest)까지 가장 큰 높이를 가지는 너울 시스템

6. 이차너울(Secondary Swell). 일차너울보다 높이가 낮은 너울 시스템

7. 취주거리(吹走距離, Fetch). 방해를 받지 않고 일정한 방향으로 부는 바람에 의해 생성되는 파도(wave) 간의 거리

8. 너울주기(Swell Period). 수면의 동일한 지점에서 두 개의 연이은 마루(crest)가 통과하는 간격을 초 단위로 측정한 시간간격

9. 너울속도(Swell Velocity). 고정된 기준점과 관련하여 knot 단위로 측정한 너울의 속도와 방향. 수평방향으로 물의 작은 이동이 있다. 너울은 주로 위아래로 움직이는 동작으로 이동하며 carpet을 흔들 때에 볼 수 있는 움직임과 유사하다.

10. 너울방향(Swell Direction). 너울이 이동하는 방향. 이 방향은 반드시 현장에 존재하는 바람에 의한 것일 필요는 없다. 너울은 국지풍 속으로 이동하거나, 국지풍을 가로질러 이동할 수도 있다. 너울(swell)은 일단 움직이기 시작하면 심해에서 계속되는 동안에는 풍향의 변화에 관계없이 최초의 방향을 유지하려는 경향이 있다.

11. 너울높이(Swell Height). Feet 단위로 측정한 골(crest)과 마루(though) 사이의 높이. 광대한 대양의 대다수 너울의 높이는 12~15 ft 미만이며, 대양의 어느 지점에서도 25 ft가 넘는 너울은 흔하지 않다. 연이은 너울의 높이는 상당한 차이가 날 수 있다.

그림 6-3-1. 단일 너울(Single Swell)
(풍속 15 knot)

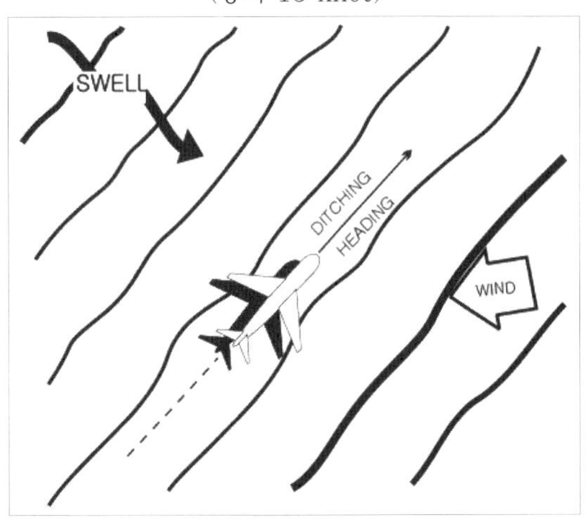

그림 6-3-2. 이중 너울(Double Swell)
(풍속 15 knot)

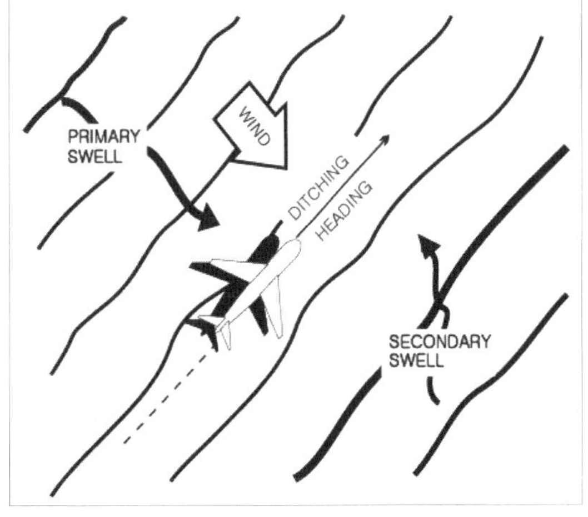

그림 6-3-3. 이중 너울(Double Swell)
(풍속 30 knot)

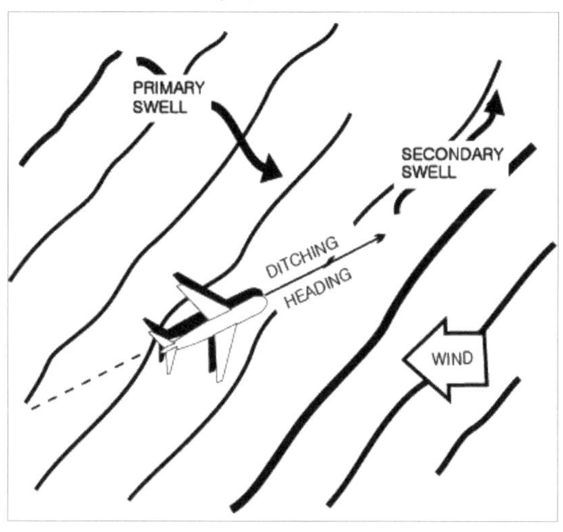

그림 6-3-4. (풍속 50 knot)

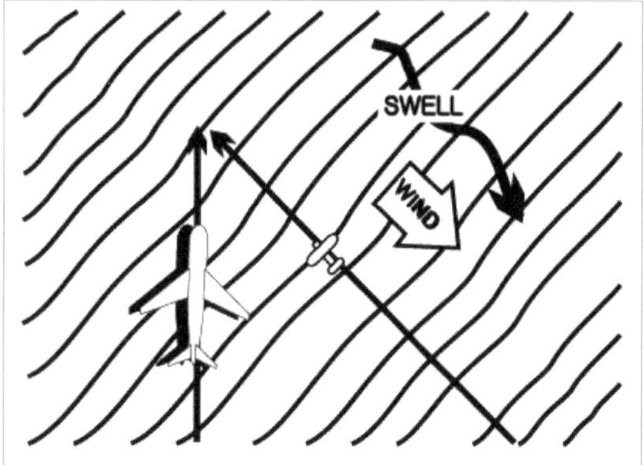

느린 착륙속도의 항공기 - 바람이 불어오는 방향으로 착수
빠른 착륙속도의 항공기 - 바람과 너울(swell)을 고려하여 기수방향(heading)을 선정
둘 다 - 너울(swell)의 후면(back side)에 착수

c. 항공기를 해상 비상착수 시킬 때 적절한 기수방향(heading)을 선정하기 위해서는 그 해상(sea)에 대한 기본적인 평가가 필요하다. 적절한 기수방향을 선정함으로써 피해를 최소화 할 수 있으며 생명을 구할 수도 있다. 너울(swell) 시스템이나 그밖에 고려하여야 할 시스템 등의 해상상태를 고려하지 않고 바람이 불어오는 방향으로 착수하는 것은 극히 위험할 수 있다. 너울의 전면은 피하라(Avoid the face of a swell) 라는 하나의 원칙을 기억하라.

1. 너울(swell)에 평행한 해상 비상착수의 경우, 착수가 마루(crest)의 가장 높은 부분에서 이루어지든 골(trough)에서 이루어지든 그다지 큰 차이는 없다. 그러나 가능하면 너울의 가장 높은 부분이나 후면(back side)에 착수하는 것이 바람직하다. 어느 방향(그리고 이의 역방향)이 너울과 평행한지를 판단한 이후, 최대한 바람이 불어오는 방향으로 기수방향(heading)을 선정한다.

2. 하나의 너울시스템만 있다면 그 너울이 높고 빠르더라도 문제는 비교적 간단하다. 그러나 유감스럽게도 대부분의 경우에는 서로 다른 방향으로 움직이는 둘 이상의 너울시스템을 수반한다. 둘 이상의 시스템이 있을 때 해상은 혼란스러운 양상을 띤다. 가장 곤란한 상황 중의 하나는 두 너울시스템이 서로 직각일 때 나타난다. 예를 들어 한 시스템의 높이가 8 ft이고 다른 시스템은 3 ft 라면, 일차시스템에 평행하게 그리고 이차시스템의 하향너울(down swell)에 착수할 수 있도록 한다. 두 시스템의 높이가 동일하다면, 두 시스템의 45° 중간방향의 하향너울을 선택하는 절충안이 바람직 할 수 있다. 이차너울(secondary swell)에 착수할 때는 너울의 전면이 아닌 후면(back side)에 착수할 수 있도록 시도하여야 한다.

3. 육상비행기로는 감당하기 어려운 너울시스템이라면, 너울이 밀려오는 방향으로 똑바로 착수하는 것을 피하기 위하여 더 많은 측풍을 감수하고 착수하는 것이 현명하다고 할 수 있다.

4. 이차너울시스템은 종종 바람과 동일한 방향이 된다. 이때에는 바람 및 이차시스템에 비스듬한 각도로 일차시스템에 평행하게 착수가 이루어질 수도 있다. 일차시스템에 평행한 두 방향 중 하나를 선택해야 한다. 하나는 바람이 부는 방향으로 이차시스템의 하향너울이고 다른 하나는 바림이 부는 반대방향으로 이차시스템의 상향너울이며, 선택은 이차너울의 속도와 높이 및 풍속 간의 비교에 달려있다.

d. 풍향과 풍속을 판단하는 가장 간단한 방법은 해상의 바람에 의한 물결의 방향(wind streak)을 살펴보는 것이다. 이것은 바람이 부는 방향과 바람이 부는 반대방향으로 긴 줄무늬(streak)처럼 나타난다. 일부 사람은 해상의 줄무늬(streak)를 찾은 후

에도 풍향을 판단하는 데 어려움을 겪을 수 있다. 흰 물결(whitecap)이 바람과 함께 앞으로 나아가지만 파도가 추월하면서 물거품이 뒤쪽으로 미끄러지는 듯한 착각을 일으킨다. 이러한 것을 알고 줄무늬의 방향을 관찰함으로써 풍향을 쉽게 판단할 수 있다. 풍속은 흰 물결(whitecap), 물거품 및 줄무늬의 외형을 살펴봄으로써 어림잡을 수 있다.

1. 항공기가 수면에 부딪쳤을 때 나타나는 반응은 해상의 상태에 따라 다양할 것이다. 하나의 너울 시스템에 평행하게 착수한다면, 항공기의 반응은 잔잔한 해상에서 예상할 수 있는 것과 비슷할 것이다. 거대한 너울이나 거친 파도가 밀려오는 방향으로 착수한다면, 그 감속력은 항공기를 부술 수 있을 만큼 매우 클 수도 있다. 조종사는 적절한 해상상태의 판단과 비상착수방향의 선정을 통하여 일정한 범위 내에서 이러한 충격을 최소할 할 수 있다.

2. 최종접근 시에 조종사는 전방을 주시하고 해상의 수면을 관찰하여야 한다. 그림자(shadow)와 흰 물결(whitecap)은 큰 파도를 나타내는 신호일 수 있다. 서로 근접한 그림자와 흰 물결은 작고 거친 파도를 나타낸다. 이러한 해역에 착수하는 것은 피해야 한다. 그림자와 흰 물결이 그다지 많지 않은 해역(약 500 ft 정도만 필요함)을 선정하여 착수해야 한다.

3. 착수는 최저속도, 안전하게 조종할 수 있는 강하율, 그리고 수면과 충돌하는 순간에 최적의 기수올림(nose up) 자세로 이루어져야 한다. 최초로 수면과 충돌한 후, 가끔은 잠깐 동안 조종사가 비행기를 조종할 수 있다.

e. 비상착수를 하기 위한 준비가 완료되면 조종사는 비상착수방향으로 선회하여 강하하기 시작한다. 항공기는 수면 위를 낮게 비행하고, 실속속도를 10 knot 상회한 속도 이내로 감속하여야 한다. 이 시점에서 기수올림(nose up) 자세로 인하여 증가하는 항력을 극복하기 위하여 출력을 증가시켜야 한다. 잔잔하게 펼쳐진 수면이 전방에 보이면 출력을 정지시키고, 가능한 한 권고하는 최적의 완전실속속도로 착수한다. 비교적 잔잔한 해역에 접근할 때에는 출력을 정지시킴으로써 조종사는 해역을 초과하는 것을 방지하고, 또 다른 조종불능상태에 빠질 수 있는 착수가능성을 줄일 수 있다. 경험이 풍부한 대부분의 수상비행기 조종사는 반실속(semi-stalled) 자세에서 수면에 닿도록 하고, 항공기 뒷부분이 수면에 닿았을 때 출력을 정지시키는 것을 더 선호한다. 이러한 기술은 완전실속상태에서 고도를 잘못 판단하여 급격하게 강하(heavy drop)할 수 있는 가능성을 제거한다. 항공기가 매우 높은 고도에서 떨어지거나, 과도한 속도로 인하여 튀어 오르지 않도록 유의하여야 한다. 수면 상부의 고도는 항공기에 따라 다르다. 거울같이 잔잔한 수면 위나 충분한 조명이 없는 야간에는 경험이 매우 많은 조종사라도 50 ft 이상 고도를 잘못 판단하는 것은 아주 흔한 일이다. 이러한 상황에서는 수면에 닿을 때 까지 9~12° 기수올림(nose up) 자세 및 실속속도보다 10~20% 높은 속도를 유지할 수 있도록 충분한 동력을 공급한다. 접근 중에 출력을 적절히 사용하는 것은 대단히 중요하다. 만일 어느 한쪽의 동력만 이용할 수 있다면 한쪽으로 치우치지 않도록 적은 출력을 사용하여야 하지만, 실속 직전에 rudder의 가용한계 내에서 양호한 엔진 쪽으로 항공기를 선회시킬 수 없을 정도까지 엔진의 출력을 낮추어서는 안된다. 실속 무렵에 갑자기 불균형출력을 과도하게 적용하면 방향조종의 상실을 가져올 수도 있다. 만일 어느 한쪽 엔진의 동력만 이용할 수 있다면, 정상적인 활공접근속도보다 약간 높은 속도를 적용하여야 한다. 이는 양호한 조종성과 과도한 동력을 사용하지 않고 수평조작(leveling off)을 한 이후에 약간의 속도여분을 보장한다. 해안에 도달할 수 없다는 것이 확실하다면 비상착수에 동력을 사용하는 것이 대단히 중요하므로 조종사는 가능하면 연료가 다 소모되기 전에 비상착수를 해야 한다. 야간이나 계기비행 비상착수 시에 동력을 사용하는 것은 주간에 이러한 상황에 마주쳤을 때보다 훨씬 더 중요한다.

1. 동력이 상실되었다면 수평비행(flare-out)에 이르기까지 정상적인 접근속도보다 더 빠른 속도로 강하하여야 한다. 이러한 속도여분은 조기에 점진적으로 활공이 종료되도록 함으로써 조종사가 해면을 살펴볼 수 있는 시간과 거리를 제공하여, 높은 고도

에서 실속하거나 또는 물속으로 들어갈 수 있는 가능성을 감소시킨다. 너울시스템에 평행하게 착수할 경우, 마루(crest)의 가장 높은 부분에 착수하는 것과 골(trough)에 착수하는 것 간에는 약간의 차이가 있다는 것을 유념할 필요가 있다. 항공기의 날개가 수평이 아니라 해상의 수면 쪽으로 기울어졌다 하더라도, 날개가 너울의 마루에 부딪치는 것에 대해 염려할 필요는 거의 없다. 너울의 실제 경사는 매우 완만하다. 너울이 밀려오는 방향으로 비상착수를 해야 한다면 마루를 통과한 직후에 착수가 이루어져야 한다. 너울전면(face of the swell)에 착수하였다면 항공기는 물속으로 처박히거나, 공중으로 격렬하게 튕겨나간 다음 옆의 너울로 급격히 떨어질 수 있다. 조종면(control surface)이 손상되지 않았다면, 조종사는 조종간을 신속하고 확실하게 사용하여 수평자세보다 높게 적절히 기수(nose)가 유지되도록 시도하여야 한다.

f. 착수 이후. 대부분의 경우 측풍에 의한 편류는 무시할 수 있으며, 즉 착수 후에 항공기에 작용하는 힘은 무시할 수 있는 크기로서 편류는 단지 부차적인 고려요소 일 뿐이다. 항공기가 조종이 양호한 상태라면 착수 직전에 rudder를 사용하여 "횡비행(crab)"을 막을 수도 있다. 높은 날개(high wing) 항공기는 측풍이 부는 수면상에서 횡적으로 불안정하여 비상착수 시 옆으로 기울 수 있기 때문에, 높은 날개 항공기의 경우에는 이것이 더 중요하다.

참조(Reference)

이 정보는 "National Search and Rescue Manual"의 부록 H에서 발췌한 것이다.

6-3-4. 특별비상상황(공중납치)[Special Emergency (Air Piracy)]

a. 특별비상상황(special emergency)이란 항공기 탑승객에 의한 공중납치 또는 적대행위로 인하여 항공기 또는 승객의 안전을 위협하는 상태를 말한다.

b. 항공기 조종사는 다음과 같이 특별비상상황을 보고한다.

1. 상황이 허용되면 조난 또는 긴급무선통신절차에 따른다. 특별비상상황의 상세한 내용을 포함한다.

2. 규정된 조난 또는 긴급절차를 적용하지 못할 상황이라면,

(a) 그 당시 사용 중인 공지주파수(air/ground frequency)로 송신한다.

(b) 다음 중 가능한 사항을 명확하게 다음 순서에 따라 통보한다.

(1) 호출 기지국 명칭 (시간 및 상황이 허용되면)

(2) 항공기 식별부호 및 현재 위치

(3) 특별비상상황의 내용 및 조종사 의도 (상황이 허용되면)

(4) 이러한 정보를 제공할 수 없으면, 다음과 같은 코드 용어(code word) 및/또는 트랜스폰더를 사용한다.

구두 용어(Spoken Word) Transponder Seven Five Zero Zero
의미 I am being hijacked/forced to a new destination
Transponder 설정 Mode 3/A, Code 7500

주(Note)

항공기가 불법간섭을 받고 있다는 것을 조종사로부터 사전에 통보받지 않은 한, ATC는 code 7500을 배정하지 않는다. 조종사는 이와 다른 상황인 경우에는 code 7500의 배정을 거부하고 상황을 관제사에게 통보하여야 한다. Code 7500은 모든 ATC 레이더시설의 특별한 비상경보장치를 작동시킬 것이다.

c. 항공교통관제사는 조종사에게 질문을 하여 확인함으로써 transponder code 7500을 수신하였음을 응답하고, 실제 불법간섭을 받고 있는지의 여부를 확인한다. 항공기가 불법간섭을 받고 있지 않는 경우, 조종사는 질문에 대하여 항공기가 불법간섭을 받고 있지 않다는 것을 명확하게 응답하여야 한다. 이러한 정보를 수신하면 관제사는 조종사에게 transponder control panel의 code selector window에 표시된 code 설정을 확인하여 적절한 설정으로 code를 변경하도록 요청할 것이다. 조종사가 간섭을 받고 있다고 응답하거나 또는 응답이 없는 경우, 관제사는 더 이상 질문을 하지 말아야 하

지만 비행을 추적하고 조종사의 요청에 응하며 해당 담당기관에 통보한다.

d. 비행안전을 위태롭게 하지 않고도 할 수 있다면, 피랍항공기의 조종사는 항공기운항이 허가된 비행로를 이탈한 후 상황이 허용하는 한 다음 중 한 가지 이상을 시도한다.

1. 400 knot 이하의 진대기속도로 되도록이면 10,000 ft에서 25,000 ft 사이의 고도를 유지한다.

2. 납치범이 요구하는 목적지로 향하는 진로(course)로 비행한다.

e. 이러한 조처가 무선교신이나 공중요격으로 인한 것이라면, 조종사는 항공기를 특정 비행장으로 향하게 하거나 또는 보호공역에서 떨어져 현재의 진로를 벗어나도록 항공기의 비행경로를 변경하게 하는 수신받은 어떠한 지시사항이라도 따르기 위해 노력하여야 한다.

6-3-5. 연료방출(Fuel Dumping)

a. 연료를 방출해야 할 필요가 있을 때 조종사는 이를 즉시 ATC에 통보하여야 한다. 항공기가 연료를 방출할 것이라는 정보를 받은 경우 ATC는 즉시 방송을 하거나 방송이 되도록 조치를 취하여야 하며, 그 다음에는 3분 간격으로 적절한 ATC와 FSS 무선주파수로 방송을 한다.

예문(Example)

Attention all aircraft - fuel dumping in progress over (위치) at (고도) by (항공기 기종) (비행 방향).

b. 이러한 방송을 청취한 경우, 영향을 받는 구역의 IFR 비행계획이나 특별 VFR로 비행하지 않는 항공기의 조종사는 조언방송에서 명시한 구역을 벗어나야 한다. IFR 비행계획이나 특별 VFR 허가를 받은 항공기는 ATC에 의해 일정한 분리가 제공된다. 연료의 방출을 위한 운항이 종료되었을 때 조종사는 ATC에 통보하여야 한다. 이러한 정보를 받은 경우 ATC는 해당 주파수로 다음과 같이 방송한다.

예문(Example)

Attention all aircraft - Fuel dumping by (항공기 기종) - Terminated.

제4절. 양방향무선통신 두절(Two-way Radio Communications Failure)

6-4-1. 양방향무선통신 두절(Two-way Radio Communications Failure)

a. 양방향무선통신 두절과 관련하여 일어날 수 있는 모든 상황에 대해 적용할 수 있는 규정과 절차를 수립하는 것은 사실상 불가능하다. 규정에 포함되어 있지 않은 양방향무선통신 두절의 상황에 직면하였을 경우 조종사는 최선의 판단을 하여 취해야 할 조치사항을 결정하여야 한다. 그렇게 해야 할 상황이라면 조종사는 14 CFR 91.3(b)절에 명시된 비상조치를 취하는 것을 주저해서는 안된다.

b. 양방향무선통신 두절이 비상상황에 해당되는지의 여부는 상황에 따라 다르며 어떠한 경우에도 이러한 판단은 조종사가 하여야 한다. 14 CFR 91.3(b)절은 조종사가 비상조치를 취하기 위하여 필요한 범위 내에서 subpart A와 B의 규정을 위배할 수 있도록 허가하고 있다.

c. 양방향무선통신이 두절된 경우, 조종사가 14 CFR 91.185절에 따라 운항할 것이라는 기초 하에 ATC 업무가 제공된다. 양방향무선통신 두절에 처한 조종사는 아래에 나열된 14 CFR 91.185절에 따라야 한다 (비상상황 시의 권한을 행사하지 않는 한).

1. 일반. ATC에 의해 달리 허가되지 않은 한, IFR로 운항 중 양방향무선통신이 두절된 조종사는 이 절의 규정에 따라야 한다.

2. VFR 상태(VFR condition). VFR 상태에서 양방향무선통신이 두절되거나 두절된 이후에 VFR 상태가 된 경우, 조종사는 VFR로 비행을 계속하고 가능한 한 빨리 착륙해야 한다.

주(Note)

A등급 공역에서 운항하는 동안 양방향무선통신이 두절된 경우에도 이 절차를 적용한다. 14 CFR 91.185절에 수록되어 있는 이 규정의 주요 목적은 양방향무선통신이 두절된 항공기가 ATC 시스템 내에서 IFR 운항을 계속하지 못하도록 하는 것이다. 이러한 상태에서의 운항은 ATC가 통신이 두절된 항공기를 보호하기 위해 다른 항공기의 비행로를 재배정하거나 지연시키는 것이 필요할 수도 있기 때문에 이 공역을 사용하는 다른 항공기에게 좋지 않은 영향뿐만 아니라 불필요한 영향을 미칠 수도 있다는 것을 조종사는 알아야 한다. 그러나 "될 수 있는 한 빨리 착륙하라(land as soon as practicable)"는 것을 "가능한 한 빨리 착륙하라(land as soon as possible)"는 의미로 받아들이라는 것은 아니다. 조종사는 최선의 판단을 내릴 수 있는 특권을 가지고 있으며 허가를 받지 않은 공항이나 비행하고 있는 기종에 적합하지 않는 공항에 착륙하거나, 또는 의도하는 목적지에서 불과 몇 분 정도도 미치지 않는 공항에 착륙할 필요는 없다.

3. IFR 상태(IFR conditions). IFR 상태에서 양방향무선통신이 두절되거나 위의 2항에 따를 수 없는 경우, 조종사는 다음과 같이 계속 비행하여야 한다.

(a) 비행로(Route)

(1) 최종적으로 통보받은 ATC 허가에서 배정된 비행로를 따라 비행

(2) 레이더유도되고 있는 경우에는 무선이 두절된 지점으로부터 레이더유도 허가에 명시된 fix, 비행로 또는 항공로까지 직선비행로를 따라 비행

(3) 비행로를 배정받지 않은 경우에는 ATC로부터 추후허가예정을 통보받은 비행로를 따라 비행

(4) 비행로를 배정받지 않았거나, ATC로부터 추후허가예정 비행로를 통보받지 않은 경우에는 비행계획서에 기재한 비행로를 따라 비행

(b) 고도(Altitude). 비행하고 있는 비행로구간에서 다음 중 가장 높은 고도 또는 비행고도로 비행

(1) 최종적으로 통보받은 ATC 허가에서 배정된 고도 또는 비행고도

(2) IFR 운항을 위한 최저고도 (해당되는 경우, 14 CFR 91.121(c)절에 규정된 최저비행고도로 환산한 최저고도)

(3) ATC로부터 추후허가예정을 통보받은 고도 또는 비행고도

주(Note)

이 규정의 의도는 양방향무선통신 두절에 처한 조종사가 비행하고 있는 그 비행로구간에 적절한 고도를 선택하고, 다음 비행로구간에서 필요한 고도조절을 하도록 하기 위한 것이다. 조종사가 지정된 시간 또는 fix에서 예상되는 더 높은 고도가 포함된 "추후허가예정(expect further clearance)"을 통보받았다면, 그 시간/fix 전까지는 다음 중에서 가장 높은 고도를 유지하여야 한다.

(1) 최종적으로 배정받은 고도(last assigned altitude)

(2) IFR 운항을 위한 최저고도/비행고도

지정된 시간/fix에 도달하면 추후허가예정을 통보받은 고도로 상승을 시작하여야 한다. 지정된 시간/fix 이후에 무선통신 두절이 발생하였다면 예상고도는 적용할 수 없으며, 조종사는 위의 (1) 또는 (2)에 부합하는 고도를 유지하여야 한다. 조종사가 더 낮은 고도가 포함된 "추후허가예정(expect further clearance)"을 통보받았다면, 조종사는 아래의 (c)절 허가한계점 출발에 지정된 시간/fix까지 위의 (1) 또는 (2) 중에서 가장 높은 고도를 유지하여야 한다.

예(Example)

1. 허가를 받은 7,000 ft 배정고도의 직선비행로에서 9,000 ft의 최저 IFR 고도로 상승이 필요한 조종사가 양방향무선통신 두절에 처한 경우, 필요한 시간이나 장소에서 9,000 ft에 도달하기 위하여 상승하여야 한다 (14 CFR 91.177(b)절 참조). 이후 MEA가 5,000 ft인 항공로로 비행하는 동안 조종사는 최종 배정받은 고도가 MEA보다 더 높기 때문에 7,000 ft(최종 배정받은 고도)로 강하하여야 한다.

2. VOR을 통과할 때 까지는 2,700 ft를 배정받고 이후 접근을 허가받은 조종사가 접근하기 위하여 점차적으로 낮은 고도로 강하하는 동안 양방향무선통신이 두절되었다. 항공로에서의 MOCA는 2,700 ft 이고, MEA는 4,000 ft 이다. 항공기는 VOR의 22 NM 이내에 있다. 2,700 ft가 비행할 비행로구간(route segment)의 최저 IFR 고도이므로 조종사는 VOR을 통과할 때 까지는 2,700 ft를 유지하여야 한다.

3. a 지점과 b 지점 간의 MEA는 5,000 ft 이다. b 지점과 c 지점 간의 MEA는 5,000 ft 이다. c 지점과 d 지점 간의 MEA는 11,000 ft 이다. d 지점과 e 지점 간의 MEA는 7,000 ft 이다. 조종사는 a, b, c, d를 경유 e 지점까지 비행을 허가받았다. a 지점과 b 지점 간을 비행하는 동안 배정고도는 6,000 ft 이었고, 조종사는 b 지점에서 8,000 ft로의 허가가 예상된다는 것을 통보받았다. 더 높은 고도를 배정받기 전에 조종사는 양방향무선통신이 두절되었다. 조종사는 b 지점까지는 6,000 ft를 유지하고, 그 다음에 8,000 ft(통보받은 예정고도)까지 상승한다. 조종사는 8,000 ft를 유지하다가 c 지점에서 11,000 ft 까지 상승하거나, 또는 MCA를 준수하여야 하면 c 지점 이전에서 11,000 ft 까지 상승한다 (14 CFR 91.177(b)절). 조종사는 d 지점에 도착하면 8,000 ft가 규정에 언급된 고도 상황 가운데 가장 높은 고도이므로 조종사는 8,000 ft(MEA가 7,000 ft 라도)까지 상승한다 (14 CFR 91.185절).

(c) 허가한계점 출발(Leave clearance limit)

(1) 허가한계점이 접근이 시작되는 fix일 경우 허가예상시간을 통보받았다면 가능한 이 시간에 맞추어서, 또는 허가예상시간을 통보받지 않았다면 ATC에 제출하였거나 수정된 예상비행시간(ETE)으로부터 산정된 대로 가능한 도착예정시간(ETA)에 맞추어서 강하하거나 접근하여야 한다.

(2) 허가한계점이 접근이 시작되는 fix가 아닌 경우 허가예상시간을 통보받았다면 이 시간에 허가한계점을 떠나거나, 또는 허가예상시간을 통보받지 않았다면 허가한계점에 도착한 후 접근이 시작되는 fix로 계속 비행하여 ATC에 제출하였거나 수정된 예상비행시간으로부터 산정된 대로 가능한 도착예정시간에 맞추어서 강하하거나 접근하여야 한다.

6-4-2. 양방향무선통신 두절시 트랜스폰더 운영

a. 부호화된 레이더비컨 트랜스폰더(coded radar beacon transponder)를 탑재한 항공기가 양방향

무선능력을 상실했다면 조종사는 트랜스폰더를 Mode A/3, Code 7600으로 조정해야 한다.

b. 조종사는 항공기가 레이더 포착범위(radar coverage)에 있지 않을 수도 있다는 것을 알아야 한다.

6-4-3. 무선교신 재개(Reestablishing Radio Contact)

a. 조종사는 NAVAID 음성기능 경청과 더불어, 다음과 같은 방법으로 교신을 시도하여 재교신이 되도록 하여야 한다.

1. 이전에 배정된 주파수로 재교신 시도
2. FSS 또는 *ARINC와 재교신 시도

b. FSS 또는 ARINC와 교신이 이루어지면 조종사는 이전에 배정받은 주파수로의 무선통신이 두절되었었다는 것을 통보하고 항공기의 위치, 고도 및 최종적으로 배정받은 주파수를 보고한 다음, 관할기관으로부터 추후허가를 요구하여야 한다. 앞에서 언급한 내용이 121.5 MHz를 사용하지 못하게 하는 것은 아니다. 어느 조치를 먼저 취해야 하는 지에 대한 우선순위는 없다. 장비의 성능이 된다면 동시에 모든 주파수로 교신을 시도한다.

주(Note)

*Aeronautical Radio/Incorporated(ARINC)는 항공관련업계에 제공되는 무선통신분야의 설계, 구축, 운용, 임대 또는 관련된 그 밖의 업무를 하는 상업통신회사이다. ARINC는 전국에 걸쳐 ATC 기관과 정보를 중계할 수 있는 능력을 갖추고 있다.

제5절. 항공기 구조 및 진화업무 시의 통신(Aircraft Rescue and Fire Fighting Communications)

6-5-1. Discrete 비상주파수(Discrete Emergency Frequency)

a. 항공무선주파수(discrete 비상주파수[DEF])로 비상항공기 운항승무원, 항공기 구조 및 진화현장 책임자(Aircraft Rescue and Fire Fighting Incident Commander; ARFF IC), 그리고 공항관제탑(ATCT) 간의 직접교신이 가능하며, 이 주파수는 이들 시설에 배정된 운영 주파수 중에서 항공교통관제기관(ATC)이 지정한다.

b. ATCT가 없는 공항(또는 ATCT 업무가 종료되었을 때)의 비상항공기는 공항의 공고된 공통교통조언주파수(CTAF) 또는 민간용 비상주파수 121.5 MHz로 ARFF IC와 교신(ARFF 업무가 제공된다면)할 수 있다.

6-5-2. 무선호출부호(Radio Call Sign)

운항승무원 및 FAA ATCT와 교신을 할 때 ARFF IC의 우선 무선호출부호는 "(위치/시설) Command"이다.

예문(Example)

LAX Command. Washington Command.

6-5-3. ARFF 비상수신호(ARFF Emergency Hand Signal)

ARFF IC와 운항승무원 간에 무선교신이 이루어질 수 없는 경우, 그림 6-5-1에서부터 6-5-3에 표기된 표준비상수신호를 사용하여야 한다. 모든 조종실 및 객실승무원, 그리고 모든 ARFF 소방대원은 이러한 수신호를 알고, 이해하여야 한다.

그림 6-5-1. 탈출 권고(Recommend Evacuation)

탈출권고(Recommend Evacuation) - ARFF IC의 외부상황 판단에 의해 권고되는 탈출

한 팔을 앞으로 뻗은 다음 손을 눈높이까지 들어 올린 후 수평을 유지한다. 팔을 뒤로 움직여 손짓으로 부르는 동작을 한다. 다른 팔은 몸에 붙인다.

야간 - 경광봉(wand)을 사용하여 동일하게 움직인다.

그림 6-5-2. 중단권고(Recommend Stop)

중단권고(Recommend Stop) - 진행 중인 탈출권고는 중단된다. 항공기 이동이나 그 밖의 진행 중인 활동을 중단하라.

양 팔을 머리 앞으로 들어 올려 손목에서 교차시킨다.

야간 - 경광봉(wand)을 사용하여 동일하게 움직인다.

그림 6-5-3. 비상해제(Emergency Contained)

비상해제(Emergency Contained) - 위험한 상황이라는 외부적인 증거 없음 또는 "위험한 상황을 해제함(all-clear)"

양 팔을 바깥쪽으로 뻗어 45° 각도로 내려놓는다. 양 팔을 허리 아래에서 손목이 동시에 교차할 때 까지 안쪽으로 모은 다음, 처음의 자세가 되도록 바깥쪽으로 뻗는다 (야구심판의 "safe" 신호).

야간 - 경광봉(wand)을 사용하여 동일하게 움직인다.

제7장. 비행안전(Safety of Flight)

제1절. 기상학(Meteorology)

7-1-1. 국립기상청 항공산출물(National Weather Service Aviation Products)

a. 항공기상업무는 미국해양대기관리청(NOAA), 국립기상청(NWS), 연방항공청(FAA), 국방부, 그리고 다양한 민간부문 기상업무 제공자 등의 공동노력에 의해 이루어진다. 모든 항공기상 산출물의 요구조건은 기상 담당기관인 미국 FAA에서 발행한다.

b. NWS 기상전문가가 항공교통관제시스템 지휘센터(ATCSCS)와 더불어 센터기상업무부서(CWSU)의 일부로서 모든 항공로교통관제센터(ARTCC)에 배정된다. 이들 기상전문가는 FAA 및 그밖에 NAS 사용자의 요구를 충족시키기 위하여 조정된 예보(tailored forecasts)는 물론 특별한 브리핑을 제공한다.

c. 항공 산출물(Aviation Products)

1. NWS는 광범위한 지상, 상층대기의 관측 및 레이더 기상관측프로그램, 그리고 전국적인 항공기상예보업무를 수행한다.

2. NWS가 지원하는 공항관측(METAR 및 SPECI)은 자동관측시스템에 의하여 제공된다.

3. 공항예보(Terminal Aerodrome Forecast; TAF)는 전체 700개 공항의 123개 기상대(WFO)에 의해 이루어진다.

4. 비행중 항공기상조언(예를 들면, 악기상정보(SIGMET), 항로기상정보(AIRMET))은 미주리주 캔자스시티의 항공기상센터(AWC), 알래스카 앵커리즈의 항공기상대(AAWU), 그리고 하와이 호놀롤루의 WFO 등 3개의 NWS 기상감시소(Meteorological Watch Office; MWO)에 의해 발표된다. AWC 및 AAWU 둘 다 선정된 지역의 공역예보(FA)를 발표한다. 더불어 센터기상업무(CWSU)의 일부로서 대부분의 ARTCC에 배정되는 NWS 기상전문가는 항공로교통관제센터기상조언(CWA)을 제공하고, FAA 및 그 밖의 시스템사용자의 요구를 충족시키기 위하여 기상정보를 수집한다.

5. 일부 NWS 국립환경예측센터(National Centers for Environmental Production; NCEP)는 조종사 및 운영자에게 도움을 주는 특정 항공기상예보 또는 선정한 공공예보를 제공한다.

(a) Aviation Weather Center(AWC)는 aviationweather.gov에서 인터넷으로 국내 및 국제 항공예보산출물을 시현한다.

(b) NCEP Central Operations(NCO)는 상층풍 및 상층기온예보 산출을 포함한 다수의 기상예측모델의 운용에 대한 책임이 있다.

(c) Storm Prediction Center(SPC)는 예보지침과 더불어 토네이도 및 악기상 주의회보(severe weather watch)를 발표한다.

(d) National Hurricane Center(NHC)는 열대성 기상시스템(예를 들면, 허리케인)에 대한 예보를 발표한다.

(e) Space Weather Prediction Center (SWPC)는 지구환경에 영향을 미치거나 미칠 것으로 예측되는 우주기상현상(예를 들면, 태양폭풍)에 대한 경보, 주의, 경고고 및 예보를 제공한다.

(f) Weather Prediction Center(WPC)는 지표면 기압과 전선 분석을 포함한 국가전역 규모의 분석 및 예보 산출물을 제공한다.

6. NOAA는 담당지역의 화산폭발에 이은 화산재구름의 예보를 발표하는 2개의 Volcanic Ash Advisory Centers(VAAC)를 운영한다.

7. 위에 수록된 부서 및 센터에서 제공하는 산출물에 대한 상세한 설명은 FAA 권고회보(Advisory Circular) 00-45, Aviation Weather Services에서 제공된다.

d. 기상요소의 값은 기상산출물을 일반 국민, 항공관계자, 국제업무종사자가 사용할 것인지 또는 이러한 이용자 들이 함께 사용할 것인지의 여부와 같은 요인에 따라 서로 다른 측정시스템을 사용하여 나타낼 수 있다. 그림 7-1-1은 조종사가 접할 수 있는 가장 많이 사용되는 기상요소에 대한 환산표이다.

그림 7-1-1. 기상요소 환산표(Weather Elements Conversion Tables)

TIME

STANDARD TO UTC

Eastern	+ 5 hr = UTC
Central	+ 5 hr = UTC
Mountain	+ 5 hr = UTC
Pacific	+ 5 hr = UTC
Alaskan	+ 5 hr = UTC
Hawaii & Aleutian Islands	+ 5 hr = UTC

Subtract on hour for Daylight Time

WIND SPEED

MPH	KNOTS
1-2	1-2
3-8	3-7
9-14	8-12
15-20	13-17
21-25	18-22
26-31	23-27
32-37	28-32
38-43	33-37
44-49	38-42
50-54	43-47
55-60	48-52
61-66	53-57
67-71	58-62
72-77	63-67
78-83	68-72
84-89	73-77
119-123	103-107

Knots×1.15=Miles Per Hour
Miles Per Hour×0.868=Knots

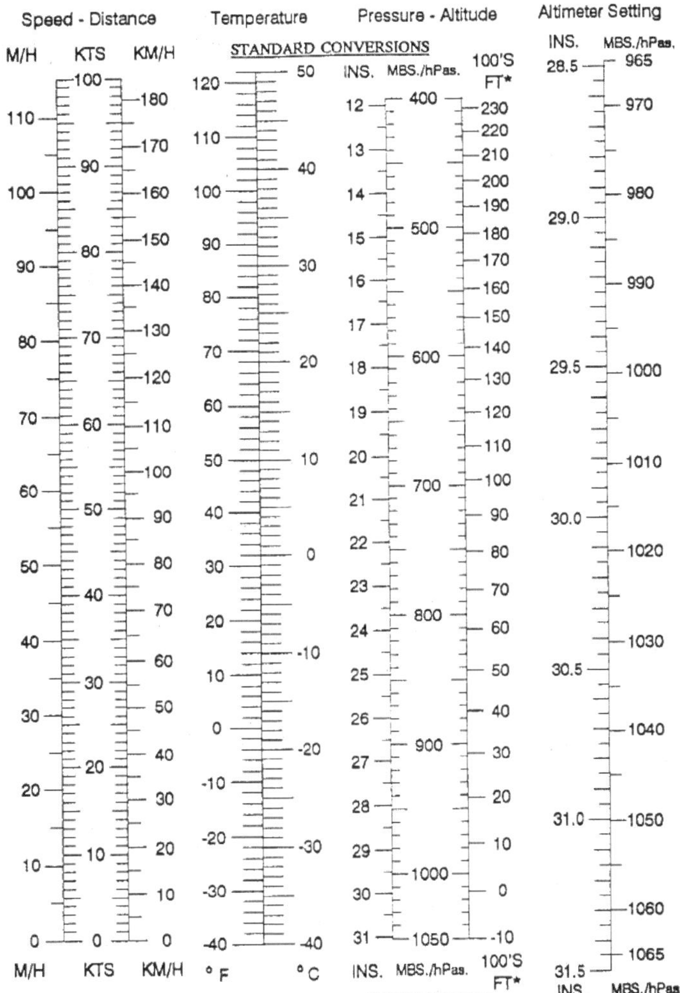

7-1-2. FAA 기상업무(FAA Weather Service)

a. FAA는 인터넷 Leidos Flight Service로 비행정보업무국(FSS)에서 조종사(1-800-WX-BRIEF로 정부 및 계약자 모두)에게 필요한 기상을 제공하는 비행업무 프로그램을 제공하고 있다.

b. FAA는 광범위한 기상관측프로그램을 수행하고 있다. 미국의 공항관측(METAR 및 SPECI)은 자동기상스템에 의하여 이루어진다. 선정된 대형 공항에서 METAR와 SPECI 보고 및 보강(augmentation)의 사람에 의한 다양한 수준의 관리가 정부기관이나 자동기상관측시스템이 탐지할 수 없는 특정 기상요소 보고의 승인을 받은 계약인원에 의해 이루어질 수 있다.

c. 그 밖의 기상정보 공급원(Source)

1. 알래스카의 기상녹음방송(TWEB) 지역 및 TWEB 전화접속(TEL-TWEB)의 음성정보브리핑업무(TIBS) (FSS)는 단거리나 국지비행을 위하여 최근의 녹음된 기상정보를 지속적으로 제공한다. 이 절의 각 항에서는 이러한 업무에 대한 추가적인 정보가 제시된다.

2. 또한 기상 및 항공정보는 많은 민간기업에서 개인적으로 또는 비용을 지불하고 이용할 수도 있다. 이러한 업무를 받을 수 있는 방법에 대한 정보는 지역의 조종사협회에서 구할 수 있다.

3. 조종사는 인터넷으로 Leidos Flight Services에 접속할 수 있다. 조종사는 비행전 기상자료를 받고 자국 내의 VFR 및 IFR 비행계획서를 제출할 수 있다. 다음은 FAA 계약업체이다.

Leidos Flight Service

인터넷 접속: http://www.1800wxbrief.com

고객 서비스: 1-800-WXBRIEF

d. 비행중 기상정보는 무선통달범위(radio range) 내의 어느 FSS에서나 이용할 수 있다. 모든 AFSS의 공통주파수는 122.2 MHz 이다. 각 기지국(station)의 불연속 주파수(discrete frequency)는 A/FD에 수록되어 있다.

1. 비행중 기상방송에 대한 정보

2. 항공로비행조언업무(EFAS: En Route Flight Advisory Service)는 비행중에 조종사가 필요로 하는 비정기적인 기상정보를 제공한다.

7-1-3. 항공기상 산출물의 사용(Use of Aviation Weather Products)

a. 14 CFR Part 119의 규정에 의하여 인가를 받은 운송용항공기 운영자는 FAA가 운항증명소지자에게 발급한 운영기준에 규정되어 있는 항공기상정보시스템을 사용해야 한다. 운영기준에 승인되면 이러한 시스템으로 기본적인 FAA/국립기상청(NWS) 기상업무, 계약자(또는 운영자) 상용기상업무 그리고 개량형 기상정보시스템(EWINS)을 활용할 수도 있다. 이러한 시스템 인가의 필수요소로서 시스템 기상산출물의 사용을 지원하기 위한 운항승무원 및 운항관리사 훈련뿐만 아니라, 항공기상정보의 수집, 생산 및 전파에 대한 절차도 허가 또는 인가를 받아야 한다.

b. 14 CFR Part 119의 규정에 의하여 인가를 받지 않은 운영자는 비행정보업무국, Leidos Flight Service 또는 비행정보제공방송(FIS-B)을 통해 FAA/NWS 산출물을 사용할 것을 권장한다.

c. 이용할 수 있는 항공기상 산출물의 유형은 새로운 감지시스템, 알고리즘과 예보모델의 개발과 더불어 확대되고 있다. 정부와 계약되어 있는 여러 기상연구소 및 단체의 지원을 받아 FAA와 NWS는 새로운 유형의 항공기상 산출물을 개발하고 시행한다. FAA의 차세대 기상연구프로그램(NextGen Aviation Weather Research Program; AWRP)은 NWS, FAA 및 여러 산업계와 연구소 간의 산업 공동연구를 가능하게 한다. 이러한 공동연구는 실험적 산출물이 운용 적용단계로 성숙하기 전에 사용자의 요구사항과 기술적 준비요건에 충족될 수 있도록 한다.

d. AWRP는 기술검토위원회를 통하여 항공기상 R&D 산출물의 운용용도로의 전환 및 새로 개발된 항공기상 산출물이 규제요건을 충족하고 안전을 증진시킬 수 있는지 확인하기 위한 안전평가 수행을 관리한다.

e. AWRP 검토 및 의사결정과정은 다양한 단계에서 기상산출물에 대한 기준을 적용한다. 단계는 다음과 같이 구성된다.

1. 사용자요구의 발의(Sponsorship of user needs)

2. 연구개발 및 제한적인 시험(R&D and controlled testing)

3. 실험 적용(Experimental application)

4. 운용 적용(Operational application)

f. 조종사와 운영자는 FAA, NWS 또는 계약자 이외의 단체에 의해 제공되는 기상업무가 FAA/NWS 품질관리기준에 충족되지 않을 수도 있다는 점을 인식하고 있어야 한다. 그러므로 이러한 업무를 사용하려고 생각하고 있는 운영자와 조종사는 제공자 공개정보 및 해당 업무내역을 요청하여 검토하여야 한다. 여기에는 기상산출물의 유형(예를 들면, 현재 기상 또는 예보 기상), 산출물의 유효기간(즉, 산출물 발표시간 및 유효시간), 그리고 산출물의 타당성을 포함하여야 하지만 이것으로 제한되지는 않는다. 조종사와 운영자는 잘 알려지지 않은 산출물 또는 FAA/NWS 기술규격서에 의하지 않는 산출물을 사용할 때는 주의를 기울여야 한다.

g. 추가하여 조종사와 운영자는 이 절의 앞에서 언급된 AWRP 절차에서 다루는 범위 외에도 정부기관의 기상업무와 산출물을 이용할 수도 있다는 것을

인식하고 있어야 한다. 예를 들어 NWS 및 항공기상센터(AWC)와 같은 정부기관 또는 국립대기연구센터(NCAR)와 같은 연구기관은 올바르게 해석하고 사용하기 위해서 훈련과 전문기술이 필요한 기상 "model data" 및 "실험(experimental)" 산출물을 공개한다. 이러한 산출물은 연구가 계속되고 있는 개발단계의 시제품(prototype)이며, 통보없이 변경될 수 있다. 따라서 정부기관에 의해 공개되는 일부 data, 또는 독립적인 기관에 의해 공개되는 정부 data는 비행계획 목적으로는 부적합할 수 있다. 이러한 service를 사용하려고 생각하고 있는 운영자와 조종사는 제공자 공개정보 및 해당 업무내역을 요청하여 검토하여야 한다. 여기에는 기상산출물의 유형(예, 현재 기상 또는 예보 기상), 산출물의 유효기간(즉, 산출물 발표시간 및 유효시간), 그리고 산출물의 타당성을 포함하여야 하지만 이것으로 제한되지는 않는다. 조종사와 운영자는 잘 알려지지 않은 산출물을 사용할 때는 주의를 기울여야 한다.

주(Note)

의심스러울 경우에는 FAA 비행정보업무국(Flight Service Station) 담당자에게 문의한다.

h. 일반 인터넷을 통한 기상산출물의 접속 증가와 더불어, 항공관련업계는 자체브리핑을 지원하는 많은 양의 기상정보 및 자료에 접속할 수 있게 되었다. FAA AC 00-45(최신판)에는 NWS가 배포하는 기상산출물이 기술되어 있다. 제3자 제공자의 기상업무에 접속하기 위하여 일반 인터넷을 이용하는 조종사와 운영자는 제공자 공개정보 및 해당 업무내역을 요청하여 검토하여야 한다. 여기에는 기상산출물의 유형(예, 현재 기상 또는 예보 기상), 산출물의 유효기간(예, 산출물 발표시간 및 유효시간), 그리고 산출물의 타당성을 포함하여야 하지만 이것으로 제한되지는 않는다. 조종사와 운영자는 잘 알려지지 않은 기상산출물을 사용할 때는 주의를 기울여야 하며, 의심스러울 경우에는 비행정보업무국 담당자에게 문의하여야 한다.

i. 일부 기존 문서 및 그림형식 산출물의 폐지와 더불어 새로운 기상산출물의 개발은 규제요건 및 새로운 산출물 간에 혼란을 유발할 수 있다. 모든 비행관련 항공기상의 판단은 이용할 수 있는 적절한 모든 기상산출물에 의하여 이루어져야 한다. 모든 비행이 서로 다르며 그 비행에서의 기상상태도 시시각각 그날그날 다양하기 때문에 항공기상 규제요건을 충족시키기 위해서는 다수의 기상산출물이 필요할 수 있다. 현재는 많은 기상산출물에 특정 산출물의 적정한 용도 또는 적용을 상세하게 기술한 사용자 주의사항(Precautionary Use Statement)이 포함되어 있다.

j. FAA는 조종사와 운영자가 이용할 수 있는 기상정보를 서로 다른 유형의 다음과 같은 세 가지 기상정보로 구분하고 있다.

1. 관측(Observation). 지표 및 공중관측, 레이더, 광선, 위성영상 및 탐사기(profiler)를 포함한 몇몇 유형의 감지기(sensor suite)에 의해 수집된 미가공 기상자료(raw weather data)

2. 분석(Analysis). 관측 기상자료 묘사 또는 해석의 향상

3. 예보(Forecast). 기상관측과 다양한 수리모델(mathematical model)에 의거한 기상현상의 발달과 이동의 예측

k. 항공기상정보의 모든 공급원이 세 가지 유형의 모든 기상정보를 제공할 수 있는 것은 아니다. FAA는 운영자와 조종사가 다음의 승인된 항공기상정보의 공급원을 활용할 수 있을 것이라고 밝히고 있다.

1. 연방정부(Federal Government). FAA와 NWS는 미가공(raw) 기상자료를 수집하고, 관측결과를 분석하며 예보를 생산한다. FAA와 NWS는 다양한 시스템을 통해 기상관측, 분석 및 예보를 전파한다. 추가하여 연방정부는 기상관측 공급원의 유일한 승인기관이다. 예를 들어 계약 관제탑 및 공항운영자가 기상관측을 제공하기 위해서는 연방정부의 승인을 받을 수 있다.

2. 개량형 기상정보시스템(Enhanced Weather Information System; EWINS). EWINS는 악기상현상 존재여부의 추적, 평가, 보고 및 예보를 위한 FAA 허가 상용시스템이다. FAA는 운항증명소지자에게 비행이동 예보, 악기상현상 예보 및 다른 기상학적 조언을 생산하기 위하여 EWINS를 사

용하는 것을 허가한다. EWINS에 관한 더 상세한 정보는 항공기상업무 권고회보 AC 00-45 및 Flight Standards Information Management System 8900.1을 참조한다.

3. 상업용 기상정보제공자(Commercial Weather Information Providers). 일반적으로 상업용제공자는 NWS/FAA 산출물을 기반으로 양식과 배열을 수정한 상용기상산출물을 생산하지만, 기상정보 자체를 물리적으로 변경하지는 않는다. 이를 "재포장(repackaging)" 이라고도 한다. 추가하여 상업용제공자는 분석, 예보 및 정부생산산출물에 포함된 정보를 상당히 변경한 다른 상용기상산출물을 생산할 수도 있다. 그러나 정부생산기상산출물 또는 정보를 상당히 변경한 이런 상용기상산출물도 상업용제공자가 자격을 갖춘 EWINS 라면 14 CFR Part 121 및 Part 135 운항증명소지자가 사용할 수 있도록 인가할 수 있다.

주(Note)

기상관측, 분석 및 예보를 제공하기 위해 FAA와 계약한 상업용 기상정보제공자(예, 계약 관제탑)는 연방정부 감독 하에 필요한 기술 및 품질보증표준을 유지함으로써 연방정부가 승인한 제공자의 범주에 포함된다.

7-1-4. 그림형식 항공기상예보(Graphical Forecasts for Aviation; GFA)

a. GFA 웹사이트는 미국대륙(CONUS)에서 비행에 영향을 미칠 수 있는 필수적인 항공기상정보를 완전한 그림형태로 사용자에게 제공할 계획이다. 웹사이트는 뇌우, 구름, 비행 category, 강수, 착빙, 난기류 및 바람을 포함하여, 14시간에서 15시간 후에 볼 수 있는 관측자료, 예보 및 경보를 포함하고 있다. 국립기상청(NWS) 국립디지털예보자료(NDFD)의 구름, 비행 category, 강수, 착빙, 난기류, 바람 및 그림형식의 산출물을 포함한 시간별 model 자료 및 예보를 이용할 수 있다. 바람, 착빙 및 난기류 예보는 지면으로부터 30,000 ft MSL까지는 3,000 ft 간격, 30,000 ft MSL부터 48,000 ft MSL까지는 6,000 ft 간격으로 이용할 수 있다. 난기류 예보는 저고도(18,000 ft MSL 미만) 및 고고도(18,000 ft MSL 이상) graphic 으로도 나누어진다. 최대 착빙 graphic 및 최대 풍속 graphic도(고도에 관계없이) 이용할 수 있다. 최신 지리정보도구로 제작되어 사용자는 가장 관심이 많은 구역에 초점을 맞추기 위해 화면을 이동하고, 확대 및 축소를 할 수 있다. 대상 사용자는 상업용 및 일반항공 조종사, 운영자, briefer 및 운항관리사이다.

b. 기상산출물(Weather Products)

1. 항공예보에는 NWS 문자형식의 기상관측, 예보 및 경보 뿐만 아니라 다양한 기상변수에 대한 격자모양의 시현(gridded display)을 포함한다. 착빙, 난기류 및 바람의 격자모양 산출물(gridded product)은 3차원이다. 그 밖의 격자모양 산출물(griddedd product)은 2차원이며, 3차원 기상현상의 합성사진 또는 수평시정과 같은 지표면 기상변화를 나타낼 수 있다. 다음은 GFA에 표기되는 항공예보의 예이다.

(a) 공항예보(TAF)
(b) 운고 및 시정(CIG/VIS)
(c) 구름(Clouds)
(d) 강수/기상(PCPN/WX)
(e) 뇌우(TS)
(f) 바람(Wind)
(g) 난기류(Turbulence)
(h) 착빙(Ice)

2. 관측 및 경보(Observations & Warnings; Obs/Warn). Obs/Warn option은 현재 시간 및 14시간(가장 가까운 시간으로 반올림) 이전의 기상자료를 시현할 수 있는 선택권을 제공한다. 사용자는 원하는 시간을 클릭하거나, 화살표 버튼을 사용하여 시간을 앞당길 수 있다. 아래에 제공되는 항목은 GFA 웹사이트에서 이용할 수 있는 Obs/Warn 산출물 tab 이다.

(a) METAR
(b) 강수/기상(PCPN/WX)
(c) 운고 및 시정(CIG/VIS)
(d) 조종사보고(PIREP)
(e) 레이더 및 위성(RAD/SAT)

3. GFA는 http://new.aviationweather.gov/areafcst에서 online으로 이용할 수 있으며, 계속해서 갱신된다. 위의 link를 클릭한 후, map display의 상부 우측 모서리에서 INFO를 선택하라. 다음 화면은 개관(overview), 산출물 및 초보자(tutorial)를 선택할 수 있는 option을 보여준다. 관심있는 tab을 선택하기만 하면 기존 FA를 대체하도록 설계된 향상된 디지털 및 그림형식의 기상 산출물을 탐색할 수 있다. 또한, 사용자는 GFA의 더 상세한 정보를 알기 위해서 AC 00-45, Aviation Weather Services를 참조할 수 있다.

4. GFA 정적영상(GFA Static Images). 인터넷 통신 능력이 제한된 일부 사용자는 항공기상센터(AWC), http://www.aviationweather.gov/gfa/plot에서 정적 영상(static image)에 접속할 수 있다. 이용할 수 있는 정적 그래픽 영상에는 Aviation Cloud Forecast 및 Aviation Surface Forecast로 표제가 부여된 두 가지 유형이 있다. Aviation Cloud Forecast는 산악차폐(mountain obscuration)의 경우 Airmet Sierra로, 착빙중첩(icing overlaid)의 경우 Airmet Zulu로 운량, 운저(cloud base), 운층(cloud layer) 및 운정(cloud top)을 제공한다. Aviation Surface Forecast는 계기비행기상태인 경우 Airmet Sierra로, 30 knot 이상의 지표면 바람이 지속되는 경우 Airmet Tango로 시정, 기상현상 및 바람(돌풍 포함) 정보를 제공한다. 이러한 영상은 하나의 전체 CONUS의 예보 보기 및 사용자에게 더 상세한 정보를 제공하는 9개의 각 지역 view를 제공하는 10개의 개별 지도에 표시된다. 이 예보는 3시간마다 갱신되며, 향후 3, 6, 9, 12, 15 및 18시간의 예보 사진(forecast snapshot)을 제공한다. (그림 7-1-2 및 그림 7-1-3 참조)

그림 7-1-2. Aviations Surface Forecast

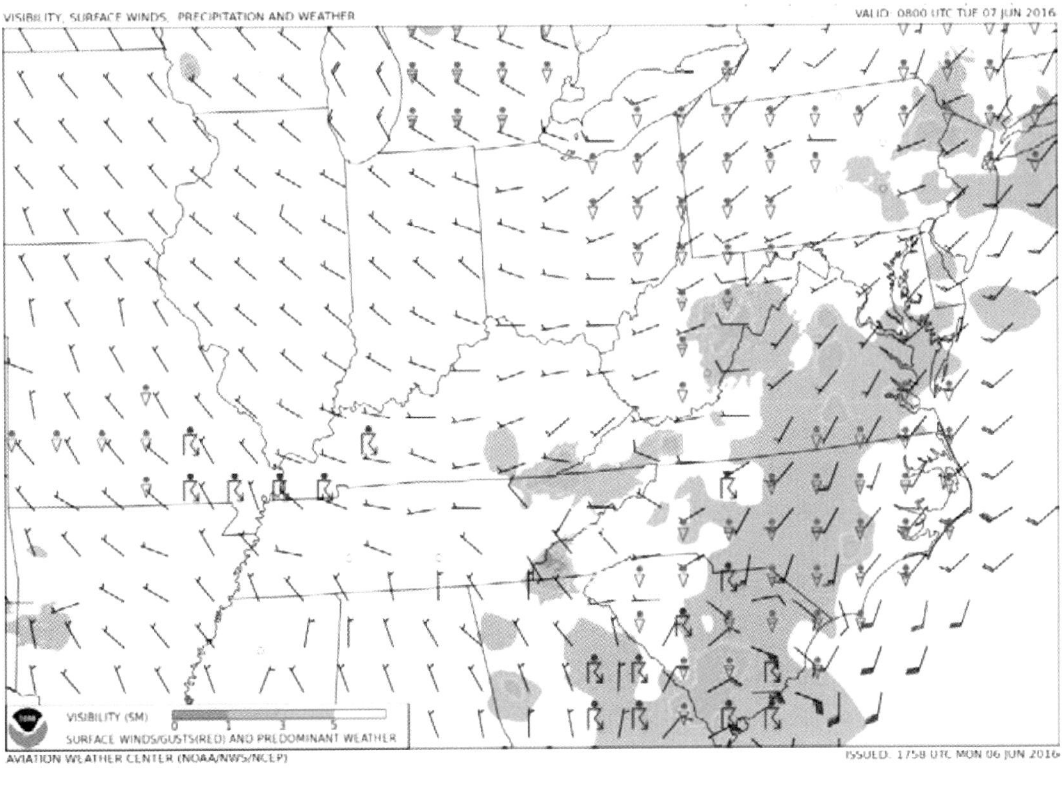

그림 7-1-3. Aviations Cloud Forecast

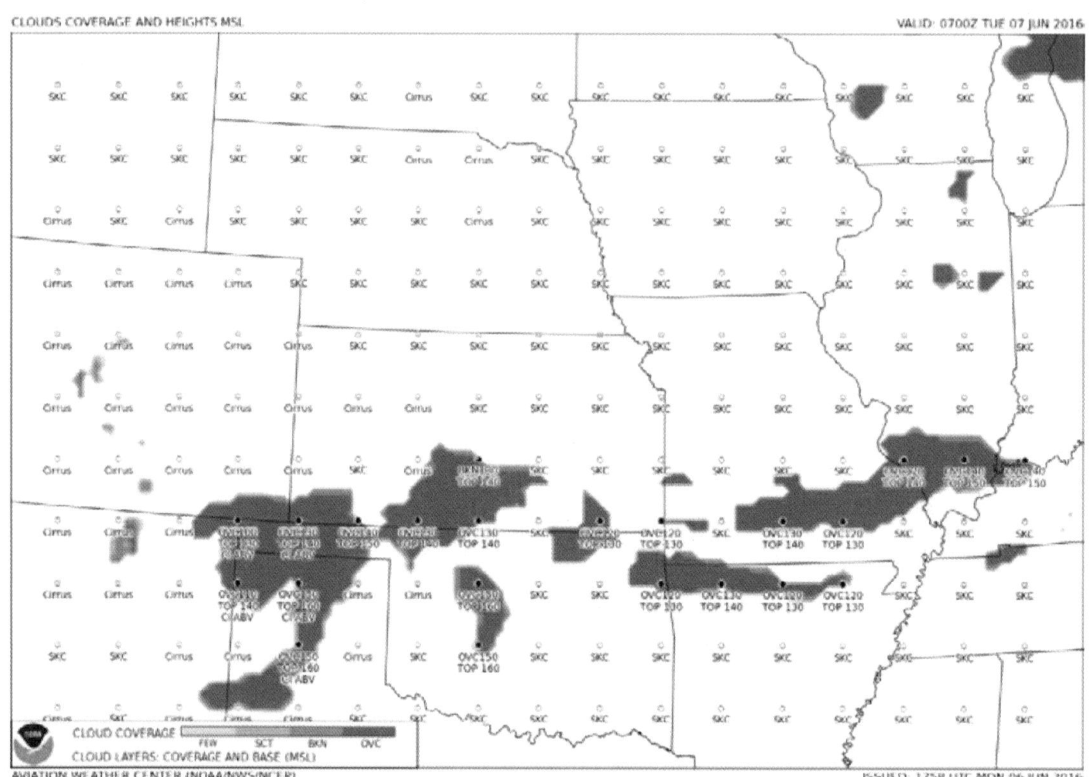

7-1-5. 비행전브리핑(Preflight Briefing)

a. 비행정보업무국(FSS)은 전화나 인터넷으로 비행전브리핑을 받고 비행계획서를 제출할 수 있는 주요 부서이다. FAA는 비행정보업무국 담당자를 조종사 기상 briefer로 인정하고 자격을 부여한다. 이들이 최초로 예보하는 것은 허가되지 않지만, 이용할 수 있는 예보와 보고를 비행경로 및 목적지에서 예상할 수 있는 기상상태를 설명하는 용어로 직접 해석하고 판독하는 것은 허가된다. 조종사의 특정요구에 도움을 줄 수 있는 세 가지 기본 유형의 비행전브리핑(표준, 요약 그리고 전망브리핑)을 이용할 수 있다. 조종사는 적절한 배경정보와 함께 당신이 원하는 브리핑의 유형을 briefer에게 설명해 주어야 한다. 이것은 조종사가 의도하는 비행에 briefer가 정보를 맞출 수 있도록 한다. 다음의 장에서는 이용할 수 있는 브리핑의 유형 및 각 브리핑에서 제공되는 정보를 설명한다.

b. 표준브리핑(Standard Briefing). 비행을 계획 중인 조종사가 사전에 브리핑을 받지 못했거나, 또는 알래스카의 경우 TIBS, TWEB와 같은 대중전파매체를 통해 예비정보를 받지 못한 경우에는 언제든지 표준브리핑을 요청할 수 있다. 국제 data는 부정확하거나 불완전할 수 있다. 미국 관제공역 외부에서 비행할 계획이라면 조종사가 국제주의조언(international cautionary advisory)을 받았다는 것을 통보하지 않는 한, briefer는 조종사에게 외국공역에 진입한 후 가능한 한 빨리 data를 점검할 것을 조언할 것이다. 예정된 비행에 다음의 정보가 적용될 때 언급이 없는 한 briefer는 나열된 다음 순서에 따라 자동으로 정보를 제공할 것이다.

1. 악조건(Adverse Condition). 조종사에게 예정된 비행을 변경 또는 취소하도록 영향을 미칠 수 있는 중요한 기상 및 항공정보; 예를 들면, 위험한 기상상태, 공항 폐쇄, 항공교통지연 등. 조종사는 VFR 또는 IFR 기상상태 미만으로 비행 최저치를 감소시킬 수 있는 현재의 기상이나 기상예보에 대하

여 특히 경계하여야 한다. 또한 조종사는 착빙상태에서 운항이 인가되지 않은 항공기라면 보고된 착빙이나 착빙예보에 대하여 경계하여야 한다. 착빙이나 기상최저치 미만 지역으로의 비행은 비참한 결과를 가져올 수 있다.

2. VFR 비행은 권고하지 않음(VFR Flight Not Recommended). VFR 비행이 신청되고 briefer가 현재나 예보된 또는 지표면이나 상층의 하늘상태나 시정이 VFR 비행이 어렵다고 판단하면, briefer는 상태 및 영향을 받는 지역을 설명하고 용어 "VFR flight not recommended"를 사용할 것이다. 이러한 권고는 사실상 조언(advisory) 이다. 비행이 안전하게 이루어질 수 있을지의 여부에 관한 최종적인 결정은 전적으로 조종사에게 달려 있다. "VFR 비행은 권고하지 않음(VFR flight not recommended)" 통보를 받은 즉시 계기비행증명이 없는 조종사는 "go 또는 no go" 결정을 하는 것이 필요하다. 이러한 결정은 조종사의 경험과 증명의 취득여부보다 현재 및 예보된 기상상태를 고려하여 이루어져야 한다. 또한 항공기의 장비, 성능 및 제한사항도 고려하여야 한다.

주(Note)

최소한도의 VFR 기상상태 지역으로 비행하는 조종사는 조종사의 자격한정(rating) 및 경험수준의 범위를 벗어나는 예보되지 않은 험악한 기상상태와 조우할 수 있다. 이것은 공간방향감각상실(spatial disorientation) 또는 항공기 조종성의 상실로 이어질 수 있다.

3. 기상개황(Synopsis). 기상시스템의 유형, 위치 및 이동 또는 예정된 비행에 영향을 미칠 수 있는 기단(air mass)을 기술한 간단한 설명

주(Note)

브리핑의 이러한 처음 3개의 요소는 briefer가 상황을 더 명확하게 설명하는 데 도움을 줄 수 있다고 생각되면 순서를 달리 할 수도 있다.

4. 현재 기상상태(Current Conditions). 비행에 적용할 수 있는 보고된 기상상태는 METAR/SPECI, PIREP, RAREP와 같이 이용할 수 있는 모든 출처로부터 요약된다. 출발예정시간이 2시간 이후라면 조종사가 별도로 정보를 요청하지 않는 한 이러한 요소는 생략된다.

5. 항공로예보(En Route Forecast). 예정경로에 대한 항공로상태의 예보는 출발/초기상승(climb-out), 항공로 그리고 강하와 같은 논리적인 순서대로 요약된다. (지표면으로부터의 높이라는 것을 나타내는 약어 "AGL" 또는 "CIG"가 표시되어 있지 않는 한, 높이는 MSL 이다)

6. 목적지예보(Destination Forecast). 계획한 ETA의 목적지예보. 계획한 도착예정시간 1시간 전후의 중대한 기상변화가 포함된다.

7. 상층풍(Winds Aloft). 상층풍예보는 나침반의 각도로 제공된다. Briefer는 계획한 고도(고도는 MSL)에서 예상되는 상태를 제공하기 위하여 필요에 따라 고도와 기지국(station) 간의 풍향과 풍속을 추가한다. 기온정보는 요청 시에 제공된다.

8. 항공고시보(Notices to Airmen; NOTAM)

(a) 제한구역에 대한 특수사용공역(SUA) NOTAM, 공중급유 및 야간투시경(NVG)을 포함하여 예정된 비행에 적절히 이용할 수 있는 NOTAM (D) 정보

주(Note)

군작전구역(MOA), 군훈련경로(MTR) 및 경고구역 NOTAM과 같은 그 밖의 SUA NOTAM은 7-1-4b10(a) 항에 제시된 것과 같이 "요청에 의한(upon request)" 브리핑 항목으로 간주한다.

(b) 워싱턴 DC의 금지구역 P-40, P-49, P-56 및 특별비행규칙구역(special flight rules area; SFRA)

(c) FSS briefer는 별도로 요청하지 않는 한 특별계기접근절차에 대한 FDC NOTAM 정보를 제공하지 않는다. FAA로부터 특별계기접근절차의 사용을 허가받은 조종사는 이러한 절차에 대한 FDC NOTAM 정보를 별도로 요청하여야 한다.

주(Note)

1. Briefer가 합치는 것이 타당하다고 생각하면 NOTAM 정보를 현재 기상상태와 합칠 수 있다.
2. 항공로 NOTAM, 절차에 관한 NOTAM 및 사

실상 일반적이고 특정 공항/시설과 결부되어 있지 않은 NOTAM(예를 들면, 비행조언 및 비행제한, 공개된 기간의 특별보안통제지시, 그리고 특별비행규칙공역)은 조종사 요청시에만 브리핑이 제공된다. NTAP로 발간된 NOTAM, 그림형식의 고시보 및 그 밖의 정보는 조종사가 이러한 간행물의 검토를 별도로 요청하지 않는 한 조종사 브리핑에 포함되지 않는다. 브리핑을 받는 것에 추가하여 완전한 비행정보를 얻기 위해서는 NTAP에 수록된 정보 및 미국 차트 보충판(Chart Supplement U.S.)을 검토할 것을 권고한다.

9. ATC 지연(ATC Delay). 예정된 비행에 영향을 미칠 수 있는 알려진 ATC 지연 및 교통흐름관리 조언(flow control advisory)

10. 조종사는 요청하면 비행정보업무국 briefer로부터 다음 정보를 얻을 수 있다.

(a) 7-1-4b8 항에 나열된 항목을 제외한 SUA 및 SUA 관련 공역에 대한 정보

주(Note)

1. 이 항의 목적 상 SUA 및 관련 공역에는 경계구역, 군작전구역(MOA), 경고구역 및 항공교통관제인가공역(ATCAA)과 같은 유형의 공역이 포함된다. MTR data에는 IFR 훈련경로(IR), VFR 훈련경로(VR) 및 저속훈련경로(SR)와 같은 유형의 공역이 포함된다.

2. 비행하는 동안에 ATC 기관으로부터 최신정보를 요청할 것을 조종사에게 권장한다.

(b) 항공로 NOTAM, 절차에 관한 NOTAM 및 사실상 일반적이고 특정 공항/시설과 결부되어 있지 않은 NOTAM(예를 들면, 비행조언 및 비행제한, 공개된 기간의 특별보안통제지시, 그리고 특별비행규칙공역), 그림형식의 고시보, 그리고 NTAP에 발간된 기타 정보의 확인

(c) 대략적인 밀도고도 자료

(d) 항공교통업무와 규칙, 세관/출입국 절차, ADIZ 규칙, 수색 및 구조 등과 같은 항목에 관한 정보

(e) 조종사가 지정한 시간 또는 ETA 1시간 전후의 GPS RAIM 가용성

(f) 그 밖의 필요한 조언

c. 요약브리핑(Abbreviated Briefing). 대중매체를 통해 전파되지 않은 자료를 보충하거나 이전의 브리핑을 갱신하기 위한 정보가 필요할 때, 또는 한두 가지 특정 항목만이 필요할 때는 요약브리핑을 요청한다. 적절한 배경정보, 이전에 정보를 받았던 시기 또는 필요한 특정 항목을 briefer에게 알려주어야 한다. 조종사가 이전에 받은 정보의 출처를 알려 줌으로써 briefer는 조종사가 받지 않은 정보, 그리고 이전의 브리핑 이후 기상상태/항공정보의 주목할 만한 변화로 브리핑을 한정할 수 있다. 가능한 한 briefer는 표준브리핑에 제시된 순서에 따라 정보를 제공한다. 조종사가 한 두 가지 특정 항목만을 요청한 경우, briefer는 악조건이 존재하거나 예상된다면 조종사에게 통보한다 (악조건에는 기상상태 및 항공정보 모두가 포함된다). 이러한 악조건에 대한 상세한 정보는 요청을 하면 제공된다. 국제 data는 부정확하거나 불완전할 수 있다. 미국 관제공역 외부에서 비행할 계획이라면 조종사가 국제주의조언(international cautionary advisory)을 받았다는 것을 통보하지 않는 한, briefer는 조종사에게 외국공역에 진입한 후 가능한 한 빨리 data를 점검할 것을 조언할 것이다.

d. 전망브리핑(Outlook Briefing). 출발예정시간이 브리핑 시간으로부터 6시간 이후라면 조종사는 전망브리핑을 요청할 수 있다. Briefer는 예정된 비행에 이용할 수 있는 적절한 예보자료를 제공한다. 이러한 유형의 브리핑은 비행계획 목적으로만 제공된다. 조종사는 악조건, 현재 기상상태, 갱신된 예보, 상층풍 및 NOTAM 등과 같은 항목을 획득하기 위하여 출발 전에 표준브리핑 또는 요약브리핑을 받을 수 있다.

e. 비행계획서를 제출할 때에만 조종사는 비행경로와 관련된 악조건의 최신정보가 필요한지의 여부를 질문 받게 된다.

f. 비행중브리핑(Inflight Briefing). 출발 전에 직접 방문하거나, 또는 전화로 비행전브리핑을 받을 것을 조종사에게 권장한다. 무선통신에 의해 비행전브리핑을 받거나 이전의 브리핑을 갱신하는 것이 필

요한 경우, 조종사는 가장 인접한 FSS에 연락하여 이러한 정보를 받을 수 있다. 교신이 이루어진 후 조종사는 필요로 하는 브리핑의 유형을 담당자에게 통보하고, 적절한 배경정보를 알려준다. 조종사는 위 항에 지정된 정보를 제공받게 되며 이것은 요청한 브리핑의 유형에 좌우된다. 초기상승(climb-out) 이후에 시작되어 착륙하기 위한 강하와 더불어 종료되는 비행단계에 맞추어 이루어지는 항공로비행조언업무는 조종사 요청 시에 제공된다. 조종사와 비행감시담당자 간에 기상, 바람, 난기류, 비행시정, 착빙 등의 기상정보를 지속적으로 주고받을 것을 조종사에게 권장한다. 조종사는 좋지 않은 기상뿐 아니라 양호한 기상도 통보하고, 예상하지 못한 기상상태뿐만 아니라 예상한 기상상태라도 확인하여야 한다. 기상상태는 빠르게 변할 수 있으며, 7-1-4b2 항에서 언급한 것처럼 모든 비행단계에서 "go 또는 no go" 결정의 판단이 이루어져야 한다는 것을 기억해야 한다.

g. 브리핑 다음에 조종사나 briefer가 빠뜨렸거나 이해가 되지 않는 정보를 주저하지 말고 질문하여야 한다. 이렇게 하면 briefer는 논리적인 순서로 정보를 제시할 수 있으며, 중요한 항목이 간과될 수 있는 가능성을 줄일 수 있다.

그림 7-1-5. 항공공역예보 FA 위치 - 미국본토(Aviation Area Forecasts FA Locations - Contiguous United States)

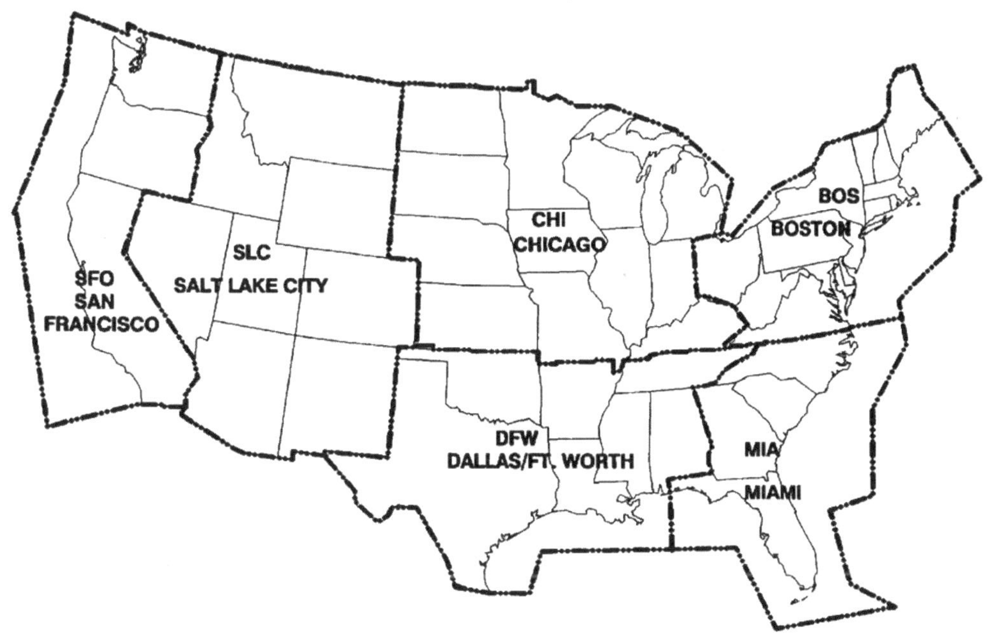

7-1-6. 비행중 항공기상조언(Inflight Aviation Weather Advisories)

a. 배경(Background)

1. 비행중 항공기상조언은 잠재적으로 위험한 기상의 발생여부를 항공로의 항공기에게 조언하기 위한 예보이다. 미국대륙의 모든 비행중 항공기상조언은 ARTCC와 관련된 20개의 센터기상업무부서(CWSU) 뿐만 아니라 미주리주 캔자스시티에 있는 항공기상센터(AWC)에 의해 발표된다. 또한 AWC는 대양 비행정보구역(FIR)을 포함하고 있는 ARTCC의 관할 하의 멕시코만, 대서양과 태평양 구간에 대한 조언을 발표한다. 호놀룰루의 기상대(WFO)는 하와이제도 및 광범위한 태평양 구간에 대한 조언을 발표한다. 알래스카에서는 알래스카 항공기상대(AAWU)가 앵커리지 CWSU와 더불어 비행중 항공기상조언을 발표한다. AGL로 나타내는 운고(CIG)의 경우를 제외하고, 모든 고도는 MSL을 기준으로 한다.

2. 비행중 항공기상조언에는 SIGMET, 대류성 SIGMET, AIRMET(문자 또는 그림형식 산출물) 및 항공로교통관제센터기상조언(CWA)의 4가지 종류가 있다. 위험한 기상지역을 나타내기 위하여 이러한 조언 모두 동일한 지역식별자(VOR, 공항 또는 지리적으로 잘 알려진 지역 중의 하나)를 사용한다.

3. 악기상주의회보(Severe Weather Watch Bulletins; WWs), (경보 message와 관련된) (AWW)는 비행중 항공기상조언을 보충한다.

b. SIGMET(WS)/AIRMET(WA 또는 G-AIRMET)

SIGMET/AIRMET(WA) 문자형식의 산출물은 그림 7-1-4 및 그림 7-1-5에 표시된 공역예보(FA) 지역과 동일한 지역에 발표된다. 최대예보주기는 SIGMET의 경우 4시간, AIRMET의 경우 6시간이다. G-AIRMET은 전 미국본토에 대하여 6시간마다 발표되며, 처음 6시간 동안에 가능한 선택적인 예보와 더불어 12시간 동안에 3시간 간격으로 유효하다. G-AIRMET의 처음 6시간은 AIRMET의 6시간 주기에 해당한다. SIGMET과 AIRMET은 어느 때든 최소한 3,000 평방 mile의 지역에 영향을 미치거나 영향을 미칠 것으로 예상되기 때문에 "광범위한(widespread)" 기상조언으로 분류된다. 그러나 예보주기 동안 영향을 받는 전체 지역이 매우 넓으면 실제로는 어느 때든지 이 전체 지역에서 일부 좁은 지역만 영향을 받을 수도 있다.

1. 미국대륙(CONUS)의 SIGMET/AIRMET (또는 G-AIRMET)

CONUS SIGMET/문자형식의 AIRMET 산출물은 그림 7-1-4에 표시된 지역과 동일한 지역에 발표된다. CONUS의 최대예보주기는 6시간이고, CONUS SIGMET의 경우는 4시간이다. G-AIRMET은 전 미국본토(CONUS)에 대하여 6시간마다 발표되며, 처음 6시간 동안에 가능한 선택적인 예보와 더불어 12시간 동안에 3시간 간격으로 유효하다. G-AIRMET의 처음 6시간은 AIRMET의 6시간 주기에 해당한다. 이 두 조언은 어느 때든 최소한 3,000 평방 mile의 지역에 영향을 미치거나 영향을 미칠 것으로 예상되기 때문에 "광범위한(widespread)" 기상조언으로 분류된다. 그러나 예보주기 동안 영향을 받는 전체 지역이 매우 넓으면 실제로는 어느 때든지 이 전체 지역에서 일부 좁은 지역만 영형을 받을 수도 있다. CONUS의 경우 SIGMET 만이 비대류성기상(non-convective weather) 이다. 미국은 Convective SIGMET 이라고 하는 특별한 category의 대류성기상에 대한 SIGMET을 발표한다.

2. 알래스카의 SIGMET/AIRMET

알래스카 SIGMET은 6시간까지 유효한 화산재구름 SIGMET를 제외하고, 4시간까지 유효하다. 알래스카 AIRMET은 8시간까지 유효하다.

3. 하와이, 그리고 멕시코만, 카리브해, 대서양 서부 및 태평양 동부와 중부의 미국 FIR의 SIGMET/AIRMET

이 SIMET은 6시간까지 유효한 열대성저기압(tropical cyclone)과 화산재구름 SIGMET을 제외하고, 4시간까지 유효하다. AIRMET은 하와이제도에 발표되며, 6시간까지 유효하다. 멕시코만, 카리브해, 대서양 서부와 태평양의 미국 FIR에는 AIRMET이 발표되지 않는다.

c. SIGMET

SIGMET은 모든 항공기에게 잠재적인 위험성을 안고 있는 기상을 조언한다. SIGMET의 유효시간은 4시간이며, 비정기적으로 생산된다. 그러나 열대성저기압과 화산재구름과 관련된 SIGMET은 6시간 동안 유효하다. 필요하면 비정기적으로 수정되고 갱신되어 발표된다.

1. 미국대륙(CONUS)에서 SIGMET은 다음과 같은 기상현상이 발생하거나, 또는 발생이 예상될 때 발표된다.

(a) 뇌우를 동반하지 않는 심한 착빙(severe icing)

(b) 뇌우를 동반하지 않는 심하거나 극심한 난기류 또는 청천난류(CAT)

(c) 지상시정 또는 비행시정을 3 mile 미만으로 저하시키는 넓게 퍼진 먼지보라(dust storm) 또는 모래보라(sandstorm)

(d) 화산재(Volcanic ash)

2. 알래스카 및 하와이에서는 다음과 같은 기상상태의 경우에도 SIGMET이 발표된다.

(a) 토네이도(tornado)

(b) 선형뇌우(Lines of thunderstorms)

(c) 은폐뇌우(Embedded thunderstorms)

(d) 직경 3/4 in 이상의 우박(hail)

3. SIGMET은 Sierra와 Tango를 제외하고 November부터 Yankee까지의 알파벳 지시자(alphabetic designator)로 식별한다 (Sierra, Tango와 Zulu는 AIRMET 문자형식[WA]의 산출물에 사용된다. G-AIRMETS에는 Sierra, Tango 또는 Zulu 지시자를 사용하지 않는다). 첫 번째로 발표되는 SIGMET은 UWS(Urgent Weather SIGMET)로 표기된다. 이후에 발표되는 것은 기상예보관의 재량이다. 동일한 기상현상에 대한 발표는 그 현상이 종료될 때까지 최초의 지시자를 사용하여 순차적으로 번호를 부여한다. 예를 들어 솔트레이크시티(SLC) FA 지역에서부터 이동하는 기상현상에 대해 SLC FA 지역에서 사전에 Papa 1 및 Papa 2 두 개의 발표가 있었다면, Chicago(CHI)에서의 첫 번째 발표는 SIGMET Papa 3가 된다. 전국에 걸쳐 서로 다른 두 개의 기상현상은 동시에 동일한 알파벳 지시자를 가질 수 없다는 점에 유의하여야 한다.

예문(Example)

SIGMET의 예:

BOSR WS 050600

SIGMET ROMEO 2 VALID UNTIL 051000

ME NH VT

FROM CAR TO YSJ TO CON TO MPV TO CAR

OCNL SEV TURB BLW 080 EXP DUE TO STG NWLY FLOW. CONDS CONTG BYD 1000Z.

d. 대류성 SIGMET(Convective SIGMET) (WST)

1. 대류성 SIGMET은 다음과 같은 기상상태의 경우 미국대륙에 발표된다.

(a) 다음을 동반한 강한 뇌우

(1) 50 knot 이상의 지상풍(surface wind)

(2) 지표면의 직경 3/4 in 이상 우박(hail)

(3) 토네이도(tornado)

(b) 은폐뇌우(embedded thunderstorms)

(c) 선형뇌우(line of thunderstorms)

(d) 40% 또는 최소한 3,000 평방 mile을 초과하는 지역에 영향을 미치는 강한 강수(heavy precipitation) 이상의 강수를 야기하는 뇌우

2. 대류성 SIGMET에는 심한 난기류나 극심한 난기류, 심한 착빙 및 저고도 윈드시어가 포함된다. 대류성 SIGMET은 기상예보관이 모든 범주의 항공기가 위험할 수 있다고 판단하는 대류성 기상상황에 대하여 발표할 수 있다.

3. 대류성 SIGMET 회보(Convective SIGMET bulletin)는 미국 서부(W), 중부(C) 및 동부(E) 별로 발표된다 (알래스카와 하와이에 대한 대류성 SIGMET은 발표되지 않는다). 기상현상이 경계를 통과할 경우 대부분의 기상현상이 포함되도록 충분히 겹치도록 하여 서경 87°와 107°에서 지역을 분리한다. 회보는 매시 H+55에 발표된다. 특별회보는 필요시 언제든 발표되며, H+55에 갱신된다. 대류성 SIGMET 요건을 충족하는 기준이 관측되지 않거나, 또는 예보되지 않은 경우 H+55에 기상전문 "CONVECTIVE SIGMET... NONE"가 각 지역에 발표될 것이다. 각 지역(W, C, E)에 대한 개별 대류성 SIGMET은 매일 00Z에 시작하여 1번부터 순차적으로 번호가 부여된다. 계속되는 기상현상에 대한 대류성 SIGMET은 매시 H+55에 새로운 번호로 다시 발표된다. 회보의 본문(text)은 관측과 예보 또는 예보 만으로 구성된다. 예보는 2시간까지 유효하다.

예문(Example)

CONVECTIVE SIGMET 44C

VALID UNTIL 1455Z

AR TX OK

FROM 40NE ADM-40ESE MLC-10W TXK-50WNW LFK-40ENE SJT-40NE ADM

AREA TS MOV FROM 26025KT. TOPS ABV FL450.

OUTLOOK VALID 061455-061855

FROM 60WSW OKC-MLC-40N TXK-40WSW IGB-VUZ-MGM-HRV-60S BTR-40N IAH-60SW SJT-40ENE LBB-60WSW OKC WST ISSUANCES EXPD. REFER TO MOST RECENT ACUS01 KWNS FROM STORM PREDICTION CENTER FOR SYNOPSIS AND METEOROLOGICAL DETAILS

그림 7-1-4. SIGMET 및 AIRMET 위치 - 미국대륙(SIGMET and AIRMET Locations - Conterminous United States)

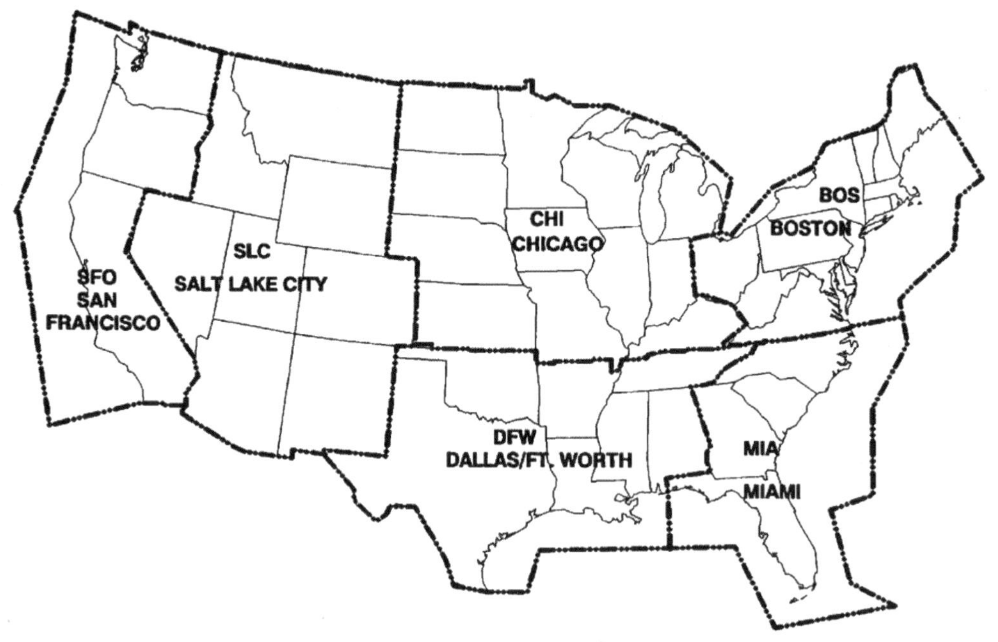

그림 7-1-5. 하와이 공역예보 위치(Hawaii Area Forecast Locations)

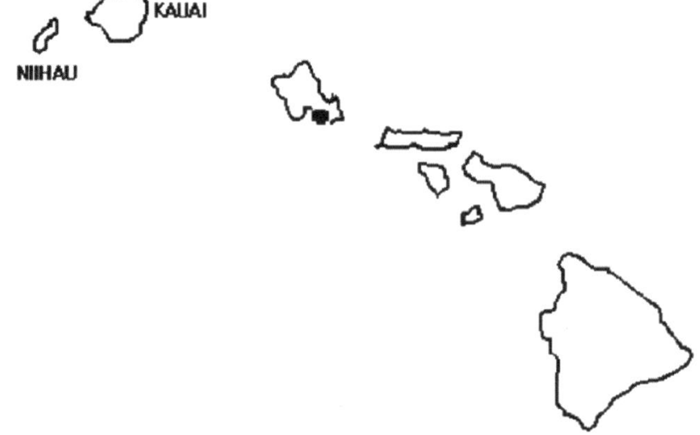

e. 미국대륙 외부 SIGMET(SIGMET Outside the CONUS)

1. 3개의 NWS 기상대가 ICAO에 의해 기상감시소(Meteorological Watch Office; MWO)로 지정되어 있다. 이러한 기상대는 알래스카, 하와이, 대서양과 태평양 구간 및 걸프만을 포함한 CONUS 외부의 지정 지역에 대한 SIGMET을 발표할 책임이 있다.

2. 국제 SIGMET을 발표하는 기상대는 다음과 같다.

(a) 미주리주, 캔자스시티의 AWC

(b) 알래스카, 앵커리지의 AAWU

(c) 하와이, 호놀룰루의 WFO

(d) 태평양 괌섬의 WFO

3. CONUS 외부 SIGMET은 화산재구름의 경우에는 6시간, 열대성저기압(예를 들면, 허리케인 및 열대성폭풍)의 경우 6시간, 그리고 그 밖의 모든 경우에는 4시간 동안 발표된다. CONUS SIGMET과 마찬가지로 CONUS 외부 SIGMET도 Alpha에서부터 Mike까지의 알파벳 지시자로 식별되며 기상현상이 종료될 때 까지 순차적으로 번호가 부여된다. 국제 SIGMET에 대한 기준은 다음과 같다.

(a) 선형 뇌우, 구름에 은폐된 뇌우 또는 토네이도(tornado)나 큰 우박을 동반한 넓은 지역의 뇌우

(b) 열대성저기압(tropical cyclone)

(c) 심한 착빙(severe icing)

(d) 심한 난기류 또는 극심한 난기류(severe or extreme turbulence)

(e) 시정을 3 mile 미만으로 감소시키는 먼지보라(dust storm)와 모래보라(sandstorm)

(f) 화산재(volcanic ash)

예문(Example)

미국 외부 SIGMET의 예:

WSNT06 KKCI 022014
SIGA0F
KZMA KZNY TJZS SIGMET FOXTROT 3
VALID 022015/030015 KKCI- MIAMI
OCEANIC FIR NEW YORK OCEANIC FIR
SAN JUAN FIR FRQ TS WI AREA
BOUNDED BY 2711N6807W 2156N6654W
2220N7040W 2602N7208W 2711N6807W.
TOPS TO FL470. MOV NE 15KT. WKN.
BASED ON SAT AND LTG OBS.
MOSHER

f. AIRMET

1. AIRMET(WA)은 중요한 기상현상이지만 SIGMET의 발표가 필요한 현상보다는 강도가 낮은 상태를 나타내는 기상현상에 대한 조언이다. AIRMET은 안전을 증진시키기 위하여 비행전 및 항공로구간의 비행단계에 있는 모든 조종사에게 전파하기 위하여 발표된다. AIRMET 정보는 문자형식의 회보(WA) 및 그림형식의 AIRMET(G-AIRMET), 두 가지 형식으로 이용할 수 있다. 두 형식 모두 7-1-3i 항의 기준을 충족하며, 0245 UTC부터 매 6시간 마다 정기적으로 발표된다. 필요하면 비정기적으로 수정되고 갱신되어 발표된다. AIRMET에는 IFR에 관한 상세 기상상태, 광범위한 산악차폐(mountain obscuration), 난기류, 강한 지상풍, 착빙 그리고 결빙고도 등이 포함된다.

2. Sierra, Tango와 Zulu의 세 가지 AIRMET이 있다. 정기적 또는 비정기적 회보(bulletin)는 매일 첫 번째 발표 이후 식별을 더 용이하게 하기 위하여 순차적으로 번호가 부여된다.

(a) AIRMET Sierra는 IFR 기상상태와 광범위한 산악차폐(mountain obscuration)를 표시한다.

(b) AIRMET Tango는 보통 난기류(moderate turbulence), 지속되는 30 knot 이상의 지상풍 또는 비대류성 저고도 바람시어(nonconvective low-level wind shear)를 표시한다.

(c) AIRMET Zulu는 보통 착빙(moderate icing)을 표시하고, 결빙고도(freezing level) 높이를 제공한다.

예문(Example)

시카고 FA 지역에 발표된 AIRMET Sierra의 예:

CHIS WA 131445
AIRMET SIERRA UPDT 2 FOR IFR AND
MTN OBSCN VALID UNTIL 132100.
AIRMET IFR...KY
FROM 20SSW HNN TO HMV TO 50ENE
DYR TO20SSW HNN
CIG BLW 010/VIS BLW 3SM PCPN/BR/FG.
CONDS ENDG BY 18Z.
.
AIRMET IFR....MN LS
FROM INL TO 70W YQT TO 40ENE DLH TO

30WNW DLH TO 50SE GFK TO 20 ENE
GFK TO INL
CIG BLW 010/VIS BLW 3SM BR. CONDS
ENDG 15-18Z.
.
AIRMET IFR....KS
FROM 30N SLN TO 60E ICT TO 40S ICT
TO 50W
LBL TO 30SSW GLD TO 30N SLN
CIG BLW 010/VIS BLW 3SM PCPN/BR/FG.
CONDS ENDG 15-18Z.
.
AIRMET MTN OBSCN...KY TN
FROM HNN TO HMV TO GQO TO LOZ TO
HNN
MTN OBSC BY CLDS/PCPN/BR. CONDS
CONTG
BYD 21Z THRU 03Z.
.....

예문(Example)

솔트레이크 시티 FA 지역에 발표된 AIRMET Tango의 예:

SLCT WA 131445
AIRMET TANGO UPDT 2 FOR TURB VALID
UNTIL 132100.
AIRMET TURB...MT
FROM 40NW HVR TO 50SE BIL TO 60E
DLN TO
60SW YQL TO 40NW HVR
MOD TURB BLW 150. CONDS DVLPG 18-
21Z.
CONDS CONTG BYD 21Z THRU 03Z.
.
AIRMET TURB....ID MT WY NV UT CO
FROM 100SE MLS TO 50SSW BFF TO
20SW BTY
TO 40SW BAM TO 100SE MLS
MOD TURB BTN FL310 AND FL410.
CONDS
CONTG BYD 21Z ENDG 21-00Z.
.
AIRMET TURB...NV AZ NM CA AND CSTL
WTRS
FROM 100WSW ENI TO 40W BTY TO 40S
LAS TO
30ESE TBE TO INK TO ELP TO 50S TUS
TO BZA
TO 20S MZB TO 150SW PYE TO 100WSW
ENI
MOD TURB BTWN FL210 AND FL380.
CONDS
CONTG BYD 21Z THRU 03Z.
....

예문(Example)

샌프란시스코 FA 지역에 발표된 AIRMET Zulu의 예:

SFOZ WA 131445
AIRMET ZULU UPDT 2 FOR ICE AND
FRZLVL VALID UNTIL 132100.
NO SGFNT ICE EXP OUTSIDE OF CNVTV
ACT.
.
FRZLVL....RANGING FROM SFC-105 ACRS
AREA
MULT FRZLVL BLW 080 BOUNDED BY
40SE YDC-60NNW GEG-60SW MLP-30WSW
BKE-20SW BAM-70W BAM-40SW YKM-40E
HUH-40SE YDC
SFC ALG 20NNW HUH-30SSE HUH-60S SEA
50NW LKV-60WNWOAL-30SW OAL
040 ALG 40W HUH-30W HUH-30NNW SEA-40N
PDX-20NNW DSD
080 ALG 160NW FOT-80SW ONP-50SSW EUG
40SSE OED-50SSE CZQ-60E EHF-40WSW
LAS
...

3. 항공기상센터 웹페이지 http://aviationweather.gov에서 볼 수 있는 그림형식의 AIRMET (G-AIRMET)은 12시간 이후까지의 개별적으로 3시간을 넘지 않는 불연속 시간(discrete time)에 유

효한 항공로의 기상위험요소를 그림형식으로 예보한다 (예를 들어, 00, 03, 06, 09 및 12시). 추가예보는 처음 6시간 사이에 삽입될 수 있다 (예를 들어, 01, 02, 04 및 05). 00시는 초기 상태를 나타내며 이어지는 그림들은 그 유효시간에 특정 위험의 영향을 받는 지역을 표시한다. 00시부터 06시까지 유효한 예보는 문자형식의 AIRMET 회보(bulletin)에 해당한다. 06시부터 12시까지 유효한 예보는 문자형식의 기상전망회보(bulletin outlook)에 해당한다. G-AIRMET은 다음과 같은 항공로의 항공기상 위험요소를 표기한다.

(a) 계기비행방식 기상상태 (운고〈1000 ft 및/또는 지상시정〈3 mile)

(b) 산악차폐(mountain obscuration)

(c) 착빙(icing)

(d) 결빙고도(freezing level)

(e) 난기류(turbulence)

(f) 저고도 윈드시어(LLWS)

(g) 강한 지상풍(strong surface winds)

G-AIRMET은 위에서 정의한 것처럼 불연속 시간간격의 스냅사진(snap shot)이다. 문자형식의 AIRMET은 G-AIRMET 산출의 결과로 얻어지지만 6시간의 유효시간 동안 정기적인 기상위험요소를 제공한다. G-AIRMET은 문자형식의 AIRMET 산출물보다 더 높은 해상도의 예보를 제공한다. G-AIRMET과 문자형식 AIRMET은 동일한 예보생산절차에 의해 만들어지므로 둘 간에는 완전한 일관성이 존재한다. 두 가지를 함께 사용함으로써 기상위험요소의 영향을 받는 지역을 명확히 하고, 상황인식과 의사결정을 향상시킬 수 있다.

G-AIRMET 유효시간 사이의 시간대에 대한 보간방법(Interpolation): G-AIRMET을 활용할 때 00시 예보는 위험한 기상이 없다고 하였고 03시 예보는 위험한 기상의 존재를 지적하였다면, 사용자는 유념하여 두 예보 사이의 기간 동안에 변화가 일어날 것이라고 생각하고 있어야 한다. 위험한 기상의 시작시간이나 종료시간이 한정되지 않은 한, 00시 예보 이후에 바로 위험한 기상이 시작될 수도 있다는 것을 고려하여야 하다. 03시 예보 이후도 동일하게 적용된다. 사용자는 달리 통보되지 않은 한, 스냅사진(snap shot) 간에 위험한 기상상태가 발생할 수 있다는 것을 생각하고 있어야 한다. 예를 들어 00시 예보는 위험이 없다고 하였고 03시 예보는 위험한 기상의 존재를 지적하였으며 06시 예보는 위험이 없다고 하였다면, 사용자는 0001시부터 0559시까지의 시간대에 위험이 존재한다고 생각하고 있어야 한다.

예(Example)

G-AIRMET 그림형식 산출의 예는 그림 7-1-6을 참조한다.

그림 7-1-6. G-AIRMET 그림형식 산출물(G-AIRMET Graphical Product)

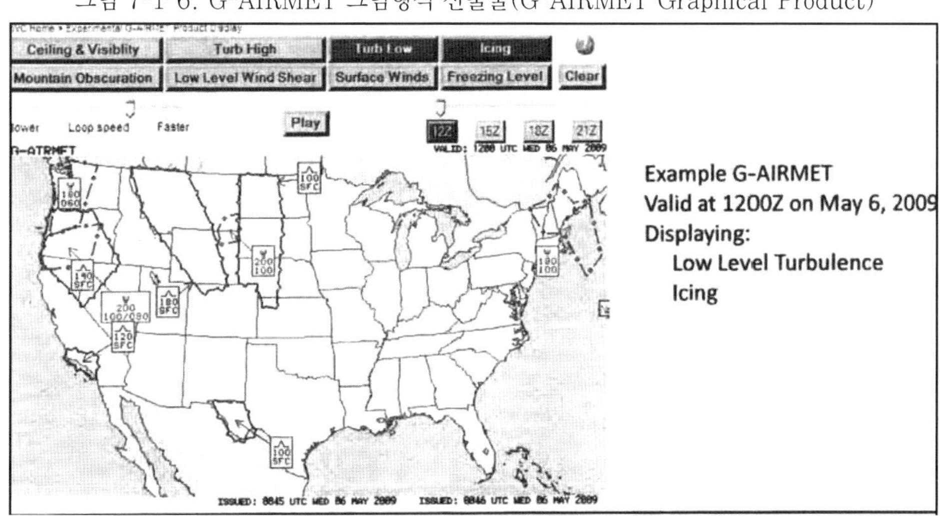

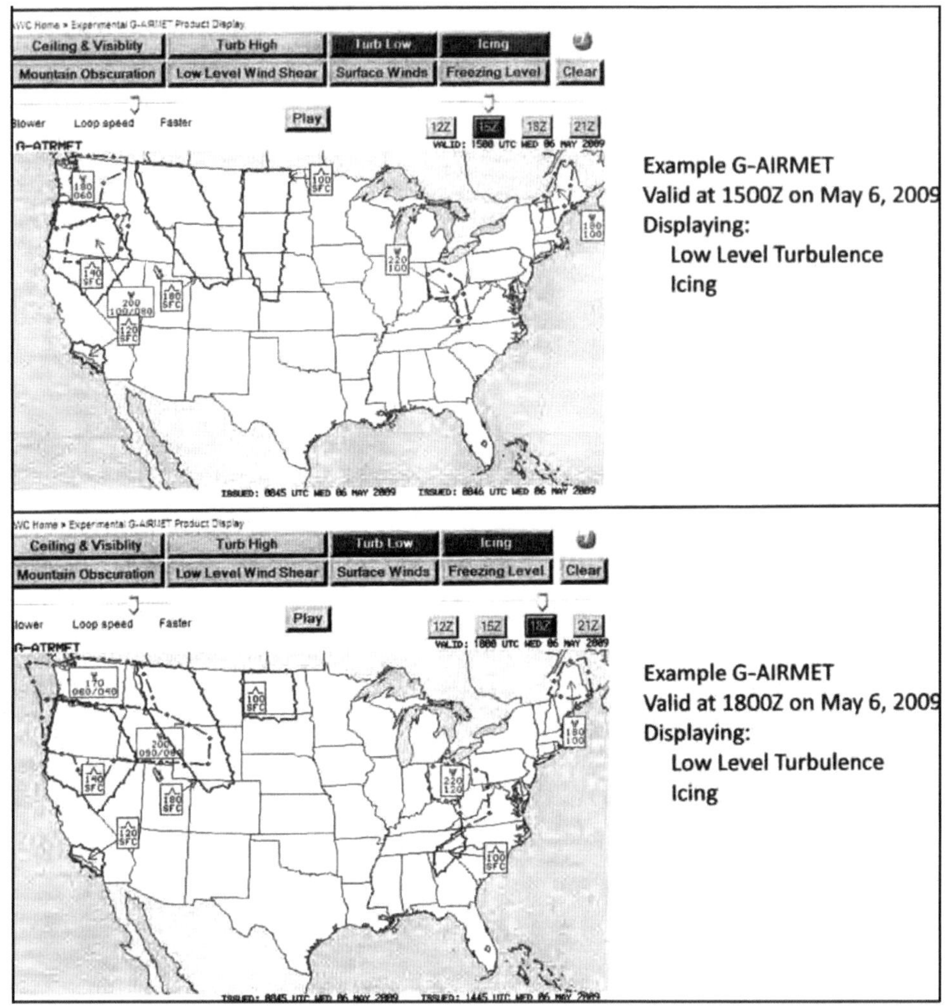

g. 주의 메시지(Watch Notification Messages)

오클라호마주의 노먼에 있는 태풍예보센터(SPC)는 CONUS 내에서 토네이도, 큰 우박, 또는 손상을 줄 수 있는 대류풍을 야기할 수 있는 강한 뇌우가 예측되는 우려 지역에 대한 경보를 제공하기 위하여 주의 메시지를 발표한다. SPC는 Aviation Watch Notification Messages, Public Severe Thunderstorm Watch Notification Messages 및 Public Tornado Watch Notification Messages 등 3가지 유형의 주의 메시지를 발표한다.

Severe Thunderstorm(또는 Tornado) Watch와 Severe Thunderstorm(또는 Tornado) Warning 간의 차이를 아는 것이 중요하다. Warning이 악기상이 관측되었거나 수 시간 이내에 예상된다는 것을 의미하는 반면에, watch는 추후 몇 시간 사이에 악기상이 발생할 수 있다는 것을 의미한다. NWS 기상대가 강한 뇌우와 토네이도 Warning 만을 발표하는 반면에, SPC는 강한 뇌우와 토네이도 Watch 만을 발표한다.

1. Aviation Watch Notification Message. Aviation Watch Notification Message 산출물은 Public Severe Thunderstorm Watch 또는 Public Tornado Watch의 지역과 거의 동일하다. 지역은 VOR 항행안전시설을 좌표로 사용하는 직사각형이나 평행사변형 이라고 정의할 수 있다.

Aviation Watch Notification Message를 이전에는 Alert Severe Weather Watch Bulletin (AWW)라고 하였다. NWS는 이 명칭이나 약어를

더 이상 사용하지 않는다. NWS는 Aviation Watch Notification Message에는 약어 SAW를 사용하지만, 기상자료시스템으로 처리하는 경우 산출물의 표제(header)에는 계속 AWW를 사용한다.

예문(Example)

Aviation Watch Notification Message의 예:
WWUS30 KWNS 271559
SAW2
SPC AWW 271559
WW 568 TORNADO AR LA MS 271605Z - 280000Z AXIS..65 STATUTE MILES EAST AND WEST OF LINE..45ESE
HEZ/NATCHEZ MS/ - 50N TUP/TUPELO MS/..AVIATION COORDS.. 55NM E/W /18WNW MCB - 60E MEM/
HAIL SURFACE AND ALOFT..3 INCHES. WIND GUSTS..70 KNOTS. MAX TOPS TO 550. MEAN STORM MOTION VECTOR 26030.
LAT...LON 31369169 34998991 34998762 31368948
THIS IS AN APPROXIMATION TO THE WATCH AREA.
FOR A COMPLETE DEPICTION OF THE WATCH SEE WOUS64 KWNS FOR WOU2.

2. Public Severe Thunderstorm Watch Notification Messages는 강한 뇌우가 예상되는 지역을 나타낸다 (강한 뇌우의 기준은 직경 1 in 이상의 우박 또는 50 knot〔58 mph〕 이상의 돌풍이다). Public Severe Thunderstorm Watch Notification Message에는 지역 설명과 축선(area description and axis) 좌표, watch 유효일시, 예상되는 우박 크기 및 뇌우 돌풍(thunderstorm wind gust)의 설명, watch의 정의, 취해야 할 행동 서술, 그 밖의 유효한 watch의 목록, 간단한 기상학적 추론의 설명 및 항공업계를 위한 기술정보가 포함된다.

3. Public Tornado Watch Notification Messages는 토네이도의 위협이 존재하는 지역을 나타낸다. Public Tornado Watch Notification Message에는 지역 설명과 축선(area description and axis) 좌표, watch 유효일시, 용어 "damaging tornadoes", 예상되는 우박 최대 크기 및 가장 강한 뇌우 돌풍(thunderstorm wind gust)의 설명, watch의 정의, 취해야 할 행동 서술, 그 밖의 유효한 watch의 목록, 간단한 기상학적 추론의 설명 및 항공업계를 위한 기술정보가 포함된다. SPC는 다수의 강력한 토네이도(EF2 또는 EF3의 손상)나 초강력 토네이도(EF4 또는 EF5의 손상) 가능성이 있는 경우, 문자 "THIS IS A PARTICULARLY DANGEROUS SITUATION"을 사용하여 Public Tornado Watch Notification Message를 강화할 수 있다.

4. 이전에는 Public severe thunderstorm and tornado watch notification messages를 Severe Weather Watch Bulletins(WW)이라고 하였다. NWS는 이 명칭이나 약어를 더 이상 사용하지 않지만, 기상자료시스템으로 처리하는 경우 산출물의 표제(header)에는 계속 WW를 사용한다.

예문(Example)

Public Tornado Watch Notification Message의 예:
WWUS20 KWNS 050550
SEL2
SPC WW 051750
URGENT - IMMEDIATE BROADCAST REQUESTED TORNADO WATCH NUMBER 243
NWS STORM PREDICTION CENTER
NORMAN OK 1250 AM CDT MON MAY 5 2011
THE NWS STORM PREDICTION CENTER HAS ISSUED A
*TORNADO WATCH FOR PORTIONS OF
WESTERN AND CENTRAL ARKANSAS
SOUTHERN MISSOURI
FAR EASTERN OKLAHOMA
*EFFECTIVE THIS MONDAY MORNING

FROM 1250 AM UNTIL 600 AM CDT.
...THIS IS A PARTICULARLY DANGEROUS SITUATION...
*PRIMARY THREATS INCLUDE
NUMEROUS INTENSE TORNADOES LIKELY
NUMEROUS SIGNIFICANT DAMAGING WIND GUSTS TO 80 MPH LIKELY
NUMEROUS VERY LARGE HAIL TO 4 INCHES IN DIAMETER LIKELY
THE TORNADO WATCH AREA IS APPROXIMATELY ALONG AND 100 STATUTE MILES EAST AND WEST OF A LINE FROM 15 MILES WEST NORTHWEST OF FORT LEONARD WOOD MISSOURI TO 45 MILES SOUTHWEST OF HOT SPRINGS ARKANSAS. FOR A COMPLETE
DEPICTION OF THE WATCH SEE THE ASSOCIATED WATCH OUTLINE UPDATE (WOUS64 KWNS WOU2).
REMEMBER...A TORNADO WATCH MEANS CONDITIONS ARE FAVORABLE FOR TORNADOES AND SEVERE THUNDERSTORMS IN AND CLOSE TO THE WATCH AREA. PERSONS IN THESE AREAS SHOULD BE ON THE LOOKOUT FOR THREATENING WEATHER CONDITIONS AND LISTEN FOR LATER STATEMENTS AND POSSIBLE WARNINGS.
OTHER WATCH INFORMATION...THIS TORNADO
WATCH REPLACES TORNADO WATCH NUMBER 237.
WATCH NUMBER 237 WILL NOT BE IN EFFECT AFTER
1250 AM CDT. CONTINUE...WW 239...WW 240...WW241...WW 242...
DISCUSSION...SRN MO SQUALL LINE EXPECTED TO CONTINUE EWD...WHERE LONG/HOOKED HODOGRAPHS SUGGEST THREAT FOR EMBEDDED SUPERCELLS/POSSIBLE TORNADOES.
FARTHERS...MORE WIDELY SCATTERED SUPERCELLS WITH A THREAT FOR TORNADOES WILL PERSIST IN VERY STRONGLY DEEP SHEARED/LCL ENVIRONMENT IN AR.
AVIATION...TORNADOES AND A FEW SEVERE THUNDERSTORMS WITH HAIL SURFACE AND ALOFT TO 4 INCHES. EXTREME TURBULENCE AND SURFACE WIND GUSTS TO 70 KNOTS. A FEW CUMULONIMBI WITH MAXIMUM TOPS TO 500. MEAN STORM MOTION VECTOR 26045.

5. 상태보고(status report)는 폭풍(storm)의 진전상황을 밝히고, 더 이상 심한 폭풍활동의 우려가 없는 지역을 나타낼 필요가 있을 때 발표된다. 취소회보(cancellation bulletin)는 악기상이 발달하지 않을 것이 분명하거나, 또는 폭풍이 소멸되어 더 이상 심하지 않을 것이 분명해질 경우에 발표된다.

h. 항공로교통관제센터기상조언(Center Weather Advisories; CWA)

1. CWA는 비정기적인 비행중 교통흐름관리, 항공교통 및 운항승무원 조언이다. 짧은 예측선행시간(lead time)의 특성상 CWA는 비행계획수립을 위한 산출물은 아니다. 이것은 일반적으로 앞으로 2시간 이내에 시작되는 기상상황에 대한 현재예보이다. CWA는 다음과 같은 경우 발표된다.

(a) 현재 SIGMET, 대류성 SIGMET 또는 AIRMET을 보충하기 위하여

(b) 비행중조언은 발표되지 않았지만, 현재의 조종사보고에 의거하여 그리고 현재 기상상태에 대해 다른 출처의 정보에 의해 보강된 관측 또는 예

상기상상태가 SIGMET/AIRMET 기준과 일치할 경우

(c) 관측되었거나 발달중인 기상상태가 강도 조건 또는 지역 범위와 같은 SIGMET, 대류성 SIGMET 또는 AIRMET 기준과 일치하지는 않지만, 최근 조종사보고나 그 밖의 기상정보 출처에 따른 현재 또는 예상기상현상이 ARTCC 책임구역 내의 안전한 항공교통흐름에 악영향을 미칠 것으로 나타난 경우

2. 다음의 예는 미주리주 캔자스시티의 ARTCC에서 발표된 CWA 이다. 첫 번째 줄 ZKC 다음의 "3"은 이 CWA가 당일 발생한 세 번째 기상현상에 대해 발표되었다는 것을 나타낸다. 두 번째 줄 "301"의 3은 기상현상의 차례를 나타내는 번호를 다시 표기한 것이며, 01은 이 기상현상의 발표번호(issuance number)를 나타낸다. 이 CWA는 2140Z에 발표되었고, 2340Z까지 유효하다.

예문(Example)

ZKC3 CWA 032140
ZKC CWA 301 VALID UNTIL 032340
ISOLD SVR TSTM over KCOU MOVG SWWD 10KTS ETC.

7-1-7. 범주적 기상전망(Categorical Outlooks)

a. 사전 비행계획 목적의 일반적인 운고(ceiling) 및 시정상태를 기술하는 범주적 기상전망 용어는 공역예보에서만 사용되며, 다음과 같이 정의된다.

1. LIFR(Low IFR). 500 ft 미만의 운고 또는 1 mile 미만의 시정

2. IFR. 1,000 ft 미만의 운고 또는 3 mile 미만의 시정

3. MVFR(Marginal VFR). 1,000 ft에서 3,000 ft 까지의 운고 또는 3 mile에서 5 mile 이하까지의 시정

4. VFR. 3,000 ft를 초과하는 운고 및 5 mile을 초과하는 시정; sky clear 포함

b. LIFR, IFR 또는 MVFR의 원인은 운고나 시정장애 또는 둘 다에 의하여 나타난다. 약어 "CIG" 또는 기상과 시정장애 부호가 사용된다. 또한 기상전망 중에 25 knot 이상의 바람이나 돌풍이 예상되면 VFR을 포함하여 모든 범주(category)에 단어 "WIND"가 포함된다.

예(Example)

1. LIFR CIG - 낮은 운고(ceiling)로 인한 low IFR

2. IFR FG - 안개에 의해 제한된 시정으로 인한 IFR

3. MVFR CIG HZ FU - 연무 및 연기에 의해 제한된 운고와 시정 둘 다로 인한 최저(marginal) VFR

4. IFR CIG RA WIND - 비에 의해 제한된 운고와 시정 둘 다, 그리고 25 knot 이상으로 예상되는 바람으로 인한 IFR

7-1-8. 음성정보브리핑업무(TIBS; Telephone Information Briefing Service) (알래스카의 경우)

a. FSS에 의해 제공되는 TIBS는 알래스카에서 이용할 수 있는 녹음된 기상 및 항공정보의 전화자동안내 시스템이다. 각 지역의 특정요구에 의거하여 TIBS는 공역절차와 더불어 비행로 또는 지역브리핑을 제공하며, 이용할 수 있는 항공관계자와 관련된 특별방송을 한다. 사용자의 요구에 따라 지표면 기상관측, 터미널예보, 상층풍 및 상층기온예보와 같은 항목이 제공될 수도 있다.

b. TIBS는 FSS의 담당자가 제공하는 비행전브리핑을 대신하려는 것은 아니다. TIBS는 예비단계의 브리핑으로 권고하며, 종종 조종사가 "go" 또는 "no go" 결심을 하는 데에 유익한 도움을 준다.

c. TIBS를 활용할 것을 조종사에게 권장하고 있으며, 이것은 FSS 무료전화번호 1-800-WX-BRIEF (992-7433) 또는 어떤 지역에서는 특별히 발행된 TIBS 전화번호로 전화를 걸어 접속할 수 있다. 미국 차트 보충판 또는 알래스카나 태평양 차트 보충판의 "FSS Telephone Numbers" 부분을 참조한다.

주(Note)

TIBS를 완전히 활용하기 위해서는 전자식(touch-tone) 전화가 있어야 한다.

7-1-9. 기상녹음방송(Transcribed Weather Broadcast; TWEB) (알래스카의 경우)

알래스카에는 기상 및 항공자료를 테이프에 녹음한 장비가 설치되어, 선정된 L/MF와 VOR 시설에서 계속 방송한다. 방송은 일련의 개별 녹음테이프에 의해 이루어지며 변경이 발생할 때는 테이프에 녹음된다. 이용할 수 있는 장비의 유형에 따라 제공되는 정보는 달라진다. 일반적으로 방송에는 악기상상태의 요약, 지표면 기상관측, 조종사기상보고 그리고 밀도고도(해당하는 경우)가 포함된다. 방송시설의 판단에 따라 녹음에 기상개황, 상층풍예보, 항공로 및 터미널예보 자료 그리고 레이더보고를 포함할 수도 있다. 선정된 지역에서는 TWEB 전화접속이 제공되고 있다 (TEL-TWEB). 이러한 업무에 대한 전화번호는 알래스카 차트 보충판에서 살펴볼 수 있다. 이 방송은 주로 비행전 및 비행중계획에 이용할 수 있지만, 이것이 담당자가 제공하는 비행전브리핑을 대신할 수 있다고 생각해서는 안된다.

7-1-10. 비행중 기상방송(Inflight Weather Broadcast)

a. 기상조언방송(Weather Advisory Broadcasts)

기술된 지역의 일부가 관할공역의 150 mile 이내인 경우, ARTCC는 비상주파수를 제외한 모든 주파수로 한차례 악기상예보경보(AWW), 대류성 SIGMET, SIGMET 또는 CWA 경보방송을 한다. 이 방송에는 SIGMET 또는 CWA (식별부호) 그리고 기상활동의 간략한 설명과 영향을 받는 대략적인 지역이 포함되어 있다.

예문(Example)

1. Attention all aircraft, SIGMET Delta Three, from Myton to Tuba City to Milford, severe turbulence and severe clear icing below one zero thousand feet. Expected to continue beyond zero three zero zero zulu.

2. Attention all aircraft, convective SIGMET Two Seven Eastern. From the vicinity of Elmira to Phillipsburg. Scattered embedded thunderstorms moving east at one zero knots. A few intense level five cells, maximum tops four five zero.

3. Attention all aircraft, Kansas City Center weather advisory one zero three. Numerous reports of moderate to severe icing from eight to niner thousand feet in a three zero mile radius of St. Louis. Light or negative icing reported from four thousand to one two thousand feet remainder of Kansas City Center area.

주(Note)

1. 터미널관제시설은 AWW, 대류성 SIGMET, SIGMET 또는 CWA 방송을 제한할 수 있는 선택권을 가지고 있다. 국지관제석 및 접근관제석은 기술된 지역의 일부가 관할공역의 50 mile 이내인 경우에만 SIGMET 또는 CWA 경보방송을 할 것인지의 여부를 선택할 수 있다.

2. ARTCC, 터미널 ATC 및 FSS는 HIWAS를 이용할 수 있는 지역에서는 위의 a항에 기술된 비행중 기상조언방송을 더 이상 하지 않는다. 아래의 b1과 b2 절을 참조한다.

b. 비행중악기상조언업무(Hazardous Inflight Weather Advisory Service; HIWAS)

HIWAS는 선정된 VOR 송출국으로 FSS에 의해 제공되는 연속적인 비행중 자동 기상조언방송이며, 여기에는 AWW, SIGMET, 대류성 SIGMET, CWA, AIRMET(문자형식〔WA〕 또는 그림형식〔G-AIRMET〕 산출물) 및 긴급 PIREP과 같은 기상산출물 들이 포함된다. HIWAS는 미국대륙 전역에 걸쳐 악기상정보의 추가적인 출처로서 이용할 수 있다. HIWAS가 FSS의 비행전이나 비행중 기상브리핑을 대신하지는 않는다. 조종사는 예보된 것과는 다른 기상에 대해 의문이 있거나, HIWAS 방송이 잘못되었다고 생각하면 FSS 또는 Flight Watch

를 호출하여야 한다.

1. HIWAS를 이용할 수 있는 경우, ARTCC 및 터미널 ATC 기관은 HIWAS를 받으면 비상주파수를 제외한 모든 주파수로 한차례 HIWAS 경보방송을 한다. 방송에는 경보내용(alert announcement), 주파수 지시, 갱신된 조언의 유형 및 번호가 포함된다. 예를 들면, AWW, SIGMET, 대류성 SIGMET 또는 CWA.

예문(Example)

Attention all aircraft. Hazardous weather information (SIGMET, 대류성 SIGMET, AIRMET (문자형식[WA] 또는 그림형식[G-AIRMET] 산출물), 긴급 조종사기상보고[UUA] 또는 센터 기상조언[CWA], 번호) for (지리적 지역) available on HIWAS or Flight Service frequencies.

2. HIWAS가 갱신되었다는 것을 통보받으면, 비상주파수를 제외한 모든 주파수로 한차례 갱신된 HIWAS 내용을 방송한다. 방송에는 갱신된 조언의 유형이 포함된다. 예를 들면, AWW, SIGMET, 대류성 SIGMET, CWA 등.

예문(Example)

Attention all aircraft. Hazardous weather information for (지리적 지역) available from Flight Service.

3. HIWAS 가용여부는 미국 차트 보충판(Chart Supplement U.S.)에 VOR 목록과 함께 표기되며, IFR 저고도항공로차트 및 VFR 구역차트에 부호로 제시된다. 부호의 설명은 차트 범례에서 확인할 수 있다.

7-1-11. 비행정보업무(FIS; Flight Information Services)

a. FIS

FIS는 조종사 상황인식 증진, 의사결정도구 제공 및 안전향상을 위하여 조종실에 시현할 기상(MET) 및 항공정보(AI)를 전파하는 하나의 방법이다. FIS는 비행정보업무국(FSS), ATC 기관 또는 항공사 운항통제센터(AOCC)의 전통적인 조종사 음성통신을 보강한다. FIS가 관제사/비행정보업무국 담당자/항공기 운항관리사의 비행전브리핑 또는 비행중 음성통신을 대신하려는 것은 아니다. 그러나 FIS는 이러한 통신의 간략화 및 유용성 향상에 도움을 줄 수 있는 문자형식 및 그림형식의 배경정보를 제공할 수 있다. FIS는 조종사의 상황인식을 증진시키고 안전을 향상시킨다.

1. 데이터링크 서비스제공자(Data link Service Providers; DLSP) - DLSP는 하나 이상의 물리적 링크(physical link)로 AI/MET 정보의 송신을 지원하는 항공기탑재, 지상 및 어떤 경우에는 우주 기반시설을 설치하고 관리한다. DLSP는 일반 사용자가 AI/MET 및 그 밖의 정보를 uplink 및 downlink 할 수 있도록 무료 또는 유료업무를 제공할 수 있다. DLSP의 예는 다음과 같다.

(a) FAA FIS-B. ADS-B Universal Access Transceiver(UAT) network를 통해 제공되는 지상기반 방송업무. 이 업무는 송신 지상기지국의 통달범위 및 가시선(line-of-sight) 내에서 운항할 때 사용자에게 978 MHz 데이터링크 성능을 제공한다. FIS-B는 적절하게 갖춘 항공기의 사용자가 방송 기상 및 항공정보 산출물을 수신하여 시현할 수 있도록 한다.

(b) FAA 비승인 FIS 시스템. 몇몇 공급업자는 항공 spectrum 및 다양한 데이터링크 protocol을 사용하는 다른 주파수로 고객에게 FIS 자료를 제공한다. 이러한 공급업자로부터 이용할 수 있는 서비스는 매우 다양하며 유료단계가 포함될 수 있다. 대역폭 기술(bandwidth technology)의 진보로 비행전은 물론 비행중에도 지상에서 이용할 수 있는 동일한 MET 및 AI 정보에 접속할 수 있게 되었다. 몇몇 공급업자는 재포장(repackaging)을 할 수도 있으므로 MET 및 AI 정보를 확인하기 위하여 FAA 비승인 FIS를 사용하는 조종사와 운영자는 기상업무에 관하여 정통하여야 한다. NWS 출처의 기상, 게다가 그 밖의 공급업자는 공급업자-변경정보 및 예보 또는 공급업자-특정정보 및 예보를 산출하기 위하여 기상정보를 변경할 수 있다.

2. 세 가지 데이터링크 모드(Data Link Mode).

항공기에 AI 및 MET 정보를 송신하기 위하여 사용하는 세 가지 데이터링크 모드가 있다. AI 및 MET 정보의 사용목적에 따라 가장 적절한 데이터링크 서비스를 판단한다.

(a) 방송 모드(Broadcast Mode): 서비스범위 내의 방송을 수신할 수 있는 성능이 있는 모든 항공기에 지정된 지리적 지역에 적용할 수 있는 AI 및 MET 갱신이나 변경을 시스템 네트워크 구조로 지속적으로 송신(또는 일정 반복주기로 송신)하는 단방향 상호작용(one-way interaction) 모드

(b) 계약/요구 모드(Contract/Demand Mode): 특정요청에 응하여 항공기에 AI 및 MET 정보를 송신하는 양방향 상호작용(two-way interaction) 모드

(c) 계약/갱신 모드(Contract/Update Mode): 요구 모드가 확장된 양방향 상호작용 모드. 초기 AI 및 MET 보고는 항공기에 송신되고, 계약기준을 충족하는 AI 및 MET 정보로 갱신되거나 변경된 다음 자동이나 수동으로 항공기에 송신된다.

3. 조종사가 연방항공규칙을 준수할 수 있도록 제작사의 운영교범은 일반적인 항공기상정보 및 임무수행에 필수적인 항공기상정보, 또는 NAS 상태의 상황(NOTAM, 특수사용공역 상태 및 그 밖의 정부의 비행정보와 같은)에 대하여 ATC 관제사, FSS 담당자, 운항관리사나 항공사 운항통제센터에 문의할 것을 조종사에게 상기시키고 있다. FIS 산출물이 체계적으로 수정(예를 들면, 축약어 또는 그림형식 표기로 나타냄)된 경우, 그에 따른 산출물의 수정절차 및 제한사항을 제작사의 사용자지침서에 상세하게 기술하여야 한다.

4. FIS의 운용용도. FIS를 사용할 때는 사용할 FIS 시스템의 유형에 관계없이 다음과 같은 몇 가지 요소를 고려하여야 한다.

(a) 비행중 FIS를 사용하기 전에 조종사와 그 밖의 운항승무원은 시스템 구조, 항공기탑재시스템 구성품, 특정 시스템의 통달범위 및 그 밖의 제한사항, 운용모드 및 다양한 시스템고장의 지시를 포함하여 사용할 FIS 시스템, 사용할 항공기 탑재장비의 운용에 익숙해져야 한다. 사용자는 FIS 제공자에게서 이용할 수 있는 업무의 특정 내용과 형식에도 익숙해야 한다. 이러한 특정 안내를 제공하는 정보의 출처에는 제작사의 manual, 훈련프로그램 및 안내서가 포함된다.

(b) FIS가 항공기상 및 그 밖의 운항정보의 유일한 출처가 되어서는 안된다. ATC, FSS 및 해당하는 경우 AOCC VHF/HF 음성통신을 비행중인 항공기에 항공기상, NOTAM 그리고 그 밖의 운항정보를 전달하는 예비수단으로 남겨두어야 한다. FIS는 기존의 ATC/FSS/AOCC 업무를 증진시키며, 일부 산출물의 경우에는 그림형식의 정보로서 시현되는 이점을 제공한다. 방향결정에 FIS 정보를 사용함으로써 기존방법으로 수신한 정보의 유용성을 향상시킬 수 있다. 예를 들면, FIS는 비행중 update를 위해 FSS나 AOCC에 정확하게 초점을 맞추어 요청하거나, 또는 ATC에 유사한 질의를 하여야 할 특정 관심지역을 조종사에게 알려준다.

(c) 공역 및 항공환경은 끊임없이 변화하고 있다. 이러한 변화는 갑자기, 그리고 예고도 없이 일어난다. 위험한 운항의 결정은 이용할 수 있는 가장 최근의 적합한 자료를 사용하여 이루어져야 한다. ATC, FSS 또는 AOCC(해당하는 경우)와 음성통신으로 받은 정보와 FIS 간에 차이가 있을 경우, 조종사는 주의를 기울여 가장 신뢰할 수 있는 출처의 가장 최근의 자료를 사용하여야 한다.

(d) FIS 항공기상 산출물(예, 그림형식 지상기반 radar 강수 표기)은 기상위험지역의 경로를 지나는 것과 같은 악기상의 전술적인 회피에는 적합하지 않다 (통상 3분 미만의 시간대). FIS는 기상위험지역 전체를 회피하기 위한 비행로선정과 같은 기상의 전략적인 의사결정을 지원한다 (통상 20분 이상의 시간대). 적용할 수 있는 범위를 벗어난 정보의 남용은 조종사와 항공기를 위험에 처하게 할 수 있다. 더불어 FIS를 개인의 비행전기상과 비행계획의 브리핑 대신으로 사용해서는 안된다.

(e) DLSP는 차곡차곡 쌓여서 서로 겹칠 만큼 많은 MET 및 AI 산출물을 제공한다. 조종사는 과도하게 많은 정보는 인지할 수 있는 업무량에 좋지 않은 영향을 줄 수 있다는 것을 인식할 필요가 있다. 조종사는 조종실을 산만하지 않게 하면서 특정 비행에 가장 관련된 정보를 제공하는 수준으로 정보의

양을 관리할 필요가 있다. 조종사는 비행단계, 단좌 운항, 자동조종장치 가용여부, 공역등급 및 처한 기상상태를 포함한 여러 가지 요인 등을 고려하여 정보의 양을 조절할 필요가 있다.

(f) 일시적비행제한(TFR) 정보를 포함한 FIS NOTAM 산출물은 조언용도의 정보이며 상황인식 목적만을 위한 것이다. 이러한 정보의 조종실시현장치는 전술항법에는 적합하지 않으며, 조종사는 TFR NOTAM으로 표시된 지리적 지역을 벗어나 머물러야 한다. 조종사는 갱신된 정보를 얻고 NOTAM 정보의 조종실시현장치를 확인하기 위하여 항공로 상에서 FSS 또는 ATC와 교신하여야 한다.

(g) FIS는 상황인식을 증가시켜 조종사가 더 나은 의사결정을 할 수 있도록 지원한다. 더 나은 의사결정은 다양한 출처의 정보를 사용함으로써 이루어진다. FIS 외에 조종사는 비행정보업무국의 브리핑, 자체관측은 물론 이외의 항공교통관제기관, 항공사 운항통제센터, 조종사보고의 자료를 포함한 그 밖의 기상/NAS 상태 출처의 정보를 이용하여야 한다.

(h) FAA의 비행정보제공방송(FIS-B; Flight Information Service-Broadcast)

(1) FIS-B는 FAA의 자동종속감시방송(ADS-B) Universal Access Transceiver(UAT) network를 통해 제공되는 지상기반 방송업무이다. 이 업무는 송신 지상기지국의 통달범위 및 가시선(line-of-sight) 내에서 운항할 때 사용자에게 978 MHz 데이터링크 성능을 제공한다. FIS-B는 적절한 장비를 갖춘 항공기의 사용자가 방송 기상 및 항공정보 산출물을 수신하여 시현할 수 있도록 한다.

(2) 다음의 목록은 FIS-B를 통해 이용할 수 있는 초기 문자형식 및 그림형식의 산출물을 나타내며 무료로 제공된다. FIS-B 기상산출물에 관한 상세정보는 권고회보 AC 00-45 Aviation Weather Services 및 AC 00-63 Use of Cockpit Displays of Digital Weather and Aeronautical Information에서 살펴볼 수 있다. 특수사용공역(SUA), 일시적비행제한(TFR) 그리고 항공고시보(NOTAM) 산출물에 대한 정보는 이 manual의 3, 4 및 5장에서 살펴볼 수 있다.

〔a〕 Text: 항공정시관측보고(METAR) 및 항공특별관측보고(SPECI)

〔b〕 Text: 조종사기상보고(PIREP)

〔c〕 Text: 상층풍 및 상층기온예보(Winds and Temperatures Aloft)

〔d〕 Text: 공항예보(TAF) 및 수정예보

〔e〕 Text: 항공고시보(NOTAM) Distant 및 Flight Data Center

〔f〕 Text/Graphic: 항공종사자기상정보(AIRMET)

〔g〕 Text/Graphic: 악기상정보(SIGMET)

〔h〕 Text/Graphic: 대류성 SIGMET

〔i〕 Text/Graphic: 특수사용공역(SUA)

〔j〕 Text/Graphic: 일시적비행제한(TFR) NOTAM

〔k〕 Graphic: NEXRAD 합성 반사율 이미지 산출물 (지역 및 전국)

(3) FIS-B의 사용자는 시스템 구조, 사용 환경, 산출물 수명주기(life cycle), 운용모드 및 시스템고장의 지시를 포함한 운용특성 및 시스템의 제한사항에 익숙해져야 한다.

(4) FIS-B 산출물은 일차적으로 산출물 발행기준에 의하여 일정한 간격으로 갱신되고 전송된다. 갱신간격(update interval)은 전송 출처로부터 산출물 자료를 이용할 수 있는 간격이라고 정의할 수 있다. 전송간격(transmission interval)은 새로운 또는 갱신된 산출물의 전송이 완료되어야 하는 시간, 또는 산출물이 재방송되는 비율이나 반복주기라고 정의할 수 있다. 각 산출물에 대한 갱신 및 전송간격은 표 7-1-1에 제공된다.

(5) 해당되는 경우 FIS-B 산출물은 공항지표면, 터미널공역 및 항공로/멕시코만(GOMEX)의 세 가지 업무영역에 대하여 nautical mile(NM)로 나타낸 예측범위(look-ahead range)를 포함한다. 표 7-1-2는 각 FIS-B 산출물의 가용 업무영역 및 예측범위를 제공한다.

(6) 이러한 성능을 사용하기 전에 사용자는 적절한 사용자지침서를 참조하여 FIS-B 항공전자장비의 운용에 익숙해져야 한다. 시현되는 정보의 설명에 관한 지침서는 해당 항공전자장비 제작사로부터 구할 수 있다.

(7) 항공기시스템의 고장에 기인하지 않는 FIS-B 기능장애, 또는 운영되는 NOTAM에 포함되지 않는 FIS-B 기능장애는 무선통신이나 전화로 가장 인접한 FSS 시설에 보고하여야 한다.

표 7-1-1. UAT를 통한 FIS-B 산출물 갱신 및 전송간격(FIS-B Over UAT Product Update and Transmission Intervals)

산출물(Product)	UAT를 통한 FIS-B 서비스 갱신간격(Update Interval)[1]	FIS-B 서비스 전송간격(Service Transmission Interval)[2]
AIRMET	이용할 수 있는 경우	5분
대류성 SIGMET	이용할 수 있는 경우	5분
METAR/SPECI	1분/이용할 수 있는 경우	5분
NEXRAD 합성 반사율 (미국본토)	15분	15분
NEXRAD 합성 반사율 (지역)	5분	2.5분
NOTAM-D/FDC/TFR	이용할 수 있는 경우	10분
PIREP	이용할 수 있는 경우	10분
SIGMET	이용할 수 있는 경우	5분
SUA 상태	이용할 수 있는 경우	10분
TAF/AMEND	8시간/이용할 수 있는 경우	10분
상승기온(Temperature Aloft) 예보	12시간	10분
상층풍(Winds Aloft) 예보	12시간	10분

[1] 갱신간격(Update interval)은 출처로부터 산출물 자료를 이용할 수 있는 간격이다.

[2] 전송간격(Transmission interval)은 새로운 또는 갱신된 산출물의 전송이 완료되어야 하는 시간, 또는 산출물이 재방송되는 비율이나 반복주기이다.

표 7-1-2. 저/중/고고도 단계 무선통신에 대한 산출물 변수(Product Parameters for Low/Medium/High Altitude Tier Radios)

산출물(Product)	지표면 무선통신 (Surface Radios)	저고도 단계	중고도 단계	고고도 단계
CONUS NEXRAD	N/A	CONUS NEXRAD 해당 없음	CONUS NEXRAD 이미지	CONUS NEXRAD 이미지
상층풍 및 상층기온 예보	예측범위 500 NM	예측범위 500 NM	예측범위 750 NM	예측범위 1,000 NM
METAR	예측범위 100 NM	예측범위 250 NM	예측범위 375 NM	미국본토: 미국본토 B, C등급 공항 METAR 및 예측범위 500 NM 미국본토 외부: 예측범위 500 NM
TAF	예측범위 100 NM	예측범위 250 NM	예측범위 375 NM	미국본토: 미국본토 B, C등급 공항 METAR 및 예측범위 500 NM 미국본토 외부: 예측범위 500 NM
AIRMET, SIGMET, PIREP 및 SUA/SAA	예측범위 100 NM. PIREP/SUA/SAA는 해당 없음	예측범위 250 NM	예측범위 375 NM	예측범위 500 NM
지역 NEXRAD	예측범위 150 NM	예측범위 150 NM	예측범위 200 NM	예측범위 250 NM
NOTAM D, FDC 및 TFR	예측범위 100 NM	예측범위 100 NM	예측범위 100 NM	예측범위 100 NM

b. FAA 비승인 FIS 시스템

또한 몇몇 공급업자는 항공 spectrum 및 다양한 데이터링크 protocol을 사용하는 다른 주파수로 고객에게 FIS 자료를 제공한다. 어떤 경우 공급업자는 다수의 항공사 및 그 밖의 운영자가 사용하는 공중/지상 데이터통신시스템(ACARS)과 같은 고객의 메시지(message)를 전달하는 통신시스템만을 제공한다.

1. 비행중 기상 및 그 밖의 운항정보에 FAA 비승인 FIS 자료를 사용하는 운영자는 사용할 산출물이 FAA/NWS 기준에 적합한지를 확인하여야 한다. 특히 항공기상 및 NAS 상태정보는 다음 기준을 충족하여야 한다.

(a) 산출물은 FAA/NWS가 승인한 항공기상 보고나 산출물이거나, 또는 FAA/NWS 승인 항공기상 보고나 산출물을 기반으로 한 산출물이어야 한다. 이러한 기준에 충족되지 않는 산출물을 사용하려면 이를 확인하여야 한다. 운영자는 특정 운항에 이러한 산출물을 적용할 수 있는지의 여부를 판단하여야 한다.

(b) 기본적으로 FAA/NWS가 승인한 기상산출물의 양식, 기능 또는 내용을 변경한 절차를 적용한 경우, 그 절차 및 그에 따른 산출물의 적용에 대한 제한사항을 제작사의 사용자지침서에 기술하여야 한다.

2. 한 가지 예로는 범위조정 해상도(scaling resolution)를 변경하여 수정된 NEXRAD 레이더 합성/모자이크 지도를 들 수 있다. 영상 결과물에 반사율을 배정하는 방법은 사용자가 시현된 자료를 정확하게 해석할 수 있도록 제작사의 사용자지침서에 기술하여야 한다.

7-1-12. 기상관측프로그램(Weather Observing Program)

a. 수동관측(Manual Observation)

일부를 제외하고 이러한 보고는 수동으로 관측하고 계산을 수행하며, 이러한 관측자료를 WMSCR 통신시스템에 입력하는 FAA 근무자에 의해 공항지역에서 이루어진다. 이러한 관측의 형식 및 부호는 7-1-30항, 공항예보(TAF) 및 항공정시관측보고(METAR) 해설에 수록되어 있다.

b. 자동기상관측시스템(Automated Weather Observing System; AWOS)

1. 자동기상보고시스템을 설치하는 공항이 점점 더 늘어나고 있다. 이러한 시스템은 다양한 감지기(sensor), 처리장치(processor), 컴퓨터 합성음성 subsystem, 그리고 시시각각 국지 기상자료를 조종사에게 직접 방송하는 송신기(transmitter)로 구성된다.

주(Note)

기압계의 압력이 31.00 inches Hg를 초과한 경우에는 고도계 수정 절차의 7-2-2항 절차를 참조한다.

2. AWOS 관측에는 자료가 자동시스템에 의해 획득되었다는 것을 나타내기 위하여 접두어 "Auto"가 포함된다. 보고된 시정이 7 mile 미만일 경우, 어떤 AWOS 지역에서는 기상과 장애물정보를 제공하는 인가된 관측자가 보고 비고란의 시정정보를 보강한다. 이러한 site는 보강시간과 함께 미국 차트 보충판에 수록된다. 보강(augmentation)은 기상관측에서 "observer weather"로 식별된다. AWOS 풍속, 풍향과 돌풍, 기온, 이슬점 그리고 고도계수정치는 수동관측과 완전히 동일하다. 또한 AWOS는 밀도고도가 공항표고를 1,000 ft 이상 초과할 때는 밀도고도를 보고한다. 보고되는 시정은 주계기활주로의 접지구역 근처에 있는 감지기에서 얻어진다. 시정감지기 산출결과(output)는 10분 동안의 조화평균(harmonic average)을 이용한 시정값으로 전환된다. 보고되는 하늘상태/운고는 시정감지기 옆에 위치한 운고계(ceilometer)에 의해 얻어진다. AWOS 알고리즘은 구름층과 높이를 구하기 위해 마지막 30분 동안의 운고계 자료를 종합한다. AWOS는 전적으로 감지기 site 상부의 구름 이동에 좌우된다는 점에서 이 산출결과는 관측자가 관측한 하늘상태와 다를 수도 있다.

3. 이 실시간(real-time) 시스템은 운용상 기본적으로 다음과 같은 9개의 수준(level)으로 분류된다.

(a) AWOS-A는 고도계수정치(altimeter setting)

만을 보고한다.

주(Note)

그 밖의 정보는 단지 조언일 뿐이다.

(b) AWOS-AV는 고도 및 시정을 보고한다.

주(Note)

그 밖의 정보는 단지 조언일 뿐이다.

(c) AWOS-1은 보통 고도계수정치, 바람자료, 기온, 이슬점 및 밀도고도를 제공한다.

(d) AWOS-2는 AWOS-1에서 제공하는 정보에 추가하여 시정자료를 제공한다.

(e) AWOS-3는 AWOS-2에서 제공하는 정보에 추가하여 구름/운고(ceiling) 자료를 제공한다.

(f) AWOS-3P는 AWOS-3 시스템과 동일한 보고에 추가하여 강수식별감지기(precipitation identification sensor)를 제공한다.

(g) AWOS-3PT는 AWOS-3P 시스템과 동일한 보고에 추가하여 뇌우/번개 보고기능을 제공한다.

(h) AWOS-3T는 AWOS-3 시스템과 동일한 보고에 추가하여 뇌우/번개 보고기능을 제공한다.

(i) AWOS-4는 AWOS-3 시스템과 동일한 보고에 추가하여 강수 발생, 형태 및 강수량, 어는 비(freezing rain), 뇌우 그리고 활주로표면감지기(runway surface sensor)를 제공한다.

4. 정보는 불연속(discrete) VHF 무선주파수나 국지 NAVAID의 음성부분으로 송신된다. 불연속 VHF 무선주파수에 의한 AWOS 송신은 AWOS site로부터 최대 25 NM, 그리고 최대고도 10,000 ft AGL까지 수신할 수 있도록 설계된다. 공항지표면의 대부분 지역에서 AWOS 신호를 수신할 수 있지만 국지상황에 따라 최대 AWOS 수신거리와 고도는 제한될 수 있다. 이 시스템은 갱신된 기상전문을 매분 20~30초 동안 송신한다. 조종사는 자동기상방송으로 지정된 주파수를 청취하여야 한다. 방송의 내용은 c절에 수록되어 있다. 양방향 통신기능은 없다. 또한 대부분의 AWOS site는 전화접속기능을 가지고 있으므로 전화로 시시각각 기상전문을 수신할 수 있다.

5. 특정지역에 관한 AWOS 정보(시스템 level, 주파수, 전화번호 등)는 시스템이 운영되면 미국 차트 보충판에 수록되며, 해당하는 경우 발간된 계기접근절차에 게재된다. 선정된 각 시스템들은 추후에 전국 data 수집 및 전파 network로 통합될 것이다.

c. AWOS 방송(AWOS Broadcast)

컴퓨터 합성음성이 기상관측을 시시각각 자동으로 방송하기 위해 AWOS에 사용된다. 더불어 일부 시스템은 자동변수(automated parameter) 다음에 기상논평과 같은 운영자의 합성음성 전문을 추가할 수 있도록 구성되어 있다. 일반적으로 사용하는 용어는 다른 기상방송에서 사용하는 용어를 따른다. 다음은 예외사항에 대한 설명과 예문이다.

1. 위치 및 시간(location and time). 위치/명칭 및 용어 "automated weather observation" 다음에 시간이 방송된다.

(a) 공항의 특정 위치가 공항의 명칭에 포함되어 있으면, 공항의 명칭이 방송된다.

예문(Example)

"Bremerton National Airport automated weather observation, one four five six zulu;"
"Ravenswood Jackson County Airport automated weather observation, one four five six zulu."

(b) 공항의 특정 위치가 공항의 명칭에 포함되어 있지 않으면, 위치 다음에 공항의 명칭이 방송된다.

예문(Example)

"Sault Ste. Marie, Chippewa County International Airport automated weather observation;" "Sandusky, Cowley Field automated weather observation."

(c) 시스템이 운용상태에 있지 않는 경우, "observation" 다음에 단어 "test"가 추가된다.

예문(Example)

"Bremerton National Airport automated weather observation test, one four five six zulu."

(d) 시스템이 작동되지 않는 경우, 용어

″temporarily inoperative″가 추가된다.

예문(Example)

″Bremerton National Airport automated weather observing system temporarily inoperative.″

2. 시정(visibility)

(a) AWOS로 보고할 수 있는 가장 낮은 시정값은 ″1/4 mile 미만″ 이다. 이것은 ″visibility less than one quarter″로 방송된다.

(b) 몇몇 AWOS에는 시정을 측정하기 위한 감지기가 포함되어 있지 않다. 이러한 시스템에서는 시정이 발표되지 않는다. 시스템이 시정감지기를 갖추고 있으나 시정정보를 이용할 수 없는 경우에만 ″visibility missing″이 방송된다.

3. 기상(weather). 추후 일부 AWOS는 강수의 발생을 측정할 수 있도록 구성될 것이다. 그러나 형태 및 강도를 항상 측정할 수 있는 것은 아니다. 이러한 시스템에서 형태 및 강도가 측정되지 않았지만 강수가 발생하면, 단어 ″precipitation″이 방송된다.

4. 운고(ceiling) 및 운량(sky cover)

(a) 운고는 ″ceiling″ 또는 ″indefinite ceiling″으로 방송된다. 불명확한 운고(indefinite ceiling)를 제외하고 모든 운고(ceiling height)는 자동으로 측정된다.

예문(Example)

″Bremerton National Airport automated weather observation, one four five six zulu. Ceiling two thousand overcast;″

″Bremerton National Airport automated weather observation, one four five six zulu. Indefinite ceiling two hundred, sky obscured.″

(b) 단어 ″Clear″는 감지기의 감지고도 범위의 제한으로 인해 AWOS에는 사용되지 않는다. 탐지된 구름이 없을 경우 ″No clouds below XXX″, 또는 새로운 시스템에서는 ″Clear below XXX″로 방송된다 (XXX는 감지기의 한계범위 지점이다).

예문(Example)

″No clouds below one two thousand.″ ″Clear below one two thousand.″

(c) 몇몇 AWOS에는 운고와 운량을 측정하기 위한 감지기가 포함되어 있지 않다. 이러한 시스템에서는 운고와 운량이 발표되지 않는다. 시스템이 운고계를 갖추고 있으나 운고와 운량 정보를 이용할 수 없는 경우에만 ″sky condition missing″이 방송된다.

5. 비고(remarks). 비고가 관측에 포함된다면 단어 ″remarks″가 고도계수정치 다음에 방송된다.

(a) 자동 ″비고(remarks)″

(1) 밀도고도(density altitude)

(2) 변동시정(variable visibility)

(3) 변동풍향(variable wind direction)

(b) 수동입력 비고(manual input remarks). 수동입력 비고는 용어 ″observer weather″로 시작된다. 일반적으로 수동 비고는 다음으로 제한된다.

(1) 강수의 형태 및 강도(type and intensity of precipitation)

(2) 뇌우 및 방향(thunderstorms and direction)

(3) 시정이 3 mile 미만일 경우 시정장애

예문(Example)

″Remarks ... density altitude, two thousand five hundred ... visibility variable between one and two ... wind direction variable between two four zero and three one zero ...observed weather ... thunderstorm moderate rain showers and fog ... thunderstorm overhead.″

(c) 자동변수가 ″누락(missing)″되어 있고 그 변수의 수동입력이 불가능하면, 그 변수는 ″missing″으로 방송된다. 예를 들어 이슬점(dew point)이 ″누락(missing)″되고 수동입력이 불가능한 보고는 다음과 같이 방송된다.

예문(Example)

″Ceiling one thousand overcast ... visibility three ... precipitation ... temperature three zero, dew point missing ... wind calm ... altimeter three zero zero one.″

(d) "비고(Remarks)"는 다음의 우선순위에 따라 방송된다.

(1) 자동 "비고(remarks)"

〔a〕 밀도고도(density altitude)

〔b〕 변동시정(variable visibility)

〔c〕 변동풍향(variable wind direction)

(2) 수동입력 "비고(remarks)"

〔a〕 하늘상태(sky condition)

〔b〕 시정(visibility)

〔c〕 기상 및 시정장애

〔d〕 기온(temperature)

〔e〕 이슬점(dew point)

〔f〕 바람(wind)

〔g〕 고도계수정치(altimeter setting)

예문(Example)

"Remarks … density altitude, two thousand five hundred … visibility variable between one and two … wind direction variable between two four zero and three one zero … observer ceiling estimated two thousand broken … observer temperature two, dew point minus five."

d. 자동지표관측시스템(ASOS: Automated Surface Observing System)/자동기상감지시스템(AWSS: Automated Weather Sensor System)

ASOS/AWSS는 미국의 주요 지표기상관측시스템이다 (ASOS/AWSS 관측 해독방법 (METAR), 그림 7-1-7과 그림 7-1-8 참조). 미국 전역에 걸쳐 이 시스템을 설치하고 운용하기 위한 프로그램이 NWS, FAA 및 국방부의 공동노력에 의해 이루어지고 있다. AWSS는 ASOS와 동일한 자료를 제공하는 후속 프로그램이다. ASOS/AWSS는 항공운항과 기상예보활동을 지원하기 위한 것이다. ASOS/AWSS는 지속적으로 시시각각 관측을 제공하고, 항공정시관측보고(METAR) 및 그 밖의 항공기상정보를 생성하기 위하여 필요한 기본적인 관측기능을 수행한다. 정보는 불연속 VHF 무선주파수나 국지 NAVAID의 음성부분으로 송신된다. 불연속 VHF 무선주파수에 의한 ASOS/AWSS 송신은 ASOS/AWSS site로부터 최대 25 NM, 그리고 최대고도 10,000 ft AGL까지 수신할 수 있도록 설계된다. 공항지표면의 대부분 지역에서 ASOS/AWSS 신호를 수신할 수 있지만 국지상황에 따라 최대수신거리와 고도는 제한될 수 있다. 자동시스템 및 관측자는 자료수집과 해석의 방식이 서로 다를 수 있지만, 둘 다 형식과 내용 면에서는 아주 유사한 관측결과를 가져온다. 기압, 기온, 이슬점온도, 바람과 강수량과 같은 "객관적" 요소 관측의 경우 자동시스템과 관측자는 일정한 위치와 시간평균법(time-averaging technique)을 사용한다. 이러한 요소들의 관측자와 자동관측 간의 양적 차이는 무시해도 좋을 정도로 적다. "주관적" 요소 관측의 경우 자동시스템은 일정한 위치와 시간평균법을 사용하는 반면, 관측자는 시각적요소(하늘상태, 시정 및 현재 기상)를 기술하기 위하여 일정한 시간과 공간평균법(spatial averaging technique)을 사용한다. 이러한 근본적인 차이에도 수동과 자동기법은 각각의 능력 범위 내에서 매우 유사한 결과를 가져온다.

1. 시스템 설명

(a) 각 공항에 설치되어 있는 ASOS/AWSS는 4개의 주요부분으로 구성된다.

(1) 각각의 기상감지기(Individual weather sensors)

(2) 자료수집 및 처리장치(Data collection and processing units)

(3) 주변장치 및 시현장치(Peripherals and displays)

(b) AOSS/AWSS 감지기는 기본적인 자료획득기능을 수행한다. 감지기는 주변환경을 지속적으로 조사하고 측정하며, 미가공 감지기 자료(raw sensor data)를 획득하여 수집 및 처리장치에서 이용할 수 있도록 한다.

2. 모든 ASOS/AWSS는 다음과 같은 기본적인 감지기 set를 포함하고 있다.

(a) 구름 높이 지시기(cloud height indicator) (1개 또는 경우에 따라 3개)

(b) 시정감지기 (1개 또는 경우에 따라 3개)

(c) 강수식별감지기(precipitation identification

sensor)

(d) 어는 비 감지기 (선정된 site)

(e) 기압감지기 (소형공항에는 2개의 감지기, 대형공항에는 3개의 감지기)

(f) 기온/이슬점온도 감지기

(g) 풍속계(풍향 및 풍속 감지기)

(h) 강우량감지기(rainfall accumulation sensor)

(i) 자동번개 탐지 및 보고시스템(ALDARS) (알래스카 및 태평양의 섬 관측소 포함)

3. ASOS/AWSS data 송출(outlet) 수단에는 다음이 포함된다.

(a) 공항 현장 이용자(on-site airport users)들이 필요한 송출 수단

(b) 국가통신망(National communications networks)

(c) 컴퓨터 합성음성 (조종사에게 FAA 무선방송 및 직통전화선을 통해 가능)

주(Note)

FAA 무선 상의 풍향 방송은 자북(magnetic north)을 기준으로 한다.

4. 사람이 관여하지 않는 ASOS/AWOS/AWSS 보고에는 자동으로 보고될 수 있는 기상자료만이 포함된다. 이 METAR 보고의 수식어는 "AUTO" 이다. 관측자가 ASOS/AWOS/AWSS site를 보강하거나 보완한 경우, "AUTO" 수식어는 없어진다.

5. 자동기상관측소에는 강수식별기(precipitation discriminator)를 갖추지 않은 자동기상보고소인 AO1과 강수식별기를 갖춘 자동기상보고소 AO2 두 가지 유형이 있다. "AO1"과 "AO2"을 비고란에 적절히 나타내어야 한다. (강수식별기는 액체 강수와 언/어는 강수 간의 차이를 판별할 수 있다)

주(Note)

ASOS/AWSS 보고의 해독(decode)에 대해서는 그림 7-1-9 및 그림 7-1-10을 참조한다.

참조(Reference)

METAR 용어의 전체적인 설명은 AIM, 7-1-30항, 공항예보(TAF) 및 항공정시관측보고(METAR) 해설에 수록되어 있다.

그림 7-1-7. ASOS/AWSS 관측 해독방법 (METAR) (전면)

METAR KABC 121755Z AUTO 21016G24KT 180V240 1SM R11/P6000FT -RA BR BKN015 OVC025 06/04 A2990

RMK AO2 PK WND 20032/25 WSHFT 1715 VIS 3/4V1 1/2 VIS 3/4 RWY11 RAB07 CIG 013V017 CIG 017 RWY11 PRESFR SLP125 P0003 6009 T00640036 10066 21012 58033 TSNO$

보고의 종류 (Type of Report)	METAR: 정기(정시) 보고; SPECI: 특별(비정시) 보고	METAR
관측소식별자 (Station Identifier)	4자리의 알파벳 문자; ICAO 지역식별자(location identifiers)	KABC
날짜/시간 (Date/Time)	날짜 및 24 시각제를 사용한 UTC 단위의 시간; 2자리 숫자의 날짜 및 4자리 숫자의 시간; UTC라는 것을 나타내기 위하여 Z를 덧붙임	121755Z
보고 수식어 (Report Modifier)	사람이 관여하지 않은 완전자동보고; 관측자가 관여한 경우 제거됨	AUTO
풍향과 풍속(Wind Direction and Speed)	진북으로부터 10° 단위의 방향(처음 3자리 숫자); 다음 2자리 숫자: 정수의 knot 단위 속도; 필요에 따라 Gusts(특성) 다음에 관측된 최대속도; knot를 나타내기 위하여 항상 KT를 덧붙임; 무풍(Calm)인 경우 00000KT; 풍향이 60° 이상 변화하면 변동(Variable) 풍향 group을 보고	21016G24KT 108V240
시정(Visibility)	Statue mile 단위의 우시정(Prevailing visibility) 및 분수(정수 mile 및 분수 간의 공백); Statute mile을 나타내기 위하여 항상 SM을 덧붙임	1SM
활주로가시거리 (Runway Visual Range)	100 ft 단위의 10분 RVR 값; 우시정≤1 mile 또는 RVR≤6000 ft인 경우 보고; feet를 나타내기 위하여 항상 FT를 덧붙임; 보고할 수 있는 RVR 값보다 낮거나 높다는 것을 나타내기 위하여 앞에 M 또는 P를 덧붙인 값	R11/P6000FT

기상현상(Weather Phenomena)	RA: 얼지 않는 액체 강수; SN: 우박 이외의 언 강수; UP: 불분명한 유형의 강수; 강수 앞에 강도(intensity)를 덧붙임: 약함 (−), 보통(부호 없음), 강함(+); FG: 안개(fog); FZFG: 어는 안개(온도 0℃ 미만); BR: 박무(mist); HZ: 연무(haze); SQ: 스콜(squall); 최대 3개의 group으로 보고; 관측자에 의해 보강됨: FC (깔때기 구름/토네이도/용오름); TS (뇌우); GR (우박); GS (작은 우박; 〈1/4 in); FZRA (강도; 어는 비); VA (화산재).	-RA BR
하늘상태(Sky Condition)	운량 및 운고: CLR(12,000 ft 미만에 탐지된 구름 없음); FEW(few); SCT(scattered); BKN(broken); OVC(overcast); 다음의 100 ft 단위 3자리 숫자의 높이, 또는 수직시정(VV) 다음의 불명확한 운고(ceiling)	BKN015 OVC025
기온/이슬점(Temperature/ Dew Point)	각각은 2자리 숫자를 이용하여 섭씨 단위의 정수로 보고한다; 각각의 값은 사선(/)으로 구분한다; 영하의 값은 M(minus)을 덧붙인다.	06/04
고도계(Altimeter)	고도계는 inches of mercury 임을 나타내는 A를 항상 덧붙임; 4자리 숫자를 사용하여 보고: 10자리 수, 1자리 수, 10분의 1자리 수, 그리고 100분의 1자리 수	A2990

그림 7-1-8. ASOS/AWSS (METAR) 관측 해독방법 (후면)

보고 식별자(Remarks Identifier): RMK	RMK
토네이도의 활동(Tornadic Activity): 보강됨(Augmented); 보고에는 토네이도(tornado), 깔때기구름(funnel cloud) 또는 용오름(waterspout), 시작/종료시간, 위치, 이동을 포함할 수 있다. 예, TORNADO B25 N MOV E.	
자동기상관측소의 유형: AO2; 강수식별기(precipitation discriminator)가 있는 자동관측소	AO2
최대풍속(Peak Wind): PK WND dddff(f)/(hh)mm; 10° 단위의 방향, 정수의 knot 단위 속도, 그리고 시간	PK WND 20032/25
돌풍(Wind Shift): WSHFT (hh)mm	WSHFT 1715
관제탑 또는 지상시정(Tower or Surface Visibility): TWR VIS vvvvv: 관제탑근무자에 의해 보고된 시정, 예, TWR VIS 2; SFC VIS vvvvv: ASOS에 의해 보고된 시정, 예, SFC VIS 2.	
변동 우시정(Variable Prevailing Visibility): VIS vnvnvnvnvnVvxvxvxvxvx; 우시정이 〈3 mile이고 변동이 있으면 보고	VIS 3/4 RWY11
보조관측소의 시정(Visibility at Second Location): VIS vvvvv 〔LOC〕; 보고 본문의 보고된 우시정(prevailing visibility)과 다른 경우 보고	
강수 및 뇌우의 시작과 종료(Beginning and Ending): w'w'B(hh)mmE(hh)mm; TSB(hh) mmE(hh)mm	RAB07
VERGA: 보강됨(Augmented); 지면에 도달하지 않는 강수, 예, 증발비(VIRGA)	
변동 운고(Variable Ceiling Height): CIG hnhnhnVhxhxhx; 보고 본문의 운고(ceiling)가 〈3000 ft이고 변동이 있으면 보고	CIG 013V017
보조관측소의 운고(Ceiling Height at Second Location): CIG hh 〔LOC〕; 보조관측소 운고계와 보고 본문의 운고가 다른 경우 운고(ceiling height) 보고	CIG 017 RWY11
급격한 기압 상승 또는 하강(Pressure Rising or Falling Rapidly): PRESRR 또는 PRESFR; 관측시간에서의 급격한 기압 상승 또는 하강	PRESFR
해면기압(Sea-Level Pressure): SLPppp; hPa 단위로 SLP의 10자리 수, 1자리 수, 그리고 10분의 1자리 수	SLP125
매시간 강수량: Prrrr; 최종 METAR 이후 0.01 in 단위; 관측할 수 없을 정도의 양은 P0000.	P0003
3시간 및 6시간 강수량: 6RRRR; 00, 06, 12 및 18 UTC 관측시에 보고된 6시간 동안 그리고 03, 09, 16 및 21 UTC 관측시에 보고된 3시간 동안 0.01 in 단위의 강수량; 관측할 수 없을 정도의 양은 60000.	60009
24시간 강수량: 7R24R24R24R24; 12 UTC 관측시의 0.01 in 단위의 강수량, 예, 70015	
매시간 기온과 이슬점(Temperature and Dew Point): TsnTaTaTasnTaTa; 0.1℃ 단위; sn: 기온이 0℃ 미만이면 1, 그리고 0℃ 이상이면 0	T00640036
6시간 최고기온(Maximum Temperature): 1snTxTxTx; 0.1℃ 단위; 00, 06, 12, 18 UTC; sn: 기온이 0℃ 미만이면 1, 그리고 0℃ 이상이면 0	10066

6시간 최저기온(Minimum Temperature): 2snTxTxTx; 0.1℃ 단위; 00, 06, 12, 18 UTC; sn: 기온이 0℃ 미만이면 1, 그리고 0℃ 이상이면 0	21012
24시간 최고 및 최저기온: 4snTxTxTxsnTnTnTn; 0.1℃ 단위; 지방표준시 자정에 보고; 기온이 0℃ 미만이면 1, 그리고 0℃ 이상이면 0, 예, 400461006.	
기압 경향(Pressure Tendency): 5appp; 글자 (a) 및 3시간 동안의 기압 변화 (ppp; 0.01 hPa 단위).	58033
감지기 상태 지시자(Sensor Status Indicators): RVRNO: RVR 누락(missing); PWINO: 강수 이용할 수 없음; PNO: 강수량 이용할 수 없음; FZRANO: 어는 비 정보 이용할 수 없음; TSNO: 뇌우 정보 이용할 수 없음; VISNO [LOC]: 보조관측소의 시정은 이용할 수 없음, 예, VISNO RWY06; CHINO [LOC]: (구름 높이 지시기) 보조관측소의 하늘상태는 이용할 수 없음, 예, CHINO RWY06.	TSNO
정비 점검 지시자(Maintenance Check Indicator): 시스템의 정비 필요	$
기상요소 및 기상현상이 발생하지 않거나, 누락(missing)되거나 또는 관측할 수 없으면, 해면기압(SLPppp)을 제외하고 특정 보고(본문 및/또는 비고)에서 해당 group 및 공백은 생략된다. SLP를 이용할 수 없으면 METAR에서 SLPNO로 보고하여야 한다.	

미국 교통부 · Aviation Weather Directorate, 400 7TH Street, SW, Rooms 8200-8326, Washington, D.C 20591

e. 표 7-1-3은 기상관측프로그램과 보고되는 요소를 비교한 것이다.

f. 서비스 표준(Service Standard)

1995년 중에 정부/항공업계 team은 국가공항에서의 지표관측에 대한 요건을 전면적으로 재검토 하였다. 이러한 노력의 결과 일련의 서비스 표준이 합의되었고, 이 표준을 FAA와 ASOS site에 적용하기로 하였다. 기상관측에서 용어 "서비스 표준(Service Standard)"은 정밀도(level of detail)와 관련된다. 서비스 표준은 아래에 기술된 것과 같이 4가지의 서로 다른 서비스 수준(A, B, C 및 D)으로 이루어진다. 각 서비스 수준(service level)에 포함되는 특정 관측요소는 표 7-1-4에 수록되어 있다.

표 7-1-3. 기상관측프로그램(Weather Observing Programs)

보고요소 (Element Reported) / 유형(Type)	바람	시정	이슬점	고도계수정치	밀고도	구름/운고	강수식별	뇌우/번개	강수발생	강수량	활주로표면상태	어는비발생	비고
AWSS	X	X	X	X	X	X	X			X		X	X
ASOS	X	X	X	X	X	X	X			X		X	X
AWOS-A				X									
AWOS-A/V		X		X									
AWOS-1	X		X	X	X								
AWOS-2	X	X	X	X	X								
AWOS-3	X	X	X	X	X	X							
AWOS-3P	X	X	X	X	X	X	X						
AWOS-3T	X	X	X	X	X	X		X					
AWOS-3P/T	X	X	X	X	X	X	X	X					
AWOS-4	X	X	X	X	X	X	X	X	X	X	X	X	
MANUAL	X	X	X	X		X	X						X
참조 - FAA Order 7900.5B Surface Weather Observing, for element reporting.													

1. 서비스 수준(Service Level) D는 허용되는 최소 서비스 수준을 나타낸다. 이는 모든 관측이 ASOS/AWSS 관측으로 이루어지는, 즉 관측자가 보충기상정보를 추가하지 않는 완전자동서비스이다. 이러한 서비스를 독립(stand alone) D site라고 한다.

2. 서비스 수준(Service Level) C는 관측자, 보통 항공교통관제사가 자동관측에 정보를 보강하거나 또는 추가하는 서비스이다. 또한 서비스 수준 C에는 ASOS/AWSS 고장 또는 비정상적인 ASOS/AWSS 보고의 경우 ASOS/AWSS 요소의 보완(backup)이 포함된다. 보완 시 관측자는 자동 ASOS/AWSS 요소에 정확한 값이나 누락된 값을 입력한다. 이 서비스는 제한된 항공기상관측소(LAWRS) 절차에 의한 항공교통관제사, FSS 및 NWS 관측자 그리고 선정된 site에서 연방 비승인(Non-Federal) 관측프로그램 관측자에 의해 제공된다.
두 category의 공항에서 항공교통관제의 효율성을 증진시키고 시스템 수용용량을 증대시키기 위해서는 서비스 수준 C 이상의 정밀도를 필요로 한다. 이러한 공항에서의 서비스는 통상적으로 계약 기상관측자, NWS 관측자 그리고 일부 지역에서는 FSS 관측자에 의해 제공된다.

3. 서비스 수준(Service Level) B는 기상관측이 서비스 수준 C에서 제공되는 모든 요소에 추가하여 ASOS/AWSS 성능 이상의 추가적인 보강자료로 이루어지는 서비스이다. 이러한 category의 공항에는 작은 hub 공항, 또는 뇌우나 어는/언 강수로 인하여 평균적인 악기상운항보다 악화된 기상상태의 공항이거나 외딴 공항이라는 점에서 특별한 공항이 포함된다.

4. 서비스 수준(Service Level) A는 명시된 추가적인 요건에 추가하여 서비스 수준 B에서 보고되는 모든 자료를 포함하며, 가장 높은 수준의 가장 많은 것을 요구하는 category이다. 서비스 수준 A에는 주요 hub 공항 또는 보통이나 악기상의 교통량이 많은 공항이 포함된다.

표 7-1-4

서비스 수준(Service Level) A	
서비스 수준 A는 서비스 수준 B, C 및 D의 모든 요소에 더하여, 관측할 수 있다면 우측에 나열된 요소로 구성된다.	전례가 있는 site에서 10분 동안의 RVR 또는 1/8, 1/16 간격과 0의 추가 시정 구역시정(sector visibility) 변동 하늘상태(variable sky condition) 12,000 ft 초과 구름층 및 구름 유형 넓게 퍼진 먼지, 모래 및 그 밖의 차폐현상 화산폭발
서비스 수준(Service Level) B	
서비스 수준 B는 서비스 수준 C 및 D의 모든 요소에 더하여, 관측할 수 있다면 우측에 나열된 요소로 구성된다.	전례가 있는 site에서 일정 시간 동안의 RVR(짧은 동안의 판독값 일 수 있음) 어는 이슬비(freezing drizzle)/어는 비(freezing rain) 얼음 싸라기(ice pellets) 눈깊이(snow depth)와 눈의 급격한 증가의 비고(remark) 뇌우 및 번개 위치 remark 관측소가 아닌 곳에서 관측된 중요한 기상의 비고(remark)
서비스 수준(Service Level) C	
서비스 수준 C는 서비스 수준 D의 모든 요소에 더하여, 관측자나 가까운 위치의 항공교통관제 담당자에 의한 보강 및 보완으로 구성된다. 보완(backup)은 시스템이 고장났거나 비정상적인 경우, 정확한 값을 입력하는 것으로 이루어진다. 보강(augmentation)은 관측할 수 있다면 우측에 나열된 요소를 추가하는 것으로 이루어진다. 관측시설의 업무가 종료된 시간 동안 site는 서비스 수준 D로 전환된다.	뇌우(thunderstorms) 토네이도(tornadoes) 우박(hail) 증발비(virga) 화산재(volcanic ash) 관제탑 시정(tower visibility) 관측자가 적절하다고 판단한 운용상 중요한 비고

서비스 수준(Service Level) D	
이 수준의 서비스는 활주로 가까운 지점에서 지속적으로 대기를 측정하는 ASOS나 AWSS로 구성된다. ASOS나 AWSS는 우측에 나열된 기상변수들을 감지하고 측정한다.	바람(wind) 시정(visibility) 강수/시정장애(precipitation/Obstruction to vision) 구름 높이(cloud height) 운량(sky cover) 기온(temperature) 이슬점(dew point) 고도계(altimeter)

7-1-13. 기상 레이더업무(Weather Radar Service)

a. 국립기상청은 강수의 범위, 강도 및 이동을 탐지하기 위하여 레이더망을 운영한다. 레이더망은 서부지역의 FAA와 DOD 레이더 site에 의해 보강된다. 국지경보 레이더 site는 경보 및 예보 프로그램을 지원하기 위하여 필요에 따라 운영되어 레이더망을 보강한다.

b. 정기 레이더 관측은 매시간 이루어지며, 비행계획 목적으로 기상 통신회선을 통해 문자와 숫자 형식으로 전송된다. 특정상황에서는 정시전송에 추가하여 특별 레이더보고가 추가로 발표된다. 또한 보고에 포함된 자료는 국립환경예보센터에 의해 수집되며, 팩시밀리 회선으로 전파하기 위한 전국 레이더요약차트(radar summary chart)를 준비하기 위해 사용된다.

그림 7-1-9. NEXRAD 포착범위(NEXRAD Coverage)

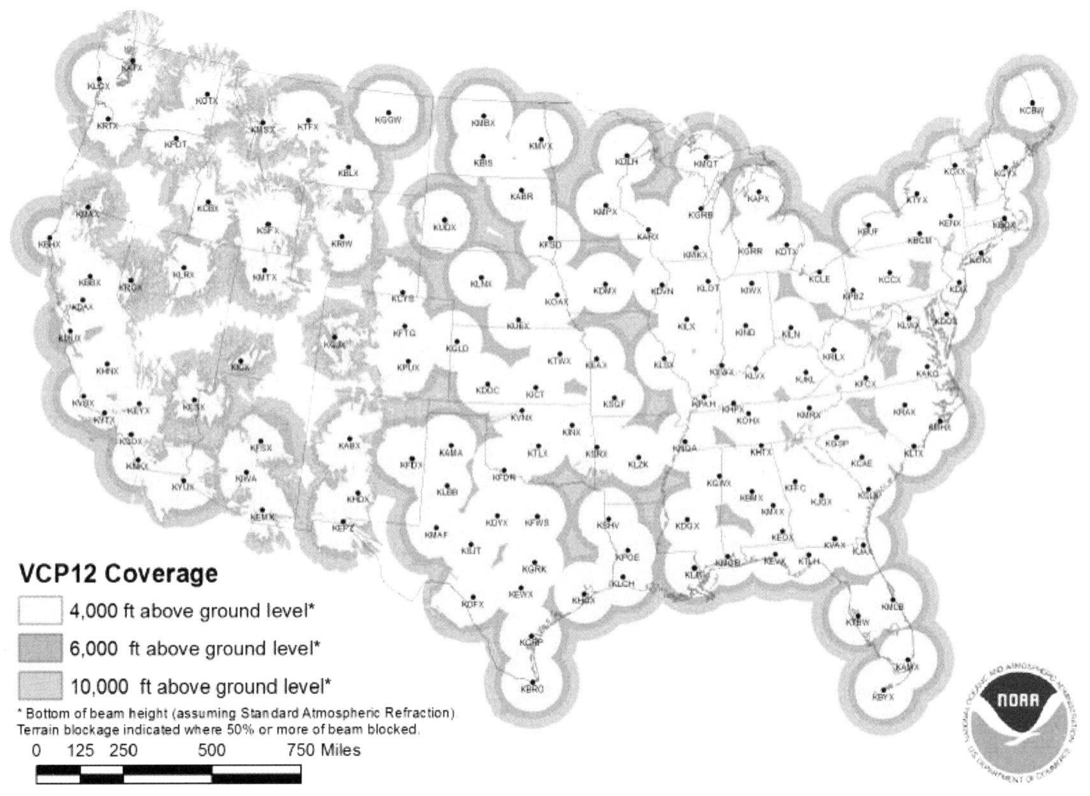

그림 7-1-11. NEXRAD 포착범위(NEXRAD Coverage)

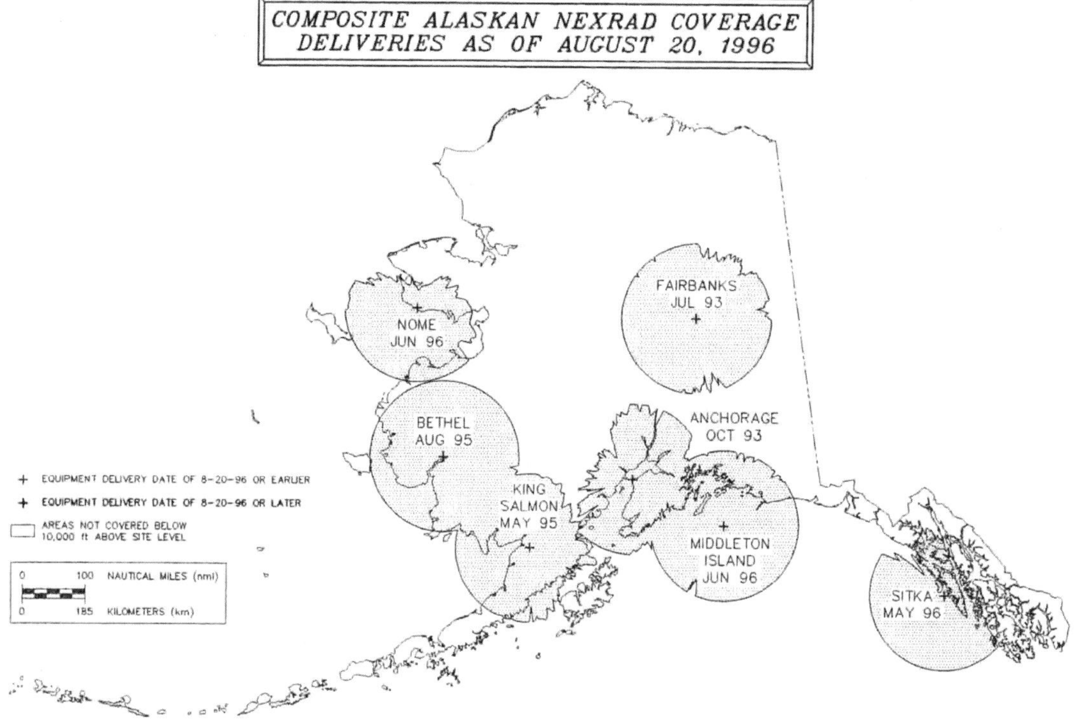

그림 7-1-11. NEXRAD 포착범위(NEXRAD Coverage)

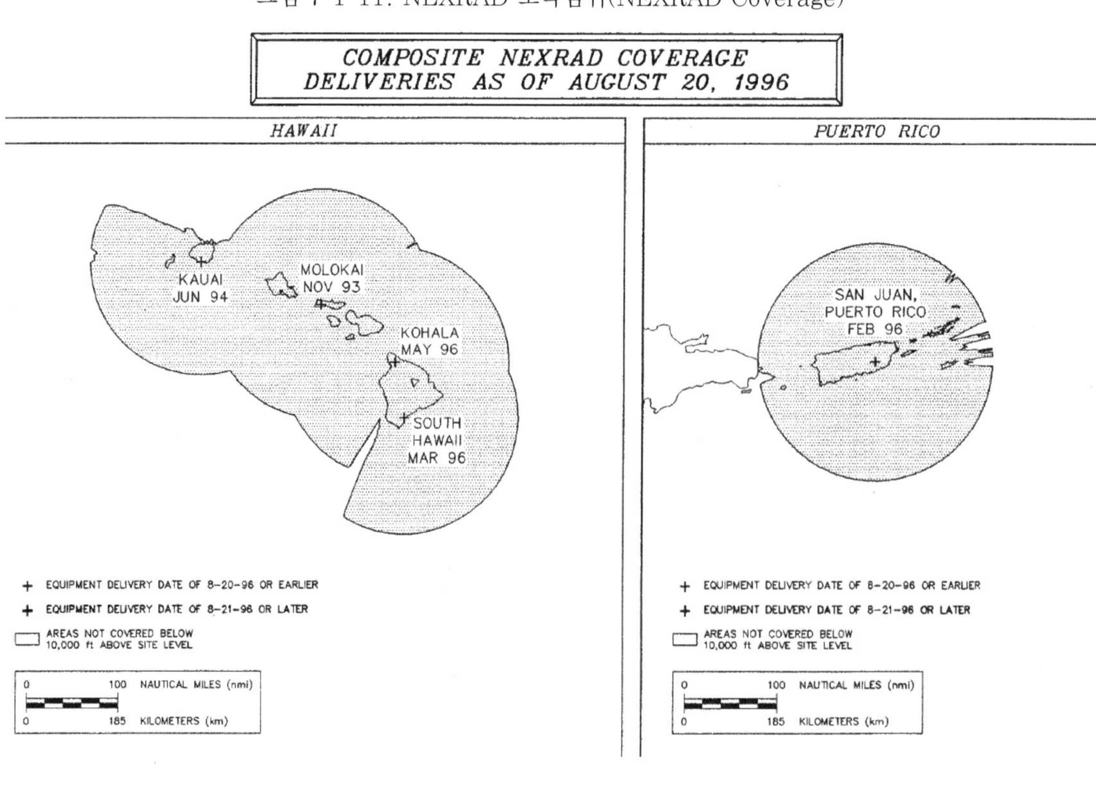

c. 레이더시현장치에 아무것도 시현되지 않는다는 것(반사파 없음)이 레이더 site의 포착범위 내에 악기상이 없다는 것을 의미하는 것은 아니다. 구름과 안개는 레이더로 탐지되지 않는다. 그러나 반사파(echo)가 있는 경우 강한 강수는 난기류를 암시하며, 0℃ 이하 온도에서 강수의 존재는 착빙을 암시하는 것일 수 있다. 다른 기상산출물과 함께 사용함으로써 레이더는 기상회피와 비행계획에 귀중한 정보를 제공한다.

d. 모든 항공로비행조언업무시설 및 FSS는 각 기상레이더 site의 레이더정보에 직접 접속할 수 있는 장비를 갖추고 있다. 이들 지역의 담당자는 조종사 브리핑과 비행중조언업무를 제공하기 위하여 시현장치를 해설할 수 있는 교육을 받는다. ARTCC에 위치한 센터기상업무부서도 기상레이더시현장치에 접속할 수 있으며 관할지역 내의 모든 항공교통시설에 지원을 제공한다.

e. 기상레이더 산출물 및 업무에 대한 추가정보는 AC 00-45, Aviation Weather Services에서 살펴볼 수 있다.

7-1-14. ATC 비행중 기상회피 조언(ATC Inflight Weather Avoidance Assistance)

a. ATC 레이더 기상시현장치(ATC Radar Weather Display)

1. ATC 레이더는 빗방울, 우박 또는 눈과 같은 형태의 물체나 수증기에 부딪히면 레이더 안테나에 반사되는 고주파 에너지의 빔(beam)을 발사하여 강수지역을 나타낼 수 있다. 더 큰 물체나 더 높은 밀도의 반사표면은 보다 강한 반사파를 만든다. 레이더기상처리장치는 데시벨(decibel〔dBZ〕)의 용어로 반사파의 강도를 나타낸다. ATC 시스템은 구름의 존재여부를 탐지할 수 없다. 보통 ATC 시스템은 강수지역의 강도를 측정할 수는 있지만 그 지역의 구체적인 특성(눈, 비, 우박, 증발비 등)을 측정하지는 못한다. 이러한 이유로 ATC는 ATC 레이더스코프에 시현되는 모든 기상지역을 "강수지역"이라고 한다.

2. 강수 강도를 측정할 수 있는 성능이 있는 레이더기상처리장치를 사용하는 모든 ATC 기관은 조종사에게 다음과 같이 강도를 나타낸다.

(a) "약함(Light)" (〈26 dBZ)

(b) "보통(Moderate)" (26~40 dBZ)

(c) "강함(Heavy)" (〉40~50 dBZ)

(d) "매우 강함(Extreme)" (〉50 dBZ)

주(Note)

항공로 ATC 레이더의 레이더기상처리장치(Weather and Radar Processor; WARP)는 약한 강수의 강도를 시현하지 않는다.

3. 장비의 제한으로 인해 강수의 강도수준을 나타낼 수 없는 ATC 기관은 지리적위치 또는 항공기에 대한 상대적 위치로 강수지역의 위치를 기술한다. 강도수준을 이용할 수 없을 경우 관제사는 "intensity unknown"이라고 언급한다.

4. ARTCC 시설은 보통 다수의 NEXRAD site에서 획득한 자료의 영상을 나타내기 위하여 레이더기상처리장치(WARP)를 사용한다. 실제 상황과 이것이 관제사에게 보여 지는 것 간에는 시간지연(time delay)이 있다. 예를 들어 ARTCC 관제사시현장치의 강수자료는 6분 이전의 자료일 수 있다. WARP를 이용할 수 없을 때, 이차시스템인 협대역항로감시레이더(narrowband ARSR)는 조종사에게 "보통(Moderate)"(30~40 dBZ) 및 "강함에서 매우 강함까지(Heavy to Extreme)"(〉40 dBZ)로 기술되는 두 가지의 서로 다른 강수 강도의 수준을 나타낼 수 있다. WARP 처리장치는 ARTCC 시설에만 사용된다.

5. ATC 레이더는 난기류(turbulence)를 탐지할 수 없다. 일반적으로 난기류는 강수율 또는 강수강도의 증가로 발생을 예상할 수 있다. 적은 강수/강수율과 관련된 난기류보다 더 큰 강수/강수율과 관련된 난기류가 보통 더 심하다. 난기류는 하늘이 맑더라도 대류활동(convective activity) 근처에서 발생할 수 있다. 뇌우는 심한 난기류 또는 극심한 난기류를 수반하는 대류활동의 한 형태이다. 뇌우의 20 mile 이내에서의 운항은 강수의 강도가 나타내는 것보다 난기류의 강도가 현저하게 더 클 수 있으므로 대단히 조심하여 접근하여야 한다.

b. 기상회피 조언(Weather Avoidance Assistance)

1. 가능한 범위 내에서 관제사는 기상지역 또는 chaff 지역에 대한 적절한 정보를 발부하고, 필요하면 이와 같은 지역을 회피하도록 조종사에게 조언한다. 조종사는 조언에 인지응답하거나, 또는 조언에 인지응답하고 취해야 할 대처방안을 다음과 같이 요청하여 기상조언에 응답하여야 한다.

(a) 이탈 기수방향(heading) 또는 이탈 각도, 방향 및 대략적인 거리를 언급하여 진로이탈을 요구한다. 이러한 경우 이탈요구가 허가되었을 때, 항행은 조종사의 재량이지만 ATC로부터 배정받은 고도를 유지하고 발부받은 횡적 제한범위 내에 머물러야 한다.

(b) 횡적이탈에 대한 인가는 조종사에게 허가에 명시된 범위 내에서 좌측 또는 우측으로 기동하도록 허가한다.

주(Note)

1. 때로는 ATC가 횡적이탈의 정도를 제한하는 것이 필요하다 ("twenty degrees right", "up to fifteen degrees left", "up to ten degrees left or right of course").

2. ATC 악기상회피 허가 시 용어 "when able, proceed direct"는 진로/비행로로 복귀할 때 악기상에서 벗어나 머무를 수 있는 조종사의 능력과 관련된다.

(c) 영향을 받는 지역을 회피하기 위하여 새로운 비행로를 요구한다.

(d) 고도변경을 요구한다.

(e) 영향을 받는 지역을 우회하는 레이더유도(radar vector)를 요구한다.

2. 안전상 명백한 이유가 없다면 IFR 조종사는 적절한 ATC의 허가없이 진로, 고도 또는 비행고도를 이탈해서는 안된다. 즉시 이탈을 결정할 필요가 있는 심각한 기상상황에 처하여 ATC의 허가를 받을 만한 시간적 여유가 없을 경우, 조종사는 비상상황 시의 권한을 행사할 수 있다.

3. 조종사가 비행로이탈이나 ATC 레이더유도의 허가를 요구한 경우, 관제사는 요구에 응답하기 전에 영향을 받은 지역의 항공교통상황을 검토하고 다른 관제사와 협의(ATC 관할 경계가 겹친다면)하여야 한다.

4. 관제사의 주요업무는 항공기 간의 안전한 분리를 제공하는 것이라는 점을 잊어서는 안된다. 기상회피 조언과 같은 부가적인 업무는 주요업무를 저해하지 않는 범위에서만 제공될 수 있다. 또한 기상이 평상시의 교통흐름을 방해할 경우, 분리업무 부담이 일반적으로 평소보다 더 가중된다는 사실에 주목하여야 한다. ATC 레이더 제한과 주파수혼잡 또한 관제사의 추가적인 업무 제공능력을 제한하는 요인이 된다.

5. 따라서 가능한 한 사전에 이탈이나 레이더유도 요구를 ATC에 통보하는 것이 매우 중요하다. 통보가 늦어지면 ATC 허가가 지연되거나 허가를 받지 못할 수도 있으며, 허가에 추가의 제한사항이 따를 수도 있다. 기상활동 주위로 우회하기 위한 허가를 요구할 때에는 가능한 범위 내에서 다음의 정보를 제공하여야 한다.

(a) 우회를 시작할 예정지점(proposed point)

(b) 우회 예정비행로 및 우회의 범위(방향 및 거리).

(c) 원래의 비행로로 복귀할 지점

(d) 비행상태 (IFR 또는 VFR)

(e) 비행을 진행함에 따라 필요할 수 있는 추가위배사항(deviation)

(f) 항공기탑재 레이더 기능을 갖춘 항공기는 이를 통보한다.

6. ATC가 제공할 수 있는 조언의 상당부분은 관제사가 이용할 수 있는 기상정보에 좌우된다. 대단히 일시적인 악기상상황의 특성으로 인하여, 레이더로 관측된 기상에만 의존한다면 관제사의 기상정보는 매우 제한된 정보일 수 밖에 없다. 조종사가 제공하는 악기상의 영향을 받는 지역, 고도, 강도 그리고 특징과 같은 특정정보에 의해 빈번하게 갱신되는 기상정보는 상당히 중요한 정보가 될 수 있다. 이러한 보고는 무선통신이나 전화에 의해 다른 조종사와 관제사에 중계되며, 또한 광역 teletypewriter 중계로도 수신할 수 있다.

7. 악기상을 우회하기 위한 IFR 허가나 ATC 레

이더유도를 받는 것은 터미널에서 떨어진 항공로구역이 덜 혼잡하고 따라서 훨씬 자유롭게 조치를 취할 수 있으므로, 종종 보다 더 쉽게 이루어질 수 있다. 터미널지역에서는 교통량, ATC 협조요건, 복잡한 출발 및 도착비행로, 인접공항 등의 이유로 문제가 더 심각하다. 결과적으로 관제사가 기상 우회에 대한 모든 요구를 들어주거나, 조종사에게 이러한 비행로를 제의할 수 있는 입장에 있을 가능성은 줄어든다. 그럼에도 불구하고 조종사는 관측된 악기상을 관제사에게 통보하는 것을 주저해서는 안되며, 관측된 기상의 우회를 원하면 명확하게 관제사에게 통보하여야 한다.

c. 대양관제공역에서의 악기상회피 및 우발절차(Procedures for Weather Deviations and Other Contingencies in Oceanic Controlled Airspace)

1. 조종사는 ATC와 최초교신 시 주파수 및 ATC 응답의 우선권을 요구한다는 것을 나타내기 위하여 "weather deviation required"라고 언급함으로써 신속한 조치를 기대할 수 있다.

2. 조종사는 "weather deviation required"라고 언급한 이후에도, 허가 또는 조언을 발부받기 위해 ATC의 우선취급을 받아야 하는 특별한 상태라는 것을 청취하고 있는 모든 사람에게 경고하기 위하여 긴급호출 'PANPAN"을 3회 사용하여 교신을 시도할 수 있다.

3. ATC는 다음과 같은 조치를 취한다.

(a) 이탈을 허가한다.

(b) 수직분리를 제공한 다음 이탈을 허가한다. 또는,

(c) ATC가 수직분리를 할 수 없다면 ATC는 조종사에게 표준분리를 적용할 수 없다는 것을 통보하여야 하며, 가능한 범위 내에서 영향을 미치는 모든 항공기에게 필수적인 교통정보를 제공하고 가능하면 대처방안을 제시한다. ATC는 조종사에게 우발고도(contingency altitude) (FL 290 초과 고도에서 운항한다면 배정된 고도의 1,000 ft 상부 또는 하부, FL 290 이하에서 운항한다면 배정된 고도의 500 ft 상부 또는 하부)로의 상승이나 강하를 제안할 수 있다.

관제용어(Phraseology)

Standard separation not available, deviate at pilot's discretion; Suggest climb (또는 descent) to (적절한 고도); Traffic (위치 및 고도); Report deviation complete.

4. 조종사는 7-1-14c5 항에 상세하게 설명된 절차를 수행하고, 항적(track)으로부터 약 10 NM 이탈한 때부터 ATC가 조언한 고도를 유지하여야 한다.

5. 교신을 할 수 없거나, 또는 ATC 수정허가나 조언을 받을 수 없으며 항적(track)으로부터 이탈이 필요한 경우 조종사는 다음과 같은 조치를 취하여야 한다.

(a) 가능하면 계획된 항적(track)이나 비행로 시스템으로부터 벗어나 이탈한다.

(b) 주파수 121.5 MHz로 비행 식별부호(운용자 호출부호), 비행고도, 항적부호 또는 ATS 비행로명칭 그리고 예상되는 이탈범위를 적절한 간격으로 언급하고, 사용 중인 주파수로 항공기 위치 및 의도를 방송한다.

(c) 육안 및 TCAS(탑재하고 있다면)를 참조하여 충돌위험이 있는 항공기를 감시한다.

(d) 항공기 외부등을 켠다.

(e) 이탈이 10 NM 미만인 경우 배정된 고도에 머물러야 한다. 그렇지 않고 항공기가 항적(track)으로부터 약 10 NM 이탈한 경우, 다음 기준에 의하여 고도 변경을 하여야 한다.

표. 7-1-5

비행로 중심선/항적 (Route Centerline/Track)	이탈 〉10 NM	고도 변경 (Altitude Change)
동쪽 (000°~179° 자항적)	좌측 우측	300 ft 강하 300 ft 상승
서쪽 (180°~359° 자항적	좌측 우측	300 ft 상승 300 ft 강하
조종사 기억 문구(Memory Slogan): "East right up, West right down."		

(f) 원래 항적(track)으로 복귀할 경우, 항공기가 중심선의 약 10 NM 이내일 때부터 배정된 비

행고도를 유지하여야 한다.

(g) 이탈하기 전에 ATC와 교신이 이루어지지 않았다면, 허가를 받기 위하여 계속해서 교신을 시도하여야 한다. 교신이 이루어지면 의도를 통보하고 필수적인 교통정보를 얻기 위하여 계속하여 교신을 유지하여야 한다.

7-1-15. 활주로가시거리(Runway Visual Range; RVR)

일반적으로 NAS에는 통상 Tasker RVR과 New Generation RVR로 구분되는 두 가지 유형의 RVR이 있다. Tasker RVR은 투과율계(transmissometer) 기술을 이용하는 기존의 유형이다. New Generation RVR은 1994년 11월에 배치되었으며 전방산란(forward scatter) 기술을 이용한다. 최근에 기존의 Tasker를 대체하여 New Generation RVR이 NAS에 배치되고 있다.

a. RVR 값은 활주로를 따라 14 ft 높이의 구조물에 설치되는 투과율계로 측정한다. 완전한 RVR 시스템은 다음과 같이 구성된다.

1. 투과율계투광기와 관련 기기(projector and related item)
2. 투과율계수신기(탐지기)와 관련 기기
3. 아날로그녹음기(analogue recorder)
4. 신호데이터변환기와 관련 기기(signal data converter and related item)
5. 원격디지털 또는 원격시현프로그래머(remote digital or remote display programmer)

b. 투과율계투광기와 수신기는 서로 250 ft 떨어진 지점에 설치된다. 투광기(projector)는 일정한 강도의 빛을 송신하고 이것은 수신기에 의해 측정된다. 비, 눈, 먼지, 안개, 연무 또는 연기와 같은 차폐물질은 수신기에 도달하는 빛의 강도를 감소시킨다. 이와 같이 측정된 강도는 신호데이터변환기에 의해 RVR 값으로 전환된다. 이 값은 관련된 항공교통시설의 판독장치에 시현되고, 관제사가 조종사에게 발부할 수 있도록 1분에 한번 정도 갱신된다.

c. 신호데이터변환기는 사용 중인 고광도활주로등의 설정(3, 4 또는 5단계), 투과율계로부터 투과율, 그리고 주간이나 야간상황의 감지에 대한 정보를 수신한다. 세 가지의 데이터 출처로부터의 정보로 시스템은 해당하는 RVR 값을 산출한다.

d. 250 ft 기준선에 설치된 RVR 투과율계는 최소 600 ft 까지의 디지털 측정값을 제공하며, 3,000 ft 까지는 200 ft 간격으로 3,000 ft부터 6,000 ft의 최대치까지는 500 ft 간격으로 시현된다.

e. Category Ⅲa 운항에 대한 RVR 값은 700 ft RVR 까지지만 600 ft와 800 ft 만이 보고될 수 있는 RVR 간격이다. 따라서 800 RVR 값이 Category Ⅲa 운항에서 유효한 최소값이 되며, 701 ft부터 900 ft 까지의 범위에서는 보고될 수 있는 800 RVR 값을 적용한다.

f. 접근범주와 해당 최저 RVR 값 (표 7-1-6 참조)

표 7-1-6. 접근범주/최저 RVR 표(Approach Category/Minimum RVR Table)

범주(Category)	시정(RVR)
비정밀	2,400 ft
Category Ⅰ	1,800 ft*
Category Ⅱ	1,000 ft
Category Ⅲa	700 ft
Category Ⅲb	150 ft
Category Ⅲc	0 ft

* 특별한 장비를 갖추고 인가를 받은 경우 1,400 ft

g. 우시정(prevailing visibility)이 1 mile 미만이거나 RVR이 6,000 ft 이하인 경우, 지정된 RVR 활주로에서 10분간의 최대 및 최저 RVR 값이 항공기상보고의 본문에 보고된다. ATCT는 우시정이 1 mile 이하이거나 RVR이 6,000 ft 이하인 경우에는 RVR을 보고한다.

h. RVR을 운영에 사용하기 위한 상세한 요건은 FAA AC 97-1 "활주로가시거리(RVR)"에 수록되어 있다. 조종사는 해당 CFR 또는 운영기준에서 운영등급별로 기술된 최저치를 준수할 책임이 있다.

i. RVR 값은 14 ft 높이의 부러지기 쉬운 섬유유리 구조물에 설치되는 전방산란측정기에 의해서도 측정된다. 완전한 RVR 시스템은 다음과 같이 구성된다.

1. 송신기, 수신기 및 관련 기기를 갖춘 전방산란측정기(forward scatter meter)
2. 활주로등 광도감시기(runway light intensity monitor; RLIM)
3. 주변광감지기(ambient light sensor; ALS)
4. 데이터처리장치(data processor unit; DPU)
5. 관제사시현장치(controller display; CD)

j. 전방산란측정기(forward scatter meter)는 14 ft 높이의 부러지기 쉬운 구조물에 설치된다. 산란광(infrared light)이 송신기에서 송신되고 수신기에 의해 수신된다. 비, 눈, 먼지, 안개, 연무 또는 연기와 같은 차폐물질은 수신기에 도달하는 산란광의 양을 감소시킨다. 이러한 측정치는 활주로등 광도감시기 및 주변광감지기의 입력데이터와 함께 해당하는 RVR 값으로 산정하는 DPU로 보내어진다. RVR 값은 자체적으로 또는 원격으로 관제사시현장치에 시현된다.

k. 활주로등 광도감시기는 활주로등 및 중심선등 둘 다의 단계설정(1단계에서 5단계까지)을 감시한다. 중심선등 단계설정은 CAT Ⅲb 운항에 사용된다, 활주로등 단계설정은 CAT I, Ⅱ 및 Ⅲa 운항에 사용된다.

l. New Generation RVR은 Category Ⅲb 운항의 가장 낮은 한계(150 ft RVR)에 이르는 RVR 값을 측정하고 시현할 수 있다. RVR 값은 100 ft 간격으로 시현되고, 다음과 같이 보고된다.

1. 800 ft 미만 RVR의 경우, 100 ft 간격
2. 800 ft와 3,000 ft 사이 RVR의 경우, 200 ft 간격
3. 3,000 ft와 6,500 ft 사이 RVR의 경우, 500 ft 간격
4. 150 m 미만 RVR의 경우, 25 m 간격
5. 150 m와 800 m 사이 RVR의 경우, 50 m 간격
6. 800 m와 1,200 m 사이 RVR의 경우, 100 m 간격
7. 1,200 m와 2,000 m 사이 RVR의 경우, 200 m 간격

7-1-16. 구름 높이의 보고(Reporting of Cloud Height)

a. CFR의 정의에 의한 항공기상보고 및 예보에 사용될 때의 운고(ceiling)란 지표면(또는 수면)으로부터 "broken", "overcast" 또는 "차폐(obscuration)"로 보고되는 가장 낮은 구름층이나 차폐현상까지의 높이를 말한다. 예를 들어 "BKN030"으로 표시된 공항예보(TAF)는 지표면으로부터의 높이를 나타낸다. "BKN030"으로 표시된 공역예보는 평균해면(mean sea level)으로부터의 높이를 나타낸다.

b. 조종사는 고도계로 높이를 측정하므로 보통 MSL로부터의 높이를 통보한다. 조종사로부터 받은 정보를 전파하거나 적용할 때는 이를 고려하여야 한다 ("운고"는 항상 지표면으로부터의 높이이다). PIREP으로 전파되는 보고의 경우 높이의 기준은 조종사로부터 받을 때와 동일하게 주어지며, 즉 MSL로부터의 높이이다.

c. 공역예보 또는 비행중조언에서 운고는 "LWRG TO CIG OVC005"와 같이 운량(sky cover) 부호와 함께 사용할 경우에는 약어 "CIG"로 표시하거나, 예보하는 구름 높이 다음에 약어 "AGL"을 표시한다. 운저고도(cloud base)가 MSL로부터의 높이로 주어지는 경우, 높이 다음에 약어 "MSL" 또는 "ASL"로 이를 나타낸다. 운정(cloud top)의 높이, 결빙고도, 착빙 및 난기류는 항상 ASL 또는 MSL로부터의 높이로 주어진다.

7-1-17. 우시정의 보고(Reporting Prevailing Visibility)

a. METAR 보고에서 지상시정(수평시정)은 statute mile의 용어 및 1/16, 1/8, 3/16, 1/4, 5/16, 3/8, 1/2, 5/8, 3/4, 7/8, 1, 1 1/8 등의 단위로 보고된다 (사람이 관여하지 않는 자동관측소에서 보고되는 시정은 ASOS/AWSS: 0, 1/16, 1/8, 1/4, 1/2, 3/4, 1, 1 1/4, 1 1/2, 1 3/4, 2, 2 1/2, 3, 4, 5 등, AWOS: M1/4, 1/4, 1/2, 3/4, 1, 1 1/4, 1 1/2, 1 3/4, 2, 2 1/2, 3, 4, 5 등과 같이 수동보고와는 다르게 보고된다). 시정(visibility)은 일상의 관측

지점에서부터 일정한 거리에 있는 사전 선정된 현저한 물체를 육안으로 보고 식별할 수 있는 능력으로 결정된다. 시정이 7 mile 미만으로 측정된다는 것은 대기가 차폐된 상태, 즉 안개, 연무, 연기 등 또는 이들의 조합을 나타낸다.

b. 우시정(prevailing visibility)이란 최소한 수평원(horizon circle)의 절반 이상에서 가장 다수를 차지하는 동등 이상의 시정을 말하며, 인접해 있을 필요는 없다. 현저하게 다른 시정을 나타내는 수평원부분은 기상보고의 비고란에 다음과 같이 보고될 수 있다. 즉, 수평원의 남동쪽 사분면(quadrant)은 박무(mist) 상태의 시정 2 mile로 측정되었으며, 반면에 나머지 사분면은 박무 상태의 시정 3 mile로 측정되었다.

c. 일상의 관측지점 또는 관제탑 높이에서의 우시정이 4 mile 미만일 경우, 관제탑근무자는 일상의 관측지점에서의 관측에 추가하여 시정을 관측한다. 이러한 두 가지 중에 더 낮은 시정치가 항공기운항에서 우시정으로 사용된다.

7-1-18. 비와 얼음 싸라기의 강도 산정(Estimating Intensity of Rain and Ice Pellet)

a. 비(Rain)

1. 약함(Light). 지속시간과 상관없이 노출된 표면을 완전히 적시지 못하는 흩어지는 물방울에서부터 각각의 물방울을 육안으로 쉽게 볼 수 있는 상태까지의 비

2. 보통(Moderate). 각각의 물방울을 명확히 식별할 수는 없으며, 포장도로 및 그 밖의 단단한 표면 위에서만 물보라를 볼 수 있다.

3. 강함(Heavy). 비가 억수같이 내리고, 각각의 물방울을 식별할 수 없다. 수 inch 높이의 강한 물보라를 단단한 표면 위에서 볼 수 있다.

b. 얼음 싸라기(Ice Pellet)

1. 약함(Light). 지속시간과 상관없이 노출된 표면을 완전히 덮지 못하는 흩어지는 싸라기. 시정은 영향을 받지 않는다.

2. 보통(Moderate). 지면에 천천히 쌓인다. 시정을 7 SM 미만으로 감소시키는 얼음 싸라기

3. 강함(Heavy). 지면에 빠르게 쌓인다. 시정을 3 SM 미만으로 감소시키는 얼음 싸라기

7-1-19. 눈 또는 이슬비의 강도 산정(시정에 의거한)(Estimating Intensity of Snow or Drizzle (Based on Visibility))

a. 약함(Light). 1/2 SM 초과 시정

b. 보통(Moderate). 1/4SM 초과 1/2 SM 이하 시정

c. 강함(Heavy). 1/4 SM 이하 시정

7-1-20. 조종사기상보고(Pilot Weather Reports; PIREP)

a. FAA 항공교통시설은 다음과 같은 상황이 보고되거나 예보될 때 PIREP을 요구하여야 한다: 5,000 ft 이하의 운고, 5 mile 이하의 시정(지표면 또는 상층), 뇌우 및 관련 현상, 약한(light) 정도 이상의 착빙, 보통(moderate) 정도 이상의 난기류, 윈드시어 및 보고되거나 예보된 화산재구름.

b. 이러한 상황 및 그 밖의 운저고도(cloud base), 운정고도(cloud top)와 구름층의 높이와 같은 대기자료; 비행시정; 강수; 연무, 연기와 먼지와 같은 시정장애; 해당 고도의 바람 그리고 상층기온의 보고에 자발적으로 신속히 협조하여 줄 것을 조종사에게 권고하고 있다.

c. PIREP은 교신이 이루어진 FSS, ARTCC 또는 터미널 ATC와 같은 지상시설에 하여야 한다. 항공로비행조언업무(EFAS)에서 비행중담당(Inflight position)의 주요 직무 중의 하나는 항공로의 항공기와 PIREP의 교환을 위한 수집소(collect point)로서의 역할을 하는 것이다.

d. 무선통신으로 PIREP을 할 수 없다면, 조종사는 착륙 즉시 비행중에 조우했던 비행중상황을 가장 인접한 FSS 또는 기상대에 보고함으로써 도움을 줄 수 있다. 보고가 이용되는 일부는 다음과 같다.

1. ATCT는 비행장 주변의 항공교통흐름을 촉진하고, 위험한 기상의 회피절차를 위해 보고를 사용

한다.

2. FSS는 다른 조종사에게 브리핑을 하고, 항공로의 항공기에게 비행중조언 및 기상회피정보를 제공하기 위하여 보고를 사용한다.

3. ARTCC는 항공로의 교통흐름을 촉진하고, 가장 적절한 고도를 결정하며 관할지역 내에 위험한 기상정보를 발부하기 위하여 보고를 사용한다.

4. NWS는 항공기상예보와 기상조언에 포함되어 있는 기상상태를 확인하고 수정하기 위하여 보고를 사용한다. 어떤 경우에는 위험한 기상상태의 조종사보고가 조언을 발부하도록 하는 계기가 되기도 한다. 또한 조종사 기상브리핑에 보고를 사용한다.

5. NWS, 그 밖의 정부기관, 군 그리고 민간기업체는 기상현상의 연구에서 연구활동에 PIREP을 사용한다.

6. 모든 항공교통시설과 NWS는 모든 조종사와 그 밖의 관계자 들이 정보를 이용할 수 있도록 조종사로부터 받은 보고를 기상전파시스템으로 전송한다.

e. 기상보고시스템에 PIREP을 입력하는 FAA, NWS 및 그 밖의 기관들은 표 7-1-7에 제시된 양식을 사용한다. 항목 1부터 6까지를 항목 7부터 13까지 가운데 하나 이상과 함께 송신하는 모든 PIREP에 포함시킨다. PIREP은 가능하면 완벽하고 간결해야 하지만, 엄격한 양식이나 용어에 지나치게 구애받을 필요는 없다. 중요한 것은 정보가 중계되어 다른 조종사가 당신의 관측으로부터 도움을 받을 수 있다는 것이다. 보고된 부분의 설명이 필요하면 지상기지국은 정보를 요구할 것이다. 다음 예문처럼 완성된 PIREP은 기상통신망에 전송된다.

표 7-1-7. PIREP 요소 Code 차트(PIREP Element Code Chart)

	PIREP 요소	PIREP Cdoe	내용(Contents)
1	3자리 문자의 관측소 식별자 (3-letter station identifier)	XXX	보고한 기상현상에 가장 인접한 기상보고 위치
2	보고 종류(Report type)	UA 또는 UUA	정기 또는 긴급 PIREP
3	위치(Location)	/OV	VOR과 관련된 위치
4	시간(Time)	/TM	국제표준시(Coordinated Universal Time)
5	고도(Altitude)	/FL	난기류 및 착빙 보고 시 필수요소
6	항공기 기종(Type Aircraft)	/TP	난기류 및 착빙 보고 시 필수요소
7	운량(Sky Cover)	/SK	구름 높이 및 운량 (sky clear, few, scattered, broken 또는 overcast)
8	기상(Weather)	/WX	비행시정, 강수, 시정장애 등
9	기온(Temperature)	/TA	섭씨(℃)
10	바람(Wind)	/WV	자북 기준 도(°) 단위의 방향 및 knot 단위의 속도
11	난기류(Turbulence)	/TB	AIM 7-1-23항 참조
12	착빙(Icing)	/IC	AIM 7-1-21항 참조
13	비고(Remarks)	/RM	포함되지 않은 요소를 보고하거나, 이전 보고항목에 대한 설명

예문(Example)

1. KCMH UA /OV APE 230010/TM 1516/FL085/TP BE20/SK BKN065/WX FV03SM HZ FU/TA 20/TB LGT

주(Note)

1. Appleton VOR의 남서쪽(230) 10 mile 지점; 시간 1516 UTC; 고도 8,500 ft; 항공기 기종 BE200; 운량 broken, 운저고도 6,500 ft; 비행시정 3 mile, 연무(haze)와 연기(smoke)로 인한 시정장애; 기온 20℃; 약한 난기류

예문(Example)

2. KCRW UV /OV KBKW 360015-KCRW/TM 1815/FL120//TP BE99/SK IMC/WX RA/TA M08 /WV 290030/TB LGT-MDT/IC LGT

RIME/RM MDT MXD ICG DURC KROA NWBND FL080-100 1750Z

주(Note)

2. Beckley VOR의 북쪽 15 mile부터 Charleston VOR 까지; 시간 1815 UTC; 고도 12,000 ft; 항공기 기종 BE-99; 구름 내부; 비; 기온 −8℃; 풍향 자방위 290°, 풍속 30 knot; 약한 강도에서부터 보통 강도까지의 난기류; 시간 1750 UTC, Roanoke, VA에서 북서쪽 방향으로 상승중 고도 8,000~10,000 ft에서 약한 거친 착빙

7-1-21. 기체 착빙(Airframe Icing) 관련 PIREP

a. 항공기에 축적되는 착빙의 영향은 추력 감소, 항력 증가, 양력 손실 및 무게 증가이다. 그 결과 실속속도는 증가하고 항공기성능은 저하된다. 심한 경우에는 2~3 in의 착빙이 5분도 채 안되어 날개골(airfoil)의 앞전(leading edge)에 형성될 수 있다. 항공기에 따라서는 단지 1/2 in의 착빙이 양력을 50% 감소시키며, 같은 비율로 마찰항력(frictional drag)을 증가시킨다.

b. 조종사는 빗방울 또는 구름방울과 같이 육안으로 볼 수 있는 강수 속에서 비행할 때, 그리고 기온이 2℃~−10℃ 일 때는 착빙을 예상할 수 있다. 착빙이 감지된 경우 특히 항공기가 제빙장치를 갖추고 있지 않다면, 조종사는 강수지역을 벗어나거나 또는 기온이 빙점 이상인 고도로 비행하거나 두 가지 중에 하나를 하여야 한다. 더 낮은 고도가 항상 더 따뜻한 고도이지는 않다. 적절한 비행전 조치에는 결빙고도 및 강수지역의 결빙고도 상부에 대한 정보를 얻는 것이 포함된다. ATC에 착빙을 보고하고, IFR 운항중 착빙이 심할 경우 새로운 비행로나 고도를 요구한다. ATC에 착빙을 보고할 때 항공기 기종도 알려주어야 한다. 다음은 착빙상태를 보고하는 방법을 나타낸다.

1. 미약함(Trace). 착빙을 감지할 수 있게 된다. 축적률이 승화(sublimation)보다 약간 더 크다. 1시간 이상 지속되지 않는 한 제빙/방빙장치를 사용할 필요는 없다.

2. 약함(Light). 비행이 1시간 이상 장기간 지속되면 축적률이 문제가 될 수 있다. 때때로 제빙/방빙장치를 사용하여 축적된 얼음을 제거하거나, 얼음이 축적되지 않도록 한다. 제빙/방빙장치를 사용하면 문제가 되지는 않는다.

3. 보통(Moderate). 단시간의 축적률이라도 잠재적으로 위험에 직면할 수 있으며, 제빙/방빙장치의 사용이나 우회비행이 필요하다.

4. 심함(Severe). 방빙시스템으로는 얼음의 축적을 방지할 수 없을 정도의 축적률이거나, 일반적으로 착빙이 잘 발생하지 않는 조종면이 가로 막고 있는 후방부위 및 제작사가 명시한 그 밖의 부위에 착빙이 발생한다. 착빙상태에서 즉시 벗어나는 것이 필요하다.

주(Note)

심한 착빙(severe icing)은 항공기에 좌우되며, 이는 다른 category의 착빙강도도 마찬가지이다. 심한 착빙은 어떤 축적률에서나 발생할 수 있다.

예(Example)

조종사는 항공기 식별부호, 위치, 시간(UTC), 착빙유형 및 강도, 고도/FL, 항공기 기종, 지시대기속도(IAS) 및 외기온도(OAT)를 보고한다.

주(Note)

1. 거친 착빙(Rime ice). 작은 과냉각물방울(super-cooled water droplet)의 순간적인 결빙으로 인하여 형성되는 거칠고 불투명한 우유 빛깔의 얼음
2. 맑은 착빙(Clear ice). 큰 과냉각물방울의 상대적으로 느린 결빙으로 인하여 형성되는 광택이 나는 반투명의 맑은 얼음
3. OAT가 PIREP에 포함되어 있지 않으면 FSS 또는 ATC에 요청하여야 한다.

7-1-22. 비행중 착빙 용어의 정의

표 7-1-7 착빙유형(Icing Type) 및 표 7-1-8 착빙상태(Icing Condition) 참조

표 7-1-8. 착빙유형(Icing Type)

맑은 착빙(Clear Ice)	우빙(Glaze Ice) 참조
우빙(Glaze Ice)	우빙은 때로는 맑고 매끄럽지만, 일반적으로 약간의 기포가 포함되어 우툴두툴하면서 반투명하게 보인다. 우빙은 표면에 부딪치는 과냉각물방울로 인해 형성되지만 표면과 접촉 시에 급속하게 결빙하지는 않는다. 우빙은 거친 착빙보다 더 조밀하고 더 단단하며, 때로는 훨씬 투명하다. 우빙 형성을 촉진하는 요소는 융해열이 느리게 소산되는 것이다 (즉, 약간의 과냉각과 급격한 축적). 과도한 축적으로 인한 전형적인 착빙모양으로는 방빙장치가 되어 있지 않은 앞전 표면의 튀어 나온 "뿔(horn)" 모양의 착빙을 들 수 있다. 조종실에서 착빙유형을 가장 정확하게 판단할 수 있는 것은 착빙의 투명도나 색상보다는 착빙모양이다. 일부는 뿔 모양이 없고 날개골(airfoil)과 모양이 같은 보다 얇은 착빙에 "clear"를 사용하기도 하지만, 용어 "clear"와 "glaze"는 본질적으로 동일한 유형의 착빙에 사용된다.
Intercycle 착빙	제빙장치의 작동주기 사이에 방빙장치가 되어 있는 표면에 축적되는 착빙
확인, 관측 또는 탐지된 착빙	운항승무원이 육안으로 관측하거나, 항공기탑재 감지기에 의해 식별된 실제의 착빙
혼합 착빙(Mixed Ice)	거친 착빙과 우빙의 특성이 복합되거나 동시에 나타나는 착빙. 착빙의 투명도, 색상 및 모양은 거친 착빙과 우빙 특성이 혼합되어 나타나기 때문에 조종실에서 혼합 착빙을 정확하게 식별하는 것은 어려울 수 있다.
잔류 착빙(Residual Ice)	제빙장치를 작동한 직후에 방빙장치가 되어 있는 표면에 남아 있는 착빙
거친 착빙(Rime Ice)	과냉각물방울이 항공기와 부딪힌 이후에 급속한 결빙으로 인하여 형성되는 거칠고 불투명한 유유 빛깔의 얼음. 신속한 결빙으로 인하여 공기가 얼음 속에 포함되어 불투명하게 보이며, 다공성으로 쉽게 부서진다. 거친 착빙은 전형적으로 날개골의 정체선(stagnation line)을 따라 축적되며, 우빙보다 모양이 더 규칙적이고 날개골과 모양이 같다. 조종실에서 착빙유형을 가장 정확하게 판단할 수 있는 것은 착빙의 투명도나 색상보다는 착빙모양이다.
Runback 착빙	방빙장치가 되어 있는 표면에서 흘러내린 물의 결빙 또는 방빙장치가 되어 있지 않은 표면으로 흘러간 물의 재결빙에 의해 형성된 착빙
주(Note) - 착빙유형을 조종사가 판별하는 것은 어려우며, 비행중에 비행기에 불확실한 영향을 미친다. 착빙유형의 정의는 PIREP의 비고란 및 예보에 사용할 수 있도록 AIM에 수록되어 있다.	

표 7-1-9. 착빙상태(Icing Condition)

부록 C 착빙상태 (Icing Condition)	부록 C(14 CFR, Part 25 및 29)는 항공기 착빙방지규정을 인가하기 위한 착빙상태 인증기준이다. 상태는 기온, 고도, 액체 수함량(liquid water content; LWC), 대표적인 물방울 크기(평균 유효 물방울 직경〔MED〕) 및 구름 수평범위의 용어로 명시된다.
예보 착빙상태 (Forecast Icing Condition)	국립기상청 또는 FAA 승인 기상제공자가 비행중 항공기의 착빙형성을 촉진할 수 있다고 예상한 환경 조건
어는 이슬비 (Freezing Drizzle; FZDZ)	이슬비(drizzle)는 직경이 0.05 mm를 초과하고 0.5 mm 미만인 물방울 형태의 지표면 또는 상층에서의 강수이다. 어는 이슬비는 0℃(과냉각) 미만의 기온에서 액체형태로 존재하는 이슬비이며, 지표면이나 공중에서 물체와 접촉하면 즉시 얼어 버린다.
어는 강수(Freezing Precipitation)	어는 강수는 육안으로 볼 수 있는 구름의 바깥부분이나 구름 사이로 내리는 어는 비 또는 어는 이슬비이다.
어는 비(Freezing Rain; (FZRA)	비(rain)는 직경이 0.5 mm 이상인 물방울 형태의 지표면 또는 상층에서의 강수이다. 어는 비는 0℃(과냉각) 미만의 기온에서 액체형태로 존재하는 비이며, 지표면이나 공중에서 물체와 접촉하면 즉시 얼어 버린다.
운중 착빙 (Icing in Cloud)	육안으로 볼 수 있는 구름 내부에서 발생하는 착빙. 구름방울(직경〈0.05 mm)이 존재하며, 어는 이슬비 또는 어는 비가 있을 수도 있고 없을 수도 있다.
우중 착빙(Icing in Precipitation)	육안으로 볼 수 있는 구름 내부나 바깥부분의 어는 강수, 즉 직경 0.05 mm를 초과하는 과냉각물방울과 조우했을 때 발생하는 착빙
확인된 착빙상태	비행중 착빙의 형성이 관측되거나 탐지되는 대기상태

(Known Icing Conditions)	주(Note) 시간과 공간에 따른 대기상태의 가변성으로 인하여 관측된 착빙존재의 보고가 나중의 착빙상태 존재 및 강도를 보장하는 것은 아니며, 착빙이 없다는 보고가 나중에 착빙이 존재하지 않을 것임을 보장하는 것도 아니다.
잠재적인 착빙상태 (Potential Icing Conditions)	지상이나 비행중에 항공기 착빙이 일어날 수 있는 기온 및 육안으로 볼 수 있는 수증기에 대하여 통상적으로 기체제작회사가 규정하는 대기의 착빙상태. 잠재적인 착빙상태는 통상적으로 비행기 비행교범 또는 운영교범에 규정된다.
과냉각 이슬비 방울 (Supercooled Drizzle Drops; SCDD)	상층 어는 이슬비(freezing drizzle aloft)와 동의어이다.
과냉각물방울(Supercooled Drops or /Droplets)	0℃ 미만의 기온에서도 얼지 않고 액체상태로 남아 있는 물방울. 과냉각물방울은 대기의 구름, 어는 이슬비 및 어는 비에 존재된다. 이 물방울들은 항공기표면에 부딪친 후 얼어버린다.
과냉각 큰 물방울 (Supercooled Large Drops; SLD)	0℃ 미만의 기온에서 직경 0.05 mm 이상인 어는 비 또는 어는 이슬비와 같은 액체 물방울

7-1-23. 난기류(Turbulence) 관련 PIREP

a. 난기류와 조우했을 때, 가능한 한 빨리 ATC에 이러한 상황을 긴급히 보고할 것을 조종사에게 요청하고 있다. 난기류에 관련된 PIREP에는 다음을 언급하여야 한다.

1. 항공기 위치(aircraft location)
2. UTC 단위의 발생시간
3. 난기류 강도
4. 난기류가 구름 내부에서 발생했는지, 구름 부근에서 발생했는지의 여부
5. 항공기고도 또는 비행고도
6. 항공기 기종(type of aircraft)
7. 난기류 지속시간

예문(Example)

1. Over Omaha, 1232Z, moderate turbulence in clouds at Flight Level three one zero, Boeing 707.
2. From five zero miles south of Albuquerque to three zero miles north of Phoenix, 1250Z, occasional moderate chop at Flight Level three three zero, DC8.

b. 강도의 분류 및 지속시간은 표 7-1-10을 이용하여 이루어져야 한다.

표 7-1-10. 난기류 보고 기준표(Turbulence Reporting Criteria Table)

강도	항공기 반응	항공기 내부의 반응	보고 용어 - 정의
약함 (Light)	순간적으로 약간의 불규칙적인 고도나 자세(pitch, roll, yaw) 변화를 일으키는 난기류. 약한 난기류(Light Turbulence)[1]로 보고. 또는 뚜렷한 고도나 자세의 변화없이 약간 빠른 어느 정도의 리듬감이 있는 동요를 일으키는 난기류. Light Chop으로 보고	탑승객은 좌석벨트나 어깨끈이 약간 당겨지는 것을 느낄 수 있다. 고정되지 않은 물건은 약간 움직일 수 있다. 기내식은 가능하며, 보행에 대한 어려움은 거의 없다.	일시적(occasional) - 시간의 1/3 미만 간헐적(intermittent) - 시간의 1/3~2/3 지속적(continuous) - 시간의 2/3 초과
보통 (Moderate)	약한 난기류와 유사하지만 더 높은 강도의 난기류. 고도나 자세변화가 일어나지만 항공기는 항상 양호한 조종력을 유지한다. 이것은 일반적으로 지시대기속도의 변동을 일으킨다. 보	탑승객은 좌석벨트나 어깨끈이 당겨지는 것을 확실히 느낄 수 있다. 고정되지 않은 물건은 이리저리 돌아다닌다. 기내식과 보행이 어렵다.	주(Note) 1. 조종사는 위치, 시간(UTC), 강도, 구름 내부인지 또는 부근인지의 여부, 고도, 항공기 기종, 그리고 해당하는 경우

강도	항공기 반응	항공기 내부의 반응	보고 용어 - 정의
	통 난기류(Moderate Turbulence)[1]로 보고. 또는 Light Chop와 유사하지만 더 높은 강도의 난기류. 뚜렷한 항공기의 고도나 자세의 변화없이 빠른 동요나 흔들림을 일으킨다. Moderate Chop[1]으로 보고.		난기류의 지속시간을 보고하여야 한다. 2. 지속시간은 두 지역 사이의 시간이나 한 지역 상공의 시간이 될 수 있다. 모든 위치는 쉽게 식별할 수 있어야 한다. 예문(Example) a. Over Omaha. 1232Z, Moderate Turbulence, in cloud, Flight Level 310, B707. b. From 50 miles south of Albuquerque to 30 miles north of Phoenix, 1210Z to 1250Z, occasional Moderate Chop, Flight Level 330, DC8.
심함 (Severe)	갑작스럽게 고도나 자세의 큰 변화를 일으키는 난기류. 일반적으로 지시대기속도의 큰 변동을 일으킨다. 항공기는 순간적으로 조종력을 상실할 수 있다. 심한 난기류(Severe Turbulence)[1]로 보고	탑승객은 좌석벨트나 어깨끈에 매우 강한 힘을 받는다. 고정되지 않은 물건은 이리저리 내던져 진다. 기내식과 보행은 불가능하다.	
극심함 (Extreme)	항공기가 격렬하게 흔들리고 사실상 조종이 불가능한 난기류. 구조 손상을 일으킬 수 있다. 극심한 난기류(Extreme Turbulence)[1]로 보고		
[1] 뇌우를 포함하여 적운형 구름과 관련되지 않은 고고도 난기류(보통 15,000 ft ASL 초과)는 해당하는 강도 또는 light나 moderate chop 다음에 CAT(청천난류)로 보고하여야 한다.			

7-1-24. 윈드시어(Wind Shear) PIREP

a. 풍향과 풍속의 예기치 못한 변화는 공항에 접근하거나 출발시 저고도에서 운항하는 항공기에 위험할 수 있기 때문에, 조우한 윈드시어 상태를 관제사에게 즉시 자발적으로 보고할 것을 조종사에게 권고하고 있다. 이러한 정보를 사전에 경고하는 것은 다른 조종사가 접근이나 출발시에 윈드시어를 회피하거나 또는 대처하는 것을 돕기 위한 것이다.

b. 상태를 나타낼 때 용어 "negative" 또는 "positive" 윈드시어의 사용은 피해야 한다. 대기속도와 양력의 감소를 나타내려고 한 "negative wind shear on final"의 PIREP이 윈드시어와 조우하지 않았다는 의미로 해석될 수 있다. 추천하는 윈드시어 보고방법은 대기속도의 증가(gain) 또는 감소(loss), 그리고 조우한 고도를 언급하는 것이다.

예문(Example)

1. Denver Tower, Cessna 1234 encountered wind shear, loss of 20 knots at 400.
2. Tulsa Tower, American 721 encountered wind shear on final, gained 25 knots between 600 and 400 feet followed by loss of 40 knots between 400 feet and surface.

1. 이러한 특정 용어로 윈드시어를 보고할 수 없는 조종사는 항공기에 대한 영향의 관점에서 보고해 줄 것을 권장하고 있다.

예문(Example)

Miami Tower, Gulfstream 403 Charlie encountered an abrupt wind shear at 800 feet on final, max thrust required.

2. 관성항법장치(INS)를 사용하는 조종사는 윈드시어 고도 상부와 하부의 바람 및 고도를 모두 보고하여야 한다.

7-1-25. 청천난류(CAT) PIREP

CAT는 모든 고도의 운항에서, 특히 15,000 ft를 초과하는 고도에서 비행하는 제트비행기의 비행에 대단히 심각한 운항요소가 되고 있다. 이러한 기상현상에 관해 이용할 수 있는 가장 좋은 정보는 PIREP 보고절차에 의하여 조종사에게서 나온 정보이다. 무선교신을 유지하고 있는 FAA 시설에 요소의 시간, 위치 및 강도(약함, 보통, 심함 또는 극심함)를 긴급히 보고해 줄 것을 CAT 상황을 조우한 모든 조종사에게 요청하고 있다. 시간과 상황이 허용되면 그 밖의 PIREP 및 위치보고에 대한 기준에 의거하여 요소를 보고하여야 한다.

7-1-26. 마이크로버스트(Microburst)

a. 비교적 최근의 기상연구에서 마이크로버스트 현상의 존재가 확인되었다. 마이크로버스트는 소규모의 강한 하강기류(downdraft)이며, 지표면에 도달하면서 하강기류 중심에서 바깥쪽 모든 방향으로 퍼져 나간다. 이것은 특히 저고도에 있는 모든 기종 및 범주의 항공기에게 극히 위험할 수 있는 수직 및 수평 윈드시어 발생의 원인이 된다. 마이크로버스트는 작은 규모, 짧은 수명 그리고 지상에 강수가 없는 지역 상공에서 발생할 수 있기 때문에 기존 기상레이더 또는 윈드시어 경보장치를 사용하여 쉽게 탐지할 수 없다.

b. 저고도 또는 중고도 구름층의 대류운(convective cloud) 유형이 마이크로버스트 활동을 야기하는 근원적인 구름이 될 수 있다. 그렇지만 마이크로버스트는 일반적으로 뇌우의 강한 강수구역 내에서, 그리고 지상에 도달하는 강수가 거의 없거나 전혀 없는 매우 약하고 온화하게 보이는 대류세포(convective cell)에서 발생한다는 사실에 주목하여야 한다.

c. 대류성의 비 기둥(convective rain shaft)을 따라 하강하는 것 같은 마이크로버스트의 생애주기(life cycle)는 그림 7-1-12에서 볼 수 있다. 조종사가 고려하여야 할 중요한 사항은 마이크로버스트는 지면에 부딪친 후 약 5분 동안의 강도가 가장 강하다는 사실이다.

d. 마이크로버스트(microburst)의 특성

1. 크기(Size). 마이크로버스트 하강기류가 운저(cloud base)로부터 지면 상공 약 1,000~3,000 ft까지 강하할 때, 직경은 통상적으로 1 mile 미만이다. 지면근처의 전이구역(transition zone)에서 하강기류는 바깥쪽 흐름(outflow)으로 변하며 수평으로 직경 약 2.5 mile 까지 확장될 수 있다.

2. 강도(Intensity). 하강기류는 분당 6,000 ft에 달할 수 있다. 지표면 근처의 45 knot에 달하는 수평바람은 마이크로버스트를 가로지르는 90 knot의 윈드시어(가로지는 항공기의 경우 정풍에서 역풍으로 변화)를 야기할 수 있다. 이러한 강한 바람은 지면으로부터 수백 ft 이내에서 발생한다.

3. 시각적인 징후(Visual Sign). 마이크로버스트는 대류활동이 있는 거의 모든 지역에서 발견할 수 있다. 이것은 뇌우와 관련된 강한 강수나 온화하게 보이는 증발비(virga)의 약한 강수에 은폐되어 있을 수 있다. 마이크로버스트가 발생한 지표면에 강수가 전혀 없거나 약간 있는 경우, 날리는 둥근형태의 먼지가 마이크로버스트 존재를 알 수 있는 유일한 시각적인 단서가 될 수 있다.

4. 지속시간(Duration). 개개의 마이크로버스트는 지면에 부딪힌 때부터 소멸될 때까지 거의 15분 이상 지속되지는 않는다. 처음 5분 동안은 수평바람이 계속해서 증가하며 최대강도의 바람이 2~4분 정도 지속된다. 때로는 마이크로버스트가 일직선상에 집중되고, 이러한 상황에서 활동이 한 시간 동안 지속될 수도 있다. 일단 마이크로버스트 활동이 시작되면, 동일한 지역에 다수의 마이크로버스트가 발생할 가능성이 있다는 것을 예상하여야 한다.

e. 마이크로버스트, 윈드시어(wind shear)는 지면으로부터 1,000 ft 이내의 항공기, 특히 착륙하기 위한 접근과 착륙 그리고 이륙단계의 항공기에게 심각한 위험을 유발할 수 있다. 마이크로버스트를 통과하는 항공기에 작용하는 마이크로버스트 영향의 특성이 그림 7-1-13에 묘사되어 있다. 항공기는 처음에는 정풍(성능 증가), 다음에는 하강기류 및 배풍(둘 다 성능 감소) 상태에 처하여 지역에 충돌할 가능성이 있다.

f. 마이크로버스트, 윈드시어 및 돌풍전선의 탐지(Detection of Microbursts, Wind Shear and Gust Front)

1. FAA 윈드시어 탐지 통합계획(Integrated Wind Shear Detection Plan)

(a) 최근 FAA는 항공운송회사가 운용되는 주요공항의 안전과 성능 모두를 획기적으로 향상시킬 윈드시어 탐지를 위한 통합계획을 채택하였다. 이 계획은 터미널기상시스템(ITWS), 공항도플러기상레이더(TDWR), 기상시스템처리장치(WSP) 및 저

고도윈드시어경보장치(LLWAS)와 같은 몇 가지 프로그램을 단일 전략개념으로 통합하여 터미널지역의 항공기상정보를 획기적으로 향상시킨다. (그림 7-1-14 참조)

그림 7-1-12. 마이크로버스트의 발전(Evolution of a Microburst)

WIND SPEED
10-20 knots
> 20 knots
HEIGHT (feet)
T-5 Min
T-2 Min
T
T + 5 Min
T + 10 Min
10,000
5,000
0
1
2
3

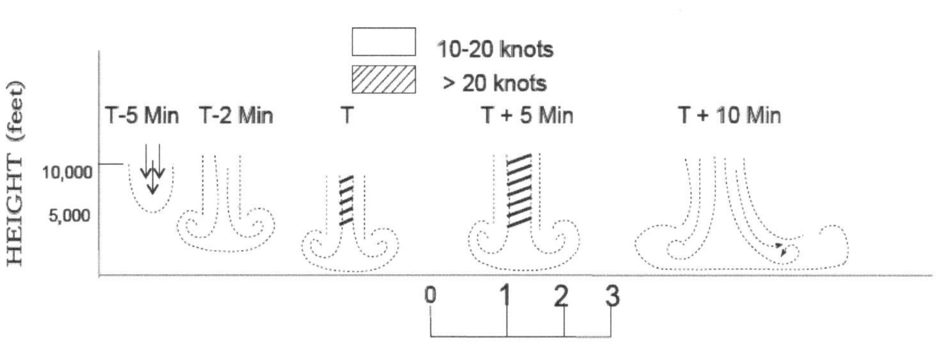

마이크로버스트 바람 영역 발전의 수직 단면도. T는 지표면으로 최초 확산된 시간이다. 음영(shading)은 벡터 풍속을 나타낸다. 그림은 Wilson et al., 1984년, Microburst Wind Structure and Evaluation of Doppler Radar for Wind Shear Detection, DOT/FAA Report No. DOT/FAA/PM-84/29, National Technical Information Service, Springfield, VA 37 pp을 상황에 맞도록 수정한 것이다.

그림 7-1-13. 이륙중 마이크로버스트 조우(Microburst Encounter During Takeoff)

Strong Downdraft
정풍 증가
(Increasing
Headwind)
배풍 증가
(Increasing
Tailwind)
Outflow
Outflow
1
2
3
4
5
typically
1-2 miles

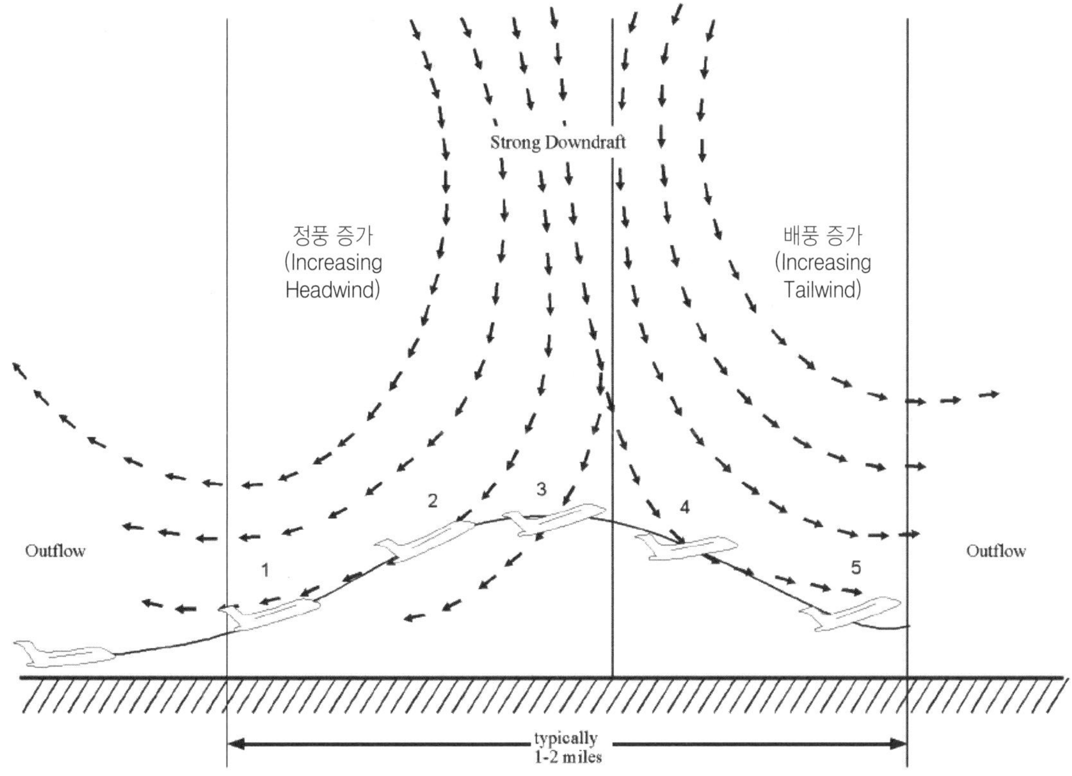

이륙 중 마이크로버스트 조우. 비행기는 (1) 초기에는 정풍을 받으며 성능이 향상하는 효과를 나타내며, (2) 이어서 짧은 일련의 정풍 성분 감소로 이어지고, (3) 하강기류, 그리고 마지막으로 (4) 강한 배풍, 2에서 5까지 모두에서 비행기 성능 감소의 결과를 낳는다. 위치 (5)는 충돌하기 직전의 위급한 상황을 보여준다. Walter Frost, FWG Associates, Inc., Tullahoma, Tennessee의 허가를 받은 그림.

(b) 윈드시어/마이크로버스트 정보 및 경고는 관제탑관제석에 위치한 리본 디스플레이장치(ribbon display terminals; RBDT)에 시현된다. 이것은 LLWAS, TDWR과 WSP 시스템에서 거의 동일하며(그리고 표준화되어 있음), 관제사가 데이터를 해석할 필요없이 나타난 정보를 조종사에게 간단히 읽어줄 수 있도록 고안되었다. 조종사에게 위험한 상황을 신속하고 적시에 전파하기 위하여 관제사는 RBDT를 항상 살펴보아야 한다.

(c) 윈드시어/마이크로버스트 상황의 조기탐지 및 이후 접근이나 출발시 항공기에게 발부하는 경고는 매우 위험해 질 수 있는 잠재적인 상황을 조종사/승무원에게 경계하여 이에 대비할 수 있도록 한다. 이러한 경고가 없다면 항공기는 급상승(climb out)하거나 안전하게 전환할 수 없으며, 그 결과 큰 사고로 이어질 수 있다. FAA와 공동으로 항공운송회사는 이러한 매우 위험한 윈드시어나 마이크로버스트 조우에서 벗어나기 위하여 필요한 항공기 절차에 따라 자체 조종사를 훈련하여 대비할 수 있도록 시뮬레이터를 이용한 전문적인 훈련프로그램을 개발하였다.

2. 저고도윈드시어경보장치(Low Level Wind Shear Alert System; LLWAS)

(a) LLWAS는 공항주변에서 위험한 윈드시어와 마이크로버스트의 존재를 탐지하기 위한 바람자료와 소프트웨어 처리를 제공한다. 때로 150 ft 높이의 구조물에 설치되는 바람감지기(wind sensor)는 활주로중심선으로부터 2,000~3,000 ft에 위치하는 것이 이상적이며, 5,000 ft를 초과하지는 않는다. (그림 7-1-15 참조)

그림 7-1-14. NAS 윈드시어 산출물 시스템(NAS Wind Shear Product System)

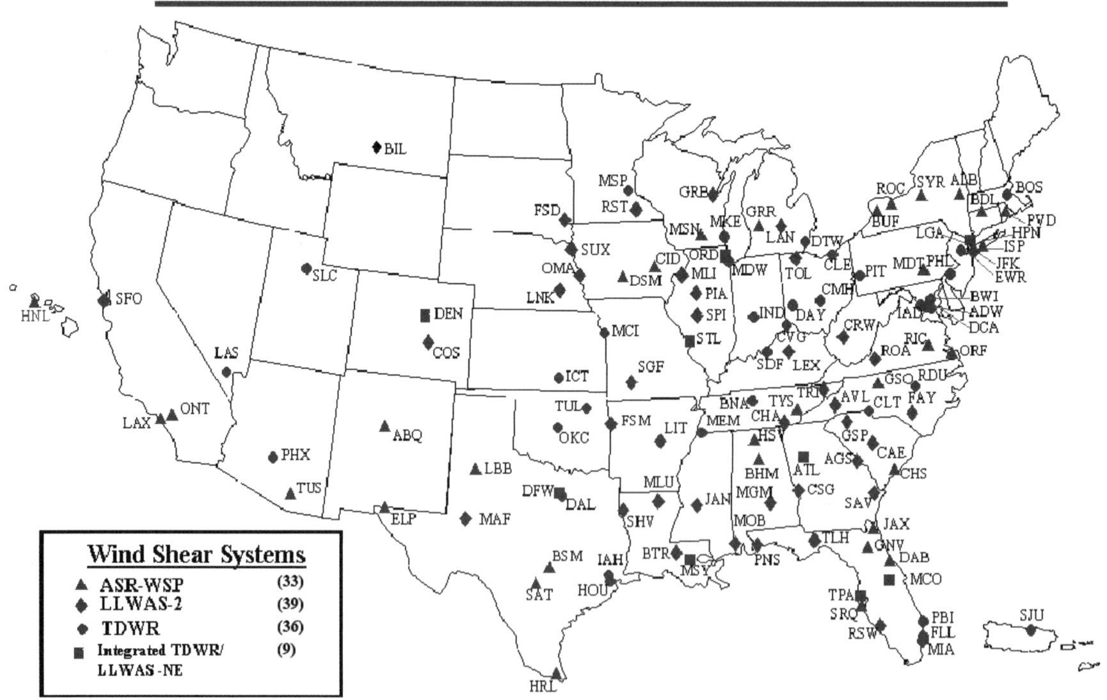

그림 7-1-15. LLWAS 입지 기준(LLWAS Siting Criteria)

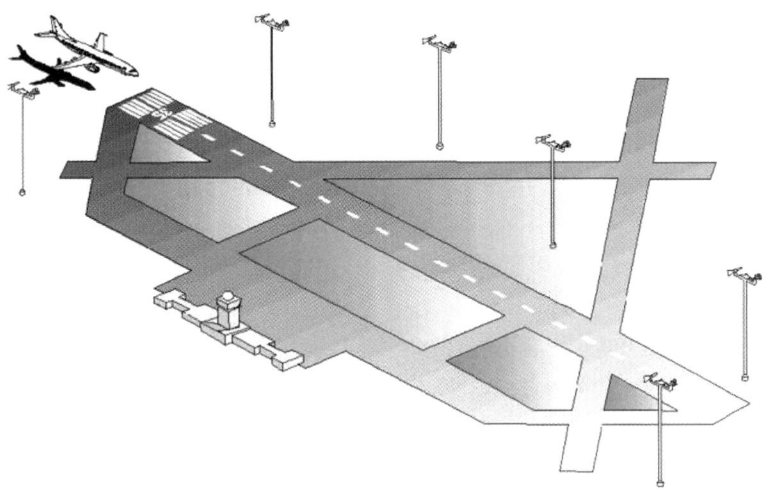

(b) LLWAS는 1988년에 전국에 걸쳐 110개 공항에 배치되었다. 이 시스템의 다수는 새로운 TDWR과 WSP 기술로 대체되었다. 언젠가는 모든 LLWAS가 단계적으로 철거되겠지만, 39개 공항은 가장 최신의 소프트웨어 및 감지기기술을 사용하는 LLWAS-NE(Network Expansion) 시스템으로 개선될 것이다. 새로운 LLWAS-NE 시스템은 공항 바람감지기 위치의 윈드시어/마이크로버스트 탐지를 포함하여 윈드시어 경고와 경계를 제공할 뿐만 아니라, 공항 활주로와 관련된 위험지역을 관제사에게 제공한다. 이것은 또한 새로운 활주로가 건설될 때 공항과 더불어 발전할 수 있는 유연성과 성능을 갖고 있다. LLWAS-NE network에는 32개나 되는 감지기가 설치될 수 있으며, 활주로배치와의 관계를 고려하여 공항주변에 전략적으로 설치된다.

3. 공항도플러기상레이더(Terminal Doppler Weather Radar; TDWR)

(a) TDWR이 미국 전역의 45개 지역에 배치되어 있다. TDWR의 최적위치는 해당 공항에서 8~12 mile 떨어진 지점이며, 마이크로버스트, 돌풍전선, 바람 급변과 강수 강도를 탐지하기 위하여 공역 주변과 공항상공을 살펴볼 수 있도록 설계된다. TDWR 산출물은 모든 활주로와 최종접근시 활주로의 3 mile 바깥쪽 및 출발시 2 mile 바깥쪽까지, 그리고 연장된 활주로중심선의 양쪽 측면 1/2 mile 지역에 영향을 주는 윈드시어 및 마이크로버스트를 관제사에게 통보한다 (그림 7-1-16은 활주로를 포함한 이론적인 경보박스의 그림이며, 소프트웨어는 윈드시어나 마이크로버스트의 위치 측정에 사용한다). 이 경보는 RBDT 상에 시현된다 (5절의 예시에 표기된 것처럼).

그림 7-1-16. 경보박스(Warning Boxes)

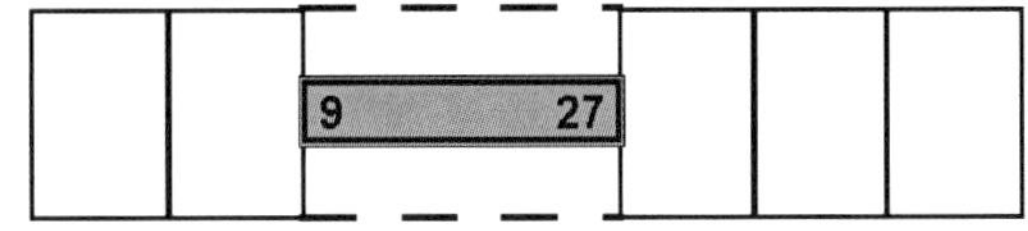

(b) TDWR은 다음을 하지 못한다는 것을 아는 것이 매우 중요하다.

(1) TDWR은 경보박스(이륙활주로종단 및 착륙활주로시단) 외부의 윈드시어는 경고하지 못한다.

(2) TDWR은 마이크로버스트 또는 돌풍전선이 아닌 윈드시어는 탐지하지 못한다.

(3) TDWR은 돌풍 또는 측풍상태는 탐지하지 못한다.

(4) TDWR은 난기류는 탐지하지 못한다.

그렇지만 이러한 시스템에 대한 연구 및 개발이 계속되고 있다. 장차 개선될 시스템에는 폭풍지역의 이동, 향상된 돌풍전선 탐지, 폭풍의 성장 및 소멸, 마이크로버스트 예측, 그리고 난기류탐지 등이 포함될 수도 있다.

(c) 또한 TDWR은 계획수립 목적으로 감독자와 항공교통관리담당자에게 지리적상황시현장치(geographical situation display; GSD)를 제공한다. GSD는 6단계의 기상(강수), 돌풍전선 및 예상되는 돌풍이동을 시현한다(color로). 이 자료는 항공기지연 감소 및 공항수용능력 증가 모두를 위하여 활주로 변경 및 도착/출발비행로 변경에 대한 계획을 위해 관제탑감독자, 교통관리담당자 및 관제사에 의해 사용된다.

4. 기상시스템처리장치(WSP; Weather System Processor)

(a) WSP는 공항도플러기상레이더(TDWR)에 드는 비용의 일부만으로 TDWR과 동일한 산출물을 관제사, 감독자, 교통관리담당자, 그리고 최종적으로 조종사에게 제공한다, 이것은 공항 또는 공항주변에 설치되어 있는 기존 ASR-9 레이더의 기상 채널 성능(channel capability)에 접속할 수 있는 새로운 기술을 활용하여 이루어지며, 따라서 분리된 레이더 장소, 토지의 취득, 지원시설 및 관련 통신 전송망 비용지출의 필요가 없어진다.

(b) WSP는 TDWR 및 LLWAS와 동일한 RBDT 디스플레이를 활용하며, 또한 TDWR과 마찬가지로 감독자, 교통관리담당자 및 관제사의 계획수립 목적을 위하여 GSD를 갖추고 있다. WSP GSD는 TDWR 시현장치를 따른다. 즉 TDWR GSD와 마찬가지로 6단계의 강수, 돌풍전선 및 예상되는 돌풍이동을 나타내어 항공기지연 감소 및 공항수용능력 증가를 위하여 활주로 변경과 도착/출발비행로 변경을 위한 계획에 사용된다.

(c) 이 시스템은 현재 개발 중이며, 뉴멕시코주의 앨버커키 공항에서 개발을 위하여 시험상태에서 운용되고 있다. WSP가 배치될 경우 전국에 걸쳐 34개 공항에 설치될 예정이며, 미국 항공업계의 안전을 상당히 증진시킬 것이다.

5. LLWAS, TDWR 및 WSP의 운영 측면

이러한 자료가 관제사와 조종사 모두에게 어떻게 사용되는 지를 설명하기 위하여, 다음과 같은 3가지의 리본 디스플레이 예시와 해설을 제시한다.

(a) 마이크로버스트 경보(Microburst Alert)

예시(Example)

이것은 관제사가 관제석의 리본 디스플레이(ribbon display)에서 볼 수 있는 것이다.

27A MBA 35K- 2MF 250 20

주(Note)

(TDWR/WSP이 마이크로버스트 위치를 밝히는 방법을 알기 위해서는 그림 7-1-17을 참조한다).

경보를 발부할 때 관제사는 이것을 알려주어야 한다.

그림 7-1-17. 마이크로버스트 경보(Microburst Alert)

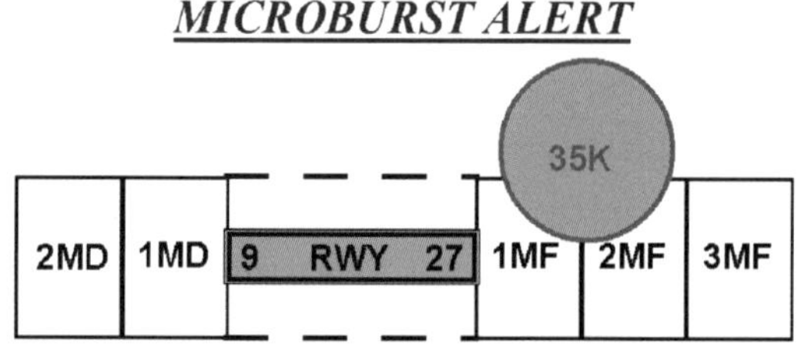

관제용어(Phraseology)

Runway 27 arrival, microburst alert, 35 KT loss 2 mile final, threshold wind 250 at 20.

관제사는 평문(plain language)으로 활주로 27로 접근하는 조종사에게 활주로로의 접근진로에 마이크로버스트 경보가 발부되었고, 최종접근진로의 대략 2 mile 밖(처음으로 기상현상과 마주칠 지점)에서 35 knot의 대기속도 감소가 예상되거나 추측된다는 것을 알려 주고 있다. 이 정보를 미리 받은 운항승무원이 계속하여 접근하기로 결정하였다면, 윈드시어/마이크로버스트 회피절차를 적용할 준비를 하여야 한다. 그리고 공항의 착륙활주로 27에서의 지상풍은 20 knot에 250°로 보고되었다.

주(Note)
조종사의 요구 또는 관제사가 적절하다고 판단할 때 활주로시단의 바람정보를 알려준다.

(b) 윈드시어 경보(Wind Shear Alert)

예시(Example)
이것은 관제사가 관제석의 리본 디스플레이(ribbon display)에서 볼 수 있는 것이다.

27A WSA 20K- 3MF 200 15

주(Note)
(TDWR/WSP이 윈드시어 위치를 밝히는 방법을 알기 위해서는 그림 7-1-18을 참조한다).

경보를 발부할 때 관제사는 이것을 알려주어야 한다.

관제용어(Phraseology)
Runway 27 arrival, wind shear alert, 20 KT loss 3 mile final, threshold wind 200 at 15.
관제사는 평문으로 활주로 27로 도착하는 항공기에게 약 3 mile 밖에서 대기속도를 20 knot 감소시킬 수 있는 윈드시어 상태와 조우할 것이 예상되며, 혹은 난기류와 조우할 수 있다는 것을 조언하고 있다. 그리고 공항의 착륙활주로 27에서의 지상풍은 15 knot에 200°로 보고되었다.

주(Note)
조종사의 요구 또는 관제사가 적절하다고 판단할 때 활주로시단의 바람정보를 알려준다.

그림 7-1-18. 약한 마이크로버스트 경보(Weak Microburst Alert)

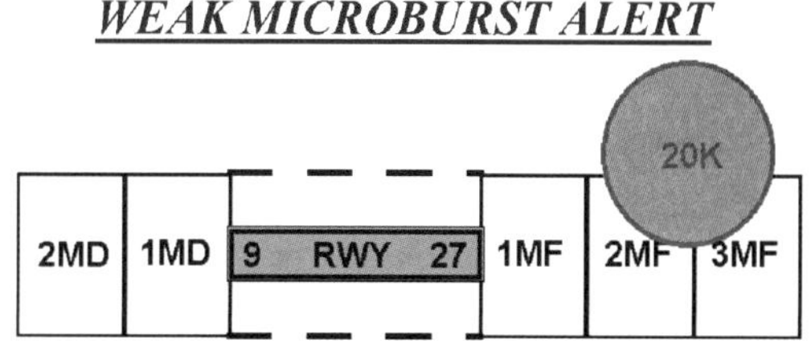

(c) 다수(Multiple) 윈드시어 경보

예시(Example)
이것은 관제사가 관제석의 리본 디스플레이(ribbon display)에서 볼 수 있는 것이다.

27A WSA 20K+ RWY 250 20
27D WSA 20K+ RWY 250 20

주(Note)
(TDWR/WSP이 돌풍전선/윈드시어 위치를 밝히는 방법을 알기 위해서는 그림 7-1-19를 참조한다).

경보를 발부할 때 관제사는 이것을 알려주어야 한다.

관제용어(Phraseology)
Multiple wind shear alerts. Runway 27 arrival, wind shear alert, 20 KT gain on runway; Runway 27 departure, wind shear alert, 20 KT gain on runway, wind 250 at 20.

예시(Example)
이 예시에서 관제사는 돌풍전선과 관련하여 도착 및 출발항공기에게 20 knot의 대기속도를 증가시킬 수 있는 돌풍전선(풍향의 급격한 변화)으로 인한 윈드시어 상태와 바로 활주로 상에서 조우할 수 있다는 것을 조언하고 있다. 그리고 공항 지상풍(사용중인 활주로에 대한)은 20 knot에 250°로 보고되었다.

그림 7-1-19. 돌풍전선 Alert(Gust Front Alert)

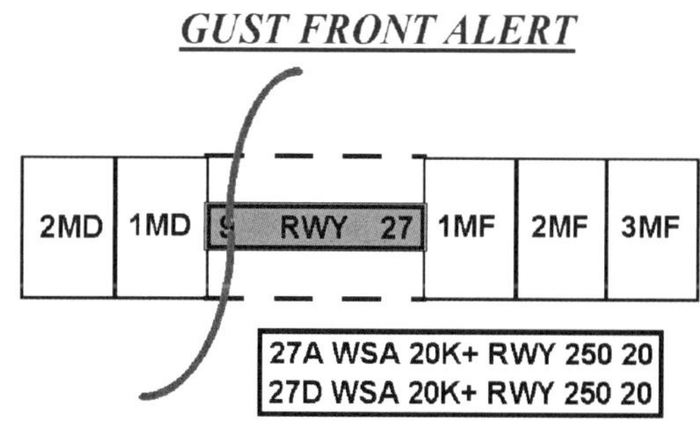

6. 조종사를 위한 터미널기상정보시스템(Terminal Weather Information for Pilots System; TWIP)

(a) TDWR을 통해 이용할 수 있는 터미널기상정보의 양적 및 질적 증가와 함께, 다음 단계는 이 정보를 ATC의 음성통신에 의존하기 보다는 조종사에게 직접 제공하는 것이다. 국가공역시스템은 기상위험에 대한 조종사 인식 증진, 그리고 항공교통관제사의 업무량 감소를 위하여 속도와 정확성 두 가지

의 관점에서 더 효율적으로 조종실에 터미널기상정보를 전달하기 위한 수단을 오래전부터 필요로 하고 있었다. TWIP 성능과 함께 현재 미국 NAS의 43개 공항에서 시험운용되는 영숫자와 그림형식 모두의 터미널기상정보를 조종실에 제공할 수 있다. 그림 7-1-20 참조)

그림 7-1-20. MCO 국제공항의 대류성 기상 TWIP 영상(TWIP Image of Convective Weather at MCO International)

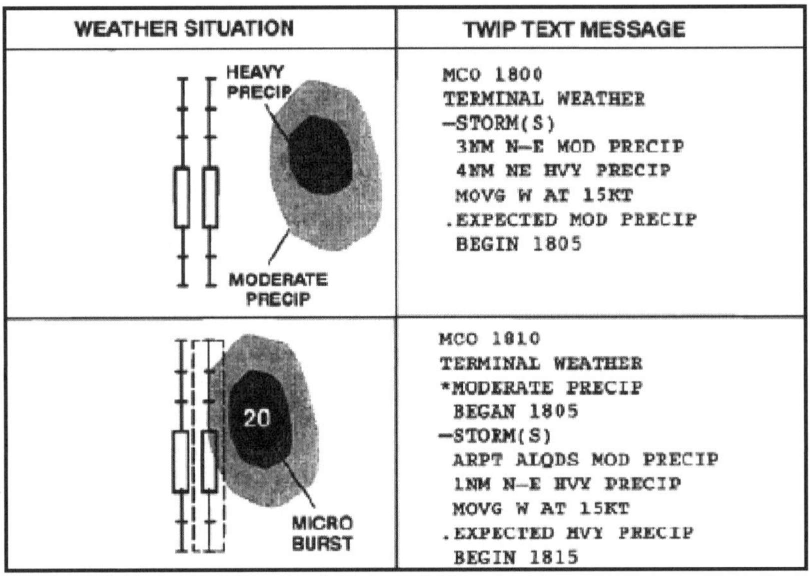

(b) TWIP 산출물은 TDWR 또는 통합터미널기상시스템(ITWS) testbed의 기상자료를 사용하여 생성된다. TWIP 산출물은 문자(text) 및 도형문자(character graphic) 전문의 형태로 생성되고 저장된다. 소프트웨어는 TDWR 또는 ITWS가 데이터를 format하는 것을 허용하고, TWIP 산출물을 Aeronautical Radio, Inc(ARINC)의 상주 데이터베이스에 보내기 위하여 개발되었다. ARINC 공중/지상 데이터통신시스템(ACARS) 데이터링크 서비스를 사용하는 조종사는 이 산출물에 접속할 수 있다. 또한 항공사의 운항관리사도 공항에서 윈드시어 활동이 시작되거나 종료될 때 이 데이터베이스에 접속하여 특정 항공기에 전문을 보낼 수 있다.

(c) TWIP 산출물에는 터미널지역 주변 30 NM 이내의 마이크로버스트 경보, 윈드시어 경보, 강한 강수, 대류활동 그리고 공항운영에 영향을 줄 수 있는 예상기상의 설명 및 도형문자가 포함된다. 험악한 기상 중에는, 바꾸어 말하면 사전에 정해진 수준의 강수 또는 터미널지역의 15 mile 이내에서 윈드시어가 탐지될 때마다 TWIP 산출물의 문자형식 전문은 1분마다 한번, 그리고 도형문자 형식의 전문은 5분마다 한번 갱신된다. 양호한 기상(사전에 정해진 강수 또는 윈드시어 변수 미만) 동안 각 전문은 10분마다 갱신된다. 이러한 산출물은 조종사/운항승무원의 상황인식을 증진시키고, 터미널지역에 도착하거나 출발하기 전의 비행계획수립에 도움을 주기 위한 것이다. TWIP 상황에서 양호한 기상과 험악한 기상으로 사전에 정해진 수준은 VFR/MVFR/IFR/LIFR에 대한 기준과는 관계가 없으며, 단지 강수, 윈드시어 및 마이크로버스트와 관련되어 있다는 것을 아는 것이 중요하다.

표 7-1-11. TWIP를 갖춘 공항(TWIP-Equipped Airports)

공항(Airport)	식별문자
Andrews AFB, MD	KADW
Hartsfield-Jackson Atlanta Intl Airport	KATL
Nashville Intl Airport	KBNA

공항(Airport)	식별문자
Logan Intl Airport	KOBS
Baltimore/Washington Intl Airport	KBWI
Hopkins Intl Airport	KCLE
Charlotte/Douglas Intl Airport	KCLT
Port Columbus Intl Airport	KCMH
Cincinnati/Northern Kentucky Intl Airport	KCVG
Dallas Love Field Airport	KDAL
James M. Cox Intl Airport	KDAY
Ronald Reagan Washington National Airport	KDCA
Denver Intl Airport	KDEN
Dallas-Fort Worth Intl Airport	KDFW
Detroit Metro Wayne County Airport	KDTW
Newark Liberty Intl Airport	KEWR
Fort Lauderdale-Hollywood Intl Airport	KFLL
William P. Hobby Airport	KHOU
Washington Dulles Intl Airport	KIAD
George Bush Intercontinental Airport	KIAH
Wichita Mid-Continent Airport	KICT
Indianapolis Intl Airport	KIND
John F. Kennedy Intl Airport	KJFK
LaGuardia Airport	KLGA
Kansas City Intl Airport	KMCI
Orlando Intl Airport	KMCO
Midway Intl Airport	KMDW
Memphis Intl Airport	KMEM
Miami Intl Airport	KMIA
General Mitchell Intl Airport	KMKE
Minneapolis St. Paul Intl Airport	KMSP
Louis Armstrong New Orleans Intl Airport	KMSY
Will Rogers World Airport	KOKC
O''Hare Intl Airport	KORD
Palm Beach Intl Airport	KPBI
Philadelphia Intl Airport	KPHL
Pittsburgh Intl Airport	KPIT
Raleigh-.Durham Intl Airport	KRDU
Louisville Intl Airport	KSDF
Salt Lake City Intl Airport	KSLC
Lambert-.St. Louis Intl Airport	KSTL
Tampa Intl Airport	KTPA
Tulsa Intl Airport	KTUL

7-1-27. 화산재 활동 관련 PIREP(PIREPs Relating to Volcanic Ash Activity)

a. 상부 대기로 화산재를 분출하는 화산폭발은 매년 수차례 전 세계에 걸쳐 어디에서나 발생한다. 화산재구름으로의 비행은 대단히 위험할 수 있다. 최소한 두 대의 B747 비행기가 이러한 화산재구름과 조우한 이후에 4개의 모든 엔진의 출력을 전부 상실하였다. 항공기 기종과 관계없이, 화산재구름과 조우한 후에는 어떤 손상이 뒤따를 것이 거의 확실하다. 추가하여 연구결과는 화산폭발이 제트순항고도에서 많은 양의 아황산(SO_2) 가스의 중요한 출처라는 것을 보여주고 있다. 따라서 SO_2를 탐지하고 이를 보고하는 것이 특히 중요하다. SO_2는 색깔이 없지만 객실에 썩은 달걀 또는 황과 비슷한 냄새가 난다면 대기 중에 SO_2가 존재한다고 생각하여야 한다.

b. 미국의 일부 화산은 감시되고 있지만 외딴 지역의 많은 화산들은 그렇지 못하고 있다. 이 감시되지 않는 화산들은 항공관계자에 사전 경고없이 폭발할 수 있다. 사전에 통보를 받지 못한 화산폭발을 관측한 조종사는 폭발의 유일한 목격자 일 수 있다. 화산폭발 및 관측된 화산재구름 또는 화산활동과 관련된 아황산(SO_2) 가스의 탐지에 관한 PIREP을 전송해 줄 것을 조종사에게 적극 권장하고 있다.

c. 조종사는 부록 2에 수록된 화산활동보고(Volcanic Activity Reporting; VAR) 양식을 사용하여 화산활동에 관한 PIREP을 제출하여야 한다. VAR 양식을 즉시 이용할 수 없다면, 화산활동의 위치와 유형을 식별할 수 있는 충분한 정보를 전달한다.

d. 조종사는 가능한 빨리 VAR의 항목 1부터 8까지의 요구자료를 구두로 전송하여야 한다. 항목 9부터 16까지의 요구자료는 가능하다면 착륙 후에 전달하여야 한다.

7-1-28. 뇌우(Thunderstorm)

a. 뇌우에는 난기류, 우박, 비, 눈, 번개, 지속적인 상승기류 및 하강기류, 착빙 등의 모든 상황이 존재한다. 최대 난기류는 뇌우의 중간층에 존재한다는 몇몇 단서가 있기는 하지만, 최근의 연구는 고도에

따른 난기류 강도의 변화는 거의 없다는 것을 보여주고 있다.

b. 뇌우의 시각적인 외관 및 뇌우 내의 난기류나 우박의 강도나 양 사이에는 상관관계가 없다. 육안으로 볼 수 있는 뇌운(thunderstorm cloud)은 난기류시스템의 일부분에 불과하며, 상승기류 및 하강기류는 육안으로 볼 수 있는 뇌운의 범위를 훨씬 넘어 멀리까지 이어진다. 강한 뇌우로부터 20 mile까지 심한 난기류를 예상할 수 있다. 다소 약한 뇌우의 경우, 이 거리는 10 mile 까지 감소한다.

c. 항공기에 탑재되거나 지상에 설치되는 기상레이더는 보통 강수에서부터 강한 강수지역까지를 나타낸다 (레이더는 난기류를 나타내지는 못한다). 가장 많은 액체 물방울을 함유한 폭풍지역과 밀접한 상관관계가 있는 레이더 반사율이 증가하면 일반적으로 난기류의 빈도와 강도는 증가한다. 강한 또는 매우 강한 레이더 반사파(radar echo)로부터 20~30 mile 이내의 지역을 통과하는 비행경로는 심한 난기류로부터 안전하다고 할 수 없다.

d. 뇌우 하부의 난기류를 경시해서는 안된다. 이것은 지표면과 15,000 ft 사이의 어느 층에서 상대습도가 낮을 때 특히 그러하다. 게다가 저고도에서는 바깥쪽으로 부는 강한 바람과 심한 난기류의 특성이 나타난다.

e. 항공기에 번개가 칠 가능성은 기온 −5℃와 5℃ 사이의 고도에서 운항할 때 가장 높다. 뇌우부근을 벗어나서 비행하는 항공기도 번개를 맞을 수 있다.

f. METAR 보고에는 강한 뇌우에 대한 서술자(descriptor)가 포함되어 있지 않다. 그러나 50 knot의 바람 또는 3/4 in의 우박과 같은 강한 뇌우의 기준을 이해함으로써, 발생한 기상현상을 알리기 위한 보고에 이 정보를 이용할 수 있다.

g. 현재의 기상레이더시스템은 강수 강도를 객관적으로 측정할 수 있다. 이러한 강수지역의 강도는 ″약함(light)″, ″보통(moderate)″, ″강함(heavy)″ 및 ″매우 강함(extreme)″으로 나타낸다.

예문(Example)
1. ATC 기관이 항공기에 발부하는 경보
(항공기 식별부호) extreme precipitation between ten o′clock and two o′clock, one five miles. Precipitation area is two five miles in diameter.
2. FSS가 발부하는 경보
(항공기 식별부호) extreme precipitation two zero miles west of Atlanta V-O-R, two five miles wide, moving east at two zero knots, tops flight level three niner zero.

7-1-29. 뇌우비행(Thunderstorm Flying)

a. 뇌우 회피(Thunderstorm Avoidance). 약한 강도의 레이더 반사파(echo)라고 하더라도 약한 강도의 뇌우라고 판단해서는 안된다, 뇌우는 회피하는 것이 최선책이다. 다음은 뇌우를 회피하기 위하여 해야 하거나, 하지 말아야 할 몇 가지 사항이다.

1. 접근하는 뇌우의 정면으로 이륙하거나 착륙하지 마라. 저고도 난기류의 갑작스러운 돌풍전선은 조종력 손실을 일으킬 수 있다.

2. 뇌우의 반대편을 볼 수 있다 하더라도 뇌우 아래로 비행을 시도하지 마라. 뇌우 아래의 난기류와 윈드시어는 재난을 불러올 수 있다.

3. 뇌우의 모루(anvil) 아래로 비행을 시도하지 마라. 심하거나 극심한 청천난류의 가능성이 있다.

4. 항공기탑재 레이더 없이 산발적인 은폐뇌우(embedded thunderstorm)를 포함하고 있는 구름 속으로 비행하지 마라. 은폐되지 않은 산발적인 뇌우는 일반적으로 육안으로 보면서 우회할 수 있다.

5. 뇌우의 시각적인 외관을 뇌우 내의 확실한 난기류의 징후로 신뢰해서는 안된다.

6. ATC가 레이더항행유도나 뇌우 주위로의 회피를 제공할 것이라고 가정해서는 안된다.

7. 뇌우지역의 경로를 지나기 위한(전술적인 회피) 유일한 수단으로 데이터링크 기상 차세대 기상레이더(NEXRAD) 모자이크 영상(mosaic imagery)을 사용하지 마라.

8. 데이터링크 NEXRAD 모자이크 영상은 기상이 있었던 지역, 기상이 없었던 지역을 보여준다는 것을 기억하라. 15~20분 이전의 기상상태가 시현장치에 표시될 수도 있다.

9. ATC 주파수로 말하는 조종사기상보고(PIREP) 및 다른 항공기의 위배 또는 회항 요청을 청취하라.

10. 필요하면 ATC에 레이더항행유도 또는 뇌우 주위로의 회피를 허가해 줄 것을 요청하라.

11. 뇌우를 완전히 회피하기 위한 비행로선정(전략적인 회피)에는 데이터링크 기상 NEXRAD 모자이크 영상(예를 들면, 비행정보제공방송(FIS-B))을 사용하라.

12. 다른 관제사에게 이양될 경우, 원래의 비행로로의 재진입을 수락하기 전에 뇌우로 인해 진로를 이탈 중이라는 것을 ATC에 통보하라.

13. 악기상회피 허가를 받은 이후에 원래의 비행로로의 재진입을 수락하기 전에 비행경로가 뇌우로부터 벗어나 있도록 하라.

14. 강한 뇌우로 식별되거나, 또는 강한 레이더 반사파(radar echo)가 나타나는 뇌우는 최소한 20 mile 이상 회피하라. 이것은 거대한 적란운의 모루(anvil) 하단에서 특히 그러하다.

15. 비행구역의 6/10이 뇌우 범위라면 구역 전체를 우회하라.

16. 선명하고 빈번한 번개는 강한 뇌우의 가능성을 나타낸다는 것을 기억하라.

17. 정상부(top)를 육안으로 확인하였든 레이더로 측정하였든지 간에, 정상부가 35,000 ft 이상인 뇌우는 극히 위험한 것으로 간주하라.

18. 비행상태에 대한 PIREP을 제공하라.

19. 뇌우지역 주위로 항행하는 것이 불가능하면 회항하여 지상에서 뇌우가 소멸되기를 기다려라.

20. 뇌우 회피시 비행정보업무국과 교신하여 도움을 받아라. 비행정보업무국 담당자는 기본 및 합성 반사율, 반사파 정상(echo tops) 및 VAD 바람분포(wind profile)와 같은 고유의 특징을 가진 NEXRAD 모자이크 레이더 영상 및 NEXRAD single site 레이더를 갖추고 있다.

b. 뇌우를 통과해야 한다면 뇌우로 진입하기 전에 다음과 같이 하여야 한다.

1. 모든 느슨한 물건들을 고정시켰다면 안전벨트를 단단히 조이고, 어깨끈을 착용(설치되어 있다면)한다.

2. 항공기가 최소시간에 뇌우를 통과할 수 있도록 진로(course)를 계획하고 유지한다.

3. 가장 위험한 착빙을 피하기 위하여 결빙고도 미만이나 −15℃ 고도 이상의 통과고도로 비행한다.

4. Pitot heat를 on 하였는지, 그리고 기화기 heat 또는 제트엔진 방빙장치를 작동시켰는지 확인한다. 어떤 고도에서나 착빙은 급속히 이루어질 수 있으며 거의 동시에 출력 상실 또는 대기속도 지시의 상실을 초래할 수 있다.

5. 항공기 manual에서 권장하는 난기류 통과속도로 동력설정을 맞춘다.

6. 번개로 인한 일시적인 시력상실(blindness)을 줄이기 위하여 조종실 조명을 가장 높은 광도로 조절한다,

7. 자동조종장치를 사용하고 있다면 고도유지 mode와 속도유지 mode를 해제한다. 고도 및 속도의 자동조종은 항공기의 조작을 증가시키고, 따라서 구조적인 응력(stress)을 증가시킨다.

8. 항공기탑재 레이더를 사용하고 있다면, 때때로 안테나를 위와 아래로 기울인다. 이것은 비행중인 고도 이외의 고도에서의 다른 뇌우활동을 탐지할 수 있도록 한다.

c. 다음은 뇌우를 통과하는 동안 준수하여야 할 몇 가지 사항이다.

1. 시선을 계기에 둔다. 조종실 외부를 보는 것은 번개로 인한 일시적인 시력상실의 위험을 증가시킬 수 있다.

2. 권장하는 난기류 통과속도로 동력설정을 유지하고, 동력설정을 변경하지 마라.

3. 일정한 자세를 유지하라. 고도 및 속도가 변동될 수 있도록 놓아두라.

4. 일단 뇌우 속에 들어갔다면 되돌아가지 마라. 뇌우를 통과하는 직선진로가 위험에서 항공기를 아마 가장 빨리 벗어나게 할 것이다. 더불어 선회기동은 항공기의 응력(stress)을 증가시킨다.

7-1-30. 공항예보(TAF) 및 항공정시관측보고(METAR) 해설

그림 7-1-21. 공항예보(TAF) 및 항공정시관측보고(METAR) 해설 (전면)

Key to Aerodrome Forecast (TAF) and Aviation Routine Weather Report (METAR) (Front)

TAF KPIT 091730Z 0918/1024 15005KT 5SM HZ FEW020 WS010/31022KT FM091930 30015G25KT 3SM SHRA OVC015 TEMPO 0920/0922 1/2SM +TSRA OVC008CB FM1000100 27008KT 5SM SHRA BKN020 OVC040 PROB30 1004/1007 1SM -RA BR FM101015 18005KT 6SM -SHRA OVC020 BECMG 1013/1015 P6SM NSW SKC
주(Note): 사용자는 TAF의 날짜 및 시간의 확인에 주의를 기울여야 한다. 예를 들어 FM100000은 10일 0000Z이다. 1000Z와 혼동하지 마라!
METAR KPIT 091955Z COR 22015G25KT 3/4SM R28L/2600FT TSRA OVC010CB 18/16 A2992 RMK SLP045 T01820159

예보	설명(Explanation)	보고
TAF	전문 형태: TAF-정기예보 또는 TAF AMD-수정예보, METAR-정시보고, SPECI-특별보고 또는 TESTM-비운용(non-commissioned) ASOS 보고	METAR
KPIT	ICAO 지역지시자(ICAO location indicator)	KPIT
091730Z	발표시간: UTC "Z" 단위의 시간, 2자리 숫자의 날짜, 4자리 숫자의 시간	091955Z
0918/1024	24시간 또는 30시간의 유효시간. 각각의 4자리 숫자 번호 가운데 첫 번째 2자리 숫자는 날짜를 나타내고, 마지막 2자리 숫자는 시간을 나타낸다. (9일 18Z부터 10일 24Z까지 유효)	
	미국 METAR의 경우: 수정된(CORrected) 보고; 또는 사람이 관여하지 않은 자동보고의 경우, 자동(AUTOmated) 보고; 관측자가 관여한 경우 생략됨	COR
15005KT	바람: 10°에 가장 가까운 진북방향의 3자리 숫자 (또는 VaRiaBle); 다음 2~3자리 숫자의 풍속 및 단위, KT(KMH 또는 MPS); 필요에 따라, Gust 및 최대돌풍속도; 무풍(Calm)인 경우 00000KT; METAR의 경우, 풍향이 60° 이상 변화하면 Variability를 덧붙인다, 예, 180V260	22015G25KT
5SM	우시정(Prevailing visibility); 미국에서는 Statute Mile 및 분수; TAF에서 6 mile 초과는 Plus6SM. (또는 meter 단위 4자리 숫자의 최저시정, 그리고 필요할 경우 방향과 함께 가장 낮은 시정값)	3/4SM
	활주로가시거리: R; 2자리 숫자, 필요시 활주로 지시자 Left, Center 또는 Right; "/", 미국의 경우 Minus 또는 Plus, 4자리 숫자의 값, 미국의 경우 FeeT (다른 나라의 경우 보통 meter); 4자리 숫자의 값 Variability 4자리 숫자의 값 (및 경향 Down, Up 또는 No change)	R28L/2600FT
HZ	중요한 현재, 예보 및 최근 기상: 표(후면) 참조	TSRA
FEW020	운량, 운고 및 운형 : Sky Clear 0/8, FEW >0/8~2/8, ScaTtered 3/8~4/8, BroKeN 5/8~7/8, OverCast 8/8; 100 ft 단위 3자리 숫자의 높이; METAR의 경우, 탑상적운(Towering Cumulus) 또는 적란운(CumulonimBus); TAF의 경우, CB만 예보. 하늘이 차폐된 경우 수직시정(Vertical Visibility) 및 높이 "VV004". 둘 이상의 구름층을 보고하거나 예보할 수 있다. 자동 METAR 보고의 경우에만 "12,000 ft 미만 clear" 일 경우 CleaR	OVC010CB
	기온: 섭씨(℃); 첫 번째 2자리 숫자의 기온, "/", 마지막 2자리 숫자의 이슬점; 영하인 경우 Minus, 예, M06	18/16
	고도계수정치: 지시자 및 4자리 숫자; 미국의 경우, A-inch 및 100분의 1 inch; (Q-hectoPascal, 예, Q1013)	A2992

WS010/310 22KT	미국의 경우, TAF, 비대류성 저고도(≤2,000 ft) Wind Shear; 3자리 숫자의 높이(100 ft 단위); "/"; 3자리 숫자의 풍향과 2~3자리 숫자의 지시된 높이 상부의 풍속, 그리고 단위 KT	

그림 7-1-22. 공항예보(TAF) 및 항공정시관측보고(METAR) 해설 (후면)

Key to Aerodrome Forecast (TAF) and Aviation Routine Weather Report (METAR) (Back)

	METAR의 경우, ReMarK 지시자 및 비고. 예를 들면: 10분의 1 hectoPascal 단위의 해면기압(Sea-Level Pressure): 1004.5 hPa; ℃ 단위의 기온/이슬점(Temp/dew-point): 기온 18.2℃, 이슬점 15.9℃	RMK SLP045 T01820159
FM091930	FroM: 2자리 숫자 날짜, 2자리 숫자 시 및 2자리 숫자 분의 시작시간에 변화가 예상됨: 중대한 변화를 나타냄. 각 FM은 새로운 줄에서 의도적인 5칸의 공백 다음에 시작됨	
TEMPO 0920/2022	TEMPOrary: 1시간 미만 동안 그리고 2자리 숫자 날짜와 2자리 숫자 시의 시작시간 및 2자리 숫자 날짜와 2자리 숫자 시의 종료시간 간의 기간동안 전부 합하여 1/2 미만 동안 변화가 예상됨	
PROB30 1004/1007	PROBability 및 2자리 숫자의 백분율(30 또는 40): 2자리 숫자 날짜와 2자리 숫자 시의 시작시간 및 2자리 숫자 날짜와 2자리 숫자 시의 종료시간 간의 기간동안 가능성이 있는 기상상태	
BECMG 1013/1015	BECoMinG: 2자리 숫자 날짜와 2자리 숫자 시의 시작시간 및 2자리 숫자 날짜와 2자리 숫자 시의 종료시간 간의 기간동안 예상되는 변화	

Table of Significant Present, Forecast and Recent Weather- Grouped in categories and used in the order listed below; or as needed in TAF, No Significant Weather.

수식어(Qualifier) 강도(Intensity) 또는 근접도(Proximity)			
"–" = 약함(Light)	"부호 없음" = 보통(Moderate)	"+" = 강함(Heavy)	
"VC" = 인접(Vicinity): 미국 METAR의 경우, 공항은 아니지만 관측지점으로부터 5~10 SM 이내임. 미국 TAF의 경우, 활주로 시설 중심부로부터 5~10 SM. 다른 지역의 경우 8,000 m 이내.			
서술자(Descriptor)			
BC - 흩어진(Patches)	BL - 높게 날린(Blowing)	DR - 낮게 날린(Drifting)	FZ - 어는(Freezing)
MI - 얕은(Shallow)	PR - 부분적인(Partial)	SH - 소낙성의(Showers)	TS - 뇌우의(Thunderstorm)
기상현상(Weather Phenomena) 강수(Precipitation)			
DZ - 이슬비(Drizzle)	GR - 우박(Hail)	GS - 작은 우박/눈 싸라기(Small hail/snow pellets)	
IC - 빙정(Ice Crystals)	PL - 얼음 싸라기 (Ice Pellets)	RA - 비(Rain)	SG - 쌀알눈(Snow grains)
SN - 눈(Snow)	UP - 자동관측의 불분명한 강수		
차폐(Obscuration)			
BR - 박무(Mist) (≥5/8SM)	DU - 넓게 퍼진 먼지 (Widespread dust)	FG - 안개(Fog) (<5/8SM)	FU - 연기(Smoke)
HZ - 연무(Haze)	PY - 물보라(Spray)	SA - 모래(Sand)	VA - 화산재(Volcanic ash)
기타(Other)			
DU - 먼지보라 (Dust storm)	FC - 깔때기구름 (Funnel cloud)	+FC - 토네이도(Tornado) 또는 용오름(Waterspout)	
PO - 상당히 발달된 먼지 또는 모래회오리 (dust or sand whirls)		SQ - 스콜(Squall)	SS - 모래보라 (Sandstorm)

- 괄호 "( )"의 설명은 세계적으로 서로 다른 관행을 나타낸다.
- 운고(ceiling)는 명시되지 않는다. 가장 낮은 broken이나 overcast 층(layer), 또는 수직시정으로 나타낸다.
- NWS TAF에는 BECMG group 및 기온예보가 포함되지 않는다. NWS TAF에는 TAF의 처음 9시간 동안에 PROB를 사용하지 않는다. NWS METAR에는 경향예보(trend forecasts)가 포함되지 않는다. 미군 TAF에는 난기류 및 착빙 group이 포함되지 않는다.

7-1-31. 국제민간항공기구 기상형식[International Civil Aviation Organization (ICAO) Weather Format]

미국은 항공기상보고와 예보에 ICAO 세계표준을 사용한다. 세계기상기구(WMO) 회원국에 의해 채택된 기본적인 METAR와 TAF 부호는 WMO 간행물 No. 782 "공항보고 및 예보(Aerodrome Reports and Forecasts)"에 수록되어 있다.

a. METAR 부호가 세계적으로 채택되었지만 각 국가는 특정 국가에 사용하기 적합하도록 부호를 변경하거나 또는 예외사항을 적용하는 것이 허용된다. 예를 들어 미국에서 시정은 statute mile, RVR 값은 feet, 풍속은 knot, 그리고 고도의 측정에는 inHg를 계속 사용할 것이다. 그러나 기온과 이슬점(dew point)은 ℃로 보고될 것이다. 미국은 최저구역시정보다 우시정을 보고한다. METAR 보고 본문의 각 요소들은 공백(space)으로 분리된다. 사선(/)에 의해 분리되는 기온과 이슬점(dew point)만이 예외이다. 기상요소가 발생하지 않았거나 관측되지 않으면, 그 요소 및 바로 전의 공백은 그 보고에 한하여 생략된다. METAR 보고에는 다음과 같은 순서에 의한 일련의 요소가 포함된다.

1. 보고의 종류(type of report)
2. ICAO 관측소식별자(station identifier)
3. 보고 날짜와 시간(date and time of report)
4. 수식어(modifier) (필요한 경우)
5. 바람(wind)
6. 시정(visibility)
7. 활주로가시거리(RVR)
8. 기상현상(weather phenomena)
9. 하늘상태(sky condition)
10. 기온/이슬점(temperature/dew point) group
11. 고도계(altimeter)
12. 비고(RMK)

b. 다음 장은 METAR 보고의 요소들을 기술한다.

1. 보고의 종류(Type of report)

다음과 같은 두 가지 보고 종류가 있다.

(a) 항공정시관측보고(Aviation Routine Weather Report) (METAR)

(b) 항공비정기(특별)관측보고(Nonroutine (Special) Aviation Weather Report) (SPECI)

보고의 종류(METAR 또는 SPECI)는 항상 보고의 선행 요소(lead element)로 제시된다.

2. ICAO 관측소식별자(Station Identifier)

METAR 부호는 4자리 문자의 관측소식별자를 사용한다. 본토 48개 주에서는 3자리 문자의 국내 관측소식별자 앞에 "K"를 붙인다. 즉 시애틀의 국내 식별자가 SEA 라면, ICAO 식별자는 KSEA 이다. ICAO 식별자의 첫 번째 2자리 문자는 관측소가 위치한 지역이나 국가(또는 주)를 나타낸다. 알래스카의 경우 모든 관측소식별자는 "PA"로 시작하고, 하와이의 모든 관측소식별자는 "PH"로 시작한다. 캐나다 관측소식별자는 "CU", "CW", "CY" 및 "CZ"로 시작한다. 멕시코 관측소식별자는 "MM"으로 시작한다. 서카리브해 지역에 대한 식별자는 쿠바 "MU", 도미니카 공화국 "MD" 및 바하마 "MY"와 같이 "M" 다음에 각 국가의 문자를 붙인다. 동카리브해 지역에 대한 식별자는 푸에르토리코 "TJ"와 같이 "T" 다음에 각 국가의 문자를 붙인다. 전 세계의 전체목록은 ICAO 문서 7910, Location Indicators를 참조한다.

3. 보고 날짜와 시간(Date and Time of Report)

관측이 이루어진 날짜와 시간이 국제표준시(UTC)라는 것을 나타내기 위하여 Z를 덧붙인 6자리 숫자의 날짜/시간 group으로 전송된다. 처음의 2자리 숫자는 날짜, 다음 2자리 숫자는 시(hour)를 그리고 마지막 2자리 숫자는 분(minute)을 나타낸다.

예문(Example)

172345Z (이번 달 17일 2345Z)

4. 수식어(Modifier) (필요한 경우)

"AUTO"는 METAR/SPECI 보고가 사람이 관여하지 않은 자동기상보고라는 것을 나타낸다. 보고의 본문에 "AUTO"가 제시되면, 관측소에서 사용된 감지기 장치의 유형이 보고의 비고란에 부호로 표기될 것이다. "AUTO"가 없다는 것은 보고가 관측자에 의해 수동으로 이루어졌거나, 자동보고가 사람에 의해 보강/보완 되었다는 것을 나타낸다. 수식어 "COR"은 오류가 있는 이전의 보고를 대체하기 위하여 전송된 수정보고라는 것을 나타낸다.

주(Note)

자동기상관측소에는 강수식별기를 갖추지 않은 자동기상보고소인 AO1과 강수식별기(precipitation discriminator)를 갖춘 자동기상보고소 AO2 두 가지 유형이 있다 (강수식별기는 액체 강수와 언/어는 강수 간의 차이를 판별할 수 있다). 이 정보는 자동보고의 비고란에 제시된다.

5. 바람(Wind)

바람은 5자리의 숫자 group(속도가 99 knot를 초과할 경우에는 6자리 숫자)으로 보고된다. 처음 3자리 숫자는 진북(true north) 기준 10° 단위의 바람이 불어오는 방향을 나타내거나, 풍향의 변동이 있으면 "VRB"로 표시한다. 다음의 2자리 숫자는 knot 단위로 나타낸 풍속이며, 99 knot를 초과할 경우에는 3자리의 숫자로 표시한다. 바람이 돌풍일 경우에는 풍속 뒤에 "G"를 추가하고, 다음에 보고된 최대돌풍속도를 표시한다. 풍속의 단위가 knot라는 것을 나타내기 위하여 약어 "KT"를 덧붙인다.

예시(Example)

13008KT - 풍향 130°, 풍속 8 knot

08032G45KT - 풍향 80°, 풍속 32 knot, 최대돌풍속도 45 knot의 돌풍(Gust)

VRB04KT - 풍향의 변동이 있는 풍속 4 knot의 바람

00000KT - 무풍(wind calm)

210103G130KT - 풍향 210°, 풍속 103 knot, 최대돌풍속도 130 knot의 돌풍(Gust)

풍향이 60° 이상 변화하고 풍속이 6 knot를 초과하면, 우세한 바람 group 다음에 "V"로 구분되는 최대풍향으로 이루어진 변동 group을 표시한다.

32012G22KT 280V350

(a) 최대풍속(Peak Wind). 최대풍속이 25 knot를 초과하면, PK WND 28045/1955 "19시 55분에 풍향 280°, 풍속 45 knot의 최대풍속(Peak wind) 발생"과 같이 "PK WIND"를 비고란에 포함한다. 보고시간으로부터 시간을 추정할 수 있으면, PK WND 34050/38 "38분에 풍향 340°, 풍속 50 knot의 최대풍속(Peak wind) 발생"과 같이 분(minute) 만을 포함한다.

(b) 바람변화(Wind shift). 바람방향의 변화가 발생하면, WSHFT 30 FROPA "30분에 전선통과(frontal passage)로 인한 바람변화(wind shift)"와 같이 "WSHFT" 다음에 바람방향의 변화가 시작된 시간을 비고란에 포함한다.

6. 시정(Visibility)

우시정(prevailing visibility)은 시정 다음에 "SM"을 덧붙여 statute mile 단위로 보고된다.

예시(Example)

7SM - 시정 7 statute mile

15SM - 시정 15 statute mile

1/2SM - 시정 1/2 statute mile

(a) 관제탑/지상시정(tower/surface visibility). 관제탑 또는 지상시정이 4 statute mile 미만이면, 둘 중에 더 낮은 시정은 보고의 본문에 보고되고 더 높은 시정은 비고란에 보고된다.

(b) 자동시정(automated visibility). ASOS/AWSS 시정 관측소는 10 mile 이상의 시정을 "10SM"으로 나타낸다. AWOS 시정 관측소는 1/4 statute mile 미만의 시정을 "M1/4SM"으로 나타내고, 10 mile 이상의 시정은 "10SM"으로 나타낸다.

주(Note)

서비스 수준 요건을 충족사키기 위하여 기상관측자가 관여한 자동관측소는 시정을 0, 1/16 SM 및 1/8 SM 간격으로 보고할 수 있다.

(c) 변동시정(variable visibility). 변동시정은 VIS 1V2 "시정이 1과 2 statue mile 사이에서 변동"과 같이 비고란에 나타낸다. (시정이 1/2 statute mile 이상 급격히 증가하거나 감소하고, 평균 우시정이 3 mile 미만일 경우)

(d) 구역시정(sector visibility). 구역시정과 우시정이 다르고, 구역시정이나 우시정이 3 mile 미만일 경우 비고란에 구역시정을 나타낸다.

예시(Example)

VIS N2 - 북쪽구역 시정 2 statute mile

7. 활주로가시거리(보고시)

Group을 나타내는 "R" 다음의 활주로 기수방향(그리고, 필요시 평행활주로 지시자), "/"과 feet(다른 나라의 경우 meter) 단위의 가시거리 다음에 "FT" (feet는 발음되지 않음)로 나타낸다.

(a) 변동수치(variability value). RVR이 변화하는 경우(보고할 수 있는 수치 이상), 가장 낮은 값과 가장 높은 값을 두 수치 사이에 "V"를 덧붙여 나타낸다.

(b) 최대/최소범위(maximum/minimum range). "P"는 관측된 RVR이 이 시스템의 상한치를 초과했다는 것을 나타낸다 ("more than"으로 읽음). "M"은 관측된 RVR이 시스템이 측정할 수 있는 하한치 미만이라는 것을 나타낸다 ("less than"으로 읽음).

예시(Example)

R32L/1200FT - 32 방향 좌측 활주로, 활주로가시거리 1,200 ft

R27R/M1000V4000FT - 27 방향 우측 활주로, 활주로가시거리 1,000 ft 미만에서 4,000 ft까지 변화

8. 기상현상(Weather Phenomena)

METAR 부호로 보고되는 기상은 현재 보고된 기상에 중대한 변화가 있다는 것을 의미한다. METAR에서 기상은 다음과 같은 형식(format)으로 보고된다.

강도(Intensity)/근접도(Proximity)/서술자(Descriptor)/강수(Precipitation)/시정장애(Obstruction to visibility)/기타(Other)

주(Note)

위와 다음 설명에서 사용하는 "/"(기온과 이슬점의 분리를 위한 경우 제외)는 이 발간물에서 구분의 목적으로 사용되며, 실제 METAR에서는 사용되지 않는다.

(a) 강도(intensity)는 첫 번째로 보고되는 강수의 형태에 대해서만 적용된다. "−"는 약함(light), 부호가 없는 것은 보통(moderate), 그리고 "+"는 강함(heavy)을 나타낸다.

(b) 근접도(proximity)는 공항주변(관측지점으로부터 5~10 mile 사이)에서 발생하는 기상에 대해서만 적용된다. 이것은 문자 "VC"로 나타낸다. (강도와 "VC"는 기상 group에서 같이 사용하지 않는다)

(c) 서술자(descriptor). 다음과 같은 8가지의 서술자가 강수 또는 시정장애에 적용된다.

TS .... 뇌우의(thunderstorm)
DR .... 낮게 날린(low drifting)
SH .... 소낙성의(showers)
MI .... 얕은(shallow)
FZ .... 어는(freezing)
BC .... 흩어진(patches)
BL .... 높게 날린(blowing)
PR .... 부분적인(partial)

주(Note)

"TS" 및 "SH"를 강수와 함께 사용하고 강도 부호가 앞에 올 수 있지만, 강도는 강수에만 적용되며 서술자에 적용되는 것은 아니다.

(d) 강수(precipitation). METAR 부호에는 다음과 같은 9가지 형태의 강수가 있다.

RA .... 비(rain)
DZ .... 이슬비(drizzle)
SN .... 눈(snow)
GR .... 우박(hail) (직경 1/4" 이상)
GS .... 작은 우박(small hail)/눈 싸라기(snow pellets)
PL .... 얼음 싸라기(ice pellets)
SG .... 쌀알눈(snow grains)
IC .... 빙정(ice crystals) 〔얼음침(diamond dust)〕

UP .... 불분명한 강수(unknown precipitation) (자동관측소에만 해당)

(e) 시정장애(obstructions to visibility). METAR 부호에는 다음과 같은 8가지 형태의 차폐 현상이 있다. (차폐란 수평시정을 저하시키는 강수 이외의 대기현상을 말한다)

FG .... 안개(fog) (5/8 mile 미만의 시정)
HZ .... 연무(haze)
FU .... 연기(smoke)
PY .... 물안개(spray)
BR .... 박무(mist) (5/8~6 mile의 시정)
SA .... 모래(sand)
DU .... 먼지(dust)
VA .... 화산재(volcanic ash)

주(Note)

시정이 5/8 미만일 때만 안개(FG)로 관측되거나 예보되며, 그렇지 않으면 박무(BR)로 관측되거나 예보된다.

(f) 기타. 기타 기상현상에는 다음과 같은 5가지 유형이 있다.

SQ .... 스콜(squall)
SS .... 모래보라(sandstorm)
DS .... 먼지보라(dust storm)
PO .... 먼지/모래회오리(dust/sand whirls)
FC .... 깔때기구름(funnel cloud)
+FC .... 토네이도/용오름(tornado/waterspout)

예시(Example)

TSRA .... 보통 강도의 비를 동반한 뇌우 (thunderstorm with moderate rain)
+SN .... 강한 강도의 눈(heavy snow)
-RA FG .... 약한 강도의 비와 안개(light rain and fog)
BRHZ .... 박무와 연무(mist and haze) (5/8 mile 이상의 시정)
FZDZ .... 어는 이슬비(freezing drizzle)
VCSH .... 공항주변의 소나기(rain shower in the vicinity)
+SHRASNPL .. 강한 강도의 소나기, 눈, 얼음 싸라기 (강도 지시자는 현저한 강수를 나타낸다)

9. 하늘상태(Sky Condition)

METAR에서 보고되는 하늘상태는 현재 보고된 하늘상태에 중대한 변화가 있다는 것을 의미한다. METAR에서 하늘상태는 다음과 같은 형식으로 보고된다.

운량(Amount)/Height(운고)/(운형[Type]) 또는 불명확한 운고(Ceiling/Height)

(a) 운량(Amount)

전체 하늘에 대해 구름이 가리고 있는 부분을 약어를 사용하여 8분위의 운량으로 보고한다.

SKC .... clear (구름 없음)
FEW .... >0~2/8의 구름
SCT .... scattered (3/8~4/8의 구름)
BKN .... broken (5/8~7/8의 구름)
OVC .... overcast (8/8의 구름)
CB .... 적란운(cumulonimbus)이 존재할 때
TCU .... 탑상적운(towering cumulus)이 존재할 때

주(Note)

1. "SKC"는 수동관측소에서 사용된다. 자동관측소는 12,000 ft 미만에 구름이 없다는 것을 보고할 때 "CLR"를 사용된다.
2. METAR code에는 운고층(ceiling layer)이 지정되어 있지 않다. 항공목적상 운고(ceiling)는 가장 낮은 broken 층이나 overcast 층, 또는 차폐상태에서의 수직시정(vertical visibility)이다. 또한 METAR code에는 얇은 층(thin layer)의 보고에 대한 조항도 없다. 구름이 얇을 경우 그 층은 불투명한 것으로 보고하여야 한다.

(b) 운고(Height)

운저고도(cloud base)는 3자리 숫자를 사용하여 지표면으로부터 100 ft 단위의 고도(AGL)로 보고한다. (자동관측소는 12,000 ft를 초과하는 구름을 보고할 수 없다)

(c) 운형(Type)

탑상적운(TCU) 또는 적락운(CB)이 있을 때에는 운저고도 다음에 이를 보고한다.

예문(Example)

(보고할 때) SCT025TCU BKN080 BKN250.

(읽을 때) "Two thousand five hundred scattered towering cumulus, ceiling eight thousand broken, two five thousand broken."
(보고할 때) SCT008 OVC012CB. (읽을 때) "Eight hundred scattered ceiling one thousand two hundred overcast cumulonimbus clouds."

(d) 수직시정(불명확한 운고)
불명확한 운고(ceiling)의 높이는 "VV" 다음에 100 ft 단위의 3자리 숫자로 수직시정을 보고한다. 이러한 층은 하늘 전체가 차폐되었다는 것을 나타낸다.

예시(Example)
1/8SM FG VV006 - 시정 1/8SM, 안개(fog), 불명확한 운고 수직시정 600 ft

(e) 지상기반의 기상현상으로 인해 하늘이 부분적으로 차폐되었을 경우, 차폐의 양을 나타내는 FEW, SCT, BKN 다음에 3자리 0(000)을 표시하여 차폐를 보고한다. 비고란에는 차폐현상(obscuring phenomenon) 다음에 차폐의 양과 3자리의 0을 표시한다.

예시(Example)
BKN000 (본문에서) .... "하늘이 부분적으로 차폐되었음(sky partially obscured)"
FU BKN000 (비고에서) ... "하늘의 5/8~7/8이 연기(smoke)로 차폐되었음"

(f) 상부의 층에 구름 이외 연기(smoke)나 연무(haze)와 같은 유형의 기상현상이 포함되어 있는 하늘상태인 경우, 운량 및 운고는 비고란에 나타낸다.

예시(Example)
BKN020 (본문에서) .... "운량 broken (5/8~7/8)의 구름, 운고 2,000 ft"
RMK FU BKN020 .... "높이 2,000 ft 상부의 broken 연기(smoke) 층"

(g) 변동 운고(Variable ceiling)
운고가 3,000 ft 미만이고 변화한다면, "CIG" 다음에 "V"로 구분된 가장 낮은 운고와 가장 높은 운고를 비고란에 나타낸다.

예시(Example)
CIG 005V010 .... "운고(ceiling) 500 ft에서 1,000 ft 까지 변함"

(h) 보조관측소 감지기(Second site sensor)
자동관측소가 불연속 기상감지기(meteorological discontinuity sensor)를 사용하는 경우, 본문에 보고된 상태와 다르거나 낮은 보조관측소의 특정 하늘상태를 식별하기 위하여 비고란에 나타낸다.

예시(Example)
CIG 020 RY11 .... "활주로 11에서의 운고(ceiling) 2,000 ft"

(i) 변동 구름층(Variable cloud layer)
구름층의 운량이 변화하는 경우 변동범위를 비고란에 나타낸다. 두 개 이상의 구름층이 있다면 변화하는 구름층은 층의 높이를 포함하여 식별한다.

예시(Example)
SCT V BKN .... "scattered 구름층이 broken 구름층으로 변함"
BKN025 V OVC .... "고도 2,500 ft의 broken 구름층이 overcast 구름층으로 변함"

(j) 중요한 구름(Significant cloud)
중요한 구름이 관측되었을 경우, 아래와 같이 특정 정보와 함께 비고란에 나타낸다.

(1) 적란운(CB) 또는 유방적란운(CBMAM), 거리(인지한 경우), 관측소로부터의 방향 및 알고 있을 경우 이동방향. 구름이 공항으로부터 10 mile 밖에 있다면, DSNT는 원거리(distance)를 나타낸다.

예시(Example)
CB W MOV E .... "관측소의 서쪽 10 mile 이내의 적란운(cumulonimbus)이 동쪽으로 이동 중임"
CBMAM DSNT S .... "공항 남쪽 10 mile 밖에 적란운(cumulonimbus)이 있음"

(2) 탑상적운(TCU), 위치(인지한 경우) 또는 관측소로부터의 방향

예시(Example)
TCU OHD .... "탑상적운(towering cumulus)

이 관측소의 상공(overhead)에 있음"
TCU W .... "탑상적운(towering cumulus) 이 관측소의 서쪽에 있음"

(3) 탑모양의 고적운(ACC; Altocumulus Castellanus), 렌즈모양의 층적운(Stratocumulus Standing Lenticular; SCSL), 렌즈모양의 고적운(Altocumulus Standing Lenticular; ACSL), 렌즈모양의 권적운(CCSL; Cirrocumulus Standing Lenticular) 또는 말린구름(rotor cloud), 구름에 대한 설명(필요한 경우) 및 관측소로부터의 방향.

예시(Example)

ACC W .... "탑모양의 고적운(altocumulus castellanus)이 관측소의 서쪽에 있음"
ACSL SW-S ...... "렌즈모양의 고적운(standing lenticular altocumulus)이 관측소의 남서쪽에서 남쪽으로 이어져 있음"
APRNT ROTOR CLD S .... "말린구름(rotor cloud)으로 보이는 구름이 관측소의 서쪽에 있음"
CCSL OVR MT E .... "렌즈모양의 권적운(standing lenticular cirrocumulus)이 관측소의 동쪽 산의 상부에 있음"

10. 기온/이슬점(Temperature/Dew Point)

기온과 이슬점은 사선("/")으로 구분하여 섭씨 단위의 각각 2자리 숫자 group으로 보고한다. 기온이 영하인 경우에는 접두어 "M"을 덧붙인다. 기온은 이용할 수 있지만 이슬점을 이용할 수 없다면, 기온 다음에 사선("/")을 표시한다. 기온을 이용할 수 없다면, 보고에서 이 group은 생략된다.

예시(Example)

15/08 .... "기온 15℃, 이슬점 8℃"
00/M02 .... "기온 0℃, 이슬점 −2℃"
M05/ .... "기온 −5℃, 이슬점 이용할 수 없음(dew point missing)"

11. 고도계(Altimeter)

고도계수정치(altimeter setting)는 압력의 단위임을 나타내기 위하여 접두어 "A"를 붙인 inHg 단위의 4자리 숫자 형식으로 보고된다.

예시(Example)

A2995 - "고도계수정치 29.95 inHg"

12. 비고(Remark)

비고는 필요시 모든 관측에 포함된다. 약어 "RMK"는 METAR 보고에서 비고란의 시작을 나타낸다. 강수를 제외하고, 관측지점의 5 mile 이내에 위치한 현상은 관측소에서 관측한 것으로 보고한다. 관측지점으로부터 5~10 statute mile 사이의 현상은 인접(vicinity), "VC"로 보고한다. 또한 관측지점에서 발생하지는 않았더라도 10 statute mile 이내에서 발생한 강수도 인접, "VC"로 보고한다. 10 statute mile 밖의 현상은 원거리(distant), "DSNT"로 나타낸다. 자동시스템에 의해 nautical mile 단위로 측정되는 번개(lighting)에 대한 비고(remark)를 제외하고, 거리의 단위는 statute mile이다. 구름 또는 기상의 움직임은 현상이 이동하는 방향으로 나타낸다.

(a) 다음과 같은 두 가지 유형의 비고(remark)가 있다.

(1) 자동, 수동 및 평문(plain language)

(2) 부가적인 자료 및 자동관측소 유지보수자료(additive and automated maintenance data)

(b) 자동, 수동 및 평문(plain language)

이러한 비고 group은 수동 또는 자동기상보고소에서 생성될 수 있으며, 일반적으로 보고의 본문에 보고된 요소에 대해 상세하게 설명한다. (평문 보고는 수동관측소에서만 제공된다)

(1) 화산폭발(Volcanic eruption)

(2) 토네이도, 깔때기구름, 용오름(Tornado, Funnel Cloud, Waterspout)

(3) 관측소 유형(AO1 또는 AO2)

(4) 최대풍속(PK WND)

(5) [돌풍(WSHFT)] (FROPA)

(6) 관제탑시정(TWR VIS) 또는 지상시정(SFC VIS)

(7) 변동시정(VRB VIS)

(8) 구역시정(Sector VIS)

(9) 보조관측소 시정(VIS @ 2nd Site)

(10) 번개(Lightning). 번개를 수동관측소에서 관측한 경우에는 주파수와 관측소를 보고한다.

구름-지면 간의 번개(cloud-to-ground lightning)

가 ALDARS와 같은 자동번개관측시스템(automated lightning detection system)에서 탐지된 경우

〔a〕 공항표점(Airport Reference Point; ARP) 5 NM 이내에서 탐지된 경우, 보고란 없이 보고의 본문에 "TS"로 보고한다.

〔b〕 ARP의 5~10 NM에서 탐지된 경우, 보고란 없이 보고의 본문에 "VCTS"로 보고한다.

〔c〕 ARP의 10 NM 초과 30 NM 미만에서 탐지된 경우, "DSNT" 다음에 ARP로부터의 방향을 비고란에 보고한다.

예문(Example)

LTG DSNT W 또는DSNT ALQDS

(11) 강수/뇌우의 시작/종료(Beginning/Ending of Precipitation/TSTMS)

(12) 뇌우 위치, 이동방향(TSTM Location MVMT)

(13) 〔우박 크기〔Hailstone Size)〕 (GR)

(14) 증발비(Virga)

(15) 〔변동 운고(VRB CIG]〕 (height)

(16) 차폐(Obscuration)

(17) 변동 하늘상태(VRB Sky Condition)

(18) 중요한 운형(Significant Cloud Type)

(19) 보조관측소 운고(Ceiling Height 2nd Location)

(20) 급격한 기압 하강, 급격한 기압 상승(PRESFR PRESRR)

(21) 해면기압(Sea-Level Pressure)

(22) 〔항공기사고(ACFT Mishap)〕 (전송되지 않은)

(23) NOSPECI

(24) 급격한 적설량 증가(SNINCR)

(25) 그 밖의 중요한 정보(Other SIG Info)

(c) 부가적인 자료 및 자동관측소 유지보수자료(Additive and Automated Maintenance Data)

(1) 매시간 강수량(Hourly Precipitation)

(2) 3시간 및 8시간 강수량(3- and 6-Hour Precipitation Amount)

(3) 24시간 강수량(24-Hour Precipitation)

(4) 지면의 눈 깊이(Snow Depth on Ground)

(5) 적설상당수량(Water Equivalent of Snow)

(6) 구름유형(Cloud Type)

(7) 일조시간(Duration of Sunshine)

(8) 〔매시간 기온/이슬점(Hourly Temperature/Dew Point)〕 (10분의 1 자리 수)

(9) 6시간 최고기온(6-Hour Maximum Temperature)

(10) 6시간 최저기온(6-Hour Minimum Temperature)

(11) 24시간 최고/최저기온

(12) 기압경향(Pressure Tendency)

(13) 감지기상태(Sensor Status)

PWINO

FZRANO

TSNO

RVRNO

PNO VISNO

METAR 보고와 해설의 예시(Examples of METAR reports and explanation)

METAR KBNA 281250Z 33018KT 290V360 1/2SM R31/2700FT SN BLSN FG VV008 00/M03 A2991 RMK RAE42SNB42

METAR ... 항공정시관측보고(aviation routine weather report)

KBNA .... 테네시주, 내슈빌(Nashville, TN)

281250Z ...... 날짜 28일, 시간 1250 UTC

(수식어 없음) ... "AUTO" 및 비고에 "AO1 또는 AO2"가 없으므로 이것은 수동으로 생성된 보고이다.

33018KT ..... 풍향 330°, 풍속 18 knot

290V360 ...... 풍향 290°에서 360°까지 변동

1/2SM .... 시정 1/2 statute mile

R31/2700FT ... 31번 활주로 활주로가시거리 2,700 ft

SN .... 보통 눈(moderate snow)

BLSN FG ..... 날리는 눈과 안개로 인한 시정장애

VV008 .... 불명확한 운고, 수직시정 800 ft

00/M03 .... 기온 0℃, 이슬점 -3℃

A2991 .... 고도계수정치(altimeter setting) 29.91 inHg

RMK .... 비고(remark)
RAE42 .... 비가 42분에 그침(rain ended at four two)
SNB42 .... 눈이 42분에 내리기 시작함(snow began at four two)

METAR KSFO 041453Z AUTO VRB02KT 3SM BR CLR 15/12 A3012 RMK AO2
METAR ... 항공정시관측보고(aviation routine weather report)
KSFO .... 캘리포니아주, 샌프란시스코(San Francisco, CA)
041453Z ...... 날짜 4일, 시간 1453 UTC
AUTO .... 완전자동보고; 사람의 관여 없음
VRB02KT .... 풍향의 변동이 있는 풍속 2 knot의 바람
3SM .... 시정 3 statute mile
BR .... 박무(mist)로 인한 시정장애
CLR .... 12,000 ft 미만에 구름 없음
15/12 .... 기온 15℃, 이슬점 12℃
A3012 .... 고도계수정치(altimeter setting) 30.12 inHg
RMK .... 비고(remark)
AO2 .... 강수식별기(precipitation discriminator)를 갖추고 있는 자동기상관측소

SPECI KCVG 152224Z 28024G36KT 3/4SM +TSRA BKN008 OVC020CB 28/23 A3000 RMK TSRAB24 TS W MOV E
SPECI .... (비정기적) 항공특별관측보고(aviation special weather report)
KCVG ... 오하이오주, 신시내티(Cincinnati, OH)
152228Z ...... 날짜 15일, 시간 2228 UTC
(수식어 없음) ... "AUTO" 및 비고에 "AO1 또는 AO2"가 없으므로 이것은 수동으로 생성된 보고이다.
28024G36KT .. 풍향 280°, 풍속 24 knot, 최대 돌풍속도 36 knot의 돌풍(Gust)
3/4SM .... 시정 3/4 statute mile
+TSRA .... 뇌우, 강한 비(thunderstorms, heavy rain)
BKN008 ...... 운량 broken(5/8~7/8)의 구름, 운고 800 ft
OVC020CB ... 운량 overcast(8/8)의 적란운(cumulonimbus cloud), 운고 2,000 ft
28/23 .... 기온 28℃, 이슬점 23℃
A3000 .... 고도계수정치(altimeter setting) 30.00 inHg
RMK .... 비고(remark)
TSRAB24 .... 뇌우와 비가 24분에 시작됨(thunderstorm and rain began at two four)
TS W MOV E ... 뇌우가 서쪽에서 동쪽으로 이동 중임

c. 공항예보(Aerodrome Forecast; TAF)

지정된 기간 동안 공항에서 예상되는 기상상태를 간결하게 서술한 것이다. 대부분의 지역에서 TAF는 24시간의 예보주기(forecast period)를 갖는다. 그러나 일부 지역의 경우, TAF는 30시간의 예보주기를 갖는다. 수정 TAF의 경우 이러한 예보주기는 더 짧아질 수도 있다. TAF는 METAR 기상보고와 동일한 부호(code)를 사용한다. TAF는 매일 24시간 중 0000Z, 0600Z, 1200Z 및 1800Z에 4회 발표된다.

TAF에서 예보시간은 두 가지 방식으로 표기된다. 첫 번째는 6자리의 숫자로 특정 시점을 나타내는 방식으로 2자리 숫자의 날짜, 2자리 숫자의 시(hour) 및 2자리 숫자의 분(minute)으로 구성된다 (예를 들면, 발표시간 또는 FM). 두 번째는 "/"에 의하여 구분되는 한 쌍의 4자리 숫자로 유효시간의 시작과 종료를 나타내는 방식이다. 이러한 경우 한 쌍의 4자리 숫자는 2자리 숫자의 날짜(date)와 2자리 숫자의 시(hour)로 구성된다.

TAF는 다음과 같은 형식(format)으로 발표된다. 보고의 종류(type of report)/ICAO 관측소식별자(station identifier)/최초날짜와 시간(date and time of origin/유효날짜와 시간(valid period date and time)/예보 기상상태(forecast meteorological conditions)

주(Note)

위와 다음 설명에서 사용하는 "/"는 이 발간물에서 구분의 목적으로 사용되며, 실제 TAF에서는 사용

되지 않는다.

TAF KORD 051130Z 0512/0618 14008KT 5SM BR BKN030

TEMPO 0513/0516 1 1/2SM BR

FM051600 16010KT P6SM SKC

FM052300 20013G20KT 4SM SHRA OVC020

PROB40 0600/0606 2SM TSRA OVC008CB

BECMG 0606/0608 21015KT P6SM NSW SCT040

위의 예시에서 볼 수 있는 TAF 형식은 다음과 같다.

TAF = 보고의 종류
KORD = ICAO 관측소식별자
051130Z = 최초날짜와 시간 (발표시간)
0512/0618 = 유효날짜와 시간
14008KT 5SM BR BKN030 = 예보 기상상태

TAF 요소의 설명(Explanation of TAF elements)

1. 보고의 종류(Type of Report)

TAF 발표에는 정기예보 발표(TAF) 및 수정예보(TAF AMD)의 두 가지 종류가 있다. 현재의 TAF로는 진행 중인 기상을 더 이상 적절히 설명할 수 없거나, 또는 기상예보관이 TAF가 현재 기상이나 예상되는 기상을 제대로 나타내지 못한다고 생각할 때 수정 TAF를 발표한다. 정정(COR) 또는 지연(RTD) TAF는 실제 예보의 서두에 있는 전문 표제(communications header)에만 식별된다.

2. ICAO 관측소식별자(Station Identifier).

TAF 부호는 METAR 절에 기술된 4자리 문자의 ICAO 지역식별자(location identifier)를 사용한다.

3. 최초날짜와 시간(Date and Time of Origin)

이 요소는 예보가 실제 준비된 날짜와 시간이다. 형식은 2자리 숫자의 날짜 및 4자리 숫자의 시간 다음에 공백 없이 문자 "Z"로 나타낸다.

4. 유효날짜와 시간(Valid Period Date and Time)

예보의 유효 UTC는 "/"에 의해 구분되는 두 개의 4자리 숫자 set로 구성된다. 첫 번째 4자리 숫자는 2자리 숫자의 날짜 다음에 2자리 숫자의 시작시간(beginning hour), 그리고 두 번째 4자리 숫자는 2자리 숫자의 날짜 다음에 2자리 숫자의 종료시간(ending hour)이다. 대부분의 공항이 24시간의 TAF를 갖지만 선정된 몇몇 공항은 30시간의 TAF를 갖는다. 수정예보 또는 정정이나 지연예보의 경우 유효시간은 24시간 이내이다. 공항이나 터미널이 시간제로 운영(하루 24시간 미만)되는 경우, 이러한 지역에 대해 발표되는 TAF에는 예보의 말미에 축약된 문구 "AMD NOT SKED"를 덧붙인다. 종료 또는 예정된 관측 재개시간은 AMD NOT SKED 문구에 추가하여 나타낸다. 추가 문구에는 다음과 같이 것이 포함된다.

(a) 관측 종료시간 (AFT DDHHmm; 예를 들면, AFT 120200)

(b) 예정된 관측 재개시간 (TIL DDHHmm; 예를 들면, TIL 171200Z), 또는

(c) 관측 불가능기간 (DDHH/DDHH); 예를 들면, 2502/2512)

5. 예보 기상상태(Forecast Meteorological Conditions)

이것은 TAF의 본문(body)에 제시된다. 기본적인 형식(format)은 다음과 같다.

바람(wind)/시정(visibility)/기상현상(Weather)/하늘상태(sky condition)/선택 자료(wind shear)

바람, 시정 및 하늘상태 요소는 항상 예보 첫 머리의 시간 group에 포함된다. 기상은 비행에 중요한 기상현상만을 포함한다. 유효시간 동안 어떤 요소의 지속적이고 중대한 변화가 예상된다면 요소의 변화와 더불어 새로운 시간대(time period)가 포함된다. "FM" group을 제외하고, 새로운 시간대에는 변화가 예상되는 요소만이 포함된다는 것을 알아야 한다. 즉, 시정의 저하가 예상되지만 바람은 여전히 동일할 것으로 예상된다면 저시정을 반영한 새로운 시간대에 바람예보는 포함되지 않는다. 바람예보는 사전의 시간대와 동일하게 계속 유지된다. 특정 시간대 동안 예상되는 일시적인 상태는 그 시간대와

함께 포함된다. 다음은 위의 형식(format)에 따른 요소들을 기술한 것이다.

(a) 바람(wind)

바람은 5자리(또는 6자리)의 숫자 group으로 예상되는 풍향(처음 3자리 숫자)과 풍속(마지막 2자리 숫자 또는 100 knot 이상일 경우 3자리 숫자)을 표시한다. 풍속의 단위를 나타내기 위하여 약어 "KT"가 다음에 온다. 돌풍(wind gust)은 풍속에 덧붙이는 문자 "G"와 다음의 예상되는 최대돌풍속도에 의해 제시된다. 변화하는 풍향은 일반적으로 3자리 숫자의 방향이 제시되는 부분을 "VRB"로 나타낸다. 무풍(calm wind) (3 knot 이하)은 "00000KT"로 예보된다.

예시(Example)

18010KT ..... 풍향 180°, 풍속 10 knot (바람은 180°에서 불어온다)

35012G20KT .. 풍향 350°, 풍속 12 knot, 최대 돌풍속도 20 knot의 돌풍(Gust)

(b) 시정(visibility)

6 mile 까지 예상되는 우시정은 분수의 mile을 포함하여 statute mile 단위로 예보하며, 측정의 단위를 나타내기 위하여 다음에 "SM"을 덧붙인다. 6 mile을 초과하는 예상시정은 P6SM(plus six statute mile)으로 예보한다.

예시(Example)

1/2SM - 시정 1/2 statute mile

4SM - 시정 4 statute mile

P6SM - 시정 6 statute mile을 초과할 것으로 예상

(c) 기상현상(weather phenomena)

예상되는 기상현상은 METAR 보고와 동일한 형식, 수식어 및 기상현상 약어를 사용하여 TAF 보고로 부호화 된다 (UP 제외). 우시정이 6 statute mile 이하로 예보될 때는 시정에 대한 장애현상이 예보된다. 중요한 기상현상이 예보의 특정 시간대에는 발생하지 않을 것으로 예상된다면 그 시간대에 대한 기상현상 group은 생략한다. 중요한 기상현상이 발생할 것으로 예보된 시간대 이후에 중요한 기상현상이 발생하지 않을 것으로 예보가 변경되었다면, 약어 NSW(No Significant Weather)가 새로운 시간대의 기상현상 group으로 표시될 것이다. (NSW는 TEMPO group에만 포함된다)

주(Note)

조종사는 NSW가 비, 눈, 이슬비 등과 같은 기상현상에만 관련된다는 것을 이해하는 것이 매우 중요하다. 하늘상태, 시정, 바람 등과 같은 것이 생략된 기상상태는 이전의 시간 group에서부터 계속되어 온 것이다.

(d) 하늘상태(sky condition)

TAF 하늘상태는 METAR 절에 기술된 METAR 형식을 사용한다. 적란운(CB)은 TAF에서 예보되는 유일한 운형이다. 구름이 없음(clear sky)을 예보할 때는 항상 "SKC"를 사용한다. 약어 "CLR"은 TAF에서는 사용하지 않는다. 지상의 기상현상으로 인해 하늘이 가려졌을 경우, 차폐상태에서의 수직시정(VV)이 예보된다. 수직시정은 "VV" 다음에 100 ft 단위의 3자리 숫자로 높이를 표시한다.

주(Note)

METAR와 마찬가지로 TAF code에도 운고층(ceiling layer)이 지정되어 있지 않다. 항공목적상 운고는 가장 낮은 broken 층이나 overcast 층, 또는 완전 차폐상태에서의 수직시정(vertical visibility)이다.

SKC .... "sky clear"

SCT005 BKN025CB .. "고도 500 ft scattered 구름층, 고도 2,500 ft broken 구름층의 적란운(umulonimbus cloud)"

VV008 .... "불명확한 운고(indefinite ceiling) 800 ft"

(e) 선택 자료 (윈드시어)

윈드시어는 비대류성 저고도(2,000 ft 까지) 바람의 예보이다. 예보는 문자 "WS" 다음의 윈드시어 높이, 지시된 높이에서의 풍향과 풍속 그리고 마지막으로 문자 "KT"(knot)로 구성된다. 높이는 2.000 ft 까지 100 ft 단위(AGL)로 제시된다. 윈드시어는 약어 "WS". 다음에 3자리 숫자의 높이, 사선 "/",

그리고 지정된 높이에서의 풍향과 풍속을 지상풍과 동일한 형식으로 부호화 한다. 발생이 예상되지 않을 경우, 윈드시어 요소는 생략된다.

WS010/18040KT ... "저고도 윈드시어(Low Level Wind Shear) 높이 1,000 ft, 풍향 180°, 풍속 40 knot"

d. 확률예보(Probability Forecast)

기상상태(바람, 시정 및 하늘상태)와 관련하여 뇌우 또는 그 밖의 강수현상이 발생할 수 있는 확률 또는 가능성. PROB30 group은 뇌우나 강수의 발생 가능성이 30~39% 일 때 사용하고, PROB40 group은 뇌우나 강수의 발생 가능성이 40~49% 일 때 사용한다. 이들 다음에는 뇌우나 강수가 예상되는 시간대의 시작날짜와 시간 그리고 종료날짜와 시간을 나타내는 두 개의 4자리 숫자 group을 표시하며, "/"에 의해 구분한다.

주(Note)

NWS는 TAF에 PROB40을 사용하지 않는다. 그러나 미군이 생성한 TAF에는 PROB40이 포함될 수 있다. PROB30은 처음 9시간 동안의 NWS 예보에는 제시되지 않는다.

예시(Example)

PROB40 2221/2302 1/2SM +TSRA... "2100Z에서 0200Z 사이에 뇌우를 동반한 강한 비가 내리면서 시정이 1/2 statute mile이 될 것으로 예상되며, 발생확률은 40~49% 임"

PROB30 3010/3014 1SM RASN... "1000Z에서 1400Z 사이에 비와 눈이 함께 내리면서 시정이 1 statute mile이 될 것으로 예상되며, 발생확률은 30~39% 임"

e. 예보 변화지시자(Forecast Change Indicators)

다음의 변화지시자는 예보 기상상태의 일부나 전체의 급격하고 점진적인, 또는 일시적인 변화가 예상될 때 사용한다. 각 변화지시자는 TAF 보고 내에서 시간 group을 나타낸다.

1. From(FM) group

FM group은 일반적으로 우세한 기상상태가 1시간 이내에 급격하게 변화할 것으로 예상될 때 사용한다. 우세한 기상상태가 거의 완전히 새로운 우세한 기상상태로 급격하게 변화하는 것은 전형적으로 터미널지역을 통과하는 기상의 특징과 관련되어 있다(한랭전선 또는 온난전선의 통과). 변화가 시작될 것으로 예상되는 날짜, 시 및 분을 "FM" 지시자 다음에 6자리 숫자로 나타내며, 이 예보는 다음 변화 group 전까지 또는 현재예보가 종료될 때 까지 지속된다, TAF 보고에서 "FM" group은 새로운 줄의 시작을 나타낸다 (의도적인 5칸의 공백). 각 "FM" group은 바람, 시정, 기상 및 하늘상태와 같은 필요한 모든 요소를 포함하고 있다. 비행에 중요하지 않는 기상현상은 "FM" group에서 생략된다. FM group은 약어 NSW를 포함하지 않는다.

예시(Example)

FM210100 14010KT P6SM SKC - "21일 0100Z부터 풍향 140°, 풍속 10 knots의 바람이 불고, 시정은 6 mile을 초과하며 구름은 없을 것(sky clear)으로 예상됨"

2. Becoming(BECMG) group

BECMG group은 일반적으로 기상상태가 보다 더 장시간, 일반적으로 2시간에 걸쳐 점진적으로 변화할 것으로 예상될 때 사용한다. 변화가 예상되는 시간 group은 BECMG 지시자 다음에 "/"에 의해 분리되는 변화기간의 시작날짜와 시간, 그리고 종료날짜와 시간을 가진 두 개의 4자리 숫자 group으로 나타낸다. 점진적인 변화는 이 시간대 내의 불특정 시간에 발생할 것이다. BECMG group에는 예보 기상상태의 변화만을 포함된다. 생략된 기상상태는 이전의 시간 group에서부터 계속되어 온 것이다.

주(Note)

NWS는 TAF에 BECMG를 사용하지 않는다.

예시(Example)

OVC012 BECMG 0114/0116 BKN020 - "운고 1,200 ft의 overcast 구름층이 1일 1400Z에서 1일 1600Z 사이에 점진적으로 운고 2,000 ft의 broken 구름층으로 변함"

3. Temporary(TEMPO) group

일반적으로 TEMPO group은 바람, 시정, 기상상태 또는 하늘상태가 1시간 미만 동안에 걸쳐서(일시적으로) 지속되고, 시간대의 1/2 미만 동안 발생할 것으로 예상될 때 사용한다. TEMPO 지시자 다음에는 "/"에 의해 분리되는 두 개의 4자리 숫자 group이 온다. 첫 번째 4자리 숫자 group은 일시적인 상태가 예상되는 시간대의 시작날짜와 시간, 그리고 두 번째 4자리 숫자 group은 종료날짜와 시간을 나타낸다. TEMPO group에는 예보 기상상태의 변화만을 포함한다. 생략된 기상상태는 이전의 시간 group에서부터 계속되어 온 것이다.

예시(Example)

1. SCT030 TEMPO 0519/0523 BKN030 - "운고 3,000 ft의 scattered 구름층이 5일 1900Z에서 5일 2300Z 사이에 일시적으로 운고 3,000 ft의 broken 구름층으로 변할 것으로 예상됨"
2. 4SM HZ TEMPO 1900/1906 2SM BR HZ - "연무(haze)로 인한 4 statute mile의 시정이 19일 0000Z에서 19일 0600Z 사이에 박무(mist)와 연무(haze)로 인하여 일시적으로 2 statute mile의 시정으로 변할 것으로 예상됨"

제2절. 고도계 수정 절차(Altimeter Setting Procedures)

7-2-1. 일반(General)

a. 항공기고도계의 정확성에 영향을 미치는 요인은 다음과 같다.

1. 비표준 대기온도(nonstandard temperature of the atmosphere)
2. 비표준 대기압(nonstandard atmospheric pressure)
3. 항공기 정압계통 (위치오차)
4. 계기오차(instrument error)

b. 저온 및 저압에서 장애물이나 지형에 근접하여 비행할 때에는 극히 주의를 기울여야 한다. 주간 표준기온과 실제기온 사이에 큰 차이가 생길 수 있는 아주 추운기온에서는 특히 주의를 기울여야 한다. 이러한 상황은 항공기를 지시고도보다 현저히 낮게 비행하도록 하는 심각한 오차를 유발할 수 있다.

주(Note)

해면(sea level)에서의 표준온도는 15℃(59°F)이다. 해면으로부터의 온도변화율은 1,000 ft 당 −2℃(−3.6°F)이다. 조종사는 상당한 오차가 있다면 정압시스템 또는 계기에 대한 수정을 하여야 한다.

c. 고고도에서 표준 고도계수정치(altimeter setting)를 적용함으로써 기지국 기압고도계 오차, 일부 고도계 오차 그리고 지리적으로 서로 다른 출처로부터 획득된 고도계수정치에 의한 오차를 제거할 수 있다.

7-2-2. 절차(Procedures)

다음의 고도에서 운항시 고도계수정치에 의거하여 항공기의 순항고도 또는 비행고도를 유지하여야 한다.

a. 해면고도 18,000 ft 미만(Below 18,000 feet MSL)

1. 기압계의 압력(barometric pressure)이 31.00 inch Hg 이하인 경우

비행로를 따라 100 NM 이내에 있는 기지국(station)으로부터 통보받은 최신 고도계수정치로 수정하고, 100 NM 이내에 기지국이 없는 경우에는 이용 가능한 적정 기지국으로부터 통보받은 최신 고도계수정치로 수정한다. 항공기가 계기비행계획으로 운항중인 경우, 항공교통관제사는 항공기가 관할 관제구역에 있는 동안 적어도 한번은 조종사에게 고도계수정치를 제공한다. 무선통신기를 갖추지 않은 항공기의 경우에는 출발공항의 표고(elevation)에 설정하거나 출발하기 전의 이용 가능한 적정 고도계 수정치를 활용한다.

2. 기압계의 압력이 31.00 inch Hg를 초과하는 경우

다음 절차는 사실상 영향을 받는 지리적 지역을 한정하는 NOTAM에 의해 시행된다.

(a) 모든 항공기. 18,000 ft MSL 미만의 항공로에서 운항하고자 하는 경우 31.00 inch로 수정한다. 영향을 받는 지역을 지나거나, 최종접근구역에 도착할 때까지 이 설정을 유지한다. 가능하다면 최종접근구역의 시작지점에서 최신 고도계수정치로 수정한다. 불가능하면 접근하는 동안 계속해서 31.00 inch를 유지한다. 출발 중이거나 실패접근 중인 항공기는 의무/통과고도 또는 1,500 ft AGL 중 더 낮은 고도에 도달하기 전까지는 31.00 inch로 설정한다. (항공교통관제기관은 실제 고도계수정치를 발부하고, 영향을 받는 18,000 ft MSL 미만의 항공로에서 운항하고자 하는 경우 고도계를 31.00 inch로 수정할 것을 조종사에게 조언한다)

(b) 비행전에 가능한 한 기압고도계의 정상작동여부를 점검하여야 한다.

(c) 최신 고도계수정치로 수정할 수 있는 성능이 있는 항공기와 최신 고도계수정치를 측정할 수 있는 공항으로 운항하는 항공기에 대해서는 별도의 제한이 부가되지 않는다.

(d) VFR로 운항하는 항공기에 대해서는 별도의 제한이 없지만 비행계획수립 및 시계비행상태에서의 운항에는 특별한 주의가 필요하다.

(e) 31.00 inHg를 초과하는 대기압을 정확하게 측정할 수 없는 공항은 대기압을 "missing" 또는

"in excess of 31.00 inches of Hg"로 보고한다. 이러한 공항의 항공기입출항은 VFR 기상상태로 제한된다.

(f) 최신 고도계수정치로 수정할 수 없는 IFR 운항 항공기에 대해서는 다음의 제한사항을 적용한다.

(1) 이륙교체공항, 목적지공항 및 목적지교체공항의 적합성을 결정하기 위하여 31.00 inch를 초과하는 각 1/10 inHg 당 운고요건은 100 ft, 그리고 시정요건은 1/4 statute mile을 증가시켜야 한다. 이러한 보정값은 해당 운영규정 및 운영기준의 요건에 따라 적용하여야 한다.

예(Example)

목적지 고도계는 31.28 inch 이고, ILS DH는 250 ft (200-1/2)이다. 비행계획을 수립할 때 300-3/4를 더하여 기상요건은 500-1 1/4이 된다.

(2) 접근 중에는 31.00 inch의 설정이 계속 유지된다. 발간된 고도가 고도계에 시현될 때 결심고도(DH) 또는 최저강하고도에 도달한 것으로 간주하여야 한다.

주(Note)

접근 시에는 보통 시정이 제한요소이지만, 조종사는 DH에 도달할 때 항공기가 지시고도보다 더 높다는 점을 인식하고 있어야 한다. 위의 예를 사용하면 항공기는 약 300 ft 더 높이 있게 된다.

(3) 이러한 제한사항은 승인된 Category II와 III ILS 운항에는 적용되지 않으며, 인가된 QFE 고도 시스템을 사용하는 운항증명소지자에게도 적용되지 않는다.

(g) 영향을 받는 지역의 FAA 지방비행표준분소(Regional Flight Standards Division) 관리자는 비상 연료재보급 또는 응급의료서비스 운항을 인가하기 위하여 일시적인 위배를 허가할 수 있는 권한을 가지고 있다.

b. 해면고도 18,000 ft 이상(At or above 18,000 feet MSL)

29.92 inHg(표준기압치)로 수정한다. 최저 사용가능 비행고도(lowest usable flight level)는 표 7-2-1과 같이 운항지역의 대기압으로 결정된다.

표 7-2-1. 최저 사용가능 비행고도(Lowest Usable Flight Level)

고도계수정치 (Altimeter Setting) (통보받은 최신)	최저 사용가능 비행고도 (Lowest Usable Flight Level)
29.92 이상	180
29.91 ~ 29.42	185
29.41 ~ 28.92	190
28.91 ~ 28.42	195
28.41 ~ 27.92	200

c. 14 CFR 91.159 및 14 CFR 91.177절에 규정된 것과 같이 최저고도가 18,000 ft MSL을 초과하는 경우, 최저 사용가능 비행고도(lowest usable flight level)는 최저고도에 상당한 비행고도(flight level)에 표 7-2-2에 명시된 수치의 feet를 더하여야 한다.

예(Example)

비행로의 최저안전고도가 19,000 ft MSL이고 고도계수정치가 29.92와 29.42 inHg 사이로 보고된 경우, 최저 사용가능 비행고도는 19,500 ft MSL에 상당한 비행고도(최저고도 더하기 500 ft)인 195가 될 것이다.

표 7-2-2. 최저 비행고도 보정계수(Lowest Flight Level Correction Factor)

고도계수정치 (Altimeter Setting)	보정계수 (Correction Factor)
29.92 이상	none
29.91 to 29.42	500 ft
29.41 to 28.92	1,000 ft
28.91 to 28.42	1,500 ft
28.41 to 27.92	2,000 ft
27.91 to 27.42	2,500 ft

7-2-3. 고도계 오차(Altimeter Error)

a. 대부분의 기압고도계(pressure altimeter)는 기계적오차, 탄성오차, 온도오차 및 장착오차의 영향을 받는다 (기압고도계의 사용에 대한 상세한 정보는 Instrument Flying Handbook 제4장을 참조한다). 규정(14 CFR Part 43, 부록 E)에 따른 주기적인 시험 및 검사뿐만 아니라 제조 및 설치규격서가 이러한 오차를 감소시키는 역할을 하지만,

눈금오차는 다음과 같은 방법에 의해 수정할 수 있다.

1. 고도계 설정 눈금(altimeter setting scale)을 통보받은 최신 고도계수정치로 설정한다.

2. 고도계수정치 설정에 사용된 동일 기준고도(reference level)에 항공기가 위치하고 있다면, 고도계는 현재의 공항표고(field elevation)를 나타내어야 한다.

3. 알고 있는 공항표고와 고도계 지시 간의 차이를 확인한다. 이 차이가 ±75 ft 이상이라면 고도계의 정확성이 의심스러우므로 적정등급의 수리업체에 평가와 수리가능여부를 문의하여야 한다.

b. 비행중이라면 때때로 항공로의 최신 고도계수정치를 획득하는 것이 대단히 중요하다. 고기압지역에서 저기압지역으로 비행할 때 고도계를 재설정하지 않는다면 항공기는 고도계가 지시하는 고도보다 지표면에 더 근접해 있을 것이다. 고도계수정치 1 in의 오차는 고도 1,000 ft의 오차를 낳는다. 격언을 인용하면, "높은 곳에서 낮은 곳으로 갈 때는 아래를 주의하라"는 말이 있다.

c. 온도 또한 당신의 고도와 고도계의 정확성에 영향을 미친다. 고려해야 할 중요한 점은 표준온도에 대한 해당 고도에서의 대기온도 및 고도수정치(altitude setting)를 보고한 출처의 표고이다. 이 차이가 지시고도(indicated altitude)의 오차를 발생시킨다. 대기온도가 표준온도보다 더 따뜻하면 당신은 고도계가 지시하는 것보다 더 높이 있는 것이다. 또한 대기가 표준보다 더 춥다면 당신은 지시하는 것보다 더 낮게 있는 것이다. 이러한 차이의 크기가 오차의 양을 결정한다. 일정한 지시고도를 유지하면서 더 차가운 기단으로 비행할 경우 진고도(true altitude)는 낮아지게 된다. 그러나 그 차이가 아직 양(plus)의 값 이라면, 더 차가운 기단으로의 비행이 반드시 비행기가 지시고도보다 더 낮게 있다는 것을 의미하는 것은 아니다. 예를 들어 10,000 ft(표준온도 −5℃)에서 비행할 때, 외기온도가 +5℃에서 0℃로 낮아졌다면 이 온도오차는 항공기를 여전히 지시고도보다 더 높게 있도록 할 것이다. 보통 조종사가 관심을 가져야 하는 것은 기온이 매우 낮을 때의 차이이다. 또한, 산악지역 상공의 저온 상황에서 비행할 때 조종사는 적절한 항공로와 터미널지역 지형회피를 보장하기 위하여 비행로와 고도에 관한 비행계획 수립시 주의를 기울여야 한다.

주(Note)

비표준온도는 최초접근구역에서 수직유도하기 위하여 Baro-VNAV 장비를 사용하는 동안 유효한 수직경로 및 실제 강하율을 변화시키는 결과를 초래할 수 있다. 표준온도보다 더 높은 온도는 급격한 기울기의 강하율 및 실제 강하율의 증가를 야기한다. 보통 이러한 지시의 차이가 바로 수직속도 지시와 관련되지는 않는다. 반대로 표준온도보다 더 낮은 온도는 완만한 기울기의 강하율 및 실제 강하율의 감소를 야기한다. 조종사는 특히 고고도 또는 지형이 변화되는 지역 그리고 저시정상태에서 접근최저치, 동력설정(power setting), 시야 모습(sight picture), 시각적 신호(visual cues)에 대한 영향의 잠재적인 결과를 고려하여야 한다.

d. ICAO 공식에서 도출된 표 7-2-3은 저온에서 운항할 때 얼마나 많은 오차가 나타날 수 있는 가를 나타낸다. 표를 사용하여 좌측 열에서 보고된 기온을 찾고, 상부의 행을 가로로 읽어 공항/보고 관측소로부터의 높이(즉, 원하는 비행고도에서 공항/보고 관측소 표고를 뺀 높이)를 찾는다. 열과 행의 교차점은 오차가 유발될 수 있는 저온의 결과 항공기가 실제 얼마만큼 더 낮게 위치할 수 있는지를 나타낸다.

e. 저온제한이 발간되어 있으며 보고된 공항기온이 발간된 기온제한 이하인 공항으로 운항할 경우, 조종사는 저온에 대한 고도계오차를 보정할 책임이 있다. 조종사는 적절한 구역이나 접근구역에서 항공기가 수정되도록 보정하여야 한다. 항공기 보정시스템이 작동하지 않으면 수동으로 수정하여야 한다. 수동으로 수정하는 조종사는 표 7-2-3에서 도출한 저온고도수정을 산정하여 영향을 받는 구역이나 접근구역에 적용할 책임이 있다. 조종사는 ATC에 저온고도수정을 통보하여야 한다. 조종사는 최종접근 fix의 내부에서의 저온고도수정은 ATC에 통보할 필요가 없다.

표 7-2-3. ICAO 저온오차 표(ICAO Cold Temperature Error Table)

보고된 기온(℃)	공항으로부터의 높이(ft)													
	200	300	400	500	600	700	800	900	1000	1500	2000	3000	4000	5000
+10	10	10	10	10	20	20	20	20	20	30	40	60	80	90
0	20	20	30	30	40	40	50	50	60	90	120	170	230	280
-10	20	30	40	50	60	70	80	90	100	150	200	290	390	490
-20	30	50	60	70	90	100	120	130	140	210	280	420	570	710
-30	40	60	80	100	120	140	150	170	190	280	380	570	760	950
-40	50	80	100	120	150	170	190	220	240	360	480	720	970	1210
-50	60	90	120	150	180	210	240	270	300	450	590	890	1190	1500

예(Example)

기온은 −10℃이고, 항공기고도는 공항표고 상공 1,000 ft 이다. 차트는 통보받은 최신 고도계수정치가 고도계가 지시한 고도의 하부 100 ft 정도에 항공기를 위치시킬 수 있다는 것을 보여주고 있다.

7-2-4. 높은 기압계 압력(High Barometric Pressure)

a. 한랭건조기단은 31.00 inHg를 초과하는 기압계의 압력을 발생시킬 수 있으며, 다수의 고도계는 이러한 수준의 수정치를 설정할 수 있는 정확한 수단을 가지고 있지 않다. 더 높은 기압수정치로 고도계를 설정할 수 없다면 항공기의 실제고도는 고도계의 지시보다 더 높을 것이다.

b. 기압계의 압력이 31.00 inch를 초과할 경우, 항공교통관제사는 실제 고도계수정치를 발부한다. 그리고,

1. 항공로/도착(En Route/Arrivals). 최종접근구역에 도착할 때 까지 31.00 inch의 설정을 유지하도록 조종사에게 조언한다.

2. 출발(departure). 의무/통과고도(mandatory/crossing altitude) 또는 1,500 ft AGL 중 더 낮은 고도에 도달하기 전까지는 31.00 inch로 설정하도록 조종사에게 조언한다.

c. 높은 기압으로 인한 고도계 오차는 추운기온으로 인한 오차와 반대방향의 결과를 가져온다.

7-2-5. 낮은 기압계 압력(Low Barometric Pressure)

비정상적으로 낮은 대기압 상황(28.00 inHg 미만)이 발생할 경우, 실제 고도계수정치를 설정할 수 없는 항공기의 운항은 권하지 않는다.

주(Note)

조종사가 실제 고도계수정치를 설정할 수 없다면 항공기의 진고도는 지시고도보다 더 낮다.

제3절. 항적난기류(Wake Turbulence)

7-3-1. 일반(General)

a. 모든 항공기는 비행중에 후류(wake)를 발생시킨다. 조종사가 비행중 처음으로 이 후류와 조우했을 때는 요란이 "프로펠러 후류(prop wash)" 때문이라고 생각했었다. 그러나 이 요란(disturbance)은 날개끝에서 발생하는 반대방향으로 회전하는 한 쌍의 와류로 인한 것이라는 것이 밝혀졌다. 대형항공기에서 발생하는 와류는 이와 조우하는 항공기에 문제를 야기한다. 예를 들면, 대형항공기의 후류는 조우한 항공기의 roll 조종한계를 초과하는 옆놀이 모멘트(rolling moment)를 일으킬 수 있다. 게다가, 와류 내에서 발생되는 난기류를 아주 가까운 거리에서 조우하면 항공기 구성품과 장비가 손상될 수 있다. 조종사는 대형〔수송류(transport category)〕 항공기에 의해 발생되는 와류 후류의 위치를 예상하고 이에 따라 비행경로를 조정하는 법을 배워야 한다.

b. 지상운행이나 이륙중에 제트엔진 분사(추력 후류 난기류)를 아주 가까운 거리에서 조우하면 항공기가 손상되거나 전복될 수 있다. 다양한 추력 수준에서의 거리 대 배기가스 속도에 대한 연구는 대형 터보제트항공기를 뒤따르는 경항공기는 적절한 분리를 유지할 필요가 있다는 것을 보여주고 있다. 대형항공기의 조종사는 지상운행 동안 다른 항공기, 차량 및 정비장비에 의한 "제트분사(jet blast)"의 영향을 고려하여 각별히 주의를 기울여야 한다.

7-3-2. 와류의 발생(Vortex Generation)

양력은 날개표면에 형성되는 압력의 차이에 의해 발생한다. 날개표면 상부에는 가장 낮은 압력이, 날개 하부에는 가장 높은 압력이 생긴다. 이 압력차는 날개끝의 내리흐름(downstream)에 와류를 발생시키고 날개 후방의 공기흐름을 말려 올라가게 한다. 완전히 말려 올라가면 이 후류는 2개의 반대방향으로 회전하는 원통형 와류가 된다 (그림 7-3-1 참조). 에너지의 대부분이 각 와류 중심의 수 ft 이내에 있지만, 조종사는 와류 중심부로부터 약 100 ft 이내의 지역을 회피하여야 한다.

그림 7-3-1. 항적난기류 발생(Wake Vortex Generation)

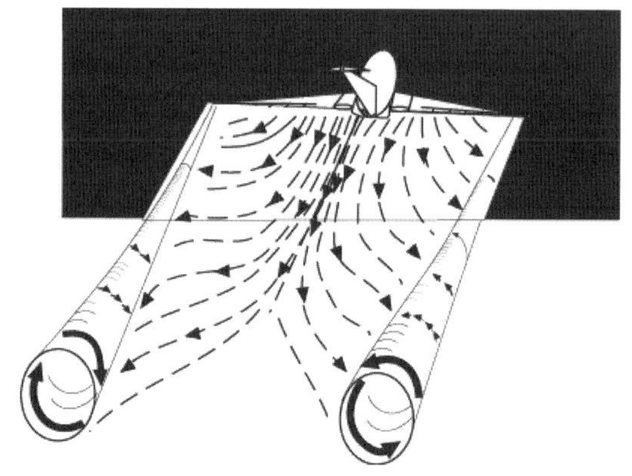

7-3-3. 와류의 강도(Vortex Strength)

a. 와류(vortex)의 강도는 와류를 발생시키는 항공기의 중량, 속도 및 날개의 형상에 좌우된다. 또한 항공기 와류의 특성은 속도변화는 물론 플랩(flap) 또는 그 밖의 날개형태 변경장치(wing configuring device)를 펼침으로서도 변경될 수 있다. 그러나 기본요인은 중량이며, 와류의 강도는 중량에 비례하여 증가한다. 300 ft/sec를 초과하는 와류의 최대 접선속도(peak vortex tangential speed)가 기록되기도 했다. 최대와류강도는 와류를 발생시키는 항공기가 무겁고(heavy), 외부장착물이 없으며(clean), 그리고 저속(slow)일 때 발생한다.

b. 유도 Roll(Induced Roll)

1. 드문 경우이지만 비행중 후류조우는 심각한 수준의 구조적손상을 일으킬 수 있다. 그러나 통상적인 위험은 조우한 항공기의 roll 조종한계를 초과할 수 있는 유도 옆놀이 모멘트(induced rolling moment)와 관련되어 있다. 비행시험에서 항공기는 의도적으로 대형항공기의 뒷전와류(trailing vortex) 중심부 쪽으로 곧장 비행하였다. 시험결과 항적난기류에 의해 야기되는 roll을 완화하기 위한 항공기의 성능은 주로 조우한 항공기의 날개길이와 역조종반응(counter-control responsiveness)에 좌우된다는 것이 밝혀졌다.

2. 조우한 항공기의 날개길이(wingspan)와 보조익(aileron)이 와류의 회전범위를 넘어선 경우, 일반적으로 역조종(counter control)이 효과적이며 유도 roll도 최소가 된다. 와류에 의해 유도된 roll을 해소하는 것은 짧은 날개길이를 가진 항공기(와류를 발생시키는 항공기에 비해)의 경우에 더 어렵다. 고성능기종의 항공기라 하더라도 날개길이가 짧은 항공기의 조종사는 와류조우에 특히 경계하여야 한다. (그림 7-3-2 참조)

3. 모든 조종사는 대형항공기의 후류에 주의를 하여야 한다.

그림 7-3-2. 후류조우 역조종(Wake Encounter Counter Control)

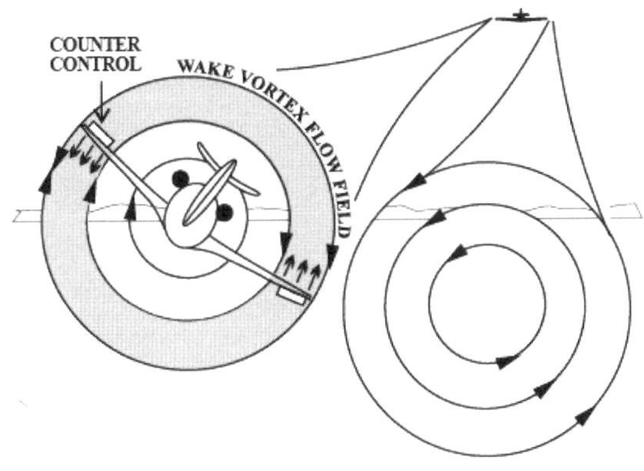

7-3-4. 와류의 특성(Vortex Behavior)

a. 뒷전와류(trailing vortex)는 조종사가 후류위치를 예상할 수 있도록 도움을 주며, 이로 인해 회피의 예방책을 강구할 수 있도록 하는 행동특성을 가지고 있다.

1. 뒷전와류(trailing vortex)는 날개 양력발생의 부산물이므로, 이륙시 부양하는 순간부터 접지시까지 항공기는 와류를 발생시킨다. 조종사는 이륙하거나 접지하기 전에 선행항공기의 부양지점(rotation point) 또는 접지지점(touchdown point)을 알아두어야 한다. (그림 7-3-3 참조)

2. 와류순환(vortex circulation)은 항공기 전방이나 후방에서 보았을 때 날개끝을 둘러싸고 바깥쪽, 위쪽으로 향한다. 대형항공기에 의한 시험결과 지면으로부터 날개길이보다 높은 고도에서 발생한 와류는 바람을 따라 표류하면서 날개길이보다 약간 적은 간격을 두고 떨어져 계속 남아 있다는 것이 밝혀졌다. 이것으로 보아 지속적인 항적난기류를 조우하였다면, 약간의 고도 및 횡적위치를 변경(가급적인 풍상쪽으로)함으로써 난기류를 벗어날 수 있는 비행경로가 주어진다.

3. 비행시험은 수송류(transport category) 항공기의 와류가 분당 수백 ft의 비율로 가라앉으며, 와류를 발생시키는 항공기 후방으로부터 거리가 멀어지고 시간이 경과함에 따라 강도는 약해지고 느리게 가라앉는다는 것을 보여 주었다. 대기의 난기류는 빠르게 분산된다. 조종사는 와류를 발생시키는 항공기의 후방이나 하부지역을 회피하기 위해 필요하면 진로를 변경하여 선행항공기의 비행경로나 상부에서 비행하여야 한다 (그림 7-3-4 참조). 그렇지만 1,000 ft의 수직분리는 안전하다고 간주할 수 있다.

4. 대형항공기의 와류가 지면 가까이(100~200 ft 이내) 가라앉을 경우, 2~3 knot의 속도로 지면 위를 횡으로 이동하는 경향이 있다. (그림 7-3-5 참조)

5. 항적난기류가 명목상 안정상태(nominal steady state) 높이의 두 배까지 튀어 오르는 것을 확신한다는 소수 항공관계자도 있다. 날개길이가 200 ft인 항공기의 경우 튀어 오르는 높이가 약 200 ft AGL에 이를 수 있다. 이러한 확신은 연구 sensor의 volume scan 결과 나타난 겉보기 고유와류(apparent coherent vortical flow)의 입증되지 않은 단일 연구결과에 의한 것이다. 어떤 조건이 와류의 튀어 오름(vortex bouncing)을 유발하는지, 얼마나 높게 어떤 각도로 튀어 오르는지 또는 와류가 몇 번이나 튀어 오르는지는 누구도 단정할 수는 없다. 반면에 와류는 결코 튀어 오르지 않는다고 단정할 수도 없다. 와류는 포함되어 있는 기단(air mass)과 더불어 상승할 수 있다는 것을 시험자료는 보여주고 있다. 특히 윈드시어는 와류범위(vortex flow field)의 "기울어짐(tilting)"을 유발할 수 있다. 또한, 대기의 열상승(thermal lifting) 및 산악효과(상승하는 지형 또는 한 줄로 늘어선 나무)는 와류범위의 상승을 유발할 수 있다. 앞에서도

언급하였지만 조종사는 접근하거나 착륙운항 시에는 항적난기류 조우 가능성에 항상 주의를 기울여야 한다는 것을 명심하여야 한다. 조종사는 선행항공기에 의해 일어난 항적난기류를 회피하기 위하여 터미널지역에서 항공기의 적절한 분리 및 위치를 확보하여야 할 최종 책임이 있다.

그림 7-3-3. 와류 종료/와류 시작(Wake Ends/Wake Begins)

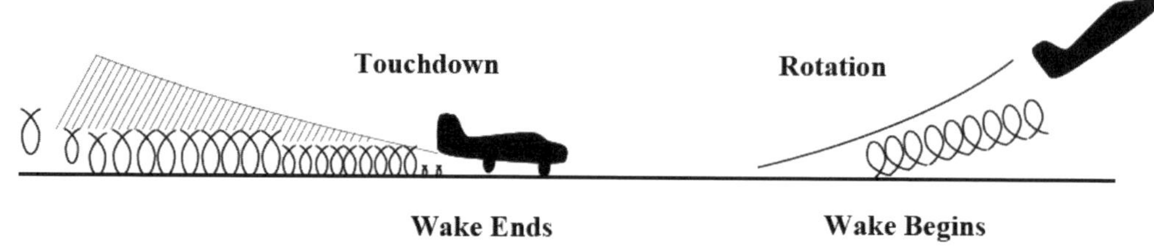

그림 7-3-4. 와류범위 회피(Vortex Flow Field AVOID)

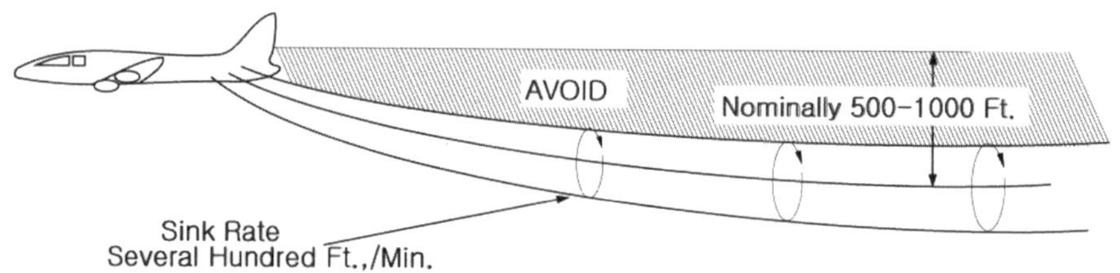

그림 7-3-5. 지면근처의 와류 움직임 - 무풍(Vortex Movement Near Ground - No Wind)

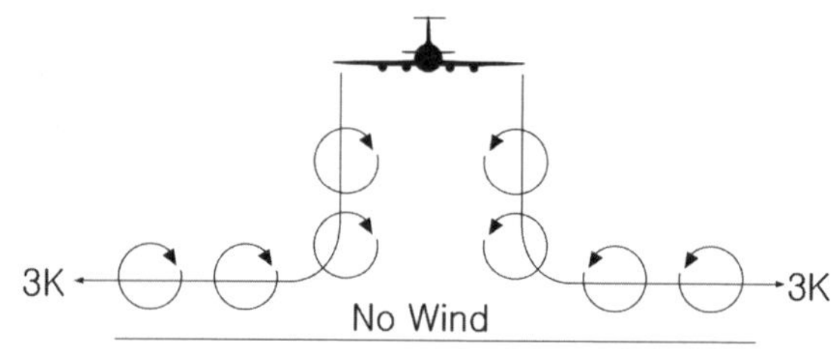

그림 7-3-6. 지면근처의 와류 움직임 - 측풍(Vortex Movement Near Ground - with Cross Winds)

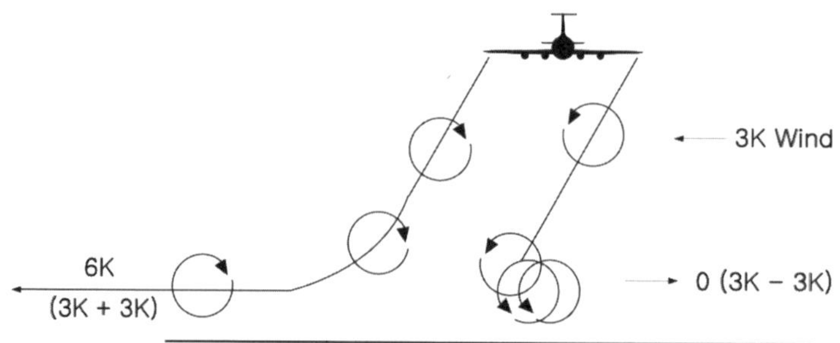

b. 측풍은 풍상와류(upwind vortex)의 횡적 움직임은 감소시키고 풍하와류(downwind vortex)의 움직임은 증가시킨다. 따라서 활주로를 가로지는 1~5 knot의 미풍은 일정 시간동안 풍상와류를 접지구역에 남아있도록 하고, 풍하하류가 다른 활주로 쪽으로 빨리 편류되도록 한다 (그림 7-3-6 참조). 마찬가지로 배풍상황에서는 선행항공기의 와류가 접지구역의 전방으로 이동될 수 있다. 45°의 각도로

부는 약한 배풍(light quartering tailwind)에는 특히 주의를 기울여야 한다. 조종사는 접근 및 이륙 비행경로에 있는 대형항공기의 풍상와류에 주의를 기울여야 한다. (그림 7-3-7 참조)

그림 7-3-7. 지면효과 시의 와류 움직임 - 배풍(Vortex Movement in Ground Effect - Tailwind)

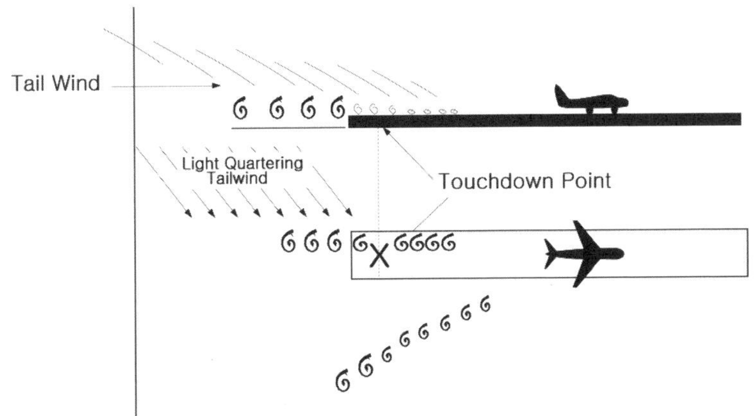

7-3-5. 와류 위험지역 운항(Operations Problem Areas)

a. 후류조우는 큰 재앙으로 이어질 수 있다. 1972년 포트워스 공항에서 DC-10 항공기에 너무 근접한 DC-9 항공기는 날개끝와류에 휘말려 옆놀이(roll)를 일으켰고, 활주로에서 옆으로 넘어지면서 전복되었다. 탑승객 전원이 사망했다. 항적난기류에 의해 유발되는 심각하고 치명적인 GA 사고는 드문 일이 아니다. 그러나 후류와 조우한다고 반드시 위험한 것은 아니다. 이것은 조우한 방향, 와류를 발생시키는 항공기의 중량, 조우한 항공기의 크기, 와류를 발생시키는 항공기로부터의 거리 및 와류와 조우한 지점에 따라 달라진다. 유도 roll의 가능성은 조우한 항공기의 기수방향이 와류를 발생시키는 항공기의 비행경로와 대체로 일직선이 되었을 때 증가한다.

b. 특히 잠깐 동안의 후류조우에도 위험할 수 있는 저고도에서는 와류를 발생시키는 항공기의 하부나 후방지역을 회피하여야 한다. 이것이 쉬운 것은 아니다. 몇몇 사고는 뒤따르는 항공기의 조종사가 전방의 항공기가 상당히 낮은 고도에 있다는 것에 신중을 기하였는데도 일어났다. 불행하게도 이것은 선행 항공기의 비행경로는 뒤따르는 항공기 비행경로의 하부에 있어야 한다는 것을 지키지 않은 결과였다.

c. 조종사는 무풍(calm wind) 상태 및 다음과 같은 와류 상황에서는 특히 경계하여야 한다.

1. 와류가 접지구역(touchdown area)에 남아 있을 경우

2. 인접활주로에서 비행하는 항공기로부터 와류가 편류(drift)할 경우

3. 와류가 교차활주로로부터 이륙 또는 착륙경로로 침하할 경우

4. 와류가 다른 공항에서 운항하는 항공기로부터 교통장주로 침하할 경우

5. 와류가 고도 500 ft 미만에서 운항하는 VFR 항공기의 비행경로로 침하할 경우

d. 모든 항공기의 조종사는 대형항공기 후방에서 발생하는 와류의 위치를 예상하고 안전운항을 위하여 적절한 와류회피절차를 적용하여야 한다. 대형항공기의 조종사가 다른 항공기에 와류노출을 최소화할 수 있도록 비행경로를 계획하거나 조정하는 것도 마찬가지로 중요하다.

7-3-6. 와류회피절차(Vortex Avoidance Procedure)

a. 공항교통관제사는 특정상황에서 IFR 항공기를 분리하기 위한 절차를 적용한다. 선행항공기를 육안으로 보면서 뒤따르라는 허가를 조종사가 수락하면 조종사는 분리 및 항적난기류 회피에 대한 책임을

진다. 또한 관제사는 교신 중에 있는 VFR 항공기에게 대형항공기의 위치, 고도 및 비행방향 다음에 용어 "Caution - wake turbulence"를 사용하여 대형항공기의 항적난기류에 의해 악영향을 받을 수 있다는 관제탑의 의견을 통보한다. 항적난기류에 대한 주의를 발부한 후 공항교통관제사는 뒤따르던 항공기가 선행항공기를 추월하고 있다는 것을 알지 않는 한, 일반적으로 공항교통관제사가 뒤따르는 항공기에게 추가정보를 제공하지는 않는다. 그러나 조종사는 경고나 정보를 받았든 안받았든지 간에 심각한 후류와 조우하지 않도록 필요에 따라 항공기를 조작하고 비행경로를 조정하여야 한다. 접근하는 동안 항공기 간에 안전한 분리거리가 유지되는지 의심스러운 경우, 조종사는 분리거리와 항공기 대지속도의 갱신에 대하여 관제탑에 문의할 수 있다.

b. 다음과 같은 각종 상황에서 권고하는 와류회피 절차는 다음과 같다.

1. 대형항공기의 뒤를 따라 착륙할 때 - 동일활주로의 경우. 대형항공기의 최종접근비행경로나 위로 비행하며 대형항공기의 접지지점(touchdown point)을 알아 두었다가 그 지점을 지나서 착륙한다.

2. 대형항공기의 뒤를 따라 착륙할 때 - 평행활주로 간의 간격이 2,500 ft 미만일 경우. 인접한 활주로에서 와류가 당신의 활주로로 편류(drift)할 가능성을 고려한다. 대형항공기의 최종접근비행경로나 위로 비행하며, 대형항공기의 접지지점을 알아 둔다.

3. 대형항공기의 뒤를 따라 착륙할 때 - 교차활주로의 경우. 대형항공기의 비행경로 위로 횡단하여야 한다.

4. 이륙하는 대형항공기의 뒤를 따라 착륙할 때 - 동일활주로의 경우. 대형항공기의 부양지점(rotation point)을 알아 두었다가 부양지점 훨씬 이전에서 착륙한다.

5. 이륙하는 대형항공기의 뒤를 따라 착륙할 때 - 교차활주로의 경우. 대형항공기의 부양지점을 확인하여 교차지점을 지난다면 계속 접근하여 교차지점 이전에서 착륙한다. 대형항공기가 교차지점 이전에서 이륙하면 대형항공기 비행경로 아래로의 비행은 피해야 한다. 교차지점에 도달하기 전에 확실히 착륙할 수 있지 않는 한 접근을 포기하여야 한다.

6. 대형항공기의 뒤를 따라 이륙할 때. 대형항공기의 부양지점을 알아 두었다가 대형항공기의 부양지점 이전에서 이륙한다. 대형항공기의 후류에서 벗어나 선회할 때 까지 대형항공기의 상승경로 위로 계속 상승한다. 대형항공기의 후방 및 아래를 가로지르는 기수방향(heading)은 피하여야 한다. 와류조우로 이어질 수 있는 위험한 이륙상황을 경계하여야 한다.

7. 중간이륙(intersection takeoff)을 할 때 - 동일활주로의 경우. 특히 활주로 풍상(upwind) 쪽에서 운항하는 인접 대형항공기를 경계하여야 한다. 중간이륙 허가를 받았다면, 대형항공기의 비행경로 아래를 가로지르는 기수방향(heading)은 피하여야 한다.

8. 저고도접근, 실패접근 또는 접지후이륙(touch-and-go)하는 대형항공기 다음에 이륙하거나 착륙할 때. 와류는 지면근처에 가라 앉아 횡으로 이동하기 때문에, 특히 45°의 각도로 부는 미풍(light quartering wind) 상태에서 저고도접근, 실패접근 또는 접지후이륙을 하는 대형항공기 다음의 활주로와 비행경로에는 와류 위험이 존재할 수 있다. 조종사는 이륙 또는 착륙을 하기 전에 최소한 2분의 간격이 경과하였는지를 확인하여야 한다.

9. 항공로 VFR(1,000 ft 고도 더하기 500 ft). 대형항공기의 비행경로 아래 및 후방에서의 비행은 피해야 한다. 대형항공기가 동일한 항적(교차 또는 추월)의 상부에서 관측되었다면 위치를 옆으로, 되도록이면 풍상(upwind) 쪽으로 조정한다.

7-3-7. 헬리콥터(Helicopters)

지표면 근처에서 저속 hover taxi 또는 제자리비행하는 경우, 헬리콥터 main 로터는 대략 rotor 직경의 3배 거리까지 고속의 바깥흐름(outwash) 와류를 일으키는 내리흐름(down wash)을 발생시킨다. 로터의 내리흐름이 지표면과 부딪힐 때, 이로 인한 바깥흐름와류는 고정익항공기에서 발생되는 날개끝와류(wing tip vortex)와 유사한 행동특성을 나타낸다. 그러나 와류순환은 바깥쪽으로, 위쪽으로, 주변으로 그리고 main 로터에서 전 방향으로 흩어진다. 소형항공기의 조종사는 저속 hover taxi 또는 제자리비행하는 헬리콥터 로터직경의 3배 이내에서의 운항을 피하여야 한다. 전진비행(forward flight)을 하면서 출발하거나 착륙하는 헬리콥터는 대형 고정익항공기의 날개끝와류와 유사한 한 쌍의 강한 고속의 뒷전와류(trailing vortex)를 일으킨다. 소형항공기의 조종사는 출발하거나 착륙하는 헬리콥터 후방을 통과하거나, 후방에서 운항할 때는 주의하여야 한다.

7-3-8. 조종사 책임(Pilot Responsibility)

a. 정부와 항공업계는 공동으로 뒷전와류(trailing vortices)의 위험을 줄이거나 제거하기 위하여 노력하고 있다. 그러나 조종사는 VFR 운항 중 와류회피에 필요한 비행규정에 주의를 기울여야 한다. 조종사는 충돌회피와 동일한 정도의 관심을 갖고 후류위치 예상 및 회피절차에 주의를 기울여야 한다.

b. 공항의 이동지역에서 운행 중일 때와 마찬가지로 비행중에도 항공기에 의한 항적난기류와 조우할 수 있다.

c. 모든 항공기의 후방에서 운항 시, 다음과 같은 상황에서 ATC 지시사항의 수용은 조종사가 안전한 이착륙간격을 유지하고, 항적난기류 분리에 대한 책임을 지겠다는 응답이라는 것을 조종사는 상기하여야 한다.

1. 교통정보(traffic information) 제공
2. 선행항공기를 뒤따르라는 지시
3. 시각접근(visual approach) 허가의 수용

d. 초대형(super)이나 대형항공기(heavy aircraft) 후방에서 운항하는 경우, ATC가 이러한 정보를 알았을 때에는 해당하는 용어 "super"나 "heavy"를 포함할 것이다. 초대형이나 대형항공기의 조종사는 무선교신시 항상 용어 "super"나 "heavy"를 사용하여야 한다.

e. 초대형, heavy 그리고 대형(large) 제트항공기의 조종사는 착륙하기 위하여 접근하는 동안 다음의 절차를 이용하여야 한다. 이러한 절차는 일렬로 비행하는 경항공기의 조종사가 심각한 항적난기류를 회피하기 위해 상당히 효과적인 비행경로를 설정할 수 있을 것으로 예상되는 신뢰할 수 있는 기준선(baseline)이 된다.

1. 강한 항적난기류를 일으키는 항공기의 조종사는 설정된 glidepath를 유지하기 위하여, 또는 glidepath 유도시스템을 이용할 수 없다면 가능한 한 "3-1" glidepath에 가깝게 비행하기 위하여 모든 시도를 하여야 하며 glidepath 위로 비행해서는 안된다.

예(Example)
접지지점으로부터 10 mile 지점에서는 3,000 ft, 5 mile 지점에서는 1,500 ft, 4 mile 지점에서는 1,200 ft의 고도로 접지지점까지 비행한다.

2. 강한 항적난기류를 일으키는 항공기의 조종사는 접근진로중심선에 가능한 한 가깝게, 또는 상황에 따라 적절하게 착륙하고자 하는 연장된 활주로중심선에 가능한 한 가깝게 비행하여야 한다.

f. 경항공기를 운항하는 조종사는 강한 항적난기류를 일으키는 항공기에 일렬로 시각접근 시 항적난기류를 회피하기 위하여 다음 절차를 이용하여야 한다. 이 절차는 시각접근을 하는 항공기에만 적용한다.

1. 경항공기의 조종사는 glidepath나 glidepath 위로 비행하여야 한다. Glidepath 기준은 ILS, 시각진입각 시스템, 다른 지상기반 진입각 유도시스템, 또는 그 밖의 수단에 의해 제공될 수 있다. 시각 glidepath 유도시스템을 이용할 수 없는 조종사는 "3 대 1" glidepath 원리를 준수함으로써 거의 3°에 가까운 활공각을 유지할 수 있다.

예(Example)
접지지점으로부터 10 mile 지점에서는 3,000 ft, 5 mile 지점에서는 1,500 ft, 4 mile 지점에서는 1,200 ft의 고도로 접지지점까지 비행한다.

2. 또한 선행 대형항공기를 뒤따르는 경항공기의 조종사가 선행항공기와 활주로를 육안으로 확인하였다면, 다음을 수행함으로써 항적난기류를 회피할 수도 있다.

(a) 활주로의 도착부(arrival end)로부터

1,000 ft 정도에 착륙지점을 선정한다.

(b) 선행 대형항공기 상부 전방의 착륙지점에 가시선(line-of-sight)을 설정한다.

(c) 가능하면 선행 heavier 항공기의 착륙지점을 알아 두었다가, 필요에 따라 착륙예정지점을 조정한다.

예(Example)

활주로의 1,000 ft 표지에서 연기가 피어오르는 것을 보았다면 그 지점이 접지한 지점이라는 것을 나타낸다. 따라서 착륙예정지점을 1,500 ft 표지의 지점으로 조정한다.

(d) 선행 대형항공기 상부 전방의 착륙예정지점에 가시선(line-of-sight)을 설정하고 접지할 때까지 이를 유지한다.

(e) 선행 대형항공기의 착륙지점을 지나서 착륙한다.

3. 시각접근 동안 항적난기류와 안전한 분리가 유지되는지 특별히 의심스러운 경우, 조종사는 선행 대형항공기와 관련된 분리와 대지속도의 update를 위해 ATC에 문의할 수 있다.

7-3-9. 항공교통 항적난기류 분리(Air Traffic Wake Turbulence Separation)

a. 초대형이나 heavy 제트항공기 후방에서 운항하는 경우, 관제사는 항적난기류의 영향을 고려하여 모든 IFR 항공기 및 B등급이나 C등급 공역업무를 제공받는 모든 VFR 항공기, 그리고 B757 후방에서 운항하는 소형항공기에 대해 최소한 지정된 최저치 분리(minimum separation)를 적용하여야 한다.

1. 초대형 또는 heavy 항공기 바로 뒤의 동일한 고도 또는 하부 1,000 ft 이내의 고도에서 운항하는 항공기, 그리고 B757 항공기 바로 뒤의 동일한 고도 또는 하부 500 ft 이내의 고도에서 운항하는 소형항공기에 대한 분리는 다음과 같이 적용한다.

(a) 초대형(super) 항공기 후방의 heavy 항공기 - 6 mile

(b) 초대형(super) 항공기 후방의 대형(large) 항공기 - 7 mkle

(c) 초대형(super) 항공기 후방의 소형(small) 항공기 - 8 mile

(d) Heavy 항공기 후방의 heavy 항공기 - 4 mile

(e) Heavy 항공기 후방의 소형/대형항공기 - 5 mile

(f) B757 항공기 후방의 소형항공기 - 4 mile

2. 또한 선행항공기가 착륙활주로시단 상공에 도착 시에 측정되는 분리를 다음과 같이 소형항공기에 제공한다.

(a) Heavy 항공기 뒤에 착륙하는 소형항공기 - 6 mile

(b) 대형, B757 이외의 항공기 뒤에 착륙하는 소형항공기 - 4 mile

3. 그 외에 동일한 활주로시단에서 출발하는 경우, 동일선상에 놓여 있지 않는(staggered) 활주로시단이 500 ft 미만이며 활주로 간의 간격이 2,500 ft 미만인 평행활주로에서 출발하거나 또는 교차활주로와 비행경로(flight path)가 교차할 것으로 예상되는 경우에는 출발항공기에 다음과 같이 적절한 시간 또는 거리간격을 제공한다.

(a) 초대형(super) 항공기의 뒤를 따라 이륙하는 경우, 3분 또는 적절한 레이더분리를 제공한다.

(b) Heavy 항공기의 뒤를 따라 이륙하는 경우, 2분 또는 적절한 레이더분리를 제공한다.

(c) 소형항공기(small aircraft)가 B757 항공기의 뒤를 따라 이륙하는 경우, 2분 또는 적절한 레이더분리를 제공한다.

주(Note)

관제사는 이러한 분리간격을 적용하지 않거나, 축소해서는 안된다.

b. 소형항공기가 다음과 같이 이륙하는 경우에는 3분 간격을 제공한다.

1. 대형항공기(B757 제외)가 출발한 후 동일한 활주로(동일 또는 반대방향) 상의 교차지점(intersection)에서 이륙하는 경우

2. 대형항공기(B757 제외)가 이륙하거나 저고도접근/실패접근을 한 후 동일한 활주로 상의 반대방향으로 이륙하는 경우

주(Note)

이러한 3분 간격을 위배해서는 안된다.

c. 소형항공기가 다음과 같이 이륙하는 경우에는 3분 간격을 제공한다.

1. B757 항공기가 출발한 후 동일한 활주로(동일 또는 반대방향) 상의 교차지점(intersection)에서 이륙하는 경우

2. B757 항공기가 이륙하거나 저고도접근/실패접근을 한 후 동일한 활주로 상의 반대방향으로 이륙하는 경우

d. 초대형항공기의 뒤를 따라 이륙하는 모든 항공기에게 4분 간격이 제공되며, 위의 b1과 2절에 기술된 바와 같이 이륙하는 경우와 동일한 활주로 또는 2,500 ft 미만의 간격으로 분리되어 있는 평행활주로에서 이륙하는 경우 heavy 항공기의 뒤를 따라 이륙하는 모든 항공기에게 3분 간격을 제공한다. 관제사는 이러한 분리간격을 적용하지 않거나, 축소해서는 안된다.

e. 조종사는 항적난기류 회피를 위해 그 밖의 분리(4 mile 또는 5 mile 대신에 2분과 같은)를 요구할 수도 있다. 이러한 요구는 최소한 활주로로 지상활주하기 이전에 지상관제 상에서 가능한 한 빨리 지상관제사에게 하여야 한다.

주(Note)

14 CFR 91.3(a)절에서는 "항공기의 기장은 당해 항공기운항에 대한 직접적인 책임 및 최종적인 권한이 있다."라고 규정하고 있다.

f. 출발항공기가 이륙활주(takeoff roll)를 시작할 때, 관제사는 필요한 분리가 이루어질 것이라는 합당한 확신이 있다면 대형, heavy 또는 초대형항공기의 뒤를 따라 출발하는 항공기에 대한 분리가 이루어질 것이라고 예상할 수 있으며 이륙허가를 보류할 필요는 없다.

제4절. 조류 위험 및 국립보호구역, 공원과 산림 상공의 비행(Bird Hazards and Flight Over National Refuges, Parks, and Forests)

7-4-1. 철새의 활동(Migratory Bird Activity)

a. 조류충돌의 위험은 3월에서 4월, 그리고 8월에서 11월 사이에 철새의 이동으로 인해 증가한다.

b. 철새들의 이동고도는 상층풍, 기상전선, 지형표고, 구름상태 및 그 밖의 환경변화에 따라 변한다. 보고된 조류충돌의 90% 이상이 3,000 ft AGL 이하에서 발생하였으며, 일반적으로 고고도에서의 충돌은 철새가 이동하는 동안에 발생하였다. 오리와 거위는 때때로 7,000 ft AGL까지의 고도에서 관측되므로, 조종사는 철새가 이동하는 동안에는 저고도에서의 항공로비행을 최소화할 수 있도록 주의를 기울여야 한다.

c. 갈매기, 물새, 독수리, 매, 올빼미, 해오라기, 지빠귀 및 찌르레기는 그들의 크기, 수 또는 무리지어 나는 습관 때문에 항공기에게 가장 큰 잠재적 위험요소로 간주된다. 미국에는 4개의 주요 철새 이동경로가 있다. 대서양 이동경로는 대서양 해안과 나란하다. 미시시피 이동경로는 캐나다에서부터 오대호까지 이어지며, 미시시피 강을 따라간다. 중부 이동경로는 캐나다에서부터 미중부까지 이어지는 로키산맥 동쪽의 광활한 지역을 말하며, 태평양 이동경로는 서해안을 따라가며 워싱턴, 오리건 및 캘리포니아의 주요 지역 상공을 지난다. 또한 이러한 주요 남북 이동경로를 가로지르는 수많은 소규모의 이동경로가 있다.

7-4-2. 조류충돌 위험 감소(Reducing Bird Strike Risks)

a. 가장 위험한 충돌은 조류가 엔진(터보프롭과 터보제트엔진) 내부로 빨려들어 가거나, windshield에 부딪히는 것이다. 이러한 충돌은 조종사가 즉각적인 조치를 취해야 하는 비상상황으로 이어질 수 있다.

b. 조류가 엔진 내부로 빨려 들어가면 갑작스러운 동력상실이나 엔진고장을 일으킬 수 있다. 특히 조류충돌의 위험이 있다고 알려진 공항에서 운항할 때나, 무리지어 나는 조류근처에서 운항할 때는 엔진 정지 시의 절차(engine out procedure)를 살펴두어야 한다.

c. Windshield 충돌은 조종사로 하여금 혼동, 방향감각 상실, 통신두절 및 항공기 조종상의 문제를 일으킬 수 있다. 이러한 지역을 비행하기 전에 비상절차를 살펴볼 것을 조종사에게 권장하고 있다.

d. 항로에서 조류와 마주쳤을 경우, 맨 앞에서 날아가는 새는 가장 높은 고도에 있으며 무리지어 있는 새들은 일반적으로 아래쪽으로 분포되어 있기 때문에 충돌을 피하기 위해서는 상승하여야 한다.

e. 알려진 조류밀집지역 상공의 비행과 새들이 이동하는 동안 저고도에서의 비행을 피해야 한다. 차트화된 야생동물보호구역 및 그 밖의 자연보호구역에는 항공기의 위험을 일으킬 수 있는 많은 새들이 특별히 밀집되어 있는 지역이 포함되어 있다.

7-4-3. 조류충돌 보고(Reporting Bird Strikes)

FAA 양식 5200-7, Bird/Other Wildlife Strike Report(부록 1)를 이용하여 조류 또는 그 밖의 야생동물과의 충돌을 보고하여 줄 것을 조종사에게 권고하고 있다. 부가적인 양식은 FSS, FAA 지역사무소 또는 https://www.faa.gov/airports/airport_safety/wildlife/에서 이용할 수 있다. 이 보고에서 획득된 자료는 항공기에 대한 이러한 잠재적인 위험에 대처하기 위한 표준을 개발하고, 공항의 서식지 통제의 필요성 입증을 위한 문서 작성에 사용된다.

7-4-4. 조류 및 그 밖의 야생동물 활동 보고

조종사는 활주로 상이나 활주로 주변에서 조류나 그 밖의 동물을 보았다면, 이륙하기 전에 야생동물을 쫓아 버리도록 공항운영자에게 요청하여야 한다. 또한 가장 인접한 FAA ARTCC, FSS 또는 관제탑(연방 비승인 관제탑 포함)과 교신하여 커다란 무리를 지어 있는 조류에 대하여 다음을 보고하여야 한다.

a. 지리적 위치

b. 새의 종류(거위, 오리, 갈매기 등)

c. 대략적인 숫자

d. 고도

e. 새가 날아가는 방향

7-4-5. 조류 및 그 밖의 야생동물 위험 조종사 조언(Pilot Advisories on Bird and Other Wildlife Hazards)

많은 공항들이 활주로 상의 큰 동물로 인한 야생동물의 위험성을 미국 차트 보충판(Chart Supplement U.S.) 및 NOTAM 시스템을 통해 조종사에게 조언해 주고 있다. 활주로 상에서 이착륙하는 항공기와 동물의 충돌이 증가하고 있으며, 이러한 사고가 지방공항에만 국한된 것은 아니다. 이러한 사고는 몇몇 주요공항에서도 발생하였다. 공항 및 공항주변에 야생동물의 출현이 경고되었을 경우 조종사는 극히 주의를 기울여야 한다. 이동지역에 근접한 사슴이나 그 밖의 큰 동물을 보았다면 FSS, 관제탑 또는 공항운영자에게 통보하여야 한다.

7-4-6. 차트화된 미국 야생동물보호구역, 공원 및 산림관리지역 상공의 비행

a. 관련기관의 허가없이 국립공원관리국, 미국 어류 및 야생동물관리국 또는 미국 산림관리국이 관리하는 지면이나 수면으로의 항공기착륙은 금지된다. 다음의 경우에는 예외이다.

1. 조종이 불가능한 비상상황으로 인한 불시착
2. 공식적으로 지정된 착륙장소, 또는
3. 연방정부의 승인을 받은 공무

b. 조종사는 다음의 지표면으로부터 최저고도 2,000 ft 이상을 유지하여야 한다: 국립공원관리국에 의해 관리되는 국립공원, 유적지, 해안, 호안, 휴양지 및 경치가 아름다운 강변길, 미국 어류 및 야생동물관리국에 의해 관리되는 국립야생동물보호구역, 동물보호구역, 야생동물지역, 그리고 미국 산림관리국에 의해 관리되는 자연보호구역 및 원시림보호지역

주(Note)

FAA 권고회보 AC 91-36, Visual Flight Rules (VFR) Flight Near Noise-Sensitive Areas에서는 국립공원지역(공원, 산림, 원시림보호지역, 자연보호구역, 휴양지, 국립해안공원, 국립유적지, 국립호안보호구역 그리고 국립야생동물보호구역 및 야생동물지역 포함)의 지표면을 비행경로로부터 횡적으로 2,000 ft 이내의 가장 높은 지형 또는 협곡이나 계곡 가장 상부의 가장자리(rim)라고 정의하고 있다.

c. 연방규정은 지정된 미국 야생동물보호구역, 공원 그리고 산림관리지역 상공에서 특정 유형의 비행활동을 금지하거나 고도제한을 규정하고 있다. 이러한 지정된 지역, 예를 들어 미네소타주의 바운더리 워터즈 카누 야생지역, 하와이주의 할레아칼라 국립공원, 캘리포니아주의 요세미티 국립공원, 애리조나주의 그랜드캐니언 국립공원은 구역차트에 표기되어 있다.

d. 또한 연방규정은 위에서 언급한 3개 기관이 관리하고 있는 지역에 관련기관의 허가없이 항공기로부터 사람, 화물 또는 물건을 낙하산이나 그 밖의 수단에 의해 공중투하 하는 것을 금지하고 있다. 다음의 경우에는 예외이다.

1. 인명의 안전과 관련된 비상상황, 또는
2. 심각한 재산피해의 우려

제5절. 잠재적인 비행위험 요소(Potential Flight Hazard)

7-5-1. 사고원인 요소(Accident Cause Factor)

a. 기장(pilot-in-command)과 관련된 일반적인 항공사고의 10가지 주요요인은 다음과 같다.

1. 부적절한 비행전 준비 또는 계획
2. 비행속도의 도달 실패 또는 유지 실패
3. 방향 조종(direction control) 유지 실패
4. 부적절한 수평조작(level off)
5. 물체 또는 장애물의 육안회피(see and avoid) 실패
6. 연료의 부적절한 관리
7. 부적절한 비행중 결심 또는 계획
8. 거리와 속도의 판단 착오
9. 부적합한 지형의 선택
10. 비행조종장치의 부적절한 조작

b. 이러한 목록은 비교적 변동이 없으며, 더 높은 수준의 비행숙련도에 도달하기 위해서는 모든 조종사에게 지속적인 보수교육이 필요하다는 것을 보여주고 있다. 항공안전을 증진시키기 위한 FAA의 지속적인 노력의 일환이 항공안전프로그램(Aviation Safety Program)이다. 항공안전프로그램 활동에 관한 정보는 인접한 비행표준사무국에 문의한다.

c. 경계(alertness). 항상, 특히 기상이 좋을 때 경계하라. 대부분의 조종사가 완전한 IFR 기상상태에서 운항을 할 때는 비행에 집중하지만, 이상하게도 공중충돌은 거의 언제나 이상적인 기상상태에서 발생하였다. 아주 좋은 시정이 안전을 증진시켜 준다는 것은 전혀 타당성이 없다. 관제사의 업무량이 많아서 조종사가 개별적인 업무를 제공받지 못하더라도, 터미널지역에서 발부되는 조언을 청취함으로써 가치있는 많은 정보를 얻을 수도 있다.

d. 양보(give way). 다른 항공기가 너무 근접해 있다고 생각하면, 당신에게 권리가 있는 통행우선권을 다른 조종사가 존중하여 줄 것을 기다리지 말고 양보하라. 양보한 이후에 통행우선권을 따르는 것이 훨씬 더 안전하다.

7-5-2. 혼잡한 지역에서의 VFR(VFR in Congested Area)

공중충돌위험(near midair collision)의 대부분이 8,000 ft AGL 미만 및 공항의 30 mile 이내에서 발생한다. 이런 매우 혼잡한 지역에서 VFR 운항을 할 때에는 지역 내에 있는 공항에 착륙할 예정이든, 다만 통과비행할 예정이든지 간에 특별히 경계를 유지하고 해당 관제소주파수를 경청할 것을 권고한다. 통상적으로 해당 주파수란 접근관제주파수이다. 이러한 주파수 경청을 통해 지역의 전반적인 교통상황을 알 수 있다. 접근관제사가 레이더를 갖추고 있을 경우에는 VFR 조종사의 요청에 따라 레이더교통조언을 제공할 수도 있다.

7-5-3. 비행 장애물(Obstructions To Flight)

a. 일반(General)

500 ft 미만, 특히 200 ft AGL 미만에서 운항할 때는 이곳에 있는 많은 구조물 들이 비행안전에 심각한 영향을 줄 수 있다. 14 CFR Part 91.119는 500 ft AGL 미만에서의 비행을 허용하고 있지만, 인적이 매우 드문 지역이나 개빙구역(open water) 상공의 운항은 매우 위험하다. 200 ft AGL 미만의 많은 전선, 안테나 철탑 등이 장애물 표지나 등화가 되어 있지 않기 때문에 충돌을 피해야 할 때에 보지 못할 수도 있다. 이러한 등화구조물의 등화가 일시적으로 운용중지되는 경우 항공고시보(NOTAM)가 발행된다. 그러나 FAA에 이러한 운용중지가 통보되고 NOTAM을 발행하기 위해서는 얼마 동안 시간이 필요하기 때문에 조종사의 경계가 절대적으로 필요하다.

b. 안테나 철탑(Antenna Tower)

2,000 ft AGL 이상 높게 뻗어 있는 몇몇 구조물을 포함하여 1,000 ft AGL을 초과하는 라디오와 텔레비전 안테나 철탑과 같은 골조구조물로 인하여 2,000 ft AGL 미만에서 비행할 때는 극히 주의를 기울여야 한다. 대부분의 골조구조물은 양호한 기상에서도 잘 보이지 않는 버팀 철선(guy wire)에 의

해 지지되며, 해질 무렵이나 시정이 감소된 동안에는 보이지 않을 수도 있다. 이러한 wire는 구조물에서 가로로 약 1,500 ft 까지 이어져 있을 수 있으므로, 모든 골조구조물은 가로로 최소한 2,000 ft 이상 피해야 한다. 게다가 새로운 철탑은 차트를 인쇄하기 전에 이러한 정보를 받지 못해서 최근의 차트에 표기되어 있지 않을 수도 있다.

c. 가공선(Overhead Wire, 架空線)

가공송전선로는 종종 활주로까지의 접근로, 또는 호수, 강, 골짜기 및 협곡과 같은 자연적인 비행로(natural flyway)에 걸쳐 있거나, 때때로 조종사가 따라가는 고속도로, 철도선로 등과 같은 그 밖의 랜드마크를 가로 지른다. 안테나 철탑과 마찬가지로 이러한 고전압선/전력선 또는 이러한 전선을 지지하는 구조물은 항상 잘 보이지 않을 뿐만 아니라, 특정상황에서는 wire를 육안으로 보는 것이 사실상 불가능 할 수도 있다. 일부 지역에는 가공송전선로의 지지구조물 간에 wire가 있다는 것을 나타내기 위하여 이러한 구조물에 일정한 순서로 점멸하는 백색의 섬광등시스템이 설치되어 있다. 그러나 많은 송전선이 FAA에 통보할 필요가 없으며, 따라서 표지를 하거나 등화가 설치되지 않는다. 통보를 해야 하는 구조물의 대부분도 200 ft AGL를 초과하지 않거나, 14 CFR Part 77의 장애물기준에 해당하기 때문에 표지를 하지 않거나 등화가 설치되지 않는다. 모든 조종사는 자연적인 비행로를 따라 비행하거나, 또는 접근과 착륙단계 동안에는 이러한 전력선이나 전력선의 지지구조물에 대하여 극히 세심한 주의를 기울여야 한다. 이는 익숙하지 않은 호수나 강에서 출발하거나 착륙할 때, float가 설치된 항공기 또는 수상비행기의 경우에 특히 중요한다.

d. 그 밖의 물체/구조물(Other Objects/Structure)

공항 근처의 공사 크레인, 새로 건축된 빌딩, 새로운 tower 등과 같은 그 밖의 물체 또는 구조물은 비행에 좋지 않은 영향을 미칠 수 있다. 이러한 구조물의 다수는 차트화의 요건에 해당하지 않거나, 또는 발간간격 때문에 아직 차트화되지 않았을 수 있다. 일부 구조물은 장애표지 또는 장애등을 설치할 필요가 없으며, 일부는 FAA 권고에도 불구하고 표지나 등화를 설치하지 않았을 수도 있다.

7-5-4. 무인기구 아래로의 비행 회피(Avoid Flight Beneath Unmanned Balloon)

a. 최근 운용되는 대부분의 무인자유기구에는 기구 하부에 탑재장비나 계기가 매달린 지지장치(suspension device) 또는 아래로 늘어진 wire antenna가 장착되어 있다. 대부분의 경우 이러한 기구 부속장치는 항공기가 기구에 근접하여 잠재적인 위험상황을 초래할 때 까지 조종사에게 보이지 않을 수도 있다. 따라서 조종사의 입장에서 현명한 판단은 모든 무인자유기구에서 충분히 떨어지고, 언제라도 기구 아래로의 비행은 피하는 것이다.

b. 관측한 무인자유기구를 교신이 이루어진 가장 인접한 FAA 지상시설에 보고하여 줄 것을 조종사에게 권고하고 있다. 이러한 정보는 FAA ATC 기관이 공역에서 운영 중인 무인자유기구를 식별하고 비행을 추적하는 데에 도움을 줄 수 있다.

7-5-5. 무인항공기시스템(Unmanned Aircraft Systems)

a. 이전에는 "Unmanned Aerial Vehicles (UAV)" 또는 "drone"이라고 불렀던 무인항공기시스템(UAS)의 운항이 NAS에서 증가하고 있다. 한때는 군의 독점적 영역이었던 UAS는 지금은 다양한 기업에 의해 운용되고 있다. 이러한 항공기는 "무인"이지만, UAS는 원격에 위치한 조종사와 승무원에 의해 조종된다. 무인항공기(UA)의 물리적특성 및 성능특성은 매우 다양하며, 일반적으로 400 ft AGL 미만에서 비행하는 모형비행기와는 다르다. UA는 어떤 고도 및 어떤 속도로 비행하는 지를 실제로 볼 수 있다. UA의 크기는 몇 파운드의 소형에서부터 상업용 운송항공기와 같이 대형일 수 있다. UAS는 비행기, 회전날개항공기(rotorcraft), 수직이착륙기(tilt-rotor) 그리고 경항공기를 포함한 다양한 category로 되어 있다. UAS의 추진시스템으로는 피스톤 동력엔진 및 터보제트엔진에서부터 battery 및 태양광 전기모터까지 다양한 대체수단을 이용할 수 있다.

b. 다른 항공기와 UAS 운항을 분리하기 위하여

일반적으로 군은 제한구역 또는 그 밖의 특수사용공역 내에서 UAS를 운항하고 있다. 그러나 현재는 FAA 발부 면제 또는 허가인증(COA)을 받거나 특별감항증명의 발부를 통해 특수사용공역 NAS 외부에서의 UAS 운항이 승인되고 있다. COA 및 특별감항증명은 지정된 지리적 경계 및 고도 내에서 UAS 비행운항을 하도록 승인되며, 보통 ATC 기관과 조정을 하여야 하고 통상적으로 수행할 운항을 기술한 NOTAM의 발행을 필요로 한다. 또한 UAS 승인에는 UAS 승무원에게 "육안회피" 성능을 제공하고 14 CFR 91.113절의 준수에 필요한 관측을 제공하기 위하여 관측자를 필요로 한다. FL 180 이상의 승인된 UAS 운항의 경우, UAS는 유인항공기와 동일한 요건에 의하여 운항하여야 한다 (즉, 계기비행방식으로 운항하고 ATC와 교신하여야 하며, 그리고 적합한 장비를 갖추어야 한다).

c. UAS 운항은 관제 또는 비관제공항에서 인가될 수 있으며 통상적으로 NOTAM에 의해 전파된다. 모든 경우에 있어서, 승인된 UAS 운항은 모든 적용규정 및 COA나 특별감항증명의 운용한계에 지정된 특별조항을 준수하여야 한다. 비관제공항에서 UAS를 운항할 때는 알려진 모든 유인항공기 운항으로부터 충분히 떨어져 운항할 것을 권한다. 유인항공기의 조종사는 정상적인 비행절차를 따르고, 어떤 잠재적인 UAS 활동에 대비하여 CTAF를 경청할 것을 권고한다. 관제공항의 국지 ATC 절차는 UAS 운항을 처리할 수 있어야 하고, 교통장주에 입출항하거나 또는 공항주변에서 운항하는 유인항공기에게 특별한 절차를 요구하지 않아야 한다.

d. 위에 기술된 UAS 운항 승인과 더불어 최근 FAA와 국방부 간에 합의된 합의서에서는 전적으로 G등급 공역 내부에서 수행되는 소형 UAS의 운항, 그런 경우는 아직 없지만 군 소유 또는 임대지역 상공 1200 ft AGL 이상에서의 소형 UAS 운항을 승인하고 있다. 이러한 운항에는 NOTAM의 발행을 포함한 그 밖의 규정은 물론 군용시설의 횡적범위 이내에 UA가 머무르는 동안 특별한 허가가 필요하지 않다. 특수사용공역과는 달리 이러한 구역은 항공차트에 표기되어 있지 않을 수도 있다.

e. UAS 활동과 관련하여 잠재적인 비행위험을 감소시키기 위한 노력의 일환으로 조종사가 고려해야 할 몇 가지 요소가 있다. 제한구역 또는 특수사용공역, 군작전구역과 군용시설 주변에서 운항할 때는 더 한층 경계할 것을 조종사에게 권고한다. UAS 활동이 빈번한 구역은 통상적으로 조종사에게 이러한 활동을 통보하는 구역차트에 표기된다. UA의 크기는 매우 작아서 육안추적이 어려울 수 있다. 비행중에 UA와 조우했다면 유인항공기와 마찬가지로 UAS의 조종사나 승무원이 당신을 볼 수 있을 것이라고 추정하지 말고 더 한층 UA를 경계하여야 하며, 필요하면 항상 회피조치를 취할 수 있도록 준비하여야 한다. 의도하는 비행경로에 잠재적인 UAS 활동이 있는지 항상 NOTAM을 확인하고, NOTAM에 명시된 지역에서는 더 한층 경계하여야 한다.

7-5-6. 산악비행(Mountain Flying)

a. 적절한 비행계획을 세우지 않았고 잠재적인 위험이 도사리고 있다는 것을 인식하지 못했다면 산악지역에서의 첫 비행경험(특히, 그 동안 대부분의 비행을 중서부의 평원에서 했었다면)은 결코 잊을 수 없는 악몽이 될 수도 있다. 산악지역에는 눈에 익은 구역의 경계구분이 존재하지 않고, 사실상 불시착을 하기 위한 평평한 땅이 없으며 풍향과 풍속은 급격하게 변하고, 특히 급격한 지형의 변화가 있는 계곡 또는 험준한 지역의 근처나 상부에는 상승기류와 하강기류가 흔히 있으며, 구름조차도 다르게 보이고 순식간에 형성될 수 있다. 다음의 권고사항을 따른다면 산악비행이 위험한 것만은 아니다.

b. 비행계획서를 제출한다. 안전한 불시착을 방해할 수 있는 지형을 피하여 비행로를 선정한다. 비행로는 사람들이 거주하는 지역의 잘 알려진 산악경로 상공이어야 한다. 엔진고장의 경우에도 안전하게 착륙하기 위하여 활공할 수 있도록 충분한 고도를 유지하여야 한다.

c. 비행예정고도의 상층풍이 35 mile/hr를 초과하는 경우 경비행기로 비행하지 마라. 산악경로 상공에서의 풍속은 이곳에서 수 마일 떨어진 곳에서 보고된 풍속보다 훨씬 더 강하다는 것을 예상해야

한다. 가능한 한 높은 고도로 산악경로에 접근한다. 풍하측(leeward side)에서는 1,500~2,000 ft/min의 하강기류가 드물지 않게 나타난다.

d. 지형이 급격하게 변하는 지역 주변이나 상공으로 비행하지 마라. 특히 강한 바람상태에서는 심한 난기류를 예상할 수 있다.

e. 산악차폐(mountain obscuration)의 이해. 운고(ceiling)는 정의에 의해 "above ground level(AGL)"로 나타내야 하므로, 용어 산악차폐(MTOS)는 IFR과 구별되는 시정상태를 나타내기 위하여 사용된다. 산악지역에서 구름은 기상보고소에서 보고한 것보다 상당히 더 높은 고도에 형성될 수 있으며, 동시에 저시정으로 근처의 산정상이 차폐될 수 있다. 이러한 지역에서 지표면으로부터의 고도(ground level)는 좁은 지역에서도 크게 달라질 수 있다. 운상시계비행(VFR-on-top)으로 비행중이라면 주의하여야 한다. 산정상은 구름마루(cloud deck) 하부에 가려져 있기 때문에 조종사가 생각한 것보다 지형에 더 근접하여 운항할 수도 있다. 그날의 MTOS 지역은 http://www.aviationweather.gov의 항공기상센터에서 확인할 수 있다.

f. 어떤 협곡은 막다른 길로 이어진다. 갇혀서 되돌아 나올 수 없는 깊은 협곡으로 비행하지 마라. 항상 180° 선회할 수 있도록 하여야 한다.

g. 야간에 산악지역에서의 VFR 운항은 현명한 판단과 상식을 적용하여 수행하여야 한다. 적절한 비행전계획, 바람과 기상에 대한 고려, 지형의 이해와 산악비행에 대한 조종사 경험 등은 안전비행을 위한 전제조건이다. 계속하여 지표면과 장애물을 시야에 두는 것이 매우 중요하며, overcast 하에서 또는 구름근처에서 운항하려고 할 때에는 극히 주의를 기울여 접근하여야 한다.

h. 고고도비행장에 착륙할 때에는 낮은 표고의 비행장과 동일한 지시대기속도를 사용하여야 한다. 고고도에서 낮은 밀도의 공기로 인해 동일한 지시대기속도가 실제로는 너 높은 진대기속도, 더 빠른 착륙속도 그리고 더 중요한 것은 더 긴 착륙거리를 가져올 수 있다는 것을 알아야 한다. 고고도비행장에서 자주 일어나는 돌풍상황에서는 동력접근(power approach) 및 동력착륙(power landing)을 할 것을 권고한다. 게다가 더 빠른 대지속도로 인하여 고고도에서의 이륙거리는 저고도에서 필요한 것 보다 훨씬 증가할 것이다.

i. 밀도고도(density altitude)의 영향. 항공기 소유자의 handbook에 표시된 이륙활주거리, 마력, 상승률 등의 성능은 일반적으로 해면고도에서의 표준대기상태(59°F(15℃), 기압 29.92 inHg)를 기준으로 한 것이다. 경험이 없는 조종사는 물론이고 경험이 있는 조종사라 하더라도 일련의 아주 다른 상황에 접하게 되면 곤경에 빠질 수 있다. 이것은 더운 날씨와 더 높은 표고에서 특히 그러하다. 해면고도보다 높은 고도와 표준기온보다 더 높은 곳에서의 항공기운항은 산악지역에서는 흔한 일이다. 이러한 운항은 공기밀도의 변화로 인하여 자주 항공기성능의 현격한 감소를 초래한다. 밀도고도는 공기밀도의 정도를 나타낸다. 밀도고도를 기압고도, 진고도 또는 절대고도와 혼동해서는 안된다. 밀도고도를 높이의 기준으로 사용해서는 안되며, 항공기의 성능을 판단하는 기준으로만 사용해야 한다. 고도가 증가하면 공기밀도는 감소한다. 공기밀도가 감소함에 따라 밀도고도는 증가한다. 높은 온도와 높은 습도의 추가적인 영향은 누적되고 높은 밀도고도가 더욱 높아지는 결과를 가져온다. 높은 밀도고도는 항공기의 모든 성능변수(performance parameter) 들을 저하시킨다. 조종사에게 이는 정상적인 출력마력은 감소하고 프로펠러 효율은 저하하며, 운항변수(operating parameter) 하에서 항공기를 운항하기 위해서는 더 높은 진대기속도가 필요하다는 것을 의미한다. 이것은 이륙과 착륙에 필요한 활주로길이의 증가와 상승률의 감소를 의미한다. 예를 들어, 표준대기상태의 해면고도에서 이륙에 1,000 ft의 이륙활주거리가 필요한 보통의 소형비행기는 5,000 ft의 운용고도에서는 약 2,000 ft의 이륙활주거리를 필요로 한다.

주(Note)

터보-차저(Turbo-charger) 항공기엔진은 해면고도(sea level) 상부의 지정된 고도까지 해면고도에서의 마력을 낼 수 있다는 점에서 약간의 이점이 있다.

1. 밀도고도 조언(density altitude advisory). 표고가 2,000 ft 이상인 공항에서 관제탑 및 FSS는 기온이 사전에 정해진 수준에 도달할 경우 조언 "Check Density Altitude"를 방송한다. 이 조언은 해당 주파수, 또는 ATIS를 이용할 수 있는 곳에서는 ATIS로 방송된다. FSS는 국지공항조언의 일부분으로서 TWEB로 이 조언을 방송한다.

2. 이 조언은 높은 기온과 높은 공항표고가 항공기특성을 현저히 변화시킬 것이라는 것을 조종사에게 일러주기 위하여 항공교통시설에 의해 제공된다. 조종사는 해당하는 경우 비행전임무의 일환으로서 밀도고도를 산출할 책임이 있다.

주(Note)
모든 FSS는 요청이 있을 경우 최근의 밀도고도를 산출하여 제공한다.

j. 산악파(mountain wave). 많은 조종사들은 산악파가 무엇인지를 전혀 알지 못한 채 비행을 하고 있다. 상당수의 조종사 들이 산악파를 제대로 알지 못하여 목숨을 잃었다. 모든 조종사가 산악파현상에 정통하기 위하여 전문적인 기상학자가 될 필요는 없다.

1. 산악파는 바람이 산맥을 지날 때 발생하며, 뾰족하게 솟아오른 지역의 능선(ridge)을 지날 때에도 발생할 수 있다. 바람이 산맥의 풍상측(upwind side)에 부딪히면서 상승하기 시작하면 일반적으로 완만한 상승기류(updraft)가 형성되고, 산마루를 지나면서 난기류의 하강기류(downdraft)로 변한다. 이 지점으로부터 수 mile의 풍하측에 일련의 하강기류와 상승기류가 있게 된다. 록키산맥의 위성사진에서는 산악파가 산맥의 풍하측 700 mile 까지 확장되어 있는 것을 볼 수 있다. 애팔래치아 산맥의 위성사진에서는 동해안지역을 따라 동쪽으로 100 mile에 걸친 산악파현상이 포착되었다. 산악파가 형성되기 위해서는 30° 이상의 교차각으로 산맥을 가로질러 부는 15 knot 이상의 바람만 있으면 된다.

2. 주로 평지에서 비행을 한 조종사가 위험을 벗어나기 위해서는 산악파에 대하여 어느 정도는 알고 있어야 한다. 풍상측(일반적으로 서쪽)에서 산맥으로 접근할 때는 보통 완만한 상승기류가 있으며, 따라서 산맥의 풍하측과 달리 그렇게 위험하지는 않다. 풍하측에서는 하강기류가 항공기의 상승성능을 초과할 수도 있기 때문에 항상 1,000 ft 정도 더 높은 고도로 비행하는 것이 바람직한 방법이다. 풍하측에서 산맥으로 접근할 때는 상승기류를 예상해서는 안된다. 항상 하강기류(downdraft)와 난기류에 대처할 수 있는 준비를 하여야 한다.

3. 풍하측에서 산맥으로 접근할 때는 능선의 수평방향에 대하여 약 45°의 각도로 능선에 접근할 것을 권장한다. 이러한 방법은 심한 난기류 및 하강기류와 조우한 항공기가 보다 적은 응력(stress)을 받으면서 안전하게 능선에서 벗어날 수 있도록 한다. 심한 난기류와 조우하였다면 출력을 감소시킴과 동시에 항공기가 기동속도(maneuvering speed)에 도달할 때 까지 pitch를 조절하고, 기동속도에 도달하면 출력과 trim을 조절하여 기동속도를 유지한 다음 난기류지역을 벗어난다.

7-5-7. 활주로상태가 좋지 않은 공항의 활주로중간표지판 사용(Use of Runway Half-way Signs at Unimproved Airports)

활주로중간표지판(runway half-way sign)은 조종사에게 이륙가속 추세를 판단하기 위한 기준점을 제공한다. 활주로의 길이가 이륙에 적합하다면(활주로상태와 경사도, 표고, 항공기중량, 바람과 기온 고려), 전형적인 이륙가속은 활주로의 중간지점에서 비행기가 부양속도(lift-off airspeed)의 70%에 도달하도록 하여야 한다. "경험에 따른 원칙(rule of thumb)"은 항공기가속으로 인한 대기속도가 중간지점에서 이 값에 도달하지 않으면 잔여활주로에서 부양하는 것이 불가능할 수 있으므로 이륙을 포기하는 것이다. 이러한 "rule of thumb"의 적용을 고려할 경우 다음과 같은 몇 가지 사항이 중요하다.

a. 소형비행기의 대기속도계는 실속속도 미만의 속도는 지시할 필요가 없으므로 부양속도의 70%에서 이용하지 못할 수도 있다.

b. 이러한 "rule of thumb"은 균일한 표면상태를 기준으로 한 것이다. 물웅덩이, 연약 지반, 풀이 길게 자라거나 젖어있는 지역, 흔들리는 자갈 등은 가속을 방해하거나 또는 감속시키는 원인이 될 수도 있다. 비행기가 중간지점에서 부양속도의 70%에 도달한다 하더라도 잔여활주로의 상태가 더 이상 가속되지 않도록 할 수도 있다. 사용가능한 표면상태를 확보하기 위해 이륙하기 전에 활주로의 전체길이를 점검하여야 한다.

c. 이러한 "rule of thumb"은 실제 부양(liftoff)이 필요한 활주로에만 적용한다. 장애물이 이륙상승경로(takeoff climb path)에 영향을 미치는 경우, 최대상승각속도로 가속하고 장애물을 회피하기 위해서는 부양 이후에 적절한 거리가 제공되어야 한다. 특히 활주로종단 가까이에 장애물이 있다면, 사실상 비행기는 중간지점에서 더 높은 속도까지 가속할 필요가 있다. 게다가 이러한 기법은 이륙성능에 상향경사(upslope) 또는 배풍(tailwind) 효과를 고려하지 않은 것이다. 이러한 요소들도 정상적인 가속보다 더 큰 가속을 요구하며, 어떤 상황에서는 이륙을 할 수 없도록 한다.

d. 이러한 "rule of thumb"의 사용이 해당 연방항공규칙, FAA가 승인한 비행교범(AFM)에서 제공되는 제한사항과 성능자료, 또는 FAA 승인 AFM이 없는 경우 항공기제작회사가 제공하는 그 밖의 자료를 준수해야 할 조종사의 책임을 경감시켜 주는 것은 아니다. 이륙 중에 사용하는 외에 활주로중간표지판은 착륙하는 동안 조종사에게 증진된 위치인식을 제공한다.

주(Note)

활주로중간표지판의 형상에 대한 FAA 기준은 없다. 그림 7-5-1은 통상적인 활주로중간표지판의 문자 표기를 나타낸다.

그림 7-5-1. 전형적인 활주로중간표지판(Typical Runway Half-way Sign)

7-5-8. 수상비행기 안전(Seaplane Safety)

a. 수상비행기 등급한정 자격증명을 취득함으로써 육상비행기 조종사가 이용할 수 없는 여러 지역에 접근할 수 있다. 당신의 조종사 자격증명에 수상비행기 등급한정을 추가하는 것은 비교적 간단하며, 비용도 그다지 들지 않는다. 그러나 안전하고 유능하며, 능숙한 "미개척지를 비행하는 조종사(bush pilot)"가 되기 위해서는 더 많은 노력을 필요로 한다. 미개척지의 자연적인 위험요소가 현대의 인공적인 위험요소로 바뀌었다. 최북단을 제외하고, 이용할 수 있는 수역은 이제 더 이상 조종사의 독점적인 영역이 아니다. 수상비행기 조종사는 전선, 모터보트, 돛단배와 노젓는 배, 뗏목, 계류밧줄, 수상스키를 타는 사람, 수영하는 사람 등과 같은 위험요소를 경계하여야 한다.

b. 수상비행기 조종사는 항공기와 다른 선박 간에 적용되는 통행우선권 규정을 완벽히 이해하고 있어야 한다. 수상비행기 조종사는 미국해안경비대(USCG)의 Navigation Rules, International-Inland 및 14 CFR 91.115절, Right-of-Way Rules; Water Operations을 숙지하고, 이를 준수하여야 한다. 항행규정이 수상의 항공기에 적용되면 이는 일련의 충돌회피규정이 된다. 이러한 충돌회피규정의 목적으로 수상비행기가 해상에 있을 때에는 선박으로 간주된다. 일반적으로 해상의 수상비행기는 모든 선박으로부터 충분히 떨어져 있어야 하며, 항해를 방해하지 않아야 한다. CFR은 해상에서 운항하는 항공기는 "모든 선박으로부터 가능한 한 범위 내에서 떨어져 있어야 하며, 항해를 방해하지 말고 선박 또는 통행우선권이 있는 다른 항공기에게 양보하여야 한다."라고 규정하고 있다. 이것은 수상비행기가 수상에 있을 때에는 소형선박 및 상업용 대형선박 등을 피해야 한다는 것을 의미한다. 충돌할 수 있는 진로 상에 있다면 수상비행기는 서행 또는 정지하거나, 접근하는 선박의 뱃머리에서 떨어져 우측으로 기동하여야 한다. 또한 엔진을 시동한 채로 수상에 머무르는 동안에도 모든 무동력선박에 양보하여야 한다. 수상의 수상비행기는 공중의 수상비행기처럼 기동할 수 없기 때문에 수상의 항공기는

공중에 있는 항공기보다 통행우선권을 가지며, 이륙 중인 항공기는 착륙하는 항공기보다 통행우선권을 갖는다. 수상비행기는 개인부양장비(PFD; Personal Flotation Devices)에 대한 요건을 포함하여 USCG 안전장비요건이 면제된다. 수상의 수상비행기에 FAA 장비요건과 더불어 USCG 장비요건의 준수를 요구하는 것은 수상비행기 소유자 및 운영자에게 불필요한 부담이 될 수 있기 때문이다.

c. 항행 가능한 수역이 연방관할이 아니라면, 주의 관할이거나 또는 드물지만 개인사유지일 수 있다. 특별히 제한되는 않는 한, 항공기는 다른 선박과 마찬가지로 이 수역에 운항할 권리를 갖는다. 문제를 일으키지 않도록 잘 모르는 수상운항에 앞서 연방 또는 지방공무원에게 확인을 하여야 한다. 표 7-5-1에 나열된 기관 외에 보통 가장 인접한 비행표준사무국에서 규제에 관한 정보는 물론 다소의 실질적인 조언을 얻을 수 있다. 비행중 비상상황으로 인하여 제한수역에 착수하였거나, 제한사항을 알지 못하여 이를 위반하였다면 가능한 한 신속히 가장 인접한 관할 지방공무원에게 보고하고 상황을 설명하여야 한다.

표 7-5-1. 항행할 수 있는 수역 관할기관(Jurisdictions Controlling Navigable Bodies of Water)

수역 사용 문의기관(Authority to Consult For Use of a Body of Water)		
위치(Location)	기관(Authority)	문의처(Contact)
자연보호구역(Wilderness Area)	미국 농무부, 산림관리국	지역 산림감시원
국유림(National Forest)	USDA 산림관리국	지역 산림감시원
국립공원(National Park)	미국 내무부, 국립공원관리국	지역 공원감시원
인디언 보호구역 (Indian Reservation)	USDI, 인디언문제국	지역 관리사무실
주 공원(State Park)	주 정부 또는 주 산림 또는 공원관리국	추가정보 필요 시 지방항공청
캐나다 국립 및 주립공원 (Canadian National and Provincial Parks)	캐나다 정부의 각 부서 및 각 주 부서 담당자의 감독과 규제; 캐나다 Flight Information Manual 또는 Water Aerodrome Supplement 참조	비상 시 공원관리자

d. 외딴 지역 상공이나 또는 이들 지역으로 수상비행기를 운항할 때는 생존장비에 적절한 주의를 기울여야 한다. 여름과 겨울에는 최소한의 생존장비(survival gear)를 갖출 것을 권장하며, 캐나다와 알래스카의 인적이 매우 드문 지역으로의 비행에 대해서는 법으로 규정되어 있다. 알래스카 주 교통부 및 캐나다 교통부의 공무원으로부터 생존장비 요건에 대한 특정정보를 얻을 수 있다. 생존장비는 하나의 용기(container)에 모여 있어야 하고 꺼내기 쉬운 곳에 두어야 하며, 되도록 물에 뜰 수 있어야 한다.

e. FAA는 각 수상비행기 소유자나 운영자가 수상이나 수상 근처에서 수상비행기를 운항할 때는 언제나 탑승객을 위한 부양장비(flotation gear)를 구비할 것을 권고하고 있다. 14 CFR 91.205(b)(12)절은 수상의 임대항공기와 해안으로부터 무동력 활공거리범위를 벗어나 운항하는 항공기에 대하여 인가된 부양장비를 구비할 것을 규정하고 있다. FAA 인가 부유장비는 USCG 규정 하의 배가 다닐 수 있는 수로(waterways)에 대한 규정과는 다르다. 단단한 재질의 부피가 큰 USCG의 PFD는 부풀릴 수 없는 데 반해, FAA 인가 구명동의는 부풀릴 수 있도록 되어 있다. 이러한 USCG PFD는 조종사와 승객이 이용할 수 있는 비교적 좁은 출구의 통행을 방해할 수 있기 때문에 수상비행기와 그 밖의 항공기에서는 비실용적이다. 기술표준지시(TSO) TSO-C13E에 의해 인가된 구명동의는 완전히 부풀릴 수 있는 구획(compartment)으로 되어 있다. 구명동의를 착용한 사람은 먼저 별개의 CO_2 cartridge로 구명조끼를 부풀리고 (항공기를 탈출한 후), 부풀려지지 않을 경우 입으로 tube를 불어 팽창시킨다. 또

한 부유장비에는 물과 반응하여 자체적으로 빛을 내는 신호등이 포함되어 있다. 부풀릴 수 있는(부풀려지지 않았을 때) 구명동의를 조종사와 승객이 쉽게 걸치고 착용할 수 있게 함으로써 최대의 효과를 얻고, 움직임에 제한을 받지 않도록 할 수 있다. 정박장(dock)을 떠나기 전에 이용할 수 있는 PFD의 위치와 적절한 사용법을 반드시 승객에게 브리핑하여야 한다.

f. FAA는 수상비행기 소유자 및 운영자에게 미국 교통부, Subsequent Distribution Office, SVC-121.23, Ardmore 동부 Business Center, 3341 Q 75th Avenue, Landover, MD 20785; fax: (301) 386-5394에서 무료로 배포하는 권고회보(AC) 91-69, Seaplane Safety for 14 CFR Part 91 Operations를 살펴볼 것을 권고하고 있다. USCG Navigation Rules International-Inland (COMDTINSTM 16672.2B)는 (202) 512-2250로 복사를 요청하여 정부간행물출판국에 수수료를 주고 이용할 수 있으며, Mastercard 또는 Visacard로 주문할 수도 있다.

7-5-9. 화산재 속에서의 운항(Flight Operations in Volcanic Ash)

a. 상부 대기로 화산재와 아황산(SO_2) 가스를 분출하는 강력한 화산폭발은 매년 수차례 전 세계에 걸쳐 어디에서나 발생한다. 화산재구름으로의 비행은 대단히 위험할 수 있다. B747-200 비행기는 이러한 화산재구름과 조우한 이후 4개의 모든 엔진의 출력을 상실하였으며, B747-400 비행기도 거의 유사한 재앙에 처한 경험이 있다. 피스톤엔진을 장착한 항공기는 동력상실이 일어날 가능성은 적지만, 불과 몇 시간 전에 발생한 화산재구름과 조우한 경우 심각한 손상이 뒤따를 것은 거의 확실하다.

b. 가장 중요한 것은 화산재와 조우하는 것을 피하는 것이다. 화산재구름은 특히 계기비행상태 또는 야간에는 보이지 않을 수도 있으며, 보인다 하더라도 화산재구름과 일상적인 기상의 구름을 시각적으로 구분하는 것은 쉽지 않다. 화산재구름은 항공기 탑재 레이더나 ATC 레이더에 시현되지 않는다. 조종사는 화산재구름의 위치를 판단하기 위하여 항공교통관제사와 다른 조종사로부터의 보고에 의존하여야 하며, 이 정보를 사용하여 이러한 지역으로부터 충분히 떨어져 있어야 한다. 추가하여 객실에 썩은 달걀과 비슷한 냄새가 난다면 화산활동으로 방출된 SO_2의 존재를 나타내는 것일 수도 있지만, 반드시 화산재의 존재를 나타내는 것은 아니다. 화산의 풍상(upwind) 쪽에 위치할 수 있도록 모든 노력을 기울여야 한다.

c. 화산재구름과 조우한 조종사는 즉시 추력을 idle로 줄이고 (고도가 허용될 때), 화산재구름으로부터 벗어나기 위하여 진로를 반대로 할 것을 권고한다. 화산재구름은 수백 마일에 걸쳐 있을 수 있으므로, 조종사는 구름 위로 상승하거나 구름을 통과하려고 해서는 안된다. 추가하여 다음 절차를 권장한다.

1. 자동추력조절장치(autothrottle)가 작동되고 있다면 해제한다. 이것은 자동추력조절장치가 엔진추력을 증가시키는 것을 방지한다.

2. 점화스위치를 계속 작동위치에 둔다.

3. 모든 air conditioning pack, nacelle 및 날개 방빙을 포함한 모든 accessory airbleed를 가동한다. 이것은 엔진 압력을 감소시켜 엔진실속에 대한 추가 여유(margin)를 제공한다.

d. 다음은 화산재 먼지구름과 조우한 경험이 있는 운항승무원에 의해 보고된 사항이다.

1. 조종실에 연기 또는 먼지의 발생

2. 전기로 인한 화재 시 발생하는 연기의 냄새와 유사한 매캐한 냄새

3. 압축기 실속, EGT 증가, tailpipe의 불꽃 및 flameout과 같은 다발엔진의 고장

4. 야간에 엔진입구에 밝은 오렌지색불빛과 함께 발생하는 코로나방전(St. Elmo's fire) 또는 그 밖의 정전기방전(static discharge)

5. 전방 화물칸의 화재경보

e. EGT 한도를 초과하지 않도록 하기 위하여 엔진을 정지시킨 다음 재시동을 하는 것이 필요할 수도 있다. 화산재가 pitot system을 차단하여 대기속도지시계를 신뢰할 수 없는 결과를 초래할 수도

있다.

f. 화산폭발을 보았는데 이것이 사전에 통보를 받지 않은 것이라면, 당신이 이것을 처음으로 관측한 사람일 수도 있다. 이러한 경우 즉시 ATC와 교신하여 폭발이 있었다는 것을 경고한다. 가능하면 이 manual의 부록 2에 수록된 화산활동보고양식(VAR)을 이용한다. VAR 항목 1~8은 즉시 알려주어야 한다. 항목 8~16의 요구정보는 착륙 후에 통보하여야 한다. VAR 양식을 즉시 이용할 수 없다면, 화산활동의 위치와 특징을 식별할 수 있는 충분한 정보를 전달한다. 단지 증기만 분출되거나 매우 낮은 고도의 화산재 분출이라면 불필요하게 경보를 발부할 필요는 없다.

g. 활주로에 화산재가 가라앉아 있는 공항에 착륙할 때는 얇은 층의 건조한 화산재라도 제동상태에 좋지 않은 영향을 미칠 수 있다는 점을 인식하고 있어야 한다. 또한 활주로의 젖은 화산재는 제동효과를 감소시킬 수 있다. 역추력장치(Reverse thrust)의 작동은 시정감소와 대기에 있는 화산재의 엔진유입 가능성을 줄이기 위하여 최소한으로 제한할 것을 권고한다.

h. 화산재가 가라앉아 있는 공항에서 출발할 때 조종사는 대기중의 눈에 보이는 화산재를 피하여 운항할 것을 권고한다. 화산재가 가라앉은 후에 이륙활주(takeoff roll)를 한다. 또한 flap을 내리는 것은 이륙전 점검을 실시하기 전까지 늦추고, 화산재가 뒤쪽으로 날리는 것을 피하여 이륙활주를 하도록 권고한다.

7-5-10. 다른 항공기의 비상공중조사(Emergency Airborne Inspection of Other Aircraft)

a. 다른 항공기에 공중조언(airborne assistance)을 제공하기 위해서는 그 항공기에 매우 근접하여 비행하는 것이 필요할 수 있다. 대부분의 조종사는 이러한 유형의 비행활동에 대한 정식훈련이나 지시를 받아 본적이 거의 없다. 계획을 수립하기 위한 충분한 시간없이 근접비행을 하는 것(예를 들어, 비상상황의 경우)은 인지한 비상상황에 수반되는 스트레스(stress)와 결부되어 위험할 수 있다.

b. 상황을 파악하기에 가장 좋은 위치에 있는 조종사는 공중요격 및 조사를 조정할 책임이 있으며, 관련 항공기의 고유한 비행특성과 항공기 category의 차이점을 고려하여야 한다.

c. 안전을 위한 몇 가지 고려사항은 다음과 같다.

1. 요격의 지역, 방향 및 속도
2. 공기역학적인 영향(즉, 회전날개항공기 내리흐름)
3. 최소안전분리거리(minimum safe separation distances)
4. 무선교신 요건, 통신 두절시 절차, ATC와의 협력
5. 조난항공기의 가장 인접한 안전한 공항으로 우회의 적합성
6. 요격을 종료하기 위한 비상조치

d. 비행중에 다른 항공기를 근접조사하는 것은 매우 위험하다. 문제/비상상황에 처한 항공기의 기장은 상황을 수습하려는 노력을 포기해서는 안되며, 항공기의 안전을 위태롭게 하지 말아야 한다. 두 항공기 모두에게 위험이 최소화 될 수 있도록 기동이 이루어져야 한다.

7-5-11. 강수정전기(Precipitation Static)

a. 강수정전기(precipitation static)는 비행중에 항공기가 대전되지 않은(uncharged) 입자들과 부딪칠 때 발생한다. 이러한 입자들은 비, 눈, 안개, 진눈깨비, 우박, 화산재, 먼지와 같은 고체 또는 액체 입자일 수 있다. 항공기가 이러한 중성입자와 부딪히면 양전하입자 요소는 반사되어 항공기에서 떨어지고 음전하입자는 항공기의 표면에 들러붙는다. 아주 짧은 시간 동안에 항공기표면에 상당한 음전하가 형성된다. 항공기가 정전기방전장치(static discharger)를 갖추지 않았거나, 효과가 없는 정전기방전장치를 가지고 있는 경우 충분한 부전압(negative voltage) 수준에 도달하면 항공기는 "코로나(Corona)" 상태가 될 수 있다. 이것은 날개끝, 수평안정판, 수직안정판, 안테나, 프로펠러 끝 등과 같은 항공기의 말단부에서 정전기를 방전하는 것을 말한다. 이러한 정전기의 방전은 헤드폰으로 들을 수 있으며, 이를

P-static 이라고 부른다.

b. 조종사보고의 검토는 발생한 문제점에 따라 종종 서로 다른 증상이 나타난다는 것을 보여주고 있다. 다음 문제점의 목록은 다양한 기종의 항공기에서 보고된 수많은 조종사보고를 요약한 것이다. 다음과 같은 각 문제점이 P-static에 의해 발생되었다.

1. VHF 통신의 완전 두절
2. 자기나침반(magnetic compass)의 부정확한 지시 (30%의 오차)
3. Audio의 큰 소음(high pitched squeal)
4. Audio의 모터보트(motor boat) 소리
5. 구름 속에서 모든 항공전자장비의 기능상실
6. 대부분의 시간동안 VLF 항법시스템의 부작동
7. 계기의 일정하지 않은 지시
8. 무선통신기(radio)의 약한 송신과 수신 불량
9. Windshield의 "코로나방전(St. Elmo's Fire)"

c. 이러한 각각의 증상은 항공기 기체 상의 일반적인 한 가지 문제점으로 인해 발생한다. 이러한 문제점은 축적된 전하가 날개끝과 기체의 미부로 잘 흘러서 기류로 적절히 방전되지 않는 것이다.

d. 정전기방전장치는 항공전자장비의 간섭을 일으킬 수 있는 상당한 전하가 형성되어 항공기의 뒷전에서 방전될 때 까지 기다리기 보다는 끝부분이 아주 가는 금속(fine metal point), 탄소 코팅 봉(carbon coated rod) 또는 탄소 심지(carbon wick)를 가진 방전장치를 사용하여 항공기에 형성된 음전하가 비교적 쉽게 방전될 수 있도록 통로를 만들어 주는 역할을 한다. 이러한 방법은 항공전자장비의 간섭을 일으킬 수 있는 최소 소음치보다 낮도록 대부분의 경우에 적합한 약 50 데시벨(dB)의 정전기 잡음 감소효과를 가져온다.

e. 강수정전기 문제는 적합하게 접지된(bonded) 항공기 상에서, 적절하게 설치된 적정 수의 영호한 정전기방전장치에 의해서만 해결될 수 있다는 것을 기억하고 있어야 한다. 비행환경에서 가능한 최상의 성능을 제공하기 위하여 P-static의 영향을 감소시킬 수 있는 가능한 모든 방법들을 고려하여야 한다.

f. 다양한 설계의 방전장치를 상용시장에서 이용할 수 있다. 적절히 설계된 방전장치는 P-static 상태의 기체잡음을 50 dB 정도 개선할 것으로 예상한다. 본질적으로 방전장치는 축적된 전하가 잡음없이 기체를 빠져 나갈 수 있도록 통로를 제공한다. 이러한 것은 일반적으로 끝부분이 아주 가는 corona point group을 제공하여 낮은 항공기 전위에서 corona-전류흐름이 시작될 수 있도록 함으로써 이루어진다. 게다가 가능한 가장 낮은 대기압에서 corona가 일어날 수 있도록 하는 방전장치의 공기역학적 설계도 corona 임계치(threshold)를 낮춘다. 저전위 방전을 허용하는 것 외에도, 방전장치는 통신과 항법주파수에 의한 무선주파수(radio frequency; RF) 요소의 항공전자성능에 대한 영향을 최소화하기 위하여 corona 방전에 수반되는 RF energy의 방사를 최소화 시킨다. 이러한 효과는 직류연결은 유지하지만 고주파수의 방전요소는 감쇠시키는 기체 corona point의 저항접점을 통해 이루어진다.

g. 각 정전기방전장치 제작사는 특정 기체에서의 적절한 방전장치 위치에 관한 정보를 제공한다. 기체에서 이러한 위치는 전하가 축적되는 경향이 있는 날개와 수평안정판 바깥쪽(outboard)의 뒷전 표면, 그리고 수직안정판의 끝부분(tip) 이라는 것을 강조한다. 양호한 방전장치는 뒷전의 코로나 임계치 미만으로 기체전위가 유지되는 전류흐름 용량(current-carrying capacity)이 될 수 있도록 하여야 한다.

h. 항공전자장비의 완전한 성능을 확보하기 위해서는 정전기방전장치를 주기적으로 점검하여야 한다. P-static의 원인과 영향에 대한 조종사의 지식은 이러한 유형의 문제점들을 조기에 인식하여 최적의 성능을 확보하는 데에 있어서 중요한 요소이다.

7-5-12. 레이저(Laser) 운영 및 항공기의 레이저광선 보고

a. 레이저는 다방면에 적용되고 있다. 국가공역시스템의 사용자에게 중요한 것은 특별한 행사와 테마파크에서의 야외오락과 레이저광선 show, 광고시연과 같이 조종사에게 영향을 미칠 수 있는 레이저 활동이다. 일반적으로 이러한 레이저활동의 광선색상은 밝은 청록색처럼 보이지만 적색, 황색이나 백

색일 수도 있다. 그러나 일부 레이저장치는 육안으로는 볼 수 없는 광선을 만들어 낸다.

b. FAA 규정은 지상이나 공중에 있는 사람들이 항공활동을 방해하는 것을 금지하고 있다. FAA 및 식품의약국(레이저장치와 레이저광선 show 공연의 연방규정의 준수여부를 감독할 책임이 있는 연방기구)은 이러한 장치의 운영자가 항공기운항에 위험을 끼치지 않도록 하기 위하여 함께 노력하고 있다.

c. 이러한 레이저가동에 의한 빛은 현재 위치에서 수 마일 떨어진 조종사에게 일시적인 시력장애를 일으킬 수도 있다는 점을 인식하고 있어야 한다. 게다가 이러한 가동으로 눈에 영구적인 손상을 입을 수 있다. 조종사는 스스로 이러한 활동이 수행되는 곳을 알아내어, 가능하면 이러한 지역을 피하여야 한다.

d. 레이저장치가 더욱 정교해지고 일반인이 이용할 수 있는 레이저장치의 확산과 더불어, 최근 승인을 받지 않은 레이저광선으로 인한 항공기사고의 증가로 인하여 FAA는 다른 정부기관과 협조하여 이러한 승인을 받지 않은 레이저광선으로부터 비행을 안전하게 보호하기 위한 조치를 취하게 되었다.

e. 조종사는 레이저광선을 관측한 후 가능한 빨리 관할 항공교통관제기관, 연방계약 관제탑 또는 비행정보업무국에 레이저광선 활동을 보고하여야 한다. 여기에는 다음의 정보를 포함하여야 한다.

1. 레이저활동의 UTC 날짜와 시간
2. 호출부호 또는 항공기 등록번호
3. 항공기 기종(aircraft type)
4. 가장 인접한 주요 도시(major city)
5. 고도(altitude)
6. 레이저활동의 위치(위도/경도 또는 고정반경거리〔Fixed Radial Distance; FRD〕)
7. 레이저활동의 간략한 설명 및 그 밖의 관련 정보

f. 또한 착륙한 후 가능한 빨리 FAA Laser Safety Initiative 웹사이트 http://www.faa.gov/about/initiatives/lasers/에 있는 레이저광선노출질의서를 작성하여, 질의서의 지시사항에 따라 전자적인 방법으로 제출할 것을 조종사에게 권장하고 있다.

g. 레이저활동이 항공교통시설에 보고되면 보고에 이어 일반적인 주의 경고가 모든 해당 주파수로 20분 동안 매 5분마다, 그리고 1시간 동안 ATIS로 방송된다.

관제용어(Phraseology)

Unauthorized laser illumination event, (UTC 시간), (위치), (고도), (색상), (방향).

예문(Example)

"Unauthorized laser illumination event, at 0100z, 8 mile final runway 18R at 3,000 feet, green laser from the southwest."

h. 이러한 레이저활동이 FAA에 알려지면 활동을 항공관련업계에 알리기 위하여 항공고시보(NOTAM)가 발행된다. 조종사는 이러한 레이저활동과 관련된 정보를 얻기 위해서는 NOTAM 또는 미국 차트 보충판의 특별공지란(Special Notices section)을 살펴보아야 한다.

7-5-13. Flat Light, Brown Out 상황 및 White Out 상황에서의 비행(Flying in Flat Light, Brown Out Conditions, and White Out Conditions)

a. Flat Light. Flat light는 착시현상(optical illusion)이며, "구역 white out 또는 부분적인 white out" 이라고도 한다. Flat light는 "white out"처럼 심각하지는 않지만, 조종사는 이러한 상황에서는 시각적인 대비(contrast) 및 심도(depth-of-field)를 상실할 수 있다. 일반적으로 flat light 상황은 시각적인 단서를 볼 수 없도록 하는 잔뜩 흐린 하늘과 함께 나타난다. 이러한 상황은 세계 어느 곳에서나 주로 눈이 덮인 지역에서 발생하지만 먼지, 모래, 진흙 평지 또는 투명한 수면에서도 발생할 수 있다. Flat light는 지형의 특징을 완전히 가릴 수 있으며, 원근감과 근접률을 판단할 수 없도록 한다. 이러한 반사되는 빛으로 인해 조종사는 실제로는 수평비행을 하고 있으면서 상승하거나 강하하고 있는 것 같은 착각을 유발할 수 있다. 그러나 현명한 판단 및 적절한 훈련과 계획으로 flat light 상황에서도 항공기를 안전하게 운항하는 것이 가능하다.

b. Brown Out. Brownout(또는 brown-out)은 비행중 대기의 먼지나 모래로 인한 시정제한이다. Brownout 상황에서는 지면 근처에서 항공기를 조종하는데 필요한 외부의 시각참조(visual reference)를 제공하는 근처의 물체를 볼 수 없다. 이것은 공간방향감각상실(spatial disorientation)과 상황인식의 상실을 유발하고 사고로 이어질 수 있다.

1. 회전면 하중(rotor disk loading), 로터 배열, 토양 성분, 바람, 접근속도, 및 접근각 등은 brownout의 가능성 및 강도에 영향을 미치는 요소이다.

2. Brownout 현상은 먼지, 고운 흙, 모래 또는 건조한 사막지역에서 헬리콥터 착륙 및 이륙시 사고를 유발할 수 있다. 지면 근처에서 비행시 헬리콥터 로터의 내리흐름(downwash)에 의해 발생되는 앞이 안보이는 강한 먼지 구름은 항공기와 지면 장애물 충돌로 인한 심각한 항공안전 위험 및 경사 및 평탄하지 않은 지형으로 인한 동적 전복(dynamic rollver)을 유발할 수 있다.

3. 이것은 미세한 모래나 먼지가 로터 바깥흐름(outwash)으로 날려서 조종사가 지형이 볼 수 없도록 하는 먼지가 많은 환경에서 착륙 접근을 하는 많은 헬리콥터가 처할 수 있는 위험한 현상이다. 조종사가 안전하게 착륙하기 위해서는 주위의 시각적인 단서가 필요하기 때문에 brownout이 특히 위험하다.

4. 불어오는 모래와 먼지는 수평선이 기울어진 것 같은 착각을 유발할 수 있다. 비행계기를 참고하지 않은 조종사는 본능적으로 허위 수평선에 항공기 수평을 맞추려고 시도하고 사고로 이어질 수 있다. 또한 헬리콥터 로터 후류(rotor wash)로 인해 모래가 조종실 창문 바깥 주변으로 날리면, 조종사는 실제로 제자리에서 수평비행(level hover)하는 헬리콥터가 돌아가는 것처럼 착각을 일으킬 수 있다. 또한 이것은 지면 근처에서 제자리 비행을 할 때 조종사가 부정확한 조종 입력을 하여 바로 참사로 이어질 수 있도록 한다. 야간 착륙시 항공기 등화가 잘 보이지 않는 구름을 비추면 착시현상(visual illusion)은 심해진다.

c. White Out. 기상용어에 정의된 것처럼 white out은 사람이 주위의 모든 것이 백색광(white glow)인 상황에 놓이게 될 때 발생한다. 백색광은 바람에 날리는 눈, 먼지, 모래, 진흙 또는 물 등에 둘러싸여 있을 때 생긴다. 그림자가 없어지고 수평선이나 하늘을 구분할 수 없게 되며, 모든 심도 및 방향감각을 잃어버리게 된다. White out 상황은 시각참조물(visual reference)이 없다는 점에서 심각하다. 어떠한 white out 상황에서도 비행을 해서는 안된다. Flat light 상황이 순식간에 white out 환경이 될 수 있으며, 당신의 시각참조물이 서서히 사라지기 시작하는 것처럼 flat light 또는 white out 대기상황은 모르는 사이에 당신에게 다가온다. White out이 심각한 항공사고의 원인이 되기도 한다.

d. 자체유도(Self Induced) White Out. 이러한 영향은 통상적으로 헬리콥터가 눈이 덮인 지역에서 이륙하거나 착륙할 때 발생한다. 로터 내리흐름(down wash)은 입자들을 들어 올리고, 입자들은 로터 내리흐름으로 다시 순환된다. 지표면의 빛의 양에 따라 영향의 강도는 서로 다를 수 있다. 이것은 어디에서나 완전한 대조를 이루는 가장 화창하고 가장 환한 날에 발생할 수 있다. 그러나 white out이 발생하면 시각적인 단서를 완전히 상실할 수 있다. 조종사가 즉각 이러한 시력상실에 대비하지 않는다면 그 결과는 비극적일 수 있다. 현명한 계획은 flat light 또는 white out 상황과 조우하지 않도록 하는 것이다.

e. White out 상황에서는 절대 이륙해서는 안된다.

1. Flat light 상황에서 출발은 가능할 수도 있지만 그 위치로 되돌아오지 못할 수도 있다는 점을 알아야 한다. 이륙하는 동안 조종사는 기준점(reference point)을 두어야 한다. 출발기준점이 시야에 들어올 때 까지는 여기에서 눈을 떼어서는 안된다. 출발기준점이 시야에 들어오지 않는 경우, 이륙기준점으로 되돌아가기 위한 준비를 하여야 한다.

2. Flat light는 눈에서 스키를 타는 사람에게는 흔히 있는 일이다. 시각적대비의 부족과 심도의 상실을 보정하는 한 가지 방법은 호박색의 착색렌즈를 착용하는 것이다 (blue blocker 라고도 한다). 특

별 주의사항: 안경이 모든 조종사에게 알맞은 것은 아니다. 연령, 광과민성 정도와 같은 개인적인 요인 및 주변의 등화상태를 고려하여야 한다.

3. 모든 시각참조물을 잃어 버렸다면, 조종사는 어떻게 해야 하는가?

(a) 조종실계기를 믿는다.

(b) 몸을 180°로 돌리면서 외부의 기준점을 찾는다.

(c) 무엇보다 항공기의 조종이 우선이다.

f. 저광도(Low Light) 상황에서의 착륙. 저광도 상황에서 착륙할 때는 극히 주의를 기울여야 한다. 진로 확인과 시간조절(timing)을 위하여 비행로의 각 leg에 있는 확인지점(checkpoint)과 더불어 중간기준점을 선정한다. 주변의 광도가 더 낮아질수록 조종사는 더 많은 기준점을 이용하여야 한다.

g. 공항 착륙(Airport Landing)

1. 깊이지각의 판단에 사용할 수 있는 공항이나 접근로 주변의 특징을 찾아야 한다. 빌딩, 철탑, 차량 또는 다른 항공기는 이러한 측정에 충분한 도움을 준다. 당신에게 활주로까지의 방향과 더불어 지면으로부터의 높이에 대한 감각을 제공할 수 있는 기준점을 이용하라.

2. 활주로의 가장자리로 생각할 수 있는 날려 쌓인 눈더미나 쌓아 올린 눈더미를 주의하여야 한다. 눈더미의 솟은 부분(ridge) 또는 깊이를 식별하기 위해서는 눈의 결모양 또는 명암의 미세한 변화를 살펴본다.

h. 공항 이외의 지역 착륙(Off-Airport Landing)

1. 공항 이외의 지역에 착륙할 경우 기준으로서 조종사는 다수의 서로 다른 시각적참조물(visual cue)을 이용해야 한다. 필요한 대조를 제공할 수 있는 모든 것을 이용한다. 자연 그대로의 참조물이 가장 효과가 있을 수 있다 (나무, 바위, 눈의 골부분 등).

(a) 상공 비행(over flight)

(b) 표지 이용(use of marker)

(c) 무거운 깃발(weighted flag)

(d) 연막탄(smoke bomb)

(e) 다양한 색상의 천(any colored rag)

(f) 염료 표지(dye marker)

(g) Kool-aid 청량음료 분말

(h) 나무 또는 나뭇가지

2. 평평한 지역에서 눈의 깊이를 판단하는 것은 어렵다. 기준점으로 이용하기 위하여 항공기에서 떨어뜨린 물건은 주요 착륙기준점이 아닌 시각적인 보조수단으로만 이용하여야 한다. 떨어뜨린 물건이 생분해성이 아니라면 착륙한 후에 틀림없이 이를 회수하여야 한다. 시각참조물이 없는 장소에 착륙해서는 안된다.

3. 날리는 눈이 당신의 시각참조물을 가린다면 착륙을 중지하라. 초기에 결심하라. 더 접근하면 잃어버린 기준점을 다시 찾을 수 있을 것이라고 추측해서는 안된다.

4. 햇빛이 비추는 곳에서 그늘진 곳으로 비행할 때는 극히 주의를 기울여야 한다. 물리적으로는 직선비행으로 인식되지만 실제로는 원심력이 가해지는 나선강하(spiral dive) 일수도 있다. 시각참조물을 가지고 있지 않다면 이러한 착각은 심해진다. 단지 당신이 적절한 시각참조물을 가지고 있다는 것이 계속해서 안전하다는 걸 의미하는 것은 아니다. 당신이 이동하는 방향에서는 보이지 않는 눈 덮인 지형이 있을 수도 있다. 시각참조물이 없는 상황에 처하는 것은 치명적일 수 있다.

i. 호수주변의 비행(Flying Around a Lake)

1. 호수연안을 따라 비행할 때는 호수연안을 기준점으로 이용한다. 비록 호수 반대편을 볼 수 있다 하더라도 깊이지각능력(depth perception)은 부족할 수도 있다는 것을 인식하여야 한다. 지면으로 비행하는 것이 용이하다. 당신이 호수를 통과해야 한다면 자주 고도계를 점검하고, 계속하여 적절한 시각참조물을 확인하면서 안전고도를 유지하여야 한다. 안전고도 아래로 강하해서는 안된다.

2. 겉으로 보기에 평평하게 눈으로 덮인 지역에도 동일한 방식을 적용한다. 적절한 시각참조물이 없는 지역으로 비행하는 것을 피하라.

j. 다른 항공기(Other Traffic). 지역 내의 다른 항공기를 경계하여야 한다. 다른 항공기가 당신과

동일한 기준점을 사용할 수 있다. 반대방향으로 비행하는 누군가보다 당신과 동일한 방향으로 비행하는 누군가와 충돌할 가능성이 더 크다.

k. 운고(Ceiling). 낮은 운고(low ceiling)는 많은 조종사들을 당황스럽게 한다. 구름이 항상 지표면과 평행하게 또는 동일한 고도에 형성되지는 않는다. 조종사는 약간의 경사를 주어 비행하고 강하선회(descending turn)를 함으로써 구름으로부터 벗어나도록 할 수 있다.

l. 빙하(Glacier). 빙하 위로 비행할 때는 고도를 의식하고 있어야 한다. 빙하는 당신이 상승하는 것보다 더 빠르게 떠오를 수 있다.

7-5-14. 지상착빙 상태에서의 운항(Operations in Ground Icing Conditions)

a. 전형적으로 비행전에 제빙을 하지 않았거나 부적당한 제빙으로 인하여 이륙하는 동안 항공기 기체에 축적된 착빙은 최근 터빈항공기사고의 다수 원인이 되고 있다. 일반항공 공동운영위원회(GAJSC)는 GA 사고경감에 관하여 정부와 항공업계 간의 협력, 의사전달 및 조정을 위한 주요수단이다. Turbine Aircraft Operations Subgroup(TAOS)은 터빈항공기의 사고를 감소시키기 위한 업무를 수행한다. 최근에는 항공기의 착빙영향과 제빙방법에 관하여 일반적으로 이용할 수 있는 충분한 정보 및 지침이 있지만, TAOS는 나아가 이러한 지역에서 운항하는 조종사와 운영자를 돕기 위하여 권장하는 조치사항의 목록을 만들었다.

TAOS 활동이 특히 터빈항공기에 집중되어 있지만 그들의 권고사항은 소형 피스톤엔진을 장착한 항공기의 조종사에게도 해당되며, 동일하게 적용할 수 있다는 점을 인식하여야 한다.

b. 권고사항은 다음과 같다.

1. 가능하면 비행전에 촉각(hands on)을 이용 중요한 표면을 점검하여 항공기의 양력을 발생하는 표면에 오염물질이 전혀 없도록 하라. 허용할 수 있는 비행전상태로 달리 허가된 경우라도, 운영자는 양력을 발생하는 표면의 매끄럽거나 광택이 나는 서리는 제거하여야 한다.

2. 추운 날씨에서의 표준운항절차를 검토하고 다시 살펴본다.

3. 비행중 뿐만 아니라 비행전의 착빙상태를 조치하는 데 필요한 비행교범(AFM) 제한사항 및 절차를 검토하고 숙지하라.

4. 지상에 있는 동안에는 가능하다면 항공기 격납고를 이용하여 진눈깨비 및 어는비로부터 항공기를 보호하라.

5. 제빙을 하기 위하여 공항의 이용할 수 있는 기회를 최대한 이용하라. 단지 비용 때문에 제빙서비스를 거절해서는 안된다.

6. 안전한 운항을 할 수 있는 기상상태가 아니라면 언제나 비행을 취소하거나 연기할 것을 고려하라.

c. 추운 날씨에서의 운항에 대한 일련의 표준운항절차가 아직 개발되지 않았다면, 다음과 같은 사항을 포함하여야 한다.

1. 운항하는 항공기에 적용할 수 있는 APM 제한사항과 절차와 같은 정보에 의거한 절차

2. 최선의 운항방법을 요약한 간결하고 쉽게 이해할 수 있는 지침

3. 관련된 착빙 위험의 인식, 평가 및 대처를 위한 체계적 절차 그리고 이러한 위험을 완화시키기 위한 명확한 지침의 제공

4. 매일 매일의 정규 항공기운항 동안 쉽게 이용할 수 있는 보조수단(예를 들어, 점검표 또는 참조카드)

d. 다음을 포함하여 항공기 기체착빙과 관련된 지침을 제공하는 여러 출처가 있다.

1. http://aircrafticing.grc.nasa.gov/index.html

2. http://www.ibac.org/is-bao/isbao.htm

3. http://www.natasafety1st.org/bus_deice.htm

4. Advisory Circular (AC) 91-74, Pilot Guide, Flight in Icing Conditions

5. AC 135-17, Pilot Guide Small Aircraft Ground Deicing

6. AC 135-9, FAR Part 135 Icing Limitations
7. AC 120-60, Ground Deicing and Anti-icing Program
8. AC 135-16, Ground Deicing and Anti-icing Training and Checking

FAA의 Approved Deicing Program Updates는 항공운송에 대한 비행표준정보 회보로서 해마다 발간되며, 제빙과 방빙절차 및 효과지속시간(holdover time)에 대한 상세한 정보를 포함하고 있다. 이것은 다음 web site에서 금년의 정보 회보를 선택하여 접속할 수 있다.

http://www.faa.gov/library/manuals/examiners_inspectors/8400/fsat

7-5-15. 배출가스 기둥(굴뚝 및 냉각탑) 주변에서의 비행 회피

a. 배출가스 기둥 주변에 존재하는 비행위험(Flight Hazards Exist Around Exhaust Plumes)

배출가스 기둥(thermal plumes)은 수직으로 올라가는 많은 양의 불안정한 가스(배출물)를 배출하는 발전소, 산업생산시설 또는 그 밖의 산업설비의 눈에 보이거나 보이지 않는 배기가스라고 정의할 수 있다. 고온의 배출가스 기둥은 난기류 및 수직 윈드시어와 같은 심각한 대기요란(air disturbance)의 원인이 될 수 있다. 그밖에 식별된 잠재적인 위험에는 시정감소, 산소결핍, 미립자에 의한 엔진오염, 기체 산화물에의 노출 또는 착빙 등이 포함되며, 반드시 이것으로만 국한하는 것은 아니다. 열기둥 조우의 결과로는 항공기 기체 손상, 항공기 전복 또는 엔진 손상/고장 등을 들 수 있다. 이러한 위험요소는 무풍 및 한랭 시의 저고도 비행중, 특히 접근 및 출발 회랑(corridor)이나 공항교통구역 내 및 주변에서 대단히 중요하다.

열기둥이 눈에 보이든 보이지 않든 전체적인 규모를 예측하는 것은 힘들다. 일부 연구는 배출가스 기둥의 심각한 와류영향이 굴뚝이나 냉각탑 꼭대기 상부 1,000 ft 이상의 높이까지 미칠 수 있다고 예측하고 있다. 어떤 영향은 열기둥이 매우 뜨겁고 주변지역은 여전히 차가운 무풍의 안정한 대기에서 더 현저하게 나타날 수 있다. 또한 연구는 다행히도 측풍이 영향 감소에 도움을 줄 것으로 예측하고 있다. 그러나 굴뚝이나 냉각탑의 크기는 열기둥이 유발할 수 있는 영향을 예측하는 지표로서 적합하지 않다. 주요 영향은 열기둥 배기가스의 열이나 크기, 대기온도 및 열기둥에 영향을 미치는 풍속과 관련된다. 소형항공기는 중형항공기보다 높은 고도에서 영향을 받을 것으로 예측할 수 있다.

b. 가능한 한 조종사는 굴뚝이나 냉각탑의 풍상측(upwind)에서 비행하여 열기둥을 피해야 한다. 연기나 응축된 구름으로 열기둥을 알아볼 수 있는 경우, 이를 벗어나서 머무르고 열기둥은 눈에 보이는 특성과 보이지 않는 특성 모두를 가질 수 있다는 점을 알아야 한다. 열기둥이 보이지 않는 배기굴뚝이라도 최대로 가동 중일 수 있으므로, 주변의 공역에서는 주의하여야 한다. 산악파난기류 또는 청천난류에서처럼 보이지 않는 열기둥과 예기치 않게 조우할 수 있다. 냉각탑, 발전소 굴뚝, 배기팬 및 그 밖의 유사한 구조물이 그림 7-5-2에 그려져 있다.

열기둥 근처에서 비행할 때는 극히 주의할 것을 조종사에게 권고하고 있다. 열기둥이 방출되는 구조물의 위치 식별 및 조종사가 주의해야 할 상세한 내용은 미국 차트 보충판(Chart Supplement U.S.)을 참조할 것을 조종사에게 권고하고 있다.

이러한 기상현상에 관해 이용할 수 있는 최상의 정보는 PIREP 보고절차에 의하여 조종사에게서 나온 정보이다. 위험한 열기둥상황을 조우한 모든 조종사에게 무선교신을 유지하고 있는 FAA 시설에 요소의 보고시간, 위치 및 강도(약함, 보통, 심함 또는 극심함)를 긴급히 보고해 줄 것을 요청하고 있다. 시간과 상황이 허용되면 그 밖의 PIREP 및 위치보고에 대한 기준에 의거하여 요소를 보고하여야 한다. (AIM 7-1-22항, PIREPS Relating to Turbulence 참조).

그림 7-5-2. 열기둥(Plume)

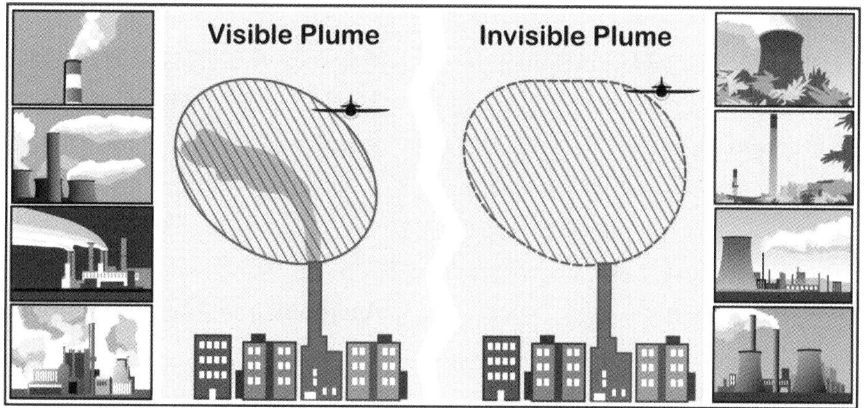

제6절. 안전, 사고 및 위험보고(Safety, Accident, and Hazard Report)

7-6-1. 항공안전보고 프로그램(Aviation Safety Reporting Program)

a. FAA는 항공시스템의 결함과 모순점에 관련된 정보의 자유롭고 제한없는 흐름을 활성화하기 위하여 자발적인 항공안전보고 프로그램을 수립하였다. 이것은 사고가 발생하기 전에 불안전한 상태를 확인하고 수정함으로써 가능한 가장 안전한 시스템을 확보하기 위한 적극적인 프로그램이다. 이 프로그램의 주 목적은 현 시스템의 안전성과 효율성을 평가하고 증진시키기 위한 정보를 얻는 것에 있다.

b. 이 안전보고 협력 프로그램은 조종사, 관제사, 운항승무원, 정비담당자 및 그 밖의 공역시스템 사용자 또는 다른 사람들에게 항공운항의 안전과 관련된 실제 또는 잠재적인 결함과 모순점을 기재한 보고서를 제출하여 줄 것을 요청하고 있다. 프로그램에 의하여 처리되는 운영에는 출발, 항공로, 접근과 착륙운항 및 절차, 항공교통관제 절차 및 장비, 승무원과 항공교통관제 통신, 항공기객실 운용, 공항의 항공기이동, 공중충돌위험, 항공기정비 및 기록유지, 그리고 공항상태 또는 업무가 포함된다.

c. 보고서에는 날짜, 시간, 위치, 관련된 인원 및 항공기(해당하는 경우), 사건의 내용, 그리고 관련된 모든 세부사항을 포함하여야 한다.

d. 이러한 정보를 통보받을 수 있도록 조종사 및 항공교통관제사를 포함하여 잠재적으로 불안전한 준사고와 관련된 서면보고서를 적시에 제출한 사람에게는 특정 징계처분을 면제하는 프로그램이 마련되어 있다. 정당한 사유에 의해 보고기간이 연장되지 않는 한, 적시에 검토될 수 있도록 보고서는 준사고 발생 후 10일 이내에 배달되거나 우체국 소인이 찍혀있어야 한다. 보고서는 NASA ARC 양식 277의 반송용 카드에 의해 제출하여야 하며, 양식은 FAA 비행표준사무국 및 비행정보업무국 그리고 NASA, ASRS, PO Box 189, Moffet Field, CA 94035에서 무료로 이용할 수 있다.

e. FAA는 프로그램에 의해 제출된 보고서의 접수와 분석을 미국 항공우주국(NASA)이 독립적인 제3자의 입장에서 수행할 수 있도록 하고 있다. 이 프로그램은 AC 00-46, 항공안전보고 프로그램에 기술되어 있다.

7-6-2. 항공기사고 및 준사고 보고(Aircraft Accident and Incident Reporting)

a. 통보가 필요한 사고(Occurrences Requiring Notification). 다음과 같은 경우, 항공기운영자는 이용할 수 있는 가장 신속한 수단에 의하여 인접한 연방교통안전위원회(NTSB) 지역사무소에 즉시 통보하여야 한다.

1. 항공기사고 또는 다음에 나열된 준사고가 발생한 경우

(a) 비행조종계통 기능장애 또는 고장

(b) 부상 또는 질병으로 인한 필수 운항승무원의 정상적인 비행임무 수행 불가능

(c) 터빈엔진의 압축기와 터빈 blade 및 vane을 제외한 구성품의 구조상의 고장

(d) 비행중 화재

(e) 비행중 항공기충돌

(f) 항공기 이외의 기물파손에 대한 수리비용(자재비 및 인건비 포함) 또는 완전파손의 경우에는 공시가 중 적은 것이 $25,000을 초과할 것으로 예상되는 경우

(g) 대형 다발엔진항공기(최대인가이륙중량 12,500 lbs 초과)의 경우

(1) 비행조종장치 또는 필수계기를 계속 작동하기 위해 battery, 보조동력장치 또는 공기구동식 발전기와 같은 back-up source에 의해 구동되는 emergency bus의 지속적인 사용이 필요한 전기계통이 비행중 고장난 경우

(2) 유압계통의 비행중 고장으로 비행조종면(flight control surface)의 가동을 유일하게 남아있는 유압이나 기계적인 시스템에 계속 의존해야 하는 경우

(3) 두 개 이상의 엔진에서 나타나는 동력 또

는 추력의 지속적인 감소

(4) 비상탈출장치를 이용한 항공기의 탈출

2. 항공기의 도착이 지연되고, 사고를 당했다고 확신하는 경우

b. 통보방법(Manner of Notification)

1. 운영자가 NTSB에 통보하는 가장 신속한 방법은 당시의 처한 상황에 의해 결정해야 한다. NTSB는 다음과 같은 것을 통보유형의 예로 고려할 것을 권고하고 있다.

(a) 직통전화로 통보

(b) 전문(telegraphic)으로 통보

(c) 전보 또는 전화와 같은 직접교신에 의해 NTSB에 차례대로 통보하는 FAA에 통보

c. 통보에 포함하여야 할 항목. 위에서 요구하는 통보에는 가능하면 다음의 정보를 포함하여야 한다.

1. 항공기의 기종, 국적 및 등록기호

2. 항공기 소유자 및 운영자의 성명

3. 기장(pilot-in-command)의 성명

4. 사고 또는 준사고의 발생일시

5. 항공기의 최종출발지점 및 착륙예정지점

6. 용이하게 나타낼 수 있는 지리적위치와 관련된 항공기의 위치

7. 탑승인원수, 사망자 및 중상자의 수

8. 사고 또는 준사고의 내용, 기상 및 알고 있는 항공기 파손의 정도

9. 운송되는 폭발성물질, 방사성물질 또는 그 밖의 위험물 목록

d. 사후보고(Follow-up Report)

1. 운영자는 NTSB 지역사무소 또는 워싱턴 DC의 NTSB 본부에서 이용할 수 있는 NTSB 양식 6120.1 또는 6120.2에 따라 보고서를 제출하여야 한다.

(a) 사고 발생 후 10일 이내

(b) 7일이 지난 후에도 도착지연항공기가 여전히 실종 중인 경우

(c) a(1)절에 기술된 통보가 필요한 준사고에 대한 보고서는 NTSB로부터 권한을 위임받은 자의 요청이 있을 때에만 제출한다.

2. 각 승무원은 보고서 제출 당시에 신체적으로 가능하다면 그들이 추정하는 사고 또는 준사고에 관련된 사실, 상태 및 상황을 설명하는 진술서를 첨부하여야 한다. 승무원의 상태가 좋지 않은 경우, 신체적으로 가능해지면 바로 진술서를 제출하여야 한다.

e. 보고서 제출처

1. 항공기의 운용자는 이 절에서 요구하고 있는 보고서를 사고 또는 준사고지점의 가장 인접한 NTSB 지역사무소에 제출하여야 한다.

2. NTSB 지역사무소는 다음 도시 전화번호부의 미국정부부분에 수록되어 있다: Anchorage, AK; Atlanta, GA; Chicago, IL; Denver, CO; Fort Worth, TX; Los Angeles, CA; Miami, FL; Parsippany, NJ; Seattle, WA.

7-6-3. 공중충돌위험 보고(Near Midair Collision Reporting)

a. 목적 및 자료 용도(Purpose and Data Uses)

공중충돌위험(NMAC) 보고의 주목적은 국가공역시스템의 안전과 효율성 향상에 기여할 수 있는 정보를 제공하는데 있다. FAA는 NMAC 보고에서 획득한 자료를 사용자에 대한 FAA 업무의 질적인 향상, 그리고 NMAC 발생을 감소시키기 위한 프로그램, 정책 및 절차를 개발하기 위하여 사용한다. 비행표준사무국은 항공교통시설과 공동으로 모든 NMAC 보고를 면밀하게 조사한다. 이러한 조사자료는 이를 종합하고 분석하여 안전프로그램과 권고사항을 개발하는 워싱턴 DC의 FAA 본부로 전송된다.

b. 정의

공중충돌위험(near midair collision)이란 다른 항공기와 500 ft 미만으로 근접하여 충돌발생의 가능성이 있었던 항공기의 운항, 또는 조종사나 운항승무원으로부터 접수된 둘 이상의 항공기 사이에 충돌위험이 있었던 것으로 진술한 보고서와 관련된 준사고라고 정의할 수 있다.

c. 보고 책임(Reporting Responsibility)

실제로 공중충돌위험이 있었는지의 여부를 판단하고, 그러한 일이 있었다면 NMAC 보고를 하는 것은 조종사 또는 운항승무원의 책임이다. ATC는 조종사가 무심코 한 말을 NMAC를 보고한다는 의미

로 이해하지는 않기 때문에 구체적으로 말해야 한다. 조종사는 "I wish to report a near midair collision"라고 언급하여야 한다.

d. 보고서 제출처(Where to File Reports)

NMAC 발생과 관련된 조종사 또는 운항승무원에게 다음과 같이 즉시 각 준사고를 보고할 것을 권고하고 있다.

1. 가장 인접한 FAA ATC 기관 또는 FSS에 무선통신 또는 전화로 보고

2. 가장 인접한 비행표준사무국(FSDO)에 서면으로 보고

e. 보고 항목(Items to be Reported)

1. 준사고 발생일시(UTC)

2. 준사고 발생장소 및 고도

3. 보고 항공기의 기종 및 식별부호, 운항승무원 목적지, 조종사의 성명 및 모기지(home base)

4. 다른 항공기의 기종 및 식별부호, 운항승무원 목적지, 조종사의 성명 및 모기지(home base)

5. 비행계획의 방식; 사용 station 고도계수정치(altimeter setting)

6. 고도 또는 비행고도에서의 상세한 기상상태

7. 두 항공기의 대략적인 진로(course), 하나 또는 두 항공기가 상승 또는 강하 중이었다면 이를 나타낸다.

8. 처음 발견한 지점의 분리 거리, 수평과 수직으로 가장 근접한 지점의 분리 거리, 그리고 회피조치를 취하기 전까지 육안확인된 시간

9. 회피조치를 취하였다면, 회피조치를 취한 각도(가능하면 두 항공기로부터의 각도)

10. 손상을 당했다면, 손상 상황

f. 조사(Investigation)

준사고가 발생한 지역의 FSDO는 NMAC의 조사와 보고에 대한 책임이 있다.

g. 당시의 레이더, 통신 및 기상자료가 사고조사시에 검토된다. NMAC 준사고와 관련된 사항들에 대하여 가능하면 모든 조종실승무원을 조사한다. 하나 이상의 관련된 항공기가 ATC 업무를 제공받은 경우 항공교통관제사를 조사한다. 비행 및 ATC 절차 모두를 평가한다. 조사결과 FAA 규정위반으로 드러나면 제재조치가 취해진다.

7-6-4. 미확인비행물체 보고(Unidentified Flying Object (UFO) Reports)

a. UFO(Unidentified Flying Object/설명할 수 없는 현상(unexplained phenomena) 활동을 보고하려는 사람은 국가 UFO 보고센터 등과 같은 UFO/설명할 수 없는 현상 reporting data collection center에 보고할 수 있다.

b. 생명이나 재산이 위험에 처할 수 있다고 우려된다면 현지 법집행부서에 활동을 보고한다.

7-6-5. 항공안전주의보(Safety Alerts For Operators; SAFO) 및 항공정보지(Information For Operators; InFO)

a. SAFO는 보통 시급한 중요 안전정보를 포함하고 있다. SAFO에는 정보 및 SAFO에서 식별된 각 운영자 또는 관계자가 취해야 할 권고사항(비강제적)이 포함될 수 있다. SAFO의 대상은 각각의 사안에 따라 다양하며 항공운송사 운항증명소지자, 항공사 운항증명소지자, 일반항공운영자, 안전담당자, 운항담당자, 정비담당자, 공동소유(fractional ownership) 프로그램 관리자, 훈련센터 관리자, 수리공장의 책임관리자 및 그 밖의 해당 관계자 등이 포함된다.

b. InFO는 SAFO와 유사하지만 비교적 긴급하지 않거나, 안전에 영향이 적은 특정 규제요건 또는 행정요건 충족에 도움을 줄 수 있는 운영자에게 유용한 정보를 포함하고 있다.

c. SAFO 및 InFO 시스템은 운영자에게 이러한 정보를 신속하게 전파하기 위한 수단을 제공하며, http://www.faa.gov/other_visit/aviation_industry/airline_operators/airline_safety/safo와 http://www.faa.gov/other_visit/aviation_industry/airline_operators/airline_safety/info에서 살펴보거나 검색어 FAA SAFO나 FAA INFO로 검색할 수 있다. 무료 전자구독은 웹사이트의 "ALL SAFOs" 또는 "ALL InFOs" 페이지에서 할 수 있다.

제8장. 조종사의 의학적 요소(Medical Facts for Pilots)

제1절. 비행 적합성(Fitness for Flight)

8-1-1. 비행 적합성(Fitness for Flight)

a. 항공신체검사증명(Medical Certification)

1. 활공기 및 자유기구로 비행하는 조종사를 제외한 모든 조종사가 자격증명의 특권을 행사하기 위해서는 유효한 항공신체검사증명서를 지녀야 한다. 신체검사증명을 받기 위해 필요한 주기적인 신체검사는 항공의학에 대한 항공안전과 훈련을 받은 지정된 항공전문의사에 의해 수행된다.

2. 항공신체검사증명에 대한 기준은 14 CFR Part 67에 수록되어 있다. 이 기준에 기술된 특정 의학적상태에 해당하는 조종사는 반드시 비행자격을 취소하여야 한다. 이러한 의학적인 상태에는 외적행위로 나타나는 인격장애, 정신이상, 알코올중독, 약물의존, 간질, 원인불명의 의식장애, 심근경색, 조절하기 위하여 약물치료가 필요한 협심증 및 당뇨병 등이 포함된다. 급성전염병, 빈혈 및 소화성 궤양과 같은 그 밖의 의학적상태로 인해 일시적으로 비행자격이 취소될 수도 있다. 의학적인 기준을 충족하지 못하는 조종사라도 특별 발급규정 또는 면제 절차에 의거하여 비행자격을 유지할 수 있다. 이것은 추가적인 의료정보를 제출하거나, 비행 실기심사를 받는 것이 필요할 수도 있다.

3. 조종연습생은 비행훈련 시에 불필요한 훈련비용이 드는 것을 피하기 위하여 의학적인 기준을 충족하는지 가능한 빨리 항공전문의사의 진찰을 받아야 한다. 같은 이유로 민간항공업체에 진출하려고 생각하는 조종연습생은 조종사로서 필요한 가장 높은 등급의 항공신체검사증명을 받아야 한다.

주의 - CFR은 조종사가 항공신체검사증명에 대한 기준을 충족시킬 수 없는 의학적상태이거나 의학적 상태가 악화되는 동안에는 현행 항공신체검사증명서를 지닌 조종사라도 승무원임무를 수행하는 것을 금지하고 있다.

b. 질병(Illness)

1. 일상생활에서 앓을 수 있는 가벼운 질병이라도 안전한 비행에 필수적인 여러 조종사임무 수행능력을 심각하게 저하시킬 수 있다. 질병은 열을 유발하며, 판단력, 기억력, 주의력 및 계산능력을 상실시킬 수 있는 정신착란 증상을 일으킬 수 있다. 약을 먹고 질병증상이 호전되었다 하더라도 의약품 그 자체가 조종사의 수행능력을 저하시킬 수 있다.

2. 가장 안전한 원칙은 질병을 앓고 있는 동안에는 비행을 하지 않는 것이다. 특정 질병의 경우, 이러한 원칙이 너무 지나치다고 여기면 조종사는 항공전문의사의 조언을 받아야 한다.

c. 의약품(Medication)

1. 조종사의 수행능력은 앓고 있는 질병뿐만 아니라 처방된 약이나 상용의약품 모두에 의해 심각하게 저하될 수 있다. 신경안정제, 진정제, 강력진통제 및 기침억제제와 같은 여러 의약품들이 주로 판단력, 기억력, 주의력, 협응력, 시력 및 계산능력을 저하시키는 효과를 나타낸다. 항히스타민제, 혈압약, 근육이완제 및 설사약과 멀미약과 같은 그 밖의 의약품들도 동일하게 중요한 기능을 저하시킬 수 있는 부작용을 일으킨다. 진정제, 신경안정제 또는 항히스타민제와 같이 신경계통을 저하시키는 의약품은 조종사를 저산소증(hypoxia)에 보다 더 잘 걸리게 할 수 있다.

2. CFR은 인체의 기능에 영향을 미쳐 안전을 저해할 수 있는 의약품을 사용하는 동안에는 승무원임무를 수행하는 것을 금지하고 있다. 가장 안전한 규정은 FAA가 허가하지 않는 한 의약품을 사용하는 동안에는 승무원으로서 비행을 하지 않는 것이다.

d. 알코올(Alcohol)

1. 광범위한 연구에 의해 음주와 비행의 위험에 대한 많은 사실들이 밝혀졌다. 1 ounce의 증류주, 맥주 한 병 또는 4 ounce 포도주 정도의 알코올이라도 최소한 3시간 동안 호흡 및 혈액 속에 남아 있으면서 비행능력을 저하시킬 수 있다. 신체가 적당한 양의 알코올을 완전히 중화시킨 후에도 조종사는

여전히 숙취로 인해 여러 시간 동안 심각하게 제 기능을 못할 수 있다. 알코올의 제거를 촉진시키거나 숙취를 완화시키는 방법은 전혀 없다. 또한 알코올은 조종사를 방향감각 상실 및 저산소증에 보다 더 잘 걸리게 한다.

2. 치명적인 항공기사고의 비율이 항상 많은 양의 알코올과 관련되어 있다는 것은 알코올과 비행이 치명적인 관계라는 사실을 뒷받침하는 것이다. CFR은 조종사가 8시간 이내에 알코올성 음료를 섭취하였거나, 알코올의 영향 하에 있을 때에는 승무원업무를 수행하는 것을 금지하고 있다. 그러나 알코올의 느린 분해속도로 인해 조종사는 적당량의 알코올을 섭취한 후에도 여전히 8시간 동안은 알코올의 영향 하에 있을 수 있다. 따라서 최선의 방법은 알코올성 음료의 섭취량에 따라 음주 후 최소한 12~24시간이 지난 다음에 비행을 하는 것이다.

e. 피로(Fatigue)

1. 피로는 조종사가 심각한 실수를 저지르기 전까지는 드러나지 않을 수 있으므로 여전히 비행안전에서 가장 방심할 수 없는 위험 중의 하나이다. 피로는 대부분 급성피로(short-term)또는 만성피로(long-term)로 나타낸다.

2. 일상생활에서 흔하게 발생하는 급성피로는 격심한 근육운동, 부동(不動), 과중한 정신적인 업무부담, 심한 심리적 압박, 무료함 및 수면부족 등을 포함한 장시간의 신체적, 정신적인 긴장 이후에 느끼는 피로감이다. 결과적으로 안전한 조종사의 수행능력에 필수적인 협응력 및 주의력을 저하시킬 수 있다. 급성피로는 적절한 휴식과 수면뿐만 아니라 규칙적인 운동과 적당한 영향섭취로도 예방할 수 있다.

3. 만성피로는 급성피로 증상 사이에 이를 완전하게 회복할 수 있는 충분한 시간이 없을 경우에 발생한다. 계속적인 수행능력의 쇠퇴와 판단력의 저하로 인해 예기치 못한 위험을 초래할 수 있다. 만성피로를 회복하기 위해서는 장기간의 휴식이 필요하다.

4. 수면무호흡증(Obstructive Sleep Apnea; OSA). 현재는 OCA를 중요한 방해요소로서 인식하고 있으며, 이는 운송사고를 통해 확인되었다. OSA는 통상적인 신체기능에 필요한 원기를 회복시키는 정상적인 수면을 방해하며, 고혈압, 심근경색, 뇌졸중, 비만 그리고 당뇨병과 같은 만성적인 질병과도 관련되어 있다. 증상으로는 코를 고는 것, 과도한 주간 졸림증, 간간이 발생하는 수면 중 장시간의 호흡중단, 기억장애 그리고 집중력부족 등을 들 수 있다. 주간증상을 변화시키고, 사고가능성을 감소시킬 수 있는 여러 가지 이용 가능한 치료법이 있다. OSA는 쉽게 치료할 수 있다. 유효한 치료법으로 입증되면 항공신체검사에 허용된다. 위에 기술된 증상을 가지고 있거나, 목 둘레가 남자의 경우 17 in 그리고 여자의 경우 16 in를 넘거나, 또는 체질량지수(body mass index)가 30을 넘는다면 수면분과전문의로부터 수면무호흡증 여부를 진단받아야 한다. (http://www.cdc.gov/healthyweight/assessing/bmi/adult_bmi/english_bmi_calculator/bmi_calculator.html). 당신은 이러한 만성적인 질병의 발병을 피하거나 지연시킬 수 있는 치료를 함으로써 삶의 질을 연장시킬 수 있다.

f. 스트레스(Stress)

1. 일상생활의 압박감에서 오는 스트레스(stress)는 종종 아주 미묘한 방식으로 조종사의 수행능력을 저하시킬 수 있다. 특히 업무에서의 어려움은 주의력을 현저하게 저하시킬 수 있을 만큼 사고과정에 영향을 미친다. 주의산만은 시간을 지키기 위해 점점 더 악화되는 기상상태에서의 비행과 같은 불필요한 위험을 감수할 만큼 판단력을 흐려 놓을 수 있다. 스트레스와 피로(상부 내용 참조)가 겹치면 아주 위험할 수 있다.

2. 대부분의 조종사들은 지상에서의 스트레스를 떨쳐 버리지 못한다. 따라서 평소보다 더 심한 어려운 상황에 처한 경우, 조종사는 이러한 어려운 상황이 만족스럽게 해결될 때 까지 비행을 연기할 것을 고려하여야 한다.

g. 감정(Emotion)

심한 논쟁, 가족의 죽음, 별거 또는 이혼, 실직 그리고 재정파탄 등을 포함하여 어떤 감정적인 혼란을 야기하는 상황들은 조종사가 항공기를 안전하게 조종하는 것을 불가능하게 할 수 있다. 이러한 상황으로 인한 노여움, 절망 및 걱정 등의 감정은 주의력을 저하시킬 뿐만 아니라, 자포자기에 가까운 위험에 빠뜨릴 수 있다. 감정적으로 혼란한 상황에 처한 조종사는 이러한 상황이 만족스럽게 해소될 때 까지 비행을 해서는 안된다.

h. 개인점검표(Personal Checklist)

항공기시스템의 고장에 의한 사고보다 조종사의 장애가 더 많은 사고의 원인이 된다는 항공기사고통계는 조종사가 항공기뿐만 아니라 자기 자신에 대해서도 비행전점검을 해야 한다는 것을 보여주고 있다. 이 절에서 언급된 모든 종류의 조종사장애를 포함하여 쉽게 기억할 수 있도록 한 개인점검표(personal checklist)가 지갑만한 크기의 카드 형태로 FAA에 의해 배포되고 있다.

i. 개인점검표(PERSONAL CHECKLIST)

나는 다음과 요소로 인한 장애가 없으며 육체적으로나 정신적으로 안전하게 비행할 수 있다.

질병(Illness)
의약품(Medication)
스트레스(Stress)
알코올(Alcohol)
피로(Fatigue)
감정(Emotion)

8-1-2. 고도의 영향(Effects of Altitude)

a. 저산소증(Hypoxia)

1. 저산소증이란 두뇌 및 그 밖의 신체기관의 기능을 저하시킬 정도의 체내 산소결핍상태이다. 대기중의 산소함유량은 지상에서 우주공간까지 약 21%를 유지하므로 높은 고도에서의 저산소증은 단지 그 고도에서의 감소된 대기압으로 인한 것이다.

2. 5,000 ft 정도의 낮은 객실기압고도(cabin pressure altitude)에서는 야간에 시력저하가 발생하기는 하지만, 일반적으로 건강한 조종사라면 12,000 ft 까지는 고도의 영향으로 인한 그 밖의 심각한 저산소증은 보통 발생하지 않는다. 12,000~15,000 ft의 고도에서는 판단력, 기억력, 주의력, 협응력 및 계산능력이 저하되고 두통, 졸음, 현기증, 그리고 행복감(다행증) 또는 호전성과 같은 증상이 나타난다. 이 영향은 짧은 시간에 급속히 고도가 증가할 때 나타난다. 실제로 조종사의 수행능력은 15,000 ft에서 15분 이내에 심각하게 저하될 수 있다.

3. 15,000 ft를 초과하는 객실기압고도에서는 중심시(central vision) 만을 제외한 시야의 주변부를 상실할 수 있다 (tunnel vision). 손톱과 입술이 검푸른 색으로 변한다 (청색증〔cyanosis〕). 치료 및 보호조치를 취할 수 있는 시간은 18,000 ft에서 20~30분, 그리고 20,000 ft에서는 5~12분 정도에 지나지 않으며 이후에는 곧 의식을 잃게 된다.

4. 심각한 저산소증의 영향이 발생하는 고도는 여러 가지 요인들에 의해 낮아질 수 있다. 흡연이나 배기가스로부터 흡입된 일산화탄소, 헤모글로빈의 부족(빈혈), 그리고 특정 약물은 수천 ft의 객실기압고도에 노출되었을 때 신체조직에 공급하는 산소량을 평상 시 조직에 공급하는 산소량과 동일하게 하는 혈액의 산소운반능력을 저하시킬 수 있다. 소량의 알코올, 그리고 항히스타민제, 신경진정제, 안정제 및 진통제와 같은 소량의 약품 투여만으로도 이들의 진정작용으로 인해 쉽게 저산소증에 빠질 수 있다. 지나치게 낮거나 높은 체온, 발열, 그리고 근심격정은 신체의 산소요구량을 증가시킴으로서 저산소증에 쉽게 빠지게 한다.

5. 저산소증의 영향을 인지하는 것은 일반적으로 아주 어려우며 점진적으로 발생할 때는 특히 더 어렵다. 저산소증의 증상은 개인별로 서로 다르지 않기 때문에, 저산소증을 인지할 수 있는 능력은 감압실(altitude chamber)에서의 비행을 통해 저산소증의 영향을 체험하거나 참관함으로써 크게 향상시킬 수 있다. FAA는 FAA 민간항공의학연구소와 미국 전역의 많은 군용시설에서 실시하는 항공생리훈련을 통하여 이러한 기회를 제공한다.

항공생리훈련프로그램에 참여하기 위해서는 오클라호마 주 오클라호마 시티에 있는 민간항공의학연구소인 Mike Monroney 항공센터 전화 (405) 954-6212로 문의하거나, Aerospace Medical Education Division, AAM-400, CAMI, Mike Monroney Aeronautical Center, P.O. Box 25082, Oklahoma City, OK 73125에 서면으로 요청할 수 있다.

주(Note)
훈련능력이 있는 군시설의 항공생리훈련프로그램에 참여하기 위해서는 신청서를 제출하고 수수료를 납부하여야 한다. 위치, 수수료, 일정 절차, 훈련내용, 개인별 필요한 사항 등에 대한 상세한 설명은 양식번호 AC 3150-7 항공생리훈련신청서에 수록되어 있으며 가장 인접한 FAA 사무소의 사고방지전문가 또는 사무소 양식관리자에게 문의하여 구할 수 있다.

6. 적절한 산소계통으로부터 충분한 산소를 흡입하고 쾌적하고 안전한 객실기압고도를 유지하며, 고도에 대한 적응력을 감소시키는 요인들에 주의를 기울임으로써 저산소증을 예방할 수 있다. 최적의 보호를 위해 주간에는 10,000 ft 이상, 야간에는 5,000 ft 이상에서 보조산소를 사용할 것을 조종사에게 권장하고 있다. CFR은 운항승무원이 적어도 12,500~14,000 ft의 객실기압고도에서는 노출된 30분 이후, 그리고 14,000 ft 이상의 객실기압고도에 노출된 경우에는 즉시 보조산소가 공급되고 이를 사용할 수 있어야 한다고 규정하고 있다. 15,000 ft 이상의 객실기압고도에서는 항공기의 모든 탑승객에게 보조산소가 공급되어야 한다.

b. 귀 막힘(Ear Block)

1. 상승 중에는 항공기의 객실기압이 감소함에 따라 중이(middle ear)의 팽창된 공기가 유스타키오 관(eustachian tube)을 밀어서 열고, 기도(nasal passages)로 새어 나감으로써 객실기압과 기압이 같아진다. 그러나 강하 중에 기압이 같아지도록 하기 위해서는 조종사가 주기적으로 유스타키오 관을 열어야 한다. 이것은 침을 삼키거나 하품을 하거나 목구멍의 근육을 긴장시켜서 할 수 있으며, 또는 이런 것들이 여의치 않다면 입을 다물고 손으로 코를 쥔 다음 막힌 콧구멍으로 숨을 내쉬는 복합동작으로도 이루어질 수 있다 (발살바법〔Valsalva maneuver〕).

2. 감기나 인후염 같은 상기도(upper respiratory) 감염 또는 코에 알레르기가 있는 상태에서는 유스타키오 관 주위에 상당한 충혈을 일으켜 기압이 같아지는 것을 어렵게 할 수 있다. 그 결과 중이와 항공기객실 간의 기압의 차이가 유스타키오 관을 닫혀 있도록 하는 수준까지 증가할 수 있으며, 불가능하지는 않더라도 기압이 같아지는 것을 어렵게 할 수 있다. 이러한 문제점을 일반적으로 '귀 막힘(ear block)"이라고 한다.

3. 귀 막힘(ear block)은 짧게는 몇 시간에서 길게는 며칠 동안 지속되는 귀의 심한 통증 및 청력상실을 가져올 수 있다. 비행중 또는 착륙 후에 고막이 파열될 수도 있다. 점액이 중이(middle ear)에 축적되어 감염될 수 있다.

4. 상기도 감염이나 코에 알레르기가 있는 상태에서는 비행을 하지 않음으로써 귀 막힘(ear block)을 예방할 수 있다. 유스타키오 관 주위의 충혈을 줄여주는 충혈제거제 스프레이나 점적약으로는 일반적으로 적절한 보호가 이루어지지 않는다. 경구용 충혈제거제는 조종사의 수행능력을 심각하게 저하시킬 수 있는 부작용이 있다.

5. 착륙 후에 바로 귀 막힘(ear block) 증상이 사라지지 않으면 의사의 진찰을 받아야 한다.

c. 부비강 막힘(Sinus Block)

1. 상승 및 강하하는 동안 부비강(sinus)의 기압은 기도(nasal passages)와 부비강을 연결하는 작은 구멍을 통해 항공기 객실기압과 같아진다. 감기나 인후염 같은 상기도 감염 또는 코에 알레르기가 있는 상태에서는 구멍 주위에 상당한 충혈을 일으켜 기압이 같아지는 것을 더디게 할 수 있고, 부비강과 객실 간의 기압차로 인해 결국 구멍은 막히게 된다. 이러한 "부비강 막힘(sinus block)"은 강하시에 가장 빈번히 발생한다.

2. 부비강 막힘(sinus block)은 양 눈썹 위쪽에 있는 전두동(frontal sinus)이나 위쪽 양 볼 위쪽에 있는 상악동(maxillary sinus)에서 발생할 수 있다. 이것은 일반적으로 부비강에 참을 수 없는 통증을 일으킨다. 또한 상악동 막힘(block)은 윗니의 통증을 유발할 수 있다. 코로 피가 나올 수도 있다.

3. 상기도 감염이나 코에 알레르기가 있는 상태에서는 비행을 하지 않음으로써 부비강 막힘(sinus block)을 예방할 수 있다. 유스타키오 관 주위의 충혈을 줄여주는 충혈제거제 스프레이나 점적약으로

는 일반적으로 적절한 보호가 이루어지지 않는다. 경구용 충혈제거제는 조종사의 수행능력을 심각하게 저하시킬 수 있는 부작용이 있다.

4. 착륙 후에 바로 부비강 막힘(sinus block) 증상이 사라지지 않으면 의사의 진찰을 받아야 한다.

d. 스쿠버다이빙 후의 감압병(Decompression Sickness after Scuba Diving)

1. 스쿠버다이빙을 한 후에 비행을 하려는 조종사나 승객은 다이빙 중에 흡수된 과다한 질소가 신체에서 자연 제거될 수 있도록 충분한 시간을 가져야 한다. 만일 그렇지 않으면, 저고도로 노출되는 동안 제거되지 않은 가스로 인한 감압병이 발생하여 심각한 비행중 비상상황을 유발할 수 있다.

2. 8,000 ft 까지의 비행고도에 도달하기 전에 권장하는 대기시간은 부상속도의 조절이 필요하지 않는 다이빙(무감압정지 다이빙) 후 최소한 12시간, 부상속도의 조절이 필요한 다이빙(감압정지 다이빙) 후 최소한 24시간이다. 8,000 ft 이상의 비행고도에 도달하기 전의 대기시간은 어떠한 스쿠버다이빙 후라도 최소한 24시간 이어야 한다. 이 권고고도는 객실기압고도가 아닌 해발고도(AMSL)의 실제 비행고도이다. 이것은 비행하는 동안 항공기의 감압에 따른 위험을 고려한 것이다.

8-1-3. 비행중 과호흡증(Hyperventilation in Flight)

a. 비행중 긴장을 유발하는 상황에 처한 경우에는 과호흡증 또는 무의식으로 폐에 들어오고 나가는 호흡 공기량의 비정상적인 증가가 발생할 수 있다. 과호흡증은 신체를 통해 이산화탄소가 과다하게 "배출"되기 때문이며, 조종사는 어지러움, 질식, 졸음, 손발 저림 및 오한 그리고 이것들과 반응하여 한층 더 심한 과호흡증을 겪을 수 있다. 협동운동 장애, 방향감각 상실 및 고통스러운 근육경련은 언젠가는 무기력 상태로 이어질 수 있다. 결국에는 의식불명상태가 될 수 있다.

b. 호흡률과 호흡의 깊이를 의식적으로 조절하여 정상을 되찾은 후 수분 이내에 과호흡증의 증상은 가라앉는다. 체내에 이산화탄소의 보강은 종이봉지를 코와 입에 대고 내 쉬고 들이 마시는 호흡을 함으로써 촉진할 수 있다.

c. 과호흡증과 저산소증의 초기증상은 유사하다. 게다가 과호흡증과 저산소증은 동시에 발생할 수 있다. 따라서 조종사가 증상을 느끼고 산소계통을 사용하고자 하면 즉시 100% 산소가 공급되도록 산소조절기를 조절한 다음, 호흡률과 호흡의 깊이에 유의하기 전에 시스템이 효과적으로 기능을 발휘하는지의 여부를 점검하여야 한다.

8-1-4. 비행중 일산화탄소 중독(Carbon Monoxide Poisoning in Flight)

a. 일산화탄소는 배기가스에 포함되어 있는 무색, 무취 그리고 무미의 기체이다. 장시간동안 극소량을 들이 마시더라도 혈액의 산소운반능력을 현저하게 감소시킬 수 있다. 그 결과 저산소증의 증상이 발생한다.

b. 대부분의 경항공기 히터(heater)는 매니폴드(manifold) 주위로 흐르는 공기에 의해 가동된다. 매니폴드의 균열과 seal을 통해 배기가스가 새어 나오는 히터의 사용이 매년 일산화탄소 중독에 의한 여러 가지의 치명적이거나 비치명적인 항공기사고에 대한 원인이 되고 있다.

c. 히터를 사용하는 중에 배기가스 냄새를 맡았거나, 또는 두통, 졸음이나 현기증의 증상이 있는 조종사는 일산화탄소 중독을 의심하여야 하며, 즉시 히터를 끄고 환기구(air vent)를 열어야 한다. 증상이 심하거나 착륙한 이후에도 지속되면 의사의 치료를 받아야 한다.

8-1-5. 비행착각(Illusions in Flight)

a. 서론(Introduction)

비행중에는 여러 가지의 다양한 착각에 빠질 수 있다. 일부는 공간방향감각상실(spatial disorientation)로 이어질 수 있다. 다른 착각은 착륙실수를 유발할 수 있다. 착각은 치명적인 항공기사고의 원인이 되는 가장 일반적인 요인 가운데 많은 비중을 차지하고 있다.

b. 공간방향감각상실을 유발하는 착각(Illusions Leading to Spatial Disorientation)

1. 비행중에 접하게 되는 다양하고 복잡한 운동과 힘, 그리고 특정한 시각장면은 운동 및 위치에 대한 착각을 유발시킬 수 있다. 이러한 착각으로 인한 공간방향감각상실은 신뢰할 수 있는 시각참조물, 지상의 고정된 지점 또는 비행계기에 의해서만 방지할 수 있다.

2. 경사착오(leans). 경사진 자세의 급격한 수정은 내이(inner ear)의 운동감각기관을 너무 느리게 자극하여 반대방향으로 경사진 것 같은 착각을 유발시킬 수 있다. 방향감각을 상실한 조종사는 원래의 위험한 자세로 되돌아가도록 항공기를 roll 하거나, 또는 수평비행이 유지되고 있다면 이러한 착각이 없어질 때 까지는 지각한 수직면으로 경사지게 하여야 한다고 느낄 것이다.

(a) 전향성 착각(coriolis illusion). 지속적인 일정률(constant-rate) 선회시에 갑작스러운 머리의 움직임은 운동감각기관을 자극하는 것을 멈추게 하여 완전히 다른 축에서의 회전착각이나 운동착각을 유발할 수 있다. 방향감각을 상실한 조종사는 회전을 정지시키려고 시도함으로써 항공기를 위험한 자세로 기동시키게 된다. 비행중 모든 착각 가운데에서 가장 대응하기 힘든 이 착각은 특히 IFR 상태하에서 장시간 일정률선회를 하는 동안에 머리를 갑자기 심하게 움직이지 않음으로써 방지할 수도 있다.

(b) 반복성 선회감(graveyard spin). Spin을 회복하기 위한 적절한 조작이 운동감각기관을 자극하는 것을 멈추게 하여 반대방향으로 회전하는 것 같은 착각을 유발시킬 수 있다. 방향감각을 상실한 조종사는 원래의 spin 방향으로 항공기를 되돌리려 할 것이다.

(c) 악성 나선강하(graveyard spiral). 조화된 일정률선회(coordinated constant-rate turn) 중 고도감소의 주시는 자극된 운동감각기관을 멈추게 하여 수평상태로 강하하는 것 같은 착각을 유발시킬 수 있다. 방향감각을 상실한 조종사는 조종간을 잡아당길 것이고, 그 결과 나선강하(spiral)는 더 심해지고 고도감소는 증가한다.

(d) 신체중력성 착각(somatogravic illusion). 이륙 중의 급격한 가속은 기수올림(nose up) 자세인 것 같은 착각을 유발시킬 수 있다. 방향감각을 상실한 조종사는 기수내림(nose low) 또는 강하자세가 되도록 항공기의 조종간을 밀 것이다. Throttle의 급격한 줄임으로 인한 급감속은 정반대의 영향을 미칠 수 있으며, 방향감각을 상실한 조종사는 기수올림 또는 실속자세가 되도록 항공기의 조종간을 잡아당길 것이다.

(e) 역전위성 착각(inversion illusion). 상승비행에서 직선수평비행으로의 급격한 변경은 항공기 기체가 뒤쪽으로 넘어가는 것 같은 착각을 유발시킬 수 있다. 방향감각을 상실한 조종사는 기수내림(nose low) 자세가 되도록 갑작스럽게 항공기의 조종간을 밀게 되며, 착각은 더 심해질 수도 있다.

(f) 승강 착각(elevator illusion). 일반적으로 상승기류에 의한 위쪽 방향으로의 갑작스러운 수직가속은 상승하고 있는 것 같은 착각을 유발시킬 수 있다. 방향감각을 상실한 조종사는 기수내림(nose low) 자세가 되도록 항공기의 조종간을 밀 것이다. 일반적으로 하강기류에 의한 아래쪽 방향으로의 갑작스러운 수직가속은 정반대의 영향을 미칠 수 있으며, 방향감각을 상실한 조종사는 기수올림(nose up) 자세가 되도록 항공기의 조종간을 잡아당길 것이다.

(g) 수평 착각(false horizon). 경사진 구름층(cloud formation), 불분명한 수평선, 지상 불빛 및 별들이 펼쳐진 어두운 지역, 그리고 지상 불빛으로 형성된 기하학적 형태는 실제 수평선과 정확히 일치하지 않은 것 같은 착각을 유발시킬 수 있다. 방향감각을 상실한 조종사는 항공기를 위험한 자세에 놓이게 할 수 있다.

(h) 자가운동(autokinesis). 어둠속에서 정지해 있는 불빛을 수 초 동안 응시하면 움직이는 것처럼 보인다. 방향감각을 상실한 조종사는 항공기를 불빛에 정렬하려다가 조종성을 상실하게 된다.

3. 착륙실수를 유발하는 착각(Illusions Leading to Landing Error)

(a) 착륙 시에 접하게 되는 다양한 지표면 지형

및 대기상태는 활주로시단으로부터의 거리와 높이에 부정확한 착각을 유발시킬 수 있다. 이러한 착각으로 인한 착륙실수는 접근 중 이들 착각의 예상, 착륙하기 전에 공중에서 익숙하지 않은 공항의 육안확인, 이용할 수 있을 경우 전자식 glide slope 또는 VASI 시스템의 사용, 그리고 착륙절차에 최고도로 숙달함으로써 방지할 수 있다.

(b) 활주로 폭 착각(runway width illusion). 일반적인 활주로보다 폭이 좁은 활주로(narrower-than-usual runway)는 항공기가 실제보다 더 높은 고도에 있는 것 같은 착각을 유발시킬 수 있다. 이러한 착각을 인지하지 못한 조종사는 더 낮게 접근하여 접근로의 장애물과 충돌하거나 활주로에 못 미쳐 착륙할 수 있는 위험을 안고 있다. 일반적인 활주로보다 폭이 넓은 활주로(wider-than-usual runway)는 정반대의 영향을 미칠 수 있으며, 높은 고도에서 수평조작을 하여 거친 착륙(hard landing)을 하거나 활주로를 초과할 수 있는 위험을 안고 있다.

(c) 활주로 및 지형 경사착각(runway and terrain slope illusion). 위로 경사진 활주로, 위로 경사진 지형 또는 양쪽 다인 경우, 항공기가 실제보다 더 높은 고도에 있는 것 같은 착각을 유발시킬 수 있다. 이러한 착각을 인지하지 못한 조종사는 더 낮게 접근할 것이다. 아래로 경사진 활주로, 아래로 경사진 접근 지형 또는 양쪽 다인 경우 정반대의 영향을 미칠 수 있다.

(d) 특색이 없는 지형 착각(featureless terrain illusion). 수면, 어두운 지역, 그리고 눈으로 덮여 특색이 없어진 지형 위에 착륙할 때와 같이 지표면의 특색이 없는 경우, 항공기가 실제보다 더 높은 고도에 있는 것 같은 착각을 유발시킬 수 있다. 이러한 착각을 인지하지 못한 조종사는 더 낮게 접근할 것이다.

(e) 대기현상에 의한 착각(atmospheric illusion). Windscreen 상의 빗물은 더 높은 고도에 있는 것 같은 착각을 유발시키고, 대기의 연무(haze)는 활주로로부터 더 먼 거리에 있는 것 같은 착각을 유발시킬 수 있다. 이러한 착각을 인지하지 못한 조종사는 더 낮게 접근할 것이다. 안개 속으로 비행하다 보면 기수가 들리는 것(pitch up) 같은 착각이 유발될 수 있다. 이러한 착각을 인지하지 못한 조종사는 종종 갑자기 가파른 경사도로 접근할 수 있다.

(f) 지상 불빛 착각(ground lighting illusions). 도로와 같은 직선경로의 불빛, 그리고 달리는 기차의 불빛이라도 활주로등 및 진입등으로 혼동될 수 있다. 밝은 활주로등 및 진입등시스템에서, 특히 주변지역을 비추는 조명이 거의 없는 곳에서는 활주로까지의 거리가 더 가까운 것 같은 착각을 유발시킬 수 있다. 이러한 착각을 인지하지 못한 조종사는 더 높게 접근을 할 것이다. 이에 비해 고도를 가늠할 수 있는 불빛이 거의 없는 지역 상공을 비행하는 조종사는 정상접근보다 더 낮게 접근할 수 있다.

8-1-6. 비행시각(Vision in Flight)

a. 서론(Introduction)

신체의 감각 중에서 시각은 안전비행에 가장 중요하다. 얼마나 효과적으로 시각을 이용할 수 있는지를 결정하는 주요요소는 조도(level of illumination) 및 다른 항공기를 하늘에서 탐색하는 기법이다.

b. 어둡거나 밝은 조명에서의 시각(Vision Under Dim and Bright Illumination)

1. 어두운 조명상황에서는 적절한 조종실 조명을 이용할 수 없는 한 항공차트의 작은 글씨와 색상 그리고 항공계기를 읽을 수 없게 된다. 더욱이 항행등을 켜지 않은 다른 항공기를 보기 위해서는 훨씬 더 근접해야 한다.

2. 어둠 속에서 시력은 빛에 점점 더 민감해지며, 이 과정을 암순응(dark adaptation) 이라고 한다. 조종사가 칠흑 같은 어둠에서 완전한 암순응을 위해서는 최소한 30분 정도의 노출이 필요하지만, 희미한 적색의 조종실 조명에서는 20분 이내에 적정 수준의 암순응을 할 수 있다. 적색조명은 특히 항공차트에서 색상을 왜곡시키며 항공기 내부의 사물에 눈의 초점을 맞추기 대단히 어렵게 하는 원인이 될 수 있으므로, 외부의 적정한 야간시야 능력이 필요한 곳에서만 사용할 것을 권고한다. 그렇다 하더라도, 특히 IFR 상태에서 지도와 계기를 보기 위하여 필요할 경우 백색의 조종실 조명을 이용할 수 있어야

한다. 암순응은 5,000 ft를 초과하는 객실기압고도에의 노출, 흡연 및 배기가스에 의해 흡입되는 일산화탄소, 다이어트로 인한 비타민 A의 결핍, 그리고 밝은 햇빛에의 지속적인 노출에 의해 저하된다. 밝은 불빛을 보고 수 초 이내에 암순응이 어느 정도 상실될 수 있기 때문에 조종사는 조명을 사용할 경우 어느 정도의 야간시력을 유지하기 위하여 한쪽 눈을 감아야 한다.

3. 과도한 불빛, 특히 캐노피(canopy), 항공기 내부의 표면, 구름, 수면, 눈 및 사막지역에서 반사된 빛은 눈부심과 더불어 불편한 눈 찡그림, 눈물 글썽임, 그리고 일시적인 시력상실까지도 유발할 수 있다. 눈부심을 보호하기 위한 선글라스(sunglass)는 모든 색상을 균일하게 흡수(중립 투과율)하고 가시광선의 최소한 85%를 흡수(15% 투과)해야 하며, 굴절과 프리즘 오차(prismatic error)로 인한 상의 왜곡이 거의 없어야 한다.

c. 다른 항공기의 탐색(Scanning for Other Aircraft)

1. 다른 항공기가 있는 지 하늘을 탐색하는 것은 충돌회피를 위한 중요한 요소이다. 조종사와 부조종사(또는 우측 조종석 탑승객)는 조종석에서 보이는 하늘 전체를 지속적으로 살펴보아야 한다. 조종사가 특정 시력요건을 충족하고 있다 하더라도, 시력검사표를 읽을 수 있는 능력이 다른 항공기를 효과적으로 발견할 수 있게 하는 것은 아니다. 조종사는 자신의 시각능력을 최대화 할 수 있는 효과적인 탐색기법을 계발하여야 한다. 조종실 외부를 살펴보는데 더 많은 시간을 들일수록 잠재적인 충돌위협을 발견할 가능성은 증가한다. 따라서 조종사는 계기를 살펴보는 동안에도 주변공역을 효과적으로 탐색하기 위하여 시분할(timesharing) 기법을 활용하여야 한다.

2. 눈은 한 번에 대략 200° 원호(arc)의 수평선을 관찰할 수 있지만, 눈의 뒤편에 있는 황반(fovea)이라고 하는 아주 작은 중심부만이 뚜렷하고 정확하게 초점이 맞는 메시지를 뇌로 보낼 수 있는 능력을 가지고 있다. 황반(fovea)에서 직접 처리되지 않는 그 밖의 모든 시각정보는 그렇게 선명하지 않다. 황반 중심시야 내에서 뚜렷한 초점으로 보이는 7 mile 거리의 항공기가 황반 시야 외부에 있다면 이를 인지하기 위해서는 7/10 mile 까지 가까워져야 한다. 눈은 이처럼 좁은 시각범위에만 초점을 맞출 수 있으므로, 중심시야(central visual field)에 하늘의 연이은 부분이 오도록 일련의 짧고 일정한 간격으로 눈을 움직여 효과적인 탐색을 할 수 있다. 각각의 움직임은 10°를 초과하지 않아야 하며, 충돌탐지를 하기 위해서 최소한 1초 동안 각 구역을 주시하여야 한다. 많은 조종사들이 전후방(back-and-forth) 수평탐색법을 더 선호하는 것 같지만, 각 조종사는 편리하면서도 최적의 효과를 보장하는 탐색방식을 계발하여야 한다.

3. 연구결과는 조종사가 조종실 내부를 살펴보는데 소비한 시간은 외부를 탐색한 시간의 단지 1/4~1/3, 또는 외부를 탐색한 16초 동안 계기판을 살펴본 시간은 4~5초에 불과하다는 것을 보여주고 있다. 두뇌는 보이는 시각정보를 좌측에서 우측으로 처리하도록 이미 습관화되어 있기 때문에 좌측 어깨 너머에서 탐색을 시작하여 windshield를 가로질러 우측으로 진행하는 것이 물체를 더 쉽게 발견할 수 있을 것이다.

4. 조종사는 조종실 내의 품목과 멀리 있는 물체 간에 시야를 전환할 때, 다시 눈의 초점을 맞추기 위해서는 수 초가 걸릴 수도 있다는 것을 인식해야 한다. 또한 눈은 계기판을 탐색하기 위해 필요에 따라 눈 바로 가까이에 초점을 맞춘 다음에 즉시 원거리로 조절하기 위하여 무리할 경우 보다 빨리 피로해진다. 외부를 탐색할 때는 계기판에서 좌측날개로, 다시 날개끝(wingtip)을 지나 처음으로 탐색할 사분면(quadrant)의 중앙으로 시선을 옮김으로써 눈의 피로를 줄일 수 있다. 좌측에서 우측으로 탐색한 이후에는 날개끝에서 안으로 우측날개를 따라 조종실로 시선을 돌려야 한다. 시선이 내부로 되돌아오면 조종사는 자동적으로 계기판을 살펴보아야 한다.

5. 또한 효과적인 탐색은 "공백근시(empty- field myopia)"를 피할 수 있도록 한다. 일반적으로 이러한 상태는 항공기 외부에 초점을 맞출만한 특정한 것이 전혀 없는 구름 위나 연무층(haze layer) 안

에서 비행할 때 발생한다. 이것은 눈의 긴장을 풀리게 하고, 눈을 10~30 ft 범위의 편안한 초점거리에 맞추도록 한다. 이것은 외부를 주시하지 않고 그저 바라보고만 있는 것(looking without seeing)을 의미하며, 조종사에게 있어 위험한 행위이다.

8-1-7. 곡예비행(Aerobatic Flight)

a. 곡예비행을 하려고 생각하고 있는 조종사는 곡예비행 중의 가속력과 관련된 생리적 스트레스에 대해 알고 있어야 한다. 곡예비행을 지망하는 많은 훈련생들이 곡예비행훈련에 열성적으로 참여하지만, 처음으로 접하는 G force는 예상 외로 매우 불편하다고 여길 것이다. 잠재적인 역효과를 최소화하거나 피하기 위하여 곡예비행 교관 및 훈련생은 G force 적응 생리학에 대해 기본적인 이해를 하고 있어야 한다.

b. 급강하(push-over) 기동으로 인해 받게 되는 힘은 혈액과 신체기관을 머리 쪽으로 이동시키는 결과를 가져온다. 수반되는 힘 및 각 개인의 내성에 따라 조종사는 불쾌감, 두통, "red-out", 그리고 심지어는 의식불명상태에 처할 수도 있다.

c. 급상승(pull-up) 기동으로 인해 받게 되는 힘은 혈액과 신체기관을 머리에서 신체의 아랫부분으로 이동시키는 결과를 가져온다. 두뇌는 충분한 산소공급을 위해 지속적인 혈액순환을 필요로 하기 때문에, 조종사가 의식을 잃지 않고 보다 높은 힘에 견딜 수 있는 시간에는 생리적인 한계가 있다. 수반되는 힘의 결과로 두뇌로의 혈액순환이 감소하기 때문에 조종사는 시야의 "좁아짐(narrowing)", "gray-out", "blackout" 그리고 의식불명에 빠질 수 있다. 기동중 단시간의 의식상실 만으로도 항공기의 구조적인 손상 또는 다른 물체나 지형과의 충돌을 일으킬 수 있는 조종간의 부적절한 움직임을 초래할 수 있다.

d. 급선회(steep turn) 시 원심력은 조종사를 조종석으로 밀어 붙이는 경향이 있으며, 이로 인해 급상승 기동의 경우와 마찬가지로 혈액과 신체기관을 신체의 아랫부분으로 이동시킴으로써 동일한 생리적 영향 및 증상을 가져 온다.

e. 인간은 생리적으로 주어진 스트레스와 중압감에 점차적으로 적응하게 되며, 연습을 통해 어떠한 기동에서의 영향을 감소시킬 수 있다. G force에 대한 내성은 인체생리 및 각 조종사 나름이다. 이러한 요인에는 골격구조, 심혈관구조, 신경계통, 혈액의 상태, 전반적인 신체상태 그리고 기존 및 최근의 G force에 대한 경험이 포함된다. 조종사는 곡예비행 훈련에 앞서 항공전문의사의 검사를 받아야 하며, 불완전한 신체상태가 가속력에 대한 내성을 저하시킬 수 있다는 사실을 인식하고 있어야 한다.

f. 위의 정보는 G force의 생리적 영향에 대한 간략한 개요를 조종사에게 제공하고 있다. 이러한 영향에 대응하는 방법은 다루고 있지 않다. 곡예비행 중의 G force에 관하여 조종사가 이용할 수 있는 많은 참고서적 들이 있다. 이러한 서적으로는 "G Effects on the Pilot During Aerobatics", FAA-AM-72-28 및 "G Incapacitation in Aerobatic Pilots : A Flight Hazard" FAA-AM- 82-13을 들 수 있다. 이 서적은 버지니아 주 22161, 스프링필드의 국립기술정보센터에서 이용할 수 있다.

8-1-8. 충돌회피 형세판단(Judgment Aspects of Collision Avoidance)

a. 서론(Introduction). 다른 항공기를 탐색하기 위한 시각 및 기법의 가장 중요한 부분은 8-1-6항, 비행시각에 기술되어 있다. 또한 조종사는 공중충돌의 가능성을 줄이기 위하여 다음 정보를 숙지하고 있어야 한다.

b. 상대고도(Relative Altitude)의 판단. 기준점으로 수평선을 이용한다. 다른 항공기가 수평선 위쪽에 있다면, 아마도 그 비행기는 더 높은 비행경로에 있는 것이다. 항공기가 수평선 아래쪽에 있는 것으로 보인다면, 아마도 그 비행기는 더 낮은 고도에서 비행중인 것이다.

c. 적절한 조치의 실행. 조종사는 통행우선권에 대한 규칙에 익숙하여, 항공기가 분명히 충돌할 수 있는 진로 상에 있는 경우 가급적 해당 연방항공규칙에 따라 즉시 회피조치를 취할 수 있어야 한다.

d. 다양한 위협의 고려. 상승, 강하 또는 선회에 대한 결정은 개인적으로 판단해야 할 문제이기는 하지만, 조종사는 다른 조종사 역시 신속한 기동을 할 수도 있다는 것을 예상하여야 한다. 기동 중에는 다른 항공기를 경계하고, 지역에 다른 항공기가 있을 수도 있으므로 다시 즉시 탐색을 시작한다.

e. 충돌진로의 표적(Collision Course Target). 상대적인 움직임이 없는 것 같이 보이거나, 한 번에 살펴볼 수 있는 사분면(quadrant)에 머물러 있는 것 같이 보이는 항공기는 충돌할 수 있는 진로 상에 있을 가능성이 있다. 또한 횡적으로나 수직적으로 움직이지 않는 것처럼 보이지만 크기가 증가한다면 회피조치를 취하여야 한다.

f. 위험성이 높은 지역의 인식(Recognize High Hazard Areas)

1. 항공로. 특히 VOR 및 B등급, C등급, D등급 및 E등급 공항교통구역 근처의 항공로는 항공기가 밀집할 수 있는 장소이다.

2. 대부분의 공중충돌이 기상이 좋은 주간에 발생했다는 것을 기억하라. "레이더 관제상황(radar environment)"에 있다 하더라도 여전히 충돌을 피하기 위한 경계를 하여야 한다.

g. 조종실 관리(Cockpit Management). 필요한 무선주파수의 기록 및 조종실 물건의 정리와 같은 그 밖의 적절한 비행전계획과 더불어 지도, 점검표 및 manual을 비행전에 살펴보는 것은 비행하는 동안 이러한 품목들을 살펴보는데 소요되는 시간을 줄여 보다 많은 시간을 외부의 탐색에 할애할 수 있도록 한다.

h. Windshield 상태(Windshield Condition). 더러워지거나 벌레가 부딪힌 windshield는 조종사가 다른 항공기를 살펴볼 수 있는 능력을 현저히 감소시킬 수 있다. 깨끗한 windshield 상태를 유지하라.

i. 시정상태(Visibility Condition). 연기, 연무, 먼지, 비 그리고 태양을 마주보는 방향으로의 비행은 다른 항공기를 탐지할 수 있는 능력을 현저하게 감소시킬 수 있다.

j. 조종실의 시각적장애물(Visual Obstructions in the Cockpit)

1. 조종사는 출입문의 기둥, 날개 등과 같은 고정된 항공기구조물로 인한 사각지대(blind spot)의 주변을 살펴보기 위하여 머리를 움직일 필요가 있다. 관찰을 용이하게 하기 위해서는 때때로 날개를 드는 것과 같이 항공기를 기동시키는 것이 필요할 것이다.

2. 조종사는 비행중에는 커튼, 그리고 glare shield 위의 지도와 같은 조종실 내의 물건들을 치워서 안전한 곳에 넣어두어야 한다.

k. 점등(Lights On)

1. 주간이나 야간에 외부조명을 사용함으로써 항공기를 눈에 더 잘 띄게 할 수 있다.

2. 야간에는 내부조명을 어둡게 한다.

l. ATC 지원(ATC Support). 보통 ATC 기관은 업무량이 허용하는 한도 내에서 레이더교통조언을 제공한다. C등급 및 D등급 공역을 통과하는 비행은 ATC와 교신을 하여야 한다. 필요하거나, 또는 가능하면 언제든지 이러한 지원을 이용하라.

제9장. 항공차트 및 관련 간행물(Aeronautical Charts and Related Publications)

제1절. 이용 가능한 차트의 종류(Types of Charts Available)

9-1-1. 일반(General)

미국, 그리고 미국 영역과 속령의 민간항공차트는 FAA 항공교통기구 Mission Support Services 부서의 항공정보업무(Aeronautical Information Services; AIS), http://www.faa.gov/air_traffic/flight_ info/aeronav에서 제작한다.

9-1-2. 항공차트 구입(Obtaining Aeronautical Charts)

공식 판매하는 차트 및 간행물은 FAA 승인 인쇄업체의 유통망을 통하여 구입할 수 있다. 발간물의 목록, 최신판의 날짜 및 대리점은 AIS Web site: http://www.faa.gov/air_traffic/flight_info/aeronav에서 살펴볼 수 있다.

9-1-3. 선정된 차트 및 이용할 수 있는 발간물(Selected Charts and Products Available)

VFR 항법 차트(Navigation Chart)
IFR 항법 차트(Navigation Chart)
비행계획수립용차트(Planning Chart)
차트 및 간행물 보충판(Supplementary Charts and Publication)
디지털 발간물(Digital 발간물)

9-1-4. 각 차트 시리즈의 일반 개요(General Description of each Chart Series)

a. VFR 항법 차트(VFR Navigation Chart)

1. 구역항공차트(Sectional Aeronautical Chart)
구역차트(Sectional Chart)는 저속 및 중속 항공기의 시계운항을 위해 만들어진 것이다. 지형정보는 등고선, 음영 기복(shaded relief), 수로의 모양, 그리고 VFR 비행에 사용하기 위하여 광범위하게 선정된 시각참조점(visual checkpoint) 및 랜드마크로 구성된다. 인공적인 특징에는 도시와 마을, 도로, 철도와 그 밖의 특이한 랜드마크를 포함한다. 항공정보에는 시각보조시설과 무선항행안전시설, 공항, 관제공역, 특수사용공역, 장애물 그리고 관련 자료가 포함된다. 축척은 1 : 500,000(1 in=6.86 nm)이다. 60×20 in 차트는 5×10 in로 접혀진다. 1년에 한번 수정되는 대부분의 알래스카 차트를 제외하고는 1년에 두 번 수정된다. (그림 9-1-1과 9-1-2)

2. VFR 터미널지역차트(VFR Terminal Area Charts; TAC)
TAC에는 B등급 공역으로 지정된 공역을 표기한다. 구역차트와 유사하지만 축척이 커서 더욱 상세하다. TAC는 B등급 또는 C등급 공역 내부나 근처의 비행장으로 입출항하는 조종사가 사용할 수 있다. TAC 범위의 지역은 구역차트 색인(index)에 •로 표시되어 있다. 축척은 1 : 250,000(1 in=3.43 nm)이다. 차트는 1년에 한번 수정되는 푸에르토리코 및 버진제도를 제외하고는 1년에 두 번 수정된다. (그림 9-1-1과 9-1-2)

3. 미국 걸프만 VFR 항공차트(U.S. Gulf Coast VFR Aeronautical Chart)
걸프만 차트는 주로 멕시코만 지역의 헬리콥터 운항을 위해 만들어진 것이다. 표기되는 정보에는 해양 채광임차구역과 구획, 석유시추시설, 그리고 고밀도의 헬리콥터 활동구역을 포함한다. 축척은 1 : 1,000.000(1 in=13.7 nm)이다. 55×27 in 차트는 5×10 in로 접혀진다. 1년에 한번 수정된다.

4. 그랜드캐니언 VFR 항공차트(Grand Canyon VFR Aeronautical Chart)
이 차트는 그랜드캐니언 국립공원지역을 다루며, 이 명소에서의 항공안전 증진, 비행자유구역(flight free zone), 그리고 VFR 운항을 용이하게 하기 위하여 만들어진 것이다. 이 차트의 한쪽 면에는 일반항공 VFR 조종사를 위한 항공정보, 그리고 다른 면에는 상업용 VFR 관광비행 운영자를 위한 항공정보가 포함되어 있다. 1년에 한번 수정된다.

그림 9-1-1. 미국대륙, 하와이, 푸에르토리코 및 버진제도의 구역차트 및 VFR 터미널지역차트(Sectional and VFR Terminal Area Charts for the Conterminous U.S., Hawaii, Puerto Rico, and Virgin Islands)

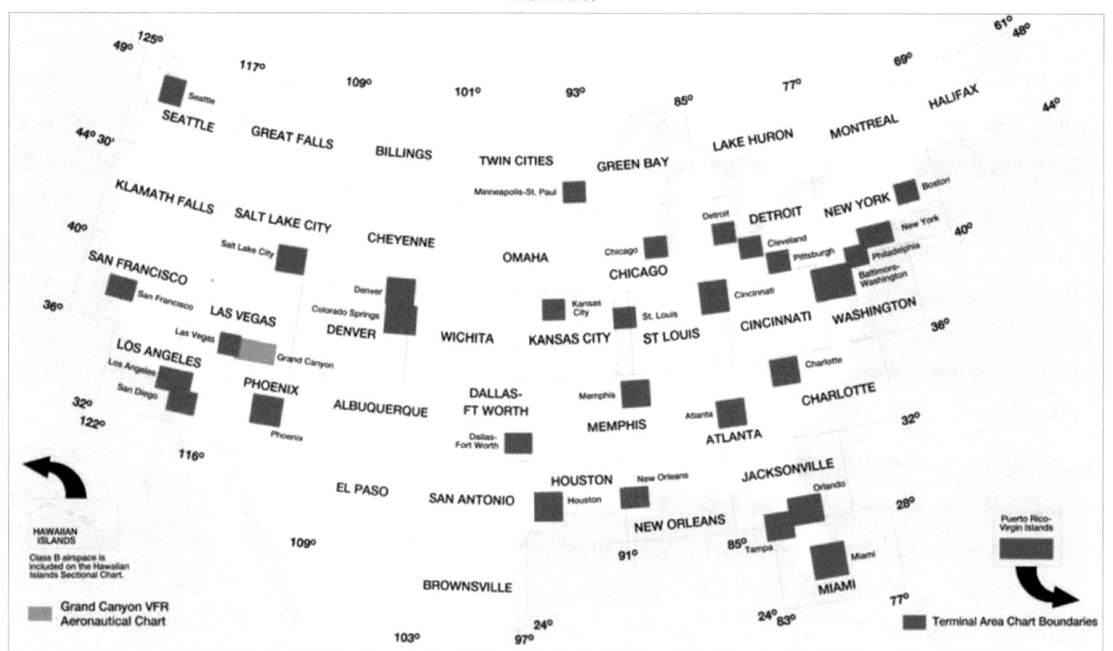

그림 9-1-2. 알래스카 구역 및 VFR 터미널지역차트(Sectional and VFR Terminal Area Charts for Alaska)

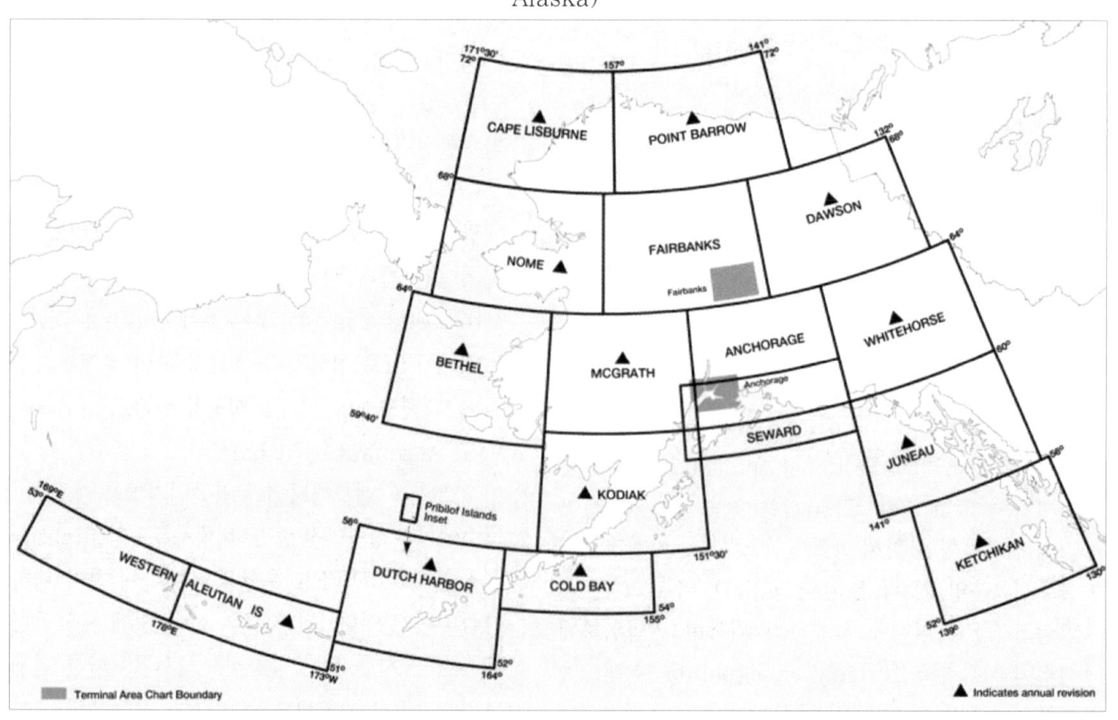

5. 카리브해 VFR 항공차트(Caribbean VFR Aeronautical Chart)
카리브해 VFR 항공차트 1과 2(CAC-1과 CAC-2)는 시계운항 시 타국의 항공정보 및 지형정보에 익숙해지도록 도움을 주기 위해 만들어진 것이다. 항공정보에는 시각보조시설과 무선항행안전시설, 공항, 관제공역, 특수사용공역, 장애물 그리고 관련 자료가 포함된다. 지형정보는 등고선, 음영 기복(shaded relief), 수로의 모양, 그리고 VFR 비행에 사용하기 위하여 선정된 랜드마크로 구성된다. 인공적인 특징에는 도시와 마을, 도로, 철도와 그 밖의 특이한 랜드마크를 포함한다. 축척은 1 : 1,000,000(1 in=13.7 nm)이다. CAC-1은 1년에 한번 수정되며, 각 양면은 30×60 in로 되어 있다. CAC-2는 2년에 한번 수정되며, 각 양면은 20×60 in로 되어 있다. (그림 9-1-3 참조)

그림 9-1-1. 미국대륙, 하와이, 푸에르토리코 및 버진제도의 구역차트 및 VFR 터미널지역차트(Sectional and VFR Terminal Area Charts)

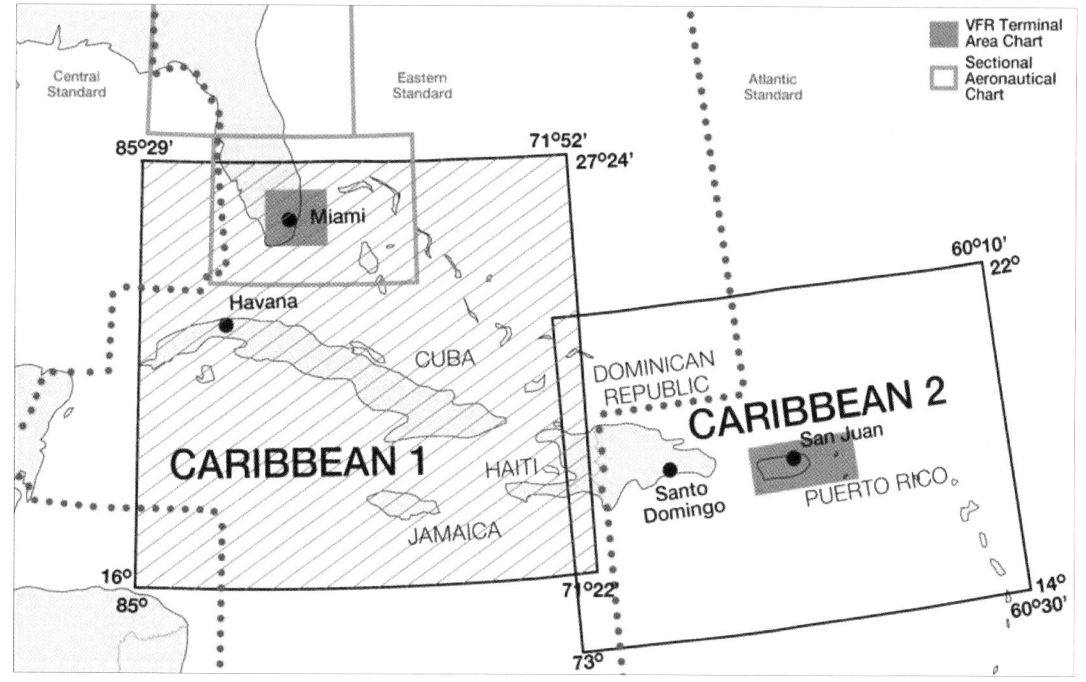

6. 헬리콥터 비행로 차트(Helicopter Route Chart)
헬리콥터 조종사가 헬리콥터 활동이 매우 빈번한 지역의 운항에 유용한 최근의 항공정보를 표시한 3가지 색상의 차트 시리즈(series). 표기되는 정보에는 헬리콥터 비행로, 주파수 및 등화성능과 관련된 4가지 등급의 헬기장, NAVAID, 그리고 장애물이 포함된다. 이 외에 그림 부호, 도로 그리고 쉽게 식별할 수 있는 지리적 특성 등이 표기된다. 헬리콥터 차트는 다른 차트 발간물보다 더 긴 수명을 가지며, 수년 동안 통용될 수도 있다. 헬리콥터 비행로 차트는 FAA의 요청에 따라 갱신된다. 축척은 1 : 125,000 (1 in=1.71 nm)이다. 34×30 in 차트는 5×10 in로 접혀진다. (그림 9-1-4 참조)

b. IFR 항법 차트(IFR Navigation Chart)

1. IFR 저고도항공로차트(IFR Enroute Low Altitude Chart) (미국대륙 및 알래스카)
저고도 항공로차트는 IFR 상태에서 18,000 ft MSL 미만의 운항을 위한 항공정보를 제공한다. 이 4가지 색상의 차트 시리즈는 항공로; 관제공역의 범위; 주파수를 포함한 VHF NAVAID, 식별부호, 채널, 지리적 좌표; 터미널 공지통신을 포함한 공항; 최저항공로고도 및 최저장애물회피고도; 항공로 거리; 보고지점; 특수사용공역 그리고 군훈련경로 등을 포함하고 있다. 축척은 1 in=5 nm부터 1 in=20 nm까지 다양하다. 50×20 in 차트는 5×10 in로 접혀진다. 차트는 56일마다 수정된다. 지역 차트(area chart)는 혼잡한 터미널지역을 대축척으로 나타낸다. 지역 차트는 미국대륙 저고도 차트 구독 Set에 포함되어 있다 (전체 set, 동부 또는 서부 set). (그림 9-1-5 및 9-1-6 참조)

그림 9-1-4. 헬리콥터 비행로 차트(Helicopter Route Chart)

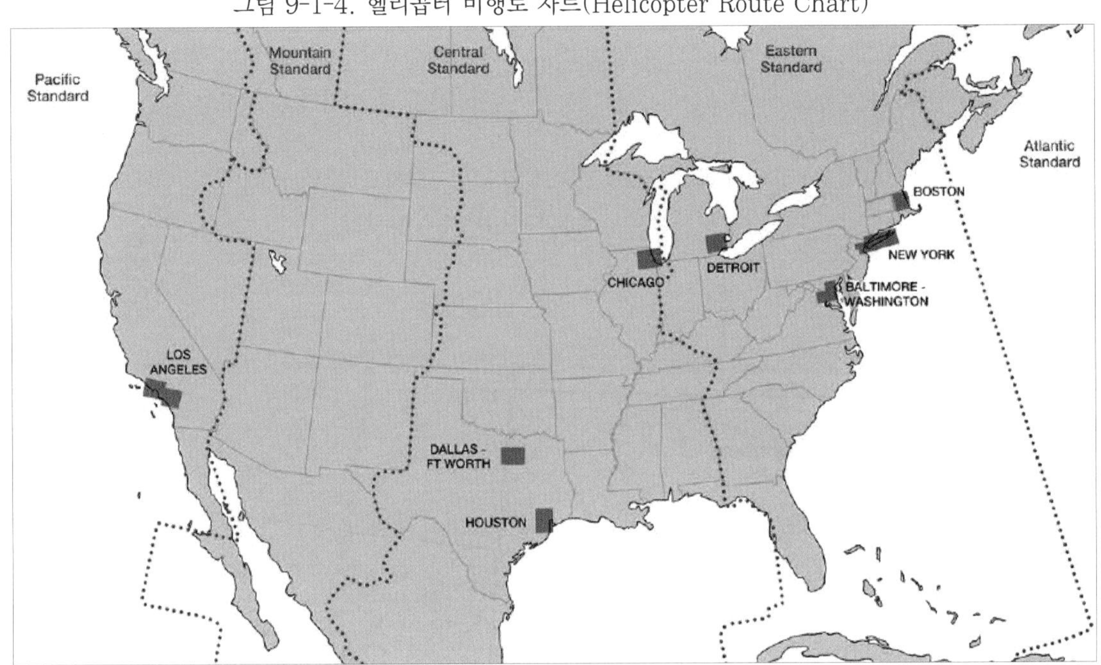

그림 9-1-5. 미국대륙의 IFR 저고도항공로차트(지역차트 포함)

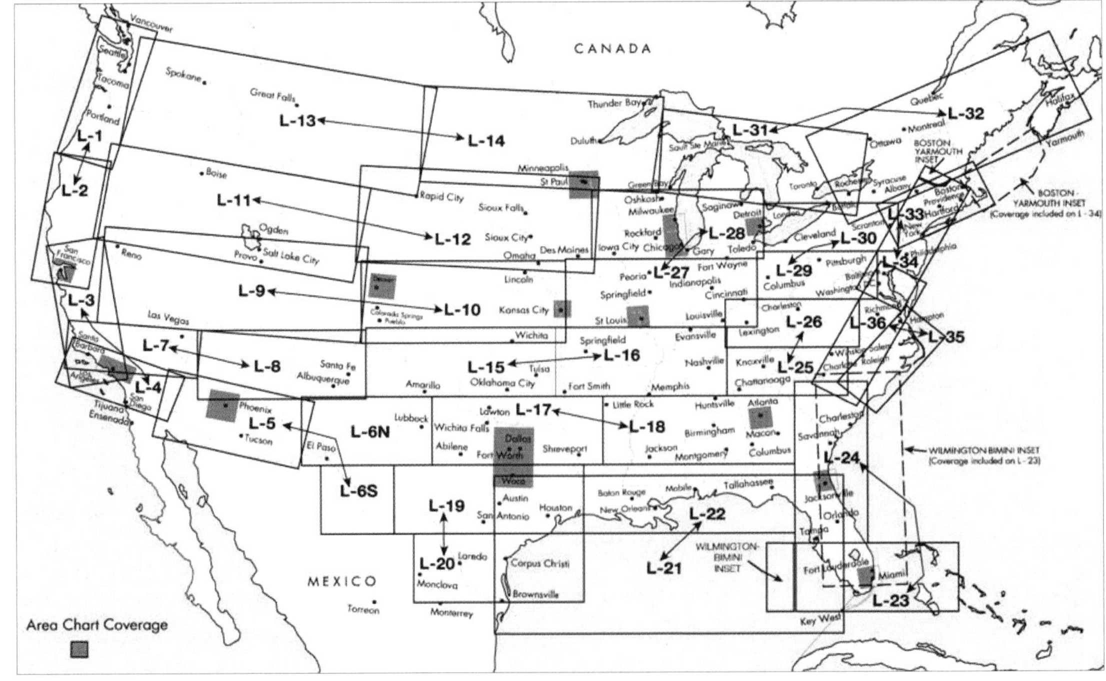

그림 9-1-6. 알래스카 저고도항공로차트(Alaska En route Low Altitude Chart)

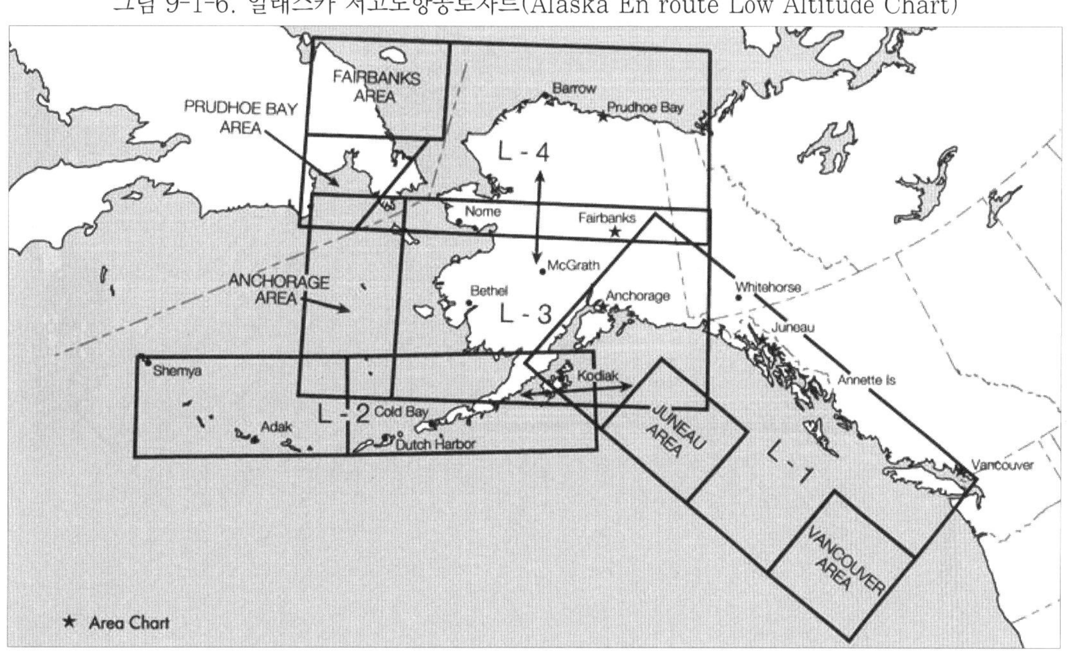

2. IFR 고고도항공로차트(IFR Enroute High Altitude Chart) (미국대륙 및 알래스카)
고고도 항공로차트는 18,000 ft MSL 이상의 운항을 위해 만들어진 것이다. 이 4가지 색상의 차트 시리즈는 제트비행로 구조; 주파수를 포함한 VHF NAVAID, 식별부호, 채널, 지리적 좌표; 선정 공항; 보고지점 등을 포함하고 있다. 축척은 1 in=45 nm부터 1 in=18nm 까지 다양하다. 55×20 in 차트는 5×10 in로 접혀진다. 56일마다 수정된다. (그림 9-1-7 및 9-1-8 참조)

그림 9-1-7. 미국대륙의 고고도항공로차트(Enroute High Altitude Charts for the Conterminous U.S.)

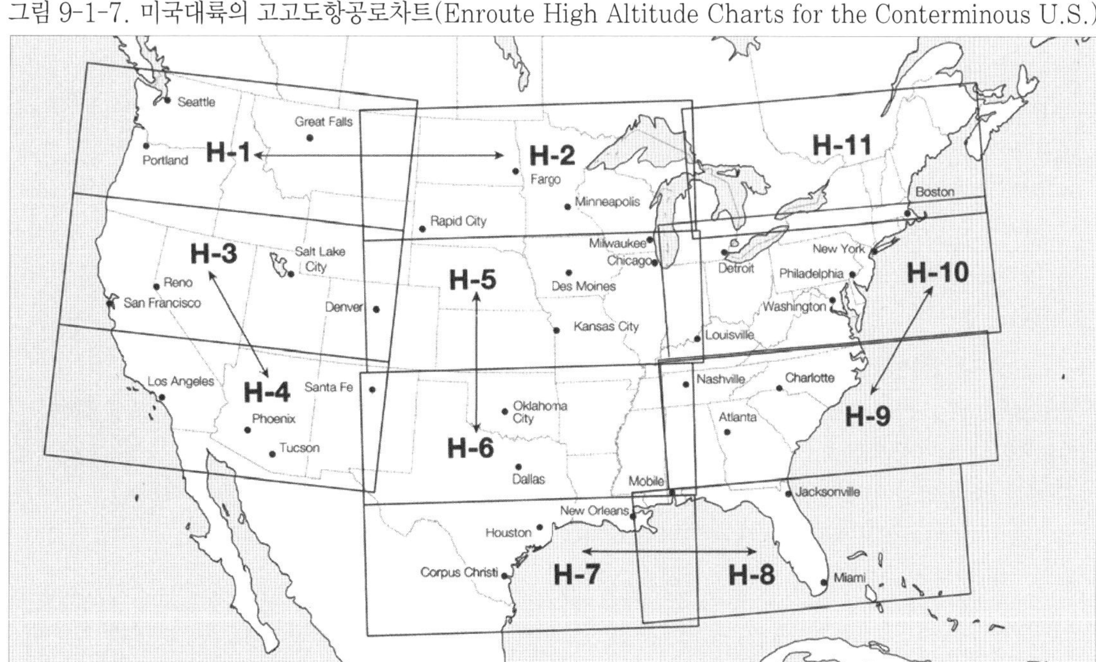

그림 9-1-8 알래스카 고고도항공로차트(Alaskan Enroute High Altitude Chart)

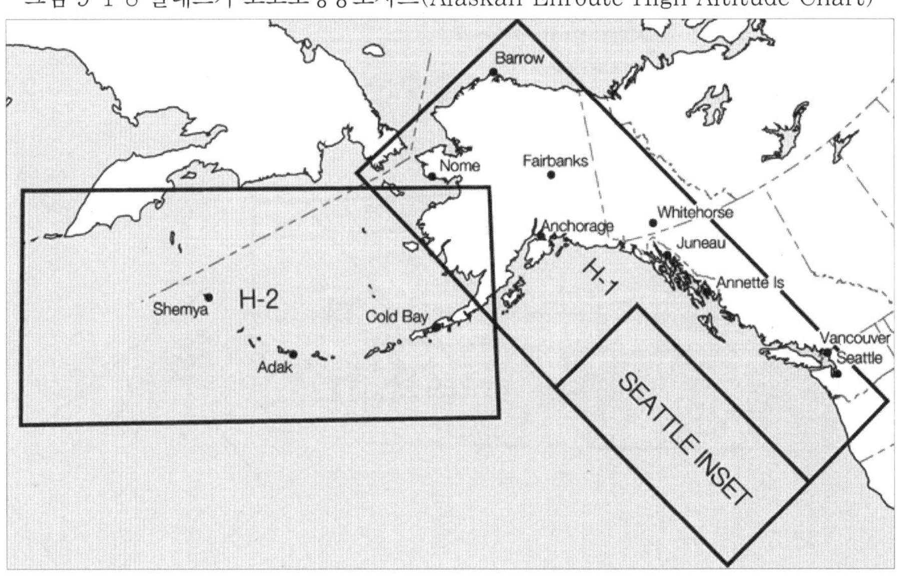

3. 미국 터미널절차간행물(Terminal Procedures Publication; TPP)

TPP는 미국대륙, 푸에르토리코와 버진제도를 다루는 24개의 낱권 또는 완전한 합본형태로 발간된다. 변경공고(change notice)는 개정판 사이의 중간에 합본형태로 발간되며, 인터넷을 이용하여 AIS web site에서 무료로 다운로드 받을 수 있다 (그림 9-1-15 참조). TPP는 다음을 포함하고 있다.

(a) 계기접근절차(Instrument Approach Procedure; IAP) 차트

IAP 차트는 공항에 계기접근을 하는데 필요한 항공자료를 나타낸다. 각 차트에는 IAP, 관련된 모든 항법자료, 통신정보 및 공항 sketch 등이 표기된다. 각 절차는 ILS, VOR, NDB, RNAV 등과 같은 특정 전자식 항행안전시설과 함께 사용할 수 있도록 지정되어 있다.

(b) 계기출발절차(Instrument Departure Procedure; DP) 차트

DP 차트는 허가중계(clearance delivery)를 신속히 하고, 이륙과 항공로 운항 간의 전환을 용이하게 하기 위하여 만들어진 것이다. 이 차트는 조종사의 출발비행로 허가정보를 그림 및 문자형식으로 제공한다.

(c) 표준터미널도착절차(Standard Terminal Arrival; STAR) 차트

STAR 차트는 ATC 도착절차를 신속히 처리하고, 항공로와 계기접근운항 간의 전환을 용이하게 하기 위하여 만들어진 것이다. 차트에는 사전에 설정된 IFR ATC 도착절차가 그림 및 문자형식으로 표기된다. 각 STAR 절차는 분리된 차트로 제공되며, 주어진 지리적범위에서 단지 하나의 공항 또는 두 개 이상의 공항을 다룰 수 있다.

(d) 공항 Diagram(Airport Diagram)

전면(full page) 공항 diagram은 복잡한 활주로/유도로 구성을 가진 지역에서 지상교통의 이동에 도움을 주기 위하여 만들어진 것이며, 항공기탑재 항법시스템의 지리적위치의 갱신에 필요한 정보를 제공한다. 공항 diagram은 AIS web site에서 무료로 다운로드 받을 수 있다.

4. 알래스카 터미널절차간행물(Alaska Terminal Procedures Publication)

이 간행물에는 알래스카에 있는 민군항공용의 모든 터미널비행절차가 포함되어 있다. 이 간행물에는 IAP 차트, DP 차트, STAR 차트, 공항 diagram, 레이더 최저치, 그리고 IFR 대체최저치, 이륙최저치, 강하율 표, 상승률 표와 부작동장비목록과 같은 부가적인 지원자료가 포함된다. 각 권은 상부제본방식이

며, 크기는 5-3/8×8-1/4 in 이다. 간행물은 필요시 터미널 변경공고문과 함께 56일마다 수정된다.

c. 비행계획수립용차트(Planning Chart)

1. 미국 IFR/VFR 저고도 비행계획수립용차트(U.S. IFR/VFR Low Altitude Planning Chart)

이 차트는 IFR/VFR 비행의 비행전 및 항공로 비행계획용으로 만들어진 것이다. 표기에는 저고도항공로 및 구간 길이, NAVAID, 공항, 특수사용공역, 도시, 시간대, 주요 수로, 공역등급을 포함한 공항의 내규(directory), 그리고 주요공항 간의 대권거리를 나타내는 거리표(mileage table) 등이 포함된다. 축척은 1 : 3,400.000(1 in=47 nm)이다. 차트는 1년에 한번 수정되며, 접힌 차트 또는 벽에 걸기 위하여 접히지 않은 차트를 이용할 수 있다. (그림 9-1-10 참조)

2. 멕시코만과 카리브해 비행계획수립용차트(Gulf of Mexico and Caribbean Planning Chart)

이 차트는 푸에르토리코 및 버진제도 VFR 터미널지역차트의 뒷면에 있는 VFR 비행계획수립용 차트이다. 표시되는 정보에는 진입 공항 간의 거리, 특수사용공역의 선정, 그리고 이용할 수 있는 업무를 포함한 공항의 내규가 포함된다. 축척은 1 : 6,192.178(1 in=85 nm)이다. 60×20 in 차트는 5×10 in로 접혀진다. 차트는 1년에 한번 수정된다. (그림 9-1-10 참조)

3. 알래스카 VFR 비행계획 수립용 벽에 거는 차트(Alaska VFR Wall Planning Chart)

이 차트는 VFR 비행전 비행계획 및 차트 선정용으로 만들어진 것이다. 여기에는 알래스카 주의 항공정보 및 지역정보가 포함되어 있다. 항공정보에는 공공용 및 군 공항, 무선항행안전시설, 그리고 B등급, C등급, TRSA와 특수사용공역이 포함된다. 지형정보에는 도시 색조(tint), 사람들이 거주하는 지역, 주요 도로 및 음영 기복(shaded relief)이 포함된다. 축척은 1 : 2,000,000(1 in =27.4 nm)이다. 58.5×40.75 in의 한쪽 면에만 인쇄되는 차트는 벽에 걸 수 있도록 제작된다. 차트는 2년마다 수정된다. (그림 9-1-9 참조)

그림 9-1-9. 알래스카 VFR 비행계획 수립용 벽에 거는 차트(Alaska VFR Wall Planning Chart)

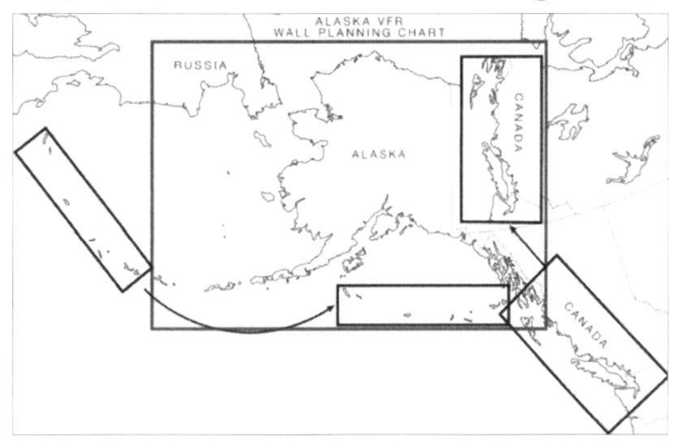

그림 9-1-10. 비행계획수립용차트(Planning Chart)

4. 미국 VFR 비행계획 수립용 벽에 거는 차트(U.S. VFR Wall Planning Chart)

이 차트는 비행전 비행계획 및 차트 선정용으로 만들어진 것이다. 이 차트에는 미국대륙의 항공정보 및 지형정보가 포함되어 있다. 항공정보에는 공항, 무선항행안전시설, B등급 공역 및 특수사용공역이 포함된다. 지형정보에는 도시 색조(tint), 사람들이 거주하는 지역, 주요 도로, 수로의 모양 및 음영 기복(shaded relief)이 포함된다. 축척은 1 : 3,100,000(1 in=43 nm)이다. 59×36 in의 한쪽 면에만 인쇄되는 차트는 벽에 걸 수 있도록 접히지 않은 상태로 출하된다. 차트는 1년마다 수정된다. (그림 9-1-11 참조)

그림 9-1-11. 미국 VFR 비행계획 수립용 벽에 거는 차트(U.S. VFR Wall Planning Chart)

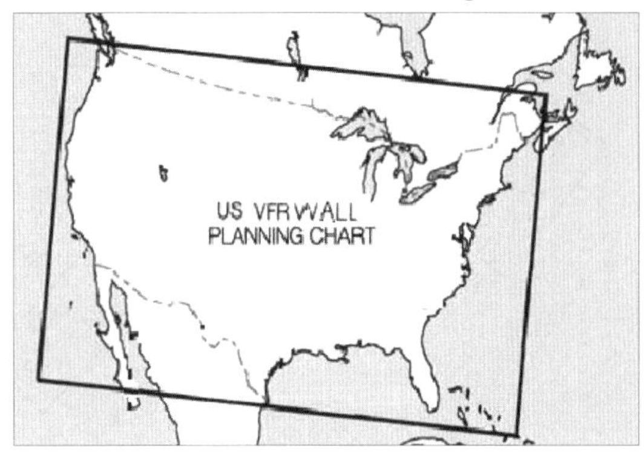

5. VFR 비행로 비행계획수립용차트(Charted VFR Flyway Planning Chart)

이 차트는 선정된 TAC 차트의 뒷면에 인쇄된다. 다루는 범위는 관련된 TAC와 동일하다. 비행로 비행계획수립용차트에는 복잡한 교통구역의 우회에 사용하기 위한 권장 비행경로 및 고도를 표기한다. 비행방향의 시각적인 안내자로서 지상참조물이 제공된다. 비행로 비행계획수립용차트는 TAC 및 구역차트와 함께 사용하도록 만들어진 것이며, 항행에 사용되지는 않는다. 축척은 1 : 250.000(1 in=3.43 nm)이다.

d. 차트 및 간행물 보충판(Supplementary Charts and Publication)

1. 미국 차트 보충판(Chart Supplement U.S.)

이 7권으로 된 소책자 시리즈에는 공항, 수행비행장, 헬기장, NAVAID, 통신 데이터, 기상자료 출처, 공역, 특별공지사항, 그리고 운영절차에 대한 자료가 포함되어 있다. 다루는 범위는 미국대륙, 푸에르토리코 및 버진제도를 포함한다. 미국 차트 보충판은 공항의 운영시간, 이용할 수 있는 연료의 종류, 활주로의 폭, 등화 신호방법 등과 같이 쉽게 그림형식으로 표기할 수 없는 자료 등을 제시한다. 또한 미국 차트 보충판은 발간일자 간에 시계비행차트를 갱신할 수 있는 수단을 조종사에게 제공한다 (구역항공차트 및 VFR 터미널지역차트가 일반적으로 6개월마다 수정되는 반면, 미국 차트 보충판은 56일마다 발간된다). 항공차트 소책자(VFR 차트 갱신 소책자)는 AIS 웹사이트에서 무료로 다운로드 받을 수 있다. 각 권은 측면제본방식이며, 크기는 5-3/8×8-1/4 in 이다. (그림 9-1-14 참조)

2. 알래스카 차트 보충판(Chart Supplement Alaska)

이것은 FAA에서 56일마다 발간하는 민군 비행정보간행물이다. 이것은 해당하는 IFR 또는 VFR 차트와 함께 사용하기 위하여 만들어진 한 권의 소책자이다. 알래스카 차트 보충판에는 A/FD, 공항 sketch, 통신 데이터, 기상자료 출처, 공역, 항행안전시설의 목록 그리고 특별공지사항 및 절차가 포함되어 있다. 각 권은 측면제본방식이며, 크기는 5-3/8×8-1/4 in 이다.

3. 태평양 차트 보충판(Chart Supplement Pacific)

이 보충판은 해당하는 VFR 또는 IFR 항공로차트와 함께 사용하기 위하여 만들어진다. 이 한 권의 소책자에는 차트 보충판(chart supplement), 통신 데이터, 기상자료 출처, 공역, 항행안전시설, 특별공지사항 그리고 태평양지역 절차가 포함되어 있다. 하와이 및 태평양제도에 대한 IAP 차트, DP 차트, STAR 차트, 공항 diagram, 레이더 최저고도, 그리고 보조데이터가 포함된다. 이 소책자는 56일마다 발간된다. 각 권은 측면제본방식이며, 크기는 5-3/8×8-1/4 in 이다.

4. 북대서양 비행로 차트(North Atlantic Route Chart)

북대서양 횡단비행을 감시하기 위한 FAA 관제사를 위하여 준비되는 이 5가지 색상의 차트는 대양관제구역, 해안 항행안전시설, 대양보고지점 그리고 NAVAID 지리적좌표를 보여준다. 전체 크기 차트의 축척은 1 in=113.1 nm/1:8,250,000 이다. 차트는 접히지 않은 채로 발송된다. 절반 크기 차트의 축척은 1 in=150.8 nm/1:11,000,000 이다. 차트의 크기는 29-3/4×20-1/2 in 이며, 5×10 in 로 접혀져 발송된다. 차트는 56주마다 수정된다. (그림 9-1-12 참조)

5. 북태평양 비행로 차트(North Pacific Route Chart)

이 차트는 북태평양 횡단비행을 감시하기 위한 FAA 관제사를 위하여 만들어진 것이다. 차트는 보고지점의 지리적위치를 포함하여 설정된 대륙간항공로를 나타낸다. 혼합차트의 축척은 1 in=164 nm/1:12,000,000, 크기는 48×41-1/2 in 이다. 지역차트의 축척은 1 in=95.9 nm/1:7,000,000, 크기는 52×40-1/2 in 이다. 모든 차트는 접히지 않은 채로 발송된다. 차트는 56일마다 수정된다. (그림 9-1-13 참조)

그림 9-1-12. 북대서양 비행로 차트(North Atlantic Route Charts)

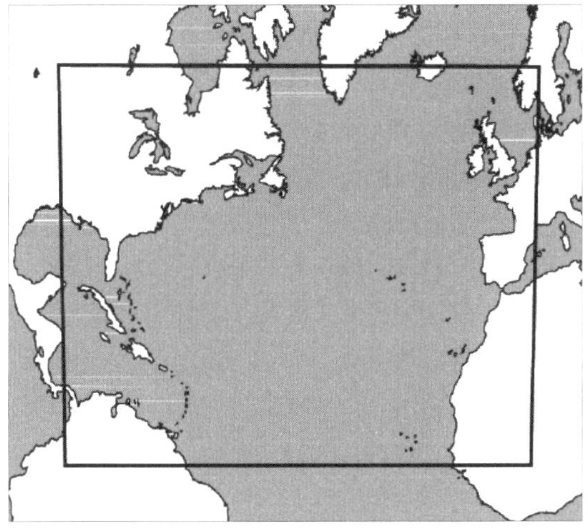

그림 9-1-13. 북태평양 비행로 차트(North Pacific Oceanic Route Charts)

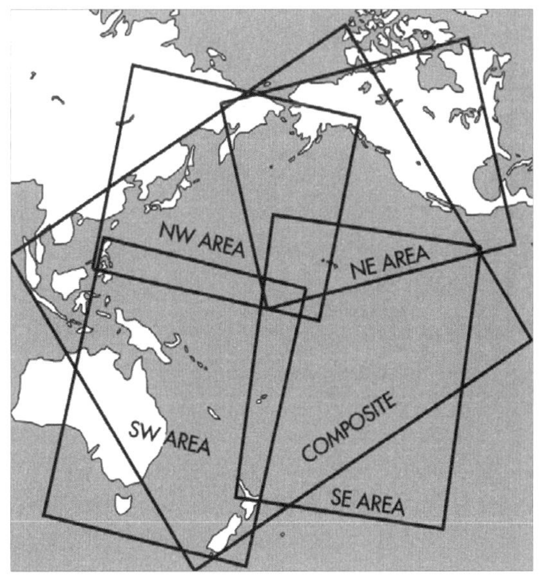

6. 공항 장애물 차트(Airport Obstruction Chart; OC)
OC는 14 CFR Part 77의 항행 가능한 공역에 영향을 미치는 물체, 장애물제한표면, 이러한 장애물제한표면을 침범하는 물체의 표시, 항공기 이동지역 및 계류장구역, 항행안전시설, 공항의 눈에 잘 띄는 빌딩, 그리고 선정된 도로와 그밖에 공항주변의 상세한 평면도를 그림으로 표기하는 1:12,000 축척의 차트이다. 또한 도표화된 활주로 및 운영자료가 포함되어 있다.

7. FAA 항공차트 사용자설명서(FAA Aeronautical Chart User's Guide)
이 소책자는 교육자료 및 참조문서로 사용하기 위하여 준비된다. 여기에는 FAA의 항공차트 및 간행물에 의하여 제공되는 상당한 양의 정보가 기술된다. 또한, 차트 종류에 따라 구성되는 차트 용어와 부호의 설명 및 도해가 포함된다. 사용자설명서는 AIS 웹사이트에서 무료로 다운로드 받을 수 있다.

e. 디지털 발간물(Digital Products)

1. 디지털 항공정보 CD(Digital Aeronautical Information CD; DAICD)
DAICD는 NAVAID 디지털 데이터 파일, 디지털 차트 보충판, 그리고 디지털 장애물 파일을 하나의 Compact Disk에 합쳐 놓은 것이다. 이들 세 개의 디지털 발간물은 이제 낱개로 판매하지 않는다. 파일은 56일마다 갱신되며, 예약구독에 의해서만 구입할 수 있다.

(a) NAVAID 디지털 데이터 파일(Digital Data File)
이 파일에는 국가공역시스템에 해당하는 NAVAID의 최신목록이 포함되어 있다. 이 파일은 미국, 푸에르토리코, 캐나다와 멕시코 인근 시설을 포함한 버진제도, 그리고 대서양과 태평양지역을 포함하고 있다.

(b) 디지털 장애물 자료 파일(Digital Obstacle File)
이 파일은 태평양, 카리브해, 캐나다 및 멕시코의 한정된 범위와 더불어 미국의 항공 사용자에게 관심이 될 수 있는 모든 장애물을 기술하고 있다. 장애물은 지정된 고유 번호식별자, 정확도 코드(accuracy

code), 그리고 각 주 또는 지역 내에서 위도의 오름차순으로 나열되어 있다.

(c) 디지털 항공차트 보충판(DACS; Digital Aeronautical Chart Supplement)

DACS는 다른 방법으로는 쉽게 이용할 수 없는 디지털 공역자료를 제공하기 위하여 특별히 만들어진 것이다. 보충판은 개정판 사이의 중간에 IAPFIX.dat에 대한 변경공고문을 포함하고 있다. 변경공고문은 AIS web site에서만 무료로 다운로드 받을 수 있다.

DACS의 각 데이터 파일은 다음과 같다.

ENHIGH.DAT : High altitude airways (미국대륙)
ENLOW.DAT: Low altitude airways (미국대륙)
IAPFIX.DAT: Selected instrument approach procedure NAVAID and fix data.
MTRFIX.DAT: Military training routes data.
ALHIGH.DAT: Alaska high altitude airways data.
ALLOW.DAT: Alaska low altitude airways data.
PR.DAT: Puerto Rico airways data.
HAWAII.DAT: Hawaii airways data.
BAHAMA.DAT: Bahamas routes data.
OCEANIC.DAT: Oceanic routes data.
STARS.DAT: Standard terminal arrivals data.
DP.DAT: Instrument departure procedures data.
LOPREF.DAT: Preferred low altitude IFR routes data.
HIPREF.DAT: Preferred high altitude IFR routes data.
ARF.DAT: Air route radar facilities data.
ASR.DAT: Airport surveillance radar facilities data.

2. 부호화된 계기비행절차(The Coded Instrument Procedure CIFP) (ARINC 424 [Ver 13&15])

CIFF는 국제표준을 따라 만든 기본적인 디지털 데이터세트(dataset)이며, GPS 항법지원의 기준으로 이용할 수 있다. 포함되는 초기 데이터 요소는 공항 및 헬기장 설명, VHF 및 NDB 항행안전시설, 항공로 waypoint 및 항공로이다. 출발절차, 표준터미널도착절차 및 GPS/RNAV 계기접근절차를 포함하는 추가 데이터 요소가 차후 출시 데이터베이스에 더해질 것이다. 데이터베이스는 28일마다 갱신된다. 데이터는 예약구독에 의해서만 구입할 수 있으며, CD-ROM 또는 ftp 다운로드에 의해서만 배포된다.

그림 9-1-14. 미국 차트 보충판 지리적 지역(Chart Supplement U.S. Geographic Areas)

그림 9-1-15. 미국 터미널절차간행물 Volume(U.S. Terminal Publication Volumes)

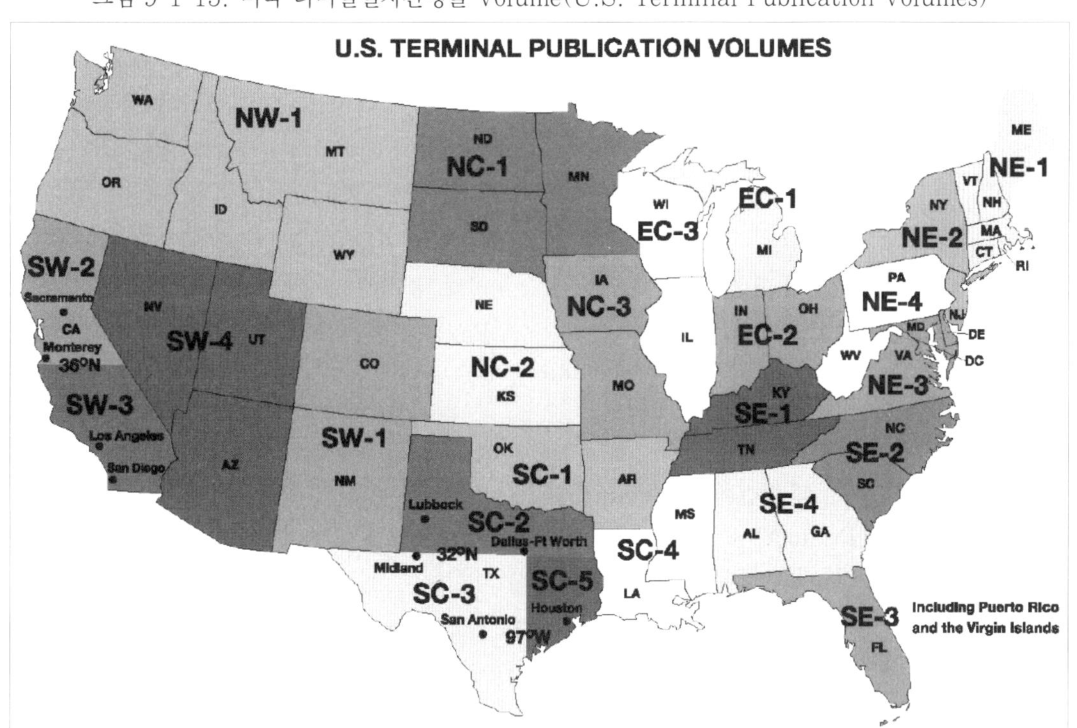

3. 디지털-시계비행차트(digital-Visual Charts; d-VC)

이 디지털 VFR 차트는 FAA 구역항공차트, TAC 및 헬리콥터 비행로 차트의 지리참조주사영상(geo-referenced scanned image)이다. 부가적인 디지털 data는 일반적으로 이용할 수 있는 지리정보시스템 소프트웨어를 사용하여 raster image에 추가할 수 있다. 기상, 일시적비행제한, 장애물 또는 그 밖의 지리공간정보와 같은 자료가 다양한 요구를 지원하기 위하여 d-VC 자료에 추가될 수 있다. File 해상도는 300 dpi 이며, data는 8-bit color 이다. Data는 GeoTIFF로 제공되고, AIS web site에서 DVD-R 매체로 배포된다. 변환의 표준오차는 2 pixel을 초과하지는 않는다. D-VC DVD는 28일마다 갱신되며, 예약구독에 의해서만 구입할 수 있다.

9-1-5. 외국지역 차트의 구입처 및 구입방법(Where and How to Get Charts of Foreign Areas)

a. 국립지리정보국(NGA) 발간물. 간행물 이용에 관한 최신정보는 NGA Web site: https ://www.nga.mil/ProductsServices/Aeronautical/Pages/default.aspx에 수록되어 있다.

1. 비행정보간행물(FLIP: Flight Information Publication) 계획서(Planning Document)

General Planning (GP)

Area Planning

Area Planning－Special Use Airspace - Planning Charts

2. FLIP 항공로차트 및 차트 보충판(Enroute Charts and Chart Supplement)

Pacific, Australasia, and Antarctica

U.S. - IFR and VFR Supplements

Flight Information Handbook

Caribbean and South America - Low Altitude

Caribbean and South America - High Altitude

Europe, North Africa, and Middle East - Low Altitude

Europe, North Africa, and Middle East - High Altitude

Africa

Eastern Europe and Asia
Area Arrival Charts

3. FLIP 계기접근절차(IAP)

Africa
Canada and North Atlantic
Caribbean and South America
Eastern Europe and Asia
Europe, North Africa, and Middle East
Pacific, Australasia, and Antarctica
VFR Arrival/Departure Routes - Europe and Korea
U.S.

4. 다양한 DOD 차트 및 발간물(Miscellaneous DOD Charts and Product)

Aeronautical Chart Updating Manual (CHUM)
DOD Weather Plotting Charts (WPC)
Tactical Pilotage Charts (TPC)
Operational Navigation Charts (ONC)
Global Navigation and Planning Charts (GNC)
Global LORAN-C Navigation Charts (GLCC)
LORAN-C Coastal Navigation Charts (LCNC)
Jet Navigation Charts (JNC) and Universal Jet Navigation Charts (JNU)
Jet Navigation Charts (JNCA)
Aerospace Planning Charts (ASC)
Oceanic Planning Charts (OPC)
Joint Operations Graphics - Air (JOG-A)
Standard Index Charts (SIC)
Universal Plotting Sheet (VP-OS)
Sight Reduction Tables for Air Navigation (PUB249)
Plotting Sheets (VP-30)
Dial-Up Electronic CHUM

b. 캐나다 차트. 이용할 수 있는 캐나다 차트와 간행물에 대한 정보는 다음에 연락하여 구할 수 있다.

NAV CANADA
Aeronautical Publications
Sales and Distribution Unit
P.O. Box 9840, Station T
Ottawa, Ontario K1G 6S8 Canada
전화: 613-744-6393 또는 1-866-731-7827
Fax: 613-744-7120 또는 1-866-740-9992

c. 멕시코 차트(Mexican Charts). 이용할 수 있는 멕시코 차트와 간행물에 대한 정보는 다음에 연락하여 구할 수 있다.

Direccion de Navigacion Aereo
Blvd. Puerto Aereo 485
Zona Federal Del Aeropuerto Int'l
15620 Mexico D.F.
Mexico

d. 국제민간항공기구(ICAO). 무료 ICAO 간행물과 시청각 보조교재 목록은 다음에서 이용할 수 있다.

International Civil Aviation Organization
ATTN: Document Sales Unit
999 University Street
Montreal, Quebec
H3C 5H7, Canada
전화: (514) 954-8022 Fax: (514) 954-6769
E-mail: sales_unit@icao.org
Internet: http://www.icao.org/cgi/goto.pl?icao/en/sales.htm
Sitatex: YULCAYA
Telex: 05-24513

제10장. 헬리콥터 운항(Helicopter Operations)

제1절. 헬리콥터 IFR 운항(Helicopter IFR Operations)

10-1-1. 헬리콥터 비행조종시스템(Helicopter Flight Control System)

a. 계기비행방식(IFR)으로 헬리콥터를 운항하기 위한 승인요건은 14 CFR Part 27, Airworthiness Standards: Normal Category Rotorcraft 그리고 14 CFR Part 29, Airworthiness Standards: Transport Category Rotorcraft에 수록되어 있다. 이러한 요건을 충족시키기 위하여 헬리콥터 제작회사들은 일반적으로 일련의 안정성유지시스템 또는 자동비행조종시스템(AFCS)을 활용한다.

b. 통상적으로 이러한 시스템은 다음과 같은 부문으로 구분할 수 있다.

1. 기본적인 VFR 항공기형태에서는 볼 수 없는 안정성 또는 조종성능을 주는 공기역학적 표면

2. 사이클릭 중립효과(cyclic centering effect)를 제공하는 트림장치(trim system). 이러한 장치는 통상적으로 전자석 브레이크(magnetic brake)/스프링 장치를 포함하고 있으며, 또한 사이클릭에 있는 4 방향(four-way) 스위치에 의해서도 제어할 수 있다. 이것은 조종사에 의한 헬리콥터의 "수동(hands on)" 비행을 지원하는 장치이다.

3. 헬리콥터의 안정성을 증가시키기 위하여 단주기 진동감쇄 제어입력(short-term rate damping control input)을 제공하는 안정성증대장치(Stability Augmentation System; SAS). 트림장치처럼 SAS도 "수동(hands on)" 비행을 지원한다.

4. 교란 이후에 헬리콥터를 선택한 자세로 되돌아가도록 하는 자세유지장치(Attitude Retention System; ATT). 보통 4 방향(four-way) "beep" 스위치를 작동시키거나, 또는 수동으로 자세를 설정할 수 있는 cyclic에 있는 "force trim" 스위치를 작동시키거나 해제함으로써 원하는 자세로 변경할 수 있다. 자세유지는 SAS 기능이거나 또는 수동조종이 필요하지 않는 기본적인 자동조종장치 기능이다.

5. 기수방향, 고도, 수직속도, 항행 항적(navigation tracking) 및 접근을 포함하여 지정된 횡적 및 수직경로를 따라 수동조종이 필요하지 않는 비행을 할 수 있도록 하는 자동조종장치(Autopilot System; AP). 통상적으로 이러한 시스템은 mode 선택을 위한 control panel과 mode 상태를 지시하는 시스템을 갖추고 있다. 자동조종장치에는 관련된 비행지시장치(FD)가 함께 설치되어 있거나 설치되어 있지 않을 수도 있다. 통상적으로 자동조종장치는 roll과 pitch 축(cyclic control)에 대하여 헬리콥터를 조종하지만, yaw 축(pedal control)과 collective control servo를 포함할 수도 있다.

6. 선정한 횡적 및 수직운항 mode로 비행하기 위하여 조종사에게 시각적인 유도를 제공하는 FD. 통상적으로 시각적인 유도는 자세계 상에 겹쳐지는 "dual cue"(보통 "cross-pointer"라고 함) 또는 "single cue"(보통 "vee-bar"라고 함) 표시로서 제공된다. 또한 일부 FD에는 collective cue가 포함되어 있다. 조종사는 이러한 지시 표시(command)에 따라 헬리콥터를 조종함으로써 원하는 비행경로를 유지하거나, 또는 원하는 비행경로를 따라 자동비행을 할 수 있도록 자동조종장치에 비행지시기를 연결할 수 있다. 통상적으로 비행지시기 mode 조종과 지시는 자동조종장치와 공유된다.

c. IFR 운항을 인가받기 위하여 특정 헬리콥터는 이러한 시스템을 한 개 이상 조합하여 사용하는 것이 필요할 수도 있다.

d. 대부분의 경우 헬리콥터는 한 명 또는 두 명의 조종사로 IFR 운항을 하도록 인가된다. 두 명의 조종사로 운항하기 위한 기능 및 특정장비를 갖추어야 하며, 한 명의 조종사로 운항하기 위해서는 통상적으로 추가 장비가 필요하다. 이러한 요건은 일반적으로 회전날개항공기 비행교범(RFM)의 제한사항 부분에 기술되어 있다.

e. 또한, 통상적으로 RFM은 단좌나 복좌로 운항

하거나 IFR 비행을 보증하기 위하여 필요한 시스템과 기능도 규정하고 있다. 특히 복좌운항에서 안전성증대장치의 수준은 완전한 성능을 갖춘 시스템보다는 보통 낮다. 마찬가지로 단좌운항에서는 더 높은 수준의 안정성증대장치가 필요할 수 있다.

f. 또한 RFM은 IFR 비행과 관련된 그 밖의 특징 제한사항을 밝히고 있다. 통상적으로 다음과 같은 제한사항이 포함되지만, 다음으로 국한하는 것은 아니다.

1. IFR 비행에 필요한 최소장비(어떤 경우, 단좌 및 복좌 모든 운항에 필요한)
2. Vmini(최저속도 - IFR)

주(Note)

제작사는 계기접근을 하는 동안 최저 IFR 속도를 권고할 수도 있다.

3. Vnei (초과금지속도 - IFR)
4. 최대접근각(maximum approach angle)
5. 무게 및 무게중심 범위
6. 항공기형상 제한사항(예를 들어, 항공기 출입문의 위치 및 외부 적재물)
7. 항공기시스템 제한사항(발전기, inverter 등)
8. 시스템 시험 요건(대부분의 항공전자장비 및 AFCS/AP/FD 시스템에는 자체진단시험 기능이 포함되어 있다)
9. 조종사 조치사항 요건(예를 들어, 조종사가 특정 고도 아래에서 계기접근을 할 때 어떤 조작을 하는 동안 손과 발을 조종간에 두어야 하는 경우)

g. 조종사는 특정 헬리콥터의 IFR 요건에 익숙해지는 것이 매우 중요하다. 동일한 제작회사, 동일 model 및 series의 헬리콥터라 하더라도 설치된 항공전자장비의 편차(variation)는 필요한 장비 또는 특정 운항에서의 안정성증대장치의 수준에 따라 달라질 수 있다.

h. 운항 동안 조종사는 안정성증대장치의 운항 mode, 제어 로직(control logic) 및 사용되는 mode에 대해 알고 있어야 한다. 예를 들어 특정한 3개-cue mode(횡적, 수직 및 collective cue)의 시스템을 사용하는 ILS 접근 동안, "crosspointer"의 수평 bar는 대기속도 편차에 반응하는 반면에 비행지시기의 collective cue는 glideslope 편차에 반응한다. 동일한 시스템에서 2개-cue mode로 ILS 접근 동안에는 수평 bar가 glideslope 편차에 반응한다. 이러한 것은 두 명의 조종사에 의한 운항일 경우에 특히 중요하다. 조종사는 각 비행단계에 대한 일련의 절차가 수립되어 있어야 하며, 비행지시기/자동조종장치 mode의 운항에 대한 책임을 져야 한다. 헬리콥터의 조종에서 더 높은 정확성을 위해서는 제공되는 시스템 모드를 완전히 이해해야 할 뿐만 아니라, 고장 시스템의 식별을 위해서도 승무원에게 시스템의 완전한 이해는 기본이다.

i. 부작동계기나 장비로의 이륙 금지에 대한 완화는 최소장비목록(Minimum Equipment List)에 의해 제공될 수 있다(14 CFR 91.213절 및 14 CFR 135.179절, 부작동계기 및 장비 참조). 많은 경우에 한 명의 조종사가 IFR 비행을 할 수 있도록 구성된 헬리콥터에 두 명의 승무원이 탑승하고 있다면 특정장비가 부작동하더라도 IFR 출발을 할 수 있다. 조종사는 14 CFR 61.58절, Pilot-in-Command Proficiency Check: Operation of Aircraft Requiring More Than One Pilot Flight Crewmember 및 14 CFR 61.55절, Second-in-Command Qualifications, 또는 14 CFR Part 135, Operating Requirements: Commuter and On-Demand Operations, Subpart E, Flight Crewmember Requirements 및 Subpart G, Crewmember Testing Requirements의 해당하는 기장 및 부기장 요건에 충족되는지 주의를 기울여 확인하여야 한다.

j. IFR 헬리콥터에 장착된 최신 AFCS/AP/FD 장비가 어떤 경우에는 매우 복잡하다는 것을 경험을 통해 알 수 있을 것이다. 이러한 복잡성은 조종사가 시스템 운용, 제한사항, 고장의 지시 그리고 복귀모드(reversionary mode) 등에 대한 높은 수준의 지식을 갖춘 것을 요구하고 있다. 어떤 경우에 이것은 정식훈련에 의해서만 확실하게 이루어질 수 있다.

10-1-2. 헬리콥터 계기접근(Helicopter Instrument Approaches)

a. 헬리콥터는 적절하게 장비를 장착한 경우, 다음의 제한사항과 조건 하에 발간된 14 CFR Part 97, 표준계기접근절차(SIAP)로 비행을 할 수 있다.

1. 기존(non-Copter) SIAP로 비행하는 헬리콥터는 절차에 "Visibility Reduction by Helicopters NA"라고 표기되어 있지 않는 한, 발간된 Category A 착륙시정최저치의 1/2 또는 1/4 statute mile 시정/1200 RVR 가운데 더 큰 수치까지 시정최저치를 감소시킬 수 있다. 이 주석은 최종접근 장애물식별표면(OIS)의 침범이 있다는 것과 14 CFR 97.3절 visibility reduction rule이 적용되지 않으며, 시계구간에서 장애물을 회피하기 위하여 경계를 하여야 한다는 것을 의미한다. MDA/DA에서 시정감소는 허용되지 않는다. 헬리콥터는 절차에서 허가된 가장 높은 접근 category 상한선(upper limit)까지의 속도로 최종접근구역에 접근할 수 있지만, 시정감소를 적용하기 위하여 실패접근지점(MAP)에서 90 KIAS 미만으로 속도를 줄여야 한다. 조종사는 이러한 감속접근이 접근로 상의 윈드시어의 조기식별을 어렵게 하거나 불가능하게 할 수도 있다는 점에 주의하여야 한다. 필요하면 14 CFR 97.3(d-1)절 규정을 적용하기 전에 Category A 최저치를 알고 싶으면 미국 터미널절차책자의 앞표지에 제공되는 부작동장비 및 시각보조시설목록(Inoperative Components and Visual Aids Table)을 사용한다.

2. Copter SIAP로 비행하는 헬리콥터는 시정감소가 허용되지 않는 발간된 최저치를 이용해야 할 수도 있다. 접근구간이든 실패접근구간이든 최대속도는 90 KIAS 이다.

3. GPS Copter SIAP로 비행하는 헬리콥터는 최종접근 및 실패접근구간에서 속도가 70 KIAS를 초과하지 않도록 제한해야 하는 경우를 제외하고, 절차상의 어떤 구간에서 비행할 때라도 90 KIAS 미만으로 속도를 제한하여야 한다. 군용 GPS Copter SIAP는 전체절차에서 90 KIAS 미만으로 제한된다. 표기되어 있다면 체공은 70 KIAS 미만으로 제한될 수도 있다. 발간된 최저치를 사용하여야 하며, 시정감소는 허용되지 않는다.

주(Note)

장애물회피표면(obstruction clearance surface)은 항공기속도를 기준으로 하여, 70 knot로 접근하는 것으로 설계되었다. 헬리콥터가 더 빠른 속도로 비행한다면 보호공역 외부로 비행할 수도 있다. 일부 헬리콥터는 70 knot 보다 높은 V_{MINI}를 가지며, 따라서 이러한 유형의 절차를 수행하기 위한 70 knot 제한사항을 충족할 수 없다. "복행"모드를 사용할 경우 일부 헬리콥터 자동조종장치는 70 knot보다 높은 V_{YI}로 프로그램 되어 있으며, 따라서 자동조종장치 "복행"모드를 사용할 때는 이러한 유형의 접근을 수행하기 위한 70 knot 제한사항을 충족할 수 없다. "복행"모드 이외의 실패접근에서 자동조종장치를 사용하여 이러한 유형의 접근을 수행하기 위한 70 knot 제한사항을 충족하는 것이 가능할 수 있다. V_{YI} 또는 V_Y 이외의 속도로 운항할 때, 상승률 요건의 부합여부를 예측하기 위하여 RFM의 성능자료를 이용하지 못할 수도 있다. 조종사는 성능의 적합성을 평가하기 위하여 유사한 중량/고도/기온/속도 조건에서 관측된 성능을 이용할 수 있다. 조종사는 절차요건을 준수할 수 있도록 상승성능 감시에 주의를 기울여야 한다.

4. 표 10-1-1은 이러한 요건을 요약한 것이다.

5. 보고된 기상상태가 착륙최저치 이상이라 하더라도 감소된 조종석시야제한각(cutoff angle), 최소한의 접근/활주로등화 그리고 저시정최저치와 결부된 높은 MDA/DH에서 조종사는 접근하는 동안 필요한 시각참조물을 식별할 수 없을 수도 있으며, 또는 조종사가 이용할 수 있는 시야의 매우 작은 일부분에서만 보일 수도 있다. 조종사가 식별한다 하더라도 이러한 시각참조물이 착륙시의 일반적인 기동과 정상강하율을 지원하지 못할 수도 있다. 이러한 조합의 효과는 windshield의 빗물 또는 windshield에 서린 김(fog)의 불완전한 제거와 같은 다른 상태에 의해 악화될 수도 있다.

6. 조종사는 기상상태가 착륙최저치 이상으로 보고되었다 하더라도 실패접근을 하기 위한 준비에 주의를 기울여야 한다.

표 10-1-1. 표준계기접근절차의 헬리콥터 이용(Helicopter Use of Standard Instrument Approach Procedures)

절차 (Procedure)	헬리콥터 시정최저치 (Visibility Minima)	헬리콥터 MDA/DA	최대속도 제한사항
기존 방식 (non-Copter)	Category A 시정최저치의 1/2, 1/4 statute mile 시정 또는 1200 RVR 가운데 더 큰 것	Category A의 경우 발간된 절차에 따라	헬리콥터는 절차에서 허가된 가장 높은 접근 Category 상한선(upper limit)까지의 속도로 최종접근구역에 접근할 수 있지만, 시정감소를 적용하기 위하여 MAP에서 90 KIAS 미만으로 속도를 줄여야 한다.
Copter 절차	발간된 절차에 따라	발간된 절차에 따라	발간된 비행로/항적에 있을 경우 90 KIAS
GPS Copter 절차	발간된 절차에 따라	발간된 절차에 따라	최종접근 또는 실패접근구간 그리고 표기되어 있다면 체공 시의 70 KIAS를 제외하고, 발간된 비행로 또는 항적에 있을 경우 90 KIAS. 군용 절차는 모든 구간에서 90 KIAS로 제한된다.

주(Note)

비행시정이 표 10-1-1에 의한 최저치라 하더라도 몇 가지 요소들이 14 CFR 91.175(c)절에 명시된 시각참조물을 포착하고 유지하기 위한 조종사의 능력에 영향을 미친다. 이러한 요소에는 다음과 같은 것이 포함되며, 이것으로만 국한하는 것은 아니다.

1. Cockpit cutoff angle (조종실 또는 그 밖의 기체구조로 인해 수평선 아래를 내려다 볼 수 있는 시정이 제한되는 각도)
2. 감소된 헬리콥터 시정최저치를 가진 기존 비정밀 접근과 같은 높은 MDA/DH과 저시정최저치의 조합 (14 CFR 97.3절에 의해)
3. 진입등 및 활주로등화시스템의 유형, 배열 및 강도
4. 차폐현상의 형태 및 windshield 오염의 유형

10-1-3. VFR 헬기장의 헬리콥터 접근절차

a. IFR 헬기장의 설계기준을 충족하지 못하는 헬기장에 대한 헬리콥터 접근을 개발할 수 있다. VFR 헬기장에 대한 IFR 접근의 대부분은 헬리콥터응급의료서비스(helicopter emergency medical services; HEMS) 운영자를 지원하기 위하여 개발되었다. 이러한 접근은 기존 NAVAID 또는 RNAV 시스템으로 개발할 수 있다 (GPS 포함). 이것은 특별접근(고유 특성으로 인하여 특별절차에 대한 조종사훈련 필요) 또는 일반접근(특별훈련 불필요)으로 개발된다. 이 계기절차는 특정 착륙장소까지 설정된 접근 또는 공간점(point-in-space)까지 설정된 접근으로 개발된다.

1. 특정 착륙장소 접근

접근은 최대 30°의 진로변경으로 착륙이 이루어질 수 있는 실패접근지점에 정렬된다. MAP에서부터 착륙장소까지의 시계구간은 장애물위험에 대한 평가가 이루어진다. 이러한 절차는 "Proceed visually from (명칭이 부여된 MAP) 또는 Conduct the specified missed approach"라고 표기된다.

(a) 이러한 용어는 조종사가 MAP 또는 MAP 이전에 착륙장소를 포착하여 시야에 두거나, 또는 실패접근을 할 것을 요구하는 것이다. 시정최저치는 그 밖의 요소 가운데 MAP에서 착륙장소까지의 거리를 기반으로 한다.

(b) 조종사는 시계구간 전체에서 공고된 최저시정을 유지할 필요가 있다.

(c) 활주로로의 접근과 유사하게 실패접근구간 장애물보호는 MAP와 착륙장소 간에는 제공되지 않으며, MAP에서부터 착륙장소까지의 장애물 또는 지형회피는 조종사의 책임이다.

(d) 접근절차에 명시된 MAP에 도달하자마자 또는 MAP에 도달한 후 가능한 한 빨리, 조종사는 육안으로 비행하면서 IFR을 취소할 것인지 또는 실패접근지시에 따를 것인지의 여부를 ATC에 통보하여야 한다. 5-1-15항, IFR 비행계획의 취소를 참조한다.

(e) 조종사는 육안으로 비행하기 전에, 다음 중 최소한 하나 이상의 시각참조물을 보거나 식별할 수

있어야 한다.

(1) FATO 또는 FATO 등화

(2) TLOF 또는 TLOF 등화

(3) 헬기장 계기등시스템(HILS)

(4) 헬기장 진입등시스템(HALS) 또는 유도등

(5) 시각활공각지시등(VGSI)

(6) 풍향지시기(windsock) 또는 풍향등. 아래의 주(Note)를 참조한다.

(7) 헬기장등대(heliport beacon). 아래의 주(Note)를 참조한다.

(8) 비행기술 및 절차부서(AFS-400)의 승인을 받은 그 밖의 시설 또는 시스템

주(Note)

풍향등(windsock light) 및 헬기장등대(heliport beacon)는 TLOF의 500 ft 이내에 위치하여야 한다.

2. 공간점(Point-in-Space; PinS) 접근

MAP가 착륙장소로부터 2 SM을 초과하는 곳에 MAP가 위치한 지역, 또는 MAP에서 착륙장소까지의 경로에 회피조치나 30°를 초과하는 선회가 필요한 장애물이 있는 지역에 PinS 절차를 개발할 수 있다. 이러한 접근은 "Proceed VFR from (명칭이 부여된 MAP) 또는 Conduct the Specified missed approach"라고 표기된다.

(a) 이 절차에서는 MAP나 MAP 이전에 조종사가 운항규칙이나 운영기준에 규정되어 있는 공고된 최저시정이나 기상최저치(어느 것이나 더 큰 것)를 IFR에서 VFR 비행으로의 안전한 전환을 위해 이용할 수 있는지의 여부를 확인할 것을 요구하고 있다. 이용할 수 없다면 조종사는 실패접근을 하여야 한다. 조종사는 Part 135 운항의 경우, 최근 기상보고의 기상상태가 인가된 IFR 최저치 또는 VFR 기상최저치(공역등급, 운항규칙 또는 운영기준에 따라) 중 더 높은 최저치 이상이라고 하지 않는 한 계기접근을 할 수 없다.

(b) 착륙장소를 시야에 둘 필요는 없지만, 조종사는 시계구간 전체에서 해당 VFR 기상최저치를 유지하여야 한다. 시정은 IFR이 취소될 때 까지 절차에 공고된 것 보다 더 낮지 않도록 제한되어 있다.

(c) IFR 장애물회피구역은 MAP와 착륙장소 간의 VFR 구간에는 적용되지 않는다. MAP에서부터 착륙장소까지의 장애물 또는 지형회피는 조종사의 책임이다.

(d) 접근절차에 명시된 MAP에 도달하자마자 또는 MAP에 도달한 후 가능한 한 빨리, 조종사는 육안으로 비행하면서 IFR을 취소할 것인지 또는 실패접근지시에 따를 것인지의 여부를 ATC에 통보하여야 한다. 5-1-14항, Canceling IFR Flight Plan을 참조한다.

(e) 시계구간(visual segment)이 B, C 또는 D등급 공역을 통과하고 있다면, 조종사는 필요에 따라 특별 VFR 허가를 받을 책임이 있다.

10-1-4. 멕시코만 Grid System(The Gulf of Mexico Grid System)

a. 1998년 10월 8일 FAA의 남서지역사무소는 헬리콥터안전자문위원회(HSAC)의 도움을 받아 멕시코만에 세계 최초로 계기비행방식(IFR) Grid System을 시행하였다. 이러한 항로구조는 지상기반 항행안전시설(NAVAID)과는 전혀 관계가 없으며, 해양 목적지까지 헬리콥터의 IFR 운항을 용이하게 하기 위한 것이다. Grid System은 20분 간격으로 위치한 300개 이상의 해양 waypoint에 의하여 지정된다 (위도 및 경도). 비행계획서 상의 비행로는 통상적으로 출발지점(위도/경도), 최초 항공로 grid waypoint, 접근절차 이전의 최종 항공로 grid waypoint, 그리고 도착지점(위도/경도) 등 단지 4개의 구간에 의해 지정된다. 4,000개 이상의 가능한 해양 착륙장소가 있다. 목적지 이전의 waypoint에 도달하면 조종사는 해양표준접근절차(OSAP), 헬리콥터 항로상 강하지역(HEDA) 접근 또는 항공기탑재 레이더접근(ARA)을 할 수 있다. 이러한 헬리콥터 계기절차에 대한 추가정보는 FAA 웹사이트 http://www.faa.gov 권고회보의 FAA AC 90-80B, Approval of Offshore Standard Approach Procedures, Airborne Radar Approaches, and Helicopter En Route Descent Areas를 참조한다. 복귀 비행계획은 비고란에 포함되어 있는 단일

GPS 접근 요청과 정반대이다.

1. Grid system의 수많은 waypoint(300개 이상)는 발음이 가능하도록 조종사와 관제사에게 의미가 있는 waypoint 명칭을 부여하는 것을 어렵게 한다. 조종사와 관제사가 명칭으로 fix를 추론할 수 있도록 특별한 명칭부여 시스템이 채택되었다. 5자리 문자의 명칭이 다음과 같이 부여된다.

(a) Waypoint는 각각 3개의 행(column)을 가진 set로 구분되어 있다. 지리적 영역 또는 NAVAID 북쪽에 식별되는 3자리의 문자식별자(letter identifier)는 각 set를 나타낸다.

(b) Set의 각 행(column)에는 좌측(Left; L), 중앙(center; C) 및 우측(right; R)과 같이 위치 다음에 명칭이 부여된다.

(c) Grid의 열(row)은 가장 북쪽 열을 A로 하여 알파벳 순으로 북쪽에서 남쪽으로 명칭이 부여된다.

예시(Example)

LCHRC는 "Lake Charles Romeo Charlie"로 발음한다. 이 waypoint는 Lake Charles VOR set의 오른쪽 행, C열에 있다 (가장 북쪽 열로부터 남쪽으로 세 번째 열).

2. 2009년 12월에 ADS-B를 이용한 ATC 분리업무의 도입과 더불어 멕시코만의 grid system에 대한 중요한 개선이 이루어졌다. HSAC 및 국제헬리콥터협회(HAI), FAA는 석유 및 가스업계와 협력하여 멕시코만의 광범위한 지역 전체에 ADS-B 지상기지국, 기상관측소(AWOS) 및 VHF 원격통신송출국의 기반시설을 설치하였다. 이 기반시설은 FAA의 휴스턴 ARTCC가 수백 mile 해양 해안선으로부터 12 NM 이상의 해양지역에 있는 ADS-B를 갖춘 항공기에게 국내와 동일한 항공교통관제업무를 제공할 수 있도록 한다. 이제 적절한 장비를 갖춘 항공기는 훨씬 직선인 비행로, 국내항공로 분리최저치 및 실시간 비행추적을 받을 권한이 있다. ADS-B를 이용한 ATC 분리업무를 받는 것을 허가받지 못한 운영자는 계속하여 저고도 grid system를 사용하고, 휴스턴 ARTCC로부터 절차상의 분리를 받는다. 또한 ADS-B를 갖추지 않은 항공기는 VHF 통신의 향상, 그리고 기상정보 포착범위의 확장 등의 도움을 받을 수 있다.

3. Grid를 활용한 IFR 비행계획서를 제출하기 위해서는 다음과 같은 3가지 요건이 운용자에 의해 충족되어야 한다.

(a) 헬리콥터는 IFR 운항을 위한 장비를 갖추고, IFR 인가 GPS 항법장치를 장착하여야 한다.

(b) 운영자는 허가서 또는 운영기준에 의해 해당 비행표준사무국으로부터 사전에 서면으로 승인을 받아야 한다.

(c) 운영자는 휴스턴 ARTCC 합의서에 서명하여야 한다.

4. ADS-B 기반의 ATC 분리업무를 받고자 하는 운영자는 다음의 부가적인 요건을 충족하여야 한다.

(a) 설치된 운영자의 ADS-B Out 장비는 TSO-C154c, Universal Access Transceiver(UAT) Automatic Dependent Surveillance- Broadcast (ADS-B) Equipment 또는 TSO-C166b, Extended Squitter Automatic Dependent Surveillance -Broadcast(ADS-B) and Traffic Information 중 하나의 FAA 기술표준지시(TSO) 또는 최신 개정된 기술표준지시의 성능요건에 충족하여야 한다.

(b) 운항승무원은 2009년 12월 17일자 또는 그 이후에 휴스턴 ARTCC 합의서에 기술된 절차를 준수하여야 한다.

주(Note)

멕시코만의 특별한 ADS-B 구조는 14 CFR 91.227에 기술된 그 밖의 메시지 요소(message element)에 더하여 항공기의 Mode C 수신여부에 좌우된다. Mode C가 상실되었다는 것은 ATC가 항공기의 ADS-B 신호도 수신하지 못한다는 의미라는 것을 운항승무원은 알고 있어야 한다.

5. FAA/AIS는 IFR 멕시코만 Vertical Flight 참조 차트의 grid system waypoint를 발간한다. 동등 상용품을 이용할 수도 있다. 차트는 1년에 한 번 갱신되며, FAA 승인 인쇄업체나 FAA 웹사이트 주소: http://www.faa.gov/air_traffic/flight_info/aeronav에서 직접 이용할 수 있다.

제2절. 특별 운항(Special Operation)

10-2-1. 헬리콥터 해양 운항(Offshore Helicopter Operation)

a. 서론(Introduction)

해양환경은 헬리콥터조종사에게 독특한 적용과 특별한 도전을 제공한다. 임무 요구사항, 천연가스와 석유탐사 및 생산시설, 그리고 비행환경(기상, 지형, 장애물, 교통량)으로 인하여 다른 운항에서는 찾아 볼 수 없는 특별한 지침, 기술 및 절차가 요구된다. 헬리콥터안전자문위원회(HSAC) (http://www.hsac.org) 및 국제헬리콥터협회의 해양위원회(HAI)(http://www.rotor.com)를 포함한 몇몇 산업단체는 해양운항의 위험을 감소시키기 위한 노력에 착수하였다. 해양 헬리콥터 운항에 대한 다음의 권고사항들은 멕시코만에서 사용하기 위해 HSAC에 의해 개발된 지침을 기반으로 하며, HSAC의 허락을 받아 이곳에 수록하였다. 규제력을 가지고 있지는 않지만, 이러한 권고사항들은 항공업계 및 석유와 가스업계의 운영자에게 해양 헬리콥터 운항의 위험을 회피하기 위한 절차 개발에 유용한 정보를 제공한다.

주(Note)

모든 항공지침과 마찬가지로 이러한 권고사항은 지속적으로 검토되고 있다. AIM에 대한 의견 제시, 변경 또는 수정 제안의 정해진 절차(머리말에 포함되어 있음) 이외에, 이러한 권고절차와 관련된 질문과 피드백은 HSAC 웹사이트(http://www.hsac.org)의 피드백 기능을 통해 HSAC에 바로 보낼 수 있다.

b. 헬기장시설 및 주변의 승객 관리(Passenger Management on and about Heliport Facilities)

1. 배경. 해양 헬리콥터 승객과 관련된 몇몇 사고는 헬기장지역 및 주변에 사고 및 준사고의 가능성이 있다는 것을 확실하게 보여주고 있다. 다음 권고사항은 헬리콥터 운항에 관련된 승객 및 다른 사람들에게 미칠 수 있는 위험을 최소화할 것이다.

2. 권고사항

(a) 헬기장시설에는 헬기장에서 떨어져 있는 지정되고 고시된 승객 대기지역, 헬기장 접근장소, 그리고 계단을 갖추어야 한다.

(b) 출발승객의 탑승과 화물적재 이전에 도착승객과 화물을 내리고 헬기장 및 진입로로부터 벗어나야 한다.

(c) 운항승무원이 한 명을 초과하는 조종사로 이루어진 경우, 한 명의 승무원은 항공기 외부로의 하역/적재과정을 감독하여야 한다.

(d) 가능한 경우, 지정시설의 종사자는 적재/하역 등을 도와주어야 한다.

c. 크레인-헬리콥터 운항절차(Crane-Helicopter Operational Procedure)

1. 배경. 역사적인 경험을 통해 크레인/헬리콥터 운항에 대한 산업안전 권고사항을 준수하지 않았을 때 비극적인 결과를 가져왔다는 것을 알 수 있다. 다음의 권고사항은 크레인 헬리콥터를 운항하는 동안 위험을 최소화하기 위한 것이다.

2. 권고사항

(a) 근무자의 의식

(1) 크레인기사와 조종사는 다른 사람의 운용 제한사항을 이해하고 상호 안전의식을 가져야 한다.

(2) 조종사는 크레인에 wire line 윤활장치가 부착되어 있거나, 잠수기구를 지지하고 있을 때와 같이 때로 크레인 boom을 받침대에 받쳐 두기 위하여 크레인기사가 적재물을 내려놓을 수 없다는 것을 인식할 필요가 있다.

(3) 크레인기사는 헬리콥터가 이륙하기 전에 난기운전(warm up) 및 엔진작동을 멈추기 전에 2분간의 냉기운전(cool down)을 하여야 하며, 연료소모로 인하여 장시간 선회할 수 없다는 것을 인식할 필요가 있다.

(b) 헬리콥터가 접근, 기동, 이륙 중이거나 헬기장에서 운행 중일 경우에는, 크레인의 작동을 멈추고 기사는 운전석에서 나와 있을 것을 권고한다. 사용하지 않는 크레인은 가능하면 boom을 받침대에 받쳐 두어야 한다. 사용 중이라면 크레인의 boom은 헬기장으로부터 멀리 향하도록 하고, 헬리콥터 운항

의 경우에는 크레인의 작동을 멈춘다.

(c) 조종사는 위의 지침에 따르지 않는 구조물의 헬기장에 접근, 착륙, 이륙하거나 또는 로터 blade를 회전시켜서는 안된다.

(d) 헬리콥터 운항(접근/출발경로 포함)에 방해가 될 수 있는 해양구조물(platform) 상의 크레인, 밧줄이나 쇠사슬, 선박 또는 다른 시설들은 다음과 같이 조치할 것을 권고한다.

(1) 크레인에 전원이 공급되고 있다는 것을 나타내기 위하여, 크레인에 전원을 공급하는 시스템에 연결되는 적색 rotating beacon이나 적색 고광도 strobe light를 갖춘다.

(2) 크레인기사가 해상구조물헬기장(helideck) 지역을 최대한 바라볼 수 있도록 설계하고, 사각지대(blind spot)를 없애기 위하여 광각(wide-angle) 거울을 갖추어야 한다.

(3) Boom 끝부분(tip), headache ball 및 hook을 눈에 잘 띄는 밝은 주황색 페인트로 칠한다.

d. 헬리콥터/Tanker 운항(Helicopter/Tanker Operations)

1. 배경. 적절한 절차가 모든 관계자 간에 서로 협조되지 않으면 갑판의 헬리콥터 운항동안 헬리콥터와 tanker의 상호작용은 복잡하고 위험할 수 있다. 다음의 권고사항은 헬리콥터/tanker 운항 동안 위험을 최소화하기 위한 것이다.

2. 권고사항

(a) 관리자, 운항담당자 그리고 조종사는 "Guide to Helicopter/Ship Operations", International Chamber of Shipping, 제3판, 5-89 (수정판)에 설명된 운항안전기준을 숙지하고 적용하여야 하며, 여기에는 헬리콥터/tanker 운항의 보호에 필요한 운항지침/표준 및 안전 권고사항 등이 수립되어 있다.

(b) Tanker 승무원이 헬리콥터를 안전하게 유도하여 처리하기 위하여 승무원을 배치하고 안전에 필요한 사항을 준비할 수 있는 충분한 시간을 주기 위하여 선박에 도착하기 전에 적절한 계획, 승인, 그리고 교신이 이루어져야 한다.

(c) 헬리콥터/tanker 운항동안 계속 tanker의 선교(bridge)와 직접교신을 유지하고, 적절한 승인을 받아야 한다,

(d) 헬리콥터 기장은 tanker의 선교로부터 허가를 받고 이에 응답을 할 때까지는, 착륙과 출발을 포함하여 헬리콥터/tanker를 운항해서는 안된다.

(e) 생산품/화물을 이동시키는 동안에는 헬리콥터/tanker를 운항해서는 안된다.

(f) 계류 작업 중이거나, 다른 tanker와 나란히 운행하는 동안에는 일반적으로 tanker로의 착륙이 허가되지 않는다.

e. 해상구조물헬기장/헬기장 운항 위험 경고절차(Helideck/Heliport Operational Hazard Warning Procedures)

1. 배경

(a) 해양 해상구조물헬기장이나 육상헬기장 또는 근처에서 다수의 운항상 위험이 발생할 수 있으며, 이러한 위험은 조종사에게 적절한 통보 또는 시각적인 경고절차를 통해 최소화 할 수 있다. 위험의 예로는 다음과 같은 사항을 포함할 수 있으며, 이것으로만 국한하는 것은 아니다.

(1) 천공작업(perforating operations): f항

(2) H_2S gas 존재: g항

(3) Gas 분출: h항

(4) 폐쇄된 해상구조물헬기장 또는 헬기장: i항 (불특정 사유)

(b) 이러한 운항상 위험과 그 밖의 운항상 위험은 헬리콥터 회사와 운영자들이 조종사에게 서면의 항공고시보(NOTAM)를 적시에 전파함으로써 최근에는 최소화되었다. NOTAM은 서면으로 기술된 위험, 시간 그리고 발생기간 및 다른 적절한 정보를 제공한다. 잠재적인 위험은 가능한 한 빨리 NOTAM으로 발행되도록 헬리콥터 운영자나 회사의 항공부서에 통보하여야 한다.

(c) 현재의 NOTAM 절차를 보충하고, 나아가 이러한 위험의 감소를 돕기 위해 수상구조물 헬기장/헬기장의 표준시각신호는 접근하는 헬리콥터에게 착륙구역 상태의 명확한 지시를 제공한다. 권고사항은 NOTAM 절차를 보강하고 시각신호를 표준화하기 위하여 개발되었다.

f. 시추선 시추작업: 해상구조물헬기장/헬기장 운항

위험 경고절차(Drilling Rig Perforating Operations: Helideck/Heliport Operational Hazard Warning/Procedure)

1. 배경.

유정개발과정에서 가장 위험한 단계는 구멍을 뚫는 과정이며, 여기에는 오일 또는 가스 매장지까지의 pipe에 구멍을 뚫기 위하여 굴착파이프에 장약(explosive charge)을 사용하는 것이 포함된다. 근해에서 유정의 구멍을 뚫는 과정에서 사용되는 장약은 헬리콥터의 무선송신을 포함하여 그 밖의 무선송신에 의해 조기에 폭발할 수 있다. 권고사항은 다음과 같다.

2. 권고사항

(a) 시추작업을 수행하는 기술자. 시추작업이 예정되어 있을 때, 그리고 운영자가 주변의 헬리콥터로부터의 무선송신이 작업에 위험을 줄 수 있을 것 같아 우려되는 경우 시추작업을 수행하는 작업 기술자들은 예방책을 강구하여야 한다.

(1) 시추작업 및 일시적인 해상구조물헬기장 폐쇄에 대한 사실을 회사의 항공부서, 헬리콥터 운영자 또는 기지(base), 그리고 시추작업을 하려고 하는 근처의 유인 해양구조물(paltform)에 통보하여 항공고시보(NOTAM)가 발행될 수 있도록 한다.

(2) 갑판을 폐쇄하고, 대각선 부분에 적색으로 단어 "NO RADIO"가 인쇄된 임시표지(10-2-1i1(b)항에 기술)를 설치하여 통과하는 조종사가 무선경고를 분명하게 볼 수 있도록 한다. 글자의 높이는 24 in, 그리고 폭은 12 in 이어야 한다. (그림 10-2-1 참조)

그림 10-2-1. 폐쇄된 해상구조물헬기장 표지 - No Radio

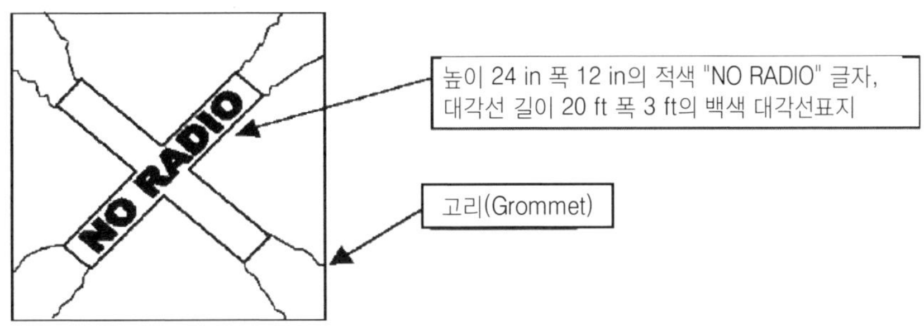

(3) 장약이 무선송신의 영향을 받을 수 있는 동안에는 표지(marker)를 설치하여야 한다.

(b) 조종사

(1) 알려진 시추작업의 1,000 ft 이내에서 운항중이거나 시추작업이 진행중이라는 것을 나타내는 적색 "NO RADIO"가 있는 백색 X를 관측한 조종사는 해상구조물헬기장이나 근처(1,000 ft 이내)에서 무선송신을 피하고, X가 표시되어 있다면 갑판에 착륙하지 않아야 한다. 무선송신 외에 항공기 레이더, 트랜스폰더, 레이더 고도계 그리고 DME 장비 및 ELT에 의해서도 무선발신이 이루어질 수 있다.

(2) 접근 시 가능하면 언제든지 접근하고 있는 해상구조물이나 비행추적통신센터의 최소한 1 mile 이전에 무선호출을 하여야 한다. 모든 교신은 1,000 ft 위험거리 외부에서 완료하여야 한다. 더불어 응답을 받지 못했거나 해상구조물에 무선설비가 갖추어지지 않았다면, 운항이 개방되어 있다는 것을 나타내는 갑판의 지시(백색 "X" 표시 없음)를 육안으로 확인하기 전까지는 무선송신을 하지 말아야 한다.

g. 황화수소가스 해상구조물헬기장/헬기장 운항 위험 경고절차(Hydrogen Sulfide Gas Helideck/Heliport Operational Hazard Warning(s)/Procedures)

1. 배경. 황화수소(H_2S) 가스: 해양 해상구조물헬기장이나 또는 근처에서 고농도의 황화수소가스(300~500 ppm)는 수 초 이내에 조종사의 의식상

실을 일으키는 위험을 불러올 수 있다. 고농도의 황화수소가스가 있는 것으로 확인된 해양지역에서 운항할 때에는, 다음 지침을 권고한다.

2. 권고사항

(a) 조종사

(1) 긴급한 경우, 헬리콥터 승무원은 인가된 보호용 공기공급장치(air pack)를 이용할 수 있어야 한다.

(2) 해상구조물헬기장에 착륙한 후 엔진을 정지시켰다면, 브리핑을 제공할 책임이 있는 관리자에게 보호장비의 위치 및 안전절차에 대한 브리핑을 요청하여야 한다.

(3) 해상구조물헬기장 근처에서 비행을 하는 동안 육안으로 적색 beacon 경보를 관측하였거나 또는 평소와는 다른 "썩은 달걀"과 같은 강한 냄새를 맡았다면, 즉시 보호용 공기공급장치를 착용하고 풍상지역으로 나가서 의심이 드는 위험의 근원지를 통보한다.

(b) 유전 감독관

(1) 황화수소의 존재가 탐지되었다면, 위험을 시각적으로 경고하기 위하여 해상구조물헬기장의 주요 계단 또는 구조물 상단의 풍향지시기에 인접한 적색 rotating beacon이나 적색 고광도 strobe light를 작동시켜야 한다. 계단 근처에 beacon이 설치되어 있는 해상구조물헬기장의 적절한 허가에 대해서는 루이지애나주의 "Offshore Heliport Design Guide" 및 FAA 권고회보 AC 150/5390-2A, "Heliport Design Guide"를 참조한다.

(2) 인근 헬리콥터 운영자 및 기지(base)에 위험을 통보하고, 위험이 제거되면 알려준다.

(3) 도착하는 모든 직원에게 보호장비의 위치를 포함한 안전브리핑을 실시한다.

(4) Wind sock 또는 풍향지시기가 제공하는 풍상지시(upwind indication)를 조종사가 명확하게 볼 수 있어야 한다.

h. 가스 분출 해상구조물헬기장/헬기장 운항 위험 경고/절차 – 가스배출구 근처에서의 운항(Gas Venting Helideck/Heliport Operational Hazard Warning(s)/Procedures – Operations Near Gas Vent Booms)

1. 배경. 급격하게 연소되고 있는 화염부에서는 다량의 천연가스가 방출되고, 조종사가 대처할 시간이 거의 없을 만큼 뜨거운 불꽃과 강한 열이 발생될 수 있다. 또한 연소되지 않은 가스배출구에서는 특정상황에서 상당히 많은 양의 메탄가스가 방출될 수 있다. 따라서 연소되지 않은 가스배출구 바로 근처에서 수행되는 운항에서는 헬리콥터 엔진에 의하여 인화성가스가 예기치 않게 점화되는 것을 방지하기 위하여 주의할 필요가 있다. 권고사항은 다음과 같다.

2. 조종사

(a) 가스는 배출구의 위아래로 움직인다. 배출구의 화염으로부터 가능한 한 먼 곳에 머무르면서 배출구의 풍하지역(downwind area)을 관찰하고 피할 수 있도록 접근과 이륙계획을 수립한다.

(b) 적절히 훈련된 인원이 안전한 상황이라고 확인하지 않는 한, 갑판이 가스배출구의 풍하위치일 때에는 해양 해상구조물헬기장에서 출발하거나 착륙하려고 해서는 안된다.

3. 유전 감독관

(a) 연소되지 않은 다량의 처리가스(raw gas)가 배출되는 동안, 위험을 시각적으로 경고하기 위하여 해상구조물헬기장의 주요 계단 또는 구조물 상단의 풍향지시기에 인접한 적색 rotating beacon이나 적색 고광도 strobe light를 작동시켜야 한다. 계단 근처에 beacon이 설치되어 있는 해상구조물헬기장의 적절한 허가에 대해서는 루이지애나주의 "Offshore Heliport Design Guide" 및 FAA 권고회보 AC 150/5390-2A, "Heliport Design Guide"를 참조한다.

(b) 인근 헬리콥터 운영자 및 기지(base)에 계획한 운항에 대한 위험을 통보한다.

(4) Wind sock 또는 풍향지시기가 제공하는 풍상지시(upwind indication)를 조종사가 명확하게 볼 수 있어야 한다.

i. 해상구조물헬기장/헬기장 운항 경고/절차 – 폐쇄된 해상구조물헬기장 또는 헬기장

1. 배경. 해상구조물헬기장(helideck)이나 헬기장 접지구역을 가로질러 모서리에서 모서리까지

의 대각선 백색 "X" 표지는 착륙구역이 다른 안전상의 이유로 폐쇄되었다는 것을 나타내는 국제적으로 인정되는 시각적인 표지이며, 헬리콥터의 운항은 허용되지 않는다. 다음 지침을 권고한다.

(a) 영구폐쇄(Permanent Closing). 해상구조물헬기장이나 헬기장이 영구적으로 폐쇄되면 위에서 나타낸 것과 동일한 위치에 동일한 크기의 대각선 X 표지를 사용할 수 있지만, 표지는 착륙구역에 페인트로 칠해야 한다.

주(Note)

백색 갑판: 해상구조물헬기장이 백색으로 채색되어 있다면, 밝은 주황색 또는 황색표지를 임시폐쇄나 영구폐쇄의 대각선표지로 사용할 수 있다.

(b) 임시폐쇄(Temporary Closing). 임시표지는 일시적인 성격을 가진 위험에 사용할 수 있다. 이 표지는 대각선 "X"의 형상으로 비닐이나 그밖에 내구성이 있는 재질로 만들 수 있다. 표지는 최소한 길이 20 ft, 폭 3 ft의 백색이어야 한다. 이러한 표지는 rope 고리와 rope tie를 사용하여 신속하게 갑판에 설치하고 제거할 수 있어야 한다. 임시폐쇄의 기간, 시간, 위치 및 내용은 회사의 항공부서, 인근의 헬리콥터 기지(base), 그리고 그 지역을 담당하는 헬리콥터 운영자에게 통보하고, 상호 조정하여야 한다. 더 이상 위험하지 않을 때에는 이러한 표지를 제거하여야 한다. (그림 10-2-2 참조)

그림 10-2-2. 해상구조물헬기장 폐쇄 표지(Closed Helideck Marking)

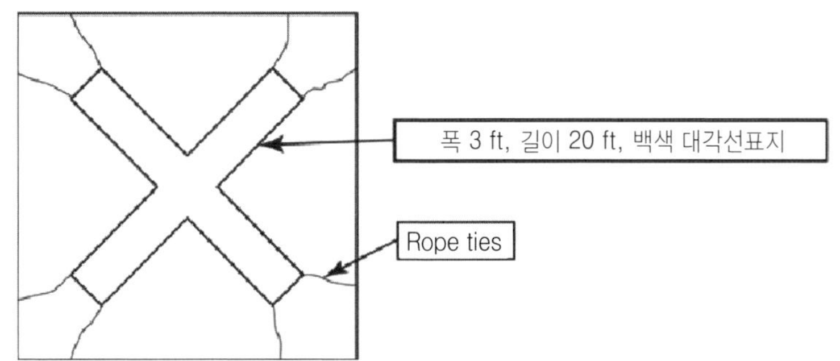

j. 헬리콥터의 해양 (VFR) 운항고도(Offshore (VFR) Operating Altitudes for Helicopters)

1. 배경. 공중충돌은 전체의 치명적인 해양 헬리콥터 사고 중에서 상당한 비율을 차지하고 있다. 이러한 위험을 줄이는 방법은 표준 VFR 순항고도를 이용하는 것이다. 해양환경에서 비행할 때 특정한 지역에서 비행하는 헬리콥터 운영자는 헬리콥터의 표준화된 수직분리를 통해 안전을 증진시키기 위해 VFR 운항고도에 대하여 상호협력하여 개발된 표준운항절차(SOP)를 수립할 것을 권고한다. 이러한 SOP의 예는 다음의 예시에 포함되어 있다.

2. 권고사항 예시(Example)

(a) 작업현장운항(Field Operation). 최저안전운항고도를 설정하지 않고 무리를 이루어 근해 작업현장 내에서 작업중인 헬리콥터는 500 ft를 초과하지 않는 고도를 이용하여야 한다.

(b) 항공로 운항(En Route Operation)

(1) 750 ft AGL 미만으로 운항하는 헬리콥터는 근해 작업현장을 거쳐서 비행로로 전환하는 것을 피해야 한다.

(2) 3,000 ft 미만의 근해 작업현장으로 입출항하는 헬리콥터 항공로는 기상이 허용되면 표 10-2-1에 서술된 항공로고도를 이용하여야 한다.

표 10-2-1

자침로(Magnetic Heading)	고도(Altitude)
0°~179°	750 ft
	1,750 ft
	2,750 ft
180°~359°	1,250 ft
	2,250 ft

(c) 지역협정(Area Agreements). 근해 고밀도교통지역의 운항절차에 대해서는 HSAC 지역협정 지도(Area Agreement Maps)를 참조한다.

주(Note)
지표면 상공 3,000 ft를 초과하는 고도에서 운항하는 헬리곱터의 조종사는 최신 연방항공규칙(14 CFR Part 91) 및 AIM의 3-1-4항, 기본 VFR 기상최저치를 참조하여야 한다.

(d) 착륙등(Landing Lights). 항공기식별을 증진시키기 위하여 다음과 같은 경우 항공기착륙등을 켜야 한다.

(1) 이륙 및 착륙하는 동안

(2) 헬리콥터 또는 고정익의 혼잡한 교통구역(traffic area)에서

(3) 시정이 감소된 동안

(4) 안전을 증진할 수 있다면 언제든지

k. 해양 해상구조물헬기장/착륙 교신(Offshore Helidecks/Landing Communications)

1. 배경. 안전 증진 및 헬리콥터 운항을 준비할 적절한 시간을 마련하기 위하여 해양 해상구조물헬기장에 착륙이 예상될 때는 다음을 권고한다.

2. 권고사항

(a) 해상구조물헬기장 소유회사나 운영회사와 교신을 위한 목적의 주파수가 배정되어 있다면, 해양 해상구조물헬기장에 착륙하기 전에 회사와 교신할 것을 조종사에게 권장한다.

(b) 교신하는 것이 불가능하거나 주파수가 배정되어 있지 않다면, 조종사나 운항담당자는 전화로 해상구조물헬기장 소유회사나 운영회사와 연락을 시도하여야 한다. 의도를 통보하고 필요하다면 착륙허가를 받기 위하여, 조종사는 모기지(home base)/출발지점을 출발하기 전에 통화를 하여야 한다.

주(Note)
계획한 도착시간의 최소 10분 전에는 교신할 것을 권고한다. 이러한 지침은 일부 해양 해상구조물헬기장 소유자/운용자의 요구사항 일수도 있다.

주(Note)
1. Tanker 운항에 대해서는 10-2-1d 항을 참조한다.

2. 사유헬기장(private use heliport). 해양 헬기장은 개인 소유/운영시설이며 이의 사용은 사전에 시설활용에 대한 허가를 받은 사람으로 제한된다.

l. 해양 해상구조물헬기장에 2대의 헬리콥터 운항(Two Helicopter Operations on Offshore Helideck)

1. 배경. 표준화된 절차는 조종사가 최소한의 운항변수를 결정/유지할 수 있도록 함으로써, 해양 해상구조물헬기장에서 두 대의 헬리콥터의 운항안전을 증진시킨다. 해상구조물헬기장에 주기된 헬리콥터의 방향, 바람 및 그 밖의 요소들에 의해 여러 대의 헬리콥터 운항이 금지될 수도 있다. 기온, 젖은 갑판, 바람(속도/방향/돌풍), 장애물, 접근각/출발각 등이 서로 상이한 상황에서는 더욱 신중한 로터 직경 간격(Rotor Diameter〔RD〕 clearance)이 요구될 수 있다. 운항여부는 조종사의 판단에 달려있다.

2. 권고사항. 해상구조물헬기장의 크기, 구조적인 중량 특성 그리고 주기 및 운항중인 헬리콥터 main 로터의 형태는 또 다른 헬리콥터가 접근성을 판단하는 데에 도움을 줄 것이다. 조종사는 여러 대의 헬리콥터 운항은 해상구조물헬기장 소유자/운영자의 허가를 받아야 한다는 것을 알아야 한다.

3. 권고기준(Recommended Criteria)

(a) 최소 로터직경 1/3의 간격(1/3 RD). 착륙하는 헬리콥터는 회전하는 로터의 끝단(tip)과 주기되거나 계류된 헬리콥터(로터 정지 및 고정)의 가장 근접한 part 간에는 최소한 1/3 RD 간격을 유지하여야 한다.

(b) 갑판 가장자리(deck edge)로부터 3 ft의 주기거리(parking distance). 해양 해상구조물헬기장에서 운항하는 skid/wheel assembly를 가진 헬리콥터는 해상구조물헬기장 가장자리로부터 최소한 3 ft 이상 떨어져서 착륙하거나 주기시킨다.

(c) 묶어 놓음(Tie down). 엔진이 정지된 모든 헬리콥터의 main 로터는 로터 blade의 회전을 방지하기 위하여 적절하게 고정(묶어 놓음)시켜야 한다.

(d) 중형(수송류) 및 대형헬리콥터는 소형헬리

콥터가 해상구조물헬기장에 적절하게 계류되어 있고 main 로터가 고정되어 있지 않는 한 소형헬리콥터가 주기되어 있는 해양 해상구조물헬기장에 착륙해서는 안된다.

(e) 해상구조물헬기장 소유자/운용자는 표면에 유용한 미끄럼 방지처리가 되어 있는지를 확인하여야 한다.

4. 해상구조물헬기장의 중량제한표지(Weight and limitations markings on helideck). 해상구조물헬기장의 중량제한은 조종사가 볼 수 있는 표지로 게시하여야 한다. (루이지애나주 "Offshore Heliport Design Guide" 및 FAA 권고회보 AC 150/5390-2A, Heliport Design Guide 참조)

주(Note)

일부 해양 해상구조물헬기장 소유자/운영자는 해상구조물헬기장에 허용되는 헬리콥터의 수에 제한을 두고 있다. 해상구조물헬기장의 크기가 가능하면, 일부 운영자는 다수(두 대를 초과하는)의 헬리콥터 운항을 허용한다.

m. 헬리콥터신속급유 절차(Helicopter Rapid Refueling Procedures; HRR)

1. 배경. 엔진/로터가 가동되는 동안 헬리콥터신속급유(HRR)는 훈련된 인원을 이용하여 안전지침을 준수할 때 안전하게 수행할 수 있다. 이러한 권고사항은 미국화재예방협회(NFPA) 및 산업계지침에 서술된 것처럼 HRR에 대한 최소한의 지침을 제공한다. 상세한 지침은 1993 HRR 수정판을 포함하여 미국화재예방협회(NFPA) 문서 407, "Standard for Aircraft Fuel Servicing", 1990년 판을 참조한다.

주(Note)

어떤 운영자는 HRR이나 "엔진 가동중 재급유(hot refueling)"를 금지하거나, 또는 특정 항공기에 대하여 지정된 절차나 급유장소를 갖추고 있을 수 있다. 해당 절차 및 제한사항의 확인은 일반운영 manual 또는 운영기준을 참조한다.

2. 권고사항

(a) 연료 급유구가 엔진 배기구 하부에 위치해 있고 JET A 또는 JET A-1 연료를 급유하는 터빈엔진 헬리콥터만이 탑재엔진이 가동되는 동안에 급유할 수 있다.

(b) 탑재엔진이 가동되는 동안 헬리콥터 급유는 다음과 같은 조건에서만 수행해야 한다.

(1) 연료급유 전 과정 동안 현재 적절한 자격을 갖추고 있는 조종사가 조종석에 위치하고, 훈련을 받은 급유요원이 연료노즐(fuel nozzle)을 다루어야 한다. 조종사는 연료량을 살펴보고 있다가 연료량에 도달하면 급유요원에게 신호를 한다.

(2) 10 NM 이내에 전기폭풍(뇌우)이 없어야 한다. 번개는 실제 뇌우의 범위를 넘어 아주 먼 거리까지 이동할 수 있다.

(3) HRR 운영 이전에 승객을 헬리콥터에서 내리게 하여 안전한 위치로 이동시킨다. 승객 안전을 위해 승객이 기내에 남아 있을 필요가 있다고 기장이 생각한 경우, 승객에게 지역을 벗어나기 위하여 따라야 할 탈출경로에 대한 브리핑을 하여야 한다.

(4) HRR 운영 동안 승객은 탑승하거나 내릴 수 없으며, 화물을 싣거나 내릴 수도 없다.

(5) HRR 운영에 대한 훈련을 받은 지정된 인원만이 연료와 장비의 안전한 취급을 포함한 서면 승인된 HRR을 수행할 수 있다. (상세한 지시사항은 소속회사 Operations/Safety Manual 참조)

(6) HRR 운영 동안 연료 주입구에 인접한 곳이나 바로 부근에 있는 헬리콥터 내부로 들어갈 수 있는 모든 출입문, 창문 및 접근장소는 차단하여야 한다.

(7) 조종사는 정전기 또는 그 밖의 화재위험의 가능성(즉, 기상레이더가 standby 위치에 있거나 무선송신이 이루어지지 않음[마이크로폰/송신기의 key가 눌려져 있음])을 차단하기 위하여 해당 전기/전자장비가 standby-off 위치에 놓여 있는지를 확인하여야 한다. 무선송신 외에 항공기 레이더, 트랜스폰더, 레이더 고도계, DME 장비 및 ELT에 의해서도 무선발신이 이루어질 수 있다는 것을 기억해야 한다.

(8) 모든 HRR 운영 동안 헬리콥터 내부와 주변에서의 흡연은 금지된다.

HRR 절차에는 품질관리, 기상상태, 정전기, 접지(bonding), 그리고 연료누출/화재가능성에 관하여 더 많은 주의가 필요한 중요한 위험요소가 상존한다. 로터의 회전과 관련이 있는 활동(즉, 연료급유, 탑승/하기, 수화물/화물적재/하역 등)을 하는 인원은 이에 대한 허가를 받았을 때에만 항공기에 접근할 수 있다. 안전한 접근로/보행로로 접근하거나, 또는 모든 로터에서 떨어져 "원호(arc)"를 그리며 접근하여야 한다.

주(Note)

1. 해상의 선박, 바지선 등: 선박의 이동은 헬리콥터 운항에 추가의 잠재적인 위험을 줄 수 있다.(blade 흔들림, 항공기 움직임)
2. Non-HRR(일상적인 급유운영)에 관한 상세한 내용은 미국화재예방협회(NFPA) 문서 407, "Standard for Aircraft Fuel Servicing"을 참조한다.

10-2-2. 헬리콥터 야간 VFR 운항(Helicopter Night VFR Operations)

a. 헬리콥터 야간 VFR 운항 시각상태의 등화의 영향(Effect of Lighting on Seeing Conditions in Night VFR Helicopter Operations)

주(Note)

이 지침은 안전한 야간 VFR 헬리콥터응급의료서비스(HEMS) 운항을 지원하기 위하여 개발되었다. 등화 및 시각상태의 원칙은 어떠한 야간 VFR 운항에서도 유용하다.

운고 및 시정이 야간 VFR 운항의 안전에 상당한 영향을 미치지만 등화상태 또한 안전에 상당한 영향을 준다. 시정 및 운고가 시계비행기상상태에 있다고 결정된 상황이더라도, 야간에 어둡거나 저대비의 물체 및 지형을 식별하는 능력은 제대로 발휘될 수 없다. 이러한 물체와 지형을 식별할 수 있는 능력이 시각상태(seeing condition)이며, 이용할 수 있는 자연적인 등화 및 인공적인 등화의 양과 대비, 반사율, 그리고 지표면 지형의 구조 및 장애물의 특징과 관련되어 있다. 안전하게 운항을 수행하기 위하여 야간 VFR 운항의 계획과 실행에 시각상태가 고려되어야 한다.

야간 VFR 시각상태는 "고광도상태"와 "저광도상태"로 구분하여 나타낼 수 있다.

1. 고광도상태(high lighting condition)는 다음 두 가지 상태 중 어느 하나에 있을 때를 말한다.

(a) 운량은 broken(5/8 미만의 운량) 미만이고, 국지 월출과 월몰 사이의 시간대이며 최소한 달 표면의 50%가 비추고 있다.

(b) 최소한 항공기는 현저한 장애물의 등화, 지형지물(해안선, 계곡, 언덕, 산, 경사지)의 식별, 그리고 조종사가 헬리콥터를 조종할 수 있는 수평기준선이 제공되는 지상불빛(surface lighting) 하에서 운항하고 있다. 예를 들면, 이러한 지상불빛으로는 다음과 같은 것을 들 수 있다.

(1) 광대한 도심불빛(도시의 시가지와 같은 인공불빛)

(2) 반사된 유효 도심불빛(주요 대도시구역의 불빛이 구름에 반사되어 생기는 빛)

(3) 눈 덮인 지표면이나 사막 지표면에 의해 이루어지는 것과 같은 천체불빛(celestial illumination)의 높은 자연반사율과 결합된 한정된 도심불빛

2. 저광도상태(low lighting condition)는 고광도상태를 충족하지 못하는 상태이다.

3. 일부 지역은 특정상황에서만 고광도환경으로 간주할 수 있다. 예를 들어 한정된 도심불빛을 받는 숲과 같은 일부 지표면은 보통 작은 반사율을 나타내며, 고광도상태를 이루기 위해서는 상당한 달빛의 의존이 필요하다. 그러나 동일한 숲이 눈으로 덮였을 때, 그것의 반사율은 별빛만으로도 고광도상태를 지원할 수 있을 것이다. 마찬가지로 사막과 같이 적은 도심불빛을 가진 황량한 지역은 구름이 지표면에서 반사되는 별빛을 막지 않는다면, 계절에 관계없이 고광도상태 지역으로 간주할 수 있는 고유한 자연반사율을 가질 수 있다. 개빙구역(open water) 지역과 같은 그 밖의 지표면은 언제나 고광도지역이라고 할 만한 충분한 반사율 또는 도심불빛을 전혀 가지지 않을 수 있다.

4. 특정지역의 야간비행경험의 축적을 통해 운영

자는 출발하기 전에 고광도 또는 저광도상태를 지원하는 지역을 판단할 수 있는 능력을 개발할 수 있다. 이러한 운항경험이 없다면, 운영자는 고광도상태가 관측되거나 또는 정기적으로 이용할 수 있다고 결정되기 까지는 비행전계획과 운항 모두에 대하여 저광도상태로 간주하여 이를 적용하여야 한다.

b. 야간운항에 대한 천문학상의 정의 및 배경 정보(Astronomical Definitions and Background Information for Night Operations)

1. 정의

(a) 지평선(Horizon). 누구든지 지표면이나 지표면 근처의 어디에 있더라도 지구는 본질적으로 편평하다고 지각하고, 따라서 평면으로 여긴다. 시각적인 장애물이 없다면 지구(평면)의 표면과 하늘의 눈에 보이는 교차지점은 지평선이며, 관측자를 중심으로 하여 원형으로 보인다. 출몰(rise/set) 계산에서 관측자의 눈은 지표면에 있다고 간주하므로, 지평선은 국지의 수직방향으로부터 기하학적으로 정확하게 90° 이다.

(b) 출몰(Rise/Set). 지구는 지축을 중심으로 출몰 현상의 원인이 되는 자전을 하루에 한 번 한다. 모든 천체, 태양, 달, 별 및 행성은 동쪽 지평선 하늘의 특정 장소에 나타난 다음 하늘을 가로질러 다시 서쪽 지평선으로 사라지는 것처럼 보인다. 태양과 달은 원판처럼 보이고 빛나는 점으로 보이지는 않으며, 출몰시 태양과 달의 전 부분이 동시에 보이지는 않기 때문에 출몰의 정의가 매우 명확해야 한다.

(c) 일출과 일몰은 태양 원판의 상부 가장자리가 지평선 위에 있을 때의 시간으로 나타내며, 관심지역에 대해서는 장애물이 없는 것으로 간주한다. 대기상태는 평균이고, 위치는 지표면 상의 편평한 지역이라고 가정한다.

(d) 월출과 월몰시간은 일출과 일몰의 경우와 정확하게 동일한 상황에서 산출된다. 그러나 월출과 월몰은 24시간 동안에 언제든지 일어날 수 있으며, 그 결과 종종 주간에 달을 볼 수 있고 달이 없는 밤이 있을 수도 있다. 또한 정해진 날짜에 특정 장소에 따라 월출과 월몰이 일어나지 않을 수도 있다.

(e) 자오선 통과(Transit). 천체의 자오선 통과시간(transit time)은 천체의 중심이 하늘의 가상의 선을 통과하는 순간을 나타낸다 - 관측자의 자오선은 북쪽에서 남쪽으로 이동한다.

(f) 박명(Twilight). 일출 전과 그리고 일몰 후에는 햇빛을 직접 받고 이의 일부를 지표면으로 반사하는 상층부 대기에 의해 제공되는 자연광인 "박명(twilight)"이라고 하는 시간간격이 있다.

(g) 시민박명(Civil twilight)은 태양의 중심이 기하학적으로 지평선 아래 6°에 위치해 있을 때로 아침에 시작하고 저녁에 끝나는 것으로 정의한다. 이것은 양호한 기상상태에서 박명 조도(twilight illumination)가 충분할 때 지상의 물체를 명확하게 식별할 수 있는 한계이다.

2. 연방규정집의 Title 14에서 야간의 정의(1.1절), 항공기등화의 요건(91.209절) 및 조종사의 최근 야간비행 경험(61.67절)을 다룰 때에 이러한 개념과 정의를 적용하고 있다.

c. 달의 위상과 빛나는 달의 비율 변화 정보

지구 상의 어떤 위치에서든 달은 원판처럼 보이며, 특정 시간에는 태양의 빛을 직접 받아 어느 정도 밝게 빛난다. 달이 궤도(태음월, lunar month)를 도는 동안 우리는 희미하게 보일 때부터 부분적으로 보였다가 완전히 보일 때 까지, 그리고 부분적으로 보였다가 다시 보이지 않을 때로 되돌아가는 달의 겉보기 변화를 볼 수 있다. 전통적으로 인정하고 있는 뚜렷한 여덟 개의 단계가 있으며, 이를 위상(phase)이라고 한다. 위상은 빛나는 달의 정도, 그리고 빛나는 부분의 기하학적인 모양 둘 다에 의해 지정된다. 발생순서(신월로부터 시작하여)에 따른 달의 위상은 그림 10-2-3에 나열되어 있다.

1. 달의 모습을 빛나는 달 표면의 비율로 기술함으로써 위상보다 더 정확하게 정량적으로 나타낼 수 있다. 달을 원판으로 간주한다면, 신월에서는 빛나는 부분의 비율이 0, 상현과 하현에서는 50% 그리고 만월에서는 100% 이다. 초승달(crescent) 위상 동안 빛나는 비율은 0~50% 이며, 현망(gibbous)간 위상 동안은 50~100% 이다.

2. 사실상 달의 위상 및 달의 빛나는 부분의 비율

은 달을 관측하는 지구 상의 위치와는 관계가 없다. 즉 모든 위상은 관측자의 위치에 관계없이 동일한 시간에 발생한다.

3. 더 상세한 정보는 아래에 언급된 미국 해군천문대 site를 참조한다.

그림 10-2-3. 달의 위상(Phases of the Moon)

신월(New Moon) - 달의 빛나지 않는 쪽이 지구를 향하고 있다. 달은 보이지 않는다. (일식동안 제외)

초승(Waxing Crescent) - 달은 부분적으로 보이지만 1/2보다 작은 부분만이 태양의 빛을 직접 받아서 빛난다. 빛나는 달 표면의 비율은 증가한다.

상현(First Quarter) - 달의 1/2이 태양의 빛을 직접 받아서 밝게 보인다. 빛나는 달 표면의 비율은 증가한다.

상현망(Waxing Gibbous) - 태양의 빛을 직접 받아서 달의 1/2 이상이 보이지만 전체가 빛나지는 않는다. 빛나는 달 표면의 비율은 증가한다.

만월(Full Moon, 滿月) - 달의 빛나는 쪽이 지구를 향하고 있다. 달은 태양의 빛을 직접 받아서 완전히 밝게 보인다.

하현망(Waxing Gibbous) - 태양의 빛을 직접 받아서 달의 1/2 이상이 보이지만 전체가 빛나지는 않는다. 빛나는 달 표면의 비율은 감소한다.

하현(Last Quarter) - 달의 1/2이 태양의 빛을 직접 받아서 밝게 보인다. 빛나는 달 표면의 비율은 감소한다.

그믐(Waxing Crescent) - 달은 부분적으로 보이지만 1/2보다 작은 부분만이 태양의 빛을 직접 받아서 빛난다. 빛나는 달 표면의 비율은 감소한다.

d. 월출, 월몰 그리고 빛나는 달 표면의 비율을 확인하기 위한 천문학 자료 접속

1. 월출과 월몰, 그리고 달의 위상을 확인하기 위한 천문학상의 자료는 미국 해군천문대 http://aa.usno.navy.mil/ 에서 이용할 수 있는 대화식조회 기능(interactive query)을 이용하여 구할 수 있다.

2. "Data Services"를 click 한 다음, "Complete Sun and Moon Data for One Day"를 click 한다.

3. 이 웹 페이지에 있는 두 가지 양식 중의 하나에 날짜와 위치를 기입하고, 양식 하단부의 끝부분에 있는 "Get data" button을 click 하여 달의 위상에 대한 정보와 더불어 일출, 일몰, 월출, 월몰, 태양 및 달의 자오선통과(transit) 그리고 시민박명(civil twilight)의 시작과 종료시간을 구할 수 있다. 양식 "A"는 미국 또는 미국 영역의 도시나 마을에 사용된다. 양식 "B"는 다른 모든 지역에 사용된다. 이 site로부터 이용할 수 있는 자료의 예시는 표 10-2-2에 제시되어 있다.

4. 추가적으로 "Table of Sunrise/Sunset, Moonrise/Moonset, or Twilight Times for an Entire Year"을 선택하여 특정 위치에 대한 연간목록을 구할 수도 있다.

표 10-2-2. 미국 해군천문대에서 이용할 수 있는 천문학상의 자료 견본(Sample of Astronomical Data Available from the Naval Observatory)

다음의 정보는 루이지애나주, 뉴올리언스, 올리언즈 패리쉬에 대해 제공된다. (경도 W90.1, 위도 N30.0)	
2007년 5월 29일 화요일	하절기 중부 표준시 (Central Daylight Time)
태양(Sun)	
시민박명 시작 (Begin civil twilight)	5:34 a.m.
일출(Sunrise)	6:01 a.m.
태양 자오선 통과 (Sun transit)	12:58 p.m.
일몰(Sunset)	7:55 p.m.
시민박명 종료 (End civil twilight)	8:22 p.m.
달(Moon)	
월출(Moonrise)	전날 5:10 p.m.
월몰(Moonset)	4:07 a.m.
월출(Moonrise)	6:06 p.m.
달 자오선 통과 (Moon transit)	11:26 p.m.
월몰(Moonset)	다음 날 4:41 a.m.
5월 29일의 달의 위상: 달의 볼 수 있는 빛나는 표면이 95%인 상현망(waxing gibbous)	
2007년 5월 31일, 하절기 중부 표준시 8:04 p.m.에 만월(Full Moon)	

10-2-3. 착륙구역 안전(Landing Zone Safety)

a. 이 정보는 착륙구역(LZ)과 관련된 안전사항의 이해를 돕기 위하여 헬리콥터응급의료서비스(HEMS) 조종사, 프로그램 관리자, 의료요원, 법집행관, 소방대원 및 구조대원이 사용할 수 있도록 제공된다. LZ 선정, 운항 및 안전에 대한 공통참조기준을 수립하기 위하여 HEMS 운항 시에 접할 수 있는 지상편성 조직과 상호업무관계를 설정하고 이러한 정보를 공유할 것을 HEMS 운영자에게 권고한다.

b. 제공되는 정보는 대부분 국가응급의료서비스 조종사협회(NEMSPA)에서 발행하는 책자 LZ - Preparing the Landing Zone 및 테네시대학교 의료센터의 LIFESTAR 프로그램에 의해 개발된 지침을 기반으로 하며, 이들의 허락을 받아 이곳에 수록하였다. 추가적인 정보는 http://www.nemspa.org/에서 구할 수 있다.

c. 풍속의 추정에 대한 정보는 보퍼트 풍력계급(Beaufort Scale)을 기반으로 한다. 더 상세한 정보는 http://www.spc.noaa.gov/faq/tornado/beaufort.html을 참조한다.

d. 현장 LZ 선정(Selecting a Scene LZ)

그림 10-2-4. 권장하는 최저착륙구역 크기(Minimum Landing Zone Dimensions)

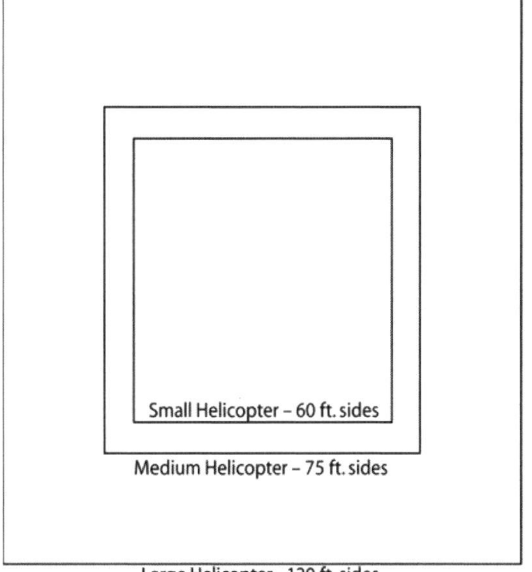

1. 헬리콥터의 이용이 필요한 상황이라면, 헬리콥터가 안전하게 착륙할 수 있을 정도로 충분히 넓은 지역인지의 여부를 먼저 확인한다.

2. 다음은 그림 10-2-4 목적의 상대적인 헬리콥터 크기의 예로써 주어진 것이다.

(a) 소형헬리콥터: Bell 206/407, Eurocopter AS-350/355, BO-105, BK-117

(b) 중형헬리콥터: Bell UH-1(Huey) 및 파생 기종(Bell 212/412), Bell 222/230/430 Sikorsky S-76, Eurocopter SA-365

(c) 대형헬리콥터: Boeing Chinook, Eurocopter

Puma, Sikorsky H-60 series(Blackhawk), SK-92

3. LZ는 평평하고 단단하며, 로터계통에 의해 불어 날릴 수 있는 흐트러진 잔해들이 없어야 한다.

4. LZ는 사람, 차량 및 나무, 전신주 및 전선과 같은 장애물로부터 떨어져 있어야 한다. 전선은 대기 중에서 잘 보이지 않는다는 것을 잊지 말아야 한다. 또한 LZ에는 그루터기, 덤불, 말뚝 및 큰 바위 같은 것들이 없어야 한다. 그림 10-2-5를 참조한다.

5. 구경하는 사람들과 최소한 200 ft의 거리를 둔다. 100 ft 떨어진 곳에 비상차량을 위치시키고, 곁에 소화기(구할 수 있는 경우)를 배치하여야 한다. 지상요원은 가능하다면 착륙과 이륙 운항동안 눈 보호장비를 착용하여야 한다. LZ 주변에 떨어진 물체가 날아다니지 않도록 모자 등은 벗어야 하며, 헬멧(helmet)을 썼다면 턱끈을 확실하게 채워야 한다.

6. 먼지가 많이 날리면, 소방대원(여유가 있는 경우)은 LZ에 물을 뿌려 표면을 적셔주어야 한다.

그림 10-2-5. 착륙구역 위험요소(Landing Zone Hazards)

e. 운항승무원이 현장을 찾는 것을 도움(Helping the Flightcrew Locate the Scene)

1. LZ 책임자가 GPS 장비에 접근할 수 있다면, LZ의 정확한 위도와 경도를 HEMS 조종사에게 전달하여야 한다. 조종사와 직접교신 할 수 없다면, HEMS 지상통신요원에게 정보를 전달하여 조종사에게 전달하도록 함으로써 보다 효율적으로 현장의 위치를 알 수 있도록 한다. 조종사가 지역, 장애물 또는 기상상태로 인하여 우회할 수도 있기 때문에, 항공기가 이륙지점으로부터 현장까지 직선경로 이외의 다른 방향에서 접근할 수도 있다는 것을 인지하여야 한다.

2. 특히 주간에 산악지역 및 인구밀집지역에서는 공중에서 현장을 찾아내는 것이 어려울 수 있다. 종종 지상의 LZ 책임자는 헬리콥터가 보이는지, 또는 소리가 들리는지의 여부를 질문 받을 것이다.

3. 운항승무원은 항공기에서 어떤 방향으로 다른 사람의 주의를 돌리기 위해 시간기준식별방법(clock reference method)을 사용한다. 항공기의 기수방향이 항상 12시이고, 우측은 3시이다. LZ 책임자가 항공기를 보았다면, 항공기의 기수로부터 현장의 시간기준 위치를 나타내어 운항승무원을 지원하기 위하여 이 방법을 사용하여야 한다. 예를 들면, "Accident scene is located at your 2 o'clock position"과 같다. 그림 10-2-6를 참조한다.

그림 10-2-6. 항공기 기수와의 상대적인 위치를 식별하기 위한 "Clock" System

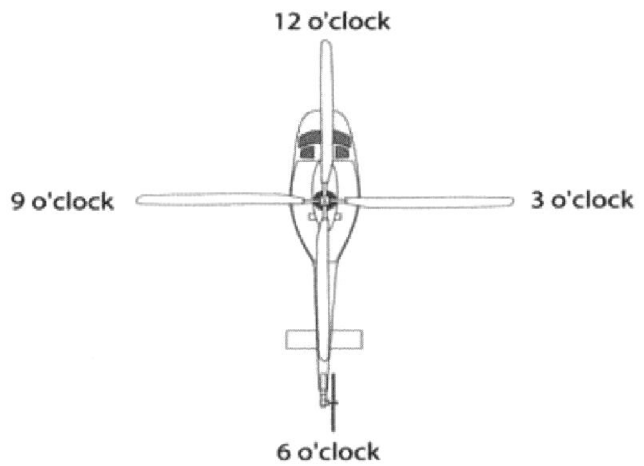

4. 헬리콥터가 현장에 접근할 때 운항승무원은 착륙에 지장을 초래할 수 있는 바람의 방향과 장애물을 살펴보기 위하여 보통 최소한 한번은 선회를 할 것이다. 이것을 흔히 "공중정찰(high reconnaissance)" 기동이라고 한다.

f. 풍향 및 접지구역(Wind Direction and Touchdown Area)

1. 어느 방향에서 바람이 부는 지를 판단한다.

헬리콥터는 보통 바람이 불어오는 방향으로 착륙하고 이륙한다.

2. 직접 또는 HEMS 지상통신요원을 통해 간접적으로 조종사와 교신이 이루어지면 바람이 불어오는 방향과 풍속을 설명한다.

3. 일반적인 자연의 풍향 정보원은 연기, 먼지, 초목의 움직임, 물결, 그리고 파도 등이다. 깃발, 삼각 깃발, 기다란 띠를 사용할 수도 있다. 방향을 설명할 때에는 바람이 불어오는 나침반 방향(예 : from the North-West)을 사용한다.

표 10-2-3. 풍속 추정 표준 참조표(Table of Common References for Estimating Wind Velocity)

풍속(knot)	바람 분류(Wind Classification)	바람 영향의 상태(Appearance of Wind Effects)	
		해상(On the Water)	육상(On Land)
1 미만	고요(Calm)	해면은 거울과 같이 매끄럽다.	고요하며, 연기는 위로 똑바로 올라간다.
1~3	실바람(Light Air)	물거품이 없이 잔물결이 인다.	날리는 연기가 풍향을 지시하며, 풍향계는 돌지 않는다.
4~6	남실바람(Light Breeze)	작은 물결이 일고, 흰물결(whitecap)은 나타나지 않는다.	바람이 얼굴에 느껴지고 나뭇잎이 흔들리며, 풍향계가 돌기 시작한다.
7~10	산들바람(Gentle Breeze)	큰 물결이 일고, 물마루(crest)가 부서지기 시작하여 흰물결이 생긴다.	나뭇잎과 작은 잔가지가 쉴 새 없이 흔들리고, 가벼운 깃발이 펄럭인다.
11~16	건들바람(Moderate Breeze)	1~4 ft의 작은 파도가 일고 파장은 길어지며. 다수의 흰물결이 생긴다.	먼지, 나뭇잎 및 떨어진 종이가 날리고, 작은 나뭇가지가 흔들린다.
17~21	흔들바람(Fresh Breeze)	4~8 ft의 중간 파도가 일고 파장은 더 길어지며, 많은 흰물결과 약간의 물보라가 생긴다.	잎이 무성한 작은 나무가 흔들리기 시작한다.
22~27	된바람(Strong Breeze)	8~13 ft의 큰 파도가 일고, 전체적으로 흰물결과 더 많은 물보라가 생긴다.	큰 나뭇가지가 흔들리고, 전선이 울린다.
28~33	센바람(Near Gale)	13~20 ft의 파도가 일고, 흰거품이 파도에 흘러간다.	나무 전체가 흔들리고, 바람을 향해 걷기가 힘들어진다.
34~40	큰바람(Gale)	큰 파장을 가진 13~20 ft의 파도가 일고, 물마루의 가장자리가 물보라 속으로 부서지기 시작하며 파도에 물거품이 나타난다.	나무 전체가 움직이고, 바람을 향해 걷기가 힘들어진다.
41~47	큰센바람(Strong Gale)	20 ft의 큰 파도로 해상이 일렁이고 밀집된 물거품이 나타나며, 물보라로 인해 시정이 나빠진다.	구조물에 경미한 손상이 발생하고, 슬레이트 지붕이 날아간다.
48~55	노대바람(Storm)	물마루가 돌출된 20~30 ft의 매우 큰 파도가 일고, 해상은 격렬하게 일렁이며 밀집된 물거품이 날려서 하얗게 보이고 시정은 나빠진다.	나무가 부러지거나 쓰러지며, 구조물에 상당한 손상이 발생한다. 육상에서는 거의 발생하지 않는다.
56~63	왕바람(Violent Storm)	30~45 ft의 산더미같은 파도가 일고, 물거품이 바다 전체를 뒤덮으며 시정은 더 나빠진다.	
64+	싹슬바람(Hurricane)	45 ft 이상의 파도가 일고 물거품이 가득하며, 해상은 강한 물보라로 완전히 하얗게 보이고 시정은 훨씬 나빠진다.	

예시(Example)

Wind from the South-East, estimated speed 15 knots. Wind shifted from North-East about fifteen minutes ago, and is gusty.

4. 풍속은 소형 휴대용 측정기기로 측정할 수 있으며, 또는 관측자의 추정치를 속도정보의 제공에 사용할 수도 있다. 풍속은 knot 단위(nautical mile per hour)로 보고한다. 풍속을 수치로 나타낼 수 없다면 속도를 추정하기 위하여 표 10-2-3을 이용한다. 또한 바람상태가 돌풍성이거나, 풍향이나 풍속이 가변 또는 최근에 변했다면 통보한다.

5. 장애물이 있다면, 최초 무선호출 시 장애물에 대한 설명, 위치 및 대략적인 높이를 조종사에게 통보하여야 한다.

g. 야간 LZ(Night LZ)

1. 야간 LZ을 조명하기 위한 몇 가지 방법이 있다.

(a) 풍향을 지시하는 한 개와 각 모서리에 하나씩, 전부 다섯 개의 등화나 조명탄으로 접지구역을 표시한다. 그림 10-2-7을 참조한다.

그림 10-2-7. 권장하는 야간 착륙구역 운항 등화(Recommended Lighting for Landing Zone Operations at Night)

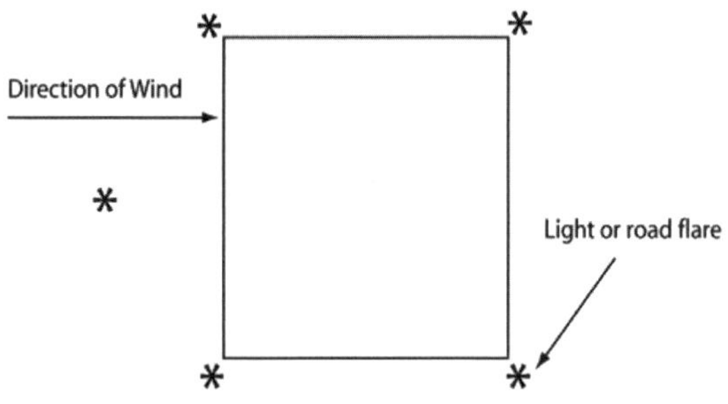

주(Note)

조명탄은 강렬한 발화원임으로 특정상황에서는 적합하지 않거나 위험할 수도 있다. 어떤 경우에든 면밀하게 관리하고, 사용할 때에는 소화기를 준비하여야 한다. 이용할 수 있으면 다른 발화원을 사용한다.

(b) 야광봉(chemical light stick)을 사용한다면, 헬리콥터 로터의 하강풍(rotor wash)에 움직이지 않도록 적절하게 고정되었는지 주의를 기울여 확인하여야 한다.

(c) LZ를 표시하는 또 다른 방법은 네 대의 비상차량을 이용하여 차량의 하향전조등을 착륙예정지역 쪽으로 비추는 것이다.

(d) LZ를 표시하는 세 번째 방법은 두 대의 차량을 이용하는 것이다. 차량은 전조등의 불빛이 바람이 불어오는 쪽으로 향하도록 하고, LZ의 중심에서 교차하도록 비춘다. (소방대원/구조대원이 가능한 경우, 보호장구(bunker gear)의 반사띠는 조종사에게 많은 도움을 줄 것이다).

2. 야간에 LZ를 나타내기 위하여 사용하는 탐조등, 투광등 및 손전등은 헬리콥터를 향해서는 안된다. 그러나 이러한 조명이 전신주, 나무 또는 착륙항공기에 위험한 그 밖의 것들을 비추고 있을 때에는 도움이 된다. 투광등, 섬광등 및 상향전조등과 같은 백색조명은 조종사의 야간시력을 해치고 일시적으로 눈이 보이지 않도록 한다. 그러나 적색조명은 사고장소의 발견에 매우 유용하며, 조종사의 야간시력에도 큰 영향을 주지는 않는다.

3. 주간에도 마찬가지로, 가능하면 지상과 항공기 간의 무선교신이 이루어지도록 하여야 한다.

h. 지상유도(Ground Guide)

1. 헬리콥터가 보이는 거리에 있을 때, 한 사람은 헬리콥터를 안전한 착륙구역으로 유도하여 LZ 책임자를 지원하여야 한다. LZ 책임자를 선정시, 보통 이때에 의료요원은 환자로 인해 매우 바쁘다는 것을 알아야 한다. 가능하다면 의료요원 이외의 다른 사람이 LZ 책임자가 될 것을 권고한다. 눈 보호장비를 착용하여야 한다. 지상유도요원은 바람을 등지고 서서 머리 위로 팔을 들어 올린다 (야간운항의 경우 각 손에 손전등을 든다).

2. 조종사는 LZ를 발견했다는 것을 무선으로 확인해 줄 것이다. 조종사가 LZ를 발견한 후, 가능하면 지상유도요원은 LZ 밖으로 나가야 한다.

3. 바람이 불어오는 쪽으로 선회하여 강하할 때, LZ 책임자는 LZ가 안전하지 않다면 무선교신의 수단이나 "불안전신호(unsafe signal)"을 이용하여 헬리콥터가 복행하도록 지원하여야 한다 (그림 10-2-8 참조). LZ 책임자는 접지구역에서 충분히 벗어나 있어야 하지만 계속해서 조종사를 시야에 두어야 한다.

i. 승무원 지원(Assisting the Crew)

1. 헬리콥터가 착륙한 이후에 헬리콥터에 접근하

지 마라. 승무원이 당신에게 다가올 것이다.

2. 헬리콥터에 대한 경계를 제공하여 승무원을 도울 준비를 한다. 경계조치를 취하여 줄 것을 요청받으면 승무원을 제외하고는 아무도 항공기에 접근하지 못하도록 하여야 한다.

3. 환자가 채비를 하였고 탑승할 준비가 되면, 승무원이 헬리콥터의 출입문을 열고 환자의 탑승을 안내할 수 있도록 지원한다.

4. 헬리콥터에 접근하거나 이탈할 때에는 항상 테일로터(tail rotor)를 의식하고 있어야 하며, 승무원의 지시에 따라야 한다. 가동 중인 헬리콥터 주위에서의 작업은 잠재적인 위험성을 안고 있다. 배기가스와 로터의 하강풍으로 인해 주변환경은 매우 시끄럽고, 가끔은 바람도 세다. 현장운항 시에는 지표면이 울퉁불퉁 하거나, 무르거나 미끄러워서 넘어질 수 있다. 이러한 환경에 들어설 때는 매우 주의하여야 한다.

5. 테일로터는 가동 중인 헬리콥터 주위에서의 작업에 특별한 위협이 된다. 테일로터는 메인로터보다 더 빠르게 여러 번 회전하며, 종종 idle의 엔진 동력에서도 눈에 보이지 않는다. 특별히 승무원이 지시하지 않는 한, 객실의 끝부분을 지나 헬리콥터의 뒷부분으로 가는 것을 피해야 한다.

주(Note)

헬리콥터는 전형적으로 객실의 측면에 출입문이 있지만, 다수 헬리콥터는 깔개나 들것으로 환자를 싣고 내릴 수 있도록 후방에 설치된 "clamshell" 형태의 출입문을 사용한다. 이러한 출입문을 사용할 때는 문을 여닫고 환자를 싣고 내리기 위하여 필요한 것보다 더 후방으로는 움직이지 않도록 하는 것이 중요하다. 다시 말하지만, 항상 승무원의 지시사항에 따라야 한다.

j. 일반적 규칙(General Rules)

1. 헬리콥터 주위에서 작업을 할 때에는 항상 전방에서 접근하거나 전방으로 이탈하여야 하며, 후방에서 접근하거나 이탈해서는 안된다. 후방에서 접근하는 것은 작동하는 엔진속도에서 거의 보이지 않는 테일로터에 부딪칠 수 있는 위험성을 증가시킨다.

2. 메인로터로 인한 인명상해나 손상을 방지하기 위하여 머리 위로 아무 것도 들어 올려서는 안된다.

3. 헬리콥터가 경사지에 착륙했다면, 하향 경사지(down slope)의 측면으로만 접근하고 이탈하여야 한다.

4. 헬리콥터에 적재를 하였고 이륙준비가 되었을 때는 차량 및 구경하는 사람들에서 벗어난 출발경로를 유지한다. 비상상황에서 착륙하기 위해서는 이러한 지역이 필요하다.

k. 위험한 화학물질 및 가스(Hazardous Chemicals and Gases)

1. 위험한 물질과 관련된 사고에 대한 대처에는 지상의 소방/구조대원에 의한 특별한 처리가 필요하다. 또한 이러한 지역에서의 헬리콥터 운항에 대하여 미리 대비하고 고려하는 것이 중요하다.

2. 관련 위험물질은 유해성, 유독성, 가연성, 폭발성, 자극성 또는 방사성물질 등이다. 구급용 헬리콥터 승무원은 일반적으로 위험한 물질로부터 자신을 보호하기 위한 보호복 또는 호흡장치를 휴대하지는 않는다.

3. 구급용 헬리콥터 승무원의 오염을 방지하기 위하여 현장의 위험한 물질을 승무원에게 알려주어야 한다. 위험한 물질에 오염된 환자/피해자는 의료승무원의 보호를 위해 항공기에 싣기 전에 처리에 특별한 주의가 필요하거나, 다른 수단으로 운송해야 할 수도 있다.

4. 위험한 화학물질 및 가스는 흡입하거나 피부로 흡수되면 보호장비를 착용하지 않은 사람에게 치명적일 수 있다.

5. 최초 무선교신 시, 헬리콥터 승무원에게 지역의 위험한 가스를 인식시켜 주어야 한다. 승무원에게 이미 통보되었을 것이라고 추측하지 마라. 항공기가 위험한 가스를 통과하여 비행한다면 승무원은 가스에 중독될 수 있고, 엔진에는 기계적인 문제가 발생할 수 있다.

6. 유독성 또는 자극성 가스는 환자의 의복에 들러붙을 수 있으며, 환자가 실리고 헬리콥터의 출입문이 닫힐 때 까지 알아채지 못할 수 있다. 승무원이 오염될 가능성을 피하기 위하여, 이러한 모든 환자는 싣기 전에 오염을 제거하여야 한다.

l. 수신호(Hand Signal)

1. HEMS 조종사와 무선교신을 할 수 없으면, 다음 신호를 사용한다.

그림 10-2-8. 권장하는 착륙구역 지상 수신호(Recommended Landing Zone Ground Signals)

m. 비상상황(Emergency Situation)

1. LZ 부근의 헬리콥터 사고의 경우 다음 사항을 고려한다.

(a) 비상구(Emergency Exit)

(1) 출입문과 비상구는 일반적으로 눈에 잘 띄게 표시가 되어 있다. 가능하면 운영자는 비상상황에 대비하여 본인 헬리콥터의 출입문 장치에 익숙해야 한다.

(2) LZ 운항 중에 사고가 발생한 경우, 날카롭고 뾰족뾰족한 금속, 플라스틱 창문, 유리와 같은 위험물질, 로터와 같이 회전하는 구성품, 그리고 연료탱크 및 엔진과 같은 화재원(fire source)에 주의하여야 한다.

(b) 화재진압(Fire Suppression)

HEMS 운항에 사용하는 헬리콥터는 보통 터보샤프트엔진(turbo shaft engine)에 의해 동력을 공급받으며, 제트연료(jet fuel)를 사용한다. 민간 HEMS 항공기는 헬리콥터의 크기, 예정항속시간 및 현장까지 비행 후의 잔여연료에 따라 일반적으로 50~100 gallon의 연료를 싣는다. 열을 통제하기 위해서는 물소화기를 사용하고 발화원으로부터 유증(vapor)을 격리하기 위해서는 연료 상부에 거품소화기(foam)를 사용한다.

10-2-4. 응급의료서비스(EMS) 다수 헬리콥터 운항(Emergency Medical Service (EMS) Multiple Helicopter Operations)

a. 배경

EMS 헬리콥터 운영자는 종종 다른 EMS 운영자의 지역과 겹친다. 표준절차는 착륙구역(LZ) 및 병원헬기장까지의 다수 헬리콥터 운항에서의 안전을 증진할 수 있다. 통신은 성공적인 운항 및 헬리콥터, 지상부서 및 통신센터 간의 조직을 유지하기 위한 요소이다. 동일한 지역에서 운항하는 EMS 헬리콥터 운영자는 합동운영절차를 수립하고, 그것을 관련된 기관에 제공하여야 한다.

b. 권고절차(Recommended Procedure)

1. 착륙구역 운항(Landing Zone Operations). 현장에 도착한 첫 번째 헬리콥터는 LZ 브리핑을 받고 예상할 수 있는 헬리콥터의 대수를 지상통제팀에 제공하기 위하여 LZ로부터 최소한 10 NM 이전에 지상부서와 교신을 하여야 한다. 적절한 LZ 정보 및 지상부서의 주파수를 다른 헬리콥터에 전하기 위하여 주파수 123.025로 교신을 시도하여야 한다. 다음으로 현장에 도착한 헬리콥터는 LZ로부터 최소한 10 NM 이전에 주파수 123.025로 교신을 하여야 한다. 주파수 123.025로 교신을 한 이후에는 추가정보를 얻기 위해 지상부서와 교신하여야 한다. 모든 헬리콥터는 항상 주파수 123.025를 경청하여야 한다.

(a) 첫 번째 헬리콥터가 도착하였을 때 지상부서에 의해 착륙구역이 설정되어 있지 않다면, 첫 번째 헬리콥터는 도착하는 다른 헬리콥터를 위하여 고도 및 궤도 장소요건을 설정하여야 한다. 헬리콥터 간의 권고하는 고도분리는 500 ft 이다 (기상 및 공역이 허용되는 경우). 헬리콥터는 현장 좌표의 주요 방위 궤도에 위치할 수 있다. (그림 10-2-9 참조)

(b) LZ에 착륙하자마자 첫 번째 헬리콥터는 LZ 상황, 즉 여유 공간, 위험 및 지형을 알려주어야 한다.

(c) LZ를 떠나기 위하여 헬리콥터를 이동시키기 전에 모든 운영자는 123.025로 다른 헬리콥터와 교신을 시도하여 위치, 그리고 LZ를 출발시 의도하는 비행경로를 언급하여야 한다.

2. 병원 운항(Hospital Operations). 다수의 병원은 착륙허가를 요구하며, 설정된 절차(감시주파수, 일차 및 이차 접근비행로 및 출발비행로, 헬리콥터가 이미 있다면 궤도를 선회하는 지역)를 가지고 있기 때문에 조종사는 병원으로 가기 전에 적합한 시설(통신센터, 비행추적 등)로부터 항상 briefing을 받아야 한다.

(a) 다수의 헬리콥터가 병원헬기장으로 다가가는 경우, 가장 인접한 헬리콥터는 123.025로 다른 입항 헬리콥터와 교신하여 의도를 밝혀야 한다. LZ 운항의 설정된 지침을 따라야 한다.

(b) 병원헬기장에 착륙한 헬리콥터의 기장은 접근시간을 예상할 수 있도록 환자를 내릴 때 rotor blade를 정지시킬 것인지 정지시키지 않을 것인지의 여부 및 이에 소요되는 대략적인 시간을 다른 운영자에게 통보하여야 한다.

(c) 병원헬기장을 떠나기 위하여 헬리콥터를 이동시키기 전에 모든 운영자는 123.025로 다른 헬리콥터와 교신을 시도하여 위치, 그리고 LZ를 출발시 의도하는 비행경로를 언급하여야 한다.

그림 10-2-9. EMS 다수 헬리콥터 LZ/헬기장 운항(EMS Multiple Helicopter LZ/Heliport Operation)

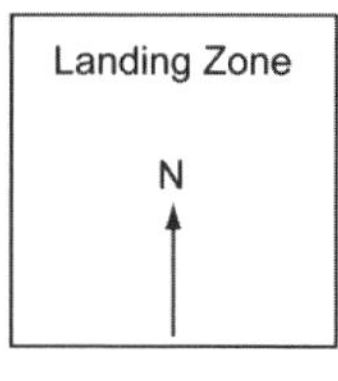

주(Note)

LZ/헬기장 기상상태 또는 공역고도제한으로 인해 권장하는 수직분리를 할 수 없으면 헬리콥터 궤도지역(orbit area) 간에 1 NM 분리를 유지하여야 한다.

부록. 약어/두문자어(Abbreviations/Acronyms)

이 manual에 사용되는 약어/두문자어(Abbreviations/Acronyms)의 의미는 다음과 같다.

AAWU	Alaskan Aviation Weather Unit
AAS	Airport Advisory Service
AC	Advisory Circular
ACAR	Aircraft Communications Addressing and Reporting System
ADCUS	Advise Customs
ADDS	Aviation Digital Data Service
ADF	Automatic Direction Finder
ADIZ	Air Defense Identification Zone
ADS-B	Automatic Dependent Surveillance-Broadcast
AFB	Air Force Base
AFCS	Automatic Flight Control System
AFIS	Automatic Flight Information Service
AFM	Aircraft Flight Manual
AGL	Above Ground Level
AHRS	Attitude Heading Reference System
AIM	Aeronautical Information Manual
AIRMET	Airmen's Meteorological Information
AIM	Aeronautical Information Manual
AIS	Aeronautical Information Services
ALD	Available Landing Distance
ALDARS	Automated Lightning Detection and Reporting System
ALS	Approach Light Systems
AMSL	Above Mean Sea Level
ANP	Actual Navigation Performance
AOCC	Airline Operations Control Center
AP	Autopilot System
APV	Approach with Vertical Guidance
AR	Authorization Required
ARENA	Areas Noted for Attention
ARFF IC	Aircraft Rescue and Fire Fighting Incident Commander
ARINC	Aeronautical Radio Incorporated
ARO	Airport Reservations Office
ARSA	Airport Radar Service Area
ARSR	Air Route Surveillance Radar
ARTCC	Air Route Traffic Control Center
ARTS	Automated Radar Terminal System
ASDE-X	Airport Surface Detection Equipment - Model X
ASOS	Automated Surface Observing System

ASR	Airport Surveillance Radar
ASRS	Aviation Safety Reporting System
ATC	Air Traffic Control
ATCRBS	Air Traffic Control Radar Beacon System
ATCSCC	Air Traffic Control System Command Center
ATCT	Airport Traffic Control Tower
ATD	Along-Track Distance
ATIS	Automatic Terminal Information Service
ATT	Attitude Retention System
AWC	Aviation Weather Center
AWOS	Automated Weather Observing System
AWSS	Automated Weather Sensor System
AWTT	Aviation Weather Technology Transfer
AWW	Severe Weather Forecast Alert
BAASS	Bigelow Aerospace Advanced Space Studies
BBS	Bulletin Board System
BC	Back Course
BECMG	Becoming group
C/A	Coarse Acquisition
CARTS	Common Automated Radar Terminal System (ARTS) (to include ARTS IIIE and ARTS IIE)
CAT	Clear Air Turbulence
CD	Controller Display
CDI	Course Deviation Indicator
CDR	Coded Departure Route
CERAP	Combined Center/RAPCON
CFA	Controlled Firing Area
CFIT	Controlled Flight into Terrain
CFR	Code of Federal Regulations
COA	Certificate of Waiver or Authorization
CPDLC	Controller Pilot Data Link Communications
CTAF	Common Traffic Advisory Frequency
CVFP	Charted Visual Flight Procedure
CVRS	Computerized Voice Reservation System
CWA	Center Weather Advisory
CWSU	Center Weather Service Unit

DA	Decision Altitude
DCA	Ronald Reagan Washington National Airport
DCP	Data Collection Package
DER	Departure End of Runway
DH	Decision Height
DME	Distance Measuring Equipment
DME/N	Standard DME
DME/P	Precision DME
DOD	Department of Defense
DP	Instrument Departure Procedure
DPU	Data Processor Unit
DRT	Diversion Recovery Tool
DRVSM	Domestic Reduced Vertical Separation Minimum
DVA	Diverse Vector Area
DVFR	Defense Visual Flight Rules
DVRSN	Diversion
EDCT	Expect Departure Clearance Time
EFAS	En Route Flight Advisory Service
EFV	Enhanced Flight Visibility
EFVS	Enhanced Flight Vision System
ELT	Emergency Locator Transmitter
EMAS	Engineered Materials Arresting System
EPE	Estimate of Position Error
ESV	Expanded Service Volume
ETA	Estimated Time of Arrival
ETD	Estimated Time of Departure
ETE	Estimated Time En Route
EWINS	Enhanced Weather Information System
EWR	Newark International Airport
FA	Area Forecast
FAA	Federal Aviation Administration
FAF	Final Approach Fix
FAROS	Final Approach Runway Occupancy Signal
FAWP	Final Approach Waypoint
FB	Fly-by
FCC	Federal Communications Commission
FD	Flight Director System
FDC	Flight Data Center
FDE	Fault Detection and Exclusion
FIR	Flight Information Region
FIS	Flight Information Service
FISDL	Flight Information Services Data

	Link
FLIP	Flight Information Publication
FMS	Flight Management System
FO	Fly-over
FPA	Flight Path Angle
FPV	Flight Path Vector
FPNM	Feet Per Nautical Mile
FSDO	Flight Standards District Office
FSS	Flight Service Station
GBAS	Ground Based Augmentation System
GEO	Geostationary Satellite
GLS	GBAS Landing System
GNSS	Global Navigation Satellite System
GNSSP	Global Navigation Satellite System Panel
GPS	Global Positioning System
GRI	Group Repetition Interval
GSD	Geographical Situation Display
GUS	Ground Uplink Station
HAT	Height Above Touchdown
HDTA	High Density Traffic Airports
HEMS	Helicopter Emergency Medical Services
HIRL	High Intensity Runway Lights
HIWAS	Hazardous Inflight Weather Advisory Service
HRR	Helicopter Rapid Refueling Procedures
HUD	Head-Up Display
Hz	Hertz
IAF	Initial Approach Fix
IAP	Instrument Approach Procedure
IAS	Indicated Air Speed
IAWP	Initial Approach Waypoint
ICAO	International Civil Aviation Organization
IF	Intermediate Fix
IFR	Instrument Flight Rules
ILS	Instrument Landing System
ILS/PRM	Instrument Landing System/Precision Runway Monitor
IM	Inner Marker
IMC	Instrument Meteorological Conditions
InFO	Information For Operations
INS	Inertial Navigation System
IOC	Initial Operational Capability
IR	IFR Military Training Route

IRU	Inertial Reference Unit
ITWS	Integrated Terminal Weather System
JFK	John F Kennedy International Airport
kHz	Kilohertz
LAA	Local Airport Advisory
LAAS	Local Area Augmentation System
LAHSO	Land and Hold Short Operations
LAWRS	Limited Aviation Weather Reporting Station
LDA	Localizer Type Directional Aid
LDA/PRM	Localizer Type Directional Aid/ Precision Runway Monitor
LGA	LaGuardia Airport
LIRL	Low Intensity Runway Lights
LLWAS	Low Level Wind Shear Alert System
LLWAS NE	Low Level Wind Shear Alert System Network Expansion
LLWAS-RS	Low Level Wind Shear Alert System Relocation/Sustainment
LNAV	Lateral Navigation
LOC	Localizer
LOP	Line-of-position
LORAN	Long Range Navigation System
LP	Localizer Performance
LPV	Localizer Performance with Vertical Guidance
LUAW	Line Up and Wait
LZ	Landing Zone
MAHWP	Missed Approach Holding Waypoint
MAP	Missed Approach Point
MAWP	Missed Approach Waypoint
MDA	Minimum Descent Altitude
MEA	Minimum En Route Altitude
MEARTS	Micro En Route Automated Radar Tracking System
METAR	Aviation Routine Weather Report
MHz	Megahertz
MIRL	Medium Intensity Runway Lights
MM	Middle Marker
MOA	Military Operations Area
MOCA	Minimum Obstruction Clearance Altitude
MRA	Minimum Reception Altitude
MRB	Magnetic Reference Bearing
MSA	Minimum Safe Altitude
MSAW	Minimum Safe Altitude Warning
MSL	Mean Sea Level
MTI	Moving Target Indicator
MTOS	Mountain Obscuration
MTR	Military Training Route
MVA	Minimum Vectoring Altitude
MWA	Mountain Wave Activity
MWO	Meteorological Watch Office
NAS	National Airspace System
NASA	National Aeronautics and Space Administration
NAVAID	Navigational Aid
NAVCEN	Coast Guard Navigation Center
NCWF	National Convective Weather Forecast
NDB	Nondirectional Radio Beacon
NEXRAD	Next Generation Weather Radar
NFDC	National Flight Data Center
NGA	National Geospatial-Intelligence Agency
NM	Nautical Mile
NMAC	Near Midair Collision
NOAA	National Oceanic and Atmospheric Administration
NOPAC	North Pacific
NoPT	No Procedure Turn Required
NOTAM	Notice to Airmen
NPA	Nonprecision Approach
NRS	Navigation Reference System
NSA	National Security Area
NSW	No Significant Weather
NTAP	Notices to Airmen Publication
NTSB	National Transportation Safety Board
NTZ	No Transgression Zone
NWS	National Weather Service
OAT	Outside Air Temperature
OBS	Omni-bearing Selector
ODP	Obstacle Departure Procedure
OIS	Operational Information System
OIS	Obstacle Identification Surface
OM	Outer Marker
ORD	Chicago O'Hare International Airport
PA	Precision Approach
PAPI	Precision Approach Path Indicator
PAR	Precision Approach Radar
PAR	Preferred Arrival Route

PC	Personal Computer
P/CG	Pilot/Controller Glossary
PDC	Pre-departure Clearance
PFD	Personal Flotation Device
PinS	Point-in-Space
PIREP	Pilot Weather Report
POB	Persons on Board
POFZ	Precision Obstacle Free Zone
POI	Principal Operations Inspector
PPS	Precise Positioning Service
PRM	Precision Runway Monitor
PT	Procedure Turn
QICP	Qualified Internet Communications Provider
RA	Resolution Advisory
RAA	Remote Advisory Airport
RAIM	Receiver Autonomous Integrity Monitoring
RAIS	Remote Airport Information Service
RBDT	Ribbon Display Terminals
RCAG	Remote Center Air/Ground
RCC	Rescue Coordination Center
RCLS	Runway Centerline Lighting System
RCO	Remote Communications Outlet
RD	Rotor Diameter
REIL	Runway End Identifier Lights
REL	Runway Entrance Lights
RFM	Rotorcraft Flight Manual
RIL	Runway Intersection Lights
RLIM	Runway Light Intensity Monitor
RMI	Radio Magnetic Indicator
RNAV	Area Navigation
RNP	Required Navigation Performance
ROC	Required Obstacle Clearance
RPAT	RNP Parallel Approach Runway Transitions
RVR	Runway Visual Range
RVSM	Reduced Vertical Separation Minimum
RWSL	Runway Status Light
SAFO	Safety Alerts For Operators
SAM	System Area Monitor
SAR	Search and Rescue
SAS	Stability Augmentation System
SATR	Special Air Traffic Rules
SBAS	Satellite-based Augmentation System

SCAT-1 DGPS	Special Category I Differential GPS
SDF	Simplified Directional Facility
SFL	Sequenced Flashing Lights
SFR	Special Flight Rules
SFRA	Special Flight Rules Area
SIAP	Standard Instrument Approach Procedure
SID	Standard Instrument Departure
SIGMET	Significant Meteorological Information
SM	Statute Mile
SMGCS	Surface Movement Guidance Control System
SNR	Signal-to-noise Ratio
SOIA	Simultaneous Offset Instrument Approaches
SOP	Standard Operating Procedure
SPC	Storm Prediction Center
SPS	Standard Positioning Service
STAR	Standard Terminal Arrival
STARS	Standard Terminal Automation Replacement System
STMP	Special Traffic Management Program
TA	Traffic Advisory
TAA	Terminal Arrival Area
TAC	Terminal Area Chart
TACAN	Tactical Air Navigation
TAF	Aerodrome Forecast
TAS	True Air Speed
TCAS	Traffic Alert and Collision Avoidance System
TCH	Threshold Crossing Height
TD	Time Difference
TDLS	Terminal Data Link System
TDWR	Terminal Doppler Weather Radar
TDZ	Touchdown Zone
TDZE	Touchdown Zone Elevation
TDZL	Touchdown Zone Lights
TEC	Tower En Route Control
THL	Takeoff Hold Lights
TIBS	Telephone Information Briefing Service
TIS	Traffic Information Service
TIS-B	Traffic Information Service-Broadcast
TLS	Transponder Landing System
TPP	Terminal Procedures Publications
TRSA	Terminal Radar Service Area

TSO	Technical Standard Order
TWEB	Transcribed Weather Broadcast
TWIB	Terminal Weather Information for Pilots System
UA	Unmanned Aircraft
UAS	Unmanned Aircraft System
UAV	Unmanned Aerial Vehicle
UFO	Unidentified Flying Object
UHF	Ultrahigh Frequency
U.S.	United States
USCG	United States Coast Guard
UTC	Coordinated Universal Time
UWS	Urgent Weather SIGMET
VAR	Volcanic Activity Reporting
VASI	Visual Approach Slope Indicator
VCOA	Visual Climb Over the Airport
VDA	Vertical Descent Angle
VDP	Visual Descent Point
VFR	Visual Flight Rules
VGSI	Visual Glide Slope Indicator
VHF	Very High Frequency
VIP	Video Integrator Processor
VMC	Visual Meteorological Conditions
V_{MINI}	Instrument flight minimum speed, utilized in complying with minimum limit speed requirements for instrument flight
VNAV	Vertical Navigation
V_{NE}	Never exceed speed
V_{NEI}	Instrument flight never exceed speed, utilized instead of V_{NE} for compliance with maximum limit speed requirements for instrument flight
VOR	Very High Frequency Omni-directional Range
VORTAC	VHF Omni-directional Range/Tactical Air Navigation
VOT	VOR Test Facility
VR	VFR Military Training Route
V_{REF}	The reference landing approach speed, usually about 1.3 times Vso plus 50 percent of the wind gust speed in excess of the mean wind speed
V_{SO}	The stalling speed or the minimum steady flight speed in the landing configuration at maximum weight
VTF	Vector to Final

VV	Vertical Visibility
VVI	Vertical Velocity Indicator
V_Y	Speed for best rate of climb
V_{YI}	Instrument climb speed, utilized instead of V_Y for compliance with the climb requirements for instrument flight
WA	AIRMET
WAAS	Wide Area Augmentation System
WFO	Weather Forecast Office
WGS-84	World Geodetic System of 1984 Abbreviation/Acronym
WMO	World Meteorological Organization
WMS	Wide-Area Master Station
WMSC	Weather Message Switching Center
WMSCR	Weather Message Switching Center Replacement
WP	Waypoint
WRA	Weather Reconnaissance Area
WRS	Wide-Area Ground Reference Station
WS	SIGMET
WSO	Weather Service Office
WSP	Weather System Processor
WST	Convective Significant Meteorological Information
WW	Severe Weather Watch Bulletin

■ 안 내 ■

- 본 세화 출판사 발행 항공법규/비행정보 및 관제절차(AIM) 내용에 의문사항이 있으시면 아래 주소로 메일 보내 주십시오. 최대한 신속히 관련 내용에 대해 답변해 드리도록 하겠습니다.
- 지금까지 보내주신 성원에 깊이 감사 드리오며, 앞으로도 더욱 좋은 항공법규/비행절차 및 관제절차(AIM) 서적이 되도록 노력하겠습니다.

- 편집부 올림 -

질문을 보내주실 E-mail 주소는 ***eduaero@hotmail.com*** 입니다.

비행정보 및 관제절차(AIM)
(Aeronautical Information Manual)

1판 1쇄 발행	2016년 1월 1일
2판 1쇄 발행	2018년 1월 10일
3판 1쇄 발행	2018년 6월 20일
4판 1쇄 발행	2019년 8월 10일
5판 1쇄 발행	2021년 3월 30일
6판 1쇄 발행	2023년 3월 10일
6판 2쇄 발행	2024년 6월 10일

인 지

정가 **30,000**원

지은이 | 편집부

펴낸이 | 박 용

펴낸곳 | 도서출판 세화(등록번호 : 1978. 12. 26 제 1-338호)

Tel | (031)955-9331~2(영업부)
(031)955-9333(편집부)

Fax | (031)955-9334

주소 | 경기도 파주시 회동길 325-22(서패동 469-2)

ISBN 978-89-317-1199-8 13360